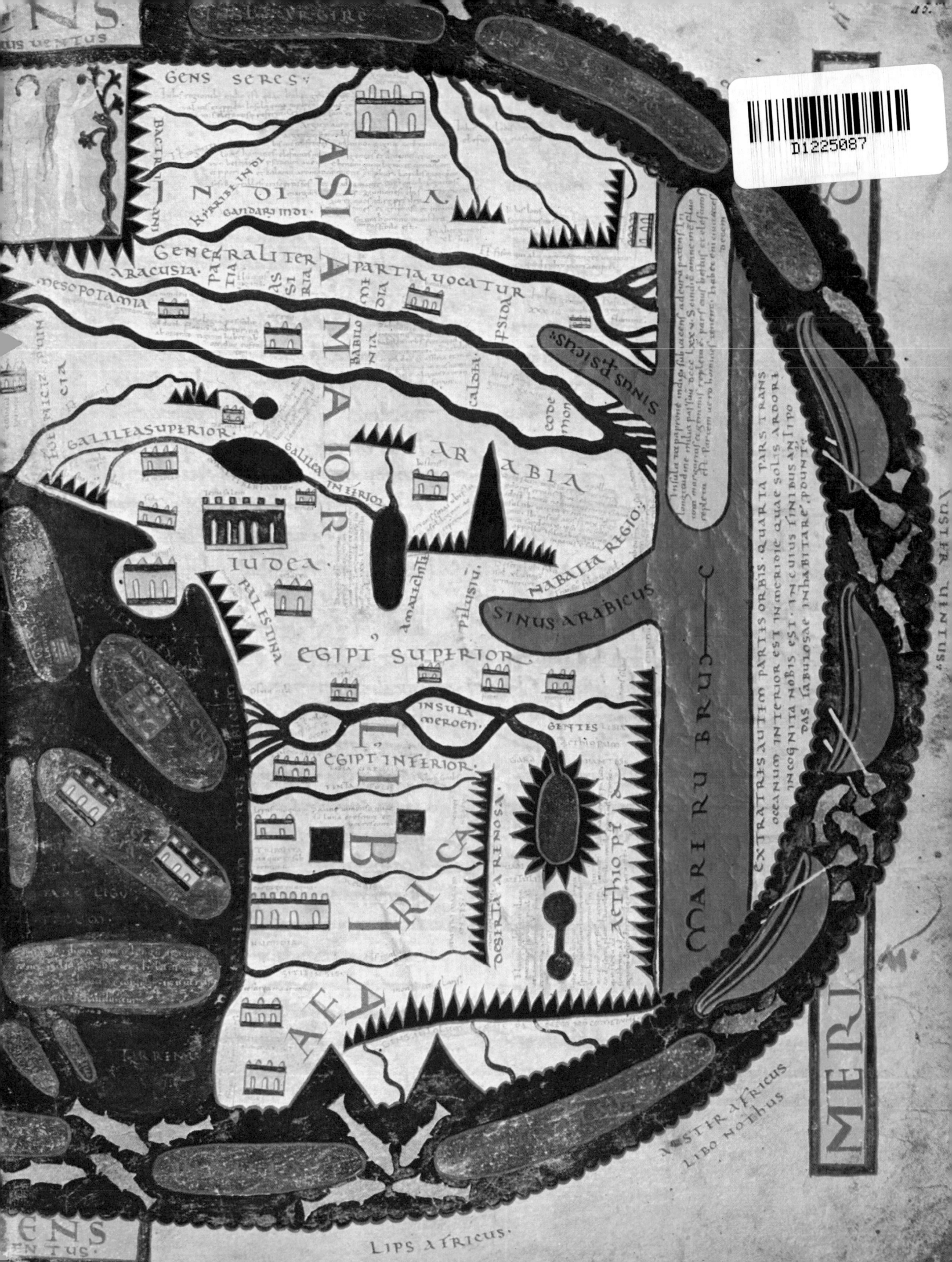

ATLAS HISTORIQUE

LAROUSSE

ATLAS HISTORIQUE

LAROUSSE

sous la direction de

Georges Duby

membre de l'Institut

LIBRAIRIE LAROUSSE

17, rue du Montparnasse, Paris 75 006

ILLUSTRATIONS DES PAGES DE GARDE

au début de l'ouvrage

à la fin de l'ouvrage

Carte du monde. *Apocalypse de Saint-Sever*, XIe s. Manuscrit latin.
Bibliothèque nationale, Paris.
Phot. Ségalat.

Nouvelle description hydrographique de « Tout le Monde ». Carte faite
en Dieppe par Jean Guérard, 1625.
Cartes et plans, Bibliothèque nationale, Paris.
Phot. Giraudon.

ISBN 2-03-053305-X.

Préface

L'histoire s'inscrit sur le sol. Ne pensons pas seulement aux batailles, aux frontières, à ce qui relève de la seule histoire politique. Toutes les traces que les hommes du passé ont laissées de leur existence sont localisées. Le recours à la carte est donc indispensable à qui veut suivre, sous ses multiples formes, l'histoire globale des civilisations. Ce fait a pris récemment tant d'évidence que la cartographie se range aujourd'hui parmi les instruments les plus efficaces de la recherche historique. Des laboratoires spécialisés se sont constitués qui non seulement travaillent à perfectionner les procédés permettant de traduire par le signe, par le trait, par la couleur les phénomènes historiques, mais procurent à ceux dont le métier est d'exploiter des documents pour écrire l'histoire des outils d'analyse dont la fécondité apparaît chaque jour plus clairement. La représentation graphique aide, en effet, à déceler des rapports inaperçus entre les faits. La connaissance historique progresse par la mise en lumière de ces rapports.

Mais, si la carte aide, et de plus en plus, la recherche des historiens, elle est aussi l'auxiliaire indispensable d'une pédagogie de l'histoire. Les maîtres le savent bien qui, devant ceux qui écoutent leurs leçons, qu'il s'agisse d'enfants très jeunes ou d'étudiants très avancés, sont contraints d'utiliser des cartes, d'attirer sans cesse le regard sur tel ou tel point de l'espace terrestre, afin que le discours qu'ils tiennent sur le passé prenne son entière signification.

Enfin, qui n'a pas senti la nécessité, lisant tel récit, recevant telle information, de se référer à des cartes pour situer l'événement, pour suivre l'évolution d'une institution, la diffusion d'une croyance, tous ces mouvements qui ont fait se modifier le nombre des hommes, leurs opinions, leurs attitudes politiques, leur culture, leur manière de vivre?

L'Atlas historique compte ainsi parmi les manuels dont l'élève, l'étudiant, l'historien professionnel, mais aussi tout homme qui, sans être spécialiste, tient à s'informer et à comprendre, ne sauraient se passer. Un tel ouvrage doit répondre à trois exigences. Il doit rendre compte des plus récents progrès de la connaissance historique. Nous avons donc demandé aux meilleurs connaisseurs de chaque période, de chaque région, de contrôler très attentivement l'établissement de toutes les cartes qui sont ici rassemblées.

Un bon atlas, d'autre part, doit permettre de repérer aisément les lieux et d'appréhender rapidement les enseignements de l'image. Nous avons donc mis en œuvre les techniques qui nous ont paru convenir le mieux à la représentation graphique des faits historiques. La consultation des figures est facilitée par l'index et la table analytique. Elle l'est aussi par la manière dont les cartes sont classées. Ce classement n'est pas seulement chronologique, comme dans la plupart des atlas historiques; il fait appel à la notion d'espace. Encadrée par deux planisphères montrant la répartition des hommes, le premier aux origines de l'espèce, le second aujourd'hui, la suite des cartes jalonne une évolution dans le temps, d'abord à travers le monde connu des Anciens jusqu'à la fin du premier millénaire de notre ère, ensuite à travers chaque continent, région par région. Une première interprétation, avant toute référence à des études spéciales, est en outre permise par les tableaux où l'on peut voir situés, les uns par rapport aux autres dans la chronologie, les points essentiels de l'histoire, et par de brèves notices qui accompagnent chaque carte.

Un bon atlas enfin doit être séduisant, car ce qu'il donne à voir stimule alors davantage la curiosité, incite à multiplier les confrontations, nourrit par là une réflexion sur l'histoire, et par conséquent sur le temps présent, qui ne s'explique pas sans que soit prise en considération la longue évolution dont il procède. Nous avons donc tout fait pour que notre Atlas historique soit complet, pratique et qu'il séduise. Afin de remplir au mieux sa fonction, essentielle, qui est de formation générale.

GEORGES DUBY
membre de l'Institut

Georges DUBY
membre de l'Institut
a assuré la direction de cet ouvrage

Responsable de la cartographie
Michèle BÉZILLE
cartographe E. S. C. G.

Secrétariat de rédaction

Pierre THIBAULT

agrégé de l'Université
maître assistant d'histoire du Moyen Âge à l'Université
de Paris-X (Nanterre)

Georges REYNAUD-DULAURIER

agrégé de l'Université
secrétaire général
du service des Atlas Larousse

La majeure partie des cartes de cet atlas est extraite de la *Grande Encyclopédie*. Leur mise au point a été assurée avec le concours de :

Charyar ADLE, Dimitar ANGUELOV, Jean-Paul BERTAUD, Jean-Marie BERTRAND, Jean BOISSELIER, Henri BRUNSCHWIG, Marie-Paule CANAPA, Georges CASALIS, Yves COPPENS, François-Georges DREYFUS, Pierre DUFOURCQ, Jacques DUPÂQUIER, Jean FAVIÈRE, Louis FRÉDÉRIC, Paul GAUTIER, Jean-Philippe GENET, Céline GERVAIS, René HAROT, Michel HOÀNG, Paul JANSSENS, Claude JEAN-NESMY, André KASPI, Joël KERMAREC, Sylvain LABOUREUR, Gilbert LAFFORGUE, Claire LALOUETTE, Jean LASSUS, Danièle LAVALLÉE, Jean LECLANT, Christian LEROY, Jean LE YAOUANQ, Fernand L'HUILLIER, Denys LOMBART, Claudine LOMBARD-SALMON, Ali MAHJOUBI, Jean-Claude MARCADÉ, Jean-Pierre MARTIN, Jean MEYER, Bernard MICHEL, Michel MOLLAT, Jean-Louis MONNERON, Marie-Ange MONSELLIER, Hansjörg OSTERTAG, Gilbert Charles PICARD, Pierre PIERRARD, Anne PRACHE, Pierre ROUDIL, Jean-Paul ROUX, Mireille SIMONI-ABBAT, François SOUCHAL, Irénée TERRIÈRE, Pierre THIBAULT, Jean-Louis VAN REGEMORTER, Paul-Émile VICTOR, René VIÉNET, Xavier YACONO.

Notices rédigées par :

Pierre THIBAULT
Michel FRAGONARD, ancien élève de l'École normale supérieure (Ulm), agrégé de l'Université, professeur d'histoire et de géographie au lycée Lakanal, à Sceaux.
Yann LE BOHEC, agrégé de l'Université, assistant d'histoire ancienne à l'Université de Paris-X (Nanterre).
Albert JOURCIN, agrégé d'histoire et géographie, professeur honoraire d'histoire en classe de lettres supérieures au lycée Pasteur, à Neuilly-sur-Seine.
Pierre DUFOURCQ, rédacteur d'histoire militaire, Larousse.

Chronologie établie par Pierre THIBAULT

Index Fernando VALMACHINO, Edith HAGÉLÉ, Jean-Michel LECAT

Correction-révision, Louis PETITHORY, Bernard DAUPHIN, Monique BAGAÏNI

Maquette de Georges PÉGUET

TABLE ANALYTIQUE

LE MONDE ANCIEN JUSQU'À L'AN MILLE

L'EUROPE DEPUIS L'AN MILLE

Cartes générales

Les pays d'Europe

Le classement des cartes se réfère aux divisions politiques actuelles de l'Europe. Elles sont donc regroupées par États, rangés dans l'ordre alphabétique. Toutefois, les cartes concernant les pays de l'Europe centrale et des Balkans sont rassemblées en fin de chapitre.

L'AFRIQUE

L'AMÉRIQUE

L'OCÉANIE

L'ANTARCTIQUE

LE MONDE ACTUEL

LE MONDE ANCIEN

JUSQU'À L'AN MILLE

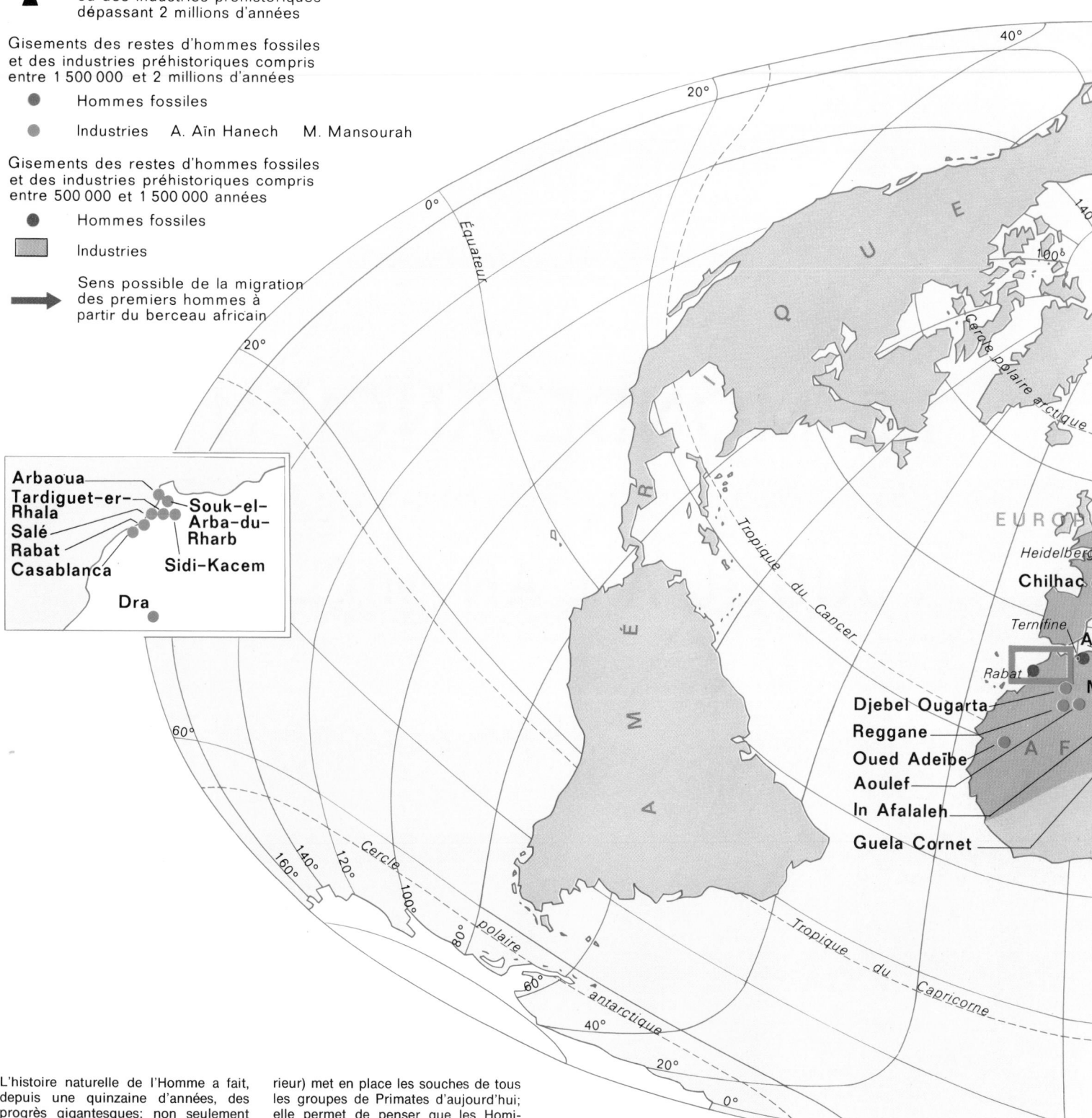

▲ Gisements des restes d'hommes fossiles
   ou des industries préhistoriques
   dépassant 2 millions d'années

Gisements des restes d'hommes fossiles
et des industries préhistoriques compris
entre 1 500 000 et 2 millions d'années

● Hommes fossiles

● Industries   A. Aïn Hanech   M. Mansourah

Gisements des restes d'hommes fossiles
et des industries préhistoriques compris
entre 500 000 et 1 500 000 années

● Hommes fossiles

▢ Industries

➜ Sens possible de la migration
   des premiers hommes à
   partir du berceau africain

Arbaoua
Tardiguet-er-
Rhala
Salé
Rabat
Casablanca

Souk-el-
Arba-du-
Rharb

Sidi-Kacem

Dra

EUROPE

Heidelberg

Chilhac

Ternifine   A.

Rabat   M.

Djebel Ougarta
Reggane
Oued Adeïbe
Aoulef
In Afalaleh
Guela Cornet

L'histoire naturelle de l'Homme a fait, depuis une quinzaine d'années, des progrès gigantesques; non seulement l'âge de l'Homme lui-même (le genre *Homo*) a été multiplié par quatre, non seulement la préhistoire a rallongé sa durée des deux tiers, mais l'ensemble des recherches en paléontologie, en éthologie, en biochimie, a fait plonger l'Homme beaucoup plus profondément qu'on ne l'imaginait dans le monde animal, tout en mettant en évidence la très ancienne indépendance de son rameau, la famille des Hominidés.

Bien que l'on ne soit pas, à coup sûr, en possession du plus ancien Hominidé, la différenciation que l'on observe dans le groupe des Primates vers 25 ou 30 millions d'années (Oligocène supé-

rieur) met en place les souches de tous les groupes de Primates d'aujourd'hui; elle permet de penser que les Hominidés, n'ayant pas de raison d'échapper à cet événement, ont dû également s'individualiser à cette époque. Le rameau des Hominidés deviendrait donc autonome, à partir d'une souche proto-catarhinienne partagée avec les grands singes, dès 25 ou 30 millions d'années.

Au Miocène, les choses se confirment et se précisent. Plusieurs branches de Primates, sur l'ensemble de l'Ancien Monde, paraissent réagir de la même manière à des fluctuations climatiques qui éclaircissent la forêt qu'ils habitent; à partir de cette forêt, qu'ils n'abandonnent pas, ces Primates se lancent, de temps en temps, à la conquête de la

savane qui vient de naître et ils semblent le faire sur les pattes postérieures. Ces Primates sont l'Oréopithèque en Europe, le Gigantopithèque en Asie, le Ramapithèque en Europe, en Asie et en Afrique. Ce dernier présente une somme de caractères qui tendent à faire de lui un Hominidé, et cela avec d'autant plus d'évidence que les vestiges de sa forme africaine, appelée Kenyapithèque, ont été rencontrés associés à des pierres

dont les tranchants naturels avaient été artificiellement écrasés par l'usage et à des os longs d'animaux dont les diaphyses avaient été artificiellement brisées (Fort Ternan, Kenya; 14 millions d'années). Nous sommes là à la limite de perception de l'artificiel, et cette hypothèse audacieuse sera évidemment très difficile à démontrer.

Ces Ramapithèques, et en particulier ceux d'Afrique, sont de bons ancêtres

ORIGINES DE L'HOMME

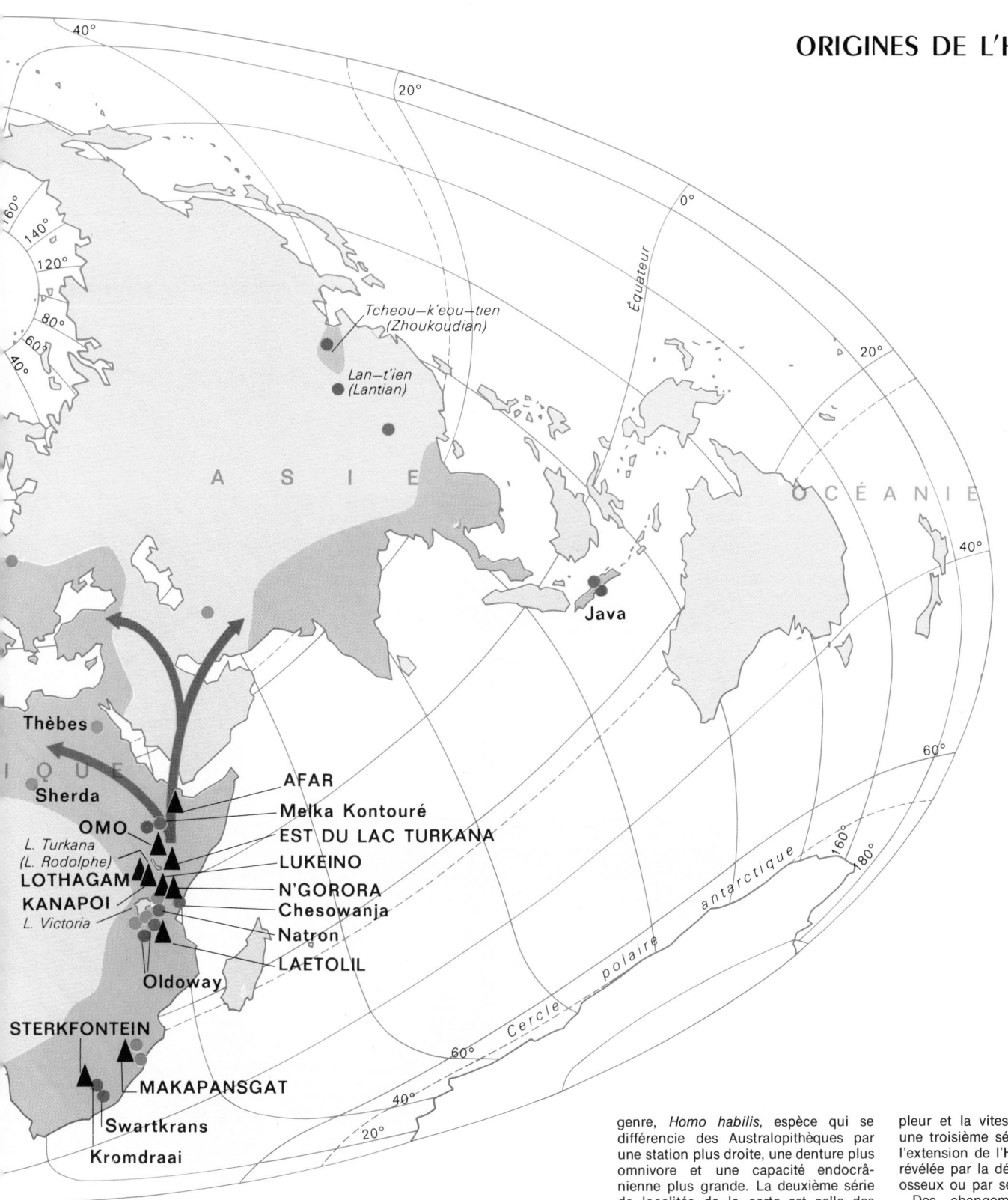

genre, *Homo habilis,* espèce qui se différencie des Australopithèques par une denture plus omnivore et une capacité endocrânienne plus grande. La deuxième série de localités de la carte est celle des gisements à Australopithèques et *Homo,* mais aussi celle à industries préhistoriques seules, dont l'âge se situe entre 1,5 million et 2 millions d'années.

Cette deuxième série de points montre clairement comment, à partir d'un foyer africain, l'Homme semble s'être lancé à la conquête de l'Ancien Monde, sous les traits de l'espèce *Homo habilis,* dont on a parlé, ou sous ceux d'*Homo erectus,* son descendant, appelé aussi Pithécanthrope, Sinanthrope ou Atlanthrope.

Pour mieux souligner encore l'am-

pleur et la vitesse de cette conquête, une troisième série de localités montre l'extension de l'Homme telle qu'elle est révélée par la découverte de ses restes osseux ou par ses industries.

Des changements climatiques ont incité ce Primate Hominidé de la forêt tropicale de l'Ancien Monde à élargir son régime alimentaire, c'est-à-dire à ajouter de la viande à son menu végétarien. Le premier Homme est ainsi devenu chasseur, et la chasse fut dès lors ce moteur extraordinaire de conquête que montre assez cette première carte. Cette conquête de l'Ancien Monde s'est poursuivie par celle du Nouveau Monde, il y a quelques dizaines de milliers d'années, puis par celle de l'espace, il y a quelques années.

pour le groupe d'Hominidés qui va suivre et que l'on nomme les Australopithèques. Les Australopithèques, que l'on n'a, pour le moment, rencontrés qu'en Afrique (orientale et méridionale), ont entre 6,5 millions et 1 million d'années. Ce sont les premiers Hominidés, bipèdes permanents, dont on soit sûr. Avec eux, et leurs outils en pierre et en os taillés, se situe il y a 3 millions d'années (vallée de l'Omo, Éthiopie) le

vrai début de la préhistoire. La première série de localités de la carte concerne les gisements dépassant 2 millions d'années et qui ont livré des restes d'Australopithèques et même, déjà, d'Hommes.

Il semble bien, en effet, que ce soit à partir d'un groupe de ces Australopithèques que le genre *Homo* apparaisse, vers 3 à 4 millions d'années, quelque part en Afrique, sous les traits de l'espèce la plus archaïque de ce

A

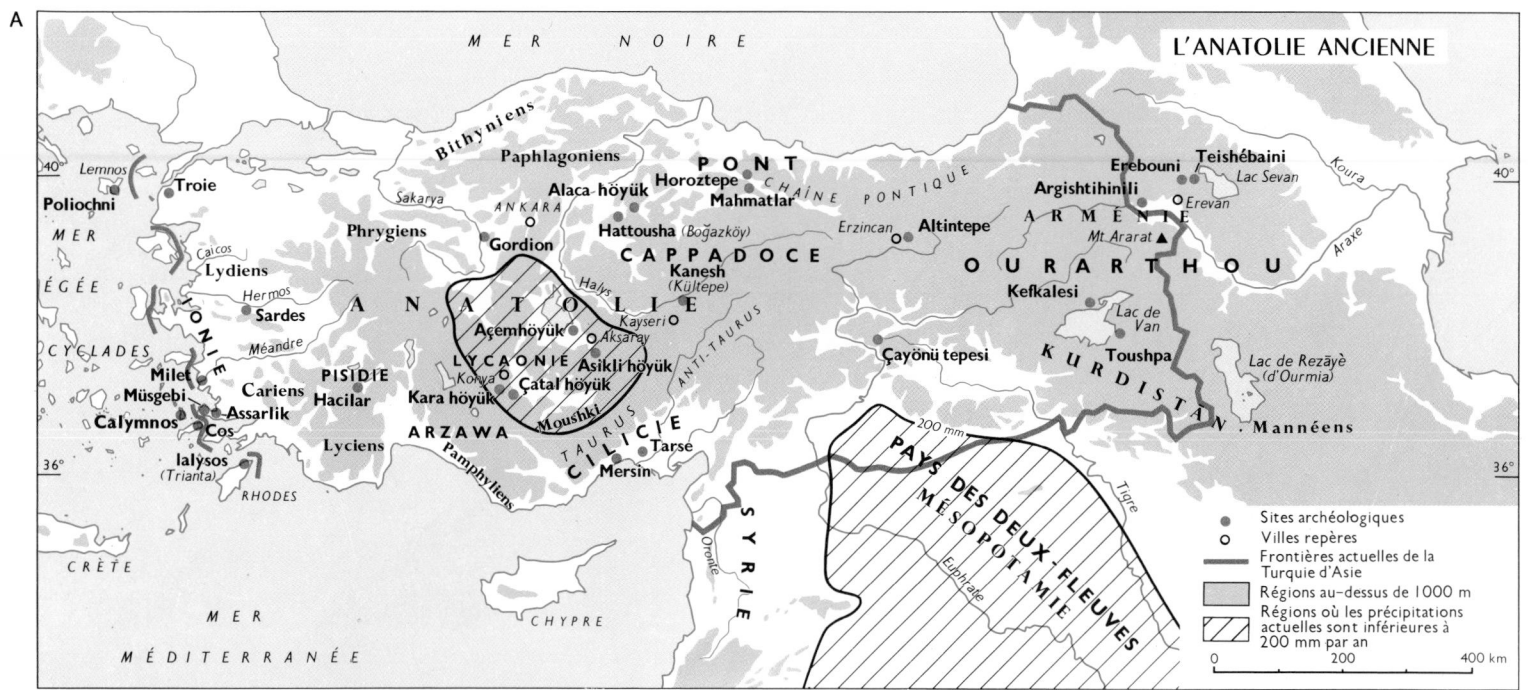

L'ANATOLIE ANCIENNE

MER NOIRE

Lemnos
Poliochni
MER
ÉGÉE
Troie
Bithyniens
Paphlagoniens
PONT
Horoztepe
Alaca-höyük
Mahmatlar
CHAÎNE PONTIQUE
Argishtihinili
Erebouni
Teishébaini
Lac Sevan
Erevan
Erzincan
Altintepe
Mt Ararat
ARMÉNIE
Phrygiens
Gordion
ANKARA
Sakarya
Hattousha (Boğazköy)
CAPPADOCE
Kanesh
(Kültepe)
Kayseri
OURARTHOU
Kefkalesi
Lac de
Van
Toushpa
Lac de Rezāyè
(d'Ourmia)
Koura
Arare
Lydiens
Hermos
Sardes
ANATOLIE
Halys
Açemhöyük
Aksaray
LYCAONIE
Konya
Asikli höyük
Çayönü tepesi
KURDISTAN
Mannéens
Méandre
IONIE
Milet
Cariens
Müsgebi
Hacilar
PISIDIE
Çatal höyük
Kara höyük
Moushki
ANTI-TAURUS
Calymnos
Assarlik
Cos
Ialysos
(Trianta)
RHODES
Lyciens
ARZAWA
TAURUS
Pamphyliens
CILICIE
Mersin
Tarse
200 mm
PAYS DES DEUX-FLEUVES
MÉSOPOTAMIE
Tigre
Euphrate
SYRIE
Oronte
CHYPRE
CRÈTE
MER
MÉDITERRANÉE

40°   40°
36°   36°

Sites archéologiques
Villes repères
Frontières actuelles de la
Turquie d'Asie
Régions au-dessus de 1000 m
Régions où les précipitations
actuelles sont inférieures à
200 mm par an

0   200   400 km

De hauts plateaux arides, quelques plaines littorales, étroites et rares, constituent l'Anatolie. Le premier établissement connu remonte au VIIe millénaire : Çatal höyük. Aux indigènes, appelés Asianiques, se sont superposés des envahisseurs indo-européens, éleveurs et cavaliers, qui ont souvent constitué les aristocraties locales; ces conquérants se sont même introduits en Iran. Les deux grandes civilisations de l'Asie Mineure sont celle des Hittites, installés dans la boucle de l'Halys, et

celle des Hourrites du Mitanni, immédiatement à l'est. Des invasions, d'origine mal connue mais attestées en Anatolie (avant 1700), provoquent l'ébranlement des Hyksos vers l'Égypte et des Kassites vers la Mésopotamie; elles sont suivies de deux siècles «obscurs» (XVIIe et XVIe s.). L'État hittite, qui existe dès les environs de 1650, atteint son apogée avec Souppilouliouma (XIVe s. : textes de Tell al-Amarna); la capitale, Hattousha, témoigne de sa richesse, en partie foncière (noblesse); le régime est

une monarchie militaire (chars); la religiosité, vive, témoigne d'un syncrétisme avancé (divinités indigènes et indo-européennes); elle alimente un art imposant. Le Mitanni n'est puissant qu'au XVe siècle. Au XIe siècle arrivent de nouveaux envahisseurs : les Ioniens développent une civilisation de très haut niveau; les Phrygiens créent une société où se côtoient Asianiques, Hittites et Thraces. Au VIIe siècle, la riche Lydie des Mermnades domine l'Anatolie occidentale. (V. cartes pp. 7 et 9.)

B

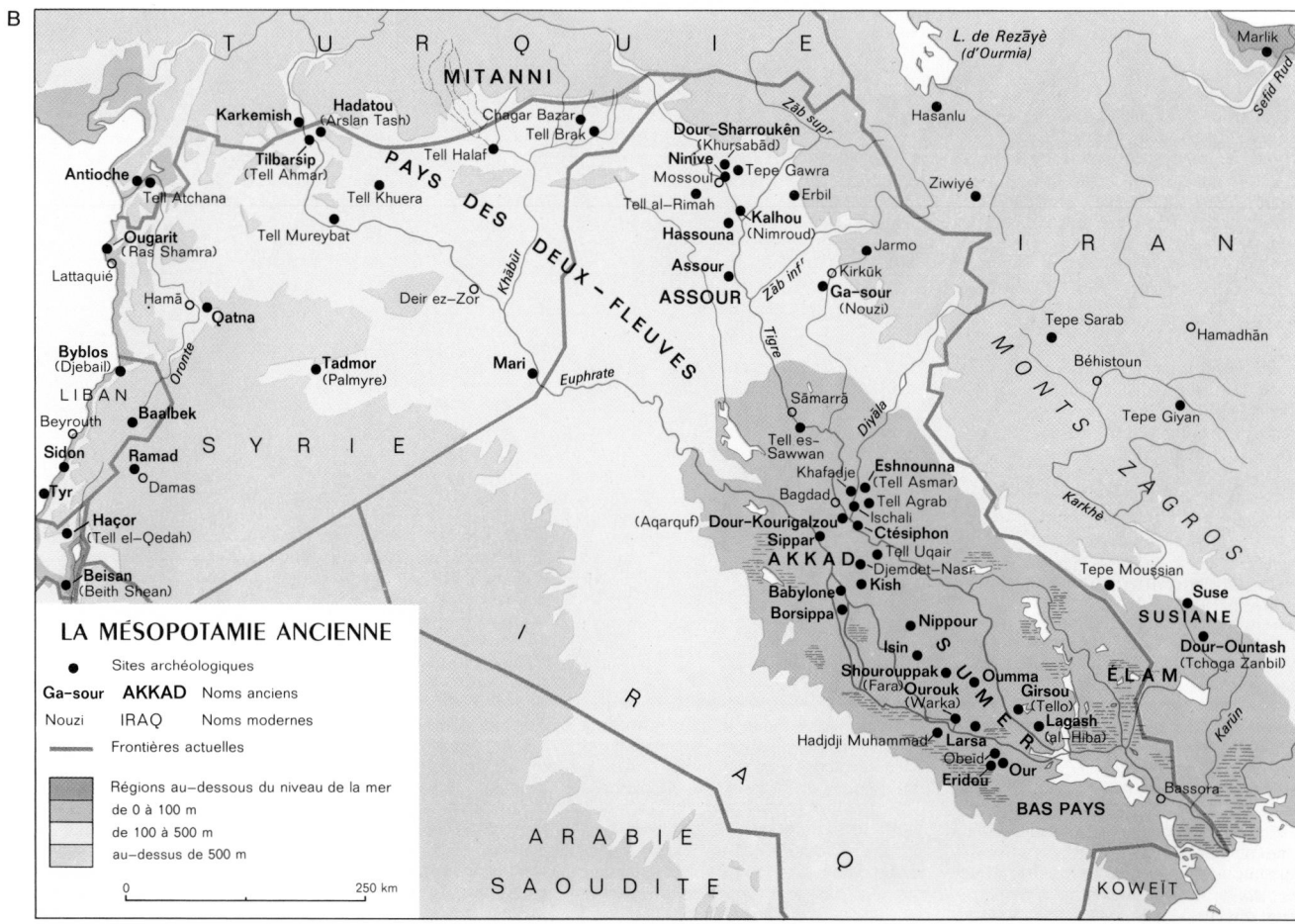

TURQUIE
MITANNI
L. de Rezāyè
(d'Ourmia)
Marlik
Sefīd Rūd
Karkemish
Hadatou
(Arslan Tash)
Chagar Bazar
Tell Brak
Dour-Sharroukên
(Khursabād)
Zāb supr
Hasanlu
Antioche
Tilbarsip
(Tell Ahmar)
Tell Halaf
Ninive
Mossoul
Tepe Gawra
Erbil
Ziwiyé
Tell Atchana
Tell Khuera
Tell al-Rimah
Kalhou
(Nimroud)
Ougarit
(Ras Shamra)
Tell Mureybat
Hassouna
Assour
ASSOUR
Zāb inf.
Jarmo
Ga-sour
(Nouzi)
Kirkūk
IRAN
Lattaquié
Hamā
Qatna
Deir ez-Zor
Khābūr
Tigre
Tepe Sarab
Hamadhān
Byblos
(Djebail)
Tadmor
(Palmyre)
Mari
Euphrate
Béhistoun
LIBAN
Beyrouth
Baalbek
Sāmarrā
Tepe Giyan
MONTS
SIDON
Ramad
Damas
Tell es-Sawwan
Diyāla
Sidon
Tyr
Haçor
(Tell el-Qedah)
Eshnounna
(Tell Asmar)
Khafadje
Bagdad
Tell Agrab
Tell Uqair
Ischali
Ctésiphon
Karkhé
ZAGROS
Beisan
(Beith Shean)
Dour-Kourigalzou
(Aqarquf)
Sippar
AKKAD
Djemdet-Nasr
Kish
Tepe Moussian
SYRIE
Babylone
Borsippa
Nippour
Isin
SUMER
Oumma
Girsou
(Tello)
Lagash
(al-Hiba)
Suse
SUSIANE
Dour-Ountash
(Tchoga Zanbil)
ÉLAM
Shourouppak
(Fara)
Ourouk
(Warka)
Hadjdji Muhammad
Larsa
Obeid
Eridou
Our
BAS PAYS
Bassora
KOWEÏT
IRAK
ARABIE
SAOUDITE

LA MÉSOPOTAMIE ANCIENNE

Sites archéologiques
Ga-sour   AKKAD   Noms anciens
Nouzi   IRAQ   Noms modernes
Frontières actuelles

Régions au-dessous du niveau de la mer
de 0 à 100 m
de 100 à 500 m
au-dessus de 500 m

0   250 km

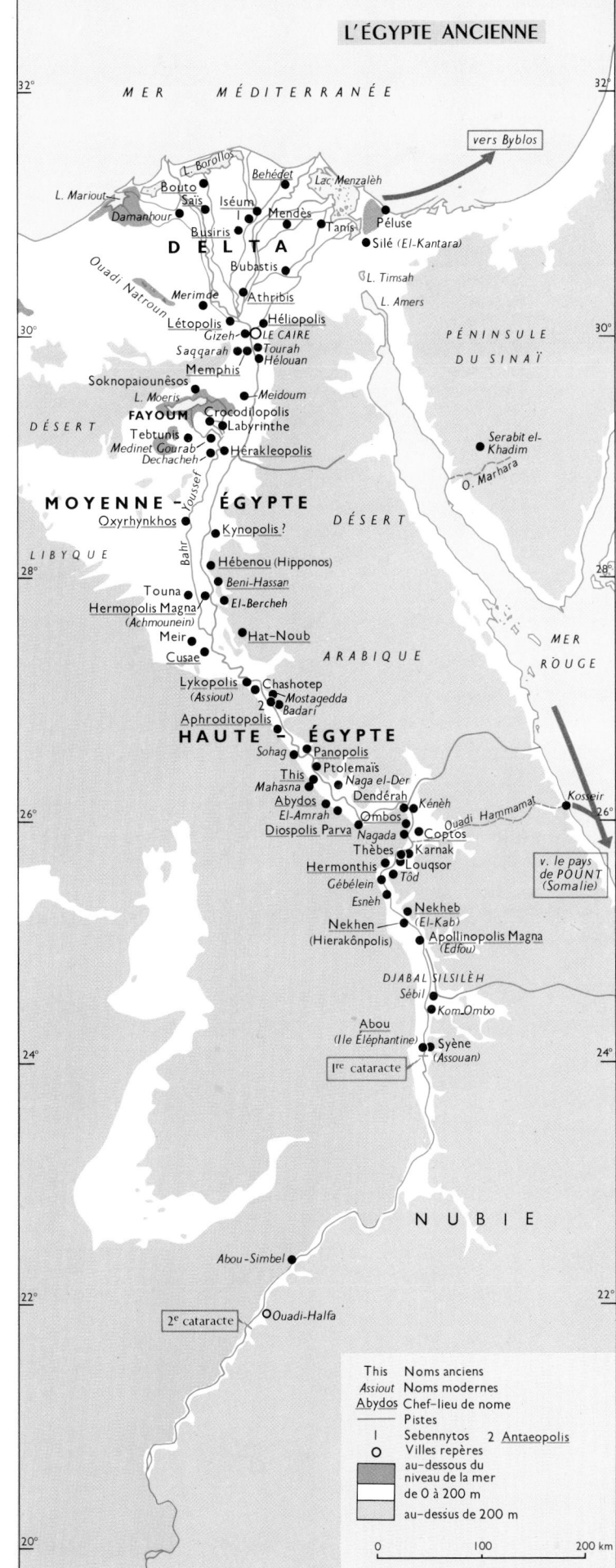

L'Égypte est un désert traversé par une immense oasis, la vallée du Nil (Hérodote, II, 5 : elle est un «présent du fleuve»). Sa civilisation nous est bien connue : en 1822, grâce à la pierre de Rosette, Champollion déchiffre les hiéroglyphes. L'histoire de l'Égypte comporte trois périodes de grandeur, ou «Empires», séparées par des crises. L'*Ancien Empire* (v. 3200-v. 2263) voit l'instauration d'une monarchie absolue. Le pays est divisé en nomes, gouvernés par des nomarques, et l'État est protégé par le dieu Ptah de Memphis, puis par Rê d'Héliopolis; des expéditions sont menées vers le sud, l'est, l'ouest. À une époque de morcellement (v. 2263-v. 2052) succède le *Moyen Empire* (v. 2052-v. 1770) : les dynastes de Thèbes, s'appuyant sur Amon, associé à Rê, luttent contre ceux d'Hêrakleopolis. Depuis le XXVIIIᵉ siècle, le pharaon, dieu guerrier et justicier, gouverne avec un vizir, des scribes, des prêtres, des nomarques; l'économie joint l'exploitation du sol (irrigation) à celle du sous-sol. Le *Nouvel Empire* (v. 1580-V. 1085), entre l'apparition des Hyksos et celle des Peuples de la Mer, est l'époque des grands pharaons et des grandes conquêtes (v. carte p. 7); Thèbes est la capitale, Amon le dieu principal, sauf pendant l'intermède d'Akhenaton (Tell al-Amarna). Le pharaon est plus puissant encore (mercenaires; clergé d'Amon). [V. cartes p. 6.]

Dans l'Orient ancien, la médiocrité des conditions techniques explique l'importance du milieu naturel; on distingue, du nord-est au sud-ouest, une bordure montagneuse (Zagros), une dépression irriguée par le Tigre et l'Euphrate (Croissant fertile) et un désert (Arabie). Les premiers cultivateurs sédentaires sont repérés dès le VIᵉ millénaire (Eridou; Ourouk). Le critère linguistique ne donne aucune certitude concernant la civilisation de Sumer, la plus anciennement connue; celle-ci apparaît au XXVIIIᵉ siècle, sous la forme de cités-États évoluant vers une monarchie d'abord militaire, puis théocratique; le roi et les temples possèdent la terre, donnent son essor au commerce; on utilise l'écriture cunéiforme; la religion et la monarchie engendrent l'art. Une renaissance au XXIᵉ siècle (Our) est précédée par l'installation dans le pays d'Akkad de conquérants sémites, archers venus des steppes d'Arabie; ces nomades, sédentarisés, se constituent en royaume notamment sous l'influence de Sargon Iᵉʳ d'Akkad (v. 2325 [?]). Leur postérité est assurée.

Ayant d'abord connu un grand essor commercial grâce à ses échanges avec l'Anatolie, surtout dans sa partie cappadocienne, l'Assyrie, dès le XIXᵉ siècle, se militarise et domine un empire étendu (XVᵉ-XIIᵉ s.); la Babylonie, au contraire, se caractérise par son goût pour le commerce et les lois : code du roi Hammourabi (Hammourapi) [1792-1750]. Les XVIIᵉ et XVIᵉ siècles sont des «siècles obscurs».

L'art égyptien atteint presque sa perfection dès l'*Ancien Empire*. Il exprime trois idées : majesté du pharaon, puissance des dieux, croyance en l'au-delà. Le caractère royal de cet art explique l'importance des capitales comme centres artistiques, Memphis et Thèbes; il s'exprime dans les statues officielles (colosses de Ramsès II). L'aspect sacré est mieux représenté. La religion, polythéiste, est largement zoomorphe, et la magie joue un grand rôle (scarabées); sous le *Nouvel Empire,* la tentative d'Akhenaton en faveur d'Aton (le disque solaire) provoque la naissance de l'art de Tell al-Amarna (portraits de Nefertiti); mais, alors qu'Akhenaton échoue, on voit s'esquisser un syncrétisme entre le Rê d'Héliopolis et l'Osiris d'Abydos. Les créations sacrées les plus importantes sont les temples hypostyles de Karnak, reliés au sanctuaire de Louqsor par l'allée des Sphinx, et ceux d'Abou-Simbel. La liaison entre politique et religion est évidente dans le culte des morts, par le gigantisme des sépultures royales; sous l'Ancien Empire, aux *mastabas* («bancs») succèdent les pyramides de Saqqarah, puis de Gizeh; sous le Nouvel Empire, les temples funéraires sont distincts des tombes : Vallée des Rois, Deir al-Bahari. Le peuple est présent dans l'art égyptien, mais son rôle y est secondaire.

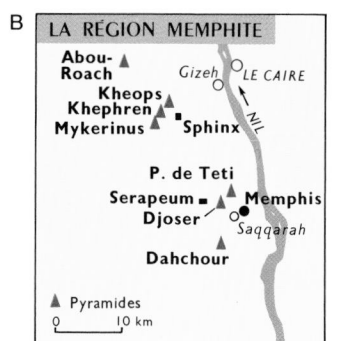

B   **LA RÉGION MEMPHITE**

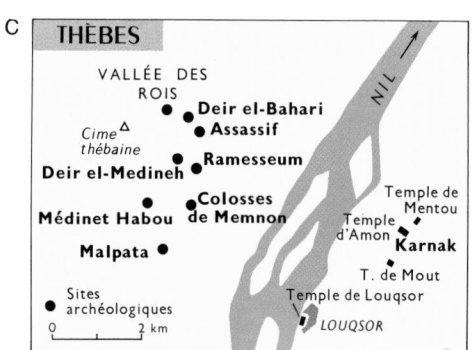

C   **THÈBES**

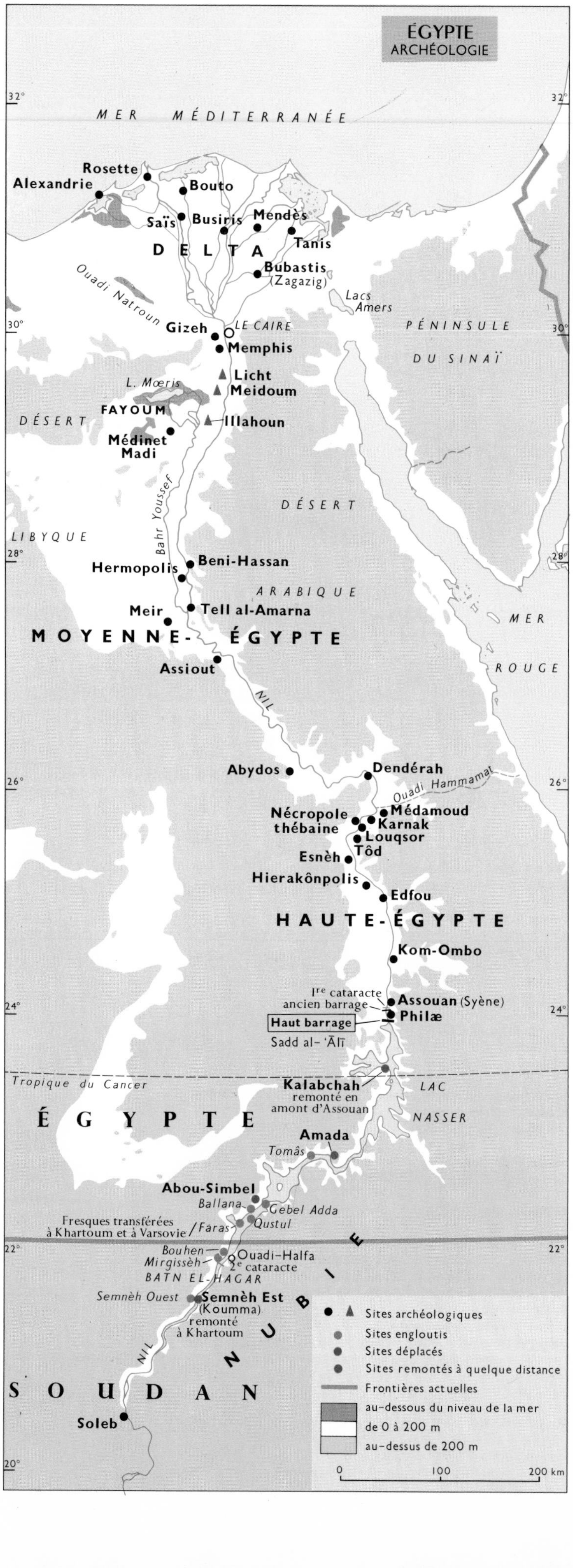

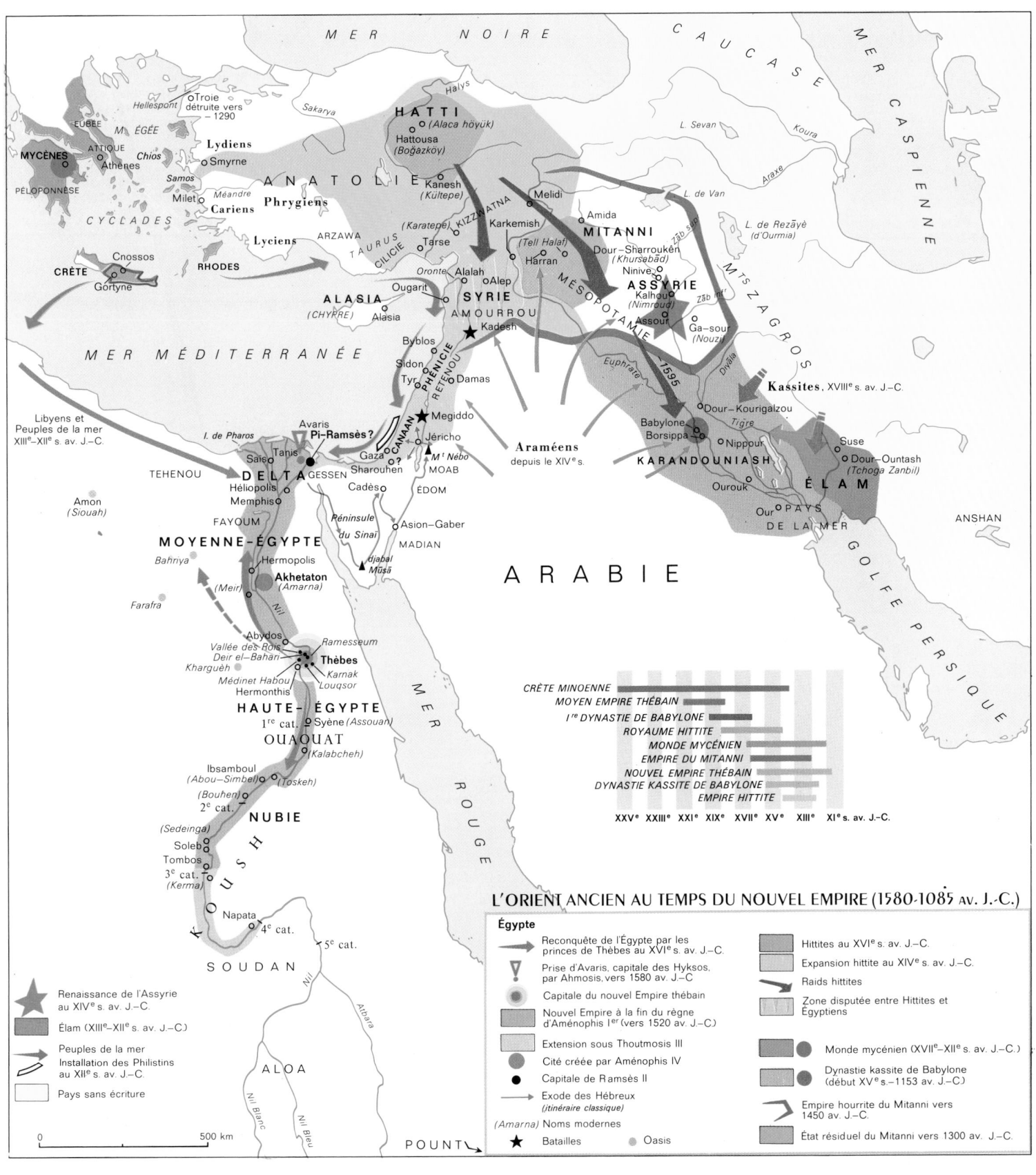

L'ORIENT ANCIEN AU TEMPS DU NOUVEL EMPIRE (1580-1085 av. J.-C.)

Légende :

Égypte

- → Reconquête de l'Égypte par les princes de Thèbes au XVIe s. av. J.-C.
- ▽ Prise d'Avaris, capitale des Hyksos, par Ahmosis, vers 1580 av. J.-C
- ◉ Capitale du nouvel Empire thébain
- Nouvel Empire à la fin du règne d'Aménophis Ier (vers 1520 av. J.-C.)
- Extension sous Thoutmosis III
- ● Cité créée par Aménophis IV
- ● Capitale de Ramsès II
- → Exode des Hébreux (itinéraire classique)
- (Amarna) Noms modernes
- ★ Batailles ◉ Oasis

- Hittites au XVIe s. av. J.-C.
- Expansion hittite au XIVe s. av. J.-C.
- ⟶ Raids hittites
- Zone disputée entre Hittites et Égyptiens
- ● Monde mycénien (XVIIe–XIIe s. av. J.-C.)
- Dynastie kassite de Babylone (début XVe s.–1153 av. J.-C.)
- Empire hourrite du Mitanni vers 1450 av. J.-C.
- État résiduel du Mitanni vers 1300 av. J.-C.

- ★ Renaissance de l'Assyrie au XIVe s. av. J.-C.
- Élam (XIIIe–XIIe s. av. J.-C.)
- → Peuples de la mer
- ▷ Installation des Philistins au XIIe s. av. J.-C.
- Pays sans écriture

Chronologie :

CRÈTE MINOENNE
MOYEN EMPIRE THÉBAIN
Ire DYNASTIE DE BABYLONE
ROYAUME HITTITE
MONDE MYCÉNIEN
EMPIRE DU MITANNI
NOUVEL EMPIRE THÉBAIN
DYNASTIE KASSITE DE BABYLONE
EMPIRE HITTITE

XXVe XXIIIe XXIe XIXe XVIIe XVe XIIIe XIe s. av. J.-C.

Du XVIe au XIe siècle, quatre puissances dominent le Proche-Orient : l'Égypte, les Hittites, l'Assyrie et Babylone; les autres cités ou monarchies sont soumises aux uns ou aux autres, sauf en de brefs moments d'indépendance. Une première étape (XVIe-XVe s.) est marquée par la constitution d'un empire égyptien; l'Égypte domine déjà la Nubie, mais, en représailles contre les assauts des Hyksos, elle est amenée à pénétrer en Asie et à y demeurer; pour satisfaire ce besoin, Ahmosis, Aménophis Ier et Thoutmosis Ier développent leur armée (chars et arcs légers); la conquête, accompagnée d'une activité diplomatique intense (tablettes de Tell al-Amarna et de Boğazköy), se heurte à l'État hourrite du Mitanni, qui résiste (XVe s.), puis s'effondre sous les coups conjugués des pharaons, des Hittites, des Assyriens. Une deuxième étape (XIVe-XIIIe s.) est marquée par deux conflits parallèles. Le premier oppose Égyptiens et Hittites; sous Aménophis III, un certain équilibre s'instaure (v. 1365), mais Souppilouliouma relève la puissance des siens, domine Syrie, Phénicie, Mitanni; Seti Ier, puis Ramsès II réagissent : la Palestine est reprise (bataille de Kadesh); en 1284, la menace assyrienne contraint Hattousili III à traiter avec l'Égypte. L'Assyrie est précisément l'un des protagonistes du second conflit, qui l'oppose à Babylone; un siècle de guerres indécises aboutit à quelque stabilité (v. 1191). À ce moment-là, le Proche-Orient est bouleversé par les intrusions des Peuples de la Mer; les Phrygiens s'attaquent à l'Empire hittite, les Philistins à Israël, puis à l'Égypte qui les rejette, mais ne peut les empêcher de se maintenir entre Gaza et le mont Carmel : le pharaon a perdu l'Asie.

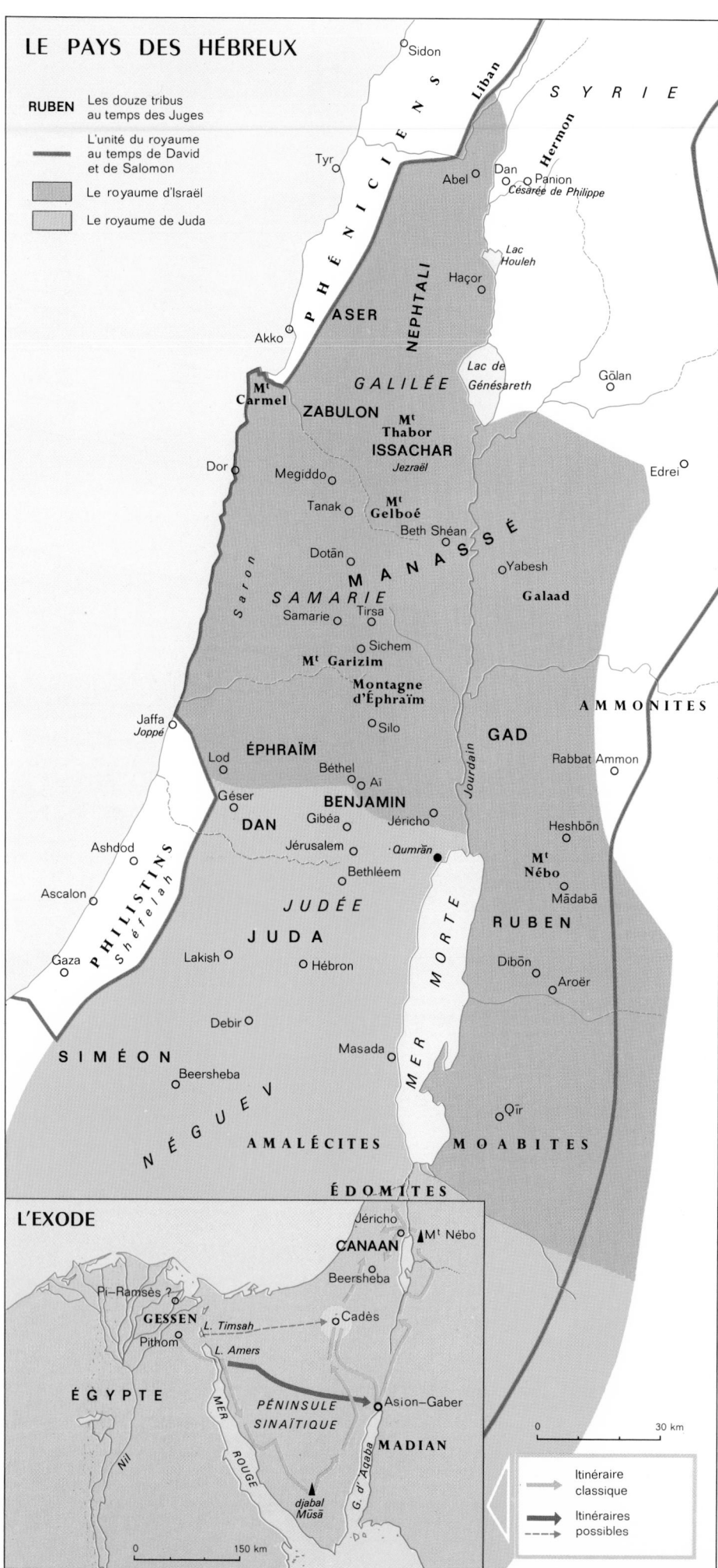

LE PAYS DES HÉBREUX

RUBEN Les douze tribus au temps des Juges

L'unité du royaume au temps de David et de Salomon

Le royaume d'Israël

Le royaume de Juda

Sidon
Liban
S Y R I E
Tyr
Hermon
Abel · Dan · Panion
Césarée de Philippe
P H É N I C I E N S
A S E R · N E P H T A L I
Akko
Lac Houleh
Haçor
Mt Carmel
G A L I L É E
Lac de Génésareth
Gōlan
ZABULON
Mt Thabor
ISSACHAR
Jezraël
Dor
Megiddo
Tanak
Mt Gelboé
Edrei
Beth Shéan
Dotān
Yabesh
M A N A S S É
Saron
S A M A R I E
Galaad
Samarie · Tirsa
Sichem
Mt Garizim
Montagne d'Éphraïm
Silo
A M M O N I T E S
Jaffa
Joppé
ÉPHRAÏM
GAD
Lod
Béthel
Aï
Jourdain
Rabbat Ammon
Géser
BENJAMIN
DAN
Gibéa
Jéricho
Heshbōn
Ashdod
Jérusalem
Qumrān
Mt Nébo
P H I L I S T I N S
Bethléem
Mādabā
Ascalon
Shéfelah
J U D É E
R U B E N
Gaza
Lakish
JUDA
Hébron
Dibōn
Aroër
M E R   M O R T E
Debir
Masada
Qīr
SIMÉON
Beersheba
N É G U E V
A M A L É C I T E S
M O A B I T E S
É D O M I T E S

L'EXODE

Jéricho
Mt Nébo
CANAAN
Beersheba
Pi–Ramsès ?
GESSEN
L. Timsah
Cadès
Pithom
L. Amers
ÉGYPTE
PÉNINSULE SINAÏTIQUE
Asion–Gaber
Nil
MER ROUGE
MADIAN
djabal Mūsā
G. d'Aqaba

0 _____ 30 km

0 _____ 150 km

Itinéraire classique
Itinéraires possibles

Peuple sémitique, les Hébreux furent longtemps nomades; après leur sortie d'Égypte, ils s'emparent de la terre de Canaan (XIIIᵉ s.), « où ruissellent le lait et le miel » (Deutér., XXVI, 9) : une plaine littorale précède deux lignes de collines — pauvres au sud (Judée, Samarie, Moab), plus riches au nord (Galilée) —, qui encadrent le désert de la mer Morte. Leur histoire politique (Juges, chefs des douze tribus, puis monarchie dès le Xᵉ siècle avec David et Salomon) intéresse moins que leur apport religieux. La Bible fait connaître un dieu unique, Yahvé, qui a conclu alliance avec le peuple d'Israël; les prophètes, surtout après la perte de l'indépendance, sont les gardiens jaloux de cet héritage extraordinaire : le monothéisme.

Du IXᵉ au IIIᵉ siècle, les secteurs est et ouest du bassin méditerranéen ont eu des destins différents. En Orient, des monarchies existent de longue date : Assyrie (Assourbanipal, VIIᵉ s.) et Babylone (Nabuchodonosor, VIᵉ s.), sans oublier l'Égypte; toutes succombent, et le fait majeur de la période est l'unification de la région, sous la domination perse d'abord (Cyrus II, v. 555-530; Darios Iᵉʳ, 522-486). En Grèce, malgré l'opposition aristocratique (Sparte), la démocratie athénienne réussit un moment à dominer la scène (ligue de Délos, 477-404); mais la Macédoine lui impose son influence (Philippe II, 359-336), puis détruit l'Empire perse (Alexandre, 336-323; monarchies hellénistiques). L'Occident n'est pas encore au niveau de ces grandes constructions; la puissance romaine, établie sur l'Italie (272, prise de Tarente), est mise en balance par celle de Carthage, puis l'emporte (guerres puniques : 218-201; 149-146). Au nord, les Celtes sont trop divisés pour régner.

La révolte de l'Ionie contre la domination perse (499) entraîne l'intervention d'Athènes en faveur des insurgés. Darios Iᵉʳ, qui fait tenter un débarquement, subit un échec (Marathon, 490); puis Xerxès est battu (Salamine, 480) : au terme de ces deux guerres médiques la menace perse est écartée.

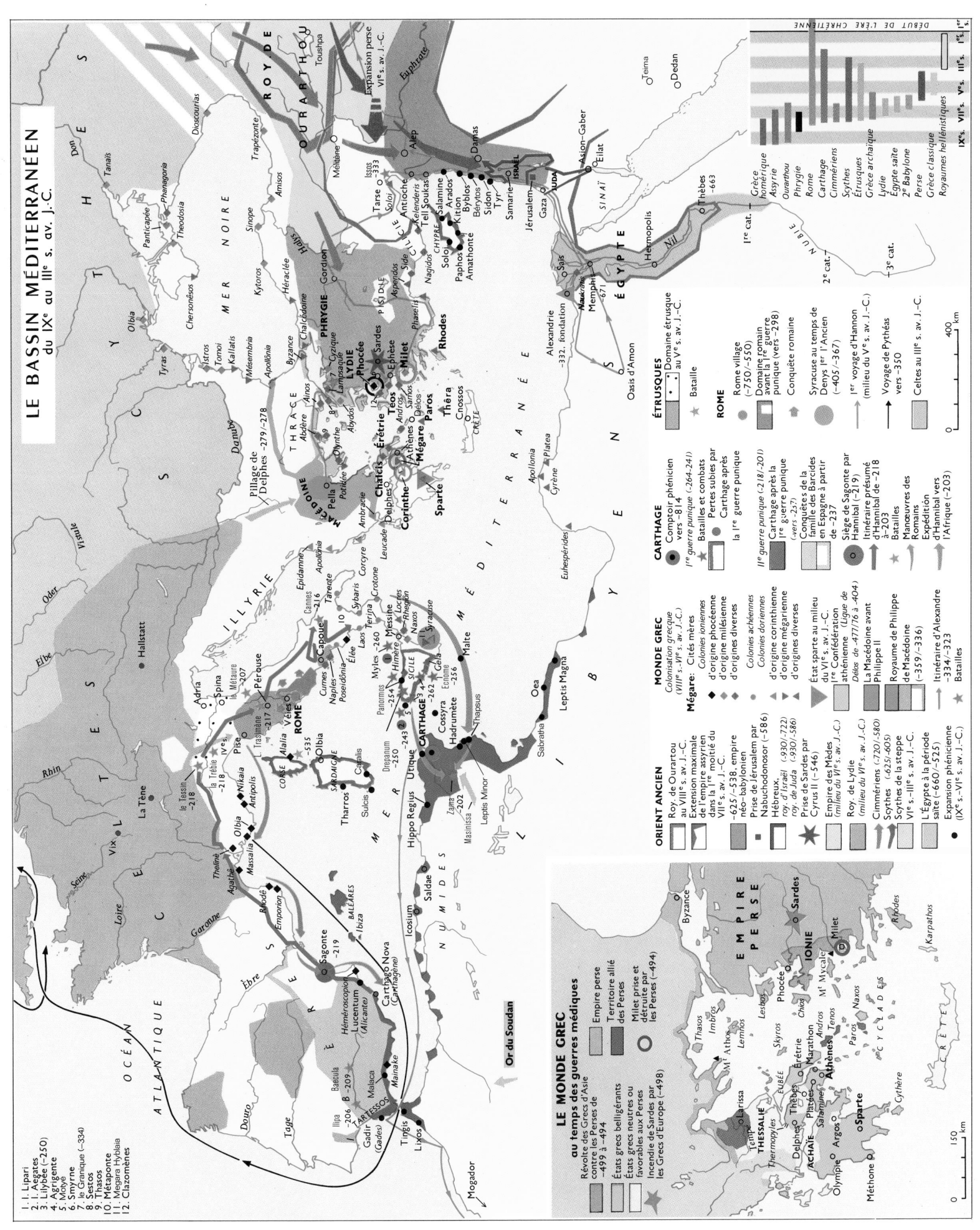

LE BASSIN MÉDITERRANÉEN
du IXᵉ au IIIᵉ s. av. J.-C.

1. I. Lipari
2. I. Aegates (−250)
3. Lilybée (−250)
4. Agrigente
5. Motyé
6. Smyrne
7. le Granique (−334)
8. Sestos
9. Thasos
10. Métaponte
11. Megara Hyblaia
12. Clazomènes

ORIENT ANCIEN
Roy. de Ourartou au VIIIᵉ s. av. J.-C.
Extension maximale de l'empire assyrien dans la 1ʳᵉ moitié du VIIᵉ s. av. J.-C.
−625/−538, empire néo-babylonien
Prise de Jérusalem par Nabuchodonosor (−586)
Hébreux,
roy. d'Israël (−930/−722)
roy. de Juda (−930/−586)
Prise de Sardes par Cyrus II (−546)
Empire des Mèdes (milieu du VIᵉ s. av. J.-C.)
Roy. de Lydie (milieu du VIᵉ s. av. J.-C.)
Cimmériens (−725/−580)
Scythes de la steppe VIᵉ s.-IIIᵉ s. av. J.-C.
L'Égypte à la période saïte (−660/−525)
Expansion phénicienne (IXᵉ s.-VIᵉ s. av. J.-C.)

MONDE GREC
Colonisation grecque (VIIIᵉ s.-VIᵉ s. av. J.-C.)
Mégare : Cités mères
Colonies ioniennes d'origine phocéenne
d'origine milésienne
d'origines diverses
Colonies achéennes
d'origine corinthienne
d'origine mégarienne
d'origines diverses
État sparte au milieu du VIᵉ s. av. J.-C.
1ʳᵉ Confédération athénienne (Ligue de Délos de −477/76 à −404)
La Macédoine avant Philippe II
Royaume de Philippe II de Macédoine (−359/−336)
Itinéraire d'Alexandre −334/−323
Batailles

LE MONDE GREC
au temps des guerres médiques
Révolte des Grecs d'Asie contre les Perses de −499 à −494
États grecs belligérants
États grecs neutres ou favorables aux Perses
Incendie de Sardes par les Grecs d'Europe (−498)
Empire perse
Territoire allié des Perses
Milet prise et détruite par les Perses (−494)

CARTHAGE
Comptoir phénicien vers −814
1ʳᵉ guerre punique (−264-241)
Batailles et combats
Pertes subies par Carthage après la 1ʳᵉ guerre punique
IIᵉ guerre punique (−218/−201)
Carthage après la IIᵉ guerre punique (vers −237)
Conquêtes de la famille des Barcides en Espagne à partir de −237
Siège de Sagonte par Hannibal (−219)
Itinéraire présumé d'Hannibal de −218 à −203
Batailles
Manœuvres des Romains
Expédition d'Hannibal vers l'Afrique (−203)

ÉTRUSQUES
Domaine étrusque au Vᵉ s. av. J.-C.
Bataille

ROME
Rome village (−750/−550)
Domaine romain avant la 1ʳᵉ guerre punique (vers −298)
Conquête romaine
Syracuse au temps de Denys Iᵉʳ l'Ancien (−405/−367)
1ᵉʳ voyage d'Hannon (milieu du Vᵉ s. av. J.-C.)
Voyage de Pythéas vers −350
Celtes au IIIᵉ s. av. J.-C.

Or du Soudan

DÉBUT DE L'ÈRE CHRÉTIENNE
Grèce homérique
Ourartou
Assyrie
Phrygie
Rome
Carthage
Cimmériens
Scythes
Étrusques
Grèce archaïque
Lydie
Égypte saïte
2ᵉ Babylone
Perse
Grèce classique
Royaumes hellénistiques

A

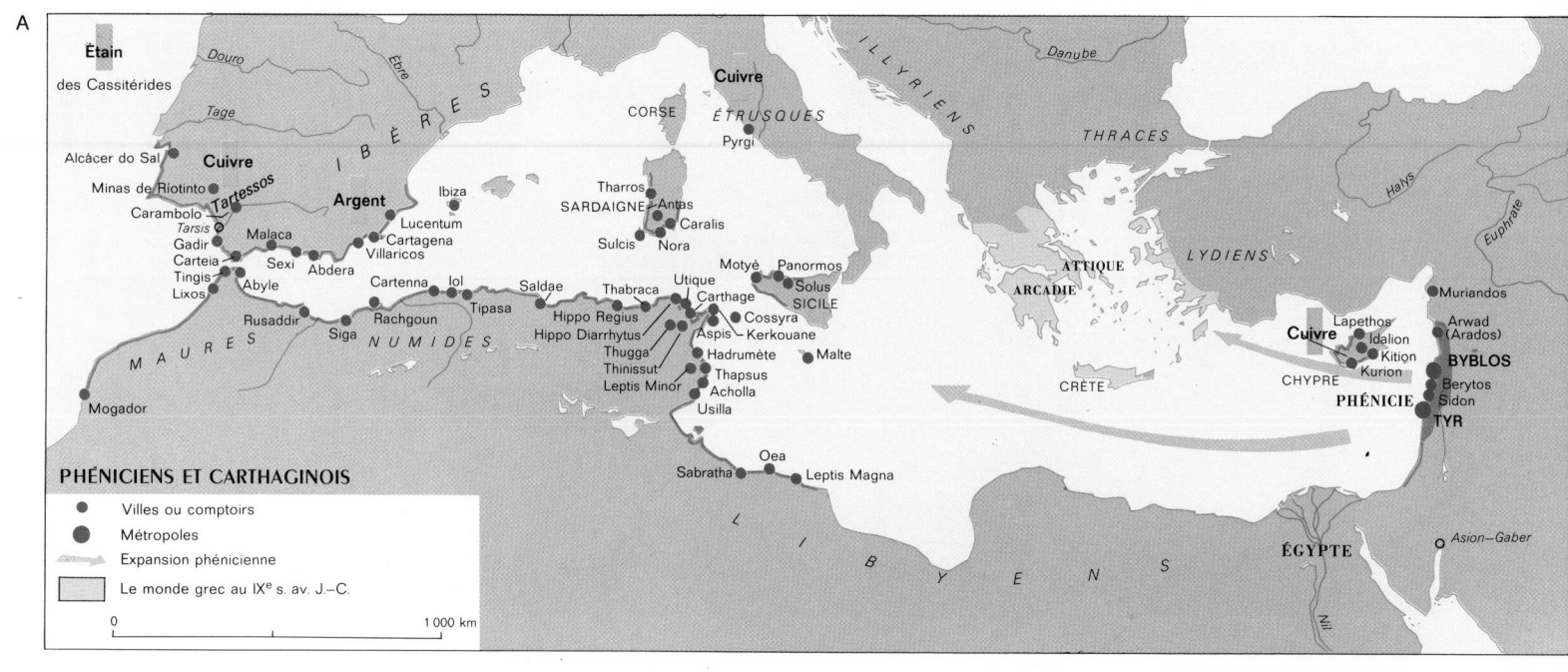

Étain
des Cassitérides

Cuivre

Cuivre

Douro
Tage
Ebre
Danube

ILLYRIENS

THRACES

ÉTRUSQUES

CORSE

IBÈRES

Alcâcer do Sal
Cuivre
Minas de Riotinto
Tartessos
Carambolo
Tarsis
Gadir
Malaca
Carteia
Sexi
Tingis
Abyle
Lixos
Rusaddir
Siga
Rachgoun
Cartenna
Iol
Saldae
Tipasa

Argent

Ibiza

Lucentum
Cartagena
Villaricos

Abdera

Hippo Regius
Hippo Diarrhytus
Thugga
Thinissut
Leptis Minor

Tharros
SARDAIGNE
Antas
Caralis
Sulcis
Nora

Thabraca
Utique
Carthage
Aspis
Hadrumète
Thapsus
Acholla
Usilla

Motyè
Panormos
Solus
SICILE

Cossyra
Kerkouane

Malte

LYDIENS

Halys

Euphrate

ATTIQUE

ARCADIE

CRÈTE

Muriandos
Lapethos
Idalion
Cuivre
Kition
Arwad (Arados)
Kurion
CHYPRE
BYBLOS
Berytos
Sidon
PHÉNICIE
TYR

Mogador

Oea
Sabratha
Leptis Magna

L I B Y E N S

MAURES
NUMIDES

ÉGYPTE

Asion-Gaber

Nil

PHÉNICIENS ET CARTHAGINOIS

● Villes ou comptoirs
● Métropoles
⟹ Expansion phénicienne
☐ Le monde grec au IXᵉ s. av. J.-C.

0   1 000 km

B

Scythes
Cimmériens

L'ASSYRIE
Expansion maximale
VIIIᵉ-VIIᵉ s. av. J.-C.

PHRYGIE
CAPPADOCE
LYDIE
Sardes
ANATOLIE
Kanesh
TABAL
Tyane
Cyhistra
TAURUS
ANTI-TAURUS
CILICIE
Kargamish
Harrân
Til Barsip
Qarqar 720
Alep
Arwad
Hamâ
Byblos
677 Sidon
Tyr
Phéniciens
Damas
ISRAËL
Samarie 722
Gaza
JUDA
Jérusalem
Raphia 720

OURARTHOU
(Malazgirt)
Toushpa
L. de Van
Zab sup.
L. de Rezâyè
(d'Ourmia)
(Khursabād)
Mannéens
Ninivé
Imgour-Enlil
Kalhou
(Balawat)
Assour
Terqa
Zab inf.
Sippar
Babylone
AKKAD
SUMER
Our
PAYS
DE LA MER
Suse détruite vers 646
ÉLAM

MER CASPIENNE

ELBOURZ
Mt Demavend

Mèdes
Kergavar

ZAGROS

Perses

DILMOUN
(I. Bahreïn)

GOLFE PERSIQUE

CHYPRE
MER MÉDITERRANÉE

A r a b e s

SAÏS
DELTA
Memphis

ÉGYPTE

Nil
SINAÏ
Teima

MER ROUGE

Thèbes détruite en 663

Iʳᵉ Cataracte

N U B I E

2ᵉ Cataracte

Halys
Koura
Araxe
Euphrate
Tigre
Diyala
Orsnte
Jourdain
Balikh
Khabur

☐ Pays occupés
▨ Pays tributaires
★ Révoltes de Babylone
★ Batailles
☐ Régions au-dessus de 500 m
⋯ Régions où les précipitations actuelles sont inférieures à 200 mm par an

0   500 km

Du IXᵉ au VIIᵉ siècle, l'Assyrie ne vit que pour la guerre et se constitue ainsi un empire immense. Sous Assour-nâtsir-apli II (à tort Assour-Nasirpal II) [883-859], elle attaque vers la mer Noire au nord, la Méditerranée à l'ouest et la Babylonie au sud; avec Toukoulti-apil-ésharra III (Téglat-Phalasar III) [746-727], elle est presque à son apogée, ayant vaincu l'Ourarthou, les Araméens (Syrie), l'Élam, la Samarie. Cette conquête a été rendue possible grâce à une armée bien équipée (arc, lance, épée longue), bien organisée (infanterie, chars, cavalerie pour les nobles; la poliorcétique est devenue une science). Le palais de Sargon II (722-705) à Khursabād est l'heureux témoin de cette grandeur : il se caractérise par le gigantisme architectural, l'abondance ornementale, cependant que Ninive offre le luxe de ses reliefs ciselés. Fin lettré et roi cruel, Assour-bân-apli (Assourbanipal) [669- v. 630] détruit Thèbes d'Égypte en 663 : jamais l'armée d'Assour n'a été aussi loin de ses bases. Mais Babylone et les Mèdes forment une coalition et, en 612, prennent et anéantissent Ninive.

Babylone est construite en fonction de la ziggourat («tour de Babel») et du temple de Mardouk; le palais et ses terrasses ont donc un rôle secondaire, mais illustrent la civilisation néo-babylonienne, qui est à son apogée sous Nabuchodonosor (605-562).

C

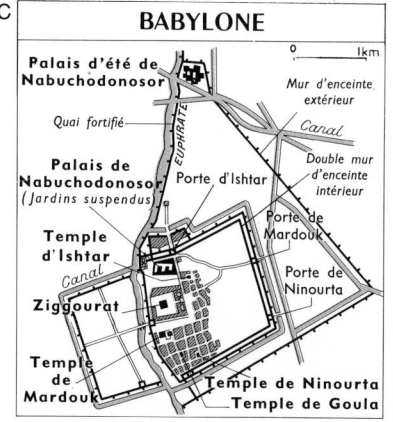

BABYLONE

Palais d'été de Nabuchodonosor

Mur d'enceinte extérieur

Quai fortifié

Canal

Double mur d'enceinte intérieur

Palais de Nabuchodonosor (Jardins suspendus)

Porte d'Ishtar

Porte de Mardouk

Temple d'Ishtar

Porte de Ninourta

Ziggourat

EUPHRATE

Canal

Temple de Mardouk

Temple de Ninourta
Temple de Goula

0   1km

Les Phéniciens (pour Carthage, v. cartes pp. 18 et 216) sont des Sémites du groupe cananéen. Ainsi qu'en témoignent les tablettes de Ras Shamra (XIVe-XIIe s. av. J.-C.) découvertes sur le site de l'antique Ougarit, leurs cités sont gouvernées par des rois : on connaît également, au Xe siècle, Hiram de Tyr. Paysans d'abord, ils sont ensuite « ces marins rapaces qui, dans leur noir vaisseau, ont mille camelotes » (l'Odyssée, XV, 415). Byblos assure les relations avec l'Égypte (cèdre du Liban contre blé, papyrus); en Orient, on vend des produits de luxe (parfums, verrerie, bijoux, étoffes de pourpre). Tyr et Sidon s'adonnent à un commerce plus lointain, avec la Sicile, l'Afrique, l'Espagne, pour y échanger des produits grossiers contre des métaux (Espagne), de l'ivoire (Afrique), des esclaves. Partout, ils répandent leurs établissements : à Chypre dès le IXe siècle; à Rhodes au VIIe siècle; dans l'Ouest méditerranéen surtout après la fondation d'Utique et de Carthage, d'où ils diffusent hommes, produits et cultes principalement agraires, au-delà même des Colonnes d'Hercule (auj. détroit de Gibraltar). On attachera davantage d'importance à la plus extraordinaire des inventions de ce peuple : l'alphabet.

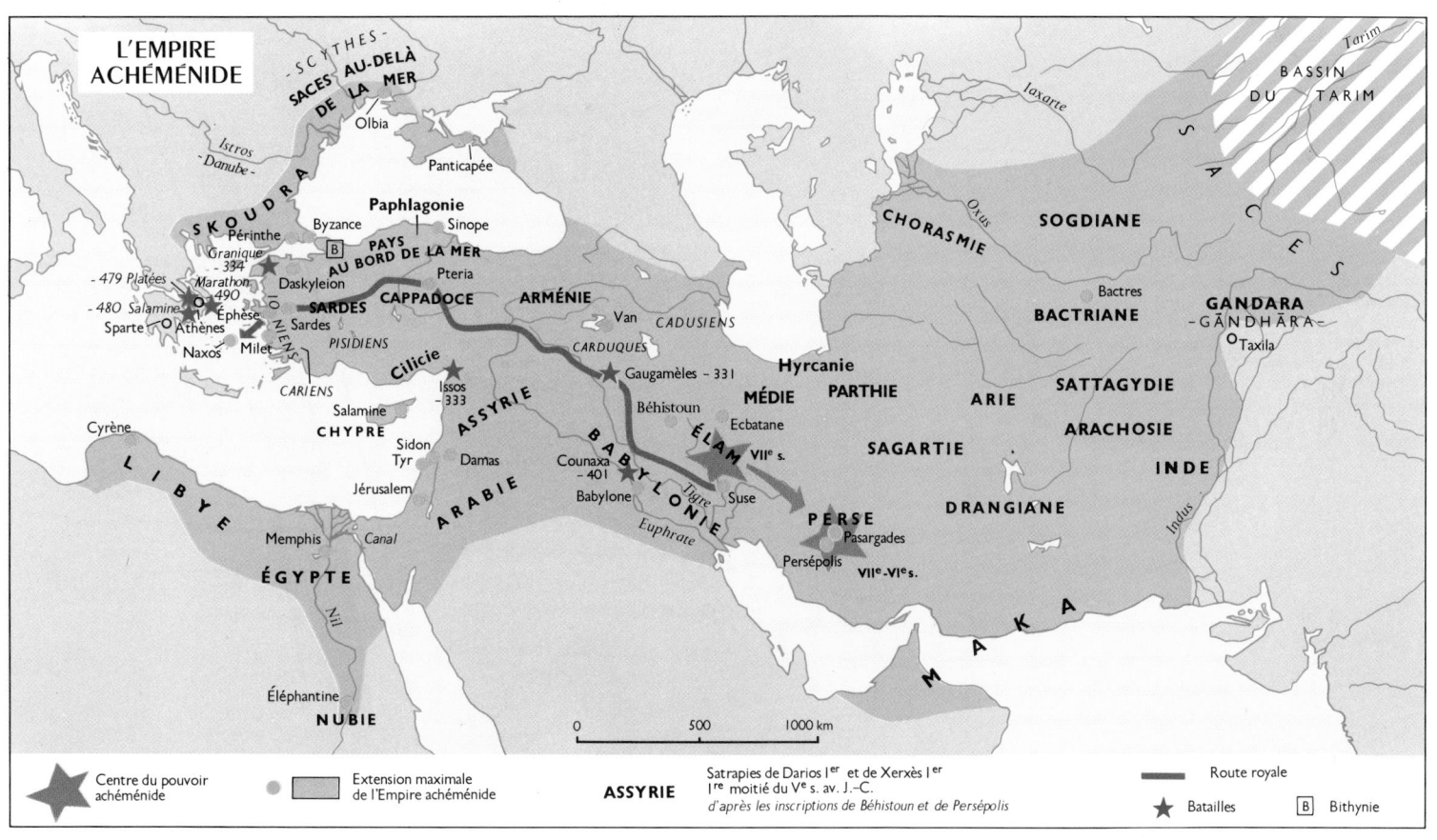

L'EMPIRE ACHÉMÉNIDE

Centre du pouvoir achéménide — Extension maximale de l'Empire achéménide — **ASSYRIE** — Satrapies de Darios Ier et de Xerxès Ier Ire moitié du Ve s. av. J.-C. d'après les inscriptions de Béhistoun et de Persépolis — Route royale — ★ Batailles — [B] Bithynie

Mèdes et Perses sont des conquérants indo-européens arrivés peut-être dès le IIe millénaire en Iran (traces d'habitat en Susiane dès le IVe millénaire). Cyrus II (v. 553-530) les organise; vers l'ouest, il conquiert la Lydie (prise de Sardes en 546 ou 545), toute l'Asie Mineure (v. 540), la Mésopotamie (chute de Babylone en 539); à l'est, il étend son influence jusqu'à l'Indus. Outre qu'elle émane de sa personnalité, sa force repose sur la souplesse de la domination perse et l'unité morale des conquérants; c'est le temps où se développe le mazdéisme de Zarathustra (Zoroastre), dont les mages sont les prêtres : telle est la religion officielle; le roi, porteur d'un charisme que la victoire concrétise, rend la justice depuis son palais (il en a plusieurs; le principal est à Suse). Cambyse II (530-522) ajoute l'Égypte (525) et la région de Cyrène à cet héritage. Darios Ier (522-486), après avoir réprimé une révolte en Babylonie, en Élam et en Perse même, mène campagne jusqu'en Inde et chez les Scythes, puis ajoute la Thrace (Skoudra) à cet empire; mais il est surtout un organisateur : il crée une administration centrale (langue unique, l'araméen), servie par la route royale d'Éphèse à Suse; une vingtaine de satrapies sont des circonscriptions pour la collecte de l'impôt et le recrutement militaire. En 499, l'Ionie se révolte : ainsi débutent deux siècles de conflits gréco-perses (v. carte p. 9).

A

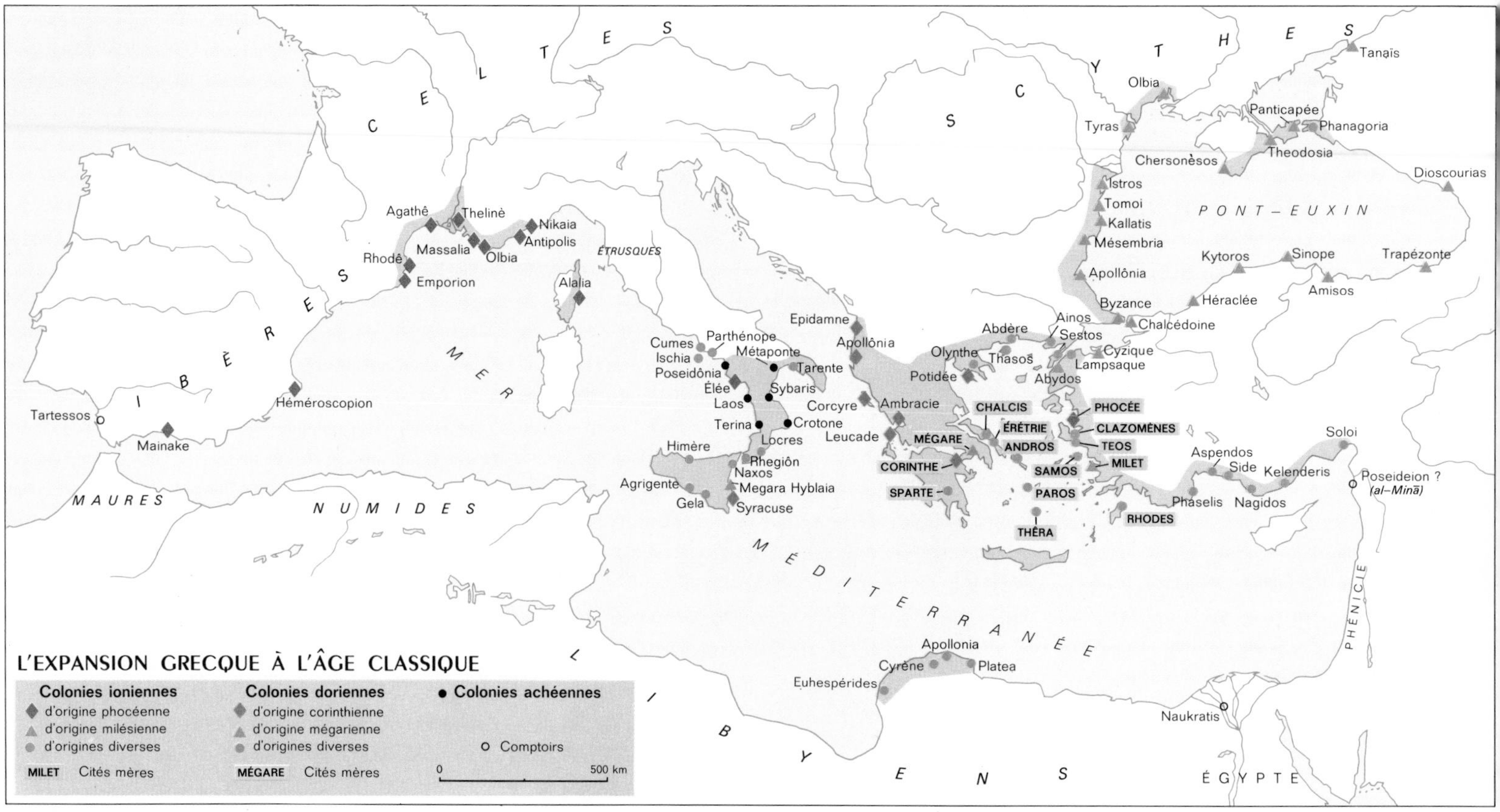

CELTES

SCYTHES

Tanaïs

Olbia

Tyras

Panticapée

Phanagoria

Chersonèsos

Theodosia

Dioscurias

Istros

PONT — EUXIN

Tomoi

Kallatis

Mésembria

Kytoros

Sinope

Trapézonte

Apollônia

Byzance

Héraclée

Amisos

Abdère

Ainos

Chalcédoine

ÉTRUSQUES

Sestos

Cyzique

Olynthe

Thasos

Lampsaque

Epidamne

Parthénope

Métaponte

Apollônia

Potidée

Abydos

Cumes

Tarente

Ischia

Poseidônia

Sybaris

Corcyre

Ambracie

CHALCIS

PHOCÉE

Élée

ÉRÉTRIE

CLAZOMÈNES

Laos

Crotone

Leucade

ANDROS

TEOS

Terina

Locres

MÉGARE

SAMOS

MILET

Soloi

Agathê

Thelinè

Himère

Rhegiôn

CORINTHE

Aspendos

Nikaia

Antipolis

Naxos

Megara Hyblaia

SPARTE

PAROS

Side

Kelenderis

Rhodê

Massalia

Olbia

Gela

Syracuse

THÉRA

RHODES

Phasélis

Nagidos

Poseideion ?

(al–Minā)

Emporion

Alalia

Agrigente

Héméroscopion

MER

MÉDITERRANÉE

PHÉNICIE

Tartessos

Apollonia

Cyrène

Mainake

MAURES

NUMIDES

Cyrène

Platea

Euhespérides

LIBYENS

Naukratis

ÉGYPTE

L'EXPANSION GRECQUE À L'ÂGE CLASSIQUE

Colonies ioniennes
♦ d'origine phocéenne
▲ d'origine milésienne
● d'origines diverses
MILET Cités mères

Colonies doriennes
♦ d'origine corinthienne
▲ d'origine mégarienne
● d'origines diverses
MÉGARE Cités mères

● Colonies achéennes

○ Comptoirs

0   500 km

La colonisation est un moment privilégié de « l'aventure grecque » (P. Lévêque). L'exemple avait été donné par les Mycéniens, les Phéniciens, Ulysse; on se demande encore si la cause principale en est la faim de terres ou l'intérêt commercial, mais il est sûr que ce mouvement a été facilité par des progrès dans l'art militaire et par le clergé de Delphes. On distingue deux grandes vagues de colonisation. Pour la première (v. 775 - v. 675), les considérations agricoles semblent avoir prédominé; les métropoles sont des cités de l'Isthme et de l'Eubée; les pays de destination sont en Grande-Grèce (Syracuse est une colonie de Corinthe; Sélinonte et Megara Hyblaia sont des colonies de Mégare; Chalcis fonde Naxos, Cumes, Rhegiôn et Zancle). Les préoccupations commerciales ont dû avoir plus d'importance pour la seconde étape (v. 675- v. 550); cette fois, les métropoles sont en Grèce propre et en Asie Mineure; les terres de colonisation sont la Gaule, l'Espagne, l'Afrique, la Thrace, le Pont (Phocée fonde Marseille, et Thêra Cyrène; Milet essaime autour du Pont-Euxin. Les colons sont de jeunes aventuriers menés par un *œkiste* (fondateur) promis au destin de demi-dieu; un enrichissement rapide permet une civilisation brillante sans que soient rompus les liens avec la métropole.

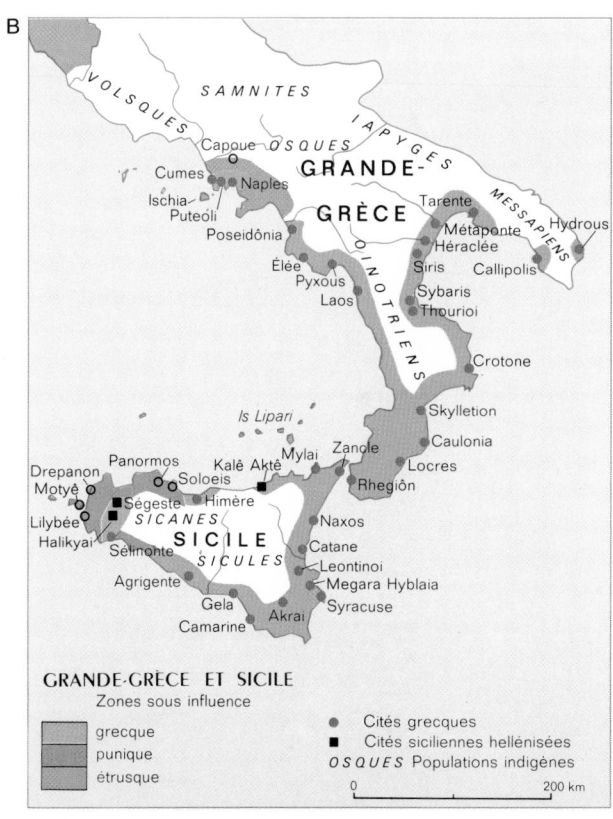

B

VOLSQUES

SAMNITES

IAPYGES

Capoue

OSQUES

GRANDE-

Cumes

Naples

GRÈCE

Tarente

MESSAPIENS

Ischia

Puteóli

Métaponte

Hydrous

Héraclée

Poseidônia

Siris

Callipolis

Élée

Pyxous

OINOTRIENS

Sybaris

Laos

Thourioi

Crotone

Skylletion

Is Lipari

Caulonia

Zancle

Mylai

Locres

Drepanon

Panormos

Soloeis

Kalê Aktê

Rhegiôn

Motyê

Ségeste

Himère

Lilybée

SICANES

Naxos

Halikyai

Catane

SICILE

Sélinonte

SICULES

Leontinoi

Agrigente

Megara Hyblaia

Gela

Akrai

Syracuse

Camarine

GRANDE-GRÈCE ET SICILE
Zones sous influence

grecque
punique
étrusque

● Cités grecques
■ Cités siciliennes hellénisées
OSQUES Populations indigènes

0   200 km

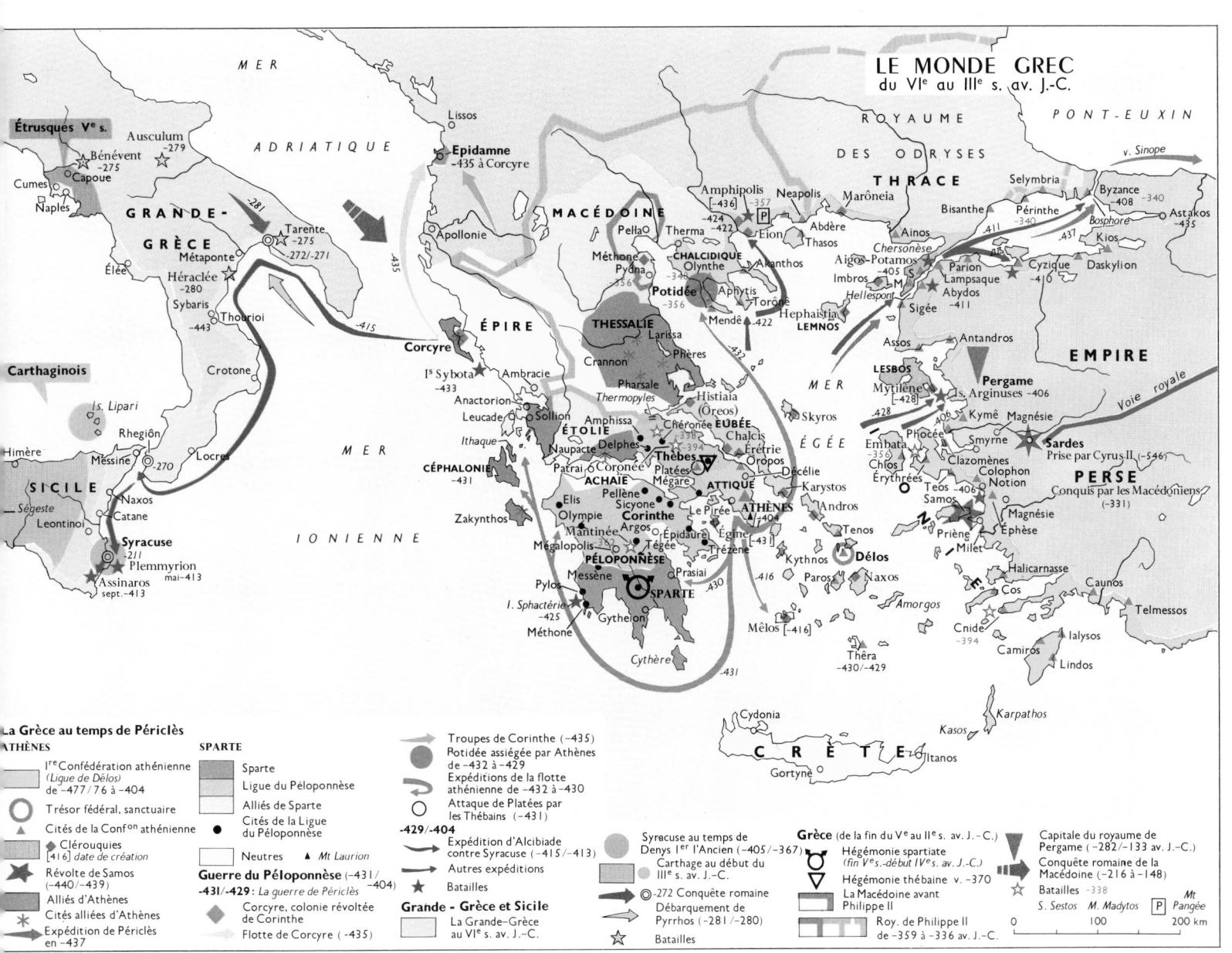

LE MONDE GREC
du VIe au IIIe s. av. J.-C.

La Grèce au temps de Périclès

ATHÈNES
- Ire Confédération athénienne (*Ligue de Délos*) de −477/76 à −404
- Trésor fédéral, sanctuaire
- Cités de la Conf^{on} athénienne
- Clérouquies [416] *date de création*
- Révolte de Samos (−440/−439)
- Alliés d'Athènes
- Cités alliées d'Athènes
- Expédition de Périclès en −437

SPARTE
- Sparte
- Ligue du Péloponnèse
- Alliés de Sparte
- Cités de la Ligue du Péloponnèse
- Neutres ▲ *Mt Laurion*

Guerre du Péloponnèse (−431/−404)
−431/-429 : *La guerre de Périclès*
- Corcyre, colonie révoltée de Corinthe
- Flotte de Corcyre (−435)

- Troupes de Corinthe (−435)
- Potidée assiégée par Athènes de −432 à −429
- Expéditions de la flotte athénienne de −432 à −430
- Attaque de Platées par les Thébains (−431)
−429/−404
- Expédition d'Alcibiade contre Syracuse (−415/−413)
- Autres expéditions
- Batailles

Grande - Grèce et Sicile
- La Grande-Grèce au VIe s. av. J.-C.

- Syracuse au temps de Denys Ier l'Ancien (−405/−367)
- Carthage au début du IIIe s. av. J.-C.
- −272 Conquête romaine
- Débarquement de Pyrrhos (−281/−280)
- Batailles

Grèce (de la fin du Ve au IIe s. av. J.-C.)
- Hégémonie spartiate (*fin Ve s.-début IVe s. av. J.-C.*)
- Hégémonie thébaine v. −370
- La Macédoine avant Philippe II
- Roy. de Philippe II de −359 à −336 av. J.-C.

- Capitale du royaume de Pergame (−282/−133 av. J.-C.)
- Conquête romaine de la Macédoine (−216 à −148)
- Batailles −338
- S. Sestos M. Madytos P Pangée
- Mt
- 0   100   200 km

Homère nous fait connaître une Grèce gouvernée, aux IXe et VIIIe siècles, par des rois; à ceux-ci succèdent des régimes aristocratiques, eux-mêmes en crise au VIe siècle : l'enrichissement général, l'apparition de l'hoplite font perdre leur rôle aux nobles, supplantés par des tyrans (les Cypsélides à Corinthe; Pisistrate à Athènes) ou des législateurs (Solon, Clisthène à Athènes). Après les guerres médiques (v. carte p. 9) s'ouvre le temps des hégémonies; chaque cité, poussée par son impérialisme propre, domine à son tour la scène. Athènes, d'abord, unit la puissance politique (v. carte p. 14), la richesse et la civilisation la plus brillante; au temps de Périclès (444/443-429), elle est l'« école de la Grèce » (Thucydide, II, 41) : Hérodote vient d'Halicarnasse, Myron d'Éleuthères et Hippocrate de Cos. Après l'hégémonie de Sparte (404-371) et celle de Thèbes (371-362), marquée par les victoires d'Épaminondas sur les Lacédémoniens, le temps des cités est révolu : entretenant dans Athènes même un parti à sa dévotion, Philippe de Macédoine (359-336) étend sa domination sur la Grèce lorsqu'il écrase les démocraties à Chéronée (338). Son successeur, Alexandre (336-323), n'a plus à se préoccuper de la Grèce (v. cartes pp. 15 et 16).

A

L'EMPIRE ATHÉNIEN

ROY. DES ODRYSES

MACÉDOINE

ÉPIRE

THESSALIE

ÉTOLIE

ACHAÏE

ARCADIE

PÉLOPONNÈSE

MESSÉNIE

LACONIE

CHALCIDIQUE

BÉOTIE

ATTIQUE

CRÈTE

PHRYGIE DE L'HELLESPONT

MYSIE

LYDIE

PERSE

EMPIRE

CARIE

RHODES

Extension de l'Empire avant la guerre du Péloponnèse

Extension de l'Empire avant la guerre des Alliés

Limites de district
I district de Thrace II d. de l'Hellespont
III district d'Ionie IV district des Iles
V district de Carie, supprimé en − 438

Clérouquies du Vᵉ s.

Clérouquies du IVᵉ s.

Athènes et Le Pirée

ATHÈNES
Acropole
Le Pirée
Kantharos
Aktê
Port de Mounychia
Port de Zéa
Phalère
Long Mur du N.
Long Mur du S.
Mur de Phalère
Céphise
AIGALEÔS

B

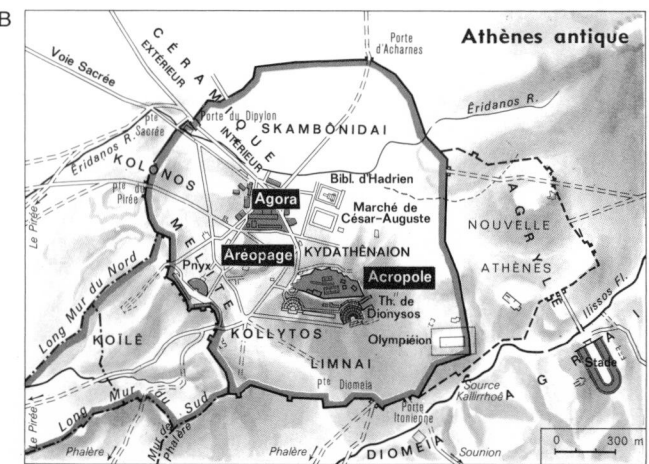

Athènes antique

Voie Sacrée
Porte d'Acharnes
Porte du Dipylon
CÉRAMIQUE EXTÉRIEUR
CÉRAMIQUE INTÉRIEUR
SKAMBÔNIDAI
KOLONOS
Bibl. d'Hadrien
Agora
Marché de César-Auguste
Aréopage
KYDATHÉNAION
Acropole
Pnyx
MELITÊ
KOILÊ
KOLLYTOS
NOUVELLE ATHÈNES
AGRYLÊ
LIMNAI
Th. de Dionysos
Olympiéion
DIOMEIA
Long Mur du Nord
Long Mur du Sud
Source Kallirrhoé
Stade
Éridanos R.
Ilissos Fl.

Né à la suite des guerres médiques, l'impérialisme démocratique d'Athènes fait l'unanimité chez les négociants et les prolétaires. On distingue trois phases. En 477, Aristide crée la ligue de Délos (île qui abrite l'assemblée fédérale et le trésor); Athènes commande l'armée et installe des clérouquies (colonies militaires), notamment en Thrace. En 454, l'alliance devient empire : la gestion du trésor, transféré sur l'Acropole, passe à l'*Ecclésia* d'Athènes; de nouvelles clérouquies sont installées sur la route des détroits : Eubée, Asie Mineure, Thrace. Mais la guerre du Péloponnèse (431-404) oppose à Athènes, cité ionienne et démocratique, l'aristocratique Sparte, ville dorienne; après des péripéties complexes, un gouvernement oligarchique est installé en 404 à Athènes; celle-ci ne s'en remet pas et, malgré l'installation de nouvelles clérouquies (nord de l'Égée), malgré une seconde confédération (378-338), l'Empire athénien est ruiné (guerre des alliés : 357-355).

Au centre de la plaine d'Athènes, le rocher de l'Acropole domine, au sud, la ville riche et, au nord, l'Agora, le tribunal de l'Aréopage et le quartier populaire du Céramique. Cimon, puis Périclès construisent les Longs Murs, qui relient la cité au Pirée, son port depuis Thémistocle (auparavant : Phalère).

A

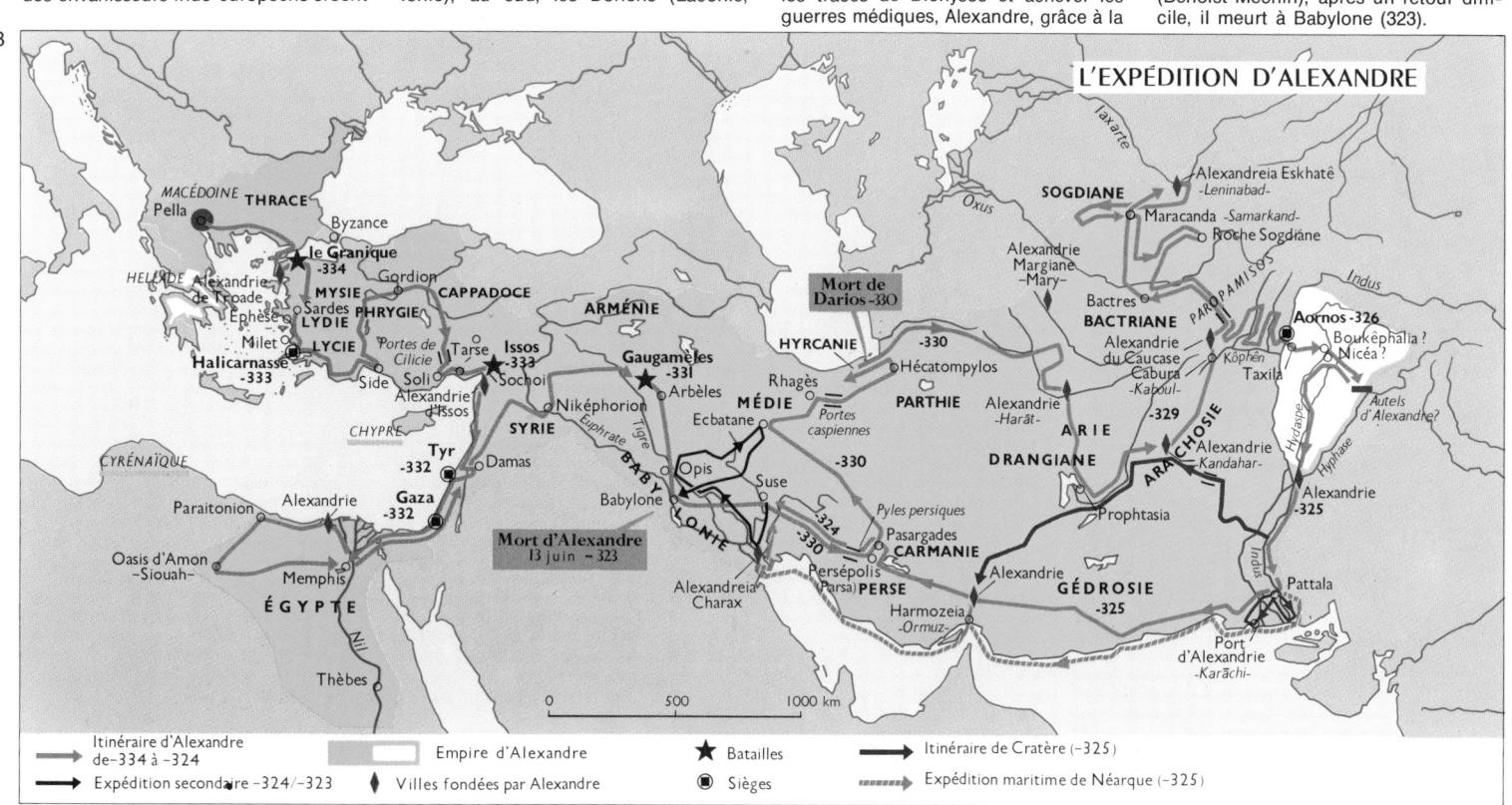

MER ADRIATIQUE — PONT-EUXIN — THRACE — Apollônia — Byzance — Cyzique — Dikili-Tach — Philippes — MACÉDOINE — Pella — Olynthe — Thasos — Samothrace — Poliochni — PHRYGIE — Troie — Pergame — ÉOLIDE — Assos — Lemnos — Myrina — LYDIE — Sardes — Clazomènes — Éphèse — Samos — Magnésie — Priène — Aphrodisias — Milet — CARIE — Halicarnasse — Cos — LYCIE — Trianda — Xanthos — Ialysos — RHODES — Lindos — Cnide

GRANDE-GRÈCE — Cumes — Paestum — Tarente — Métaponte — Ischia — ÉPIRE — Corcyre — Dodone — Ithaque — Leucade — ACARNANIE — THESSALIE — Dimini — Iôlkos — Sesklo — Mt Olympe — V. de Tempé — Pénée — Aliakmôn — Axios — Strymon — Hebros

MER IONIENNE — Is Lipari — Milazzo — SICILE — Agrigente — Catane — Morgantina — Megara Hyblaia — Gela — Syracuse — Malte — EUBÉE — L. Copaïs — Orchomène — Gla — PHOCIDE — Ptoïon — Delphes — BÉOTIE — Thèbes — Marathon — Kirrha — ATTIQUE — ACHAÏE — Mégare — Eleusis — Corinthe — Mycènes — Athènes — Le Pirée — ÉLIDE — ARGOLIDE — Égine — Keos — Syros — Olympie — ARCADIE — Épidaure — Orchomène — Lerné — Argos — Délos — Bassae — Tirynthe — Midéa — Paros — Naxos — MESSÉNIE — Sparte — Asiné — CYCLADES — Pylos — Vafio — LACONIE — Siphnos — Mêlos — Thêra (Santorin) — Cythère — MER ÉGÉE — Lesbos — Chios — Scamandre — Méandre — Hermos — Caïcos

CRÈTE — Knossós — Tylissos — Nirou-khani — Mália — Pseira — Mokhlos — Itanos — Palaikastron — Zákros — Praisos — Mt Ida — Ághia Triádha — Ghourniá — Gortyne — Phaistos

CHYPRE — Engómi (Alasia) — Soloi — Salamine — Kition — Paphos — Koúrion

LE MONDE GREC

- • Sites archéologiques
- **BÉOTIE** Régions anciennes
- Régions au-dessus de 200 m
- 0 — 100 km

Le monde grec s'étend autour de la mer Égée. Partout montagneux, il comprend trois ensembles : la Grèce continentale, les îles et la bordure occidentale de l'Anatolie; à cela s'ajoutent les colonies. Dès le IIIe millénaire, la Crète connaît une civilisation autochtone brillante (palais de Knossós); au IIe millénaire, des envahisseurs indo-européens créent sur le continent les royaumes achéens de Mycènes, Tirynthe et Pylos, puis occupent la Crète, non sans avoir assimilé sa culture. Plusieurs vagues leur succèdent; en fonction des dialectes, on distingue trois groupes principaux : au nord, les Éoliens (Thessalie, Béotie, Éolide); au centre, les Ioniens (Attique, Ionie); au sud, les Doriens (Laconie, Crète, Rhodes). À l'époque classique, les centres importants sont : les villes de Corinthe, Sparte, Thèbes et Athènes en Europe; Milet et Éphèse en Asie; les sanctuaires de Délos, Delphes, Olympie et de l'isthme de Corinthe.

Pour réaliser des exploits héroïques sur les traces de Dionysos et achever les guerres médiques, Alexandre, grâce à la phalange et à la cavalerie macédoniennes, élargit le monde connu. Après la conquête de l'Orient méditerranéen, marquée par les victoires du Granique en 334 et d'Issos en 333, il fonde Alexandrie, s'empare des capitales perses (Gaugamèles, 331), pousse jusqu'à l'Indus : c'est le « rêve dépassé » (Benoist-Méchin); après un retour difficile, il meurt à Babylone (323).

B

L'EXPÉDITION D'ALEXANDRE

MACÉDOINE — Pella — THRACE — Byzance — HELLADE — Alexandrie de Troade — Éphèse — MYSIE — Sardes — PHRYGIE — Gordion — CAPPADOCE — LYDIE — LYCIE — Portes de Cilicie — Milet — Halicarnasse -333 — le Granique -334 — Tarse — Issos -333 — Soloi — Side — Sochoi — Alexandrie d'Issos — ARMÉNIE — Gaugamèles -331 — Arbèles — Niképhorion — CHYPRE — SYRIE — Tyr -332 — Damas — Euphrate — Tigre — Gaza -332 — BABYLONIE — Babylone — Opis — Suse — MÉDIE — Ecbatane — Rhagès — Portes caspiennes — HYRCANIE — Hécatompylos — PARTHIE — Mort de Darios -330

CYRÉNAÏQUE — Paraitonion — Alexandrie — Oasis d'Amon -Siouah- — Memphis — ÉGYPTE — Thèbes — Nil — Mort d'Alexandre 13 juin -323 — Pyles persiques — Pasargades — Persépolis (Parsa) — PERSE — CARMANIE — Alexandreia Charax — Harmozeia -Ormuz- — GÉDROSIE -325 — Port d'Alexandrie -Karâchi-

SOGDIANE — Alexandreia Eskhatê -Leninabad- — Maracanda -Samarkand- — Roche Sogdiane — Oxus — Iaxarte — Alexandrie Margiane -Mary- — Bactres — BACTRIANE — Alexandrie du Caucase -Kaboul- — Kôphên — PAROPAMISOS — Aornos -326 — Bouképhalia ? — Nicéa ? — Indus — Taxila — Alexandrie -Harât- — ARIE — DRANGIANE — Alexandrie -329 — ARACHOSIE — Alexandrie -Kandahar- — Prophtasia — Alexandrie -325 — Autels d'Alexandre ? — Hydaspe — Hyphase — Pattala

- → Itinéraire d'Alexandre de -334 à -324
- → Expédition secondaire -324/-323
- Empire d'Alexandre
- ★ Batailles
- ◆ Villes fondées par Alexandre
- ◉ Sièges
- → Itinéraire de Cratère (-325)
- Expédition maritime de Néarque (-325)
- 0 — 500 — 1000 km

A

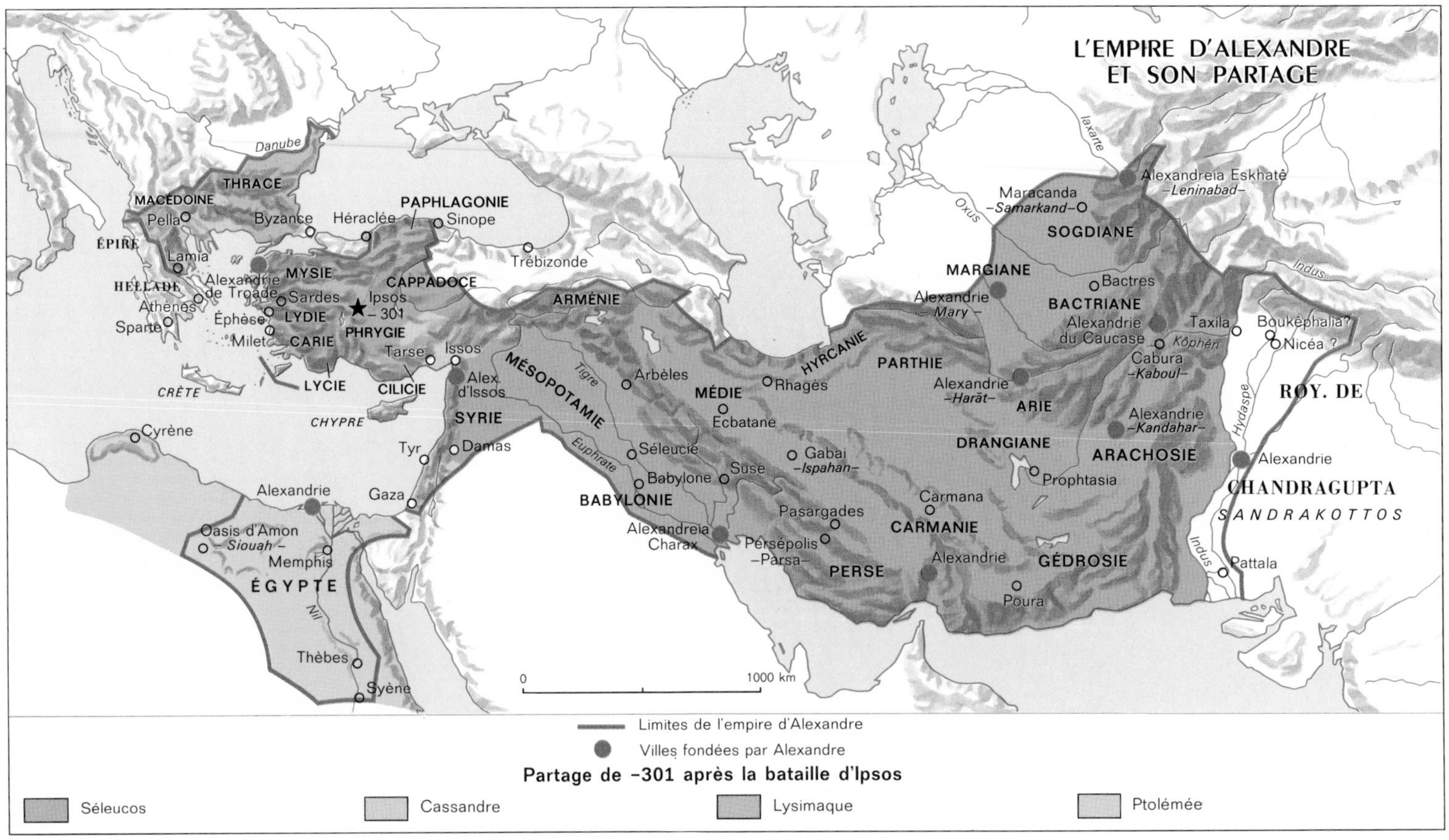

L'EMPIRE D'ALEXANDRE ET SON PARTAGE

THRACE
MACÉDOINE
Pella
ÉPIRE
Lamia
HELLADE
Athènes
Sparte
Byzance
Héraclée
Sinope
PAPHLAGONIE
Trébizonde
Alexandrie de Troade
MYSIE
Sardes
LYDIE
Éphèse
Milet
CARIE
Tarse
LYCIE
CILICIE
CHYPRE
CRÈTE
Cyrène
Alexandrie
Oasis d'Amon – Siouah –
Memphis
ÉGYPTE
Thèbes
Syène
Gaza
Tyr
Damas
SYRIE
Alex. d'Issos
Issos
CAPPADOCE
Ipsos –301
PHRYGIE
ARMÉNIE
MÉSOPOTAMIE
Tigre
Euphrate
Arbèles
Séleucie
Babylone
BABYLONIE
Suse
Alexandreia Charax
MÉDIE
Ecbatane
Rhagès
HYRCANIE
PARTHIE
Gabai – Ispahan –
Pasargades
Persépolis – Parsa –
Carmana
CARMANIE
PERSE
Alexandrie
Danube
Oxus
Iaxarte
Maracanda – Samarkand –
Alexandreia Eskhatè – Leninabad –
SOGDIANE
MARGIANE
Bactres
Alexandrie – Mary –
BACTRIANE
Alexandrie du Caucase
Köphén
Cabura – Kaboul –
Taxila
Bouképhalia ?
Nicéa ?
Indus
Hydaspe
ROY. DE
CHANDRAGUPTA
SANDRAKOTTOS
Alexandrie
Alexandrie – Harât –
ARIE
Alexandrie – Kandahar –
ARACHOSIE
DRANGIANE
GÉDROSIE
Poura
Prophtasia
Pattala

0 _____ 1000 km

——— Limites de l'empire d'Alexandre
● Villes fondées par Alexandre

Partage de –301 après la bataille d'Ipsos

☐ Séleucos   ☐ Cassandre   ☐ Lysimaque   ☐ Ptolémée

Alexandre (v. carte p. 15) s'est efforcé de diffuser la culture grecque; il a permis que s'ouvre une période, longtemps décriée, aujourd'hui reconnue comme la « renaissance hellénistique » (Ch. Picard); mais sa construction politique se désagrège tandis que cette civilisation se développe. À la mort du conquérant, Perdiccas gouverne l'Orient, Antipatros l'Occident. En 321,

à la mort de Perdiccas, un partage se fait à Triparadisos entre les *diadoques* (successeurs) : Antipatros garde la Macédoine, Séleucos la Babylonie et Antigonos Monophtalmos (Antigone le Borgne) l'Asie Mineure; ce dernier domine la scène dans les années suivantes (321-301). Absents du partage, Ptolémée conserve cependant l'Égypte et Lysimaque la Thrace. À partir de 306,

les chefs macédoniens se proclament rois, chacun dans la région qu'il contrôle. En 301, Antigonos Monophtalmos, battu à Ipsos par une coalition des souverains qu'effraie son ambition, meurt; c'est la fin d'une dernière tentative unitaire : l'empire d'Alexandre est partagé entre Séleucos, Cassandre, Lysimaque et Ptolémée. Le temps des *épigones* (descendants) commence.

B

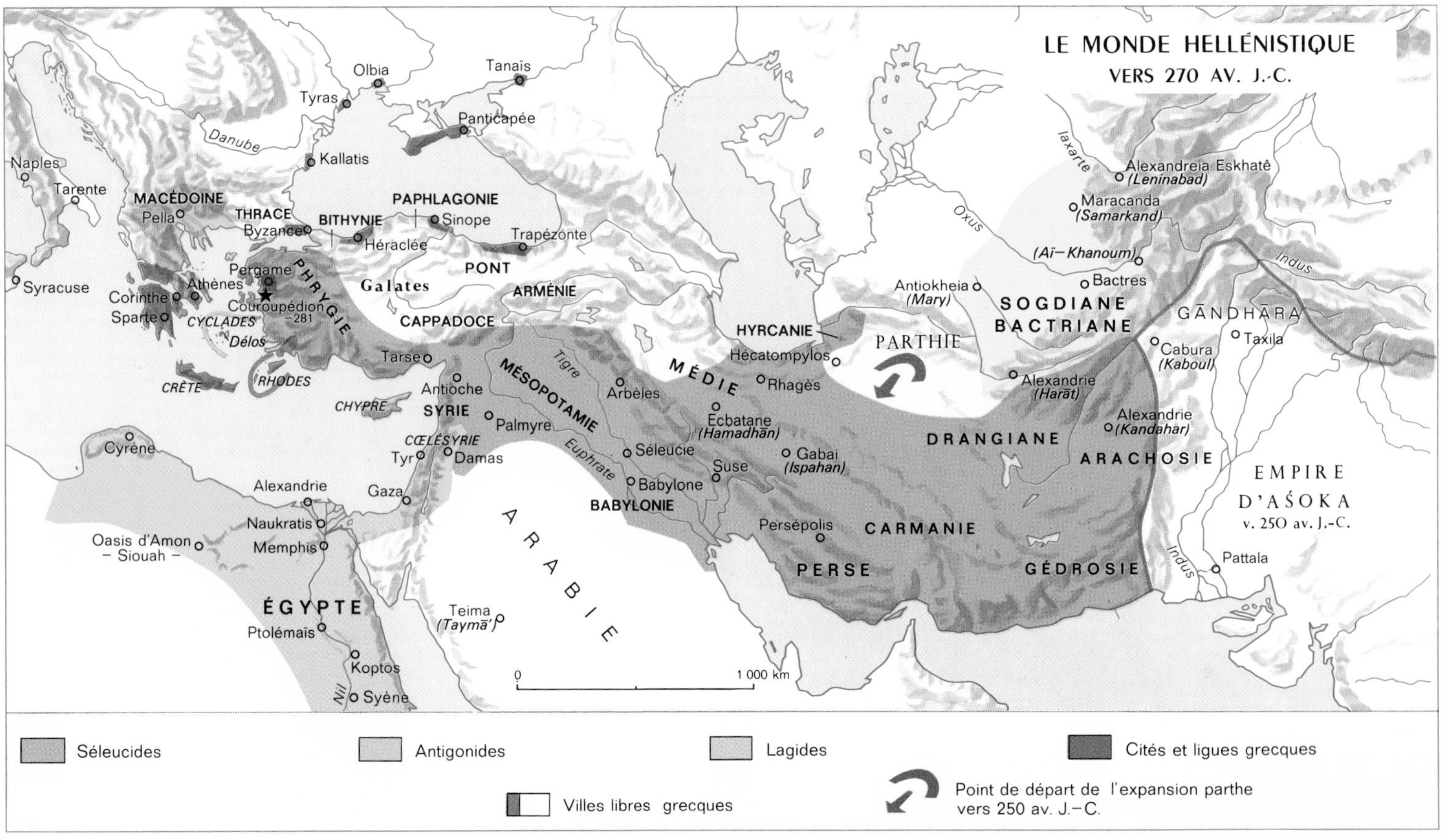

LE MONDE HELLÉNISTIQUE VERS 270 AV. J.-C.

Naples
Tarente
Syracuse
MACÉDOINE
Pella
THRACE
Byzance
Athènes
Corinthe
Sparte
CYCLADES
Délos
CRÈTE
RHODES
Pergame
PHRYGIE
Courupédion –281
Olbia
Tyras
Danube
Tanaïs
Panticapée
Kallatis
BITHYNIE
Héraclée
Sinope
PAPHLAGONIE
Trapézonte
PONT
Galates
ARMÉNIE
CAPPADOCE
Tarse
Antioche
CHYPRE
SYRIE
CŒLÉSYRIE
Tyr
Damas
Palmyre
Gaza
Cyrène
Alexandrie
Naukratis
Oasis d'Amon – Siouah –
Memphis
ÉGYPTE
Ptolémaïs
Koptos
Syène
Nil
ARABIE
Teima – Taymâ –
MÉSOPOTAMIE
Tigre
Euphrate
Séleucie
Arbèles
Babylone
BABYLONIE
Suse
MÉDIE
Ecbatane – Hamadhân –
Rhagès
HYRCANIE
Hécatompylos
PARTHIE
Gabai – Ispahan –
PERSE
Persépolis
CARMANIE
GÉDROSIE
Pattala
DRANGIANE
ARACHOSIE
Alexandrie – Harât –
Alexandrie – Kandahar –
Antiokheia – Mary –
Alexandrie
SOGDIANE
BACTRIANE
Bactres
(Aï – Khanoum)
Maracanda (Samarkand)
Alexandreia Eskhatè (Leninabad)
Oxus
Iaxarte
Indus
GÂNDHÂRA
Cabura (Kaboul)
Taxila
EMPIRE D'AŚOKA v. 250 av. J.-C.

0 _____ 1 000 km

☐ Séleucides   ☐ Antigonides   ☐ Lagides   ■ Cités et ligues grecques

☐ Villes libres grecques

↻ Point de départ de l'expansion parthe vers 250 av. J.-C.

A

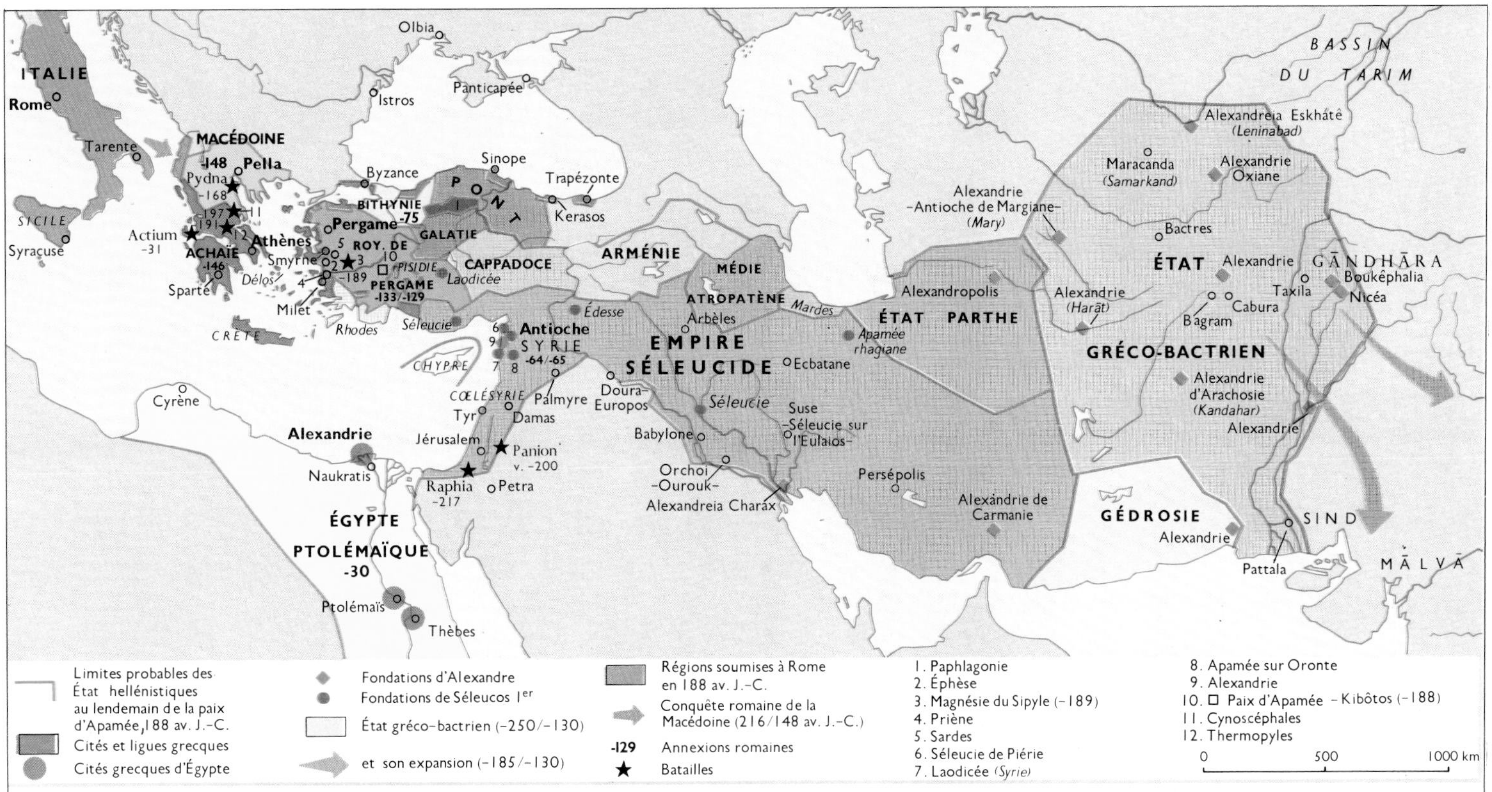

ITALIE
Rome
Tarente
SICILE
Syracuse
MACÉDOINE
-148 **Pella**
-168
-197 ★ 11
★ **Pergame** -75
Actium ★ **Athènes** ★
-31 **ACHAÏE** 5 **ROY. DE**
-148 *Smyrne* 3 10
Sparte *Délos* 2 189
CRÈTE 4 **PERGAME**
-133/-129
Milet
Rhodes
Séleucie
Cyrène
Olbia
Istros
Panticapée
MACÉDOINE
Byzance
Sinope
Trapézonte
P O N T
BITHYNIE
GALATIE
CAPPADOCE
Kerasos
Édesse
6 **Antioche**
9 **SYRIE** -64/-65
7 8
CHYPRE
COELÉSYRIE
Tyr *Palmyre*
Damas
Jérusalem ★ Panion
v. -200
Naukratis
★ *Raphia* ★ *Petra*
-217
ÉGYPTE
PTOLÉMAÏQUE
-30
Ptolémaïs
Thèbes
ARMÉNIE
MÉDIE
ATROPATÈNE
Arbèles *Mardes*
Alexandropolis
EMPIRE
SÉLEUCIDE
Ecbatane
Doura-Europos
Séleucie
Suse
Séleucie sur
l'Eulaios
Babylone
Orchoï
-Ourouk-
Alexandreia Charax
Persépolis
Apamée rhagiane
ÉTAT PARTHE
Alexandrie -Antioche de Margiane- (Mary)
Bactres
Alexandrie (Harât)
GRÉCO-BACTRIEN
Maracanda (Samarkand)
Alexandrie Oxiane
Alexandreia Eskhâté (Leninabad)
ÉTAT
Alexandrie
G A N D H Ā R A
Taxila *Bouképhalia*
Nicéa
Cabura
Bagram
Alexandrie d'Arachosie (Kandahar)
Alexandrie
Alexandre de Carmanie
GÉDROSIE
Alexandrie
Pattala
S I N D
M Ā L V A
BASSIN DU TARIM

Limites probables des
État hellénistiques
au lendemain de la paix
d'Apamée,188 av. J.-C.
◼ Cités et ligues grecques
● Cités grecques d'Égypte

◆ Fondations d'Alexandre
● Fondations de Séleucos Ier
☐ État gréco-bactrien (-250/-130)
⟶ et son expansion (-185/-130)

▨ Régions soumises à Rome
en 188 av. J.-C.
⟹ Conquête romaine de la
Macédoine (216/148 av. J.-C.)
-I29 Annexions romaines
★ Batailles

1. Paphlagonie
2. Éphèse
3. Magnésie du Sipyle (-189)
4. Priène
5. Sardes
6. Séleucie de Piérie
7. Laodicée (Syrie)

8. Apamée sur Oronte
9. Alexandrie
10. ☐ Paix d'Apamée – Kibôtos (-188)
11. Cynoscéphales
12. Thermopyles

0   500   1000 km

LE MONDE HELLÉNIQUE ET HELLÉNISTIQUE AU LENDEMAIN DE LA PAIX D'APAMÉE (188 AV. J.-C.)

Après la deuxième guerre punique (218-201), Rome peut intervenir dans les affaires d'Orient, mais elle ne le fait que parce que le roi de Macédoine, Philippe V (221-179), la provoque en s'alliant avec Hannibal. À deux reprises, ce souverain sauve son royaume, mais, moins heureux, son fils et successeur, Persée, est vaincu à Pydna. Conquise en 168, la Macédoine devient province romaine en 148. La Syrie résiste plus longtemps : l'ambition d'Antiochos III Mégas (223-187) effraie Rhodes et Pergame, qui appellent Rome; ce souverain séleucide est battu par les Scipions à Magnésie du Sipyle (189) et perd toute l'Asie Mineure au traité d'Apamée (188); puis Antiochos IV Épiphane (175-164/163) doit faire face à une révolte juive animée par les Maccabées; en 141, les Parthes Arsacides s'emparent de la Babylonie; à Pompée revient la tâche de réduire en province ce qui reste de la Syrie (65/64). À son tour, la riche Égypte attire d'autant plus Rome que, politiquement, elle est en complète décadence; quand Octave l'emporte à Actium (31), Cléopâtre se suicide, et l'Égypte entre dans le monde romain (30 av. J.-C.). [Royaume de Pergame, v. *infra*.]

◀ Vers 270 av. J.-C., les principaux États grecs sont la Macédoine, la Syrie et l'Égypte : dans ces monarchies, le pouvoir, conféré par la Fortune, repose sur l'armée, le culte du souverain, des richesses abondantes. Mais les éléments de diversité l'emportent. Le très puissant roi de l'Égypte lagide, assisté par un dioicète (finances), ressemble toujours plus à un pharaon. Malgré son organisation (satrapies) et des créations de villes, la Syrie se désagrège lentement en raison de la diversité des nations qui la composent et de la médiocrité de ses rois, à l'exception d'Antiochos III Mégas (223-187). La Macédoine, où le peuple garde un certain rôle, est une monarchie militaire; en 222, elle domine la Grèce (bataille de Sellasie). L'état de guerre est permanent; l'Égypte, parfois alliée à Pergame, lutte tantôt contre la Macédoine (défaite de Cos, sans doute pendant la guerre de Chrémonidès), tantôt contre la Syrie (victoire de Raphia en 217); nul ne se méfie encore des Parthes, qui s'ébranlent vers 250, ni de Rome.

Indépendante en fait vers 282, sous le gouvernement de Philétairos, érigée en royaume par Attalos (Attale) Ier en 240, Pergame est le dernier-né des États hellénistiques. Menacé par la Macédoine à l'ouest, la Syrie et les Galates à l'est, le royaume de Pergame s'allie le plus souvent à l'Égypte et à Rome; son apogée se place sous Eumenês (Eumène) II (paix d'Apamée, 188). Il laisse des trésors d'art (Pergame), suscités par une étonnante politique d'évergétisme (portique d'Attalos à Athènes) et par une administration rigoureuse. Attalos III, par testament, lègue en 133 ses États à Rome (province d'Asie). ▶

B

Samothrace
Byzance
Lysimakheia
Héraclée
Sinope
Cyzique
BITHYNIE
PAPHLAGONIE
Ancyre
P O N T
Pergame ●
ROY. DE
GALATIE
PHRYGIE
Éphèse ○
Milet
Didymes
PERGAME
Apamée -188
CAPPADOCE
Rhodes
LYCIE *Side*
CILICIE
EMPIRE
Antioche
SÉLEUCIDE
CHYPRE
Salamine
S Y R I E
Sidon *Damas*
Tyr

Le royaume de Pergame en 188 av. J.-C.
après la paix d'Apamée

▨ Royaume de Pergame
☐ Villes libres grecques
▨ Cité de Rhodes et territoires (Pérée)

0   200 km

L'enjeu de la première guerre punique (264-241) est la Sicile. Maîtresse de cette île, l'aristocratique Carthage a des atouts importants (domaine agricole; surtout marine et commerce), mais elle abandonne sa défense à des mercenaires; face à ceux-ci, les soldats-paysans de Rome, pauvres et avides (ils expriment leur bellicisme aux *comices centuriates* contre un sénat prudent), poussent à l'intervention en faveur des mercenaires campaniens installés à Messine (contrôle du détroit). Après des succès initiaux qui montrent son adaptation à la mer (prise d'Agrigente en 262, victoire de Duilius à Myles en 260, débarquement de Regulus près de Clupea en Afrique en 256), Rome se heurte à des difficultés (échec en Afrique, défense de la Sicile par Hamilcar Barca, combat de Drepanum); mais un dernier sursaut (victoire des îles Ægates) lui permet d'imposer un traité à Carthage, qui perd la Sicile, puis, après une révolte de ses mercenaires en Afrique, la Corse et la Sardaigne.

La domination en Méditerranée occidentale est l'enjeu de la deuxième guerre punique (218-201). Fort des richesses ibériques, espérant les alliances gauloise et campanienne, Hannibal, après avoir pris Sagonte (219), gagne les Alpes et, grâce à ses mercenaires, remporte une série de victoires en Italie (le Tessin, la Trébie, 218; le lac Trasimène, 217; Cannes, 216). Mais il hésite («délices de Capoue»); Rome se renforce, contre-attaque en Espagne; au Métaure, l'armée d'Hasdrubal est détruite (207). Critiqué par le parti pacifiste des Hannon, Hannibal est vaincu à Zama (202) par Scipion, allié à Masinissa. Carthage accepte un traité qui, la désarmant, la livre à la merci de Rome.

Née près du «tophet» de Tanit, Carthage s'est développée entre ses ports et sa citadelle (Byrsa). Pratiquement anéantie en 146 av. J.-C., la cité bénéficie des soins de Caius Gracchus, de César et d'Auguste (centuriations). Port de l'annone, elle est peut-être, au milieu du IIIe siècle apr. J.-C., la deuxième ville de l'Empire.

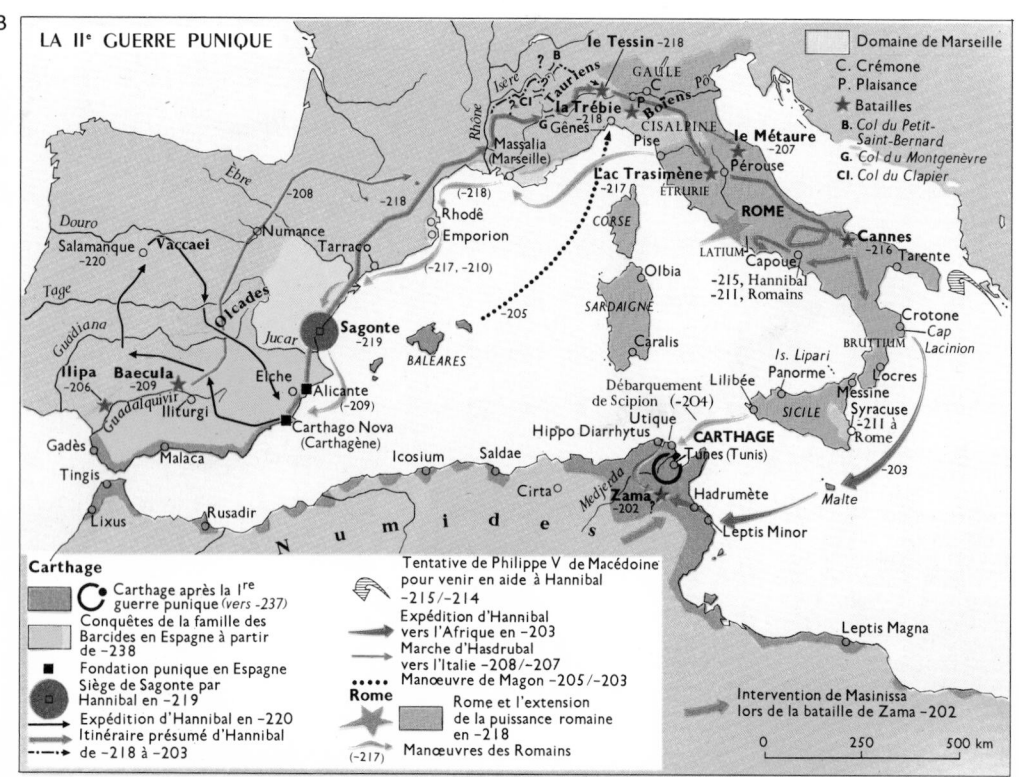

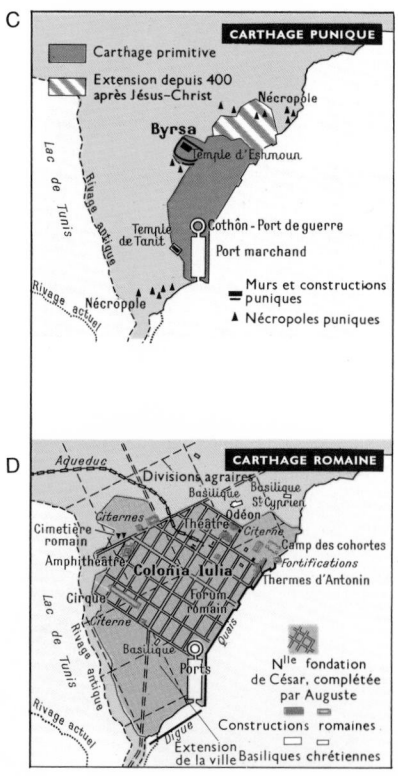

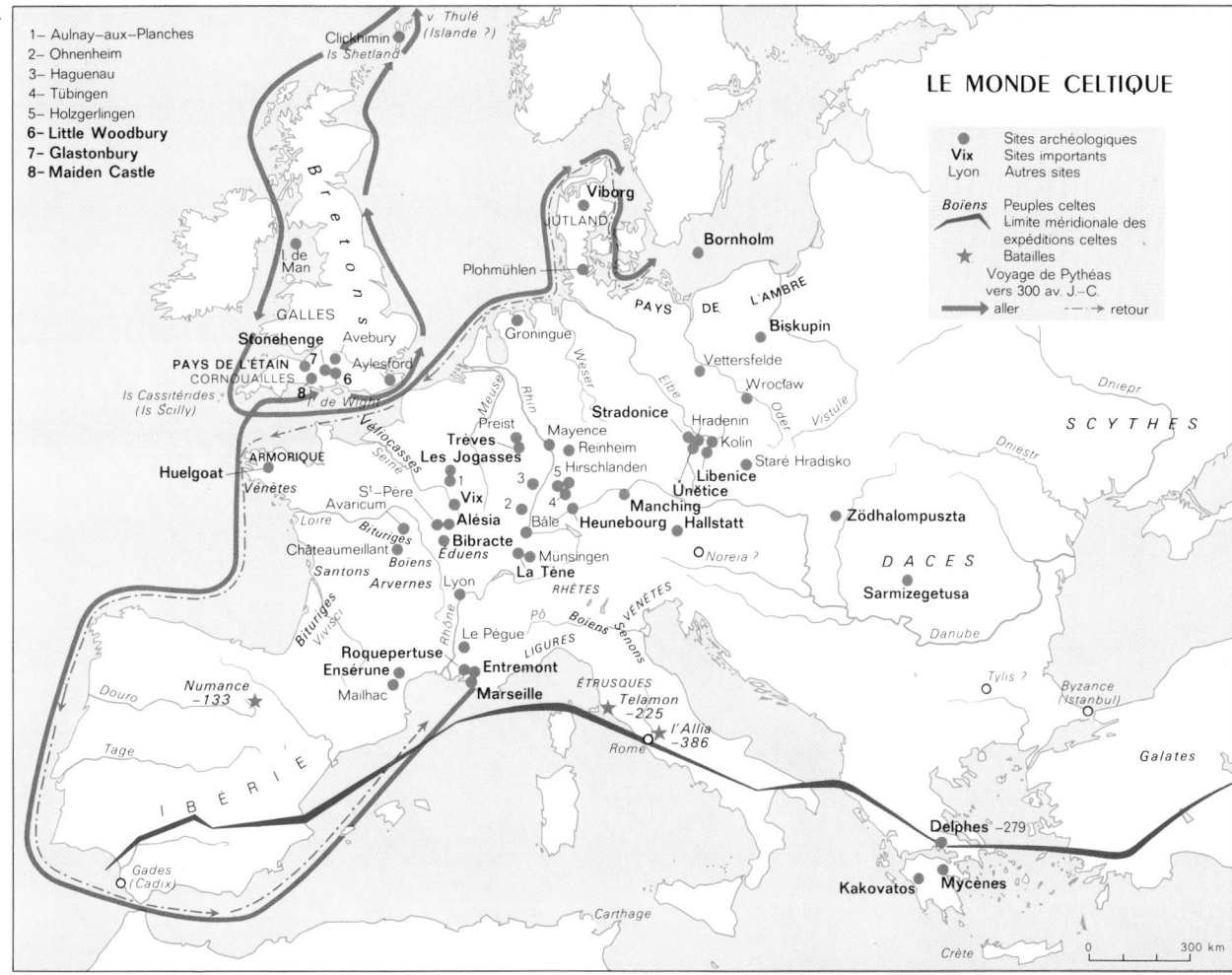

A

1– Aulnay–aux–Planches
2– Ohnenheim
3– Haguenau
4– Tübingen
5– Holzgerlingen
6– Little Woodbury
7– Glastonbury
8– Maiden Castle

LE MONDE CELTIQUE

● Sites archéologiques
Vix Sites importants
Lyon Autres sites
Boïens Peuples celtes
Limite méridionale des
expéditions celtes
★ Batailles
Voyage de Pythéas
vers 300 av. J.-C.
→ aller
–·–→ retour

Les Celtes sont des Indo-Européens dont l'origine précise demeure mystérieuse; on les cerne pour la première fois avec précision dans l'actuelle Autriche : la civilisation de Hallstatt dure de 800 à 500 av. J.-C. env. *(tumuli)*; puis, jusqu'à l'ère chrétienne, c'est le site de La Tène (Suisse) qui sert de référence (tombes à fosse, épées longues, bijoux). Durant le Ier millénaire av. J.-C., ils émigrent par petits groupes, qui dominent, sans les éliminer, les populations vaincues, et se constituent en une sorte de «tribu royale des chefs» (T. G. E. Powell), contribuant à créer des peuples mixtes. Présents dans les régions alpines et danubiennes (Boïens de Bohême, Gaulois de Cisalpine), ils gagnent le nord de la Gaule (civilisations de Hallstatt et, aux Jogasses, de La Tène); de là, ils passent en Bretagne; vers le sud, ils deviennent Celtibères en Espagne et à l'ouest du Rhône (Ensérune), Celto-Ligures à l'est du fleuve (Entremont); les plus audacieux se sont établis en Anatolie, en 275/274 (Galates). Pour les anciens, ils étaient surtout des guerriers et aussi des hommes très pieux, honorant, dans les bois et sanctuaires, des dieux fort divers (personnages masculins, déesses mères, divinités animales). [L'économie est étudiée dans la notice de la carte des Celtes de Gaule p. 22.]

L'Étrurie est limitée par l'Arno, le Tibre et le rivage de la mer Tyrrhénienne. Là vivait un peuple aux origines mystérieuses (langue inconnue), dont la civilisation a été jugée orientalisante; on admet, en général, qu'il était composé d'indigènes (Méditerranéens) et d'Italiques (Indo-Européens); quant au caractère oriental de sa civilisation, certains pensent qu'il s'agirait en réalité d'une résurgence de la tradition méditerranéenne, alors que d'autres admettent des influences nées du commerce, voire une immigration réduite. Au VIe siècle, les Étrusques sont gouvernés par des tyrans ou des aristocraties et atteignent alors leur apogée : en politique, ils constituent une dodécapole, dont le centre est au *fanum Voltumnae* près de Volsinii, et étendent leur influence sur le Latium, la Campanie, la plaine du Pô; dans le domaine économique, ils développent la métallurgie (fer de l'île d'Elbe, forges de Populonia et de Vetulonia, cuivre); dans le domaine culturel, les nécropoles de Tarquinii et de Caere (orfèvrerie, céramique, fresques) nous révèlent une civilisation de jouisseurs, tremblant surtout devant la mort. Rome a largement subi l'influence étrusque.

B

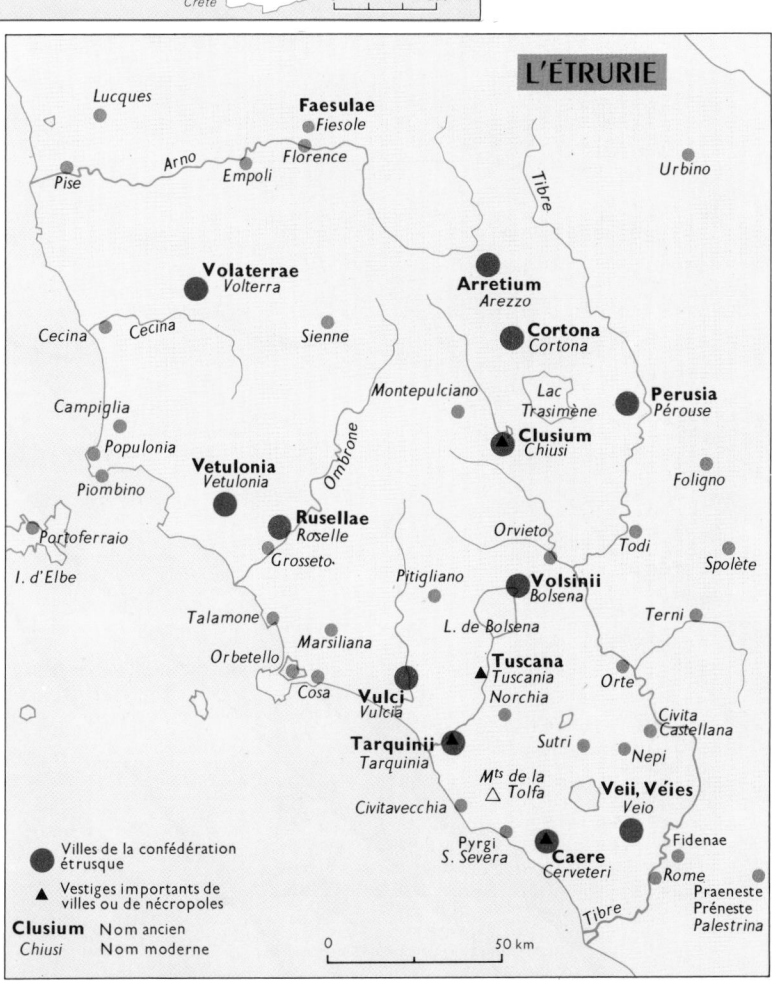

L'ÉTRURIE

● Villes de la confédération étrusque
▲ Vestiges importants de villes ou de nécropoles

Clusium Nom ancien
Chiusi Nom moderne

Rome s'impose d'abord à ses voisins latins et étrusques (siège de Véies en 406-396), bien qu'elle soit vaincue en 390 sur l'Allia par les Gaulois. Les Samnites sont ensuite vaincus au terme d'une longue lutte (Sentinum, 295). Enfin, la conquête du sud de l'Italie s'achève avec la prise de Tarente (272). Les premières acquisitions (région centrale) constituent l'*ager romanus* (les cités y sont municipes, préfectures); le reste du pays est l'*ager sociorum* (colonies, cités fédérées ou libres).

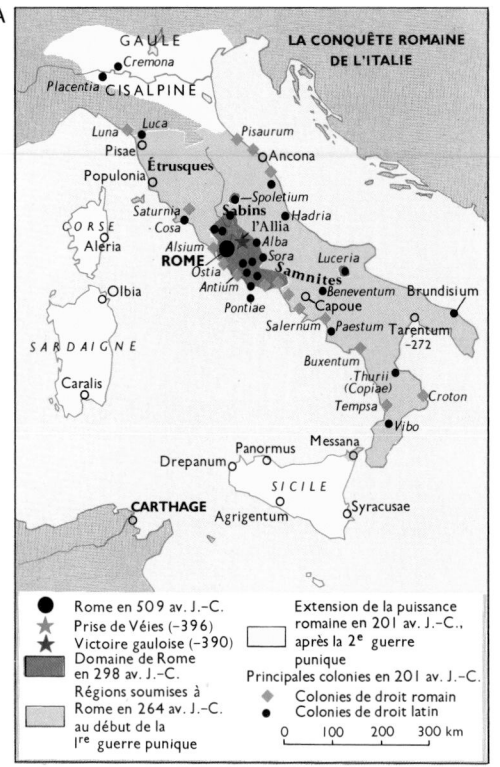

A

GAULE CISALPINE

LA CONQUÊTE ROMAINE DE L'ITALIE

Cremona
Placentia
Luca
Luna
Pisae
Populonia
Étrusques
Saturnia
Cosa
Alsium
ROME
Ostia
Antium
Pontiae
CORSE
Aleria
SARDAIGNE
Olbia
Caralis
Pisaurum
Ancona
Spoletium
Hadria
Sabins
l'Allia
Alba
Sora
Luceria
Samnites
Beneventum
Brundisium
Capoue
Salernum
Paestum
Tarentum
−272
Buxentum
Thurii
(Copiae)
Tempsa
Croton
Vibo
Panormus
Messana
Drepanum
SICILE
CARTHAGE
Agrigentum
Syracusae

● Rome en 509 av. J.-C.
★ Prise de Véies (−396)
★ Victoire gauloise (−390)
▨ Domaine de Rome en 298 av. J.-C.
☐ Régions soumises à Rome en 264 av. J.-C. au début de la Iʳᵉ guerre punique
☐ Extension de la puissance romaine en 201 av. J.-C., après la 2ᵉ guerre punique
Principales colonies en 201 av. J.-C.
◆ Colonies de droit romain
● Colonies de droit latin
0 100 200 300 km

Au gré des circonstances, les motifs de la conquête romaine sont économiques, militaires (guerres défensives victorieuses) ou psychologiques (besoin de sécurité). Au début du IIᵉ siècle av. J.-C., Rome domine l'Italie, la Sicile, la Corse, la Sardaigne, la côte espagnole. À partir de 150 env., sous la pression de ses hommes d'affaires, elle annexe ou contrôle des territoires riches (Macédoine en 148, Grèce et Afrique en 146, Espagne centrale après la prise de Numance en 133 et Narbonnaise vers 120-117). Prenant le relais, les *populares* poussent à des conquêtes plus lointaines (Asie en 129, Cilicie en 101). Mais, au Iᵉʳ siècle av. J.-C., ce sont les *imperatores* qui dirigent tout : de 67 à 62, Pompée réorganise l'Orient (Pont, Syrie), après les annexions de 74 (Bithynie, Cyrénaïque) et avant celle de 58 (Chypre); César s'empare de la Gaule (58-51), de l'*Africa nova*, c'est-à-dire d'une partie de la Numidie (46). Ces conquêtes provoquent une crise grave d'où naît l'Empire. Son fondateur, Auguste, réorganise l'administration et l'armée, achève l'entreprise romaine dans le nord-ouest de l'Espagne, les Alpes, les provinces danubiennes. Il ne reste plus qu'à ajouter à cet ensemble la Mauritanie (Caligula), la Bretagne (Claude), la Dacie, l'Arabie et, provisoirement, l'Arménie, l'Assyrie et la Mésopotamie (Trajan).

B

LA CONQUÊTE ROMAINE
du IIᵉ s. av. J.-C. au IIᵉ s. apr. J.-C.

Rome républicaine
▨ Rome en 201 av. J.-C. après la seconde guerre punique
☐ Conquêtes de Rome au second siècle av. J.-C.
☐ Conquêtes du premier siècle avant le consulat de César (59 av. J.-C.)
▨ Conquêtes réalisées par César et conservées par Auguste

Rome impériale
L'empire romain à la mort d'Auguste (14 apr. J.-C.)
Conquêtes temporaires
Annexions de la mort d'Auguste à l'avènement de Trajan (98 apr. J.-C.)
Conquêtes de Trajan

☐ Conquêtes temporaires (114-117)
☐ Région occupée temporairement par Antonin
☐ Paix d'Apamée (188 av. J.-C.)
◉ Destruction de Carthage punique (146 av. J.-C.)
◪ Prise de Jérusalem (70 apr. J.-C.)
▲ Principales batailles

HIBERNIE

Mur d'Antonin
Mur d'Hadrien
Deva
Eburacum (York)
Legio VI Victrix
Legio XX Valeria Victrix
BRETAGNE
Isca
Legio II Augusta
Camulodunum
Londinium
Noviomagus (Nimègue)
Désastre de Varus (9 apr. J.-C.)
Vetera (Legio XXX Ulpia)
Col. Agrippinensis
Germanie infʳᵉ
Bonna
Mogontiacum
Belgique
Lutetia
Germanie supʳᵉ
Champs décumates
Castra Regina (Ratisbonne)
Argentoratum
Alésia-52
Bibracte
Lauriacum
Vindobona (Vienne)
Carnuntum (Legio XIV Gemina)
Brigetio (Legio I Adjutrix)
Avaricum
GAULE
−52 Gergovie
Lugdunaise
Lugdunum (Lyon)
Burdigala (Bordeaux)
Aquitaine
Uxellodunum −51
Vienne
Narbonnaise
Arelate
Vindonissa
Rhétie
Norique
Virunum
Savaria
Aquincum (Legio II Adjutrix)
Pannonie
Brigantium (La Corogne)
Legio VII Gemina (León)
Numance −133
Narbonne
Massalia (Marseille)
Aquae Sextiae (Aix-en-P.) −102
Emporiae
XI
Milan
Verceil −101
Aquilée
X
IX
2
3
VIII
Bologne
Gênes
VI
VII
V
IV
Dalmatie
Supʳᵉ
Burnum
Salonae
Sirmium
Singidunum
Viminacium
Mésie
Supʳᵉ
Novae (Legio I Italica)
Infʳᵉ
Dacie
Apulum
Potaissa
Porolissum
Olbia
ROYAUME DU BOSPHORE
Tyras
Roxolans
Troesmis (Légio V Macedonica)
Durostorum (Legio XI Claudia)
Sinope
Lusitanie
Caesaraugusta
Tarraconaise
Tarraco
Sagonte
Italica
Corduba
Bétique
Munda −45
ESPAGNE
Olisipo (Lisbonne)
Hispalis (Séville)
Gades (Cadix)
Lixus (Tanger)
Baléares
Corse
Aleria
Sardaigne
Caralis
ROME
I
II
III
Capoue
Naples
Tarente
Dyrrachium
Apollonia
Pydna −168
Pharsale −48
Actium −31
Corcyre
Macédoine
Philippes −42
Cynocéphales −197
Thrace
Byzance
Héraclée du Pont
Bithynie et Pont
Ancyre
Nicopolis
Satala
Artaxata
Arménie
Legio XV Apollinaris
Cappadoce
Mélitène
Legio XII Fulminata
Achaïe
Pergame
Asie
Magnésie du Sipyle −189
Apamée
Éphèse
Corinthe
Athènes
Lycaonie
Galatie
Pamphylie
Lycie
Rhodes
Chypre
Cilicie
Commagène
Zeugma
Cyrrhus
Antioche
L. XVI Flavia
Syrie
Damas
Tyr
Nisibis
Mésopotamie
Carres −53
Circesium
Palmyre
Doura-Europos
Babylone
Séleucie
Ctésiphon
Assyrie
Olisipo
Tingis
Volubilis
Tingitane
Mauritanie Césarienne
Iol. Caesarea (Cherchell)
Cirta
Numidie
Lambèse
Legio III Augusta
Aurès
Gemellae
Timgad
Theveste
Thapsus −46
Afrique
Hippo Diarrhytus
Utique
Carthage
Sicile
Panormus (Palerme)
Catane
Syracuse
Melita (Malte)
Crète
Proconsulaire
Leptis Magna
Barca
Cyrène
Cyrénaïque
Alexandrie
Legio XXII Dejotariana
Legio II Traiana
Judée
Jérusalem (Aelia Capitolina)
Legio X Fretensis
Bostra
Legio III Cyrenaica
Petra
Aelana
Pelusium
Memphis
Fossatum
Égypte
ARABIE

Asie Les provinces au temps d'Auguste
⋯ Divisions de l'Italie en régions sous Auguste
I Latium-Campanie
II Apulie-Calabre
III Lucanie-Bruttium
IV Samnium
V Picenum
VI Ombrie
VII Étrurie
VIII Émilie
IX Ligurie
X Vénétie-Istrie
XI Transpadane

▪ Principaux camps légionnaires
Legio III Augusta Légions au IIᵉ s. apr. J.-C.
▬ Le limes au IIᵉ s. apr. J.-C.
▪ Postes isolés
☐ Royaume sous protectorat romain depuis 63 av. J.-C.

1. Alpes-Graies-et-Pennines
2. Alpes-Cottiennes
3. Alpes-Maritimes
A Augusta Treverorum

0 500 km

Grands bâtisseurs, les Romains distin- A
guaient voies publiques (stratégiques :
construites par l'armée, ou administratives : sur ordre des magistrats), voies
privées et vicinales; toutes, évidemment,
jouaient un rôle économique et avaient
une influence civilisatrice.

Utilisant en Italie un héritage ancien
(via Salaria), souvent grec ou étrusque,
Rome dessert successivement par route
le pays des Éques et des Marses *(via
Claudia Valeria),* la Campanie *(via
Latina; via Appia,* en 312 av. J.-C.),
l'Italie du Nord *(via Flaminia,* en 220; *via
Aemilia,* en 187 av. J.-C.), l'Étrurie *(via
Cassia; via Aurelia,* en 241; *via Clodia).*

De même, après l'établissement de
l'Empire et pour les mêmes raisons,
Rome dote ce dernier d'un réseau routier, rarement dallé, mais pourvu de
ponts et marqué de bornes milliaires.
Une voie principale fait le tour de la
Méditerranée. Sur elle s'articulent les
axes provinciaux : de Carthage vers
Lambèse ou Sitifis en Afrique; d'Antioche vers Pétra, Trapezas (Trébizonde)
ou la Mésopotamie, ou l'Asie Mineure et
la Syrie (également, rocade Pétra-Pal-
myre); *via Egnatia,* menant d'Italie à
Thessalonique (148 av. J.-C.); routes
partant d'Aquilée ou empruntant les cols
des Alpes pour gagner les provinces
danubiennes (pour la Gaule, v. carte
p. 24); voies liant Tarraco (Tarragone) à
León et à Mérida en Espagne. À cela
s'ajoutent les réseaux de Bretagne et du
limes, ainsi que les voies pénétrant en
pays barbare depuis ce dernier.

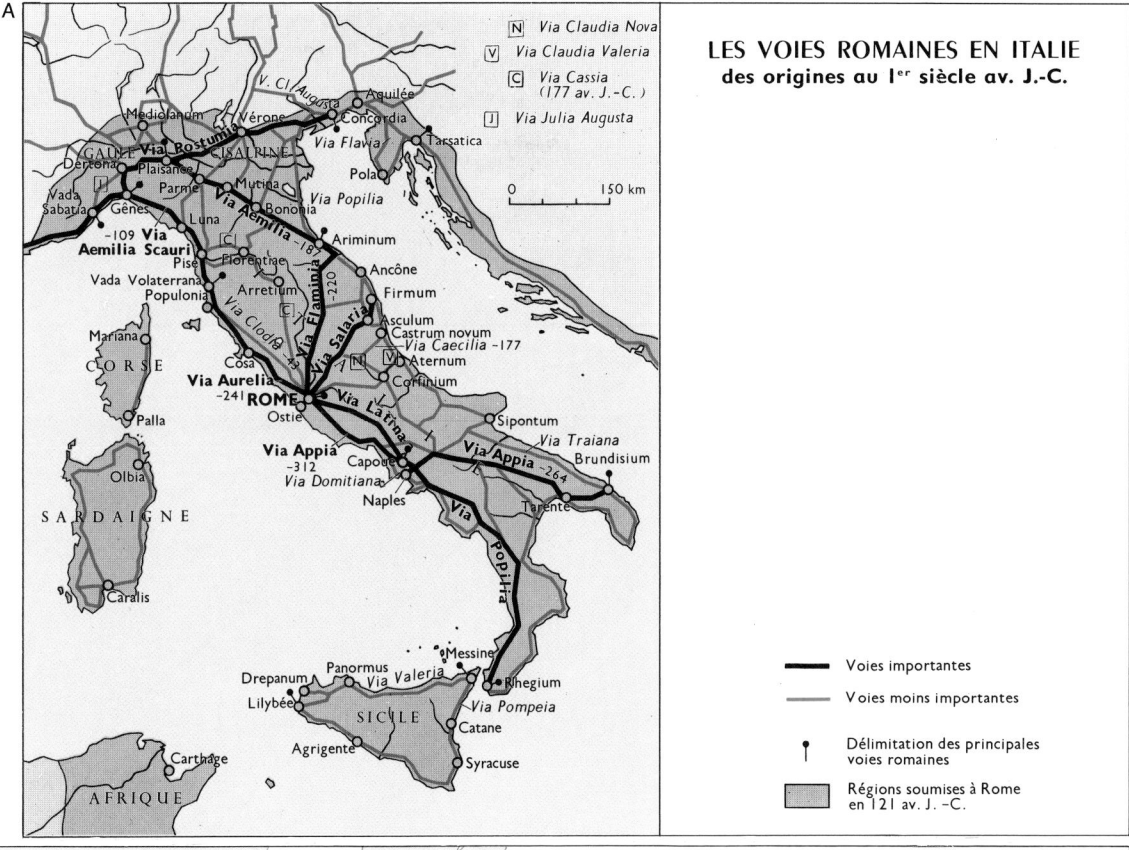

LES VOIES ROMAINES EN ITALIE
des origines au Ier siècle av. J.-C.

LES VOIES ROMAINES DE L'EMPIRE

B

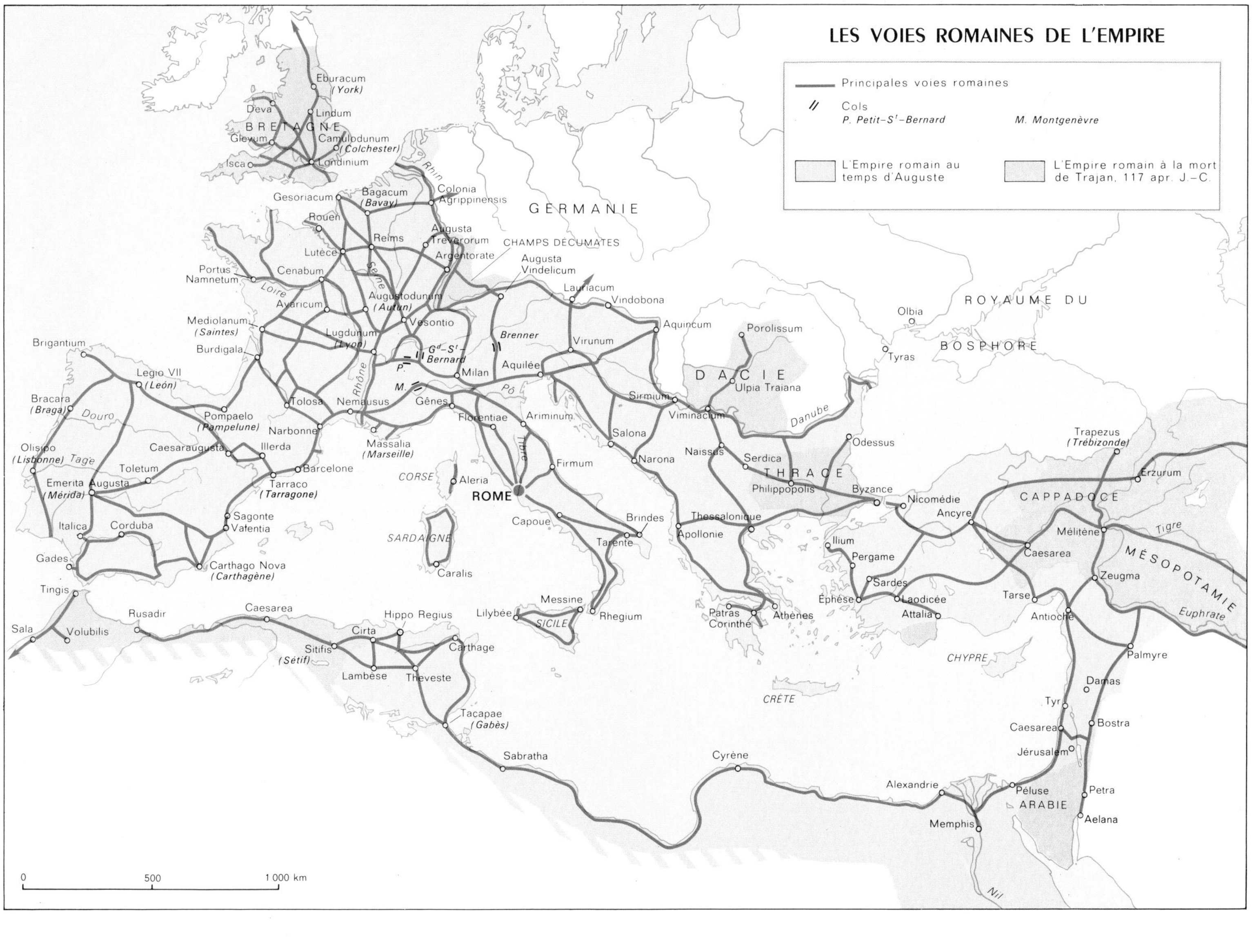

LA GAULE VERS 60 AV. J.-C.

GERMANIE

BRETAGNE

BATAVES
MÉNAPIENS
SICAMBRES
ADUATUCI
UBIENS
Portus
Itius   MORINS   Aduatuca
Gesoriacum   ÉBURONS   NERVIENS
Boulogne-s/-M.   CONDRUSES
ATRÉBATES
BELGIQUE
Nemetocenna   TRÉVIRES   VANGIONS
AMBIANI
Samarobriva   VÉROMANDUENS
Amiens   RÈMES
VÉLIOCASSES   BELLOVAQUES   Noviodunum S.   MÉDIOMATRICES
Soissons   Durocortorum   Divodurum
UNELLES   SUESSIONS   Reims   Metz
LEXOVIENS   SILVANECTES   Les Jogasses
VIDUCASSES   Lutetia MELDES   LEUCES
AULERQUES   Paris
OSISMIENS   ABRINCATUENS   ÉBUROVICES   PARISII   TRIBOQUES   SUÈVES
Huelgoat   CORIOSOLITES   Seine   TRICASSES
Camp d'Artus   AUL.   Agedincum
ARMORIQUE   CÉNOMANS   CARNUTES   Sens
REDONS   SENONES   Vix
VÉNÈTES   AUL.   Cenabum   Alésia   Saône   RAURACI
DIABLINTES   Orléans   Alise-Ste-R.   Vesontio
ANDÉCAVES   MANDUBIENS   Besançon
NAMNÈTES   Avaricum   SÉQUANES   HELVÈTES
Condivicnum   TURONS   Bourges   Bibracte
Nantes   BITURIGES CUBI   MtBeuvray
Nevirnum   ÉDUENS   Cabillonum
PICTONES   Nevers   Chalon-s/-S.
Limonum   Mastico
CELTIQUE   Poitiers   Mâcon   AMBARRES   Rhône
Octodurus
Gergovia   Martigny
SANTONES   LEMOVICES   Gergovie   SEGUSIANI   GAULE
Vienna
ARVERNES   Vienne   Vercellae
Verceil
BITURIGES   ALLOBROGES   Pô
VIVISCI   PÉTROCORIENS   Uxellodunum   VELLAVES   CISALPINE
Burdigala   Puy d'Issolud ? Anderitum
Bordeaux   Garonne   Javols   HELVIENS   VOCONCES
BOÏENS   CADURQUES   GABALES   Alba   PROVINCE
COCOSATES   NITIOBRIGES   Arausio   ROMAINE
RUTÈNES   Orange
ÉLUSATES   Nemausus   Arelate   Entremont   Nicaea
Tolosa   Nîmes   Arles   Aquae Sextiae   Nice
AQUITAINE   Toulouse   VOLCES   Aix-en-Prov.   Antipolis
AUSCII   VOLCES   ARECOMICI   Roquepertuse   SALYENS   Antibes
TECTOSAGES   Massalia   LIGURES
Ensérune   Agatha   Marseille
SIBUSATES   CONVÈNES   Lugdunum   Narbo Martius   Agde   Olbia
Convenarum   Narbonne
St-Bertrand-de-C.
SORDONES   Illiberis
Elne
ESPAGNE

CARNUTES   Peuples celtes
Avaricum   Nom ancien
Bourges   Nom moderne
■ Colonie de citoyens romains
● Principaux sites archéologiques
   préromains
0   200 km

La Gaule transalpine («au-delà des Alpes» pour les Romains) est constituée de deux ensembles : au sud-est, la «Province», conquise en 125/117, est flanquée sur la côte d'un chapelet de colonies grecques (Massalia [Marseille]); au nord-ouest, «la Gaule, dit César (I, 1), est [...] divisée en trois parties : l'une [...] est habitée par les Belges, l'autre par les Aquitains, la troisième par (les) [...] Celtes» (sur leur origine, v. carte p. 19). Dispersés en une soixantaine de tribus ayant pour centre un *oppidum* (place forte), ces derniers créent parfois des confédérations («royaumes»); la religion des druides constitue le seul élément réel d'unité. Cependant, la Gaule possède une économie prospère : blé et orge y sont cultivés sur les domaines des nobles avec des instruments perfectionnés; on y élève bovins et chevaux; on y exploite les métaux et le bois des vastes forêts. Mais ces richesses attirent autant les Romains que les Germains (Suèves).

▶ A

Entamée après l'issue victorieuse de la guerre des Gaules (v. carte B p. 23), la *guerre civile* (49-45) oppose Pompée et l'aristocratie sénatoriale, républicaine et conservatrice à César, qui a le soutien des *populares*. Comme ce dernier s'efforce de développer la mystique de l'*Imperator*, les Pères lui refusent la prorogation de ses pouvoirs. Il franchit le Rubicon en 49 *(Alea jacta est)*, s'empare de Rome, se préoccupe de la Sicile et de la Sardaigne (blé pour les prolétaires), mais n'est maître que de l'Italie. Entrecoupées de séjours à Rome, ses campagnes sont des tentatives pour briser la menace d'encerclement par les pompéiens, qui tiennent les provinces. Il intervient victorieusement en 49 en Espagne (Ilerda et Corduba), en 48 en Grèce (Pharsale) et en Égypte (après l'assassinat de Pompée), puis en 47 en

Asie contre le roi Pharnace *(Veni, vidi, vici)*; il réorganise alors l'Orient. Ses succès définitifs sont remportés en 46 en Afrique (Thapsus), où il crée la province d'*Africa nova*, et en 45 en Espagne (Munda). Mort en 44, César a joué un rôle essentiel dans ce que R. Syme a appelé la «révolution romaine».

▶ B, C

La *guerre des Gaules* (58-51) a des origines économiques et politiques : Rome veut contrôler la voie commerciale qui mène à la Bretagne; César a besoin d'être victorieux *(Imperator)* pour continuer sa carrière. Le prétexte est fourni par les Helvètes, qui, poussés par les Suèves, se déplacent vers l'ouest; menacés, les Éduens font alors appel à

César, qui est vainqueur à Bibracte (58). Si les Gaulois ont d'assez bonnes fortifications et une cavalerie excellente, ils sont très divisés (Volques, Helviens, Rèmes constituent un parti romain) et ils ont en face d'eux la meilleure infanterie de l'époque : douze légions. Après des victoires faciles sur Arioviste et les Suèves (58), sur les Belges (57), César montre sa force aux marches du pays, chez les Vénètes, les Aquitains, les Morins et les Ménapes (56); puis ce sont des difficultés chez les Germains et en Bretagne (55). Née chez les Éburons, les Nerviens et les Trévires, l'insurrection générale est vite dirigée par les Carnutes et les Arvernes (Vercingétorix); mais, après leur victoire de Gergovie, les révoltés sont vaincus à Alésia (52). La Gaule devient province (tribut, contingent); César est tout-puissant.

A — LES CAMPAGNES DE CÉSAR

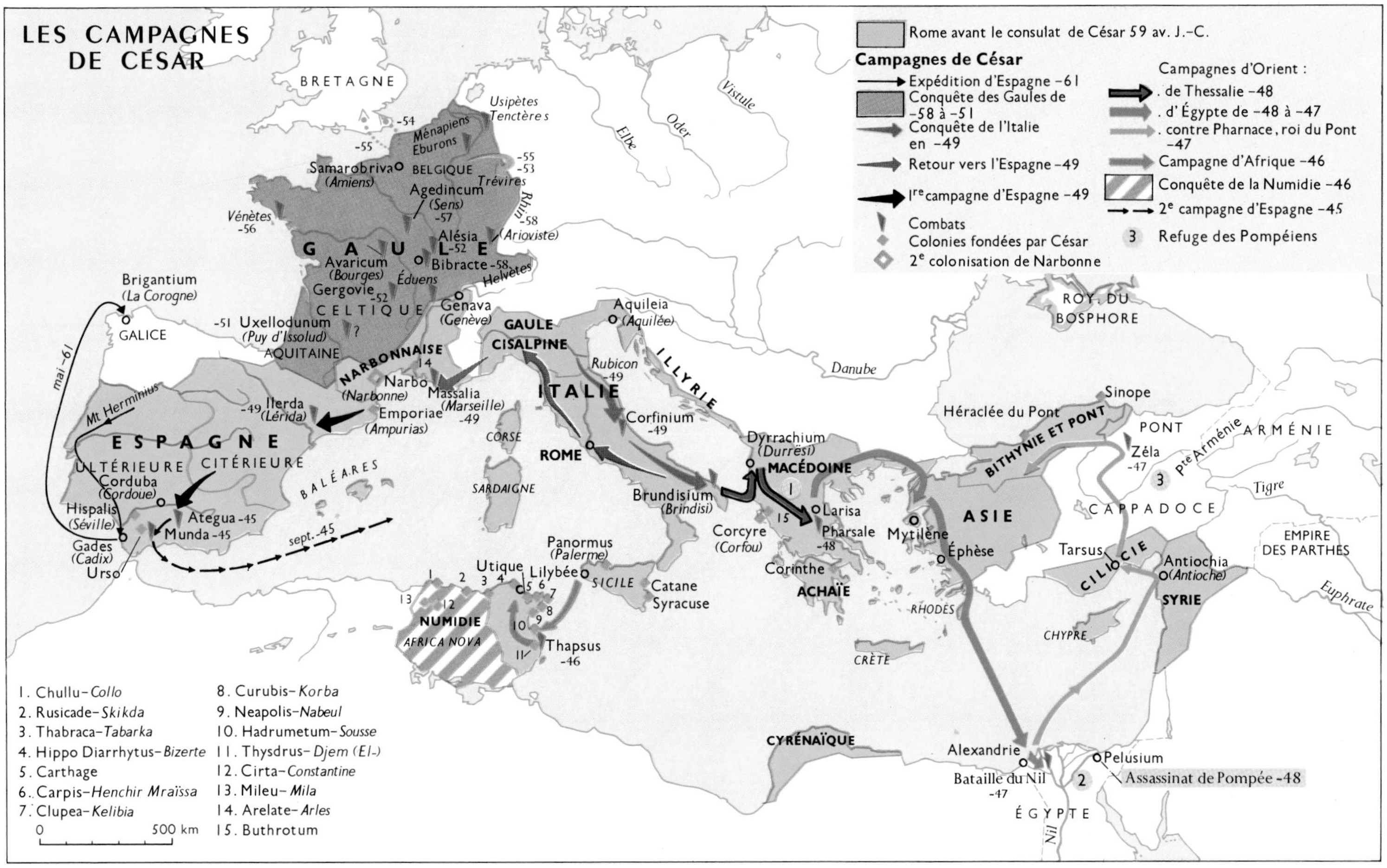

Légende :

Rome avant le consulat de César 59 av. J.-C.

Campagnes de César
- Expédition d'Espagne -61
- Conquête des Gaules de -58 à -51
- Conquête de l'Italie en -49
- Retour vers l'Espagne -49
- 1re campagne d'Espagne -49

Campagnes d'Orient :
- de Thessalie -48
- d'Égypte de -48 à -47
- contre Pharnace, roi du Pont -47
- Campagne d'Afrique -46
- Conquête de la Numidie -46
- 2e campagne d'Espagne -45

! Combats
◆ Colonies fondées par César
◇ 2e colonisation de Narbonne
3 Refuge des Pompéiens

Labels (carte A) :
BRETAGNE — Vistule — Oder — Elbe — Danube — ROY. DU BOSPHORE
Usipètes Tenctères -54 — Ménapiens Éburons -55 — Samarobriva (Amiens) -55 — BELGIQUE -53 — Agedincum (Sens) -57 — Trévires — Vénètes -56 — GAULE — Alésia -52 — Bibracte -58 — Éduens — Arioviste -58 — Rhin
Brigantium (La Corogne) mai -61 — GALICE — Mt Herminius — ESPAGNE ULTÉRIEURE — CITÉRIEURE — Corduba (Cordoue) — Hispalis (Séville) — Gades (Cadix) — Urso — Ategua -45 — Munda -45 — sept. -45 — BALÉARES
Avaricum (Bourges) — Gergovie -52 — CELTIQUE — AQUITAINE — Uxellodunum (Puy d'Issolud) ? -51 — NARBONNAISE — Narbo (Narbonne) -49 — Massalia (Marseille) -49 — Emporiae (Ampurias) — Ilerda (Lérida) -49 — Genava (Genève) — Helvètes
Aquileia (Aquilée) — GAULE CISALPINE — Rubicon -49 — ITALIE — ILLYRIE — ROME — CORSE — SARDAIGNE
Corfinium -49 — Brundisium (Brindisi) — Dyrrachium (Durrës) -15 — MACÉDOINE -1 — Larisa — Pharsale -48 — Corcyre (Corfou) — Corinthe — ACHAÏE — Mytilène — Éphèse — ASIE
Héraclée du Pont — Sinope — PONT — BITHYNIE ET PONT — Zéla -47 — Pte Arménie — ARMÉNIE — CAPPADOCE — Tigre — Tarsus — CILICIE — Antiochia (Antioche) — SYRIE — Euphrate — EMPIRE DES PARTHES — RHODES — CHYPRE — CRÈTE
Panormus (Palerme) — Utique — Lilybée — SICILE — Catane — Syracuse — NUMIDIE — AFRICA NOVA — Thapsus -46 — CYRÉNAÏQUE
Alexandrie — Bataille du Nil -47 — Pelusium — Assassinat de Pompée -48 — ÉGYPTE — Nil

1. Chullu–Collo
2. Rusicade–Skikda
3. Thabraca–Tabarka
4. Hippo Diarrhytus–Bizerte
5. Carthage
6. Carpis–Henchir Mraïssa
7. Clupea–Kelibia
8. Curubis–Korba
9. Neapolis–Nabeul
10. Hadrumetum–Sousse
11. Thysdrus–Djem (El-)
12. Cirta–Constantine
13. Mileu–Mila
14. Arelate–Arles
15. Buthrotum

0 — 500 km

B — LA CONQUÊTE DES GAULES 58-54 av. J.-C.

Labels (carte B) :
BRETAGNE — Usipètes Tenctères -55 — Ménapiens Éburons -55 — Portus Itius -55 — Nemetocenna (Arras) — Aduatuca (Tongres) -54 — BELGIQUE — I. de Wight — Is. Cassitérides [Étain] — Samarobriva (Amiens) — Noviodunum S. (Soissons) — Trévires — Unelles — Vénètes — César -56 — Crassus -56 — Carnutes — Cenabum (Orléans) — Agedincum (Sens) — Bibracte (Mt Beuvray) — Éduens — Séquanes — Vesontio (Besançon) -58 — Arioviste — Helvètes -58 — CELTIQUE — -58. Victoire de César sur les Helvètes — Genava (Genève) — Allobroges -58 — César — Vercellae (Verceil) — Nicaea (Nice) — ALPES — AQUITAINE — Garonne — NARBONNAISE — Arelate (Arles) — Narbo Martius (Narbonne) — Massalia (Marseille) — Antipolis (Antibes) — Loire — Seine — Aisne — Meuse — Moselle — Rhin — Saône — Rhône

Légende :
- Provinces romaines
- Directions principales du commerce vers les îles Britanniques

Régions soumises à César :
- en 58 av. J.-C.
- en 57 av. J.-C.
- en 56 av. J.-C.
- en 55 et 54 av. J.-C.

Itinéraires probables :
- des Helvètes
- des armées de César
- de Crassus
- Combats

0 — 300 km

C — LA RÉVOLTE GAULOISE

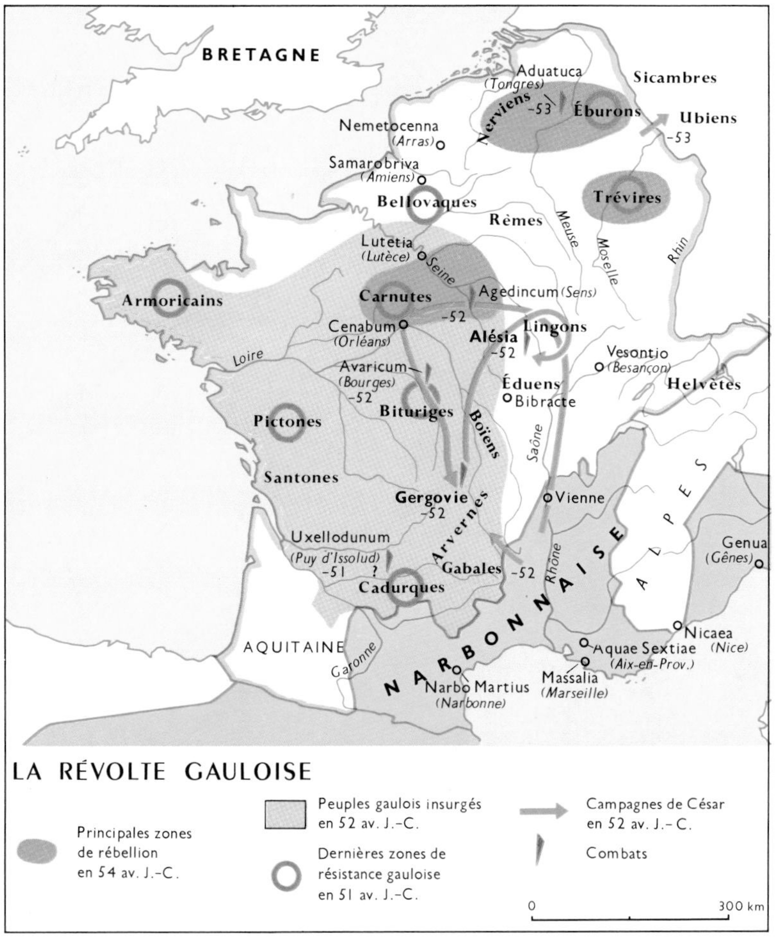

Labels (carte C) :
BRETAGNE — Aduatuca (Tongres) — Sicambres — Nerviens -53 — Éburons — Ubiens -53 — Nemetocenna (Arras) — Samarobriva (Amiens) — Bellovaques — Trévires — Rèmes — Lutetia (Lutèce) — Carnutes — Agedincum (Sens) — Lingons — Alésia -52 — Vesontio (Besançon) — Armoricains — Cenabum (Orléans) — Avaricum (Bourges) -52 — Éduens — Bibracte — Helvètes — Pictones — Bituriges — Boïens — Gergovie -52 — Vienne — Santones — Arvernes — Uxellodunum (Puy d'Issolud) ? -51 — Gabales -52 — Cadurques — Genua (Gênes) — ALPES — AQUITAINE — Garonne — NARBONNAISE — Narbo Martius (Narbonne) — Massalia (Marseille) — Aquae Sextiae (Aix-en-Prov.) — Nicaea (Nice) — Loire — Seine — Meuse — Moselle — Rhin — Saône — Rhône

Légende :
- Principales zones de rébellion en 54 av. J.-C.
- Peuples gaulois insurgés en 52 av. J.-C.
- Dernières zones de résistance gauloise en 51 av. J.-C.
- Campagnes de César en 52 av. J.-C.
- Combats

0 — 300 km

En 31 (bataille d'Actium), la guerre civile est terminée. Dès 27, Auguste impose un partage de l'Empire. Le Sénat conservait les provinces pacifiées, et donc désarmées, les plus riches (Asie, Achaïe, Bétique...); elles étaient gouvernées par un proconsul, assisté, pour les finances, par un questeur. L'empereur gardait les provinces récemment annexées, moins riches et moins stables : les plus grandes, défendues par des légions (ex. : la Germanie, créée en 16 av. J.-C.), sont administrées par un légat impérial propréteur, secondé d'un procurateur financier; les plus petites n'ont pour garnison que des auxiliaires (Alpes-Graies...) et sont laissées à deux procurateurs, l'un pour l'administration, l'autre, son subordonné, pour les finances. L'Égypte faisait exception : trop importante (blé), elle était en quelque sorte la propriété du prince, qui la confiait à un préfet, véritable viceroi, assisté d'une administration fiscale complexe. Pour maintenir ce système, l'armée des guerres civiles était ramenée à 300 000 hommes : Auguste comptait sur la diplomatie (Parthes), organisait un réseau d'États clients plus faciles à défendre (Mauritanie, Cappadoce, Arménie) [pour ses conquêtes, v. carte p. 20].

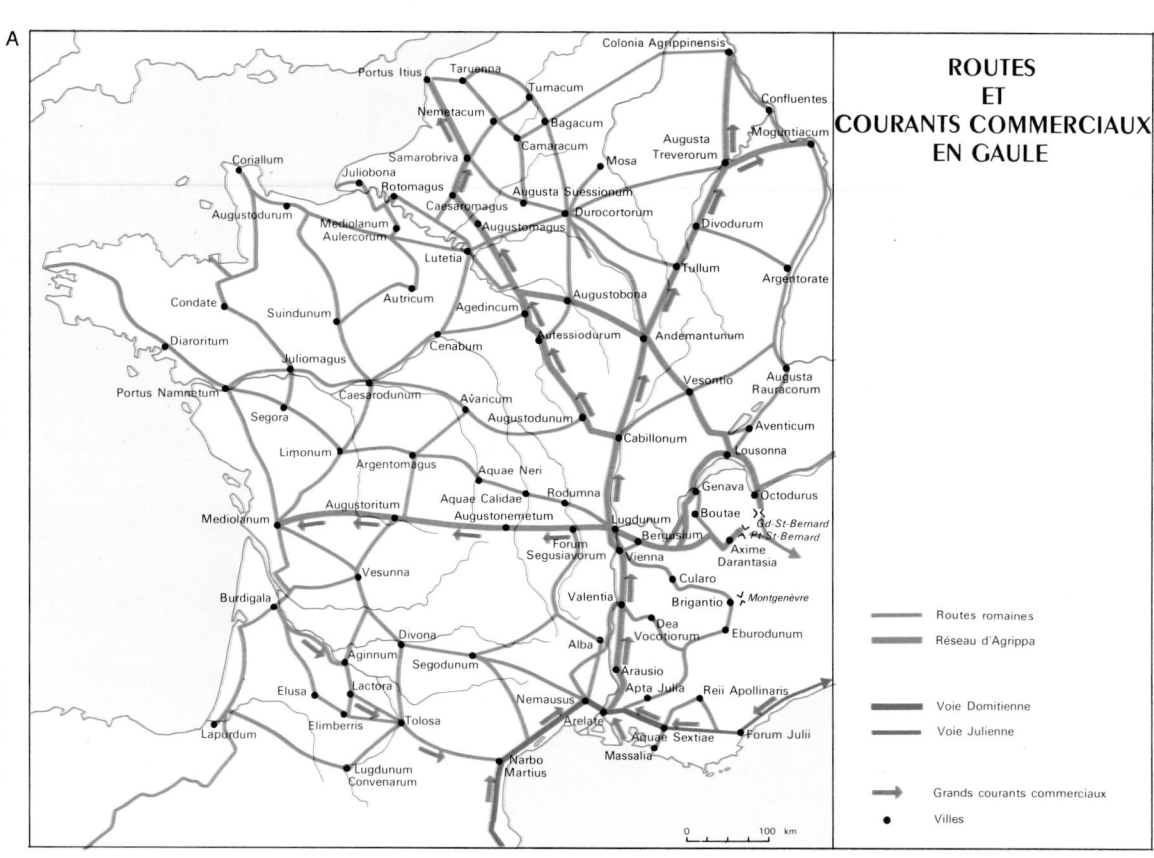

A

ROUTES ET COURANTS COMMERCIAUX EN GAULE

Routes romaines
Réseau d'Agrippa

Voie Domitienne
Voie Julienne

→ Grands courants commerciaux
● Villes

0   100 km

B

L'EMPIRE AU TEMPS D'AUGUSTE

Provinces sénatoriales
Provinces impériales

Royaumes ou principautés "protégés" et territoires autonomes
Galatie province en 25 av. J.-C.
Judée province en 6 apr. J.-C.

★ Batailles   ■ Paix de Brindes 40 av. J.-C.

1 Alpes-Graies-et-Pennines
2 Alpes-Cottiennes
3 Alpes-Maritimes

Division de l'Italie en régions
(fin du Ier s. av. J.-C.)

I Latium-Campanie	VII Étrurie
II Apulie-Calabre	VIII Émilie
III Lucanie-Brutium	IX Ligurie
IV Samnium	X Vénétie-Istrie
V Picenum	XI Transpadane
VI Ombrie	

0   500   1 000 km

Les Celtes avaient leur propre réseau, que Rome n'eut qu'à développer : voie de Domitius, vers l'Espagne; voies, surtout, d'Agrippa, rayonnant depuis Lugdunum (Lyon) vers Arelate, Portus Itius (peut-être auj. Wissant) et Colonia Agrippinensis (Cologne); les fleuves jouaient un grand rôle (Seine, Saône, Rhône). On distinguait trois types d'activités : transit (métaux de Bretagne pour l'Italie), importations (vin, huile d'Espagne, objets d'art), exportations (charcuterie, textile, céramique). Parmi les négociants, en majorité indigènes, se trouvaient des Orientaux et des Italiens.

À l'extrémité occidentale d'un plateau volcanique, sur la rive gauche du Tibre, sept collines (Capitole, Palatin, Aventin, Caelius, Esquilin, Viminal, Quirinal), encadrant une dépression (Forum), ont vu naître la Ville. De peuplement italique et étrusque à l'origine, Rome remplit plusieurs fonctions : politiques (Forum), économiques (Forum; emporium). Le rôle religieux est très évident (Capitole), et les lieux de loisirs sont encore peu nombreux. Très vite, l'aristocratie occupe le Palatin.

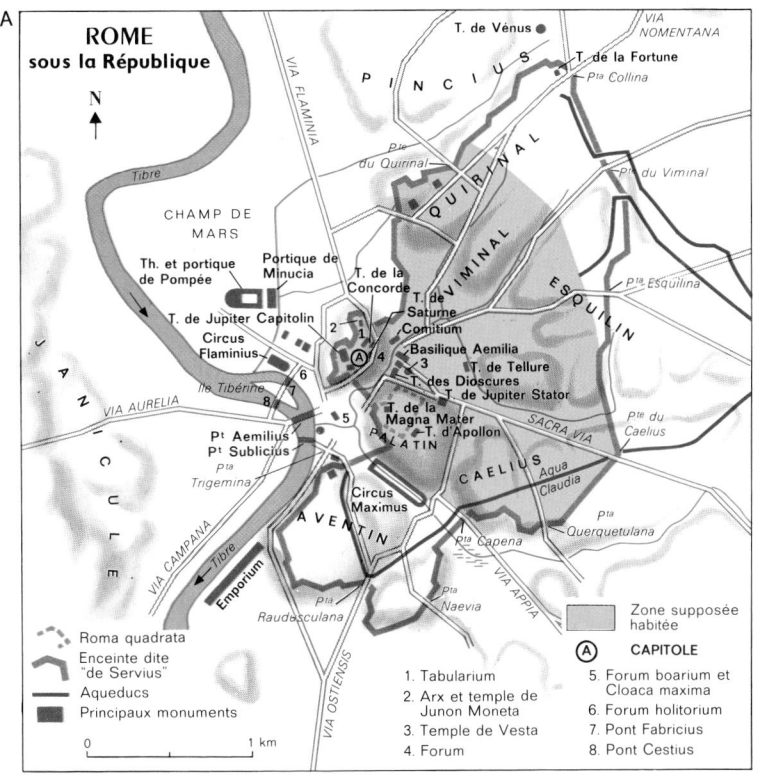

ROME sous la République

1. Tabularium
2. Arx et temple de Junon Moneta
3. Temple de Vesta
4. Forum
5. Forum boarium et Cloaca maxima
6. Forum holitorium
7. Pont Fabricius
8. Pont Cestius

Roma quadrata
Enceinte dite "de Servius"
Aqueducs
Principaux monuments

Zone supposée habitée

Ⓐ CAPITOLE

0   1 km

Rome est parvenue à la tête d'un immense empire, mais ses habitants vivent dans l'oisiveté, attendant de l'État « du pain et des jeux » (Juvénal). L'urbanisme reflète cette double situation. La fonction politique reste primordiale, mais, si l'héritage républicain demeure (Forum, Curie, rostres, *tabularium*), les réalisations de prestige, œuvre du nouveau régime, l'emportent (forums impériaux, palais, mausolées, camps). Dans le domaine économique, la Ville consomme plus qu'elle ne produit; d'où la primauté des constructions liées à l'annone (*emporium; horrea Galbiana;* marché de Trajan). Les loisirs prennent une importance extraordinaire, surtout avec les cirques, amphithéâtres (Colisée) et thermes (de Titus, Trajan, Caracalla, Dioclétien et Constantin). La fonction religieuse, également, reste essentielle; mais, si les dieux de la République gardent leurs sanctuaires, on voit se développer le culte impérial et, surtout, les religions orientales (Isis, Sérapis, Cybèle). Une nouvelle géographie s'impose : le Palatin est réservé aux constructions officielles, les riches s'isolent sur l'Aventin (exception faite de la région du port) et sur le Caelius, les pauvres et les étrangers se regroupent au Transtévère (*Transtiberim*), cependant qu'un nouveau quartier occupe le champ de Mars.

B   **ROME sous l'Empire**

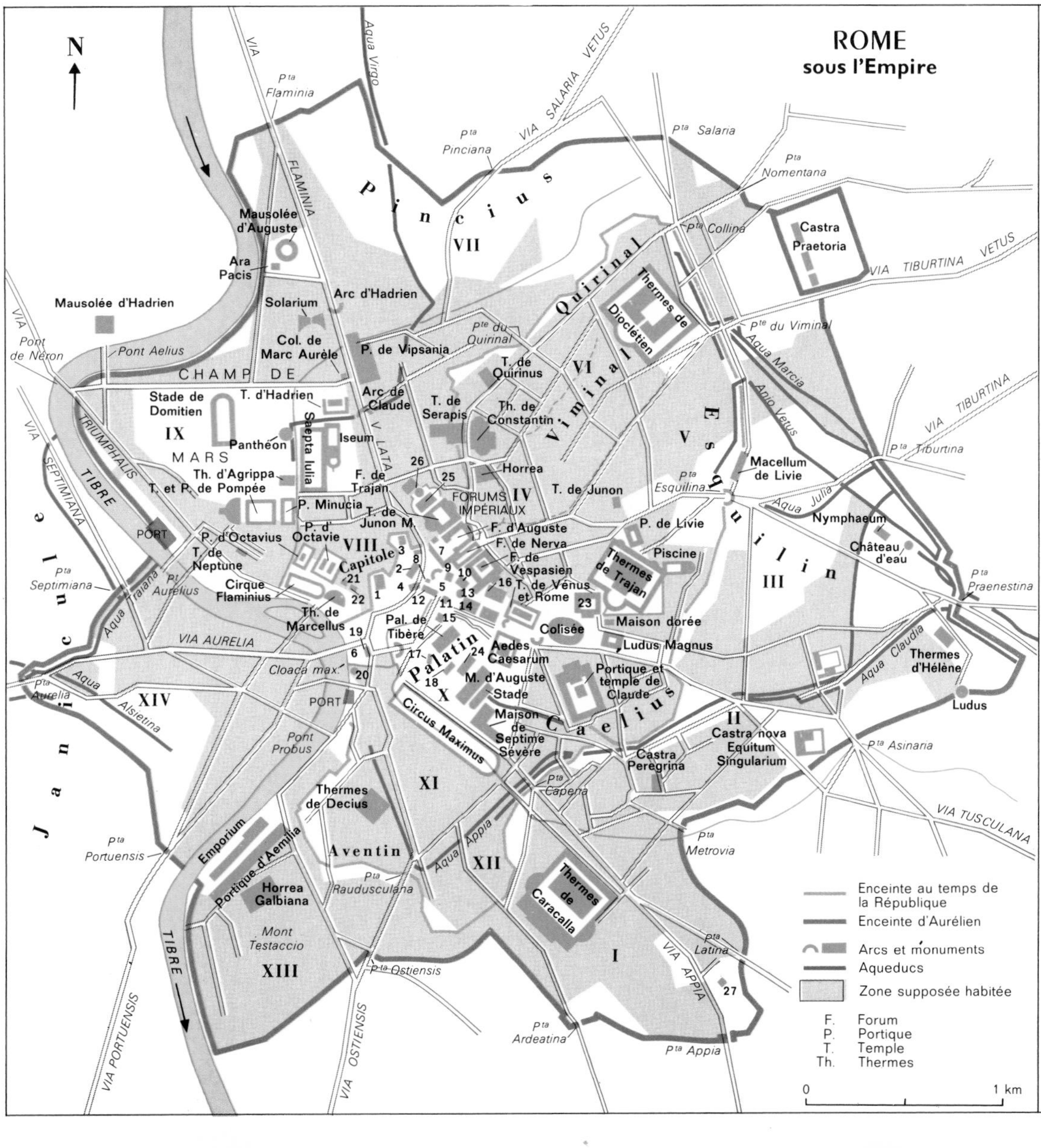

Les quatorze régions d'Auguste

I   Porta Capena
II   Caelimontium
III   Isis et Serapis
IV   Templum Pacis
V   Esquiliae
VI   Alta Semita
VII   Via Lata
VIII   Forum Romanum
IX   Circus Flaminius
X   Palatium
XI   Circus Maximus
XII   Piscina Publica
XIII   Aventinus
XIV   Transtibérim

1. T. de Jupiter Capitolin
2. Tabularium
3. Prison
4. Temple de Saturne
5. Forum romain
6. Forum boarium
7. Forum de César
8. Les "rostres"
9. Curie
10. Basilique Aemilia
11. Temple de Castor et Pollux
12. Basilique Julia
13. Temple de Vesta
14. Maison des vestales
15. Temple d'Auguste
16. Basilique de Maxence (dite aussi "de Constantin")
17. Temple de Cybèle
18. "Maison de Livie"
19 et 20. Temples (identification incertaine)
21. Temple d'Apollon
22. Temple de Bellone ?
23. Thermes de Titus
24. Maison de Domitien, dite "palais des Flaviens"
25. Basilique Ulpia
26. Colonne Trajane
27. Tombeau des Scipions

Enceinte au temps de la République
Enceinte d'Aurélien
Arcs et monuments
Aqueducs
Zone supposée habitée

F. Forum
P. Portique
T. Temple
Th. Thermes

0   1 km

ORGANISATION DE L'EMPIRE ROMAIN
AU TEMPS DE DIOCLÉTIEN (284-305)

Diocèses

d'Orient · de Pont · d'Asie · de Thrace · de Mésie · des Pannonies

d'Italie · d'Espagne · d'Afrique · de Vienne · des Gaules · des Bretagnes

Limites des provinces (tracé approximatif)
Délimitation des préfectures
Préfecture d'Orient
Préfecture d'Illyrie
Préfecture d'Italie
Préfecture des Gaules

1. Ligurie et Émilie
2. Alpes-Maritimes
3. Alpes-Graies-et-Pennines
4. Viennoise
5. Prévalitaine
6. Thessalie
7. Haemimont
8. Hellespont
9. Asie
10. Lydie
11. Pamphylie
12. Augusta Libanensis
13. Augusta Euphratensis

Empire des Sassanides depuis 224

0   250 km

Pour résoudre les difficultés militaires causées notamment par les Germains et par les Perses (v. carte p. 27), Dioclétien crée la tétrarchie; construction lentement élaborée, celle-ci vise à renforcer une autorité unique, alors que les responsabilités sont partagées entre deux augustes, dont l'un est subordonné à l'autre, et deux césars destinés à leur succéder. Chaque tétrarque a une ville de résidence et gouverne un secteur géographique : en Orient, l'*auguste* Dioclétien (Asie, Égypte) vit à Nicomédie, et son *césar* Galère (Balkans) à Sirmium; pour l'Occident, l'*auguste* Maximien (Italie, Afrique, Espagne) demeure à Milan, et son *césar* Constance (Gaule, Bre-

tagne) à Trèves. Secondant ces souverains, quatre préfets du prétoire sont responsables, chacun, d'une zone de l'Empire; ces circonscriptions sont à leur tour divisées en douze ou treize diocèses (deux en Italie?), gouvernés par des vicaires — la ville de Rome échappant toutefois à ce système, ainsi que les provinces proconsulaires d'Asie, d'Achaïe et d'Afrique, qui dépendent directement du prince. Enfin, les diocèses sont à leur tour partagés en plusieurs provinces : leur nombre, de quarante-huit, est porté à la centaine par l'éclatement des provinces les plus anciennes et les plus grandes et par l'adjonction de l'Italie.

Aux IIIe et IVe siècles, une triple menace pèse sur l'Empire : au nord se pressent les Germains, nombreux, instables et belliqueux; à l'est, les Perses Sassanides, vainqueurs des Parthes Arsacides, constituent le seul État organisé face à Rome; au sud, les nomades sahariens sont les moins dangereux. La crise est particulièrement grave de 256 à 269, quand les ennemis conjuguent leurs assauts : Châhpuhr Ier sur l'Eu-

phrate (capture en 260, près d'Édesse, et supplice de l'empereur Valérien), les Goths sur le Danube et les Francs sur le Rhin (invasions de la Gaule en 253 et 258/259). Mais, de Claude II (268-270) à Dioclétien (284-305), les empereurs illyriens redressent la situation, en dépit de difficultés réelles (Alamans et Francs se jettent sur la Gaule en 275, etc.) : parfois ils traitent, notamment avec les Sassanides; mais surtout Dioclétien réorga-

nise l'armée (unités fixes aux frontières, réserve mobile à l'arrière), et ainsi Perses, Goths et Francs sont vaincus, ce qui assure un demi-siècle de tranquillité — paix renforcée grâce au caractère résolu de Valentinien Ier (364-375). Remise en cause par la crise de 376, l'œuvre du Bas-Empire s'effondre en Occident, alors qu'elle survit en Orient, où la défense romaine permet la gestation de l'Empire byzantin (v. carte p. 30).

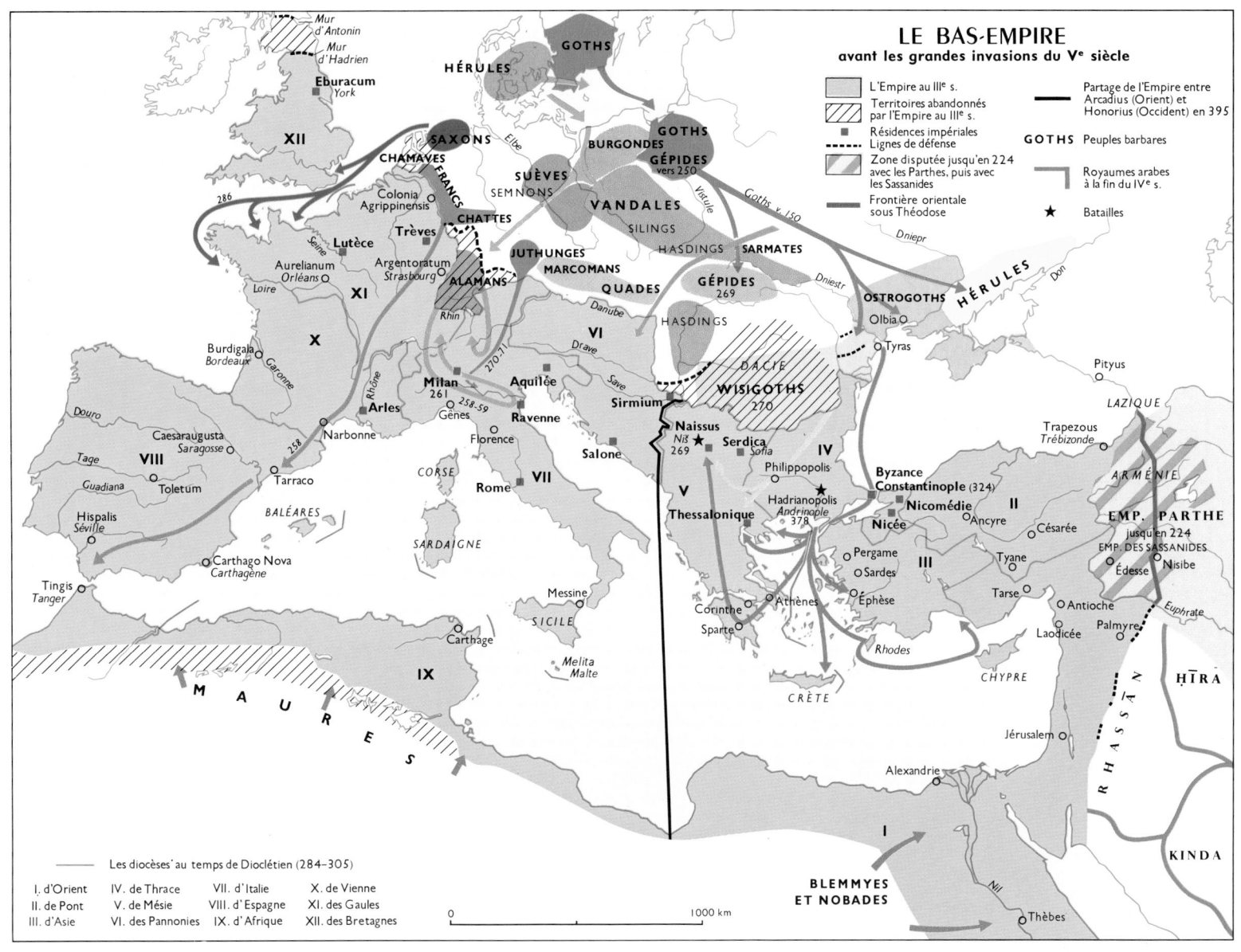

Issu du judaïsme, le christianisme s'en différencie vite (saint Paul), avant de s'opposer à lui. Toutefois, c'est souvent par le biais des synagogues qu'il pénètre dans les provinces, et, en Occident, il reste longtemps une religion d'étrangers. Il est difficile d'en faire le culte d'un groupe précis : religion des pauvres à l'origine, il atteint bientôt toutes les couches sociales; seuls résistent les milieux ruraux (au moins en

Gaule : *païen* vient de *paysan*) et certains cercles de sénateurs à Rome. Parti de Jérusalem, il gagne, dès le Ier siècle, la Syrie depuis Antioche, l'Asie Mineure, la Grèce, Alexandrie, Ostie et Rome. Au IIe siècle, il atteint l'Afrique, essentiellement les villes. L'Espagne et la Gaule ne sont réellement touchées que dans la seconde moitié du IIIe siècle. Chez les Barbares et hors de l'Empire, s'il rencontre relativement peu de succès en

Orient, il séduit des Germains par le biais d'une hérésie (arianisme) et les Berbères par celui d'un schisme (donatisme). L'opposition de l'État (persécutions de Néron, Marc Aurèle, Dèce, Dioclétien), encouragée par les calomnies de concurrents moins heureux (cultes orientaux), s'apaise à partir de Constantin (« paix de l'Église » après la bataille du pont Milvius), devient appui avec Théodose (379, 380, 391).

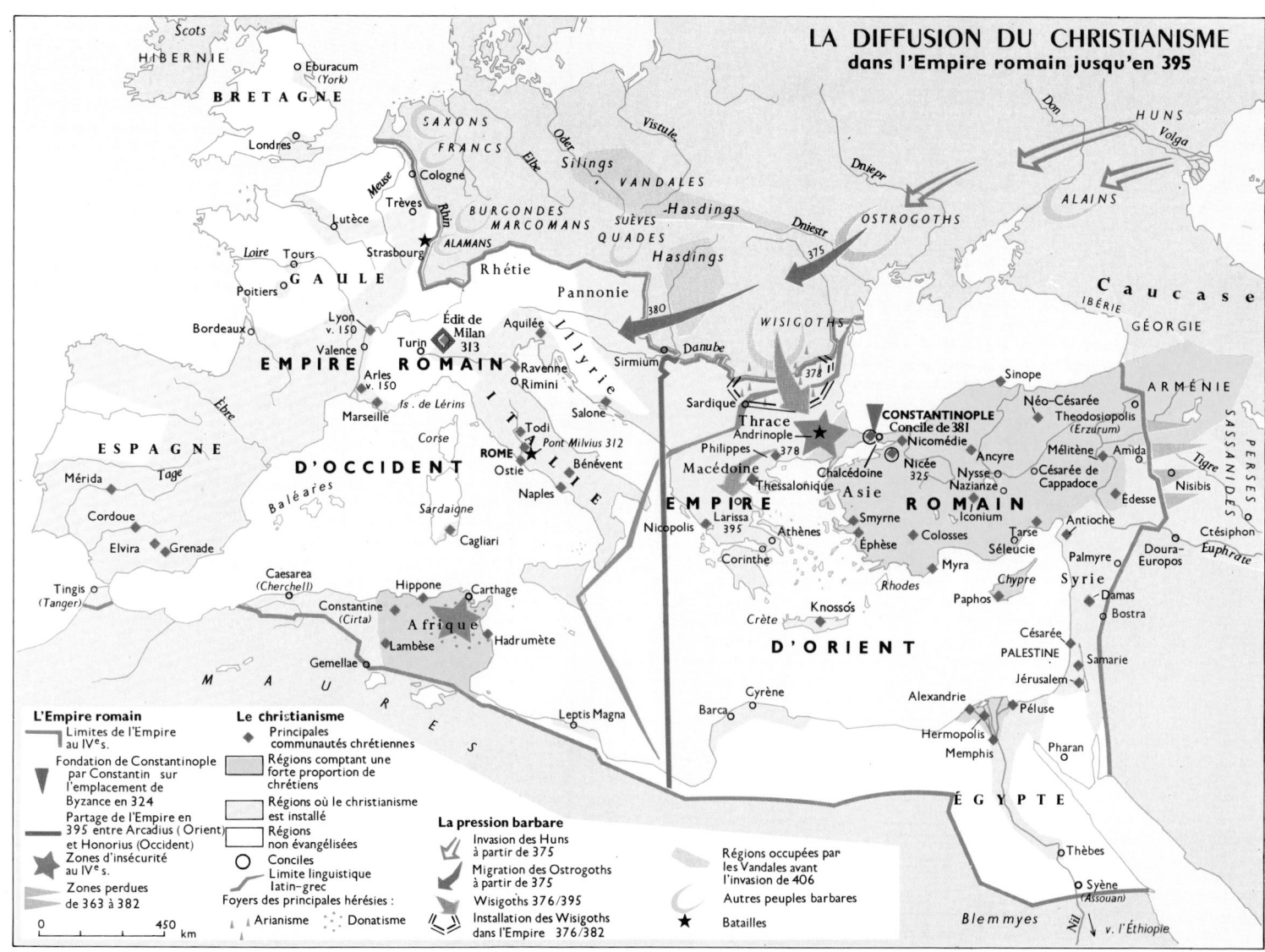

LA DIFFUSION DU CHRISTIANISME
dans l'Empire romain jusqu'en 395

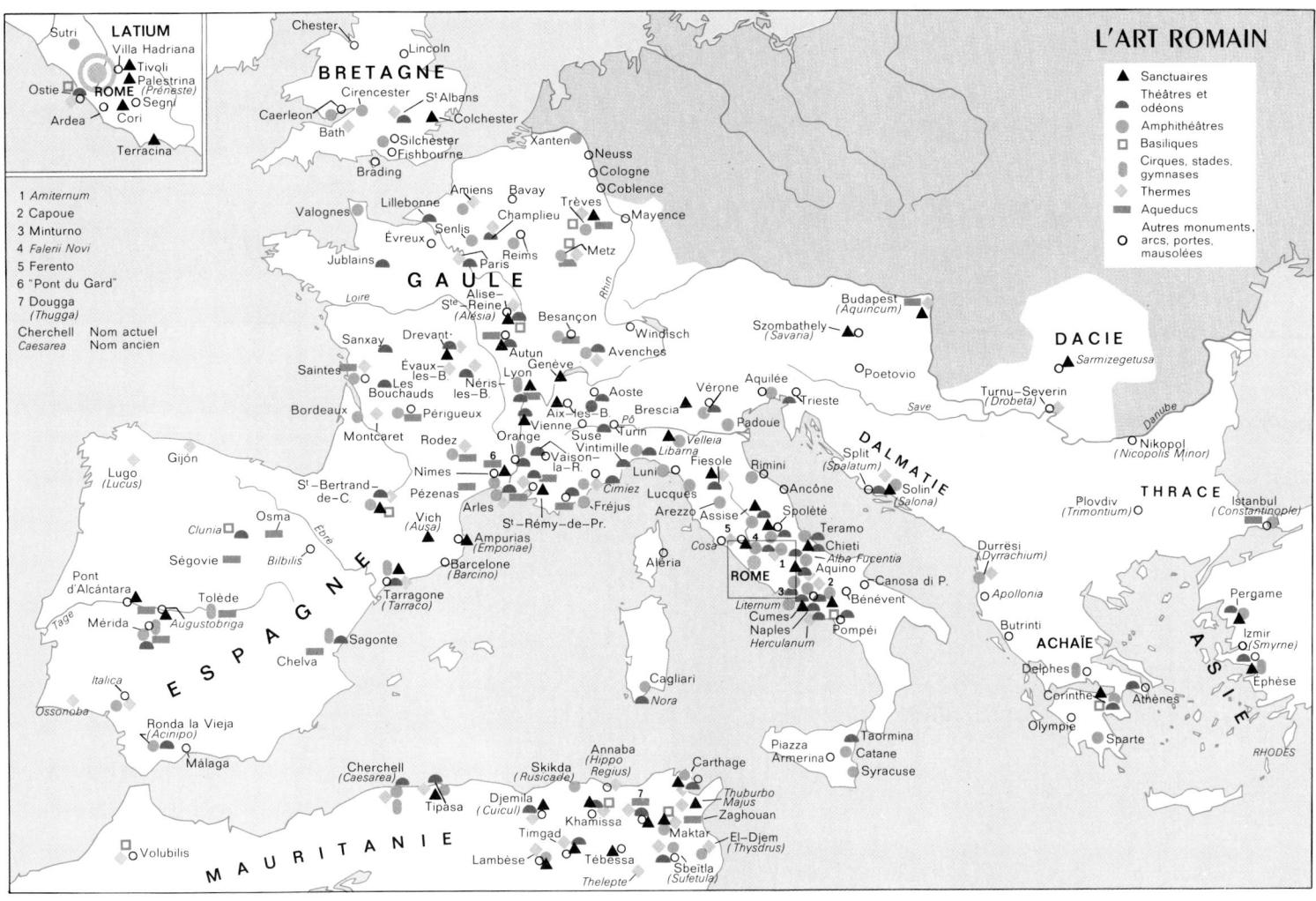

L'ART ROMAIN

- ▲ Sanctuaires
- ◖ Théâtres et odéons
- ● Amphithéâtres
- □ Basiliques
- ◗ Cirques, stades, gymnases
- ◆ Thermes
- ▬ Aqueducs
- ○ Autres monuments, arcs, portes, mausolées

LATIUM
Villa Hadriana
Sutri
▲ Tivoli
▲ Palestrina (*Préneste*)
Ostie ○ ROME ○ Segni
Ardea ○ ○ Cori
▲ Terracina

1 *Amiternum*
2 Capoue
3 Minturno
4 *Falerii Novi*
5 Ferento
6 "Pont du Gard"
7 Dougga (*Thugga*)

Cherchell Nom actuel
Caesarea Nom ancien

À de rares exceptions près (les sanctuaires ruraux de Gaule), l'art romain est essentiellement un art urbain; toute cité s'efforce d'imiter le modèle qu'est Rome et se donne ainsi des bâtiments à fonction administrative : *forum, curie, basilique* (Pompéi). On ne néglige ni la vie religieuse (innombrables *temples; sanctuaires* : Préneste), ni l'au-delà (mausolée des Jules à Saint-Rémy); mais les lieux de loisirs l'emportent : *théâtres* à Éphèse, Orange, Lyon, Carthage; *odéons,* qui sont de petits théâtres, à Lyon, Carthage, Athènes; *amphithéâtres* pour les gladiateurs à Nîmes, Arles, Thysdrus, Tipasa de Mauritanie; *cirques* pour les courses de che-

vaux dans les grandes villes et, partout, *thermes.* Toutefois, cet art n'est pas uniforme : largement hellénistique à l'origine, avec une variante italienne (portraits), il intègre partout des éléments indigènes —, la tendance à l'abstraction en pays celtique, le baroque en Afrique; de plus, il faut tenir compte de l'évolution (classicisme augustéen; art baroque de Néron aux Sévères; dédain du réel au IVe s.) et de la diversité des buts proposés — marquer à chacun sa place dans la société (*mausolées* des riches), honorer les dieux, exalter la victoire de Rome (arc d'Orange) et les empereurs (Ara Pacis Augusti; colonne Trajane à Rome; temple d'Alcántara).

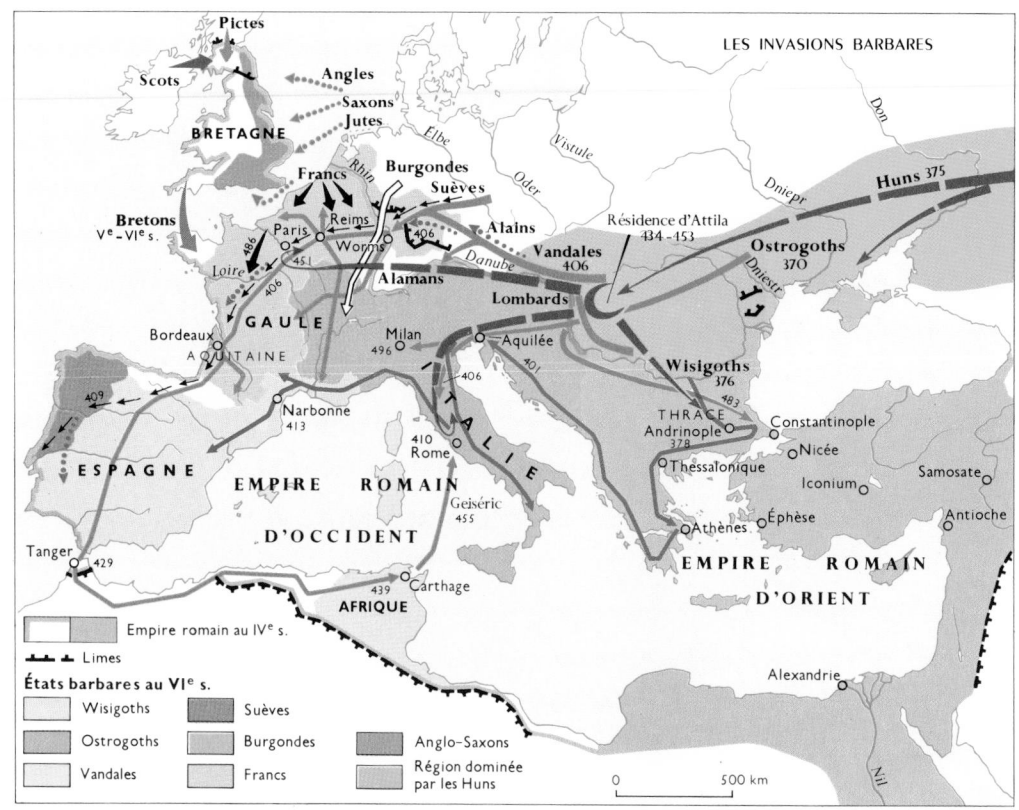

LES INVASIONS BARBARES

Empire romain au IVᵉ s.

Limes

États barbares au VIᵉ s.

Wisigoths

Ostrogoths

Vandales

Suèves

Burgondes

Francs

Anglo-Saxons

Région dominée par les Huns

0   500 km

Provoquées par la poussée hunnique qui brise en 375 l'empire des Ostrogoths, les invasions germaniques déferlent en quatre vagues sur l'Empire romain.

La première, celle des Wisigoths, franchit le Danube en 376, bat l'empereur Valens qui est tué à Andrinople en 378 et atteint finalement l'Aquitaine en 418. La deuxième, celle des Vandales, des Suèves et des Alains, se rue sur la Gaule le 31 décembre 406 à travers le Rhin. Par la brèche affluent alors les Burgondes, qui s'installent entre Worms et Spire, et les Alamans, en Alsace. Plus lente, la troisième permet l'établissement définitif des Suèves dans l'Espagne du Nord-Ouest en 409, celui des Vandales en Afrique du Nord entre 429 et 439, puis

dans les îles de l'Occident méditerranéen entre 455 et 468, enfin celui des Burgondes en *Sabaudia* (alias Sapaudia : Savoie et Helvétie actuelles) en 444. À la fin du Vᵉ siècle, la dernière vague entraîne la migration des Ostrogoths en Italie (489-493), celle des Angles, des Jutes et des Saxons en Bretagne, d'où les Bretons sont chassés en Armorique; surtout elle provoque, entre 486 et 511, la conquête de la Gaule par les Francs de Clovis, qui, en 507, rejettent les Wisigoths en Espagne.

À l'Empire romain disparu en Occident en 476 succède une mosaïque de royaumes barbares qui lui sont théoriquement fédérés et dont un seul a survécu : celui des Francs.

(V. carte p. 182.)

« Considérant le *Regnum Francorum* comme un bien purement patrimonial », ▶ B les quatre fils de Clovis : Thierry Iᵉʳ (511-534), Clodomir (511-524), Childebert Iᵉʳ (511-558) et Clotaire Iᵉʳ (511-561), partagent son héritage en quatre lots équivalents. Comprenant chacun un quart des vieux pays francs au nord de la Loire et un quart de la riche Aquitaine au sud, les royaumes de Reims, d'Orléans, de Paris et de Soissons perdent leur unité territoriale. Seul le deuxième d'entre eux échappe à cet inconvénient que compense en partie le regroupement des quatre capitales au cœur du Bassin parisien.

Le nouveau partage du *Regnum Francorum* en 561 est remanié dès 567, après ▶ C la mort de l'un des quatre fils de Clotaire Iᵉʳ : le roi de Paris, Charibert.

Quatre entités politiques nouvelles apparaissent alors progressivement : l'Austrasie de Sigebert Iᵉʳ, la Bourgogne de Gontran, la Neustrie de Chilpéric Iᵉʳ et l'Aquitaine également partagée entre chacun d'eux mais restée profondément gallo-romaine. Malgré le maintien dans l'indivision de Paris, la dislocation du *Regnum* est concrétisée par le transfert des capitales de Reims à Metz, d'Orléans à Chalon(-sur-Saône) et de Soissons à Tournai.

Sans doute parent des princes régnant à Cambrai, à Thérouanne et à Cologne, le Mérovingien Clovis Ier n'est, à son avènement en 481-82, que le petit mais ambitieux roi des Francs Saliens de Tournai. Annexant d'abord le royaume des Romains de Syagrius, battu à Soissons en 486, brisant la puissance alemanique entre 496 et 506, chassant d'Aquitaine les Wisigoths, vaincus à Vouillé en 507, il contraint parallèlement les autres rois francs (et notamment ceux de Cologne vers 509) à reconnaître son autorité. Ces résultats sont obtenus grâce à la neutralité bienveillante des parents par alliance de Clovis, les rois burgonde et ostrogoth, et grâce à l'appui de l'Église, dont le roi franc a l'habileté de maintenir en place les cadres administratifs à la suite de sa conversion au catholicisme entre 498 et 506. Après sa mort en 511, cette œuvre territoriale est parachevée par ses fils. Vaincus à Vézéronce en 524, ceux-ci annexent pourtant le royaume des Burgondes, en 534, et se font céder la Provence ostrogothique, en 537. Amputée de la Septimanie wisigothique et de l'Armorique bretonne, mais augmentée vers 531 de la Thuringe, la Gaule a dès lors reconstitué son unité dans le cadre du *Regnum Francorum*.

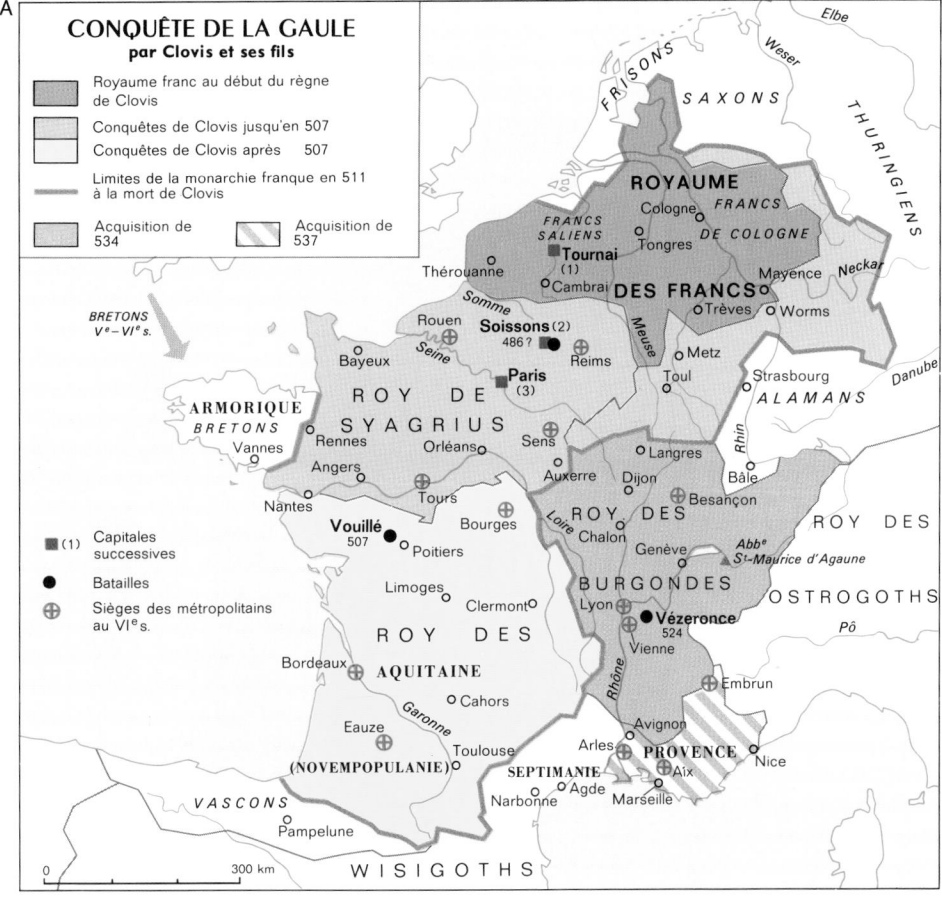

CONQUÊTE DE LA GAULE
par Clovis et ses fils

- Royaume franc au début du règne de Clovis
- Conquêtes de Clovis jusqu'en 507
- Conquêtes de Clovis après 507
- Limites de la monarchie franque en 511 à la mort de Clovis
- Acquisition de 534
- Acquisition de 537

- ■(1) Capitales successives
- ● Batailles
- ⊕ Sièges des métropolitains au VIe s.

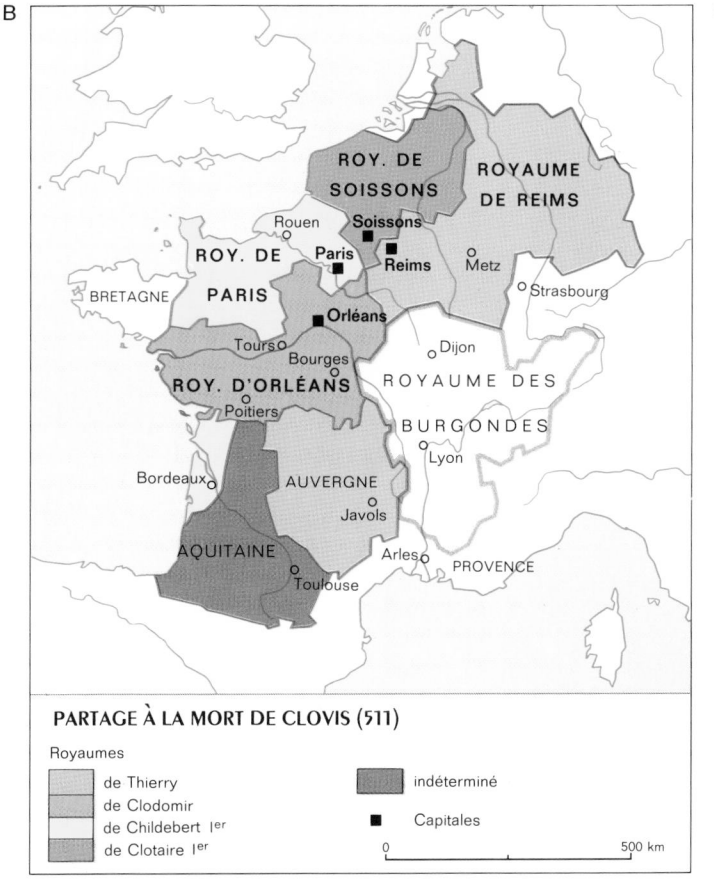

PARTAGE À LA MORT DE CLOVIS (511)

Royaumes
- de Thierry
- de Clodomir
- de Childebert Ier
- de Clotaire Ier
- indéterminé
- ■ Capitales

0   500 km

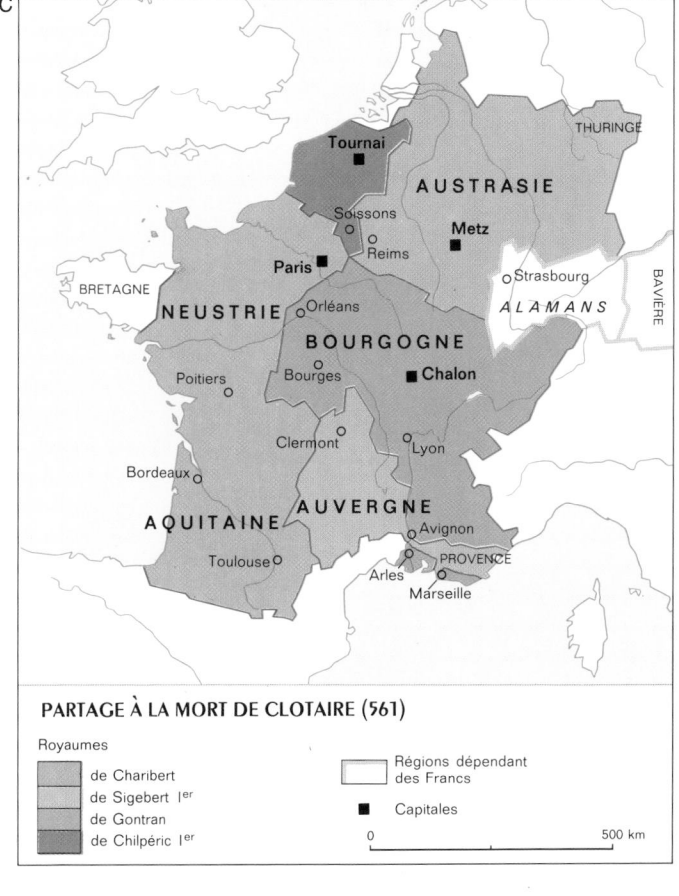

PARTAGE À LA MORT DE CLOTAIRE (561)

Royaumes
- de Charibert
- de Sigebert Ier
- de Gontran
- de Chilpéric Ier
- Régions dépendant des Francs
- ■ Capitales

0   500 km

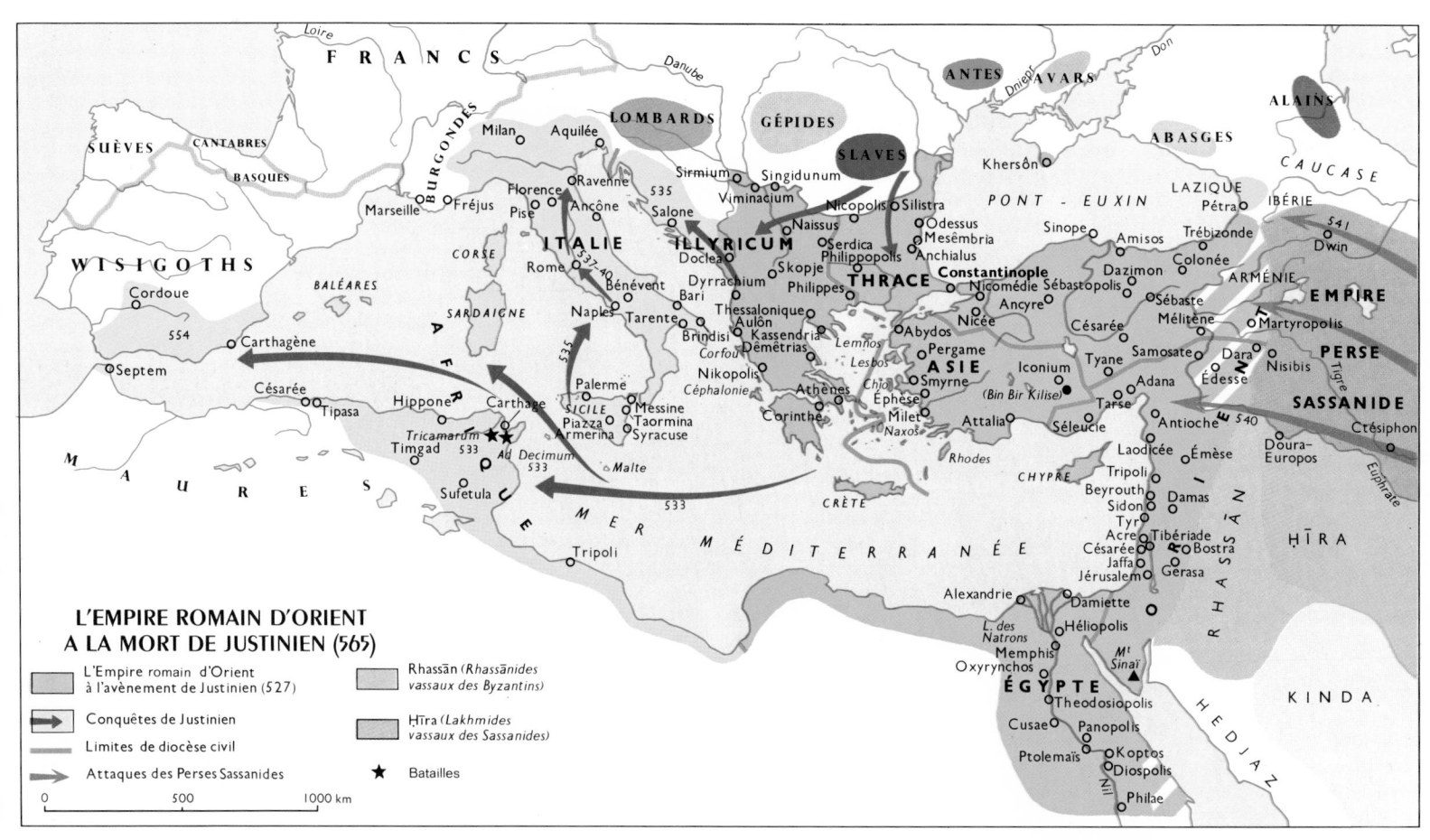

L'EMPIRE ROMAIN D'ORIENT
A LA MORT DE JUSTINIEN (565)

L'Empire romain d'Orient
à l'avènement de Justinien (527)

Rhassān (Rhassānides
vassaux des Byzantins)

Conquêtes de Justinien

Hīra (Lakhmides
vassaux des Sassanides)

Limites de diocèse civil

Attaques des Perses Sassanides

★ Batailles

0   500   1000 km

En consolidant la frontière danubienne, en mettant un terme en 532 au long conflit qui l'oppose à la Perse sassanide, l'empereur Justinien Ier (527-565) libère les forces qui vont lui permettre de reconstituer, autour de la Méditerranée, l'unité de l'Empire romain, replié depuis le Ve siècle sur sa moitié orientale.

En 533, une première expédition submerge l'Afrique, puis la Sardaigne, la Corse et les Baléares. Vaincus à *Ad Decimum,* puis à *Tricamarum* par Bélisaire, les Vandales disparaissent de l'histoire. Dès 535, une deuxième expédition déferle sur l'Italie. Pris en tenaille par les forces de Mundus et par celles de Bélisaire qui occupent alors respectivement la Dalmatie et la Sicile, les Ostrogoths ne sont définitivement éliminés par Narsès qu'en 554-55. Enfin, en 554, la dernière expédition, dirigée par Liberius, meurt sur les rivages de

la Bétique et de la Carthaginoise.

L'Empire romain paraît dès lors restauré dans sa plénitude méditerranéenne. La Dalmatie est rattachée à l'Illyricum; les préfectures du prétoire d'Afrique et d'Italie sont rétablies; les provinces de Sicile (rattachée à Constantinople) et d'Espagne sont reconstituées. En fait, l'œuvre est inachevée, donc fragile, puisqu'elle exclut la Mauritanie, l'Espagne intérieure et la Gaule.

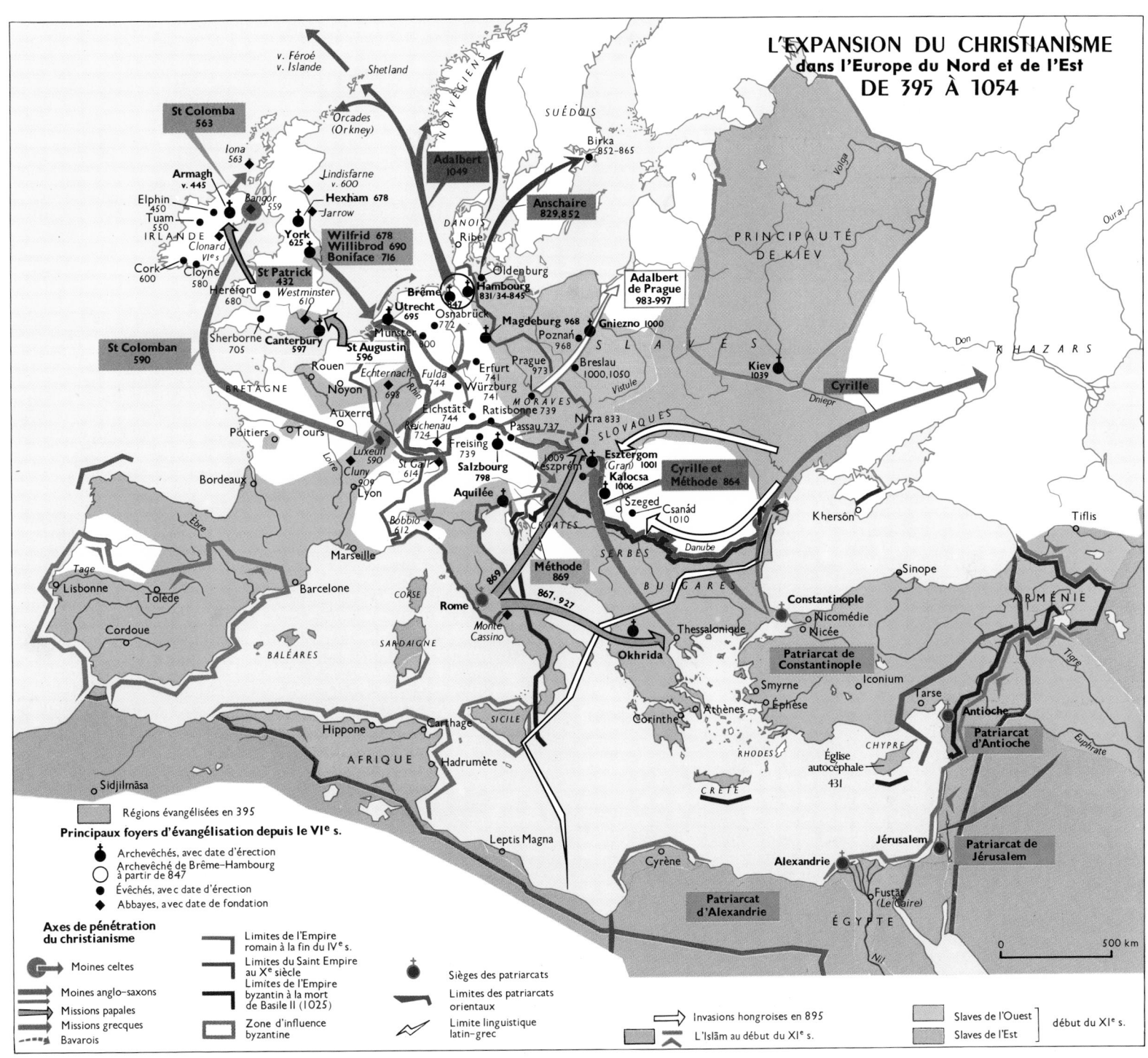

L'EXPANSION DU CHRISTIANISME
dans l'Europe du Nord et de l'Est
DE 395 À 1054

Légende :

Régions évangélisées en 395

Principaux foyers d'évangélisation depuis le VIe s.

- Archevêchés, avec date d'érection
- Archevêché de Brême-Hambourg à partir de 847
- Évêchés, avec date d'érection
- Abbayes, avec date de fondation

Axes de pénétration du christianisme

- Moines celtes
- Moines anglo-saxons
- Missions papales
- Missions grecques
- Bavarois

- Limites de l'Empire romain à la fin du IVe s.
- Limites du Saint Empire au Xe siècle
- Limites de l'Empire byzantin à la mort de Basile II (1025)
- Zone d'influence byzantine

- Sièges des patriarcats
- Limites des patriarcats orientaux
- Limite linguistique latin-grec

- Invasions hongroises en 895
- L'Islām au début du XIe s.
- Slaves de l'Ouest / Slaves de l'Est } début du XIe s.

0 500 km

Limitée en 395 à l'Empire romain, l'expansion du christianisme hors de ses frontières ne débute réellement qu'à la fin du VIe siècle. Dans l'Europe du Nord-Ouest et du Nord, elle se fait pour l'essentiel à partir de Rome, dont les clercs évangélisent l'Angleterre dès 595 à l'instigation du pape Grégoire le Grand. Longtemps contrecarrée par les moines irlandais qui, à partir de Bangor et de l'île d'Iona, diffusent le christianisme depuis l'Écosse jusqu'à la Bavière, l'action de ces missionnaires romains est finalement relayée par celle de leurs disciples anglo-saxons. Avec l'aide des Carolingiens et depuis les centres successifs d'Utrecht (695), de Mayence (745) et de Brême-Hambourg (847), l'action de ces derniers atteint finalement au IXe siècle la Scandinavie.

En Europe orientale, par contre, le patriarcat de Constantinople intègre à la chrétienté les Bulgares au IXe siècle, puis les Slaves orientaux au XIe siècle; mais il accepte difficilement que l'évangélisation des Moraves, œuvre de deux Byzantins, Cyrille et Méthode, soit assurée à partir de 867 sous l'autorité de Rome. Gagnant aussitôt la Bulgarie, puis l'ensemble des Balkans, la compétition entre Constantinople et Rome s'exacerbe jusqu'au schisme de 1054, qui oppose depuis lors l'Orient orthodoxe à l'Occident catholique.

L'unité du christianisme n'a pas survécu à son expansion. Il ne faut pas oublier d'ailleurs que la chrétienté avait reflué devant l'Islām en Afrique, en Sicile et même en Espagne, malgré le maintien tenace de communautés nombreuses et très vivantes. (V. cartes pp. 28, 30, 31 [A], 32, 34 [A], 36 [B], 40, 92 et 107.)

A

FORMATION DE L'EMPIRE CAROLINGIEN

Royaume des Francs en 751
Conquêtes de Pépin le Bref
Conquêtes de Charlemagne
Couronnement impérial de Charlemagne (25 déc. 800)
Subdivisions de l'Empire de Charlemagne
Marches
Pays tributaires   Zone d'influence des Carolingiens
Métropoles (archevêchés)   Abbayes importantes
Portus

1. Valenciennes
2. Dinant
3. Huy
4. Compiègne
5. Quierzy
6. Corbie
7. Milan

Augmentés de l'Alamannie et de la Provence, les vieux royaumes d'Austrasie, de Neustrie et de Bourgogne constituent le cœur du *Regnum Francorum* restauré en 751 par Pépin le Bref. Avec celui-ci débute la *dilatatio regni* carolingienne qui se réalise en trois étapes : extension sous son règne (751-768) du *Regnum* aux limites de l'ancienne Gaule, par l'incorporation successive de la Septimanie et de l'Aquitaine; conquête par Charlemagne (768-814), à partir de son avènement, des terres italiennes (royaume des Lombards, duché de Spolète) et germaniques (Frise, Saxe, Bavière), dont l'annexion justifie la restauration à Rome de l'Empire, le 25 décembre 800, au profit de son auteur et par un pape qui lui doit sa puissance territoriale (États de l'Église); ajustements territoriaux enfin aux confins slaves et hispaniques de l'Empire entre 800 et 814, période au cours de laquelle est achevée la mise en place d'un vaste glacis de marches protectrices — Espagne, Frioul, Pannonie, Bavière, Pays des Danois, Bretagne. Ces grands commandements militaires ne peuvent d'ailleurs rendre imperméables les frontières carolingiennes aux raids de hardis aventuriers, et notamment à ceux des Normands, qui dévastent ses côtes en 810 (Frise) et en 824 (Noirmoutier). Ainsi, à la mort du conquérant en 814, la survie de l'Empire apparaît-elle déjà menacée.

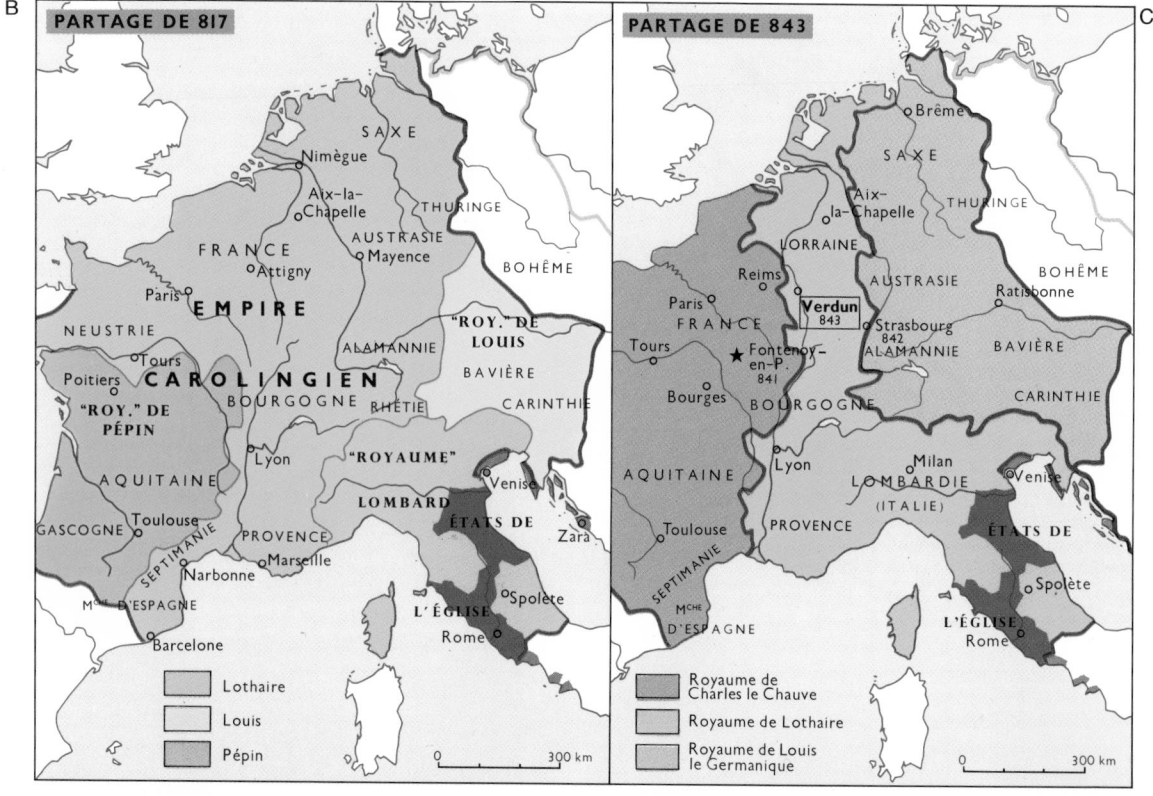

B

PARTAGE DE 817

PARTAGE DE 843

Lothaire
Louis
Pépin

Royaume de Charles le Chauve
Royaume de Lothaire
Royaume de Louis le Germanique

C Par l'*Ordinatio Imperii* de 817, Louis Ier le Pieux réserve la dignité impériale à son fils aîné Lothaire, tout en créant trois royaumes périphériques en faveur de son neveu Bernard (Italie) et de ses fils puînés, Pépin (Aquitaine) et Louis (Bavière). Ainsi tente-t-il de maintenir l'unité de l'Empire tout en respectant les particularismes locaux et en restant fidèle à la conception patrimoniale de la monarchie. Il suit l'exemple de Charlemagne, auteur lui-même en 806 d'un projet de partage que la mort de deux de ses trois fils avait rendu caduc en 814.

Ayant vaincu à Fontenoy-en-Puisaye le 25 juin 841 leur frère aîné, l'empereur Lothaire Ier, désireux de recueillir seul la succession de Louis le Pieux mort en 840, Louis le Germanique et Charles le Chauve concluent le 14 février 842 les « serments de Strasbourg ». Cette alliance défensive leur permet d'imposer à leur adversaire la signature du traité de Verdun, qui scelle, en août 843, la division définitive de l'Empire en trois États nouveaux : la *Francia occidentalis* et la *Francia orientalis,* berceaux des nations française et allemande, qui enserrent l'immense et riche mais indéfendable *Lotharingie.*

L'EUROPE ET LE MONDE MÉDITERRANÉEN A L'ÉPOQUE CAROLINGIENNE

Autour de la Méditerranée se rencontrent trois civilisations (chrétienne grecque, chrétienne latine, musulmane) et trois empires qui en sont les dépositaires : byzantin, carolingien, 'abbâsside. Prétendant assumer également l'héritage de la Rome antique, les deux premiers connaissent au IXe s. une évolution divergente, puisque la puissance byzantine se rétracte en Orient alors que le monde carolingien se dilate à l'ensemble de l'Occident chrétien à l'exclusion de l'Angleterre et de l'Espagne du Nord-Ouest. Acceptant pourtant, dès 812, de nouer des contacts politiques et économiques là où se recoupent leurs aires d'expansion (Venise), les deux empires chrétiens sont également affaiblis par une triple menace périphérique : au sud, celle des musulmans, qui, à partir de bases insulaires récemment conquises (Crète, 825; Sicile, 827-842; etc.), prennent pied en Europe, notamment à Bari en 841 et à *Fraxinetum* dans les Maures vers 890; au nord, celle des Scandinaves, dont les raids maritimes à travers l'Atlantique (Vikings) et la Baltique (Varègues) et le long de leurs prolongements fluviaux (Dniepr) enserrent l'Europe chrétienne dans une tenaille qui se referme en Méditerranée au Xe siècle; à l'est enfin, celle des cavaliers hongrois qui, surgis des steppes eurasiatiques à la fin du IXe s., sèment la mort dans les Balkans, en Italie et en France, avant d'être vaincus au Lechfeld en 955 par Otton Ier ce qui les contraint à se fixer en Pannonie (v. carte p. 92).

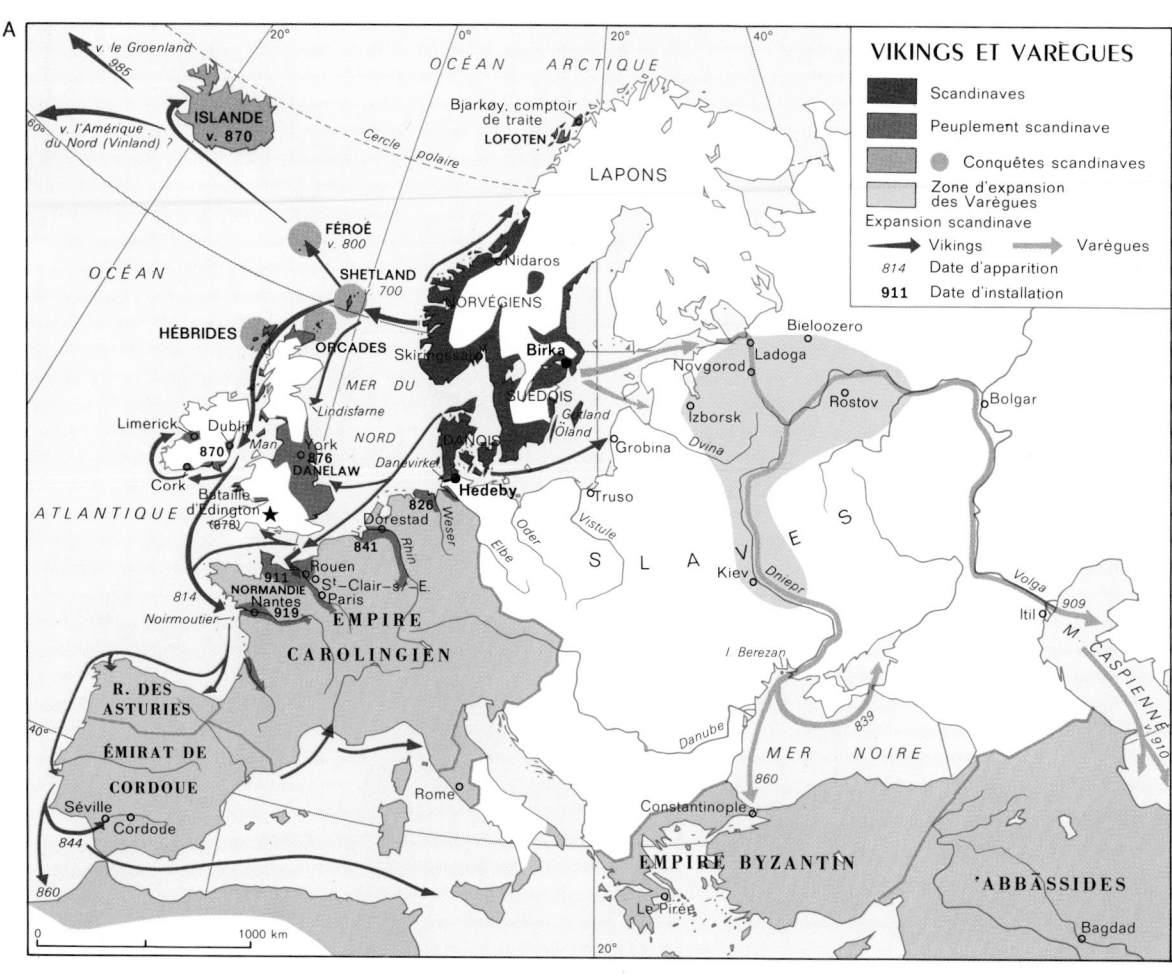

A

Vikings et Varègues sont des Germains originaires de Scandinavie où ils se sont différenciés du VIᵉ au XIᵉ siècle en trois peuples peu nombreux : Danois au sud, Norvégiens à l'ouest, Suédois à l'est. Les uns et les autres sont entrés en contact dès le IXᵉ siècle avec les marchands occidentaux à Hedeby, carrefour commercial du Nord entre 804 et 1050.

À la fois pirates et marins, les Vikings sont les agents de l'expansion scandinave, qui se déploie au IXᵉ et au Xᵉ siècle à travers l'Atlantique, sur les rives duquel ils fondent trois principautés (dites « danoises ») en Angleterre et quatre autres (dites « normandes ») sur le continent. Au XIᵉ siècle, ils pénètrent même en Méditerranée, où ils en créent de nouvelles (Aversa, Pouille, Sicile, Antioche).

Plus spécifiquement marchands, leurs frères Varègues ont développé parallèlement le commerce fluvial le long de la Dvina, du Dniepr et de la Volga. Fondateurs, au passage, des dynasties princières de Novgorod et de Kiev, ils ont finalement rejoint les Vikings occidentaux à Constantinople, où les empereurs recrutent parmi eux leur « garde varangue ».

VIKINGS ET VARÈGUES

- Scandinaves
- Peuplement scandinave
- ● Conquêtes scandinaves
- Zone d'expansion des Varègues

Expansion scandinave
- → Vikings
- → Varègues

814 Date d'apparition
911 Date d'installation

B

L'EMPIRE DE BASILE II

- L'Empire byzantin à la mort de Basile II (1025)
- **THRACE** Thèmes — *Limites probables* — ⓘ Villes euphratiques
- Acquisitions postérieures à 1025
- L'Empire bulgare du tsar Samuel vers 996
- Arabes

0 _____ 250 km

Construite de 324 à 330 apr. J.-C. sur l'ordre de l'empereur Constantin et sur l'emplacement de la colonie grecque de Byzantion, qui aurait été fondée au VIIe siècle av. J.-C., la « Nouvelle Rome » fut dotée du plan et des privilèges de l'ancienne.

Enserrée par la mer au nord, à l'est et au sud et donc facile à défendre, se dressant en outre en un lieu où se rejoignent l'Europe et l'Asie, la mer Noire et la mer Égée, Constantinople attire naturellement à elle les hommes, leurs produits et leurs idées.

Ville de ce fait la plus peuplée et la plus étendue de l'Europe médiévale puisqu'elle contient, selon D. Jacoby, au moins 400 000 habitants sous les Comnènes sur une superficie que Théodose porta de 700 à 1 400 hectares, Constantinople fut, pendant un millénaire, la capitale de l'Empire byzantin et l'un des foyers économique, spirituel et culturel de l'humanité. En témoignèrent l'intensité de son commerce, la qualité de sa production artisanale et, plus encore, la beauté de ses palais (Boukoleon, Blachernes) et de ses églises (Sainte-Sophie), l'éclat de son enseignement supérieur et le rayonnement, encore actuel, de son patriarcat sur le monde orthodoxe.

CONSTANTINOPLE
PLAN ARCHÉOLOGIQUE

Légende:

Constructions, remparts
Mur de Byzas
Mur de Septime Sévère
Mur de Constantin
Mur de Théodose

Églises byzantines
Monastères
Palais et monuments publics

Constructions publiques dont l'ancienne importance est incertaine
Voies principales
Citernes
Terrains gagnés sur la mer

1. Ste-Euphémie-de-l'Hippodrome
2. Monastère de la Vierge-Pammakaristos (Fethiye Camii)
3. Sainte-Sophie (Aya Sofya)
4. Église des Saints-Apôtres, détruite (Fatih Mehmet Camii sur son emplacement)
5. (Boğdan sarayı)
6. St-Nicolas (Kefeli Camii)
7. Ste-Marie (Odalar Camii)
8. St-Georges-des-Cyprès (détruite)
9. Aghiasma de Ste-Marie-Hodighitria
10. Million

0   2 km

Hellénisé et orientalisé depuis la fugitive tentative de Justinien Ier de restaurer au VIe siècle l'Empire romain dans son extension méditerranéenne, l'Empire byzantin ne garde de consistance territoriale à la fin du Xe siècle qu'en Asie Mineure et dans les Balkans. Encore faut-il préciser que, dans cette dernière région, la souveraineté impériale a été longtemps limitée par la présence des Bulgares, dont l'empire fut difficilement réduit, après trente ans de luttes, par l'empereur Basile II, depuis lors surnommé le Bulgaroctone (le « Tueur de Bulgares »).

Le monarque triomphant s'efforce désormais d'élargir l'aire territoriale de l'Empire byzantin : à l'est, en occupant le Vaspourakan arménien, dont la conquête fut consolidée après sa mort par celle d'Ani et d'Édesse; à l'ouest surtout, en repoussant ou en assujettissant Slaves, Germains ou Arabes dans le nord-ouest des Balkans, en Italie du Sud et même en Sicile, où il fait occuper Messine en 1025. Coulant ses conquêtes dans le moule administratif des thèmes et dans ceux des duchés et des capéta-nats, mieux adaptés à la défense des provinces frontières, il porte à son apogée l'Empire byzantin, dont il emporte la fortune dans sa tombe en 1025.

L'EUROPE

DEPUIS L'AN MILLE

●

CARTES GÉNÉRALES

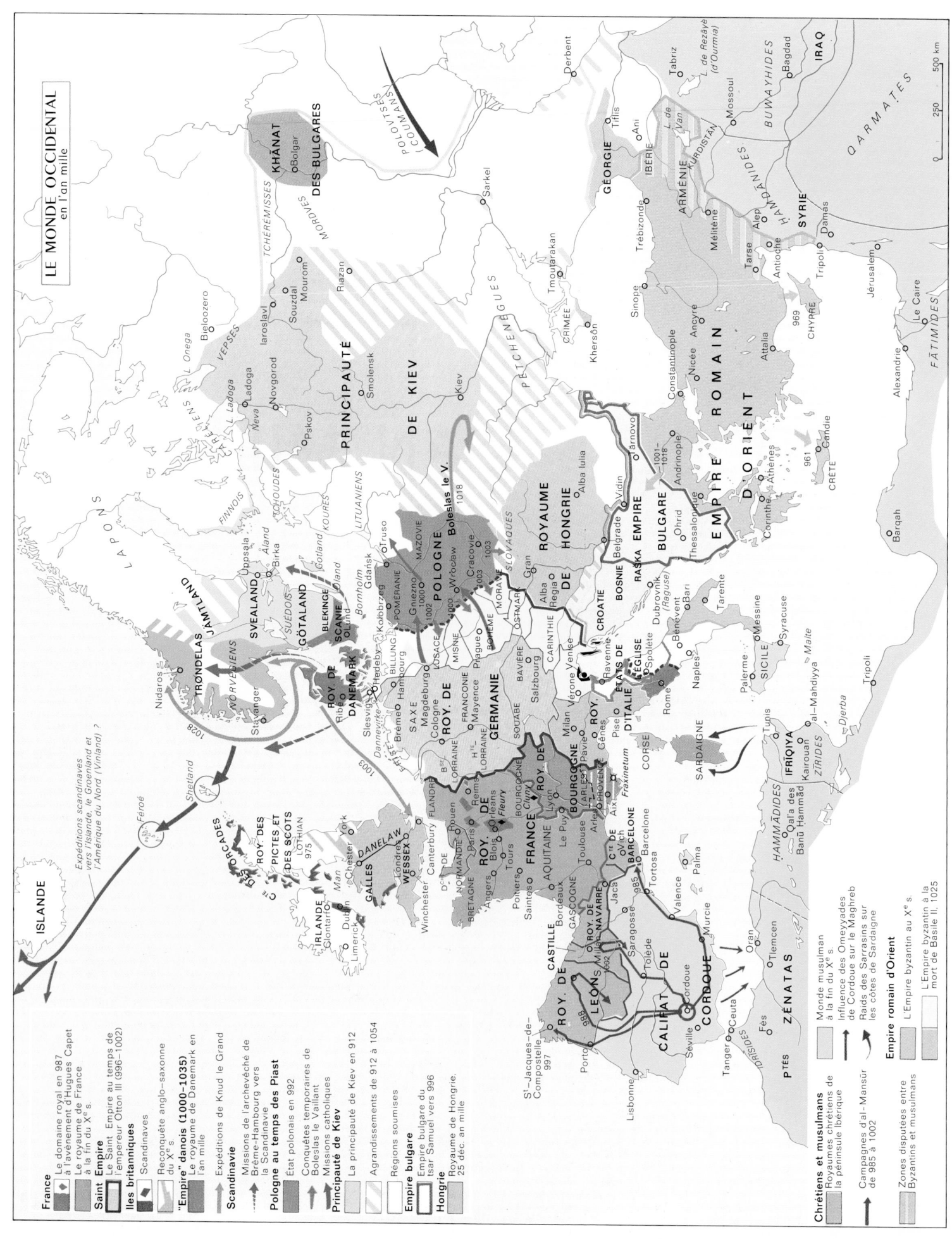

En 909 (ou 910), le duc d'Aquitaine, Guillaume le Pieux, fonde sur son domaine de Cluny un monastère bénédictin, à la tête duquel il place l'un des réformateurs les plus ardents de l'époque : Bernon (909 [ou 910]-926). Prolongée par celle de ses saints successeurs (Odon, 926-942; Aymar, 942-948/965; Maïeul, 948/965-994; Odilon, 994-1049; Hugues de Semur, 1049-1109), son action éclipse toutes les entreprises de même ordre et assure avec éclat le triomphe de la réforme clunisienne. Après s'être imposée, au Xe siècle, essentiellement dans les limites du royaume de Bourgogne ou à ses abords, celle-ci essaime, dans la première moitié du XIe siècle, en Aquitaine, en Provence et en Espagne, avant de se diffuser largement en France du Nord, en Allemagne, en Lombardie et en Angleterre, entre 1050 et 1100.

Anciens établissements agrégés au groupe ou fondations entièrement nouvelles, les 1 100 monastères clunisiens existant alors (800 en France, 300 hors du royaume) sont placés sous l'autorité absolue de l'abbé de Cluny, unique maison directrice qui agit en particulier par le relais de cinq grands prieurés, Souvigny, Sauxillanges, La Charité-sur-Loire, Saint-Martin-des-Champs (à Paris) et Lewes (en Angleterre). Mais, déjà appauvri spirituellement par le poids de ses richesses temporelles, sans cesse accrues des dons des fidèles et dont témoignent tant de chefs-d'œuvre de l'art roman, l'ordre ne satisfait plus les aspirations réformatrices des chrétiens les plus exigeants, auxquelles prétendent désormais répondre les Cisterciens. (V. cartes pp. 43 et 44.)

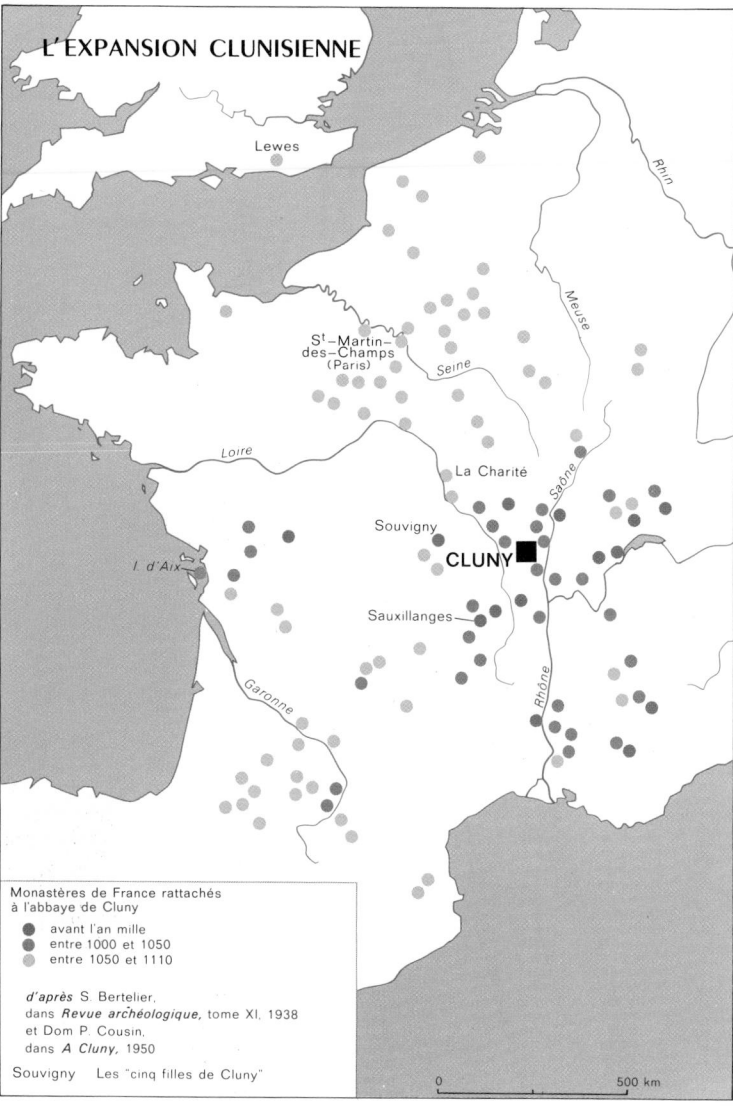

L'EXPANSION CLUNISIENNE

Monastères de France rattachés à l'abbaye de Cluny

● avant l'an mille
● entre 1000 et 1050
● entre 1050 et 1110

d'après S. Bertelier, dans *Revue archéologique*, tome XI, 1938 et Dom P. Cousin, dans *A Cluny*, 1950

Souvigny   Les "cinq filles de Cluny"

0   500 km

CARTE p. 40.

La légende des « terreurs de l'an mille » survit encore. Mais, si ces temps apparaissent très sauvages aux historiens contemporains de l'Europe, il convient de situer d'abord l'an mille au cœur d'un demi-siècle de bouleversements politiques et sociaux considérables. Au sud et au sud-est, le monde de l'Islâm se décompose en effet en trois califats ('abbāsside de Bagdad, fātimide du Caire, omeyyade de Cordoue), incapables de contenir la poussée chrétienne en Espagne (malgré Al-Manṣūr) et dans l'Est méditerranéen, où les Byzantins ont reconquis la Crète et Chypre.

Quant aux deux autres ensembles qui ont également succédé à la Romania, ils connaissent des destins différents. Aux confins de l'Europe et de l'Asie, le premier d'entre eux, l'Empire romain d'Orient, consolidé par Basile Ier, élimine l'Empire bulgare établi dans son sein (1001-1018) [v. carte B. p. 36], tout en

étendant son influence sur les Slaves orientaux, ceux de Kiev en particulier, dont la principauté se dilate progressivement aux dimensions de la future Russie d'Europe.

Victime de l'effondrement de l'Empire carolingien qui livre l'État au jeu des ambitions rivales opposant aristocraties et royautés, l'Occident chrétien se dissocie en principautés déjà féodales, sans que pour autant soit étouffé l'appel à l'unité.

La profondeur de cet appel est soulignée dès 962 par la restauration de l'Empire romain au profit du roi de Germanie Otton Ier, tandis que s'affirment les particularismes nationaux français, polonais et hongrois, avec le sacre de Hugues Capet en 987, la création de l'archevêché de Gniezno en 1000 et le couronnement d'Étienne Ier en 1000. Ainsi peuples et États achèvent-ils de se fixer dans les limites territoriales qui sont encore approximativement les leurs mille ans plus tard. (V. cartes pp. 33, 92, 104 [B], 108 [B] et 147.)

CARTE p. 41.

Fait majeur de l'histoire de cette période, l'effacement du Saint Empire romain germanique résulte d'une longue suite de conflits avec le Saint-Siège, conflits qui ont fait perdre aux empereurs le contrôle réel de l'Italie, où la papauté affirme ses prétentions théocratiques et où les villes marchandes (Gênes, Pise, Venise) s'érigent en cités-États. Mais cet effacement ne porte pas préjudice à l'exceptionnel dynamisme de l'Occident chrétien, au sein duquel l'Angleterre et surtout la France jouent un rôle de plus en plus prédominant. Relayant les Hohenstaufen en Italie et en Sicile, s'imposant ensuite en Hongrie, les Capétiens (ou leurs sujets) contraignent, depuis la fin du XIe siècle,

l'Islâm à un double recul : en Espagne, où la Reconquista triomphe des Almohades à Las Navas de Tolosa en 1212; en Orient surtout, où le succès des premières croisades accroche aux rives orientales de la Méditerranée les États latins du Levant et provoque, par ricochet, l'effondrement en 1204 de l'Empire byzantin.

Dynamique également en Europe du Nord, où les trois royaumes scandinaves, puis les chevaliers Teutoniques repoussent vers l'est ses frontières, l'Occident chrétien subit pourtant deux échecs graves : l'un, temporaire, en Europe centrale, lorsque le raid mongol (1240-1242) ruine la Pologne et la Hongrie; l'autre, définitif, au Levant, où il ne peut prévenir la reconquête de la Terre sainte par les sultans mamelouks à la fin du XIIIe siècle.

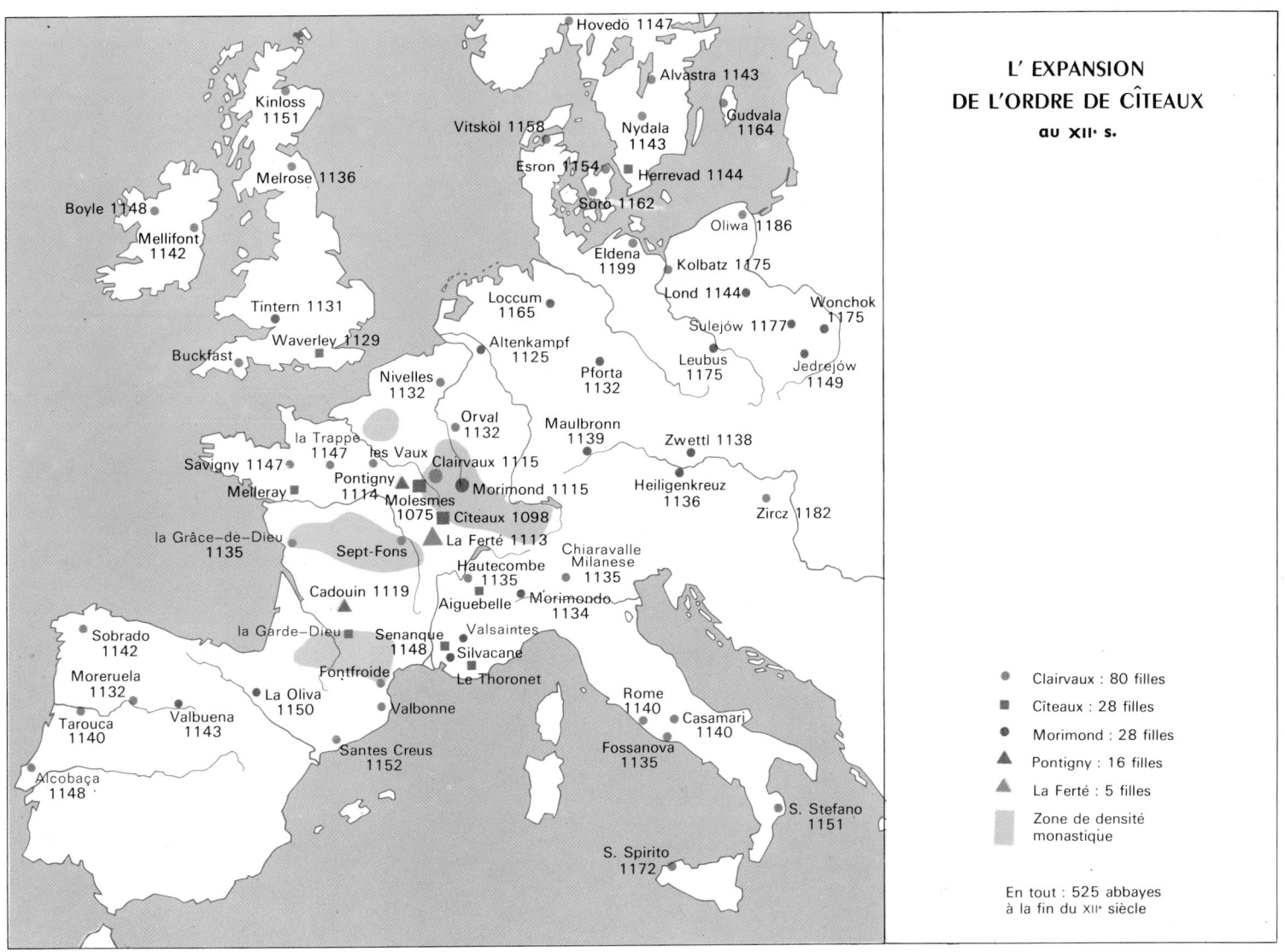

L' EXPANSION
DE L'ORDRE DE CÎTEAUX
au XIIe s.

Hovedo 1147
Alvastra 1143
Kinloss 1151
Vitsköl 1158
Nydala 1143
Gudvala 1164
Melrose 1136
Esron 1154
Herrevad 1144
Boyle 1148
Sorö 1162
Oliwa 1186
Mellifont 1142
Eldena 1199
Kolbatz 1175
Tintern 1131
Loccum 1165
Lond 1144
Wonchok 1175
Waverley 1129
Altenkampf 1125
Sulejów 1177
Leubus 1175
Buckfast
Pforta 1132
Jedrejów 1149
Nivelles 1132
Orval 1132
Maulbronn 1139
Zwettl 1138
la Trappe 1147
les Vaux
Clairvaux 1115
Savigny 1147
Pontigny 1114
Morimond 1115
Heiligenkreuz 1136
Melleray
Molesmes 1075
Cîteaux 1098
Zircz 1182
la Grâce-de-Dieu 1135
Sept-Fons
La Ferté 1113
Chiaravalle Milanese 1135
Hautecombe 1135
Cadouin 1119
Aiguebelle
Morimondo 1134
la Garde-Dieu
Senanque 1148
Valsaintes
Sobrado 1142
Fontfroide
Silvacane
Moreruela 1132
La Oliva 1150
Valbonne
Le Thoronet
Rome 1140
Tarouca 1140
Valbuena 1143
Casamari 1140
Alcobaça 1148
Santes Creus 1152
Fossanova 1135
S. Stefano 1151
S. Spirito 1172

● Clairvaux : 80 filles
■ Cîteaux : 28 filles
● Morimond : 28 filles
▲ Pontigny : 16 filles
▲ La Ferté : 5 filles
▨ Zone de densité monastique

En tout : 525 abbayes
à la fin du XIIe siècle

En 1098, avec quelques compagnons, Robert de Molesmes fonde Cîteaux, qui végète jusqu'à l'arrivée de saint Bernard (1111).

L'expansion commence alors, par essaimage, depuis les abbayes surpeuplées vers les zones encore incultes, puisque les Cisterciens recherchaient la solitude. Des quatre «filles» de Cîteaux, la plus prolifique fut Clairvaux, par l'action de son premier abbé, saint Bernard. De son abbatiat (1115-1153) date le grand essor de l'ordre. Il se prolonge pendant trois décennies et reste très vif dans le nord-est de la chrétienté. Au début du XIIIe siècle, le monachisme cistercien domine encore la spiritualité de l'Europe; cependant, les avant-gardes se situent désormais dans d'autres mouvements religieux. Le triomphe des ordres mendiants, franciscain et dominicain, se prépare.

L'ART ROMAN

Principaux monuments

● **Tournus**   Premier art roman

● Trèves   Milieu XIe–XIIe s.

1 Worms
2 Vignory
3 Saulieu
4 La Charité
5 Chauvigny
6 Le Dorat

7 Nohant–Vic
8 St–Junien
9 Solignac
10 Paray–le–Monial
11 Semur–en–Brionnais
12 Charlieu
13 Beaulieu
14 Carennac
15 Lescar
16 St–Bertrand–de–C.
17 St–Guilhem–le–D.
18 St–Gilles–du–Gard
19 St–Nectaire
20 Orcival
21 Côme

L'épanouissement de l'art roman est le fruit de la croissance économique de l'Europe occidentale. Il débute à la fin du Xe siècle, après la dernière vague d'invasions, et ce sont les souverains les plus puissants qui, par leurs donations à l'Église, le favorisent. Les premiers foyers créateurs sont donc situés dans les deux monarchies qui dominent alors la chrétienté : l'Empire ottonien d'abord (foyers de Saxe, de Rhénanie et d'Italie du Nord), le royaume de France ensuite (Reims, Saint-Benoît-sur-Loire). L'Angleterre, au royaume fortement charpenté, est, elle aussi, précocement féconde, ainsi que la Catalogne, qui profite, pour des expériences architecturales audacieuses, de la proximité de la haute culture mozarabe. Passé le milieu du XIe siècle, le mouvement est désormais dirigé par les grandes institutions monastiques, vers lesquelles convergent les aumônes des fidèles, et principalement par Cluny, dont la congrégation rayonne sur tout le sud de la chrétienté (v. carte p. 42). Cela explique la densité des chefs-d'œuvre en Bourgogne, en Auvergne, dans le Poitou, la Suisse romande et le nord de l'Espagne. L'Italie et l'Allemagne restent longtemps fidèles à l'esthétique romane, alors que l'art gothique triomphe dans la France du Nord (v. carte p. 45).

Affirmant lentement son originalité par rapport à l'art roman, l'art gothique est né au milieu du XIIᵉ siècle au cœur de la France royale, là où l'église abbatiale de Saint-Denis traduit dans le domaine monumental la croyance nouvelle de l'homme en la rationalité du monde créé par Dieu.

Art essentiellement architectural et urbain, à la fois religieux et civil, l'art gothique bénéficie, en effet, de la maîtrise technique accrue de l'homme sur la matière : emploi généralisé de l'arc brisé; effacement des parois murales; élévation des voûtes sur croisées d'ogives; et par contrecoup agrandissement des fenêtres, qui font des cathédrales des vaisseaux de lumière où la prière paraît s'élever plus facilement vers Dieu.

Portant ses premiers fruits en Île-de-France, en Champagne, en Picardie et en Angleterre au XIIᵉ siècle, l'art gothique atteint au XIIIᵉ siècle un équilibre classique à Chartres, avant de s'épanouir, grâce au style rayonnant, à Reims, à Amiens, à la Sainte-Chapelle; il commence alors à se diversifier selon les régions, surtout dans les pays de langue d'oc où il pénètre à l'initiative des ordres mendiants. La puissance de la France capétienne favorise sa diffusion dans l'ensemble de l'Occident chrétien et de ses annexes du Levant, le long des voies du grand commerce international. De purement français l'art gothique est devenu européen (v. carte p. 56).

L'ART GOTHIQUE XIIᵉ-XIIIᵉ s.

▨ ● Premier art gothique (XIIᵉ s.)

△ Monuments détruits

▨ ● Expansion de l'art gothique au XIIIᵉ s.

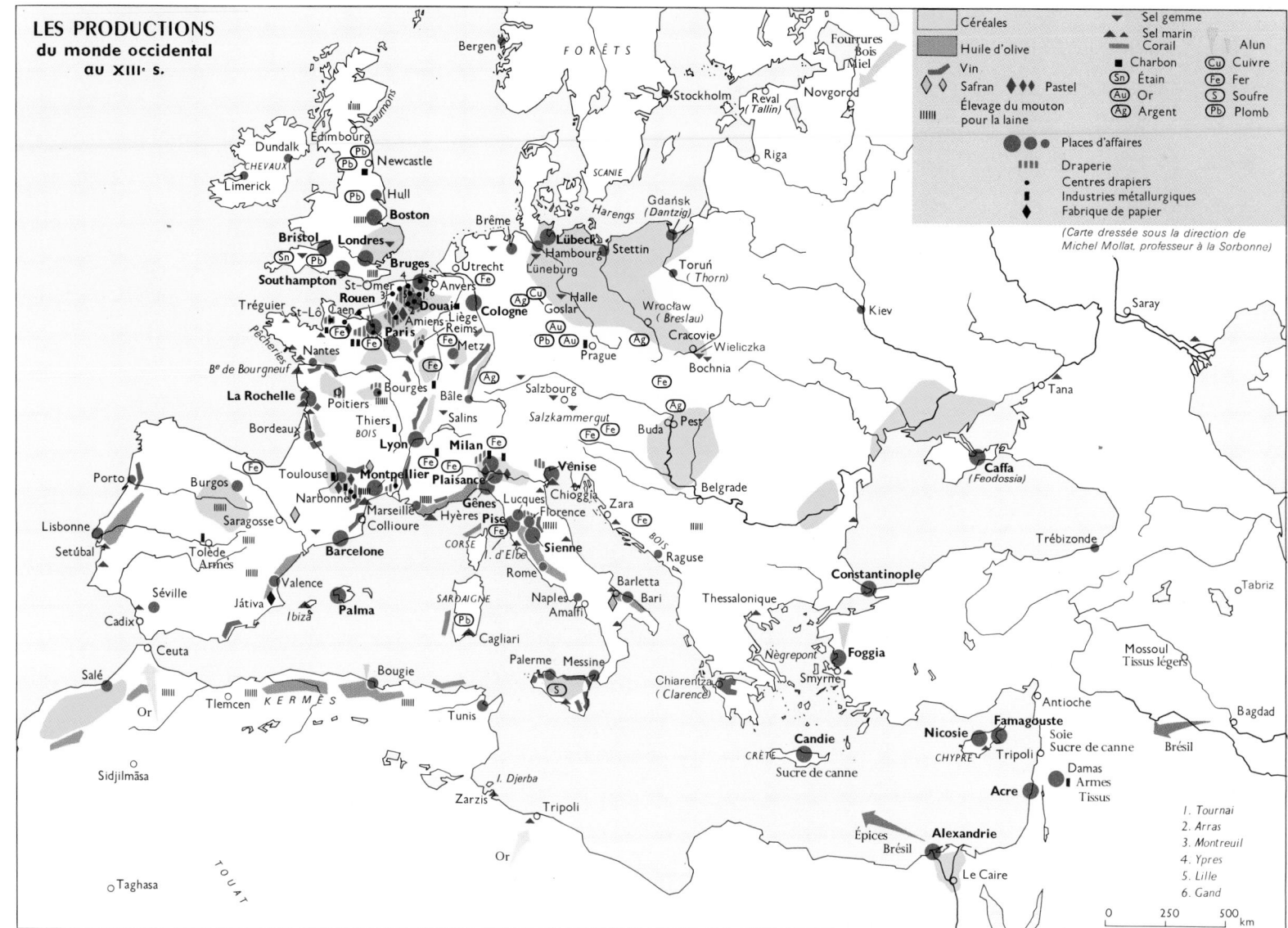

LES PRODUCTIONS
du monde occidental
au XIIIᵉ s.

(Carte dressée sous la direction de Michel Mollat, professeur à la Sorbonne)

1. Tournai
2. Arras
3. Montreuil
4. Ypres
5. Lille
6. Gand

Une forte pression démographique, un important essor urbain, un net accroissement en nombre et en moyens des milieux dirigeants provoquent au XIIIᵉ siècle une augmentation et une diversification des besoins de l'Occident en produits alimentaires et textiles.

Pour les satisfaire, les paysans étendent les terres céréalières depuis la Vieille-Castille jusqu'au nord de l'Europe, créent partout où le climat le permet des vignobles et des salines, développent la culture des plantes tinctoriales (safran, pastel) et l'élevage du mouton à laine. L'essentiel est que les lieux de production soient proches d'un fleuve ou d'une mer, seuls aptes à assurer les transports des pondéreux que commercialisent les marchands occidentaux (italiens, flamands, allemands surtout).

Prospectant les richesses du Levant et de son arrière-pays asiatique au sud (sucre de canne, épices, soie, alun...), celles du monde baltique au nord (hareng, miel, bois, fourrures) ou celles de l'Europe centrale (métaux précieux ou utiles), ces marchands contribuent à l'essor des deux seules régions de concentration artisanale de l'Europe médiévale : la Flandre et l'Italie du Nord et du Centre. Adonnées surtout à la draperie, celles-ci se développent là où la convergence des courants commerciaux favorise la concentration urbaine et la multiplication des places d'affaires, dominées par une riche bourgeoisie avide de luxe alimentaire ou vestimentaire (v. carte p. 47).

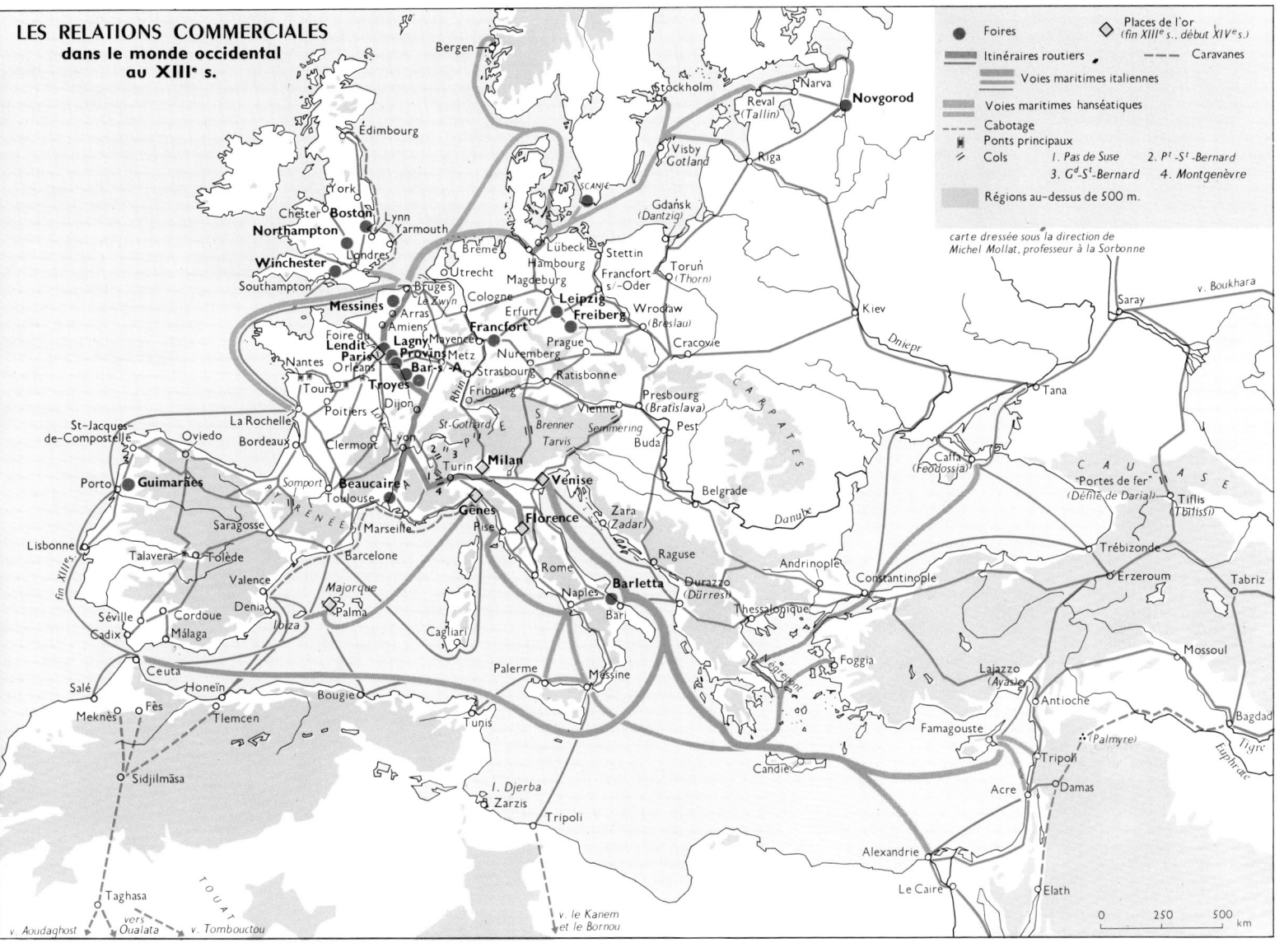

LES RELATIONS COMMERCIALES
dans le monde occidental
au XIIIᵉ s.

Foires ●   Places de l'or ◇ (fin XIIIᵉ s., début XIVᵉ s.)
Itinéraires routiers   Caravanes
Voies maritimes italiennes
Voies maritimes hanséatiques
Cabotage
Ponts principaux
Cols   1. Pas de Suse   2. Pᵗ-Sᵗ-Bernard
3. Gᵈ-Sᵗ-Bernard   4. Montgenèvre
Régions au-dessus de 500 m.

carte dressée sous la direction de
Michel Mollat, professeur à la Sorbonne

Si la croissance des besoins des milieux dirigeants de l'Occident, notamment en denrées de luxe, nécessite la réorganisation des courants commerciaux (v. carte p. 46), celle-ci se trouve conditionnée au XIIIᵉ siècle par deux faits majeurs : l'incorporation à cet Occident de l'Orient méditerranéen au bénéfice des marchands italiens; la pénétration profonde de la Hanse en Scandinavie et dans les pays slaves.

Ainsi se trouvent définies deux aires commerciales essentiellement maritimes : celle de la Baltique et de la mer du Nord avec son prolongement atlantique, à l'intérieur de laquelle les échanges se font le long de l'axe majeur Novgorod-Lübeck-Bruges-La Rochelle; celle de la Méditerranée, où les voies maritimes convergent vers Gênes et Venise depuis le Pont-Euxin et le Levant.

Entre ces deux aires commerciales les échanges se font aux foires de Champagne, situées sur l'axe routier principal unissant, par le moyen de barques et de mulets, les deux pôles économiques de l'Europe : la Flandre et l'Italie. Mais le coût de tels transports incite les Génois à gagner, en 1278, Bruges et Southampton par Gibraltar. Ainsi se trouvent stimulés les échanges interrégionaux, au bénéfice de l'Europe. Rendant en effet sa balance commerciale positive, ses exportations de drap en Orient contribuent à la reprise de la frappe de l'or.

LES PREMIÈRES CROISADES XIe - XIIe s.

◎ Zone de rassemblement
    de la croisade populaire

◯ Principales zones de
    rassemblement de la
    1re croisade

⟶ 1re croisade (1095–1099)
⟶ 2e croisade (1147–1149)
⟶ 3e croisade (1189/90–
                         1192)
★ Batailles

    Monde chrétien
    Chrétiens
    latins   Chrétiens
                                d'Orient
    Monde musulman

    Territoire contesté entre
    Seldjoukides et Byzantins vers 1094

    Création des États latins du Levant

    Reconquête chrétienne au XIIe s.

0   500 km

Entamé en Espagne, où il revêt dès 1064 un caractère interrégional grâce à la participation de guerriers venus d'outre-Pyrénées à la prise de Barbastro, qui marque le début de la Reconquista (v. cartes pp. 41 et 104), facilité par l'occupation de la Sicile par les Normands également aux dépens de l'Islām

(1050-1091), le mouvement des croisades prend réellement naissance à Clermont, le 28 novembre 1095, à l'appel du pape Urbain II.

Précédée par les foules de la croisade populaire, massacrées par les Turcs en Asie Mineure dès 1096, la croisade des barons emprunte des itinéraires uni-

quement terrestres qui convergent à Constantinople. Aboutissant à la libération des Lieux saints et à l'organisation des quatre États latins du Levant, cette expédition s'oppose, en tous points, aux deux suivantes.

Dirigées cette fois par des souverains qui se sont croisés au lendemain de

graves échecs subis par les Latins — perte d'Édesse en 1144, chute de Jérusalem en 1187 —, elles échouent l'une et l'autre, la dernière au terme d'un long périple maritime dont le seul fruit fut la conquête en 1191 par Richard Cœur de Lion de l'île byzantine de Chypre, dont hérita Gui de Lusignan en 1192.

L'ORIENT LATIN XIIᵉ - DÉBUT XIIIᵉ S.

- Royaume de Jérusalem de 1099 à 1187 (*étendue maximale*)
- Roy. de Jérusalem après la paix de Jaffa (1229)
- Dernières possessions chrétiennes perdues en 1291
- Principales forteresses chrétiennes
- Sièges des Patriarches
- Batailles
- Musulmans
- Empire de Saladin en 1189 (*Salāḥ al-Dīn Yūsuf*)
- Ⓐ Secte des "Assassins" (*Ḥachīchiyyīn*)

Dans la carte : SELDJOUKIDES — Iconium (Konya) — Héraclée — Tarse — Séleucie — Sis — ROY. DE ARMÉNIE — Pᵀᴱ CILICIE 1198-1375 — Lajazzo (Ayas) — Germanica C. (Maraş) — Samosate — COMTÉ D'ÉDESSE 1098-1144 — Tarbessel (Tal Bāchir) — Édesse — Harran — PRINCIPᵀᴱ D'ANTIOCHE 1098-1268 — Antioche — ZANGIDES milieu XIIᵉ s. — Alep — Euphrate — Laodicée (Lattaquié) — Fémie (Apamée) — Chaizar — Hamā — Margat (al-Marqab) — Ⓐ — Krak des Chevaliers 1142 — Tortose — Émèse (Homs) — Nicosie — Famagouste — ROY. DE CHYPRE 1192-1489 — Limassol — Cᵀᴱ DE TRIPOLI 1102-1289 — Tripoli — Oronte — MER MÉDITERRANÉE — Beyrouth — Sidon — Damas — DÉSERT DE SYRIE — Tyr — Beaufort — Bāniyās — Acre — Caiffa (Haifa) — Hattīn 1187 — L. de Tibériade — Nazareth — Mt Thabor — Tibériade — Césarée — 'Adjlūn — 1191 Arsouf — 1192 Jaffa — 'Ammān — Jérusalem — Ascalon — Mer Morte — Bethléem — Gaza — ARABIE — Damiette — Mansourah 1250 — Krak de Moab (al-Karāk) 1142 — Krak de Montréal (al-Chawbak) 1115 — Val Moyse 1117 — Ma'ān — Ayla — Jourdain — 0 — 200 km

Isolés au sein de l'Islām hostile, dépourvus de toute cohésion territoriale et juridique, faiblement colonisés et donc difficiles à défendre, les quatre États latins du Levant n'ont pas résisté aux assauts de leurs adversaires. Trop en flèche, le comté d'Édesse succombe le premier en 1144-1146. Accrochés au rivage, disposant depuis 1192 d'une base inexpugnable, le royaume de Chypre, les trois autres États ne font que survivre pendant un siècle à la défaite de Ḥaṭṭīn et à la prise de Jérusalem par Saladin en 1187. En 1291, en conquérant la ville d'Acre, les Mamelouks effacent deux siècles de présence latine en Terre sainte.

A

L'EMPIRE DES COMNÈNES

HONGRIE · COUMANS · PETCHENÈGUES

Venise · Torcello · Drave · Save · Ravenne · Ancône · Sirmium · Belgrade · CROATIE · DALMATIE · BOSNIE · SERBES · Zara – Sibenik · Sebenico · Spalato – Split · Raguse – Dubrovnik · RAŠKA · Studenica · Niš · Sardica – Sofia · Tărnovo · Varna · Mesêmbria · Anchialus · PONT – EUXIN · Theodosia – Kaffa · Tamatarcha – Taman · Khersôn · GÉORGIE · Rome · Cattaro – Kotor · Scodra · ZÊTA · Bojana · Zemen · Skopje · Prilep · Strymon · Philippopolis · Andrinople · Ohrid · Vardar · Sérres · Amastris · Sinope · Trébizonde · Ani · Naples · Bari · Brindisi – Durazzo · Tarente · Aulôn · ÉPIRE · Corfou · NORMANDS · Thessalonique · Mt Athos · Gallipoli · Chalcédoine · Constantinople · Nicomédie · Héraclée · Kastamuni · Gangra – Çankri · Néo-Césarée · DÁNICHMENDITES · Théodosiopolis – Erzurum · Mantzikert · Palerme · Cefalù · Monreale · SICILE · Catane · Syracuse · Larissa · THESSALIE · Nikopolis · Céphalonie · Nicée · Brousse · Sangarios · Ancyre · SULTANAT D'ICONIUM (RŪM) · Césarée · Sébaste – Sivas · Mélitène · L. de Van · Abydos · Adramyttium · Pergame · Amorion · Zacynthe · EUBÉE · Thèbes · Athènes · Chio · Smyrne · Sardes · Éphèse · Lesbos · Samos · Philomélium · Myrioképhalon 1176 · Laodicée · Chonae · SELDJOUKIDES · Iconium – Konya · Germanica C. – Maraş · Samosate · Édesse – Urfa · Corinthe · Patmos · Antioche · Héraclée · Anazarbe · Mopsueste · D'ÉDESSE · Tigre · Mossoul · Cos · Attalia – Satalia – Antalya · Tarse · ARMÉNO-CILICIE · CTÉ D'ANTIOCHE · ZANGIDES · Rhodes · Candie · Antioche · Alep · Chaizar · Euphrate · Constantia · Laodicée · CTÉ DE TRIPOLI · CHYPRE · Émèse – Homs · CRÈTE · Tripoli · Beyrouth · Sidon · Tyr · SYRIE · Damas · Acre · v. Jérusalem · ROY. DE JÉRUSALEM

Légende :

L'Empire byzantin à la fin du règne d'Alexis Comnène .1118.
Frontières de Jean II vers 1143
Agrandissements de Manuel Ier vers 1180
Les limites sont approximatives
États musulmans
États latins du Levant (fin XIe-XIIe s.)
Pᵗᵉ D'ANTIOCHE
République de Venise
1ʳᵉ croisade 1095–1099
2ᵉ croisade 1147–1149

0 — 250 km

Rétracté à ses seuls territoires balkanique et asiatique, ayant perdu en outre à l'est le contrôle de l'Anatolie au profit des Turcs, l'Empire byzantin était en 1118 dans une situation diamétralement inverse à celle qu'avait connue Basile II en 976, alors que l'Asie Mineure était solidement tenue, mais l'Empire bulgare profondément implanté dans la Romanie d'Europe (v. carte p. 36).

Sur les frontières de l'Empire assiégé se pressaient au nord, les peuples de la steppe, Petchenègues, Oghouz et Coumans; à l'est, les Turcs Seldjoukides; à l'ouest et, depuis 1098, au sud-est, les Normands de Sicile et d'Antioche.

Aussi la tentative de restauration impériale se développa-t-elle en trois temps. En 1122, élimination définitive des Petchenègues par Jean II : la frontière danubienne est colmatée; de 1135 à 1138, contre-offensive en Orient : les Turcs Dānichmendites sont vaincus, la Cilicie soumise, Antioche réduite par les armes; de 1149 à 1171, enfin, retour en force des Byzantins en Occident, où Manuel II reconquiert le nord-ouest des Balkans. Mais cette restauration s'avéra fragile : impossible en Italie en raison de l'hostilité de Venise, elle fut gravement compromise en Orient par la défaite que les Turcs infligèrent aux Byzantins à Myrioképhalon le 17 septembre 1176. Ruiné, l'Empire ne put résister à l'assaut des croisés en 1204.

B

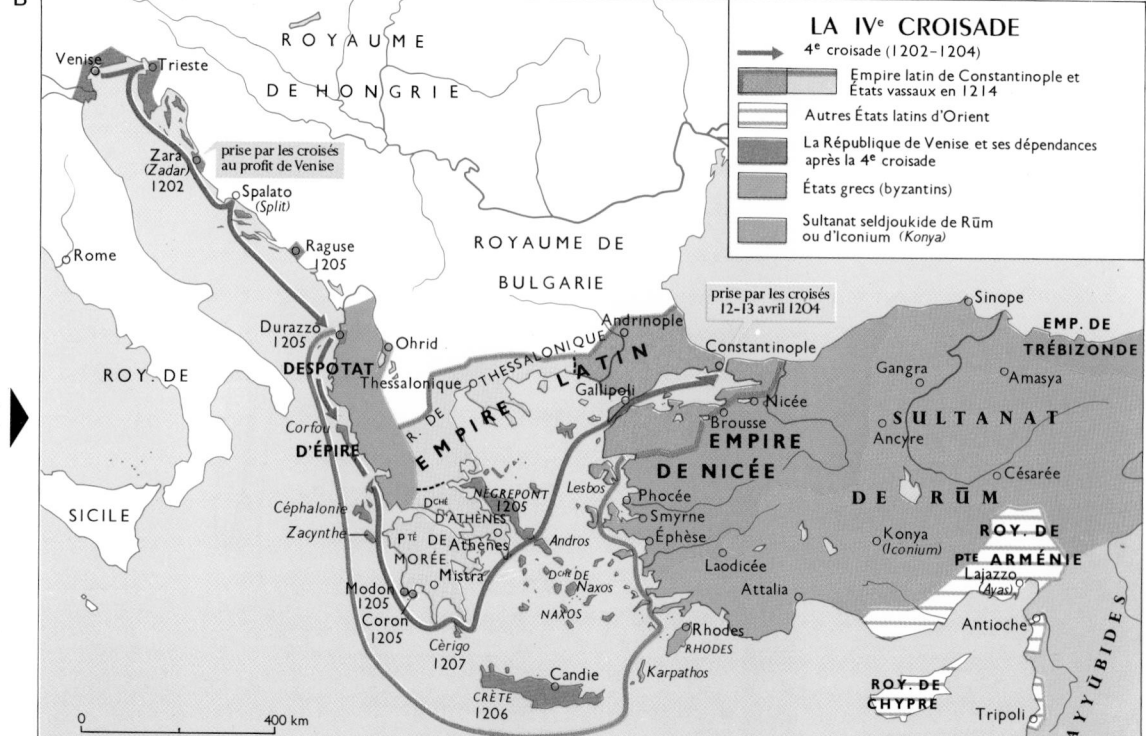

LA IVᵉ CROISADE

→ 4ᵉ croisade (1202–1204)
Empire latin de Constantinople et États vassaux en 1214
Autres États latins d'Orient
La République de Venise et ses dépendances après la 4ᵉ croisade
États grecs (byzantins)
Sultanat seldjoukide de Rūm ou d'Iconium (Konya)

ROYAUME DE HONGRIE · ROYAUME DE BULGARIE · Venise · Trieste · Zara (Zadar) 1202 · *prise par les croisés au profit de Venise* · Spalato (Split) · Raguse 1205 · Rome · ROY. DE SICILE · Durazzo 1205 · DESPOTAT D'ÉPIRE · Ohrid · R. DE THESSALONIQUE · Thessalonique · Andrinople · Constantinople · *prise par les croisés 12–13 avril 1204* · EMPIRE LATIN · Gallipoli · Nicée · Brousse · EMPIRE DE NICÉE · EMP. DE TRÉBIZONDE · Sinope · Gangra · Amasya · SULTANAT · Ancyre · DE RŪM · Césarée · Corfou · Céphalonie · Zacynthe · Pᵗᵉ DE MORÉE · Mistra · Dᶜʰᵉ D'ATHÈNES · NÉGREPONT 1205 · Lesbos · Phocée · Smyrne · Éphèse · Andros · Dᵗ DE NAXOS · NAXOS · Laodicée · Attalia · Konya (Iconium) · ROY. DE Pᵗᵉ ARMÉNIE · Lajazzo (Ayas) · Modon 1205 · Coron 1205 · Cèrigo 1207 · Rhodes · RHODES · Antioche · Candie CRÈTE 1206 · Karpathos · ROY. DE CHYPRE · Tripoli · AYYŪBIDES

0 — 400 km

Destinée par Innocent III à frapper la puissance musulmane en Égypte, la IVᵉ croisade est détournée, en 1202-03, vers Constantinople par les Vénitiens. Aussi aboutit-elle paradoxalement, en 1204-05, à la dislocation de l'Empire byzantin défaillant en trois principautés indépendantes, à la création de l'Empire latin de Constantinople et à celle de trois autres États francs en Romanie, enfin à l'extension de l'empire commercial et maritime de Venise. Du moins le schisme de l'Église grecque est-il théoriquement terminé, et les positions franques en Orient sont-elles apparemment renforcées en vue de nouvelles croisades (v. cartes pp. 49 et 137).

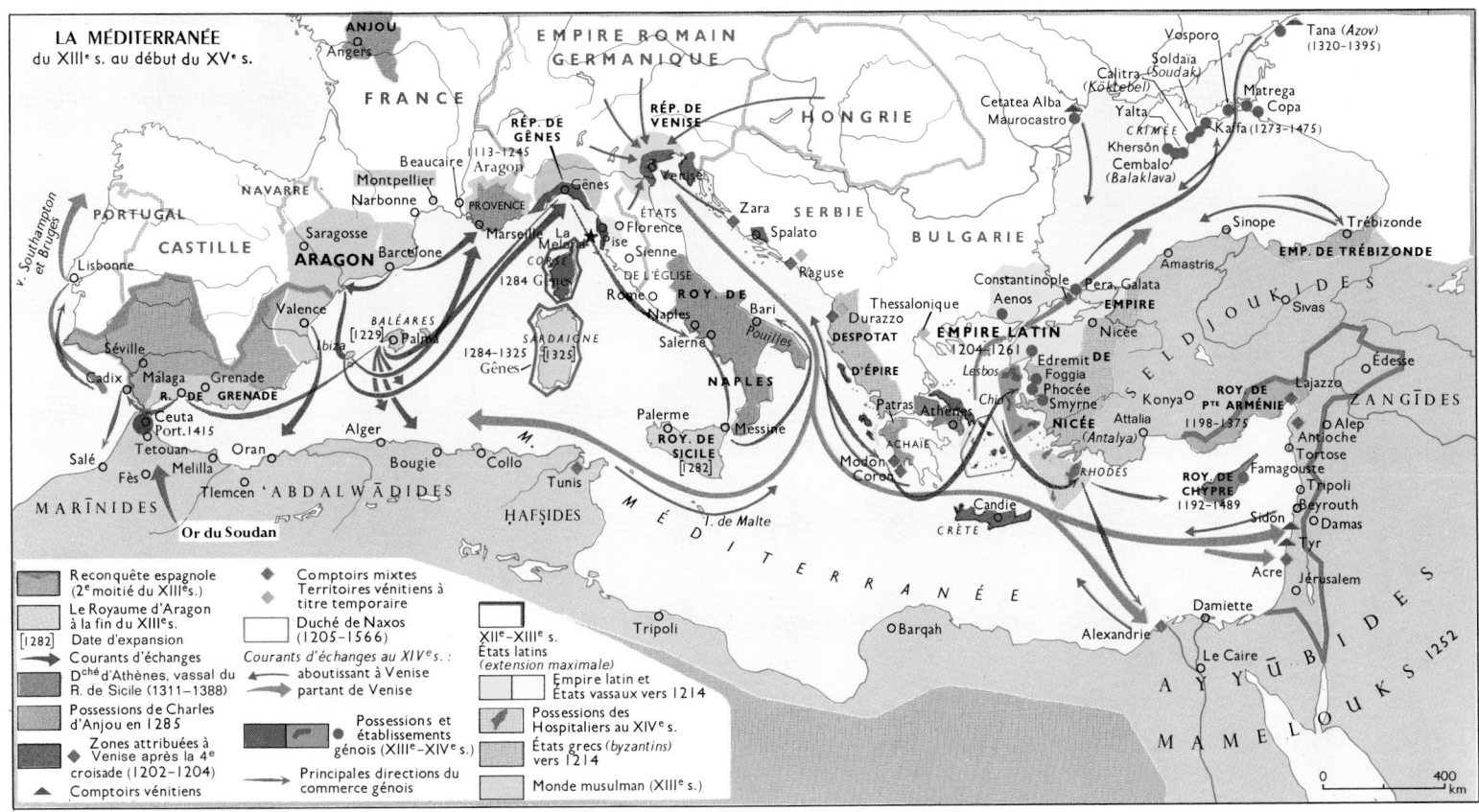

LA MÉDITERRANÉE
du XIIIᵉ s. au début du XVᵉ s.

ANJOU
Angers
FRANCE
EMPIRE ROMAIN
GERMANIQUE
HONGRIE
Tana (Azov) (1320-1395)
Vosporo
Soldaia Calitra (Köktebel)
Cetatea Alba Maurocastro
Matrega Copa
Yalta
Khersôn
Kaffa (1273-1475)
Cembalo (Balaklava)
CRIMÉE

RÉP. DE GÊNES
RÉP. DE VENISE
NAVARRE
Beaucaire Montpellier Narbonne
PROVENCE
1113-1245 Aragon
Gênes
Venise
Zara
SERBIE
BULGARIE
Sinope
Trébizonde

PORTUGAL
v. Southampton et Bruges
Lisbonne
CASTILLE
Saragosse
ARAGON
Barcelone
Marseille La Meloria Pise
CORSE
ÉTATS Florence Sienne
DE L'ÉGLISE
Rome
ÉTATS Spalato
Raguse
Thessalonique
Durazzo
DESPOTAT D'ÉPIRE
Constantinople Pera, Galata
Aenos
EMPIRE LATIN 1204-1261
EMPIRE
Nicée
Amastris
EMP. DE TRÉBIZONDE
SELDJOUKIDES
Sivas
Édesse
ZANGĪDES

Valence
BALÉARES [1229] Palma
Ibiza
SARDAIGNE [1325]
1284-1325 Gênes
ROY. DE NAPLES Naples Salerne
Bari
Pouilles
NAPLES
Patras Athènes ACHAÏE
Lesbos Chio
Edremit Foggia Phocée Smyrne
NICÉE (Antalya)
Attalia
Konya
ROY. DE ARMÉNIE 1198-1375
Lajazzo
Alep
Antioche Tortose
Famagouste
ROY. DE CHYPRE 1192-1489

Séville
Cadix Málaga Grenade
R. DE GRENADE
Ceuta Port.1415
Tetouan
Salé Fès Melilla
MARĪNIDES
Oran
Tlemcen 'ABDALWĀDIDES
Or du Soudan
Alger
Bougie
Collo
Tunis
HAFṢIDES
Palerme
Messine
ROY. DE SICILE [1282]
I. de Malte
Tripoli
Barqah
Modon Coron
RHODES
Candie
CRÈTE
ROY. DE CHYPRE
Alexandrie
Damiette
Le Caire
AYYŪBIDES
MAMELOUKS 1252
Tripoli
Beyrouth
Sidôn Damas
Tyr
Acre
Jérusalem

M É D I T E R R A N É E

Légende :

Reconquête espagnole (2ᵉ moitié du XIIIᵉ s.)
Le Royaume d'Aragon à la fin du XIIIᵉ s.
[1282] Date d'expansion
Courants d'échanges
Dché d'Athènes, vassal du R. de Sicile (1311-1388)
Possessions de Charles d'Anjou en 1285
Zones attribuées à Venise après la 4ᵉ croisade (1202-1204)
Comptoirs vénitiens

Comptoirs mixtes
Territoires vénitiens à titre temporaire
Duché de Naxos (1205-1566)
Courants d'échanges au XIVᵉ s. :
aboutissant à Venise
partant de Venise
Possessions et établissements génois (XIIIᵉ-XIVᵉ s.)
Principales directions du commerce génois

XIIᵉ-XIIIᵉ s.
États latins *(extension maximale)*
Empire latin et États vassaux vers 1214
Possessions des Hospitaliers au XIVᵉ s.
États grecs *(byzantins)* vers 1214
Monde musulman (XIIIᵉ s.)

0   400 km

Lieu privilégié de rencontre mais aussi de conflit des trois civilisations musulmane, byzantine et latine, la Méditerranée retrouve son unité au XIIᵉ et surtout au XIIIᵉ siècle, lorsque l'ardeur évangélisatrice des croisés, les appétits territoriaux de leurs chefs, l'âpreté au gain des marchands occidentaux entraînent le recul de l'Islam en Espagne et en Orient, l'effondrement de Byzance et la création des États latins du Levant au XIIᵉ siècle et de Romanie au XIIIᵉ siècle. Ainsi se trouvent de nouveau privilégiés les axes de navigation ouest-est, que prolonge vers l'Extrême-Orient, jusqu'en 1368, la route mongole le long de laquelle circulent les missionnaires occidentaux et la soie chinoise.

La Méditerranée n'est pas pour autant, à cette époque, une aire paisible. L'exploitation en est en effet contrariée par de nombreux conflits. Les uns opposent les villes italiennes entre elles : Gênes enlève ainsi, en 1261, le monopole du commerce en mer Noire à Venise qui l'avait acquis en 1204, puis elle élimine définitivement la concurrence pisane à la Meloria, en 1284. D'autres font s'affronter les Capétiens et les Aragonais, la politique d'expansion des premiers en Méditerranée se heurtant à la volonté des seconds de contrôler exclusivement son bassin occidental, but qui est déjà largement atteint au soir des Vêpres siciliennes qui chassent les Franco-Angevins de Sicile en 1282. Ainsi la Méditerranée est-elle devenue le champ de bataille de ceux des Occidentaux qui veulent la dominer pour s'en disputer les richesses.

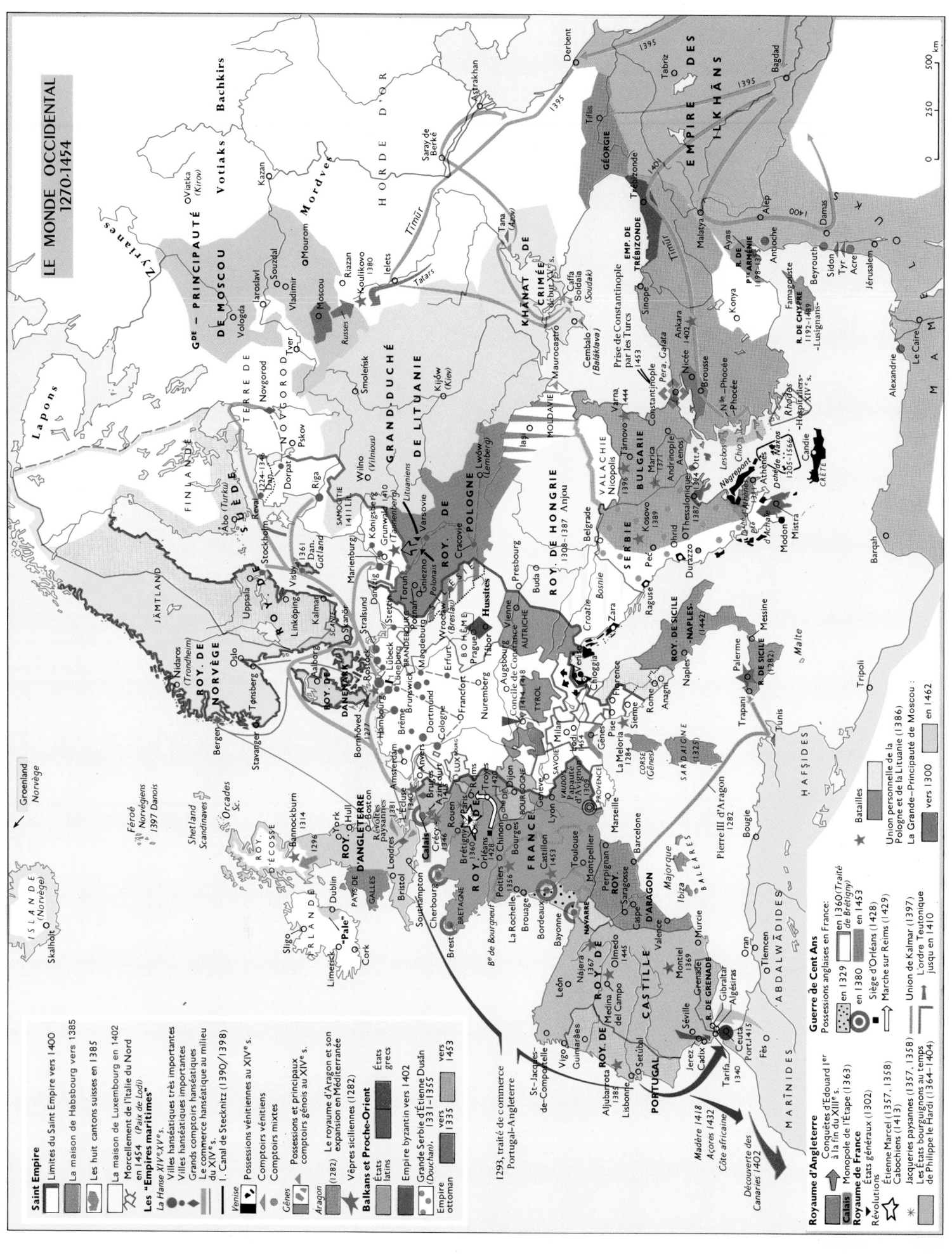

LE MONDE OCCIDENTAL 1270-1454

Saint Empire
Limites du Saint Empire vers 1400
La maison de Habsbourg vers 1385
Les huit cantons suisses en 1385
La maison de Luxembourg en 1402
Morcellement de l'Italie du Nord en 1454 *(Paix de Lodi)*

Les "Empires maritimes"
La Hanse XIVᵉ-XVᵉ s.
Villes hanséatiques très importantes
Villes hanséatiques importantes
Grands comptoirs hanséatiques
Le commerce hanséatique au milieu du XIVᵉ s.
I. Canal de Stecknitz (1390/1398)

Venise
Possessions vénitiennes au XIVᵉ s.
Comptoirs vénitiens
Comptoirs mixtes

Gênes
Possessions et principaux comptoirs génois au XIVᵉ s.

Aragon
Le royaume d'Aragon et son expansion en Méditerranée
Vêpres siciliennes (1282)

Balkans et Proche-Orient
États grecs
États latins
Empire byzantin vers 1402
Grande Serbie d'Étienne Dušan *(Dŭschan)* 1331-1355
Empire ottoman   vers 1335   vers 1453

1293, traité de commerce Portugal-Angleterre

Royaume d'Angleterre
Conquêtes d'Édouard Iᵉʳ à la fin du XIIIᵉ s.
Calais Monopole de l'Étape (1363)
Royaume de France
Révolutions
États généraux (1302)
Étienne Marcel (1357, 1358)   Cabochiens (1413)
Jacqueries paysannes (1357, 1358)
Les États bourguignons au temps de Philippe le Hardi (1364-1404)

Guerre de Cent Ans
Possessions anglaises en France :
en 1329   en 1360 *(Traité de Brétigny)*   en 1453
Siège d'Orléans (1428)
Marche sur Reims (1429)
Union de Kalmar (1397)
L'ordre Teutonique jusqu'en 1410

Batailles
Union personnelle de la Pologne et de la Lituanie (1386)
La Grande-Principauté de Moscou :
vers 1300   en 1462

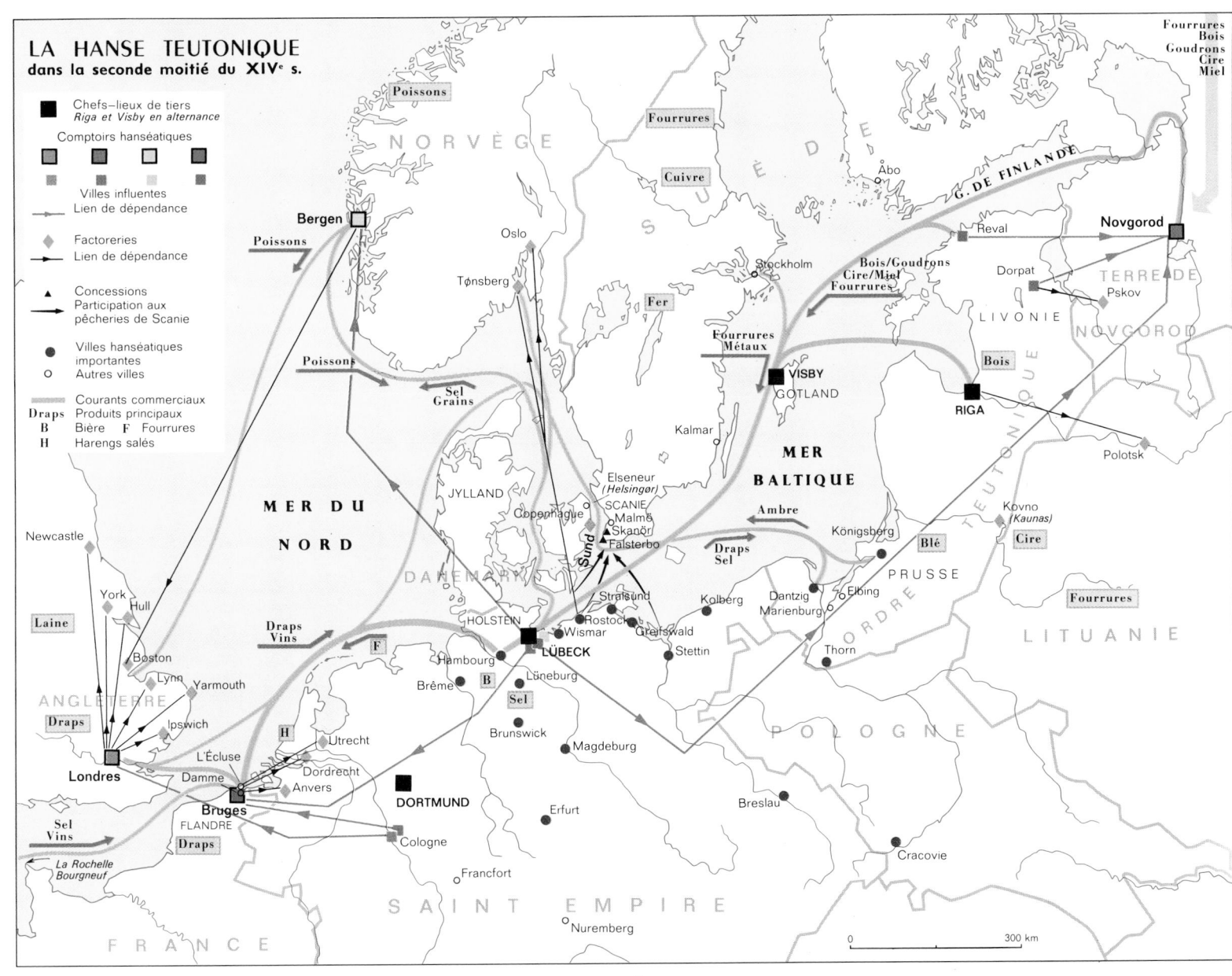

LA HANSE TEUTONIQUE
dans la seconde moitié du XIVe s.

■ Chefs-lieux de tiers
Riga et Visby en alternance
■ Comptoirs hanséatiques

■ Villes influentes
→ Lien de dépendance

◆ Factoreries
→ Lien de dépendance

▲ Concessions
→ Participation aux pêcheries de Scanie

● Villes hanséatiques importantes
○ Autres villes

Courants commerciaux
Draps Produits principaux
B Bière   **F** Fourrures
H Harengs salés

En moins de deux siècles, l'Occident enfante l'Europe moderne dans la douleur provoquée par le malheur des temps : famines; peste noire de 1348-1351 et ses récurrences; conflits internationaux opposant France et Angleterre, Gênes et Venise, Byzance et Turcs; guerres civiles, de caractère dynastique en Castille et social en France et en Angleterre, religieuse en Bohême; invasion ultime des peuples de la steppe aux confins orientaux du continent à l'extrême fin du XIVe siècle...

Les puissances traditionnelles s'effacent : Saint Empire et papauté en Allemagne et en Italie, devant la montée des villes; d'autres disparaissent : Empire byzantin au lendemain de la prise de Constantinople par les Turcs en 1453.

À cette date, une Europe nouvelle est née. À l'ouest, l'Angleterre, quoique vaincue, et la France, victorieuse à Castillon, sortent renforcées de la guerre de Cent Ans. Au sud, l'Espagne en marche vers l'unité, maîtrise, grâce à l'Aragon, le bassin occidental de la Méditerranée face à l'Empire ottoman qui domine son bassin oriental. À l'est, héritière de la tradition byzantine et de la foi orthodoxe, la Russie moscovite émerge de la nébuleuse slave. Au nord, les pays scandinaves se regroupent. Enfin, au cœur instable de l'Europe, Valois-Bourgogne et Habsbourg jettent les bases de la puissance autrichienne.

Les protagonistes de l'Europe nouvelle sont en place. Reste à établir entre eux un équilibre des forces que Venise, Florence et Milan instaurent dès 1454 en Italie du Nord, par la paix de Lodi.

Communauté économique rassemblant progressivement à partir de 1350 au moins 129 villes dont sont originaires les membres de la vieille *Hanse des marchands,* ainsi qu'un seul prince, le grand maître de l'ordre Teutonique, la Hanse s'est dotée d'une organisation assez lâche. Ses centres principaux sont Lübeck, où se tient en général le *Hansetag,* et, subsidiairement, les villes où se réunissent les assemblées de *Tiers* : Visby, Riga, Dortmund. S'arrogeant le monopole du commerce maritime dans le nord de l'Europe le long de l'axe baltique Novgorod-Riga-Lübeck-Bruges-Londres, imposant pour le maintenir son contrôle militaire et financier sur le Sund en 1370, la Hanse assoit sa puissance économique sur les privilèges anciennement acquis par ses membres dans les quatre comptoirs établis hors d'Allemagne et auxquels ces derniers ont rattaché leurs factoreries locales : Novgorod, Bergen, Londres et, plus encore, Bruges, ville où ils échangent les produits naturels de l'Europe du Nord et de l'Est (blés, fourrures, bois...) contre ceux de l'Occident (sel, vins, draperie...), de la Méditerranée et de l'Orient (épices...).

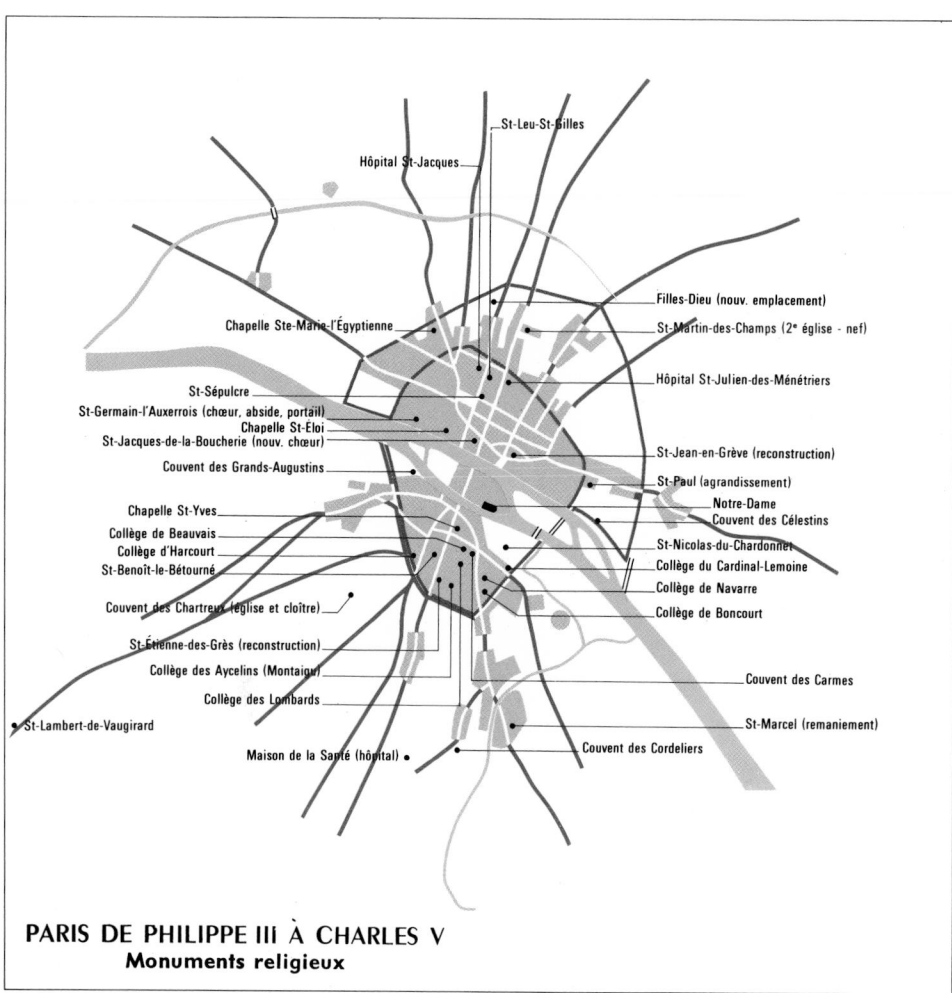

St-Leu-St-Gilles

Hôpital St-Jacques

Chapelle Ste-Marie-l'Égyptienne

Filles-Dieu (nouv. emplacement)

St-Martin-des-Champs (2ᵉ église - nef)

Hôpital St-Julien-des-Ménétriers

St-Sépulcre

St-Germain-l'Auxerrois (chœur, abside, portail)

Chapelle St-Éloi

St-Jacques-de-la-Boucherie (nouv. chœur)

St-Jean-en-Grève (reconstruction)

Couvent des Grands-Augustins

St-Paul (agrandissement)

Notre-Dame

Couvent des Célestins

Chapelle St-Yves

Collège de Beauvais

Collège d'Harcourt

St-Benoît-le-Bétourné

St-Nicolas-du-Chardonnet

Collège du Cardinal-Lemoine

Collège de Navarre

Couvent des Chartreux (église et cloître)

Collège de Boncourt

St-Étienne-des-Grès (reconstruction)

Collège des Aycelins (Montaigu)

Couvent des Carmes

Collège des Lombards

St-Marcel (remaniement)

St-Lambert-de-Vaugirard

Maison de la Santé (hôpital)

Couvent des Cordeliers

PARIS DE PHILIPPE III À CHARLES V
Monuments religieux

Essaimant hors de l'enceinte de Philippe Auguste une population qui, en 1328, atteint sans doute 210 000 habitants, Paris est non seulement la ville la plus peuplée de l'Occident, mais aussi un intense foyer de vie religieuse et intellectuelle. Déjà richement pourvue d'églises paroissiales, la ville se dote entre 1270 et 1380 de nouveaux édifices religieux qui correspondent aux besoins du temps : couvents pour les Mendiants (Carmes, Cordeliers); hôpitaux et hospices; collèges, surtout, pour accueillir les étudiants qu'attire le renom de l'Université de Paris.

A

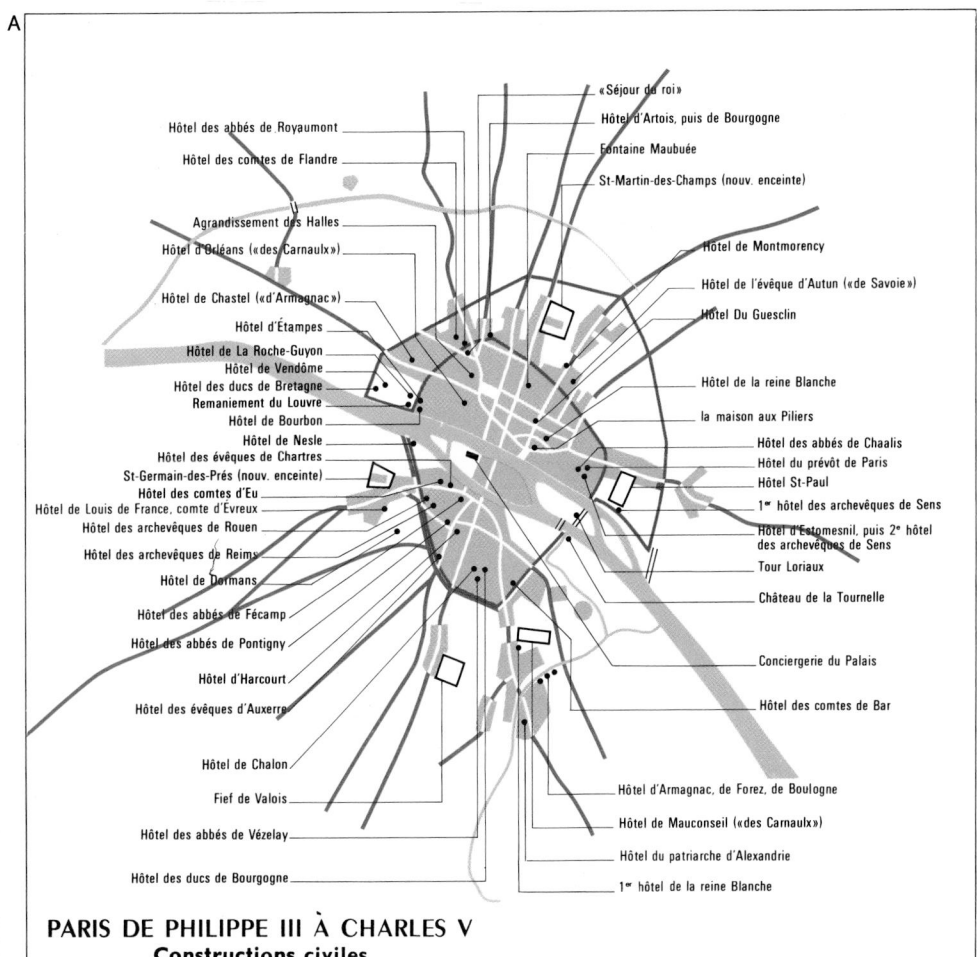

«Séjour du roi»
Hôtel d'Artois, puis de Bourgogne
Fontaine Maubuée
St-Martin-des-Champs (nouv. enceinte)

Hôtel des abbés de Royaumont
Hôtel des comtes de Flandre

Agrandissement des Halles
Hôtel d'Orléans («des Carnaulx»)

Hôtel de Montmorency
Hôtel de l'évêque d'Autun («de Savoie»)
Hôtel Du Guesclin

Hôtel de Chastel («d'Armagnac»)
Hôtel d'Étampes
Hôtel de La Roche-Guyon
Hôtel de Vendôme
Hôtel des ducs de Bretagne
Remaniement du Louvre
Hôtel de Bourbon
Hôtel de Nesle
Hôtel des évêques de Chartres
St-Germain-des-Prés (nouv. enceinte)
Hôtel des comtes d'Eu
Hôtel de Louis de France, comte d'Evreux
Hôtel des archevêques de Rouen
Hôtel des archevêques de Reims
Hôtel de Dormans
Hôtel des abbés de Fécamp
Hôtel des abbés de Pontigny
Hôtel d'Harcourt
Hôtel des évêques d'Auxerre

Hôtel de la reine Blanche
la maison aux Piliers
Hôtel des abbés de Chaalis
Hôtel du prévôt de Paris
Hôtel St-Paul
1ᵉʳ hôtel des archevêques de Sens
Hôtel d'Estomesnil, puis 2ᵉ hôtel des archevêques de Sens
Tour Loriaux
Château de la Tournelle

Conciergerie du Palais

Hôtel des comtes de Bar

Hôtel de Chalon
Fief de Valois
Hôtel des abbés de Vézelay
Hôtel des ducs de Bourgogne

Hôtel d'Armagnac, de Forez, de Boulogne
Hôtel de Mauconseil («des Carnaulx»)
Hôtel du patriarche d'Alexandrie
1ᵉʳ hôtel de la reine Blanche

PARIS DE PHILIPPE III À CHARLES V
Constructions civiles

Capitale politique de la France, premier foyer intellectuel de la chrétienté, l'une des plus importantes places financières de l'Occident, Paris est la résidence de la cour et des princes, des clercs et des marchands français et étrangers les plus habiles et les plus riches. Aussi se couvre-t-elle de somptueuses demeures ainsi que de constructions utilitaires (fontaine Maubuée), œuvres d'architectes, dont le plus illustre, Raymond du Temple, dirige les travaux des résidences royales (hôtel Saint-Paul, Louvre) et ceux des constructions urbaines (nouvelle enceinte [celle de Charles V], Petit-Pont, agrandissement des Halles).

B

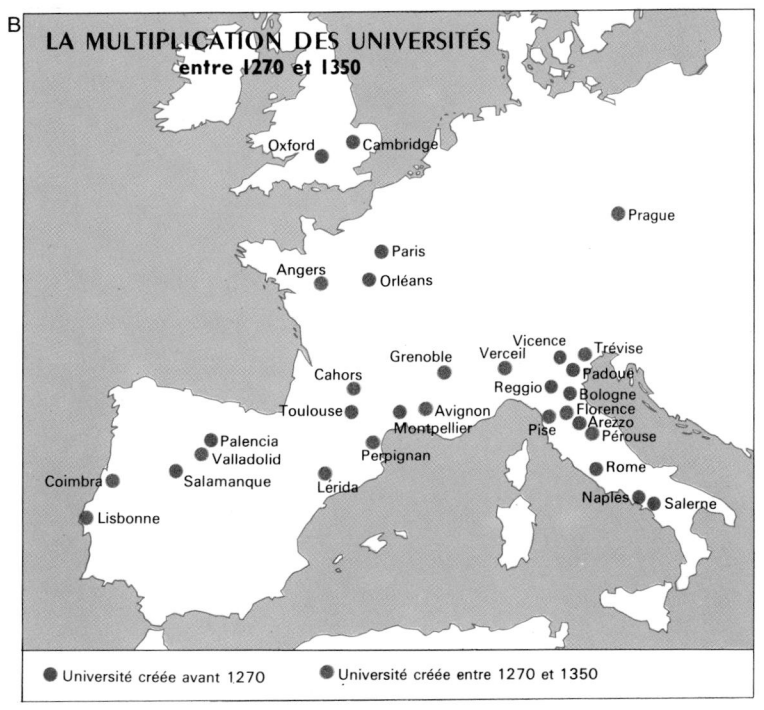

LA MULTIPLICATION DES UNIVERSITÉS
entre 1270 et 1350

Oxford
Cambridge
Prague
Paris
Angers
Orléans
Vicence
Trévise
Grenoble
Verceil
Padoue
Cahors
Reggio
Bologne
Florence
Toulouse
Avignon
Arezzo
Montpellier
Pérouse
Pise
Palencia
Valladolid
Perpignan
Rome
Coimbra
Salamanque
Lérida
Naples
Salerne
Lisbonne

● Université créée avant 1270   ● Université créée entre 1270 et 1350

Les Universités qui naissent au XIIIᵉ siècle ont des origines diverses ou des spécialités plus particulières : théologie s'ouvrant sur l'observation de la nature à Oxford; droit à Bologne; théologie dialectique à Paris; lutte anti-hérétique à Toulouse; médecine à Montpellier). Mais toutes conviennent l'homme à renoncer à la quête de l'imaginaire pour celle du réel dans le cadre d'un même système de pensée logique, la *scolastique*, illustré en particulier à Paris, «Athènes de l'Occident». Entre 1270 et 1350, le cloisonnement politique de l'Europe fait ouvrir de nouvelles écoles qui concurrencent les anciennes. Cette multiplication facilite l'exploration de voies nouvelles de connaissance : l'empirisme et le mysticisme, dans le respect de la foi chrétienne.

**L'ARCHITECTURE GOTHIQUE
À LA FIN DU MOYEN ÂGE**

1 Senlis
2 Gisors
3 Louviers
4 Bernay
5 Lisieux
6 Caudebec-en-Caux
7 St-Riquier
8 Rue
9 Oudenaarde
10 Douai
11 Halle
12 Bruxelles
13 Bodiam
14 N.-D.-de-L'Épine (Lépine)
15 Chartres
16 Châteaudun
17 Vendôme
18 Beauvais

● Édifices religieux
■ Édifices civils

0   300 km

Menacé d'épuisement (v. carte p. 45), victime des troubles du temps peu propices à l'ouverture de grands chantiers architecturaux longtemps inachevés faute de moyens, l'art gothique n'exprime plus dans la société du milieu du XIVᵉ siècle la foi du peuple chrétien, mais la vanité des aristocrates et des bourgeois, fondateurs de chapelles privées aux fins d'assurer l'hypothétique salut de leur âme. Dans le sud de la Gaule cependant, la papauté d'Avignon favorise l'éclosion d'un rejet d'une remarquable vigueur. Tandis que, au nord des Alpes, bénéficiant sans doute des expériences anglaises accomplies entre 1250 et 1340 par les techniciens du « style curvilinéaire », plus tard métamorphosé par le « style perpendiculaire », l'art gothique évolue vers une surcharge décorative : celle du style flamboyant. S'imposant aux Pays-Bas, en Espagne où il s'enrichit d'emprunts à l'art mudéjar, pénétrant en Allemagne dès la fin du XIVᵉ et au XVᵉ siècle, ce style prend alors un caractère international. Aussi cherche-t-il, mais vainement, à s'affirmer sur le chantier de la cathédrale de Milan, ouvert en 1386, alors que s'affirme, dans le reste de l'Italie, l'esthétique de la Renaissance.

Dans sa longue histoire, l'homme a peu à peu parcouru toute la Terre, poussé, suivant les époques, par l'appât du gain, la pression démographique, le prosélytisme, la curiosité scientifique — et, toujours, par un insatiable goût de l'aventure. L'exploration du bassin méditerranéen fut l'œuvre des marchands phéniciens, puis des Grecs; les uns et les autres en sortirent pour reconnaître soit les côtes de l'Afrique, soit les franges du Grand Nord. Les conquêtes d'Alexandre font connaître l'Asie centrale et l'Indus. Au Moyen Âge, les courses des Vikings au *Vinland* sont vite oubliées, mais les voyages de Marco Polo éveillent un immense intérêt pour la Chine. Grâce aux progrès techniques des XVᵉ et XVIᵉ siècles, les marins portugais découvrent la route des épices et les Espagnols celle de l'or — avec un nouveau monde. La circumnavigation de Magellan démontre la rotondité de la Terre. Quant aux voyages des Français et des Anglais au XVIIIᵉ siècle, ils sont purement scientifiques. L'intérieur des continents fut pénétré au XIXᵉ siècle et les pôles conquis au XXᵉ. Malgré la qualité de ses marins, la Chine est restée à l'écart : il n'y a pas de Christophe Colomb chinois! De nos jours, les explorateurs s'enfoncent dans l'écorce terrestre ou vers le fond des mers.

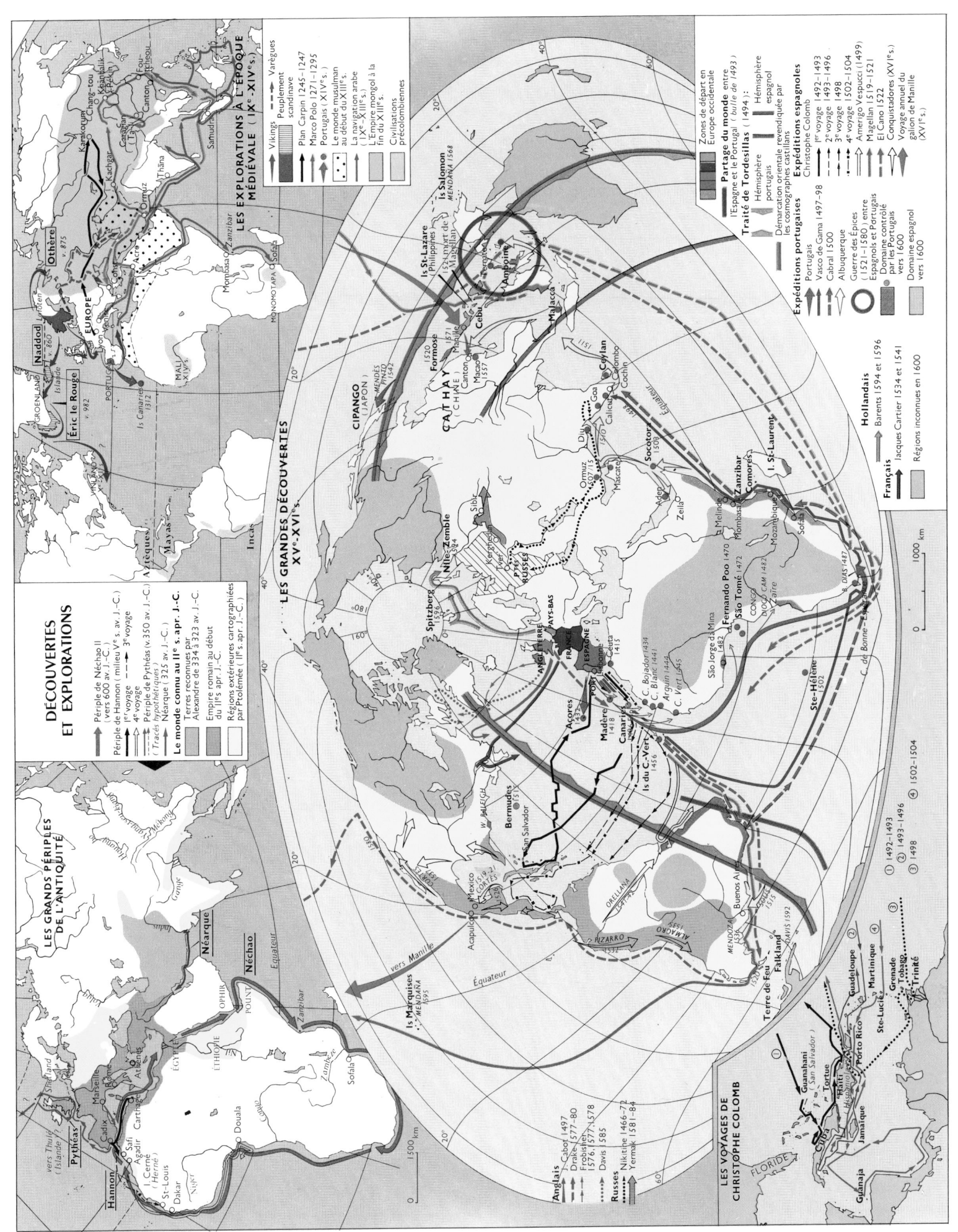

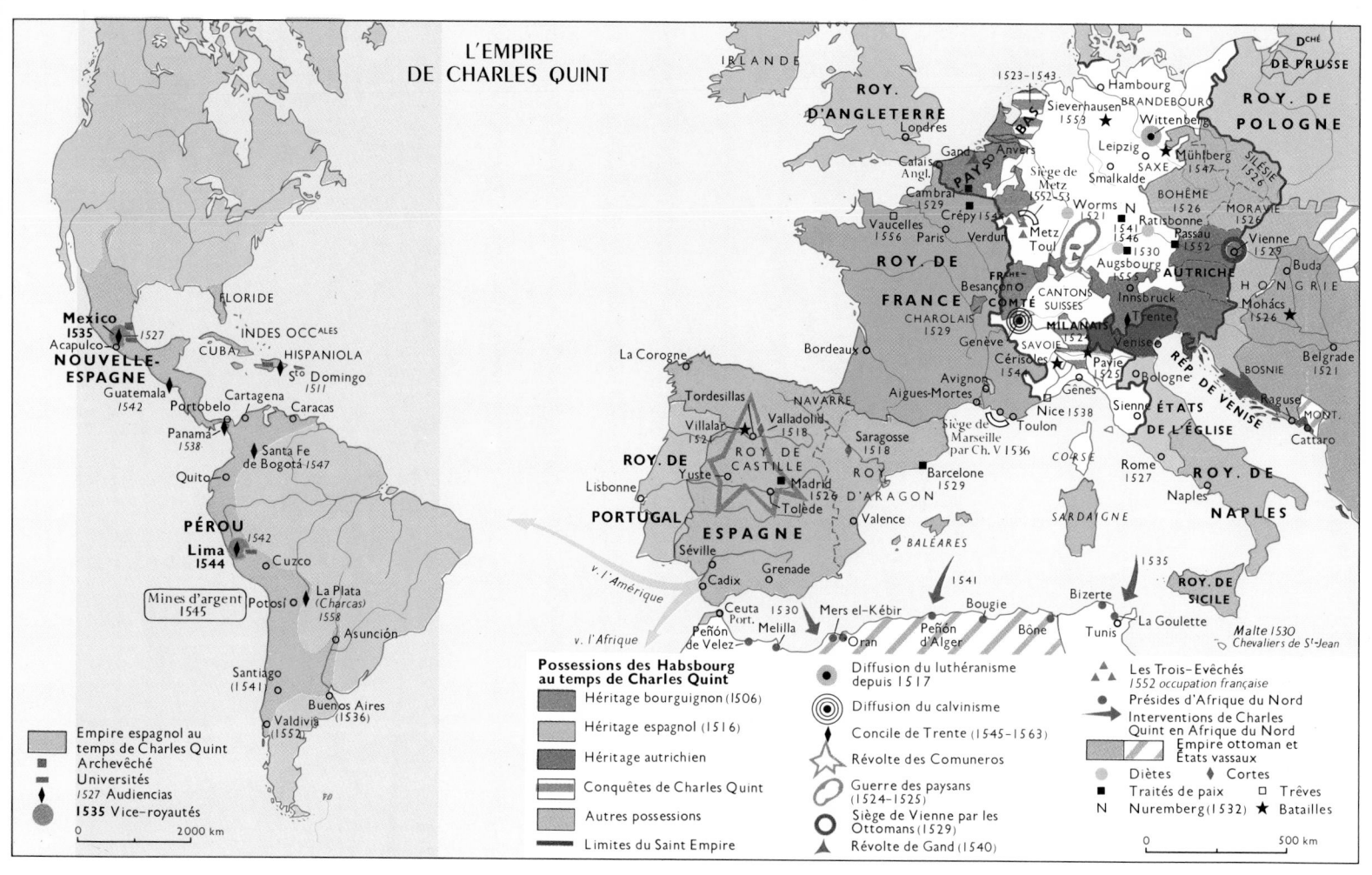

L'EMPIRE
DE CHARLES QUINT

Possessions des Habsbourg au temps de Charles Quint

- Héritage bourguignon (1506)
- Héritage espagnol (1516)
- Héritage autrichien
- Conquêtes de Charles Quint
- Autres possessions
- Limites du Saint Empire

Empire espagnol au temps de Charles Quint
■ Archevêché
■ Universités
1527 Audiencias
● 1535 Vice-royautés

- ⊙ Diffusion du luthéranisme depuis 1517
- ◎ Diffusion du calvinisme
- ◆ Concile de Trente (1545-1563)
- ☆ Révolte des Comuneros
- Guerre des paysans (1524-1525)
- ○ Siège de Vienne par les Ottomans (1529)
- ▲ Révolte de Gand (1540)

- ▲ Les Trois-Evêchés 1552 occupation française
- ● Présides d'Afrique du Nord
- → Interventions de Charles Quint en Afrique du Nord
- Empire ottoman et États vassaux
- ● Diètes ◆ Cortes
- ■ Traités de paix □ Trêves
- N Nuremberg (1532) ★ Batailles

L'histoire de Charles Quint ne ressemble à aucune autre. D'abord, son empire fut le premier à s'étendre sur l'Ancien et le Nouveau Monde. Ensuite, il le devait à *trois* héritages : des Habsbourg (États héréditaires), du Téméraire (Artois, Flandre, Brabant, Luxembourg, Franche-Comté), de sa mère (Espagne, Sardaigne, Deux-Siciles — plus tard, l'Amérique). Élu empereur en 1519, il rêva d'unifier les 400 États allemands et

de rogner les « libertés germaniques ». Menaçant pour les princes allemands, il l'était plus encore pour la France, qui faisait obstacle à la réunion de ses deux morceaux d'Europe. Il mena donc contre François Ier et Henri II une guerre qui devint générale quand la France s'allia aux Ottomans et aux protestants — et quand l'Angleterre, soucieuse d'équilibre européen, évolua d'un camp à l'autre. François Ier, battu et fait

prisonnier à Pavie, fut sauvé par la victoire de Soliman à Mohács. La défaite écrasante des protestants allemands à Mühlberg fut de même effacée par l'entrée des Turcs à Buda, par la perte des Trois-Evêchés et par un désastre devant Alger. Découragé, Charles Quint accepta que l'Empire restât électif, accorda, à Augsbourg, la liberté du culte aux protestants. Puis il partagea l'Empire et entra au monastère.

Le retour aux lettres gréco-latines s'annonce en Italie avec Pétrarque au XIVe siècle. Mais c'est du concile de Florence (1439) que date son essor et la quasi-déification de Platon. Les penseurs se sentirent alors « renaître » et se crurent plus proches de l'homme, « humaniores »; on appela *humanistes* à la fois les érudits et ceux qu'exaltaient ces valeurs proprement humaines. L'expansion rapide de l'humanisme en Occident s'explique par la présence d'un milieu prêt à le recevoir; son terrain de prédilection fut la vallée du Rhin, où, précisément, Gutenberg mit au point l'imprimerie. De Mayence, cet art nouveau gagna rapidement Francfort, Nuremberg, Paris (1470), Lyon, Venise, Rome, Bâle... On imprima d'abord les ouvrages favoris du Moyen Âge, mais il fallut répondre à la demande d'éditions « classiques » venues des *académies* de Florence et de Rome, des douze universités allemandes (dont dix nouvelles), du Collège de France... Malgré la modération d'Érasme, de Budé et leur effort de syncrétisme pagano-chrétien, l'humanisme aida à la Réforme.

A

RENAISSANCE ET HUMANISME

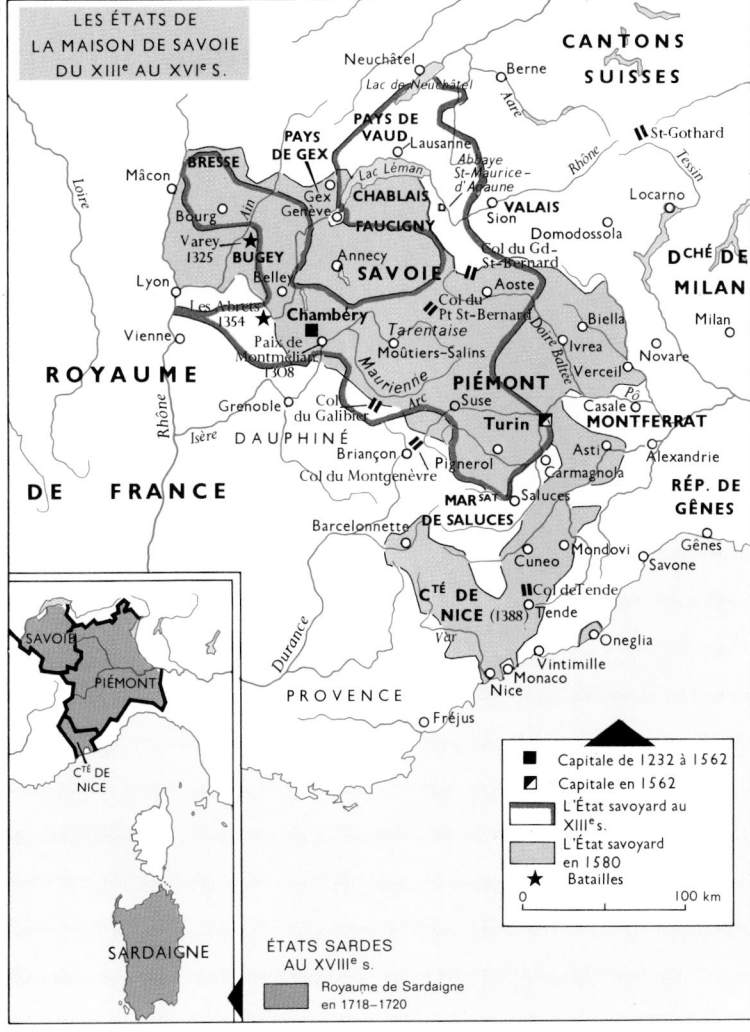

B

LES ÉTATS DE LA MAISON DE SAVOIE DU XIIIe AU XVIe S.

La possession, dès le Xe siècle, du petit comté de Savoie à l'ouest des Alpes, celle du marquisat de Turin à l'est, à partir du XIe siècle, font des descendants d'Humbert Ier Blanche-Main les portiers de ce massif montagneux. Maîtres de l'importante voie stratégique et commerciale du Mont-Cenis (au nord de Suse) qui unit l'Italie à la France, voire à l'Allemagne, menacés par les ambitions de leurs puissants voisins, ils s'efforcent d'abord d'étendre leur domaine territorial vers le nord, l'ouest et le sud à l'intérieur de l'ancien royaume de Bourgogne où ils se heurtent aux intérêts du Dauphiné et, par contrecoup, à ceux du royaume de France (1189-1354/1355). Orientant alors leur expansion vers la Provence (Nice, 1388) puis vers l'est, ils transfèrent en 1562 leur capitale de Chambéry à Turin. Ils affirment ainsi leur vocation italienne, qui s'impose dès 1718/1720 avec la constitution des États sardes et qui triomphe définitivement lorsque, en 1860, à l'initiative de Cavour, Victor-Emmanuel II renonce au profit de la France à Nice et surtout à la Savoie, berceau de sa famille, pour mieux assurer, autour de sa personne, l'unité de la péninsule. Ses États se fondent alors dans le royaume d'Italie. (V. cartes p. 140.)

LA DIFFUSION DE LA RÉFORME AU XVIᵉ s.

"Pré-Réforme" (groupe de Meaux)

Principaux centres de diffusion de la Réforme

◎ Luthéranisme   ◎ Calvinisme

● Anglicanisme

▲ Autres centres

Zones principalement atteintes par le protestantisme

1527   Adhésion officielle des États au protestantisme

Régions touchées par les idées réformées où le catholicisme est resté prédominant

▬ Principales universités protestantes (académies)

1521   Date de fondation ou de conversion au protestantisme

0 ──────────── 600 km

Pays demeurés catholiques

Gains de la Contre-Réforme

Succès partiels de la Contre-Réforme

Populations chrétiennes dans l'Empire ottoman

Frontières des États au XVIᵉ s.

Limites du Saint Empire au XVIᵉ s.

La « Pré-Réforme » du groupe de Meaux eut une influence beaucoup plus faible que celle des trois grands réformateurs : Zwingli, curé de la collégiale de Zurich en 1518, qui ne rallia à lui qu'une moitié de la Suisse; Luther, qui, après sa rupture avec Rome en 1517-18, conquit l'Allemagne du Nord, la Scandinavie, la Finlande et qui fit de la Baltique « un lac luthérien »; Calvin, qui, appuyé sur l'*Académie* de Genève, gagna à sa doctrine les Pays-Bas, l'Écosse, la plupart des communautés françaises après 1560 et qui, plus tard, prit pied en Amérique du Nord. Le dynamisme du mouvement s'affaiblit en se fragmentant, avec l'anglicanisme d'Henri VIII ou le presbytérianisme des Écossais et avec de nombreuses sectes. La Réforme a brisé le rêve de monarchie européenne de Charles Quint, mais a laissé l'Europe plus divisée que jamais : une moitié nord partagée entre des confessions rivales, une moitié sud restée fidèle à Rome. La Contre-Réforme (v. carte p. 94) reconquit, à partir de 1540, la Rhénanie, la Bavière, l'Autriche et la Belgique actuelle. Quant à la France, elle resta catholique, mais elle accepta le dualisme de l'édit de Nantes, forme alors unique de tolérance.

LES PRINCES ET LA RÉFORME
1531-1555

En proclamant que les biens du clergé appartiennent à chacun, Luther avait déchaîné une tempête de convoitises, exacerbées par l'inflation qui sévissait : la Réforme sombrait dans l'anarchie. Elle fut sauvée par les princes, qui, après avoir écrasé les masses incohérentes des hobereaux et des paysans (v. carte p. 58), sécularisèrent les biens d'Église. L'Électeur de Saxe, Jean-Frédéric Ier, et Philippe de Hesse voulaient fonder un Empire évangélique et ils n'hésitèrent pas à combattre Charles Quint quand il ordonna de rétablir le passé; leur ligue de Smalkalde est à l'origine de ce que l'on a appelé le « protestantisme militaire et politique », car la politique l'emporta : la Ligue accepta la France et la Bavière catholiques, le Pape même! Ce protestantisme armé brisa, plus que ne le firent François Ier et Henri II, la tentative d'hégémonie des Habsbourg. La paix d'Augsbourg fut la victoire des princes luthériens : les biens sécularisés leur restèrent, et la religion du prince fut désormais celle de ses sujets, dont le seul droit fut d'émigrer.

Légende :

Ligue protestante de Smalkalde, créée en 1531, étendue à partir de 1535

Ligue catholique de Nuremberg

★ Victoire de Charles Quint à Mühlberg, 24 avril 1547

● Capitulation de Wittenberg, mai 1547

○ Paix d'Augsbourg, 1555 (cujus regio, ejus religio)

Principautés ou États réputés protestants

Principautés ou États réputés catholiques

Habsbourg d'Autriche et d'Espagne

Chrétiens (catholiques et protestants) dans l'Empire ottoman

Limites du Saint Empire

1. Princt[é] d'Anhalt 2. Magdeburg

3. Francfort
4. Heilbronn
5. Rottenbourg
6. Nördlingen
7. Ulm
8. Halle
9. Kempten
10. Memmingen
11. Lindau

Électorat de Saxe
D. Duché de Saxe

0   500 km

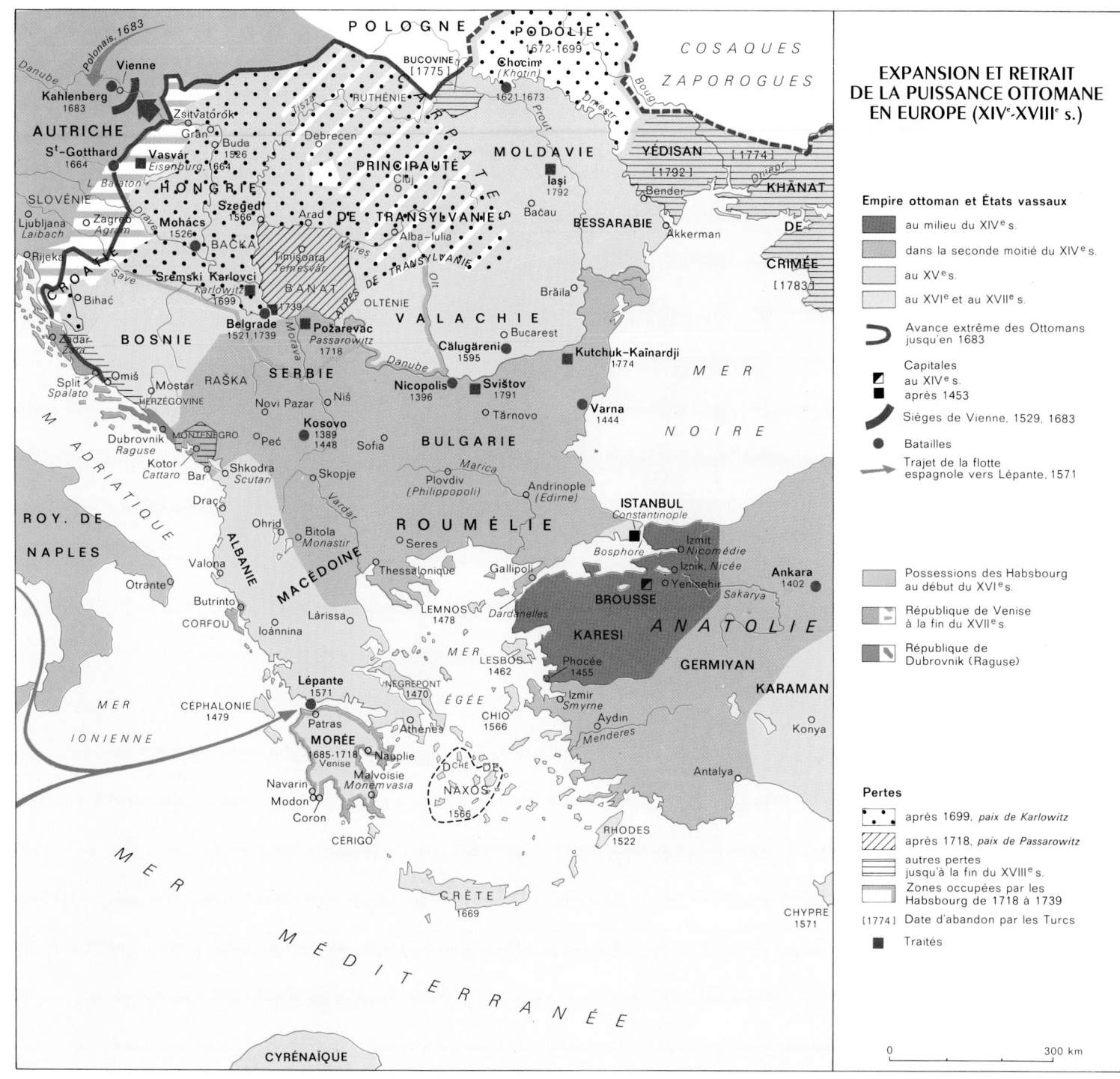

EXPANSION ET RETRAIT DE LA PUISSANCE OTTOMANE EN EUROPE (XIVᵉ-XVIIIᵉ s.)

Empire ottoman et États vassaux
- au milieu du XIVᵉ s.
- dans la seconde moitié du XIVᵉ s.
- au XVᵉ s.
- au XVIᵉ et au XVIIᵉ s.

Avance extrême des Ottomans jusqu'en 1683

Capitales
- au XIVᵉ s.
- après 1453

Sièges de Vienne, 1529, 1683

Batailles

Trajet de la flotte espagnole vers Lépante, 1571

Possessions des Habsbourg au début du XVIᵉ s.

République de Venise à la fin du XVIIᵉ s.

République de Dubrovnik (Raguse)

Pertes
- après 1699, *paix de Karlowitz*
- après 1718, *paix de Passarowitz*
- autres pertes jusqu'à la fin du XVIIIᵉ s.
- Zones occupées par les Habsbourg de 1718 à 1739
- [1774] Date d'abandon par les Turcs
- Traités

0   300 km

En sollicitant l'aide des Ottomans contre les Serbes dès 1344-45, les Byzantins les attirent en Europe. La Turquie y garde aujourd'hui encore un pied. Établis en 1354 à Gallipoli, les Osmanlis réduisent rapidement l'Empire byzantin à sa seule capitale. À Tchernomen sur les bords de la Marica en 1371 et surtout à Kosovo en 1389, la puissance serbe est brisée. La Bulgarie occupée (1383-1393), la Valachie soumise au tribut (1395), les croisades de secours battues à Nicopolis (1396) et à Varna (1444), rien ne peut plus sauver Constantinople, qui succombe le 29 mai 1453. L'Empire byzantin disparaît de l'histoire. Achevant la conquête de la Grèce (Morée, 1460) et celle des Balkans au sud de la Save et des Carpates, à la fin du XVᵉ siècle, éliminant les Génois de la mer Noire (1461-1475), les Ottomans menacent alors directement l'Occident. Ils occupent temporairement Otrante (1480-81), éliminent les Hongrois à Mohács en 1526, vassalisent la Transylvanie, mais ils ne peuvent prendre Vienne en 1529. Malgré d'ultimes succès (Chypre, 1571), le reflux s'amorce. Vaincus par la chrétienté coalisée sur mer à Lépante en 1571, puis sur terre à Saint-Gotthard en 1664, contraints une nouvelle fois de lever le siège de Vienne par le roi de Pologne Jean III Sobieski en 1683, les Ottomans subissent la loi des Habsbourg, puis celle des Romanov. À Karlowitz en 1699, à Passarowitz en 1718 et à Belgrade en 1739, les premiers les rejettent au sud de la Save et du Danube; à Kutchuk-Kaïnardji en 1774 et à Iaşi en 1792, les seconds leur enlèvent la Crimée et la Bessarabie. Lorsque les Russes, protecteurs naturels des Slaves orthodoxes, parviennent aux bouches du Danube, s'ouvre la question d'Orient. (V. cartes pp. 52, 58, 65, 137, 148, 149, 154, 162, 178 et 179.)

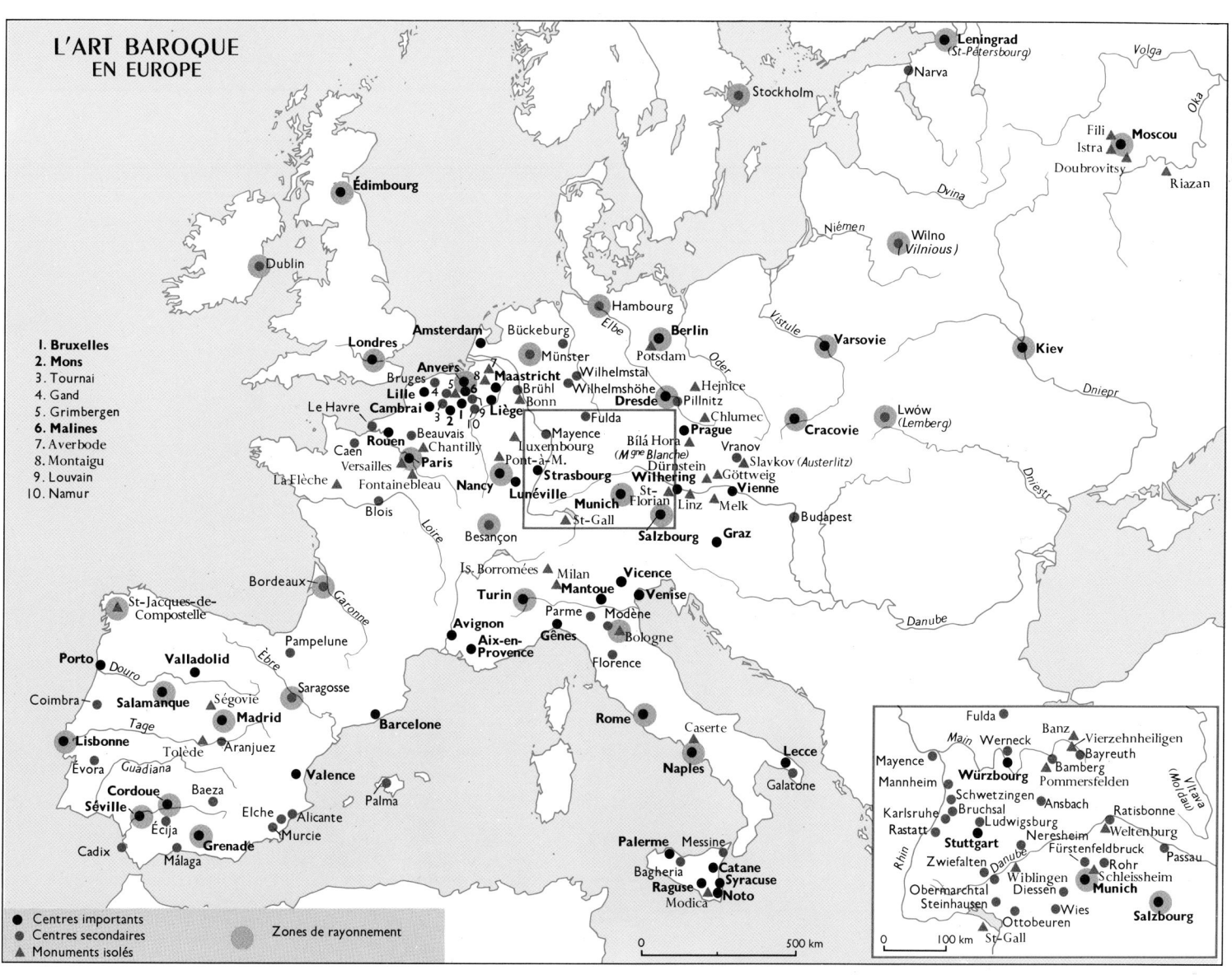

L'ART BAROQUE
EN EUROPE

I. Bruxelles
2. Mons
3. Tournai
4. Gand
5. Grimbergen
6. Malines
7. Averbode
8. Montaigu
9. Louvain
10. Namur

Leningrad
(St-Pétersbourg)
Narva
Stockholm
Moscou
Fili
Istra
Doubrovitsy
Riazan
Édimbourg
Dublin
Wilno
(Vilnious)
Hambourg
Bückeburg
Berlin
Varsovie
Kiev
Londres
Amsterdam
Münster
Potsdam
Anvers
Maastricht
Wilhelmstal
Bruges
Brühl
Wilhelmshöhe
Hejnice
Lwów
(Lemberg)
Lille
Bonn
Dresde
Pillnitz
Cracovie
Le Havre
Cambrai
Liège
Fulda
Chlumec
Rouen
Mayence
Prague
Caen
Beauvais
Luxembourg
Bílá Hora
Vranov
Versailles
Chantilly
Pont-à-M.
(Mgne Blanche)
Slavkov (Austerlitz)
La Flèche
Paris
Strasbourg
Dürnstein
Göttweig
Vienne
Fontainebleau
Nancy
Wilhering
Blois
Lunéville
St-
Melk
Budapest
Munich
Florian
Besançon
St-Gall
Linz
Salzbourg
Graz
Bordeaux
Is. Borromées
Milan
Vicence
St-Jacques-de-
Turin
Mantoue
Venise
Compostelle
Parme
Modène
Pampelune
Avignon
Gênes
Bologne
Porto
Valladolid
Aix-en-
Provence
Florence
Coimbra
Salamanque
Saragosse
Ségovie
Barcelone
Rome
Caserte
Madrid
Lisbonne
Aranjuez
Valence
Lecce
Tolède
Naples
Évora
Galatone
Cordoue
Baeza
Palma
Séville
Elche
Alicante
Palerme
Messine
Écija
Murcie
Bagheria
Catane
Grenade
Syracuse
Cadix
Málaga
Raguse
Noto
Modica

● Centres importants
● Centres secondaires
▲ Monuments isolés
Zones de rayonnement

0   500 km

Fulda
Banz
Vierzehnheiligen
Werneck
Bayreuth
Mayence
Würzbourg
Bamberg
Mannheim
Schwetzingen
Pommersfelden
Ansbach
Karlsruhe
Bruchsal
Ratisbonne
Rastatt
Ludwigsburg
Neresheim
Weltenburg
Stuttgart
Fürstenfeldbruck
Zwiefalten
Passau
Wiblingen
Diessen
Rohr
Obermarchtal
Steinhausen
Munich
Wies
Schleissheim
Ottobeuren
Salzbourg
St-Gall

0   100 km

Né dans l'État pontifical où la réforme catholique affirme après 1570 son triomphalisme face au puritanisme de la réforme protestante, le baroque s'impose à Rome grâce au Bernin, à Borromini et à Guarini. Se diffusant plus particulièrement dans les États habsbourgeois, en particulier à l'initiative des Jésuites, il s'épanouit dès le XVIIe siècle dans la péninsule Ibérique, puis marque de son empreinte au XVIIIe les pays germaniques, où il prend naturellement une forme plus sévère dans les États protestants qui n'ont pu résister à sa contagion. Se caractérisant par une recherche esthétique qui vise à toucher les sens par l'organisation de l'espace architectural, par la somptuosité et la surabondance des formes décoratives qui font de lui, par excellence, l'art de la fête mystique, le baroque donne des rapports de l'homme et de Dieu une conception nouvelle, qui imprègne profondément les arts plastiques.

Malgré leur échec, au XVIᵉ siècle, les Habsbourg de Vienne et de Madrid reprirent, au XVIIᵉ, leurs rêves d'Empire héréditaire et de domination catholique universelle. Ferdinand II, empereur en 1619, parut sur le point d'atteindre à cette hégémonie quand il eut écrasé la Bohême, vaincu le Danemark, promulgué en 1629 l'*édit de Restitution* (des sécularisations) et, après avoir subi de grandes défaites, repoussé l'assaut des Suédois. Jusque-là, Richelieu n'avait mené qu'une guerre « couverte » : occupation de la Valteline, subventions à Gustave-Adolphe; à partir de 1635, il entra en guerre ouverte et occupa l'Artois, l'Alsace, le Roussillon. Mazarin acheva son œuvre par les traités de Westphalie, qui restèrent la charte du droit public européen jusqu'à la Révolution : l'Empereur, désarmé devant l'« oligarchie princière », était réduit à l'impuissance; l'« abaissement de la maison d'Autriche » était consommé. Il fallut aux « Allemagnes » plus d'un siècle pour réparer leurs ruines matérielles et humaines. La victoire sur les Habsbourg de Madrid fut retardée de cinq ans par les Frondes, mais le traité des Pyrénées fit de Louis XIV l'arbitre de l'Europe; il suffit à Mazarin d'une simple menace d'intervention pour imposer la paix du Nord, favorable à son alliée la Suède.

(V. carte p. 94.)

LA GUERRE DE TRENTE ANS ET SES PROLONGEMENTS (1618-1660)

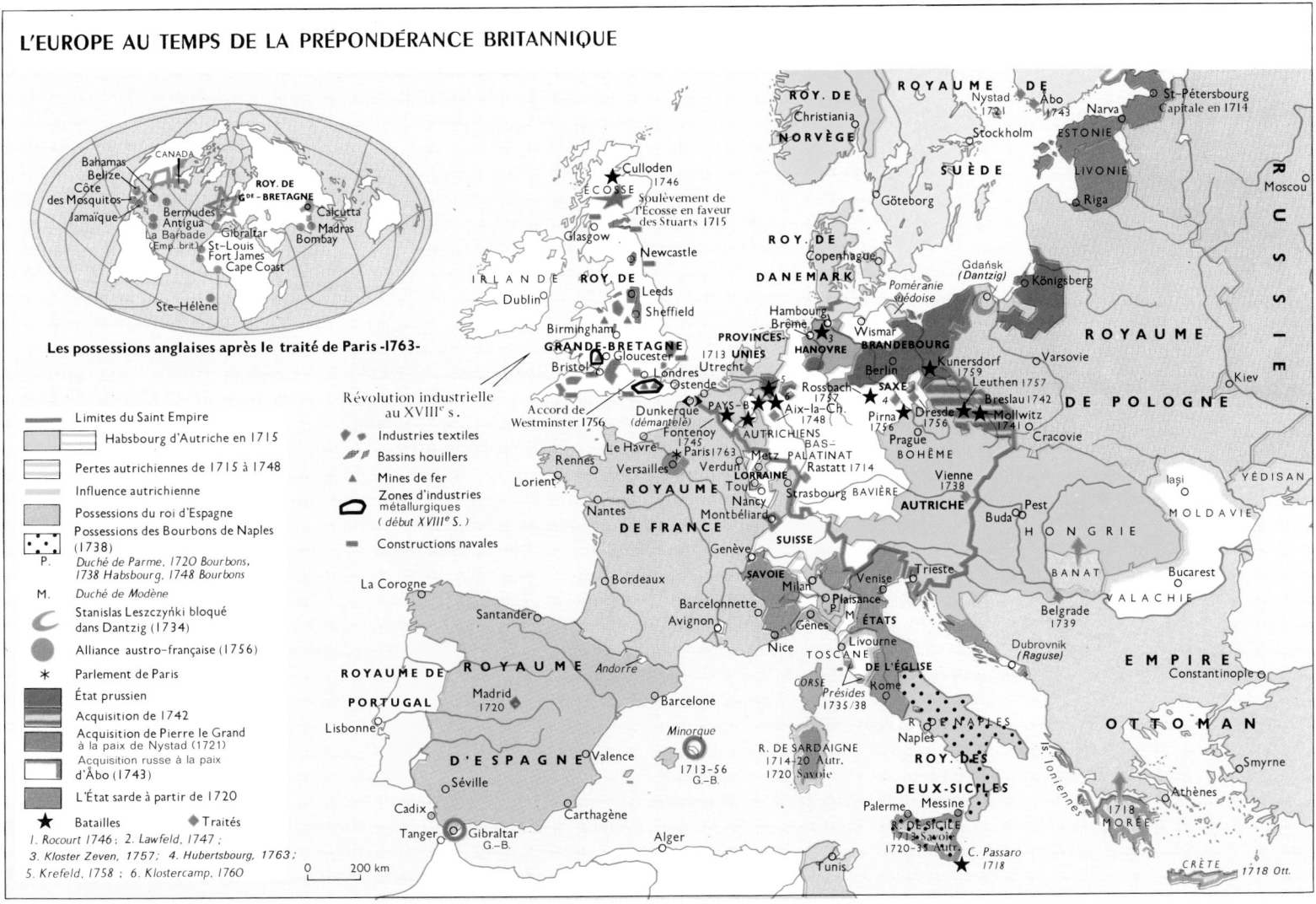

L'EUROPE AU TEMPS DE LA PRÉPONDÉRANCE BRITANNIQUE

Les possessions anglaises après le traité de Paris -1763-

Révolution industrielle au XVIIIᵉ s.

Limites du Saint Empire
Habsbourg d'Autriche en 1715
Pertes autrichiennes de 1715 à 1748
Influence autrichienne
Possessions du roi d'Espagne
Possessions des Bourbons de Naples (1738)
P. Duché de Parme, 1720 Bourbons, 1738 Habsbourg, 1748 Bourbons
M. Duché de Modène
Stanislas Leszczyński bloqué dans Dantzig (1734)
Alliance austro-française (1756)
Parlement de Paris
État prussien
Acquisition de 1742
Acquisition de Pierre le Grand à la paix de Nystad (1721)
Acquisition russe à la paix d'Åbo (1743)
L'État sarde à partir de 1720
Batailles   Traités

1. Rocourt 1746 ; 2. Lawfeld, 1747 ;
3. Kloster Zeven, 1757 ; 4. Hubertsbourg, 1763 ;
5. Krefeld, 1758 ; 6. Klostercamp, 1760

Industries textiles
Bassins houillers
Mines de fer
Zones d'industries métallurgiques (début XVIIIᵉ S.)
Constructions navales

L'idée d'équilibre a remplacé au XVIIIᵉ siècle les prétentions des Habsbourg puis, après eux, des Bourbons à l'hégémonie. Mais le traité de Paris ne restaurait qu'en apparence le *statu quo ante* sur le continent, où l'Angleterre devenait l'arbitre incontesté : petite île, mais maîtresse des mers, ses colonies étaient ses provinces, riches et stratégiquement bien placées; d'immenses réserves de puissance s'annonçaient dans la révolution industrielle où elle précédait le monde entier. La France, qui avait perdu la suprématie en 1713, perdait en 1763 un empire outre-mer. Pitt aurait voulu l'abaisser au second rang : elle restait le plus puissant État d'Europe par sa population et ses armées, mais elle souffrait de discordes intérieures. Les nations maritimes — Espagne, Portugal, Provinces-Unies — s'inquiétaient de l'énorme supériorité navale anglaise. La Prusse « aux mains prenantes » avait enlevé, dans l'Empire, la prépondérance à l'Autriche. Celle-ci se tournait vers l'Orient et vers la Pologne; avec l'Espagne, elle dominait l'Italie, qui, disait Catherine II, « attend et espère ». La Russie, dont la force avait étonné l'Europe, bouleversait les vieilles données de l'équilibre européen en prenant à revers trois États en déclin : Suède, Pologne, Turquie.

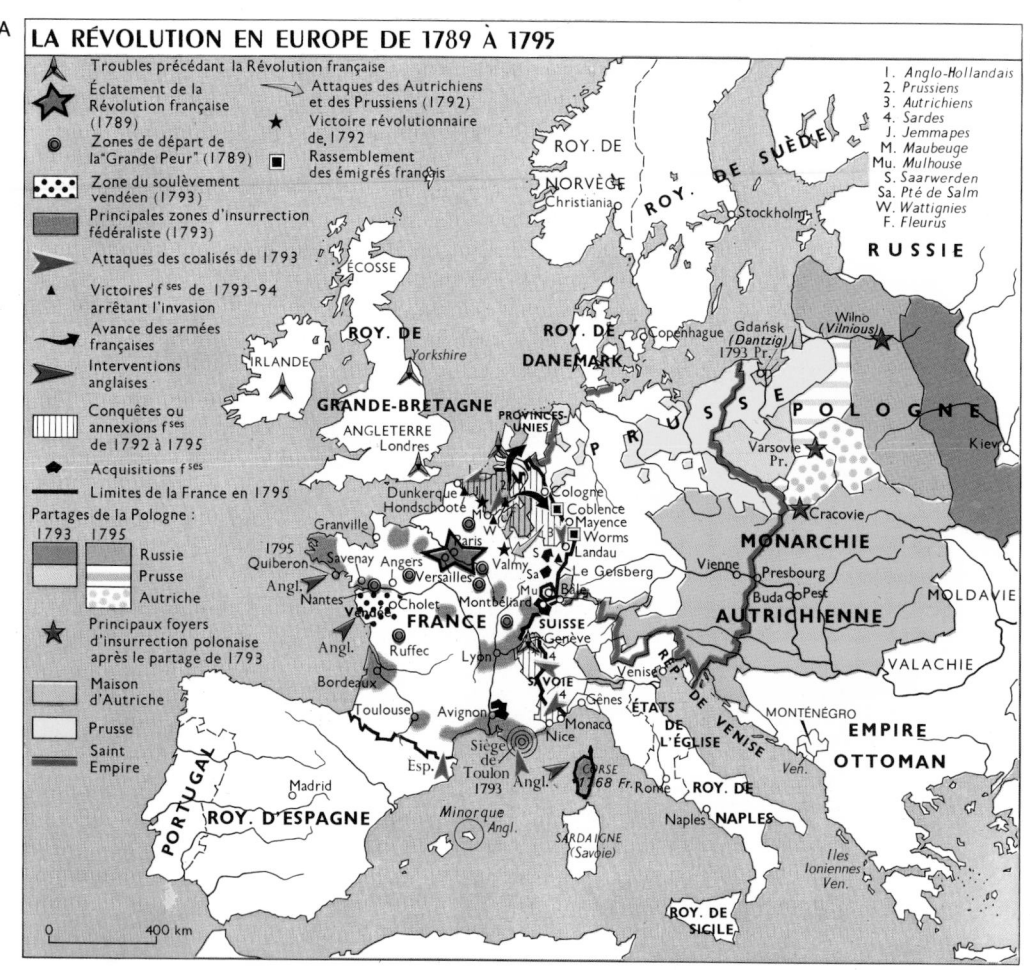

A   LA RÉVOLUTION EN EUROPE DE 1789 À 1795

Légende :
- Troubles précédant la Révolution française
- Éclatement de la Révolution française (1789)
- Zones de départ de la "Grande Peur" (1789)
- Zone du soulèvement vendéen (1793)
- Principales zones d'insurrection fédéraliste (1793)
- Attaques des coalisés de 1793
- Victoires f^ses de 1793-94 arrêtant l'invasion
- Avance des armées françaises
- Interventions anglaises
- Conquêtes ou annexions f^ses de 1792 à 1795
- Acquisitions f^ses
- Limites de la France en 1795
- Attaques des Autrichiens et des Prussiens (1792)
- Victoire révolutionnaire de 1792
- Rassemblement des émigrés français

Partages de la Pologne : 1793 1795
- Russie
- Prusse
- Autriche
- Principaux foyers d'insurrection polonaise après le partage de 1793
- Maison d'Autriche
- Prusse
- Saint Empire

1. Anglo-Hollandais
2. Prussiens
3. Autrichiens
J. Sardes
J. Jemmapes
Mu. Mulhouse
S. Saarwerden
Sa. Pté de Salm
W. Wattignies
F. Fleurus

L'ascension de la bourgeoisie (qui caractérise au XVIIIᵉ siècle tous les pays « avancés »), la poussée des idées libérales renforcée par la révolution américaine, le mécontentement populaire aggravé par de mauvaises récoltes déclenchent en France une révolution. Devenue violente par l'intervention du peuple des villes et des masses paysannes (la Grande Peur), celle-ci bouleverse en deux ans l'ensemble des institutions. Mais l'ampleur même du mouvement, en suscitant l'espoir des libéraux européens, inquiète les souverains étrangers, encouragés dans leur hostilité par la propagande des émigrés. Cette hostilité et les difficultés intérieures françaises expliquent la déclaration de guerre à l'Autriche (20 avril 1792) soutenue par la Prusse.

L'invasion austro-prussienne est arrêtée à Valmy le 20 septembre 1792, mais, en 1793, la radicalisation de la Révolution (déchéance, puis exécution de Louis XVI) issue des défaites initiales, la pénétration des armées françaises en Belgique suscitent une coalition générale; attaquée de toutes parts, minée de l'intérieur par les insurrections vendéenne et « fédéraliste », la nouvelle République n'est sauvée, à partir de l'été 1793, que par la Terreur, mobilisation politique, économique et surtout militaire de toute la nation, qui permet la victoire sur tous les fronts.

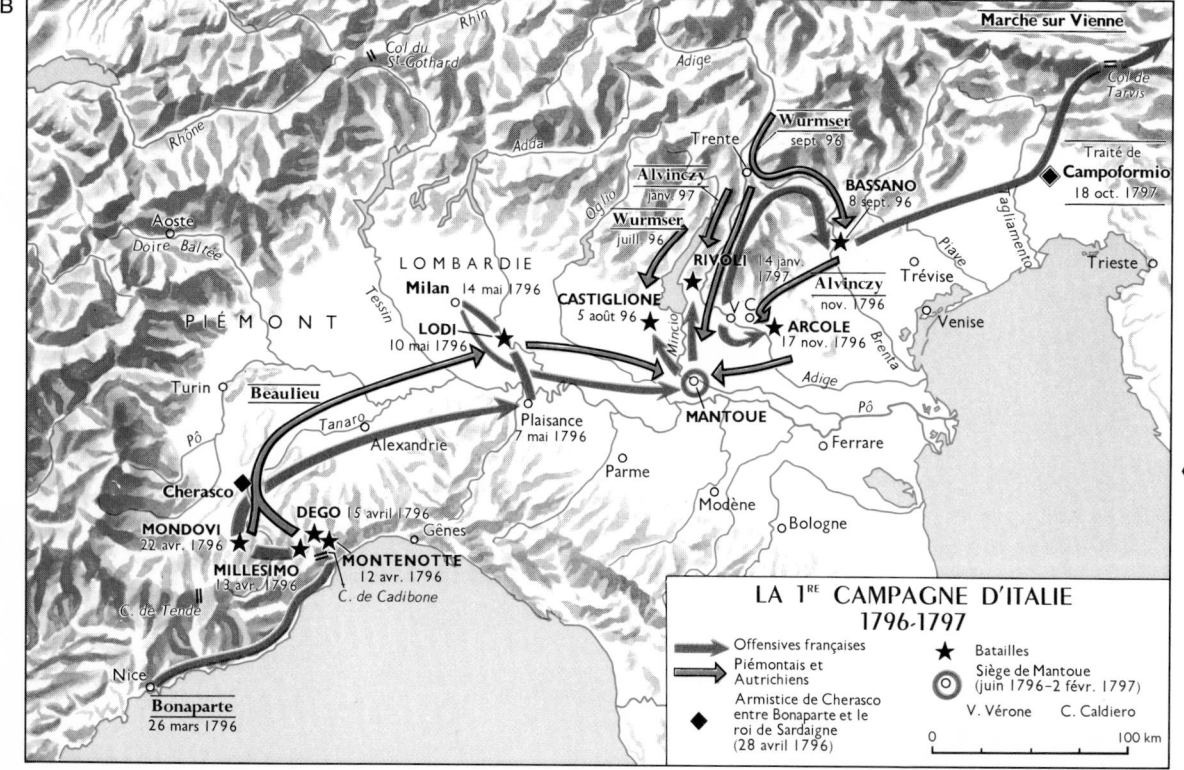

B   LA 1ʳᵉ CAMPAGNE D'ITALIE 1796-1797

Légende :
- Offensives françaises
- Piémontais et Autrichiens
- Armistice de Cherasco entre Bonaparte et le roi de Sardaigne (28 avril 1796)
- Batailles
- Siège de Mantoue (juin 1796-2 févr. 1797)
- V. Vérone   C. Caldiero

0   100 km

Après la dislocation de la coalition en 1795, trois armées sont lancées en 1796 contre l'Autriche. Celle de Bonaparte ne devait jouer qu'un rôle de diversion; mais l'échec des armées d'Allemagne, l'effondrement des Piémontais, coupés des Autrichiens, valorisent la campagne d'Italie. Accrochés à Lodi, ces derniers évacuent la Lombardie, s'enferment dans Mantoue, qui tombe, après que des contre-offensives rapides de Bonaparte ont repoussé quatre colonnes de secours. La route de Vienne ouverte, l'Autriche doit, à Campoformio, renoncer à la Rhénanie et à ses possessions italiennes à l'exception de la Vénétie.

A

LES RÉPUBLIQUES SŒURS

Emden
Hambourg
Le Helder
Bergen RÉP.
Alkmaar Berlin
Amsterdam BATAVE Minden
La Haye 1795 P R U S S E
(1795)
Anvers Aix Cologne Breslau
Bruxelles la-C Altenkirchen
Liège
Trèves Mayence
Coblence Bayreuth Prague
Landau
Paris M O N A R C H I E
(1796) Ansbach
F R A N C E Rastatt Vienne
Munich
Mulhouse Bâle Stokach Préliminaires de Leoben
Montbéliard (1795) (18 avr. 1797)
Neuchâtel RÉP. *Zurich*
(Prusse) Berne A U T R I C H I E N N E
Genève HELVÉTIQUE GRISONS
VAUD 1798
Lyon VALAIS VALTELINE Campoformio
SAVOIE RÉP. (18 oct. 1797)
Milan *Rivoli* VÉNÉTIE
Valence PIÉMONT *Cassano* *Vérone*
Turin *Lodi* *Arcole* Venise
Montenotte *Novi* *Mantoue*
Mondovi Parme CISALPINE
Millesimo Gênes 1797 Ravenne
RÉP.
Avignon LIGURIENNE Lucques D'ALMATIE
1797 Ancône
Marseille RÉP. DE Florence Tolentino
Nice LUCQUES (1797)
Fréjus 1799 TOSCANE
Perpignan RÉP.
ROMAINE
1798
CORSE
Ajaccio RÉPUBLIQUE
Rome PARTHÉNOPÉENNE
1799
Naples
SARDAIGNE

— Limites de la France en 1797
◼ Républiques sœurs
1797 Date de création
◼ Régions occupées en 1792 par la
France, annexées en 1796
(traité de Paris)
Traité de Campoformio 1797
◻ Conquêtes ou annexions
reconnues à la France
◼ Parties du territoire de Venise
livrées à l'Autriche
■ Annexions f^ses de 1798
— Traités ● Batailles

0 ————— 300 km

Avec le retour au pouvoir des modérés, en 1794, la « croisade de la liberté contre les tyrans » ne couvre plus qu'une politique d'annexion (Belgique et rive gauche du Rhin intégrées à la République) ou de vassalisation : les « républiques sœurs », aux institutions calquées sur celles de la France. Menée au mépris des vœux des populations et accompagnée d'un pillage organisé, cette politique mécontente même les révolutionnaires étrangers, mais paraît un regain d'expansion révolutionnaire aux souverains, qui ripostent par la deuxième coalition.

Une série de défaites françaises face aux coalisés se solde, fin 1799, par la perte de l'Italie, sauf Gênes. Arrivé au pouvoir, Bonaparte porte son effort contre l'Autriche : après avoir franchi les Alpes, l'armée surgit en Lombardie sur les arrières de Melas. Sous les ordres de Lannes, son avant-garde remporte une première victoire à Montebello le 9 juin. Malgré l'effet de surprise, la dispersion des forces françaises fait que, à Marengo, le 14 juin, la défaite n'est évitée que par l'arrivée tardive de Desaix. Contraignant l'Autriche à la paix de Lunéville du 9 février 1801, la victoire décisive est, en fait, obtenue en Allemagne à Hohenlinden le 3 décembre 1800.

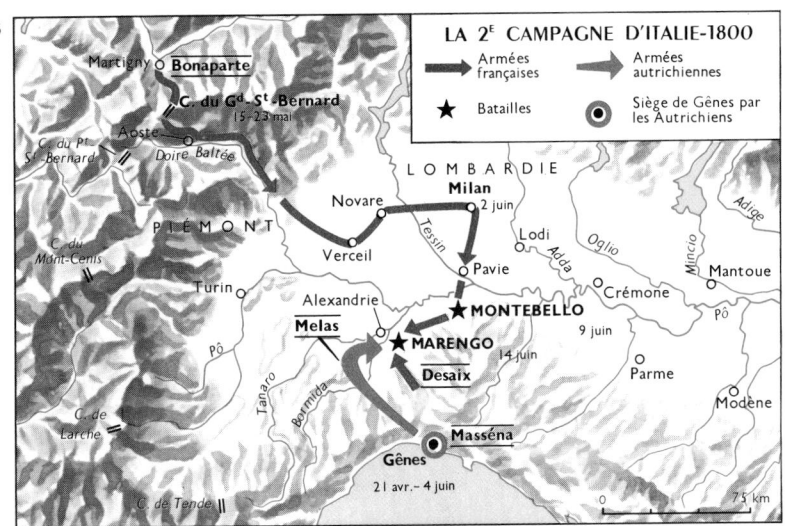

B

LA 2ᴱ CAMPAGNE D'ITALIE - 1800

→ Armées françaises
→ Armées autrichiennes
★ Batailles
◉ Siège de Gênes par les Autrichiens

Martigny Bonaparte
C. du Gᵈ St-Bernard
(15-23 mai)
C. du Pᵗ Aoste
St-Bernard Doire Baltée L O M B A R D I E
Milan
Novare 2 juin
P I É M O N T Verceil Lodi Adda Oglio Mincio
C. du Pavie Adige
Mont-Cenis Tessin Mantoue
Turin Alexandrie MONTEBELLO Crémone
Melas MARENGO 9 juin
Pô Desaix 14 juin
C. de Parme
Larche Bormida Modène
Masséna
Tanaro
Gênes
C. de Tende 21 avr.- 4 juin

0 ————— 75 km

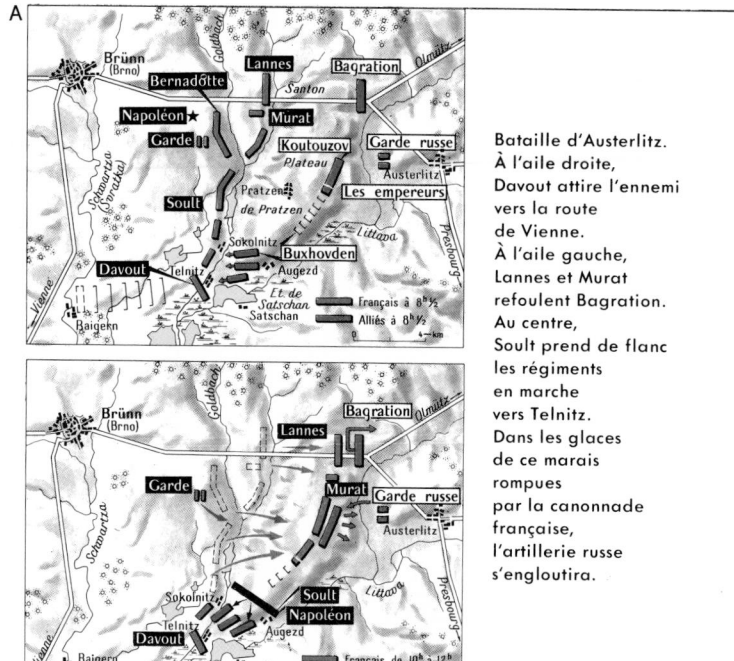

Bataille d'Austerlitz.
À l'aile droite,
Davout attire l'ennemi
vers la route
de Vienne.
À l'aile gauche,
Lannes et Murat
refoulent Bagration.
Au centre,
Soult prend de flanc
les régiments
en marche
vers Telnitz.
Dans les glaces
de ce marais
rompues
par la canonnade
française,
l'artillerie russe
s'engloutira.

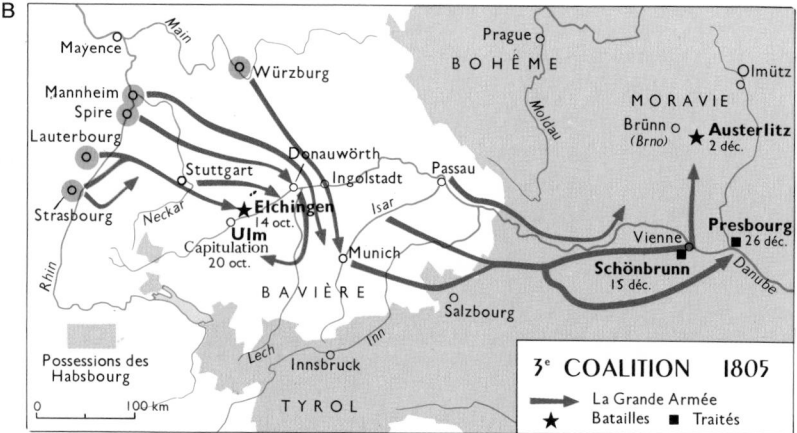

Faute de pouvoir abattre directement l'hégémonie française, l'Angleterre, qui a repris la guerre dès 1803, organise des coalitions successives avec les grandes puissances continentales, inquiètes de la politique annexionniste de Napoléon en Allemagne et en Italie. Ces coalitions regroupent l'Autriche et la Russie en 1805, la Russie et la Prusse en 1806-07, l'Autriche encore, avec les insurgés espagnols, en 1809. Mais elles sont tour à tour vaincues grâce à l'efficacité de l'armée française, plus nombreuse et aguerrie par plus de dix ans de lutte, grâce aussi au génie militaire de Napoléon, dont la stratégie consiste à diviser ses adversaires et à les battre isolément par de rapides mouvements tournants (campagne en Bavière en 1805, en Saxe en 1806). Une Europe largement française se forme. Mais les paix signées sont précaires, et les campagnes, devant la résistance des peuples, chaque fois plus difficiles (celle de 1809 apparaît comme une laborieuse répétition de celle de 1805) : à partir de 1809, le rapport des forces est défavorable à Napoléon.

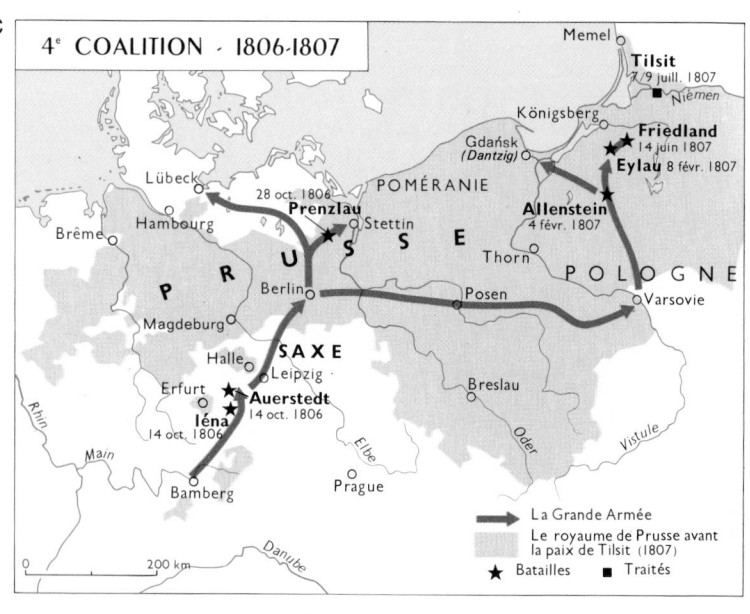

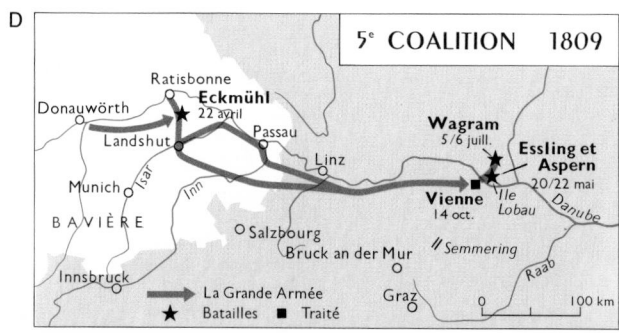

A

DIFFUSION DU CODE CIVIL
CODE NAPOLÉON

EMPIRE FRANÇAIS

ROY. DE PRUSSE

Gdańsk (Dantzig)

Lübeck
Brême
Hambourg
HOLLANDE
R. DE
Berlin
WESTPHALIE

GRAND-DUCHÉ
DE VARSOVIE

Varsovie

Nassau

Gd-dché de Francfort

Gd-dché de Bade

EMPIRE

Paris

Vienne

Cantons suisses
francophones

D'AUTRICHE

Genève

Turin
PIÉMONT

Venise

ROY.

PROVINCES
ILLYRIENNES

Lucques

D'ITALIE

EMPIRE

ÉTRURIE
Piombino

ÉTATS
DE L'ÉGLISE

Monténégro

Raguse
Cattaro

CORSE

Barcelone

Rome

ROYAUME
Naples
DE NAPLES

OTTOMAN

Application du Code civil dans
l'Empire français dès 1804

Territoires régis par le Code
civil français (1804-1814)

Frontières de 1811

Ⓐ Anhalt

Ⓑ Grand-duché de Berg

Ⓗ Gd-dché de Hesse-Darmstadt

0   300 km

Le Code civil, promulgué en 1804, traduit en règles juridiques l'évolution individualiste et libérale de la société française, qu'accélère la victoire de la bourgeoisie : égalité formelle devant la loi, liberté individuelle, propriété sacralisée. Ce Code se répand dans tous les pays soumis à l'hégémonie française, d'où un contraste durable entre une Europe de l'Ouest, où sont en place les bases juridiques de la révolution libérale et de l'essor du capitalisme, et une Europe centrale et orientale, encore « féodale ».

Pour abattre l'Angleterre, maîtresse des mers depuis Trafalgar (21 octobre 1805), Napoléon, maître du continent, croit pouvoir l'asphyxier économiquement en retournant contre elle l'arme du *blocus*, qui prohibe les marchandises ennemies. Il faut donc contrôler toute l'Europe : c'est l'annexion ou l'administration directe des zones côtières (par incorporation dans l'Empire ou par création de « royaumes familiaux »), l'établissement d'un système de protectorats dans les petits États d'Europe centrale, l'organisation d'un réseau d'alliances avec les grandes puissances continentales.

Mais ces mesures apparaissent vite inefficaces face à la contrebande qui part des bases anglaises, favorisée par l'hostilité de la bourgeoisie française et surtout par celle des populations européennes, pénalisées économiquement et opprimées politiquement.

B

L'EUROPE NAPOLÉONIENNE EN 1811

La France des 83
départements en 1791

L'Empire français des 130
départements en 1811

États dépendants

Prusse alliée depuis le
traité de Tilsit (1807)

Pays alliés

Confédération du Rhin

Provinces Illyriennes

Occupation des provinces
danubiennes par les
Russes (1806-1812)

Décret anglais du 16 mai
1806 : blocus maritime
anglais

Bases navales anglaises

Commerce anglais
avec le continent

Bombardement de
Copenhague par les
Anglais (sept. 1807)

Ⓟ Poméranie suédoise

Blocus continental

Blocus continental en 1811

Décrets relatifs au blocus
continental

1810 Dates des annexions
opérées par Napoléon

ROY. DE NORVÈGE
uni au Danemark
Christiania

FINLANDE

ROY. DE SUÈDE

Stockholm

Göteborg

Dorpat

Riga

EMPIRE
DE RUSSIE

ROY. DE DANEMARK

Édimbourg

MER DU NORD

Copenhague

Tilsit

Königsberg

IRLANDE

Dublin

Liverpool
Manchester

Helgoland

MER BALTIQUE

Dántzig

R. DE PRUSSE

ROYAUME-UNI
DE GRANDE-BRETAGNE
ET D'IRLANDE

Lübeck
Hambourg
Brême
HOLLANDE
1810
1810

Berlin
21-XI-1806

GD-DUCHÉ
Varsovie
DE VARSOVIE

Kiev

Londres

Amsterdam
Flessingue
Anvers

Leipzig
Dresde

Is Anglo-
Normandes

Boulogne
Dunkerque
Bruxelles

CONFÉD. DU

RHIN

Erfurt

Francfort

EMPIRE

Vienne

BESSARABIE

Iaşi

MOLDAVIE

Brest

Paris

Fontainebleau
13-X-1807

Mulhouse
(1798)

Strasbourg

Bâle

Buda Pest

D'AUTRICHE

OCÉAN

ATLANTIQUE

Rochefort

EMPIRE
FRANÇAIS

Lyon

Pté de CONFÉD.
Neuchâtel HELV QUE

Milan
17-XII-1807

Trieste

Bucarest

VALACHIE

Silistrie

Bordeaux

Turin
Parme

ROY.
Venise
D'ITALIE

1805

PROVINCES
ILLYRIENNES

SERBIE

Belgrade

Nicopolis

La Corogne

Bayonne

Avignon
Toulouse

Gênes
1805
Lucques

St-Marin

Raguse
Cattaro

MONTÉNÉGRO

EMPIRE

Porto

St-Sébastien

Marseille
Toulon

Piombino

ÉTRURIE

ÉTATS DE

Constantinople

OTTOMAN

ROY. DE
PORTUGAL

ROYAUME

Madrid

1807-1808

L'ÉGLISE

1809

Salonique

Flotte
anglaise
1807

Lisbonne

D'ESPAGNE

Aranjuez

CORSE

Ajaccio

Rome

Corfou, fr.
1807-15

Ioánnina

Cordoue

Civitavecchia

ROY. DE
Naples

Séville

Cadix

Minorque
1798-1802
G.-B.

ROY. DE
SARDAIGNE

NAPLES

Is Ioniennes

MORÉE

Athènes

Ceuta
Esp.
Gibraltar

BALÉARES

Palerme

R. DE SICILE

MÉDITERRANÉE

CRÈTE

Melilla
Esp.

Alger

MER

Tunis

Malte
G.-B.

G.-B.

0   400   800
km

MAROC

ALGÉRIE

TUNISIE

La logique du système continental explique l'occupation en 1807 du Portugal, client de l'Angleterre, et, en 1808, le remplacement brutal du roi d'Espagne par Joseph Bonaparte. Mais ce coup d'État déclenche en Espagne une résistance acharnée de toute la population, que l'expédition de Napoléon ne peut briser et qui, par une guérilla épuisante, immobilise les meilleures troupes françaises. Les Anglais de Wellington peuvent alors se réinstaller au Portugal, base de la libération de l'Espagne en 1812 et de l'invasion de la France en 1814.

La fragile alliance franco-russe ayant été rompue dès 1811, Napoléon, avec 700 000 hommes, entre en Russie en juin 1812. Mais l'immensité des distances, la stratégie russe de recul et de « terre brûlée » interdisent une victoire rapide. Malgré Borodino et l'occupation de Moscou, la paix est refusée par le tsar; et, au cours de la retraite commencée trop tard, la « grande guerre patriotique » menée par tout le peuple russe, la faim et l'hiver anéantissent la Grande Armée, qui, après deux mois de recul, ne compte plus que 10 000 hommes.

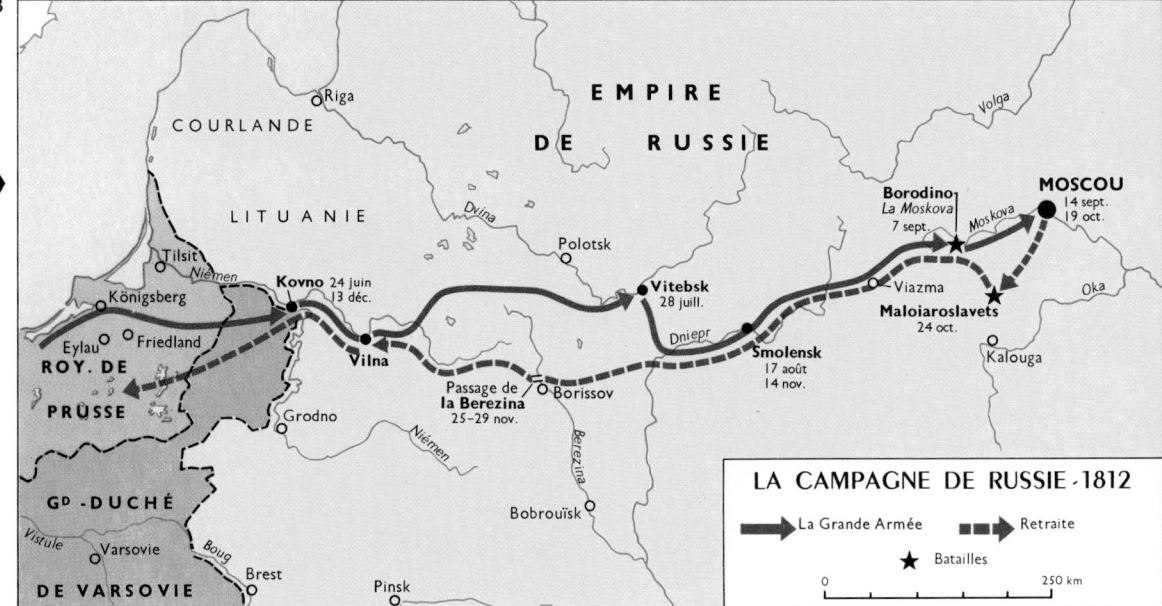

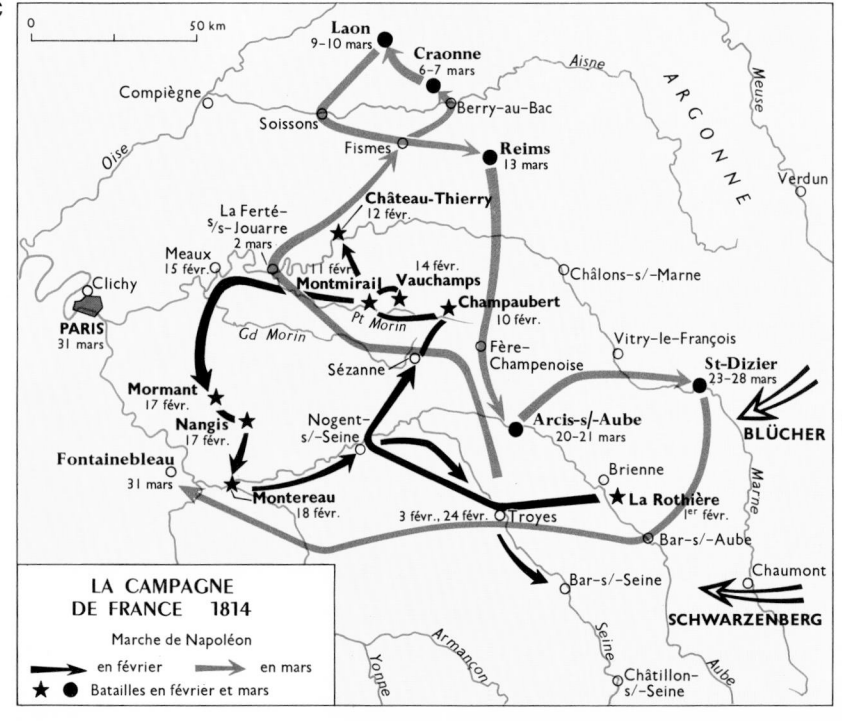

La catastrophe de Russie enflamme tous les peuples d'Europe, qui forment une sixième coalition. L'Allemagne est perdue en 1813, et la France envahie au début de 1814 par trois armées convergeant sur Paris. Sur un terrain favorable à ses talents, Napoléon réussit une campagne brillante en février, repoussant successivement Prussiens et Autrichiens. Mais la disproportion des forces, la lassitude des généraux et celle des troupes inexpérimentées précipitent les défaites en mars, entraînant la capitulation de Paris et l'abdication de l'Empereur le 6 avril à Fontainebleau.

Pour les vainqueurs, la chute de Napo-A léon doit substituer l'ère de la *Sainte-Alliance* à celle de la *Révolution*. Ils réorganisent donc l'Europe, au mépris des vœux des peuples, selon les principes de légitimité, de restauration et de solidarité des princes, que tempère le souci d'un équilibre européen au profit des grandes puissances : les survivances médiévales d'Allemagne et d'Italie disparaissent; le Saint Empire est remplacé par la Confédération germanique de trente-huit États; les grandes puissances agrandissent leurs domaines (la Prusse en Rhénanie, l'Autriche en Italie et dans les Balkans, la Russie en Pologne), l'Angleterre se contentant de bases maritimes; la France, coupable de révolution, est surveillée par deux États tampons renforcés, les Pays-Bas et le royaume de Sardaigne.

Refusant pour son pays un destin si cruel, redoutant pour lui-même un exil plus lointain que l'île d'Elbe, où il a « régné » du 4 mai 1814 au 26 février 1815, Napoléon Iᵉʳ tente, lors des Cent-Jours (20 mars - 8 juillet 1815), de remettre en cause l'œuvre du congrès de Vienne, avant même que celle-ci ne soit validée par l'*Acte final* du 9 juin 1815.

Consacrée le 18 à Waterloo par la défaite de l'Empereur, qui s'embarque, le 15 juillet, près de Rochefort sur le *Bellerophon*, cette œuvre du congrès de Vienne établit un équilibre des forces en Europe, qui, pour l'essentiel, ne fut pas remis en cause avant la signature du traité de Versailles le 28 juin 1919. (V. carte B p. 82.)

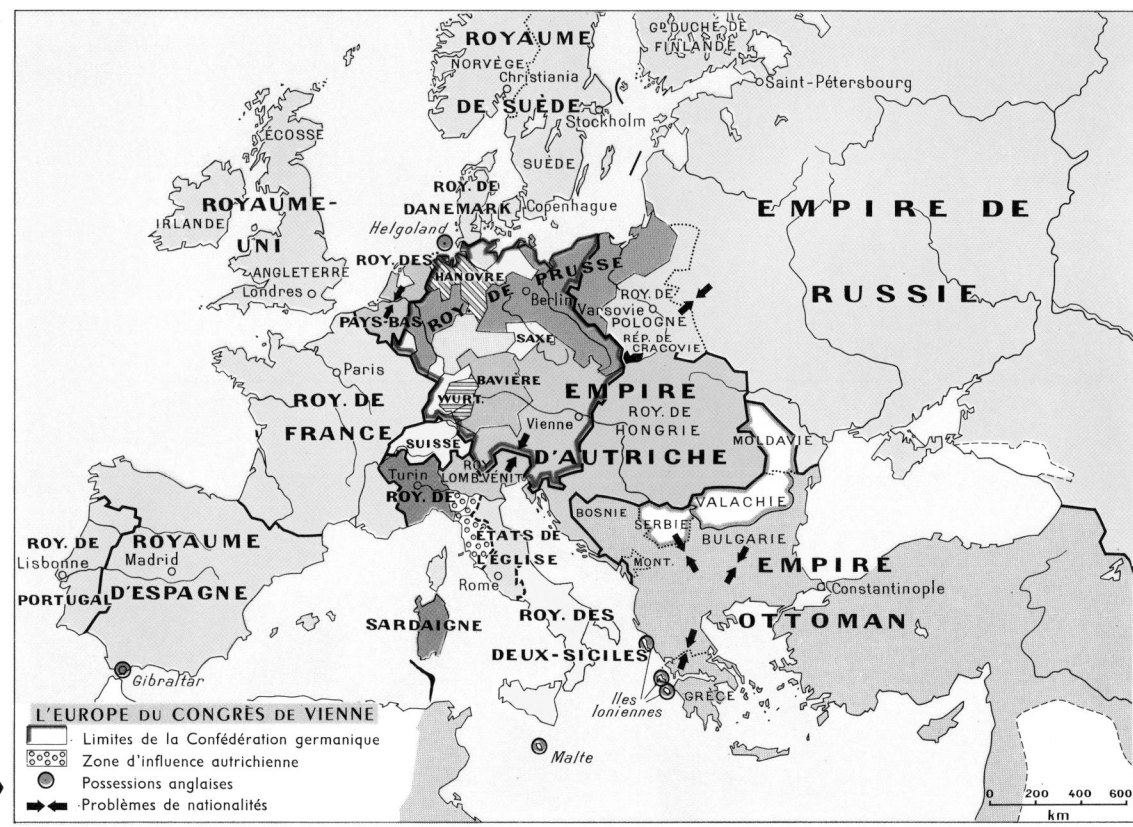

Dans cette Europe antinationale et conservatrice, la crise économique de 1846-1848, qui affaiblit les gouvernements, cristallise le mécontentement des nations opprimées, des bourgeoisies libérales, des masses réduites à la misère. Le mouvement révolutionnaire, amorcé dès 1846, balaie toute l'Europe à partir des insurrections de Paris et de Vienne. D'inspiration démocratique en France et libérale dans les pays encore soumis à une monarchie absolue, le mouvement prend vite un sens national dans l'empire d'Autriche, où les nationalités réclament leur autonomie, en Allemagne, en Italie, où aspiration libérale et aspiration unitaire se mêlent.

Mais le « printemps des peuples » est de courte durée. Victorieuse en France, en mai 1849, en Italie, où la défaite du Piémont face à l'Autriche dès mars 1849 précipite la liquidation des républiques, la réaction l'emporte plus difficilement en Autriche où elle se révèle plus sanglante; fort de ses succès contre les Tchèques et les Hongrois (grâce à l'aide russe), le gouvernement de Vienne peut facilement briser le rêve d'une Allemagne unifiée (reculade de la Prusse à Olmütz, nov. 1850). [V. cartes pp. 98 et 163 (A).]

L'EUROPE DES NATIONS 1850-1914

Empire ottoman
L'Empire ottoman avant 1878 *(congrès de Berlin)*

Annexions balkaniques :
ce qui devient la Bulgarie
ce qui devient la Serbie
ce qui devient la Grèce
ce qui devient la Roumanie
L'Empire ottoman en 1913
N *Sandjak de Novi Pazar*

Empire d'Autriche
Extension de l'Empire d'Autriche en 1850
Après 1867 :
Cisleithanie

Transleithanie
Bosnie-Herzégovine *1878, occupation. 1908, annexion*
→ Axe d'expansion
Limites de la conféd. germanique

Allemagne
La Prusse en 1861
États intégrés dans la Confédération de l'Allemagne du Nord (1867)
...... Limite sud de cette confédération
États de l'Allemagne du Sud intégrés au Reich en 1871

Alsace-Lorraine, terre d'Empire (1871)
Le Reich en 1871
Italie
Royaume de Piémont-Sardaigne
Annexion de l'Italie centrale (1859–mars 1860)
Annexion du roy. de Naples et formation du roy. d'Italie (1861)
Acquisition de la Vénétie (1866)
Rome (1870)
1. Magenta   3. Custozza
2. Solferino   4. Villafranca
0   300 km

La période 1850-1914 voit le triomphe du principe de *nationalité* sur le principe de *légitimité* et l'affirmation progressive des États-nations. Les nations morcelées s'unifient : le Piémont libéral de Cavour utilise le sentiment national antiautrichien et l'aide étrangère pour réaliser l'unité italienne; l'unification de l'Allemagne par Bismarck autour de la Prusse se fait « par le fer et le sang » en deux guerres, contre l'Autriche en 1866 et contre la France en 1870 (v. carte p. 123, GUERRE FRANCO-ALLEMANDE [1870-71]). Par ailleurs, les empires multinationaux se disloquent : obligée d'accepter le dualisme austro-hongrois en 1867, l'Autriche, de même que la Russie, retarde ce processus par la contrainte intérieure et l'expansion extérieure; quant à l'Empire ottoman, affaibli, il ne peut résister à la poussée des nationalités balkaniques aidées par les grandes puissances.

(V. cartes pp. 73, 162 et 179.)

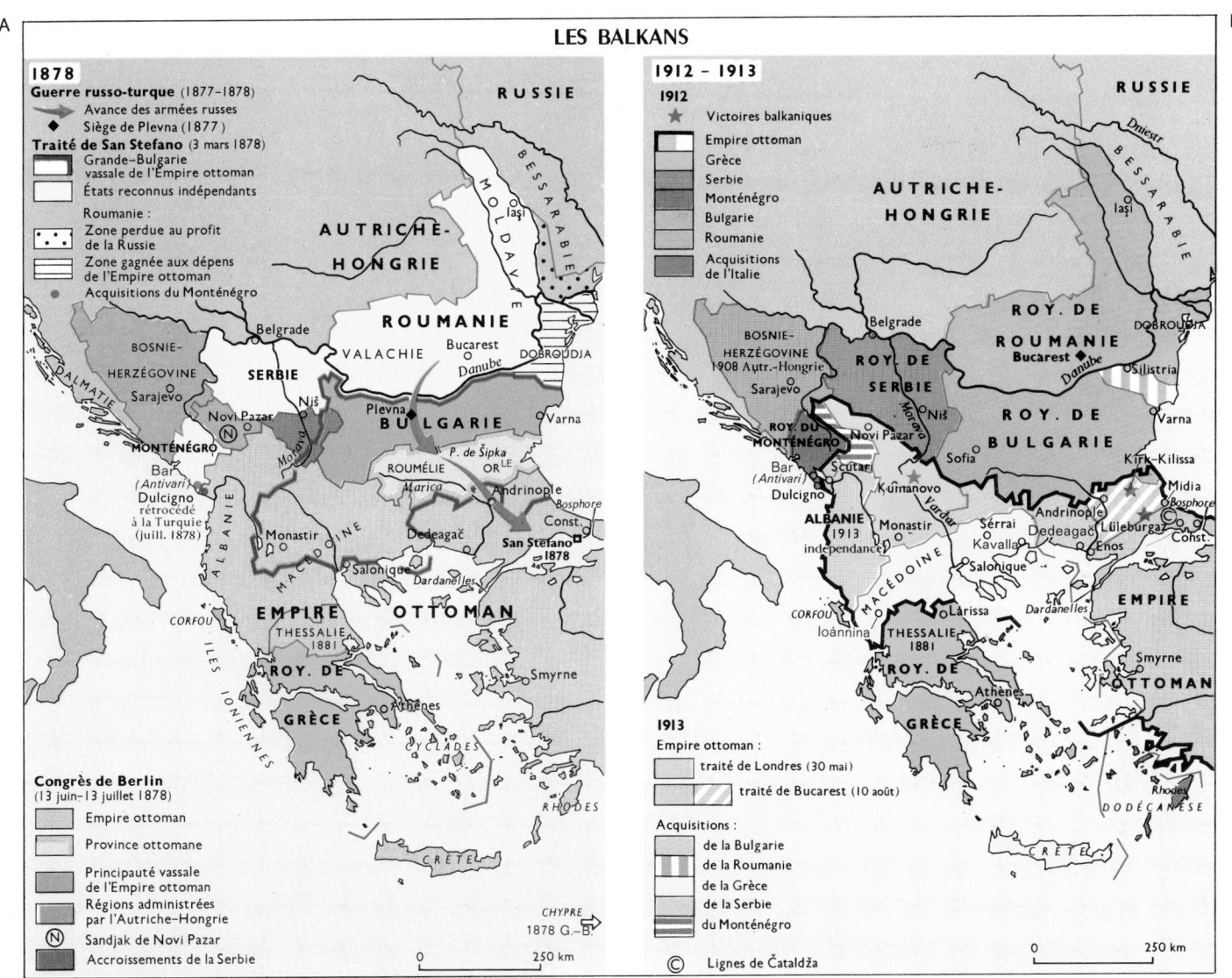

LES BALKANS

1878

Guerre russo-turque (1877-1878)
- → Avance des armées russes
- ◆ Siège de Plevna (1877)

Traité de San Stefano (3 mars 1878)
- Grande-Bulgarie vassale de l'Empire ottoman
- États reconnus indépendants

Roumanie :
- Zone perdue au profit de la Russie
- Zone gagnée aux dépens de l'Empire ottoman
- ● Acquisitions du Monténégro

Congrès de Berlin
(13 juin-13 juillet 1878)
- Empire ottoman
- Province ottomane
- Principauté vassale de l'Empire ottoman
- Régions administrées par l'Autriche-Hongrie
- Ⓝ Sandjak de Novi Pazar
- Accroissements de la Serbie

1912 – 1913

1912
- ★ Victoires balkaniques
- Empire ottoman
- Grèce
- Serbie
- Monténégro
- Bulgarie
- Roumanie
- Acquisitions de l'Italie

1913
Empire ottoman :
- traité de Londres (30 mai)
- traité de Bucarest (10 août)

Acquisitions :
- de la Bulgarie
- de la Roumanie
- de la Grèce
- de la Serbie
- du Monténégro

Ⓒ Lignes de Čataldža

La *question d'Orient* naît de la conjonction des nationalismes balkaniques exacerbés par l'oppression turque et des rivalités impérialistes des grandes puissances au détriment de l'Empire ottoman. Ainsi, en 1877, profitant de révoltes des populations chrétiennes de Bulgarie et de Bosnie, la Russie intervient contre la Turquie. Mais les pressions de la Grande-Bretagne, qui craint la mainmise russe sur les Détroits, et, surtout, de l'Autriche imposent à la Russie un partage des zones d'influence dans les Balkans.

En 1912, l'affaiblissement de l'Empire ottoman en Afrique et dans l'Égée ranime les ambitions des petits États balkaniques (soutenus par la Russie), qui s'unissent pour lui infliger une défaite rapide. Mais les inquiétudes des grandes puissances, la reprise de la guerre en 1913, à propos du partage des dépouilles entre la Bulgarie et ses anciens alliés, soutenus par la Roumanie, puis par les Turcs conduisent à un arbitrage européen : celui-ci entérine l'émiettement de l'Empire ottoman, mais, en équilibrant les mécontentements, prépare une nouvelle crise (v. cartes pp. 162 et 179).

ÉVOLUTION DE L'EMPIRE PORTUGAIS

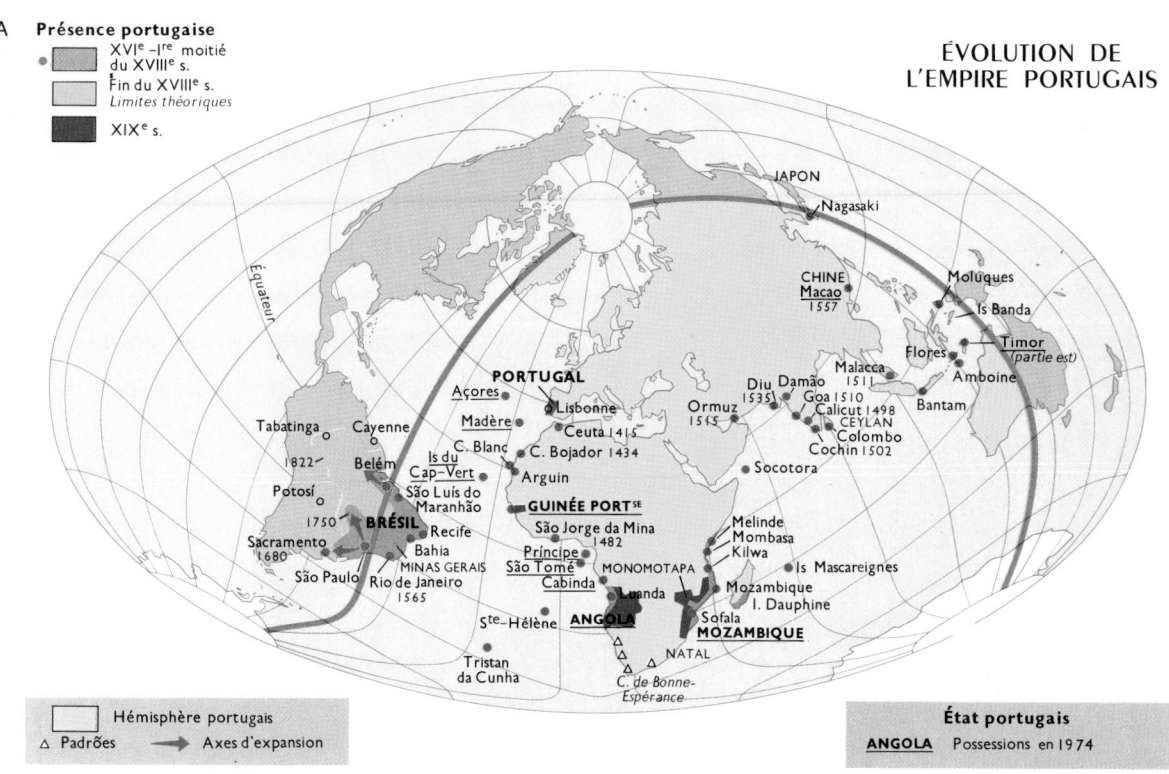

A Présence portugaise
- XVIᵉ-Iʳᵉ moitié du XVIIIᵉ s.
- Fin du XVIIIᵉ s. *Limites théoriques*
- XIXᵉ s.

☐ Hémisphère portugais
△ Padrões   → Axes d'expansion

État portugais
__ANGOLA__ Possessions en 1974

Le traité de Tordesillas en 1494 réservait au Portugal les routes commerciales les plus convoitées. Mais la stratégie portugaise de points d'appui, sans colonisation véritable, et l'affaiblissement précoce du pays conduisent à la perte rapide de presque tous les comptoirs asiatiques, au profit des Pays-Bas ou de l'Angleterre, tandis que le Brésil, seule colonie de peuplement, accède à l'indépendance en 1822. Les Portugais élargissent alors leurs possessions africaines, où ils s'accrochent jusqu'à ce que la révolution de 1974 déclenche le processus de décolonisation.

L'EMPIRE ESPAGNOL

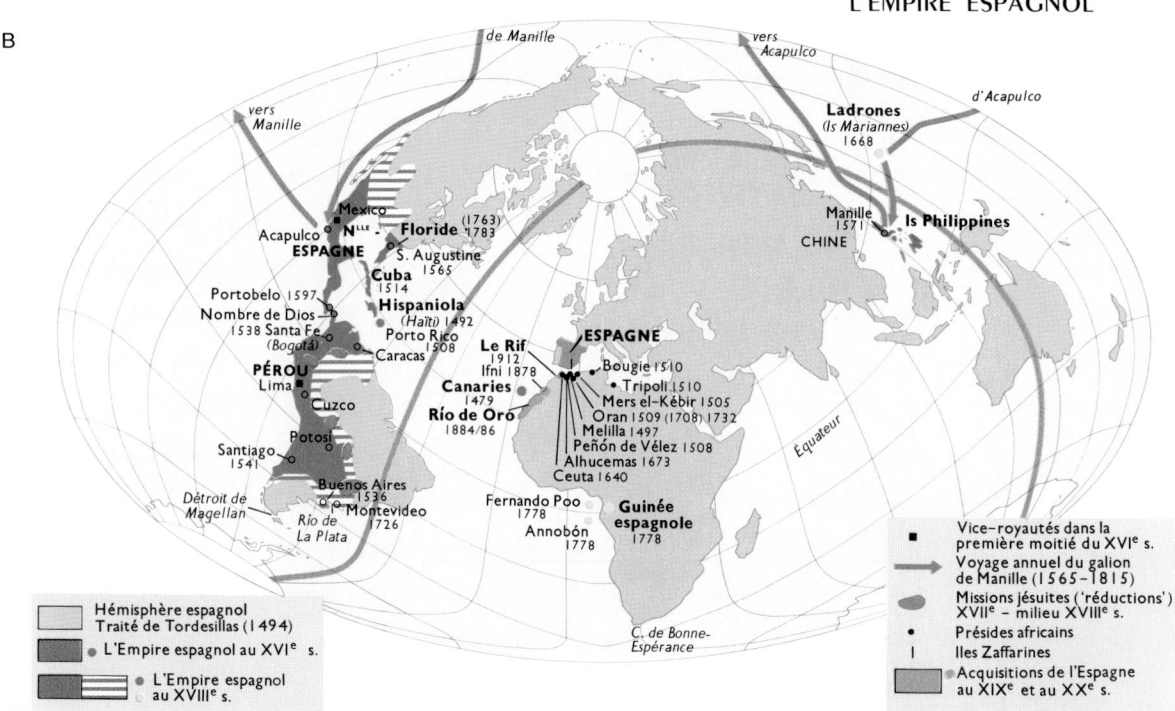

B

■ Vice-royautés dans la première moitié du XVIᵉ s.
→ Voyage annuel du galion de Manille (1565-1815)
● Missions jésuites ('réductions') XVIIᵉ - milieu XVIIIᵉ s.
• Présides africains
| Iles Zaffarines
☐ Acquisitions de l'Espagne au XIXᵉ et au XXᵉ s.

☐ Hémisphère espagnol Traité de Tordesillas (1494)
☐ L'Empire espagnol au XVIᵉ s.
☐ L'Empire espagnol au XVIIIᵉ s.

Rejetée en 1494 aux extrémités du monde connu, la colonisation espagnole crée, cependant, à partir du Mexique et du Pérou, un immense empire, qui atteint son extension maximale. au XVIIIᵉ siècle, la mainmise sur les Philippines assurant les routes du Pacifique. Mais la perte des colonies américaines, qui accèdent à l'indépendance au début du XIXᵉ siècle, conduit la colonisation espagnole à se rabattre trop tardivement sur l'Afrique, où elle s'implante tardivement dans quelques parties du Maroc et du Sahara. En 1956, en 1958 et en 1976, ces territoires sont successivement évacués à l'exception des *Présides* (Ceuta, Melilla...).

A

Wallis-et-Futuna

Is de la Société
Tahiti
1842/47
POLYNÉSIE FR^SE
Is Marquises

Is Tuamotu

Clipperton

Is Tubuaï

Is Gambier

Rapa

Montagnes Rocheuses

Baie d'Hudson

1763

1763 LOUISIANE

La Nouvelle-Orléans
1718

CANADA

1763

Montréal 1642
ACADIE Québec 1608

FLORIDE

1713

TERRE-NEUVE 1713

St-Pierre-et-
Miquelon

St-Domingue
partie occ^le
(Haïti) 1697-1804
partie or^le
1795-1809

St-Christophe
1713

Ste-Lucie
1814

Guadeloupe
Dominique 1763
Martinique

Tobago 1677-1763
1783-1814

GUYANE FR^SE
et territoire
de l'Inini

Cayenne

St-Louis
SÉNÉGAL
Gorée

A.-O.F.

Équateur

Rio de Janeiro

TOGO
1919/22
CAMEROUN
1919/22 Gabon

A.-E.F.

FRANCE

ALGÉRIE
Alger 1830
MAROC

Bastion de
France 1920
TUNISIE

SAHARA

LIBAN
1920
SYRIE
1920

Territoire de Chaykh Sa'īd
(Cheik-Saïd)

Obock
1862
Fachoda

Côte f^se
des Somalis
Djibouti

Seychelles 1814

Amirantes

Is Mascareignes
Comores

I. de France (I. Maurice)
1715-1810/14

Ile Bourbon
(La Réunion)

St-Paul et
N^lle-Amsterdam

MADAGASCAR

Fort-Dauphin

Is Kerguelen

Is Crozet

Territoire de Guangzhouwan
(Kouang-tcheou-wan)
1898-1943

Tonkin
Annam
Laos
Cambodge
Cochinchine

INDOCHINE
FR^SE

Chandernagor

INDE
1763

Yanaon
Madras
Pondichéry
Kārikāl

Mahé

Nouvelles-Hébrides
condominium
franco-anglais
1887/1906

Nouvelle-Calédonie
1853

136°E   142°E
TERRE ADÉLIE
découverte en 1840
revendiquée par la
France en 1934

▲ Établissements français au XVIIe s.

☐● Possessions françaises au XVIIIe s.

1763 Date de cession

● Acquisitions de 1830 à 1900

Acquisitions postérieures à 1900

●☐ Mahé L'Empire français
en 1930

Mandats de la S.D.N.

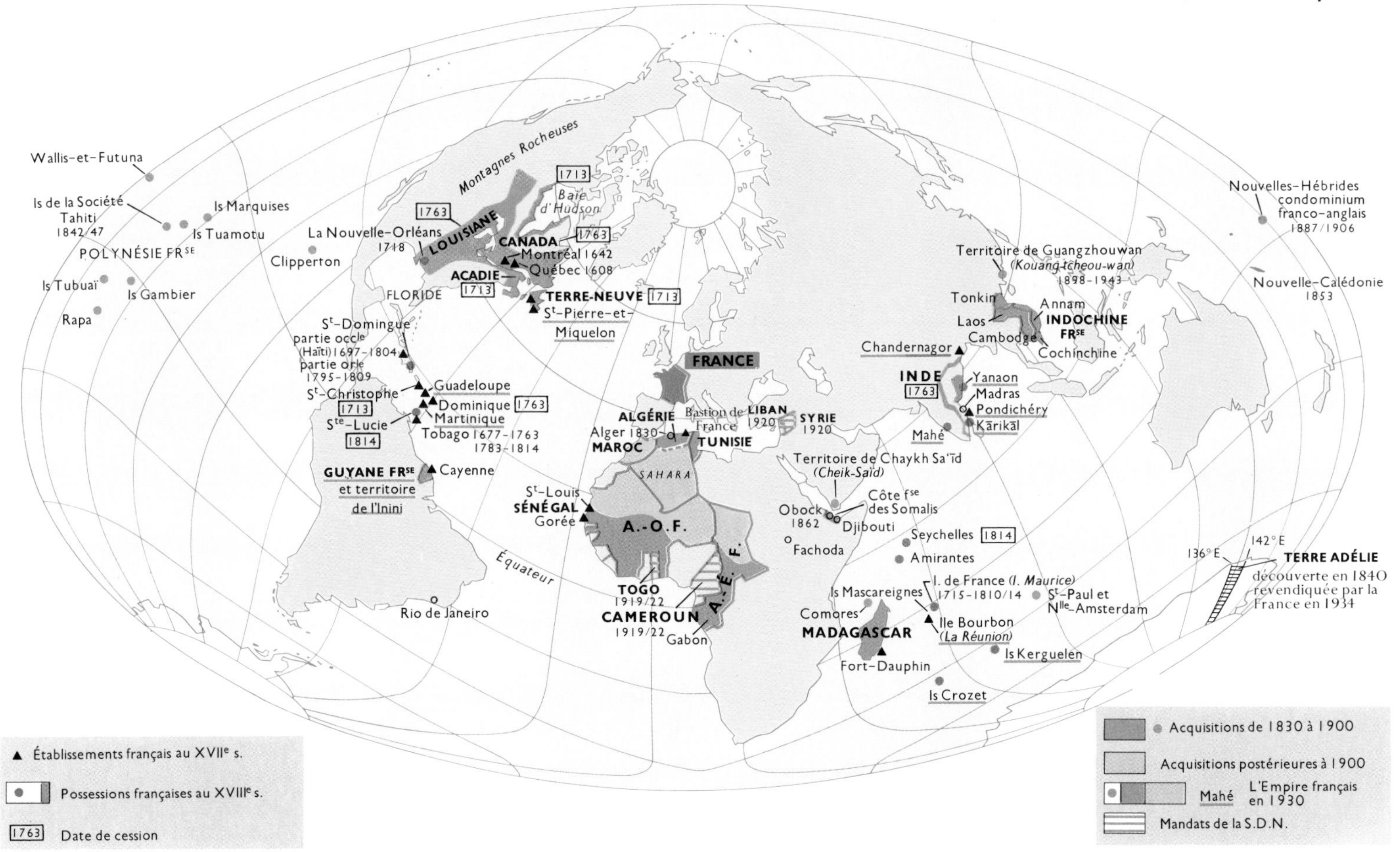

La colonisation française ne devient systématique qu'au XVIIe siècle, où l'application du mercantilisme colbertiste conduit à l'organisation d'un empire dans les Antilles (enrichies par la traite et par le commerce des produits coloniaux), l'Amérique du Nord (à partir des premiers comptoirs canadiens) et l'Inde, où commence une pénétration intérieure. Mais la lutte séculaire avec l'Angleterre se solde, aux traités de Paris (1763) et de Vienne (1815), par la perte de ce premier empire.

Les motivations politiques sont déter-

minantes dans la formation du « second empire » à partir de 1830 (conquête de l'Algérie). Il s'édifie essentiellement dans deux zones : l'Indochine et l'ouest de l'Afrique, où la pénétration s'effectue à partir du Maghreb et des anciens postes de traite du Sénégal et de Guinée.

Mais la Seconde Guerre mondiale accélère un mouvement de décolonisation qui, après la guerre d'Indochine (1947-1954), s'étend en Afrique, où l'émancipation pacifique de l'Afrique noire s'oppose à la violence du processus d'indépendance au Maghreb.

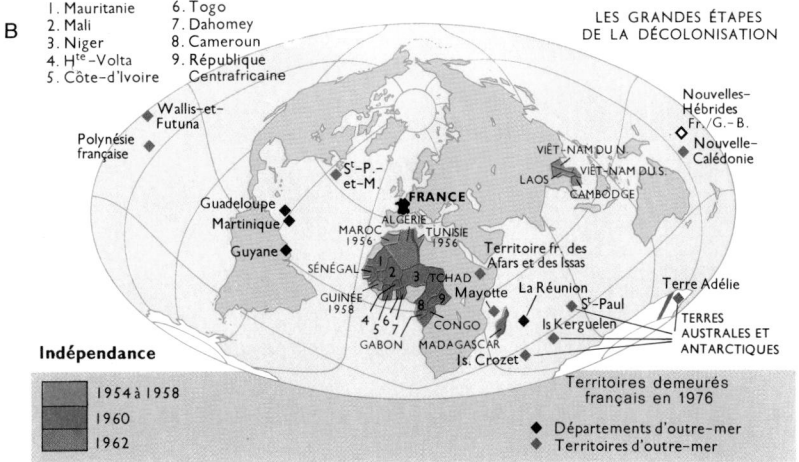

B
1. Mauritanie   6. Togo
2. Mali   7. Dahomey
3. Niger   8. Cameroun
4. H^te-Volta   9. République
5. Côte-d'Ivoire   Centrafricaine

LES GRANDES ÉTAPES
DE LA DÉCOLONISATION

Wallis-et-Futuna

Polynésie
française

Guadeloupe
Martinique
Guyane

St-P.-
et-M.

FRANCE

MAROC
1956
SÉNÉGAL

GUINÉE
1958

ALGÉRIE
TUNISIE
1956

Territoire fr. des
Afars et des Issas

TCHAD
Mayotte
La Réunion
St-Paul

VIÊT-NAM DU N.
VIÊT-NAM DU S.
LAOS
CAMBODGE

Nouvelles-
Hébrides
Fr./G.-B.
Nouvelle-
Calédonie

Terre Adélie

4 5 6 7
GABON

CONGO
MADAGASCAR
Is. Crozet

Is Kerguelen

TERRES
AUSTRALES ET
ANTARCTIQUES

Indépendance

1954 à 1958
1960
1962

Territoires demeurés
français en 1976

◆ Départements d'outre-mer
◆ Territoires d'outre-mer

A

1. Irlande : 1800, union avec la Grande-Bretagne ;
1922, l'État libre d'Irlande adhère au Commonwealth.

2. Iles Ioniennes 1815- (1864)

3. Palestine

4. Transjordanie

5. Iraq 1920- (1932)

FORMATION
DE L'EMPIRE BRITANNIQUE

Carte A : Formation de l'Empire britannique

▲   Établissements anglais au XVIIᵉ s.

☐ ▲   Possessions anglaises au XVIIIᵉ s.

(1783)   Perte de possession

☐ •   Acquisitions au XIXᵉ s. et au début du XXᵉ

☐ ◆   Mandats de la S.D.N.

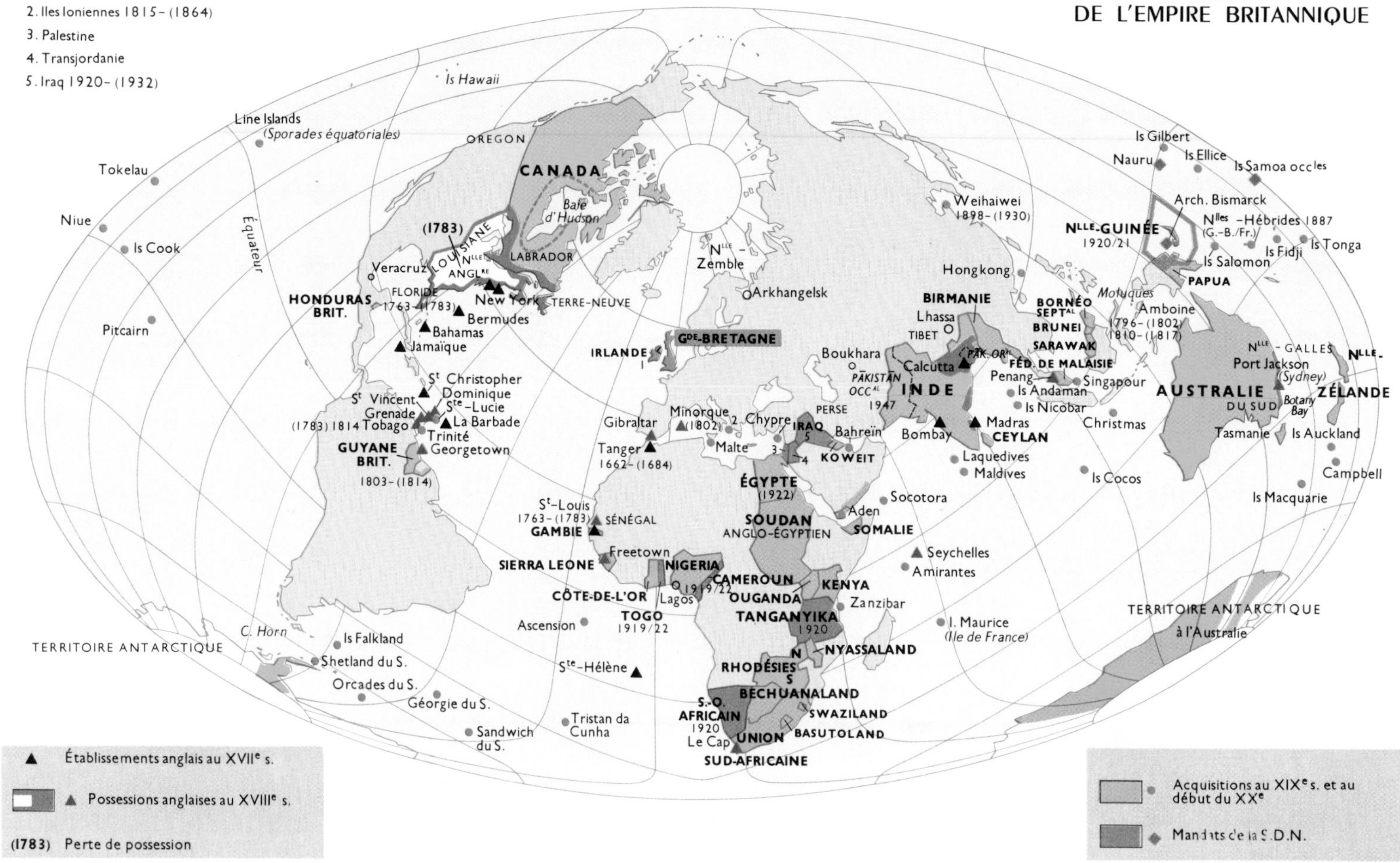

La colonisation britannique, stimulée par la victoire précoce de la bourgeoisie commerçante, s'exerce aux dépens des premières puissances coloniales (Espagne, Pays-Bas, France), pour aboutir, au XVIIIᵉ siècle, à la constitution d'un vaste empire en Amérique et en Inde. La perte des États-Unis en 1783, la poussée des idées libérales en Angleterre modifient la stratégie coloniale : c'est, d'une part, la mainmise sur les bases maritimes contrôlant les voies stratégiques et commerciales; d'autre part, l'établissement de colonies de peu-plement, à qui est octroyée peu à peu l'autonomie *(dominions)*. Paradoxalement, c'est l'affaiblissement relatif de l'hégémonie économique britannique qui explique l'impérialisme militant de la fin du XIXᵉ siècle, marqué par le grand projet d'une Afrique anglaise « du Cap au Caire » et la constitution de l'« Empire des Indes ».

La cohésion relative de cet ensemble est assurée par son organisation souple et par le passage progressif de l'empire au Commonwealth (1931), qui permet une décolonisation sans trop de heurts.

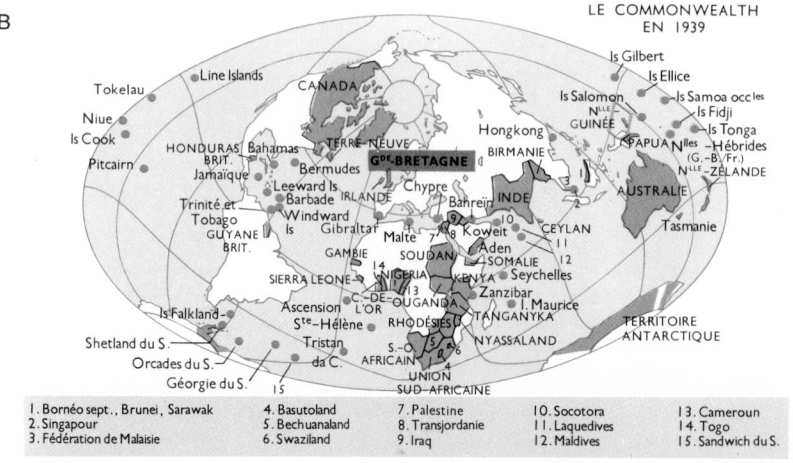

LE COMMONWEALTH
EN 1939

1. Bornéo sept., Brunei, Sarawak	4. Basutoland	7. Palestine	10. Socotora	13. Cameroun
2. Singapour	5. Bechuanaland	8. Transjordanie	11. Laquedives	14. Togo
3. Fédération de Malaisie	6. Swaziland	9. Iraq	12. Maldives	15. Sandwich du S.

A

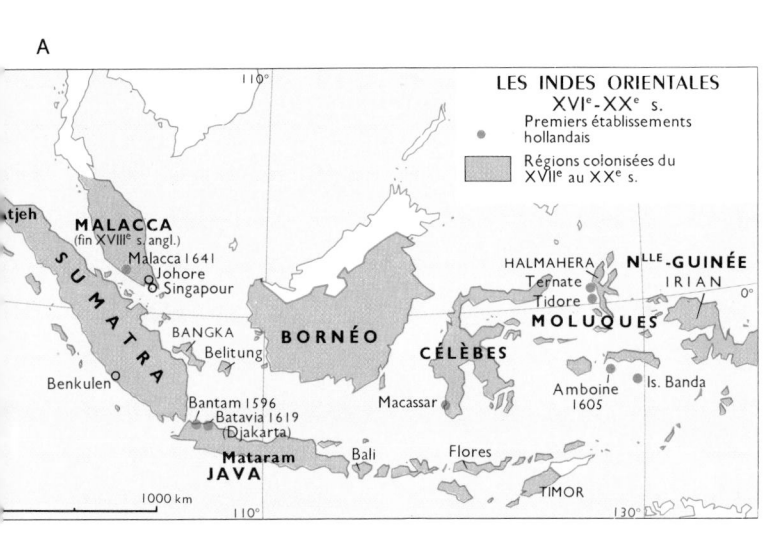

LES INDES ORIENTALES
XVIe-XXe s.
· Premiers établissements
hollandais
Régions colonisées du
XVIIe au XXe s.

B

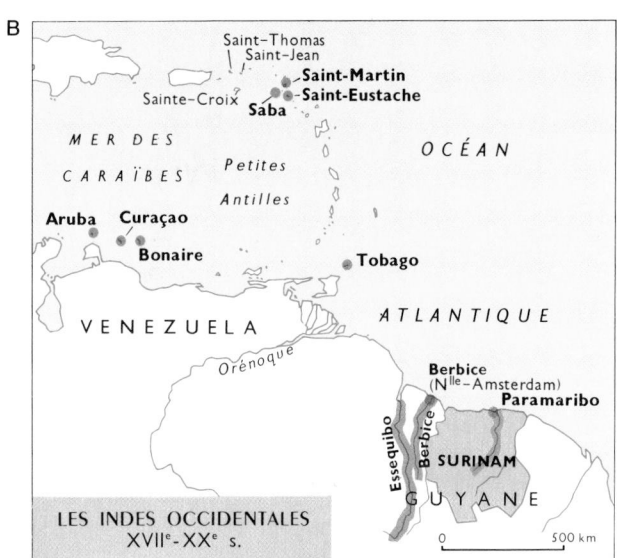

LES INDES OCCIDENTALES
XVIIe-XXe s.

C

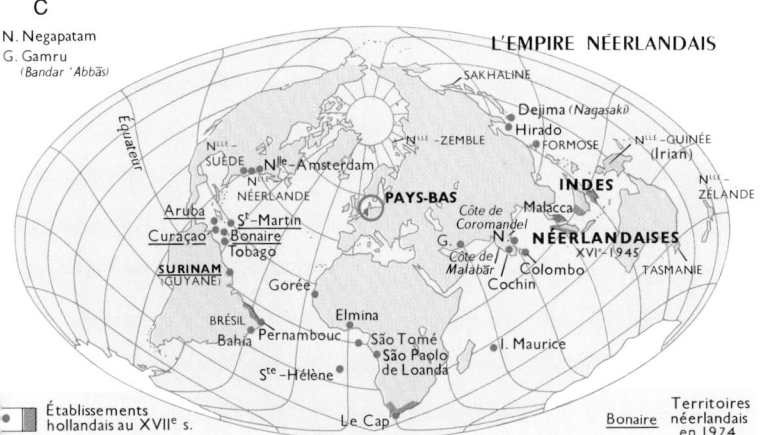

L'EMPIRE NÉERLANDAIS

◦—● Établissements
hollandais au XVIIe s.

Bonaire Territoires
néerlandais
en 1974.

Après l'émancipation des Provinces-Unies (1579), la création d'une véritable thalassocratie hollandaise permet d'arracher aux puissances ibériques affaiblies des comptoirs jalonnant les grandes routes du commerce maritime. Organisée par de puissantes « compagnies », la colonisation en Amérique (qui ne tient durablement que dans les Indes occidentales) et dans l'ancienne Asie portugaise fait des Pays-Bas la première puissance commerciale d'Europe au XVIIe siècle.

Le déclin commence au XVIIIe siècle, lorsque l'hégémonie maritime passe à l'Angleterre qui, profitant des guerres révolutionnaires et napoléoniennes, enlève aux Hollandais leurs points d'appui en Afrique et en Inde. La colonisation néerlandaise se consacre, dès lors, essentiellement aux Indes orientales (v carte p. 205, PÉNÉTRATION HOLLANDAISE À JAVA [1800-1830]), tôt exploitées de façon capitaliste; mais le mouvement d'émancipation, mené par Sukarno et stimulé par l'occupation japonaise de 1942-1945, aboutit à l'indépendance de l'Indonésie en 1954.

D

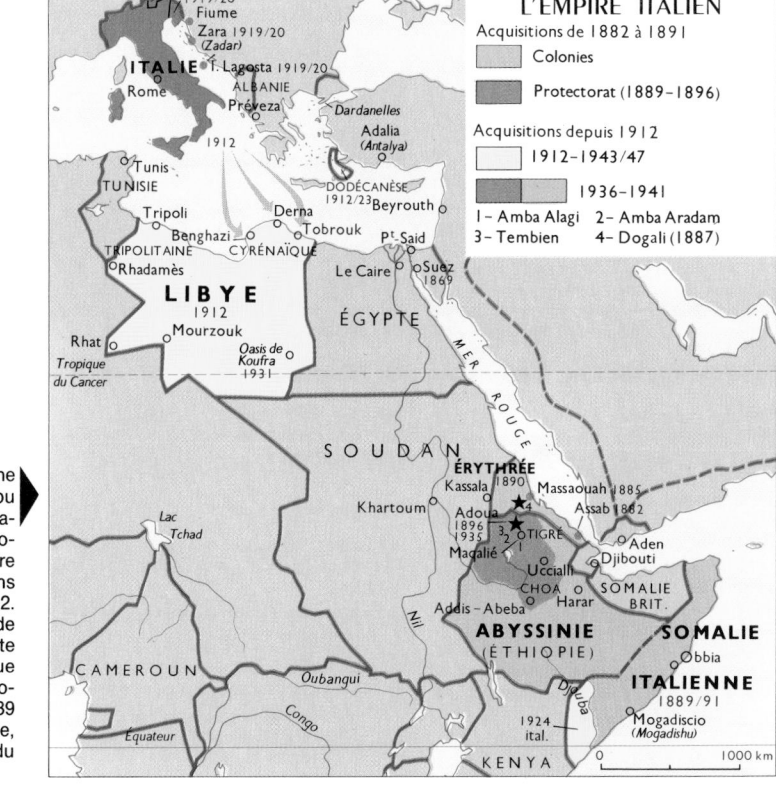

L'EMPIRE ITALIEN
Acquisitions de 1882 à 1891
Colonies
Protectorat (1889-1896)
Acquisitions depuis 1912
1912-1943/47
1936-1941
1- Amba Alagi   2- Amba Aradam
3- Tembien   4- Dogali (1887)

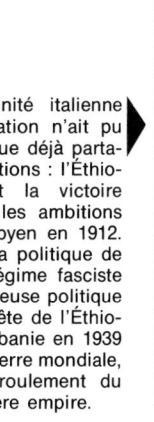

La date tardive de l'unité italienne explique que la colonisation n'ait pu s'exercer, dans une Afrique déjà partagée, que dans deux directions : l'Éthiopie indépendante, dont la victoire d'Adoua en 1896 limita les ambitions italiennes, et le désert libyen en 1912. Après la crise de 1929, la politique de prestige menée par le régime fasciste débouche sur une dangereuse politique annexionniste : la conquête de l'Éthiopie en 1936, celle de l'Albanie en 1939 précipitent la Seconde Guerre mondiale, qui provoque, avec l'écroulement du régime, celui de l'éphémère empire.

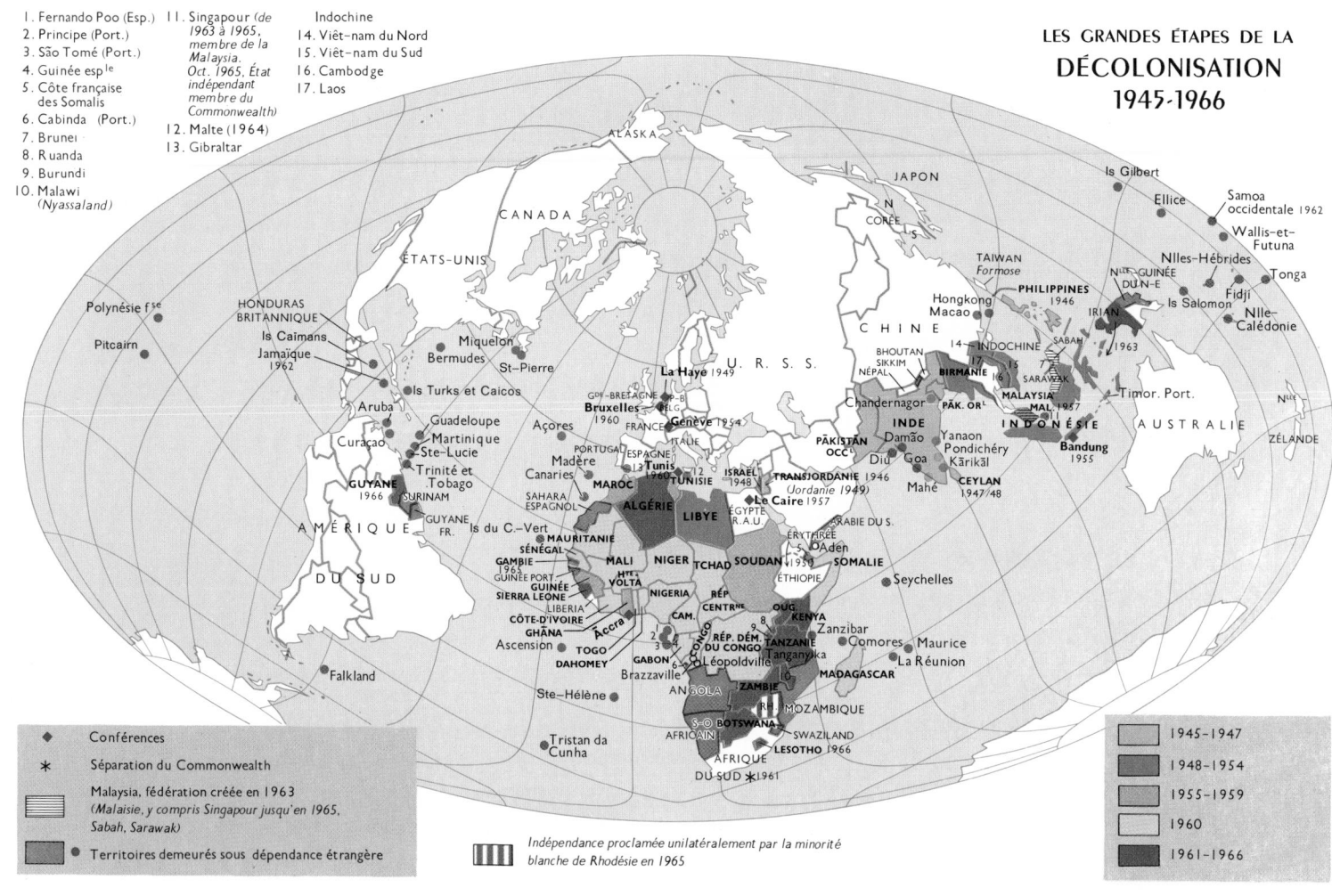

1. Fernando Poo (Esp.)
2. Principe (Port.)
3. São Tomé (Port.)
4. Guinée esp^le
5. Côte française des Somalis
6. Cabinda (Port.)
7. Brunei
8. Ruanda
9. Burundi
10. Malawi (Nyassaland)

11. Singapour (de 1963 à 1965, membre de la Malaysia. Oct. 1965, État indépendant membre du Commonwealth)
12. Malte (1964)
13. Gibraltar

Indochine
14. Viêt-nam du Nord
15. Viêt-nam du Sud
16. Cambodge
17. Laos

LES GRANDES ÉTAPES DE LA
DÉCOLONISATION
1945-1966

◆   Conférences

*   Séparation du Commonwealth

▤   Malaysia, fédération créée en 1963 (Malaisie, y compris Singapour jusqu'en 1965, Sabah, Sarawak)

■   Territoires demeurés sous dépendance étrangère

▥   Indépendance proclamée unilatéralement par la minorité blanche de Rhodésie en 1965

☐ 1945-1947
▨ 1948-1954
▦ 1955-1959
☐ 1960
■ 1961-1966

Depuis 1914, la diffusion des idées libérales dans les pays colonisés, l'influence grandissante de la doctrine marxiste, surtout l'affaiblissement, lors des deux guerres mondiales, de l'Europe au profit des États-Unis et de l'U.R.S.S., qui se déclarent hostiles à la colonisation, provoquant chez les populations soumises une prise de conscience de leur oppression économique et politique. Cette prise de conscience débouche en 1955 à Bandung sur l'affirmation de la personnalité du «tiers monde». Le mouvement de décolonisation, qui en est issu, commence au lendemain de la Seconde Guerre mondiale en Inde, en Indonésie, au Proche-Orient; il est renforcé par la victoire, en 1949, des communistes chinois (qui ébranle toute l'Asie du Sud-Est) et par l'émancipation des pays arabes de la tutelle britannique (rôle du «nassérisme») : en vingt ans, presque tous les empires coloniaux ont disparu.

Mais cette décolonisation pose des problèmes : la «balkanisation» des États (surtout en Afrique), renforcée par la rivalité des jeunes nationalismes; l'échec de la stratégie du «non-alignement»; surtout le sous-développement. Ainsi se trouve favorisé le maintien d'un impérialisme des grandes puissances, qui rend parfois vaines les indépendances formelles.

(V. carte D p. 212.)

NOUVEAUX ÉTATS INDÉPENDANTS

ET CHANGEMENTS DE NOMS

1966

26 mai : Guyane britannique, auj. **République coopérative de Guyana** depuis le 23 février 1970.

30 sept. : Betchuanaland britannique, auj. **République du Botswana.**

4 oct. : Basutoland britannique, auj. **Royaume du Lesotho.**

30 nov. : Barbade britannique, auj. **État de la Barbade.**

1967

30 nov. : Fédération d'Arabie du Sud, auj. **République démocratique et populaire du Yémen.**

1968

31 janv. : Île (australo-néo-zélando-britannique) de Nauru, auj. **République de Nauru.**

12 mars : Île britannique Maurice, auj. **État de l'île Maurice.**

6 sept. : Swaziland britannique, auj. **Royaume de Swaziland ou de Ngwane.**

12 oct. : Guinée espagnole, auj. **République de Guinée équatoriale.**

1970

4 juin : Îles britanniques Tonga, auj. **Royaume de Tonga.**

10 oct. : Îles britanniques Fidji, auj. **État des Fidji.**

1971

14 août : Émirat (britannique) de Bahreïn, auj. **Émirat de Bahrein.**

27 août : La République démocratique du Congo devient la **République du Zaïre.**

3 sept. : Émirat (britannique) de Qatar, auj. **Émirat de Qatar.**

2 déc. : Les sept Trucial States (britanniques), auj. **Émirats Arabes Unis.**

16 ou 22 déc. : Pākistān oriental, auj. **République populaire du Bangladesh.**

1972

22 mai : L'État de Ceylan devient la **République de Sri Lanka.**

1973

1er juin : Honduras britannique, auj. **Belize.**

10 juill. : Îles britanniques Bahamas, auj. **Commonwealth of the Bahamas.**

24 sept. : Guinée portugaise, auj. **République de Guinée-Bissau.**

1974

7 févr. : Île britannique de Grenade, auj. **État de Grenade.**

1975

25 juin : Mozambique portugais, auj. **République populaire du Mozambique.**

5 juill. : Îles portugaises de Cap-Vert, auj. **République des îles du Cap-Vert.**

12 juill. : Îles portugaises de São Tomé et de Príncipe, auj. **République démocratique de São Tomé et Príncipe.**

1er sept. : Île de Bougainville, auj. **République de Salomon du Nord.**

16 sept. : Papouasie et Nouvelle-Guinée du Nord-Est (australiens), auj. **République de Papouasie-Nouvelle-Guinée.**

11 nov. : Angola portugais, auj. **République populaire d'Angola.**

25 ou 26 nov. : Surinam néerlandais, auj. **République de Surinam.**

30 nov. : La République de Dahomey devient la **République populaire du Bénin.**

31 déc. : Les îles françaises Comores, auj. **République des Comores.**

1976

2 juillet : République démocratique du Viêt-nam (Viêt-nam du Nord) et République du Viêt-nam (Viêt-nam du Sud) fusionnent au sein de la **République socialiste du Viêt-nam.**

1977

27 juin : Le Territoire français des Afars et des Issas, auj. **République de Djibouti.**

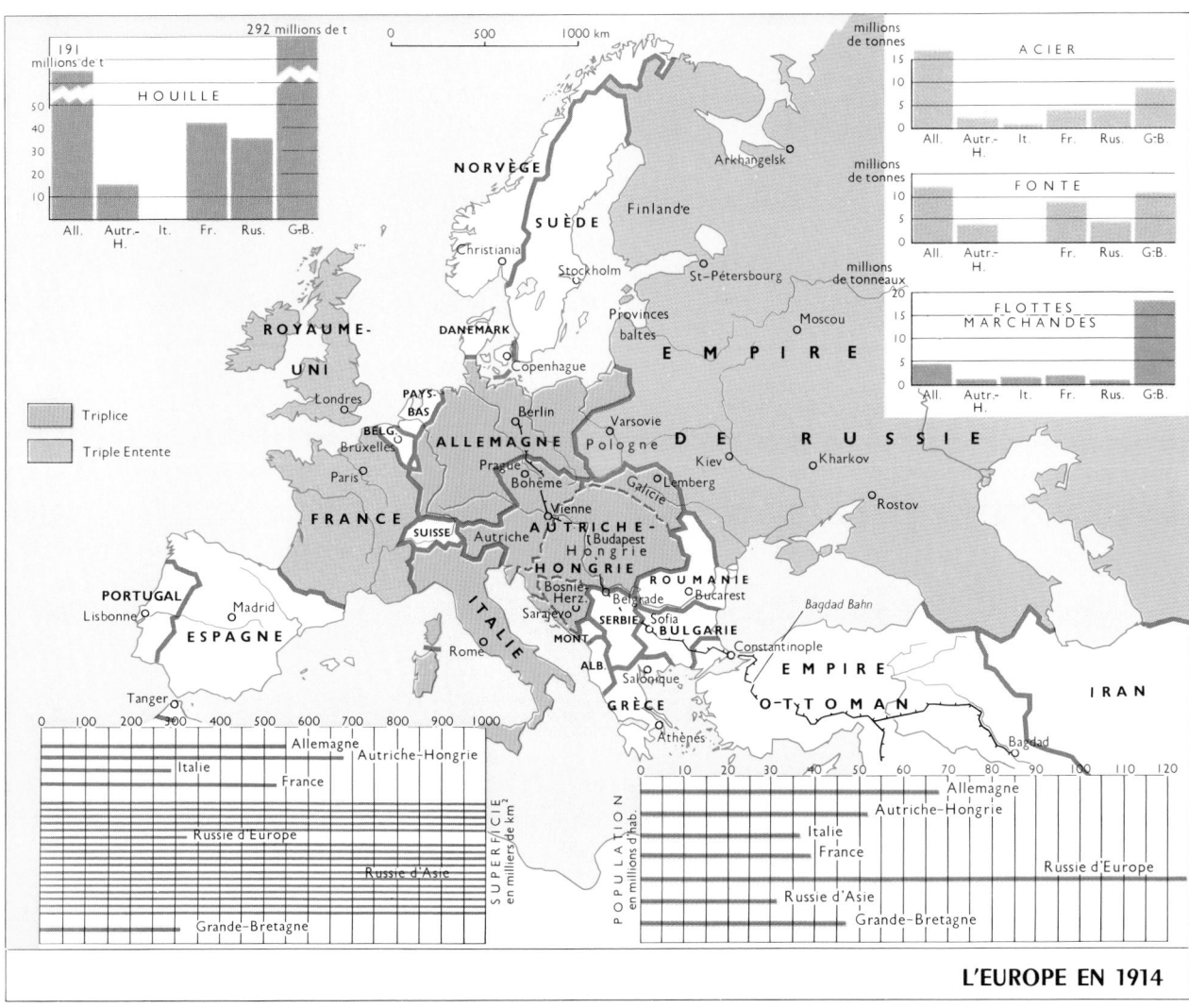

L'EUROPE EN 1914

L'Europe de la Belle Époque apparaît bien différente de celle d'aujourd'hui. Sa suprématie, que nul peuple ne cherche alors à contester, s'étend sur l'univers entier. Avec 452 millions d'habitants, elle représente encore 26 p. 100 de la population du globe en 1914. Sans parler de son quasi-monopole dans l'ordre intellectuel, elle doit son ascendant à son développement économique. Malgré la concurrence croissante des États-Unis, elle fournit 52 p. 100 de la production industrielle, 61 p. 100 des échanges commerciaux du monde et possède 85 p. 100 du tonnage mondial des marines marchandes. À la veille du drame qui allait inaugurer le déclin de sa puissance, nul n'avait encore conscience de sa fragilité. Celle-ci résidait dans les divisions profondes de cette « Europe des patries » qui n'avait pas su ou pas pu résoudre les problèmes posés par les minorités ethniques incluses dans la plupart des États européens. Elle se traduisait surtout par l'opposition des deux blocs de la Triple-Alliance, animée par une Allemagne exigeant dans le monde « la part légitime de tout être qui grandit », et de la Triple-Entente, qui regroupait autour de la France ceux qui se sentaient particulièrement visés par l'expansion du IIe Reich.

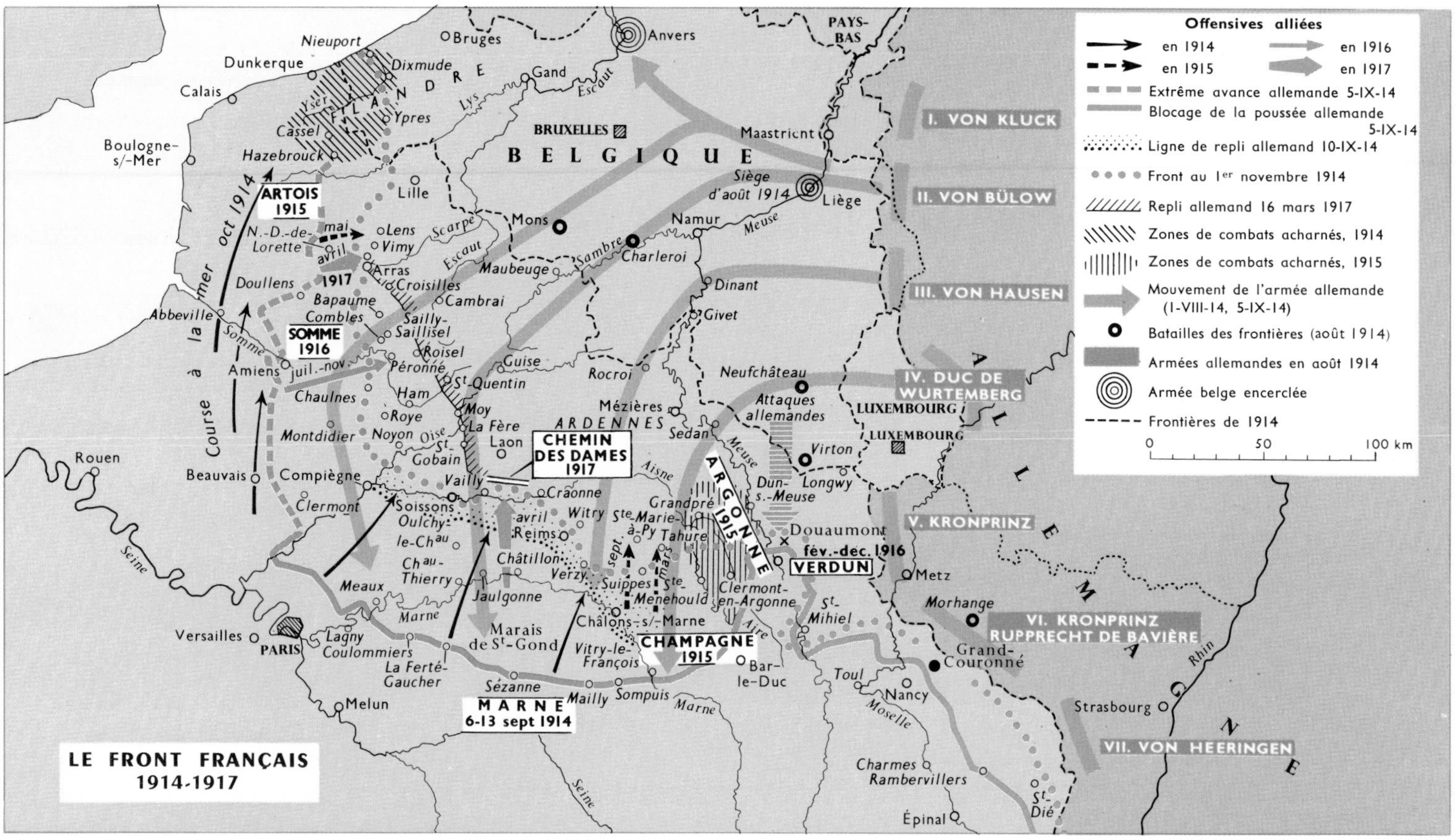

De la Picardie à la Champagne, Ludendorff lance, de mars à juillet 1918, cinq « coups de boutoir » sur le front français, avec la volonté de forcer la victoire avant l'engagement massif des troupes américaines. Le 18 juillet, la guerre change enfin de signe, et, pour la première fois, les Alliés, aux ordres de Foch, reprennent, à Villers-Cotterêts, l'initiative des opérations. Ils ne lâcheront plus l'ennemi jusqu'à leur victoire décisive, consacrée par l'armistice du 11 novembre, qui scellait l'effondrement du IIe Reich.

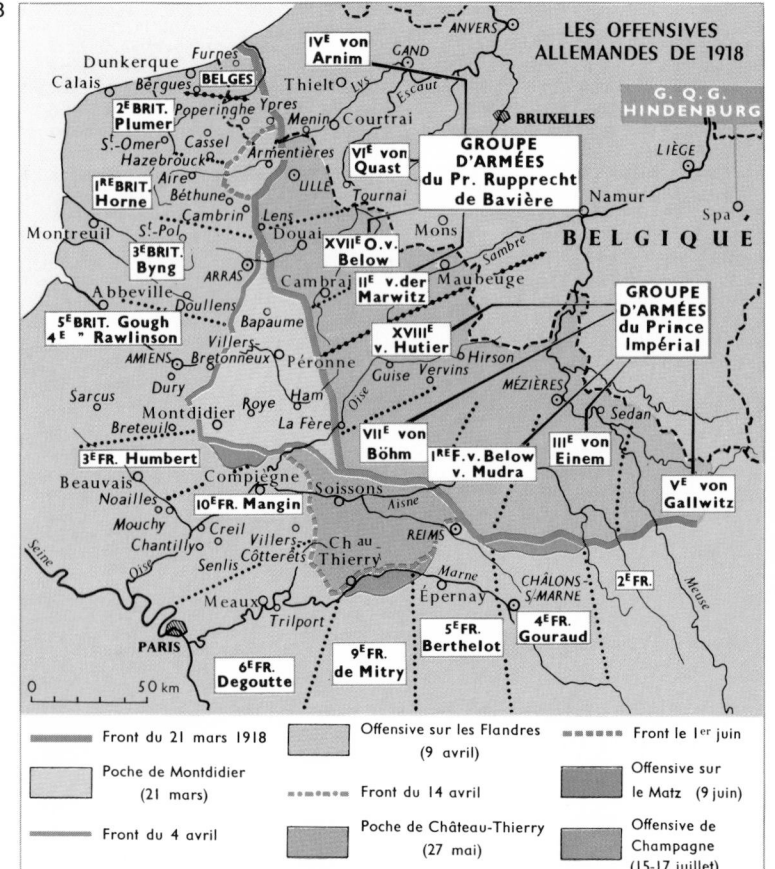

Sans nier l'importance des autres théâtres d'opérations, c'est sur le front français que, de 1914 à 1918, se joue le sort de la Première Guerre mondiale. Suivant le célèbre plan conçu par Schlieffen en réponse à l'alliance franco-russe, Moltke fonde en 1914 sa manœuvre sur la rapidité et l'ampleur du mouvement de ses forces à travers la Belgique. En six semaines, ce «plan de guerre» échoue du fait de l'étonnant redressement des Français de Joffre sur la Marne. À Noël 1914, un front continu de 750 km s'étend de la mer du Nord à la Suisse, laissant aux Allemands une région vitale pour l'économie française. Dès lors, de 1915 à 1917, tous les efforts du commandement allié se résument à obtenir coûte que coûte la percée du front qui permettrait de chasser l'ennemi et de libérer le territoire. En 1916, cette guerre d'usure est érigée en système par Falkenhayn, qui veut éliminer l'armée française par épuisement de ses effectifs : ce fut la longue et terrible bataille de Verdun.

Par deux fois, à Tannenberg et à Łódź, les Allemands doivent intervenir en 1914 pour protéger la frontière du Reich menacée par les Russes. Aussi, en 1915, Falkenhayn lance-t-il une vigoureuse offensive qui, conquérant la Pologne, porte le front oriental de Riga à Czerno-witz. Celui-ci est ébranlé en 1916, par la dernière attaque victorieuse des armées du tsar (Broussilov), à laquelle répond la conquête de la Roumanie par les Allemands. Le front germano-russe ne s'éteint qu'avec l'armistice de Brest-Litovsk (déc. 1917), consécutif à la révolution russe.

Au sud, après leur échec aux Darda-nelles et la perte de la Serbie, les Alliés établissent, en 1916, un nouveau front en Macédoine grecque, d'où part, en septembre 1918, l'offensive décisive de Franchet d'Esperey en direction de Bel-grade, de Sofia et de Constantinople.

Au Moyen-Orient, la Turquie, attaquée par les Russes en 1914, puis par les Britanniques en Palestine et en Mésopo-tamie (1917-18), doit capituler à Mou-dros.

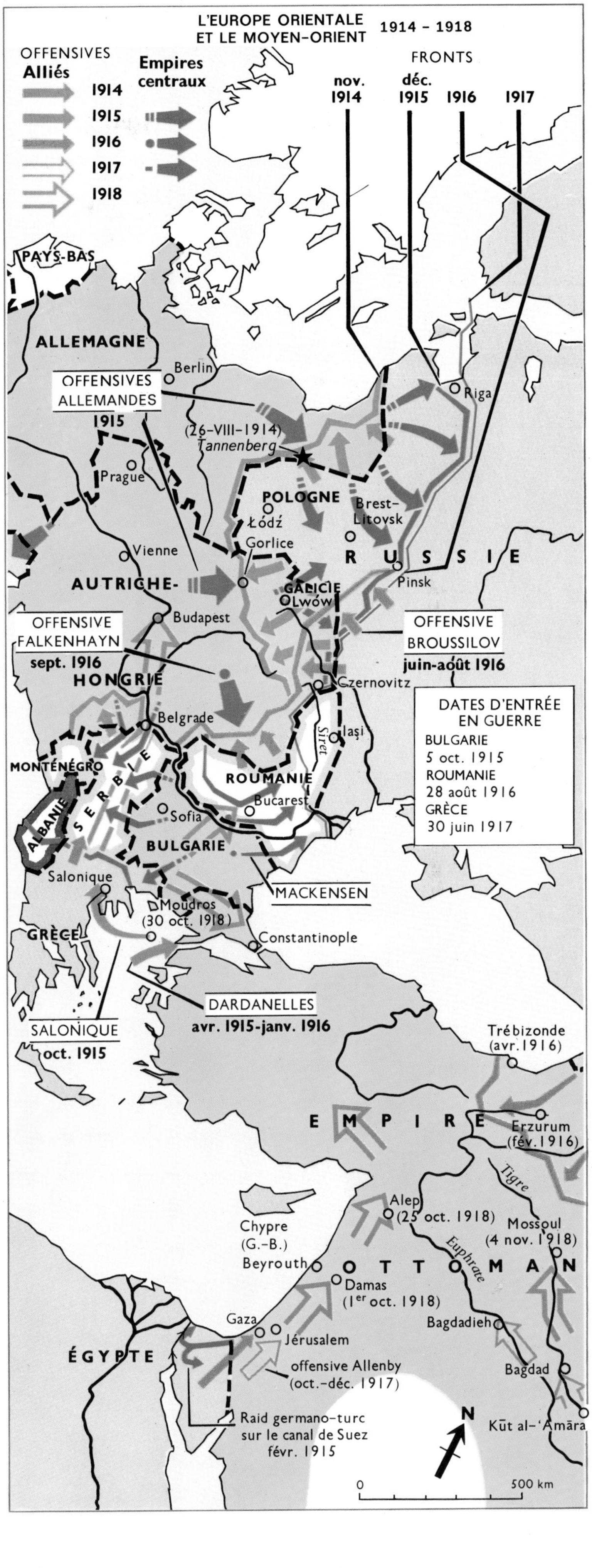

Bien que membre de la Triplice, l'Italie reste d'abord neutre en 1914, avant de déclarer la guerre à l'Autriche-Hongrie (1915), puis à l'Allemagne (1916). Les combats du front italien se situent d'abord sur l'Isonzo, puis dans le Trentin (1916) et, après la défaite italienne de Caporetto (1917), sur la Piave, d'où partira, à la fin d'octobre 1918, l'offensive finale italienne sur Vittorio Veneto.

A

L'EUROPE ORIENTALE ET LE MOYEN-ORIENT 1914 – 1918

OFFENSIVES
Alliés / Empires centraux
1914
1915
1916
1917
1918

FRONTS
nov. 1914 / déc. 1915 / 1916 / 1917

PAYS-BAS

ALLEMAGNE

Berlin

OFFENSIVES ALLEMANDES 1915

Riga

(26-VIII-1914) Tannenberg

Prague

POLOGNE
Łódź
Gorlice
Brest-Litovsk

RUSSIE

Vienne

Pinsk

AUTRICHE-

GALICIE
Lwów

Budapest

OFFENSIVE FALKENHAYN sept. 1916

OFFENSIVE BROUSSILOV juin-août 1916

Czernovitz

HONGRIE

Belgrade

Iaşi

Siret

DATES D'ENTRÉE EN GUERRE
BULGARIE 5 oct. 1915
ROUMANIE 28 août 1916
GRÈCE 30 juin 1917

MONTÉNÉGRO

SERBIE

ALBANIE

Sofia

ROUMANIE
Bucarest

BULGARIE

MACKENSEN

Salonique

Moudros (30 oct. 1918)

GRÈCE

Constantinople

SALONIQUE oct. 1915

DARDANELLES avr. 1915-janv. 1916

Trébizonde (avr. 1916)

E M P I R E

Erzurum (fév. 1916)

Tigre

Chypre (G.-B.)

Alep (25 oct. 1918)

Mossoul (4 nov. 1918)

Beyrouth

Euphrate

O T T O M A N

Damas (1er oct. 1918)

Gaza

Bagdadieh

ÉGYPTE

Jérusalem
offensive Allenby (oct.-déc. 1917)

Bagdad

Raid germano-turc sur le canal de Suez févr. 1915

Kūt al-'Amāra

N

0   500 km

B

LE FRONT D'ITALIE 1915-1918

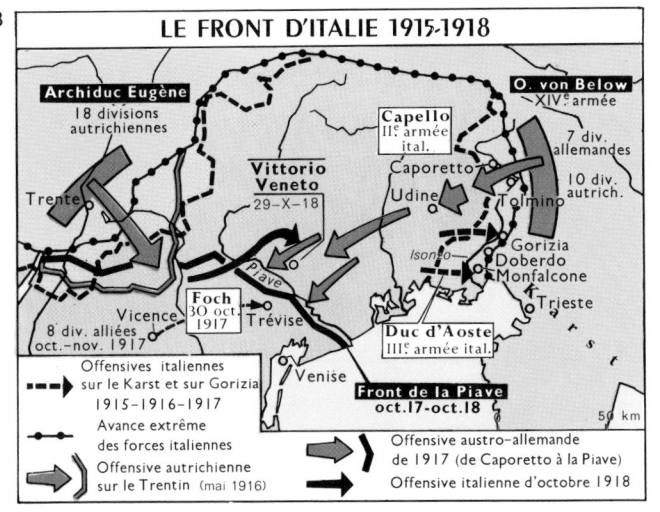

Archiduc Eugène 18 divisions autrichiennes

O. von Below XIVe armée

Capello IIe armée ital.

7 div. allemandes

Vittorio Veneto 29-X-18

Caporetto

10 div. autrich.

Trente

Udine
Tolmino
Isonzo

Foch 30 oct. 1917

Vicence

Trévise

Piave

Gorizia
Doberdo
Monfalcone

Trieste

8 div. alliées oct.-nov. 1917

Duc d'Aoste IIIe armée ital.

Venise

Front de la Piave oct.17-oct.18

50 km

Offensives italiennes sur le Karst et sur Gorizia 1915-1916-1917

Avance extrême des forces italiennes

Offensive autrichienne sur le Trentin (mai 1916)

Offensive austro-allemande de 1917 (de Caporetto à la Piave)

Offensive italienne d'octobre 1918

En mai 1920, les Polonais avaient pénétré en Ukraine et occupé Kiev, franchis-
sant la ligne Curzon imposée par les
Alliés comme frontière orientale du
pays. L'armée rouge, aux ordres de
Kamenev, déclenche en juin une vaste
contre-offensive. Celle-ci atteint le Bug
et, en août, menace Varsovie, qui n'est
sauvée que par l'habile manœuvre des
forces de Piłsudski assisté de la mission
militaire française du général Weygand.
Un armistice intervient en octobre, con-
firmé le 18 mars 1921 par le traité de
Riga, qui fixe, jusqu'en 1939, la frontière
orientale de la Pologne.

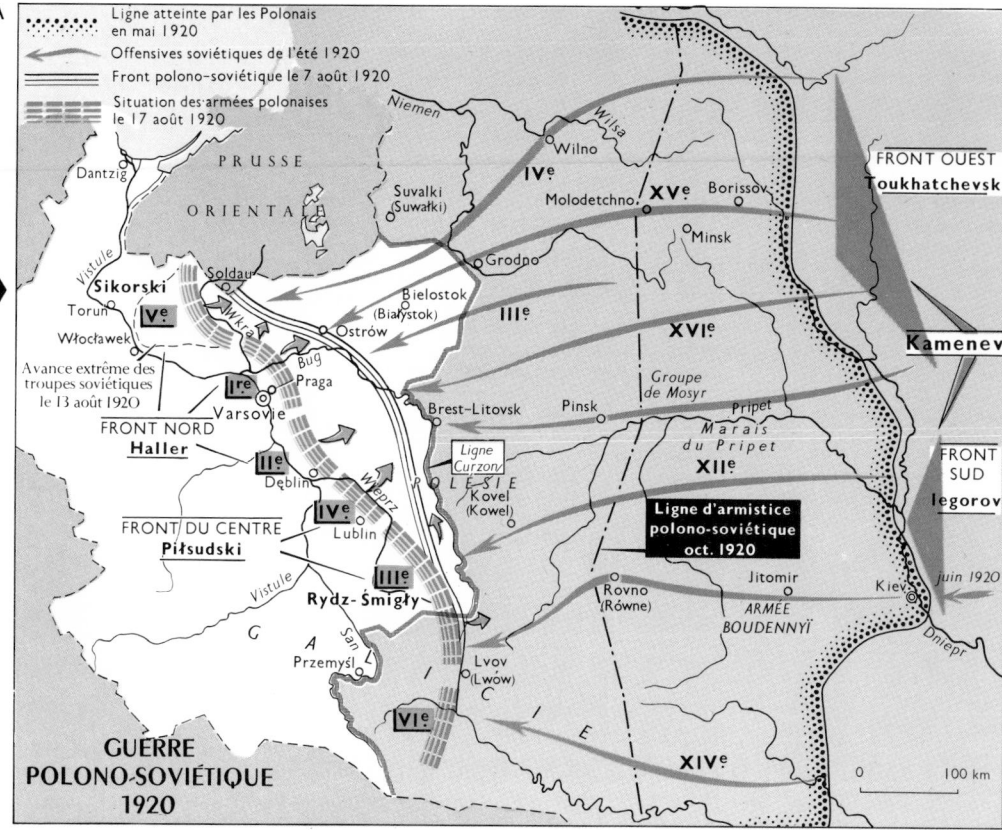

GUERRE
POLONO-SOVIÉTIQUE
1920

A

Ligne atteinte par les Polonais en mai 1920
Offensives soviétiques de l'été 1920
Front polono-soviétique le 7 août 1920
Situation des armées polonaises le 17 août 1920

FRONT OUEST
Toukhatchevski

Kamenev

FRONT SUD
Iegorov

Avance extrême des troupes soviétiques le 13 août 1920

Ligne d'armistice polono-soviétique oct. 1920

FRONT NORD
Haller

FRONT DU CENTRE
Piłsudski

Rydz-Śmigły

B

L'EUROPE DE 1919 A 1923

Pologne
— Ligne Curzon (1919)
Acquisition au traité de Riga (1921)
Acquisitions de 1920/23

Turquie
Frontières de 1920 (traité de Sèvres)

■ **Dantzig** Villes libres
*Memel (Klajpeda)
1919 administration S.D.N. ;
1923 Lituanie ; 1924 autonomie
Fiume 1919–20 It. (D'Annunzio) ;
1920, indépendance ; 1924 Italie*
Intervention alliée en Russie en 1918
Voies fluviales internationalisées
Frontières de 1923

RÉP. FÉDÉRALE DE TRANSCAUCASIE

Neuilly
-Bulgarie-
St-Germain-en-L.
-Autriche-
Trianon
-Hongrie-
Versailles
-Allemagne-
28 juin 1919
Sèvres
-Turquie-

Frontières des Empires allemand, austro-hongrois, russe et ottoman en 1914
• Traités de paix
Pays vainqueurs
Pays vaincus
États nouveaux
Nouvelles républiques indépendantes (1918–21)
Territoires soumis à plébiscite (gouvernement

de la Sarre confié pour 15 ans à la S.D.N., plébiscite en 1935.
E : Eupen, M : Malmédy)
Allemagne
Occupation temporaire de la Rhénanie
Limite orientale de la zone démilitarisée
Occupation de la Ruhr par les troupes franco-belges (11 janv. 1923)
Pays sous mandat "A" depuis 1920

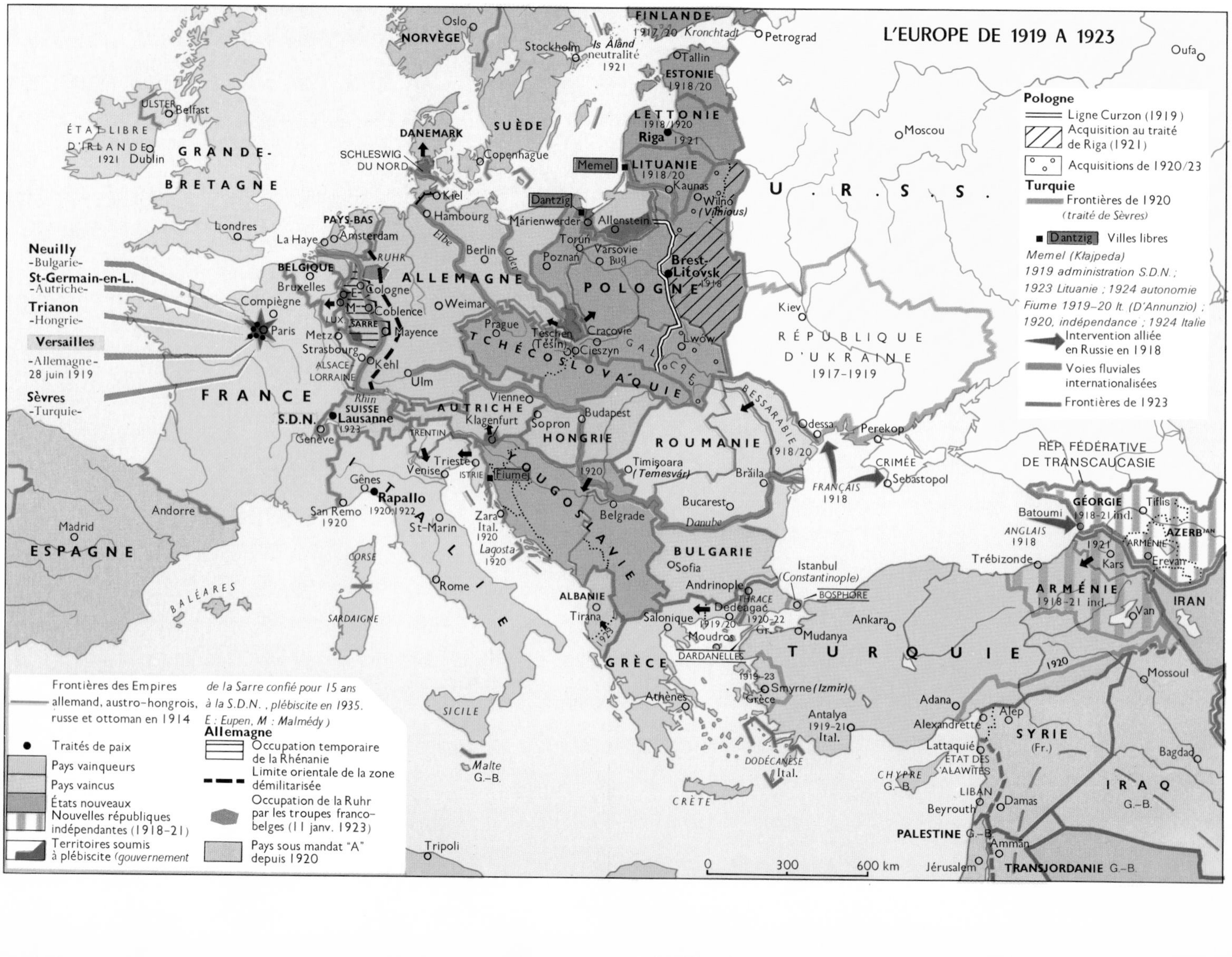

A

Dictatures
Dictatures secondaires
ou régimes autoritaires
Réactions nationalistes
Régimes parlementaires
La révolution russe
et ses répercussions
Régime communiste

FINLANDE
Helsinki
NORVÈGE
SUÈDE
DANEMARK
EIRE
GRANDE-BRETAGNE
PAYS-BAS
Bruxelles 1936
BELGIQUE
Paris
6 février 1934
FRANCE
SUISSE
PORTUGAL
Salazar 1928
Primo de Rivera 1923-1930
Madrid
ESPAGNE
Barcelone
Franco 1936
Tanger
Franco 19 juillet 1936
Tétouan
MAROC ESP.
ALGÉRIE
TUNISIE
BALÉARES
Marseille
Assassinat d'Alexandre Ier 1934
ITALIE
Mussolini 1922
La marche sur Rome oct. 1922
Rome
Corfou 1923 Ital.
ALBANIE
Révolution d'Octobre 1917
Petrograd -Leningrad-
Moscou
U. R. S. S.
ESTONIE 1933
LETTONIE 1934
Memel 1923 Lit.
LITUANIE 1926-29
Dantzig
IIIe Internationale mars 1919
Berlin
Spartakistes 1919
ALLEMAGNE
Hitler 1933
POLOGNE
Varsovie
Piłsudski 1926
TCHÉCOSLOVAQUIE
Munich 1923,1934 1918/19
AUTRICHE
Dollfuss 1934
HONGRIE
Horthy 1920
Budapest
ROUMANIE
Roi Carol II 1938
Fiume 1924 Ital.
YOUGOSLAVIE
Roi Alexandre Ier 1929
BULGARIE 1934
Ankara
GRÈCE
Roi Georges II 1923 Ital.
Gal Metaxás 1936
TURQUIE
Mustafa Kemal 1920
Dodécanèse Ital.

L'EUROPE
DES
DICTATURES

Extension
de 1920 à 1939

0   400 km

La démocratie parlementaire apparaît partout victorieuse à la fin de la guerre. Mais l'irritation des nationalismes, la crise du libéralisme due au conflit mondial, surtout la crainte du communisme provoquent la formation précoce de dictatures, à qui le régime fasciste italien sert d'exemple. Ce processus est largement amplifié par la crise de 1929, qui, grossissant les rangs des mécontents, amène les classes dirigeantes (dans les pays où le parlementarisme est un « greffon » récent) à sacrifier le libéralisme à leurs intérêts.

Après le rétablissement en 1935 du service militaire, Hitler déclenche une série de coups de force en Europe. Ceux-ci réussissent d'autant mieux que la France et l'Angleterre, privées depuis la remilitarisation de la Rhénanie de tout moyen de coercition à l'égard du Reich, s'avèrent incapables de toute réaction autre que verbale. Après la signature du pacte avec Staline, Hitler se jette sur la Pologne, mais, cette fois-ci, Paris et Londres ne peuvent plus reculer : c'est la guerre.

Les traités de 1919-20 fondent la paix sur le « droit des peuples à disposer d'eux-mêmes », affirmé par les « Quatorze Points » du président Wilson (et renforcé par le recours éventuel au plébiscite); ce droit consacre l'achèvement du mouvement des nationalités : démembrement de l'Empire austro-hongrois et de l'Empire ottoman (dont les provinces arabes sont soumises au régime du *mandat*), indépendance des pays Baltes, de la Finlande, de la Pologne. Mais les craintes ou les ambitions contradictoires des grandes puissances, représentées par Clemenceau, Lloyd George et Orlando, rendent plus difficiles les règlements concernant l'Allemagne et la Russie : la première, objet d'un affrontement franco-anglais, est désarmée, coupée en deux par le « corridor de Dantzig », humiliée, mais non abattue; pour la Russie, le principe de nationalité est gauchi par la crainte d'une contagion révolutionnaire, qui conduit à la formation d'un « cordon sanitaire » rejetant le plus à l'est possible les frontières du bolchevisme.

Mais la rivalité des jeunes nationalismes, la division des vainqueurs, l'impuissance de la *Société des Nations,* voulue par Wilson (d'ailleurs désavoué dans son pays), favorisent les projets « révisionnistes » : dès 1919, D'Annunzio remet en question le statut de Fiume; en 1923, la Turquie impose à Lausanne une révision complète du traité de Sèvres.

B

SUÈDE
LETTONIE
PACTE GERMANO-SOVIÉTIQUE
23-VIII-1939
DANEMARK
MEMEL
22-III-1939
LITUANIE
DANTZIG
1-IX-1939
PAYS-BAS
Berlin
INVASION DE LA POLOGNE
1-IX-1939
ALLEMAGNE
POLOGNE
BELG.
RHÉNANIE
7-III-1936
SUDÈTES
1/10-X-1938
Nuremberg
BOHÊME-MORAVIE
15-III-1939
TESCHEN 1-X-1938
RUTHÉNIE
SLOVAQUIE
14-III-1939
15/19-III-1939
SARRE
Plébiscite
13-I-1935
Munich
29/30-IX-1938
AUTRICHE
13/15-III-1938
2-XI-1938
HONGRIE
ROUMANIE
SUISSE
FRANCE
Milan
1-XI-1936
PACTE D'ACIER
22-V-1939
YOUGOSLAVIE
BULG.
ITALIE
Rome
ALBANIE
7-IV-1939
à l'Italie
GRÈCE
U.R.S.S.

L'EXPANSION HITLÉRIENNE
de 1935 à 1939

L'Allemagne en 1935
Remilitarisation de la zone rhénane
Annexions allemandes
Changements territoriaux après Munich
Indépendance de la Slovaquie
Acquisitions de la Hongrie
Limites de l'Allemagne le 1-IX-1939

0   300 km

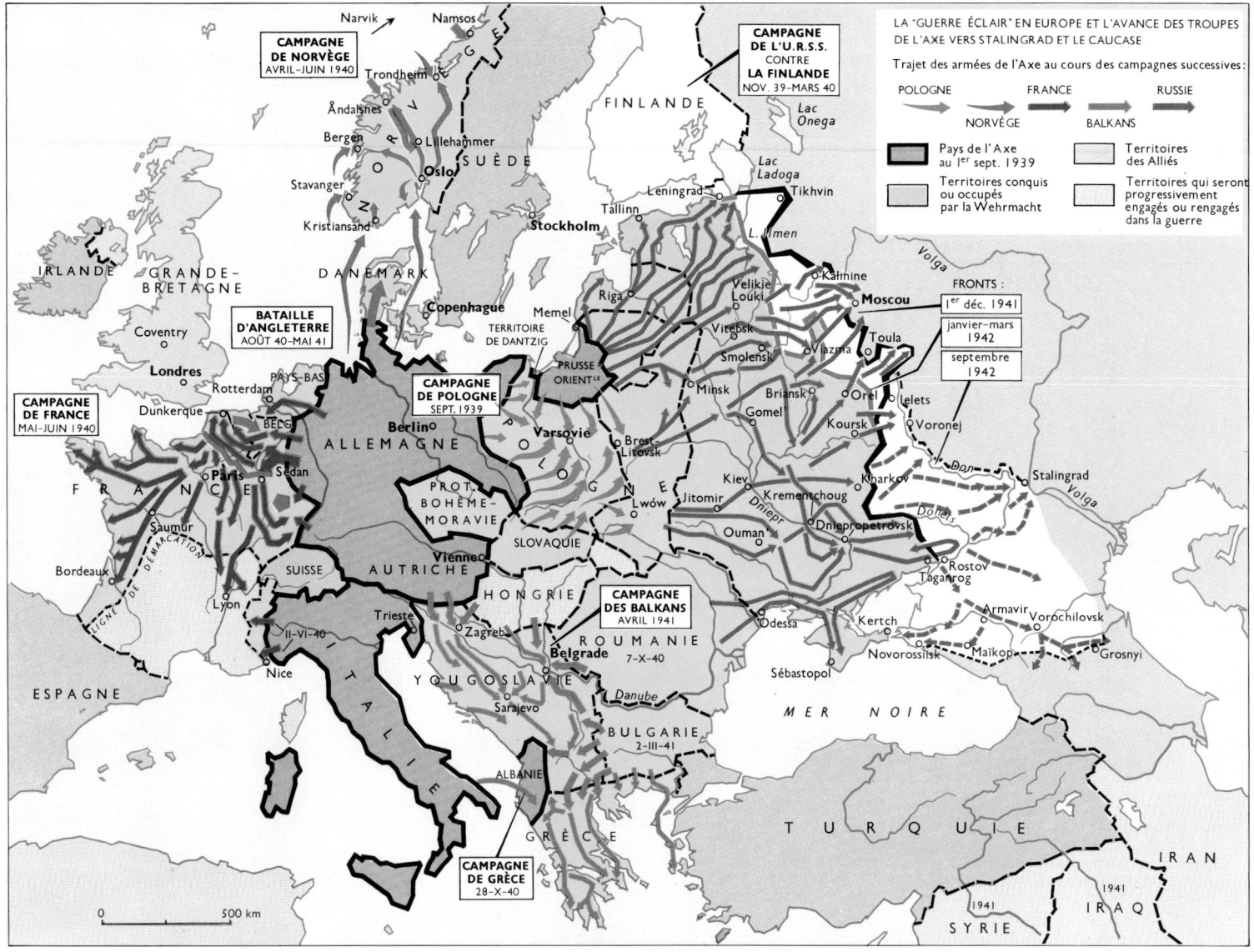

Fondée sur l'efficacité du couple avion-char, la *Blitzkrieg* (ou « guerre éclair ») procure au Reich durant trois ans une incroyable série de succès. Après la Pologne conquise en vingt-six jours, c'est le tour du Danemark et de la Norvège, prélude à l'offensive générale de la Wehrmacht à l'ouest le 10 mai 1940. Six semaines plus tard, les Pays-Bas et la Belgique ont capitulé, et la France signe les armistices qui consacrent l'occupation des trois cinquièmes de son territoire. Dès la fin de 1940, Hitler décide de rompre avec l'U.R.S.S.; cependant, pour éliminer toute difficulté venant des Balkans, il veut d'abord contrôler la Yougoslavie et la Grèce, conquises en trois semaines (avr. 1941). Le 22 juin suivant commence l'attaque contre l'U.R.S.S., mais, pour la première fois, un front se reconstitue face aux Allemands qui, à Noël 1941, doivent lâcher prise devant Moscou et reculer d'une centaine de kilomètres. En juin 1942, Hitler lance de nouveau ses troupes à l'assaut du Caucase et de son pétrole. Après la prise de Rostov et la conquête du mont Elbrous, les Allemands, qui ont atteint la Volga et pénétré dans Stalingrad, sont bloqués dans la région du Terek à 120 km de la Caspienne.

Alors que Hitler croit tenir la victoire, une violente offensive soviétique se déclenche à Stalingrad... La guerre éclair est terminée.

C'est au cours de l'été 1942 que l'Allemagne, l'Italie et le Japon atteignent le zénith de leur puissance expansive. À la seule, mais essentielle, réserve près de la neutralité qui est maintenue jusqu'en 1945 entre l'U.R.S.S. et le Japon, toutes les grandes puissances sont engagées dans ce conflit, devenu réellement mondial. Cette carte révèle aussi le développement considérable pris par la guerre sous-marine, notamment dans l'Atlantique où l'année a été désastreuse pour les Alliés. Mais, avant la fin de 1942, les forces de l'Axe vont subir, dans le Pacifique (Midway, juin; Guadalcanal, août), en Afrique (El-Alamein et Maghreb, nov.) et en Russie (Stalingrad, nov.), des coups d'arrêt que l'avenir révélera décisifs.

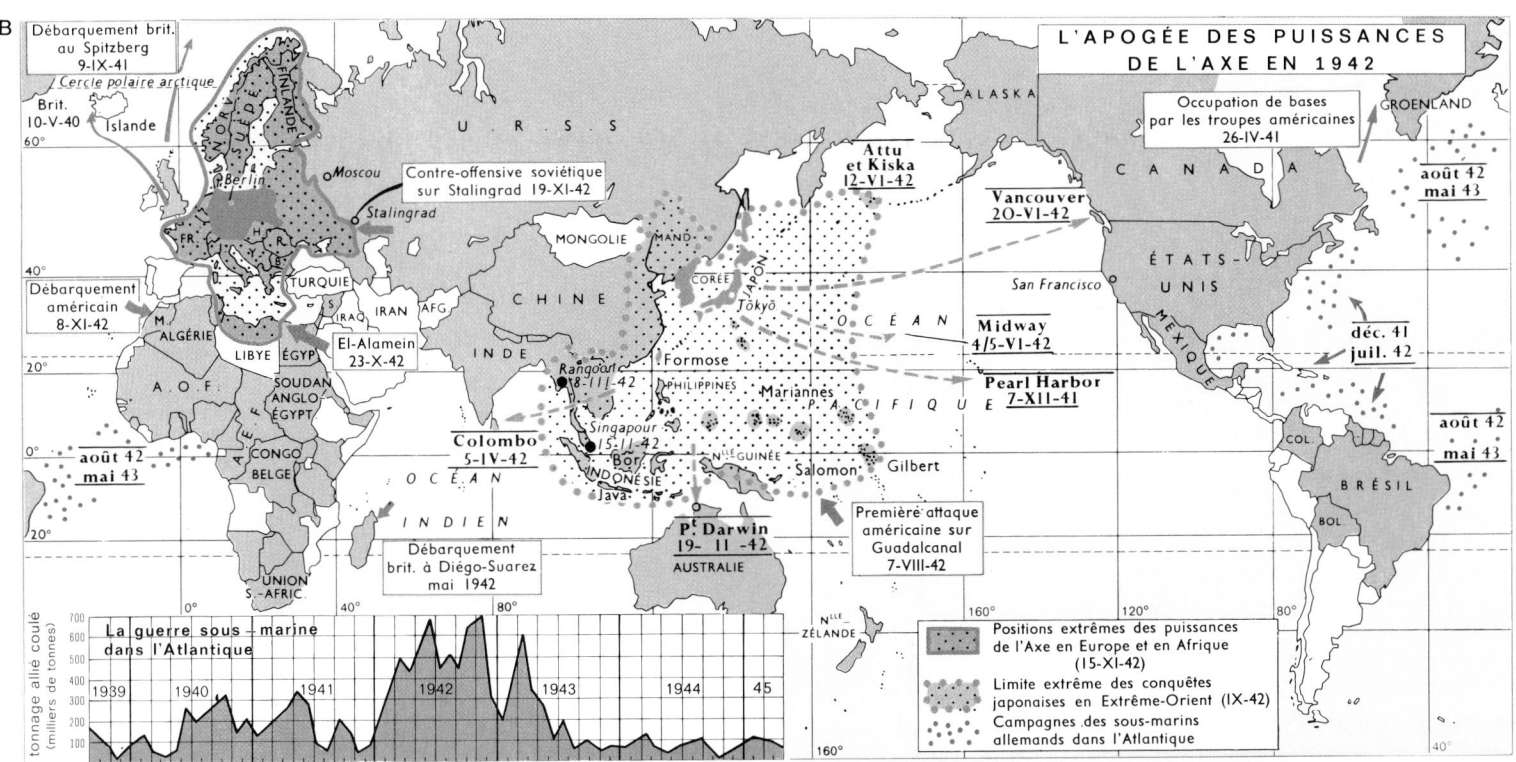

A L'OFFENSIVE JAPONAISE DANS LE PACIFIQUE 1941-42

U. R. S. S.

MONGOLIE

CHINE

MANDCHOUKOUO

MER DE BÉRING

I. Attu / Is Aléoutiennes
I. Kiska
12-VI-42

Is Kouriles

Pékin

CORÉE

MER DU JAPON

JAPON

Tōkyō

OCÉAN

INDE

Tch'ong-k'ing

Chang-haï

PACIFIQUE

BIRMANIE

Canton

FORMOSE

Hongkong

Is Midway
4/5-VI-42

ILES HAWAII

Oahu — Hawaii

Pearl Harbor
7-XII-41

THAÏL.
Bangkok

MER DE CHINE

24-XII-41
Manille
Corregidor

ILES PHILIPPINES

Wake
8-XII-41

Guam (E.-U.)
8-XII-41

ILES MARIANNES

Yap

Iles Palaos

Ponape

Truk

ILES CAROLINES

ILES MARSHALL

ILES GILBERT

0   1000   2000 km

MALAISIE

Singapour
15-II-42

Tarakan

BORNÉO

CÉLÈBES

Balikpapan

SUMATRA

Palembang
II-42

INDES NÉERLANDAISES

Amboine

Batavia
5-III-42

JAVA

Bali

Timor

ILES SALOMON

Rabaul
Bougainville
Choiseul

Tarawa
9-XII-41

Nlle-GUINÉE

Pt Moresby

AUSTRALIE

Guadalcanal VII-42

Mer de Corail V-42

Territoire national japonais en 1938

Territoires non engagés dans la guerre du Pacifique

Limite des conquêtes japonaises fin janvier 1942

Contrôlé en grande partie par les forces navales japonaises

Conquêtes japonaises 1938-1942

Territoires alliés

OPÉRATIONS JAPONAISES
en décembre 1941
en janvier 1942
janvier-juillet 1942

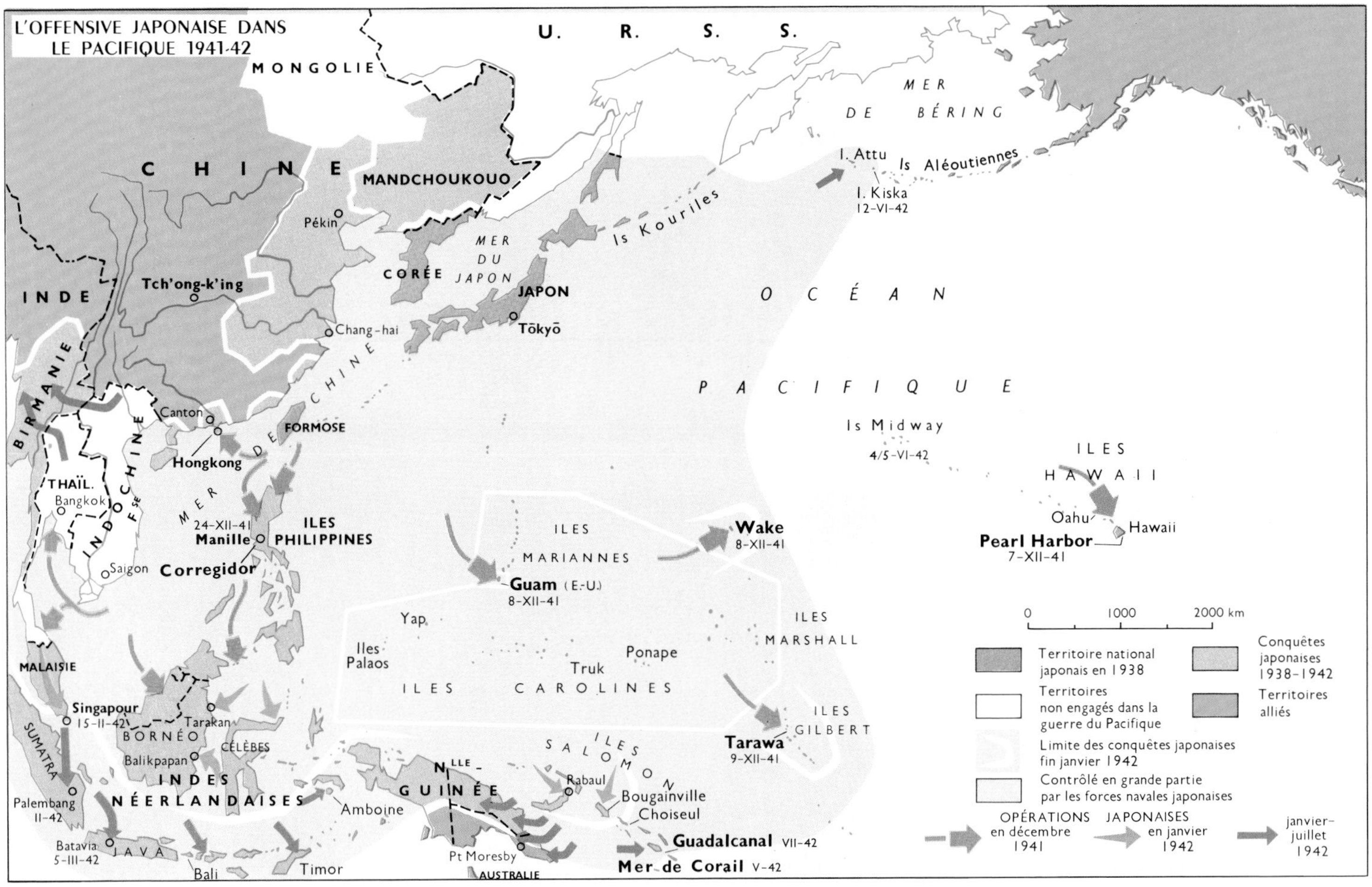

Aussitôt après l'attaque surprise de Pearl Harbor, les Japonais entreprennent de réaliser un plan de domination de la Grande Asie orientale. À Noël 1941, ils ont occupé la Thaïlande et Hongkong, débarqué aux Philippines, conquis Guam. La vague déferle ensuite sur Bornéo, la Malaisie, les Célèbes et la Nouvelle-Guinée; Singapour capitule en février 1942. En mars, l'Indonésie et la Birmanie sont maîtrisées, puis c'est le tour des Philippines, après les capitulations de Bataan (9 avr.) et de Corregidor (7 mai). Au début de l'été, une ultime avance permet aux Japonais de débarquer aux Aléoutiennes (juin), à Guadalcanal et en Nouvelle-Guinée (juillet). Leurs avions, qui ont bombardé l'Australie et Ceylan, attaquent maintenant l'Alaska et l'île canadienne de Vancouver (20 juin). En huit mois, Tōkyō s'est rendu maître de la moitié du Pacifique et contrôle plus de 90 p. 100 de la production mondiale du caoutchouc, 75 p. 100 de celle de l'étain et une immense réserve de pétrole. Mais l'allongement de leurs lignes de communication rend les Japonais très vulnérables.

B L'APOGÉE DES PUISSANCES DE L'AXE EN 1942

Débarquement brit. au Spitzberg 9-IX-41

Cercle polaire arctique

Brit. 10-V-40 Islande

U. R. S. S

ALASKA

GROENLAND

Occupation de bases par les troupes américaines 26-IV-41

CANADA

août 42 mai 43

Moscou

Contre-offensive soviétique sur Stalingrad 19-XI-42

Berlin
Stalingrad

MONGOLIE

Attu et Kiska 12-VI-42

Vancouver 20-VI-42

Débarquement américain 8-XI-42

TURQUIE

IRAK IRAN AFG

CHINE

CORÉE

JAPON

Tōkyō

ÉTATS-UNIS

San Francisco

Midway 4/5-VI-42

déc. 41 juil. 42

ALGÉRIE

LIBYE ÉGYP.

El-Alamein 23-X-42

A.O.F.

SOUDAN ANGLO-ÉGYPT

INDE

FORMOSE

PHILIPPINES

Mariannes

OCÉAN PACIFIQUE

Pearl Harbor 7-XII-41

MEXIQUE

août 42 mai 43

CONGO BELGE

Rangoon 8-III-42

Colombo 5-IV-42

Singapour 15-II-42

Bornéo

INDONÉSIE

Java

Nlle-GUINÉE

Salomon

Gilbert

COL

BRÉSIL

août 42 mai 43

OCÉAN INDIEN

Débarquement brit. à Diégo-Suarez mai 1942

P.t Darwin 19-II-42

AUSTRALIE

Première attaque américaine sur Guadalcanal 7-VIII-42

BOL

UNION S.-AFRIC.

N.LLE ZÉLANDE

Positions extrêmes des puissances de l'Axe en Europe et en Afrique (15-XI-42)

Limite extrême des conquêtes japonaises en Extrême-Orient (IX-42)

Campagnes des sous-marins allemands dans l'Atlantique

La guerre sous-marine dans l'Atlantique

tonnage allié coulé (milliers de tonnes)

700
600
500
400
300
200
100

1939   1940   1941   1942   1943   1944   45

A

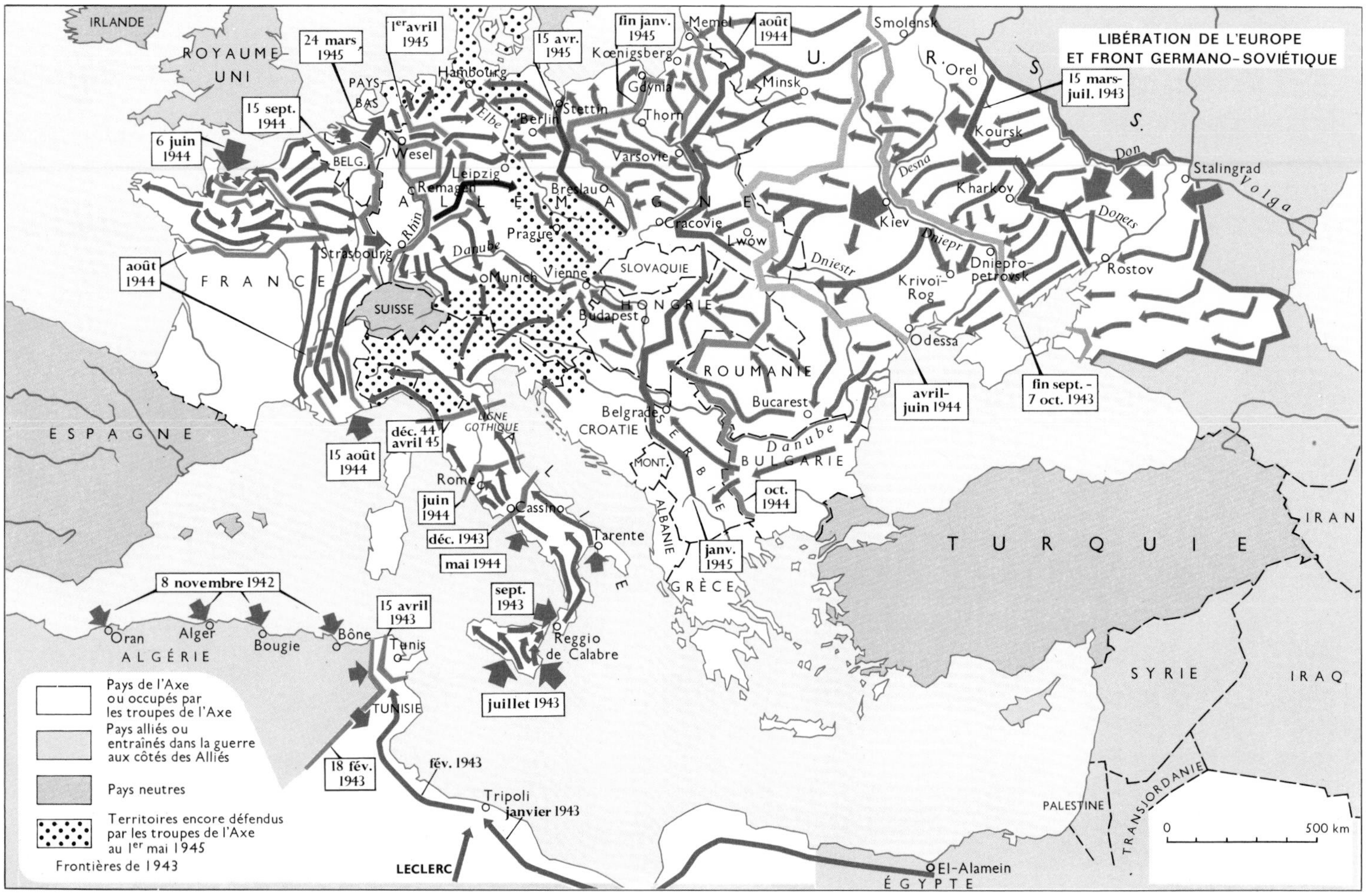

LIBÉRATION DE L'EUROPE
ET FRONT GERMANO-SOVIÉTIQUE

IRLANDE

ROYAUME
UNI

24 mars
1945

1er avril
1945

15 avr.
1945

fin janv.
1945

août
1944

Smolensk

Memel

Koenigsberg

Gdynia

Minsk

Orel

15 mars-
juil. 1943

Koursk

U.　R.　S.

S.

Hambourg

PAYS
BAS

Stettin

Berlin

Thorn

Varsovie

Kharkov

Don

Stalingrad

Volga

15 sept.
1944

Elbe

BELG.

Wesel

Leipzig

Remagen

Breslau

Cracovie

Lwów

Kiev

Krivoï-
Rog

Dniepro-
petrovsk

Donets

Rostov

6 juin
1944

ALLEMAGNE

Rhin

Prague

Dniestr

Dniepr

août
1944

FRANCE

Strasbourg

Danube

Munich

Vienne

SLOVAQUIE

HONGRIE

Budapest

ROUMANIE

Bucarest

avril-
juin 1944

fin sept.-
7 oct. 1943

Odessa

ESPAGNE

SUISSE

LIGNE
GOTHIQUE

déc. 44
avril 45

Rome

Cassino

CROATIE

MONT.

Belgrade

SERBIE

Danube

BULGARIE

oct.
1944

TURQUIE

IRAN

15 août
1944

juin
1944

déc. 1943

mai 1944

sept.
1943

Tarente

ALBANIE

GRÈCE

janv.
1945

SYRIE

IRAQ

8 novembre 1942

15 avril
1943

Oran

Alger

Bougie

Bône

Tunis

Reggio
de Calabre

ALGÉRIE

TUNISIE

juillet 1943

18 fév.
1943

fév. 1943

PALESTINE

TRANSJORDANIE

Pays de l'Axe
ou occupés par
les troupes de l'Axe

Pays alliés ou
entraînés dans la guerre
aux côtés des Alliés

Pays neutres

Territoires encore défendus
par les troupes de l'Axe
au 1er mai 1945

Frontières de 1943

Tripoli
janvier 1943

LECLERC

0　　　　500 km

El-Alamein

ÉGYPTE

▲ Le fait qui domine la seconde partie de la guerre est la reprise de l'initiative par les adversaires de l'Axe. Mais la coordination de leurs actions n'intervient que très progressivement : si tous reconnaissent la priorité du théâtre européen, Anglais et Américains veulent s'assurer

d'abord le contrôle de la Méditerranée, en établissant leurs bases en Algérie (ce qui permet à la France de rentrer en guerre), en chassant la Wehrmacht d'Afrique et en débarquant en Italie, ce qui provoque la capitulation de ce pays (sept. 1943).

Quant aux Soviétiques, qui supportent les trois quarts du potentiel militaire allemand, ils refoulent, en dix-huit mois, la Wehrmacht de la Volga au Dniestr. Le 15 avril 1944, l'armée rouge est à la porte des Balkans. Quelques semaines plus tard, ainsi que Staline, Roosevelt et

Churchill en avaient convenu à Téhéran (nov. 1943), s'ouvre en France (6 juin) le fameux « second front », tandis que l'armée rouge s'élance à la reconquête de la Russie blanche (23 juin), pénètre en Pologne (juill.) et en Roumanie (août).

B

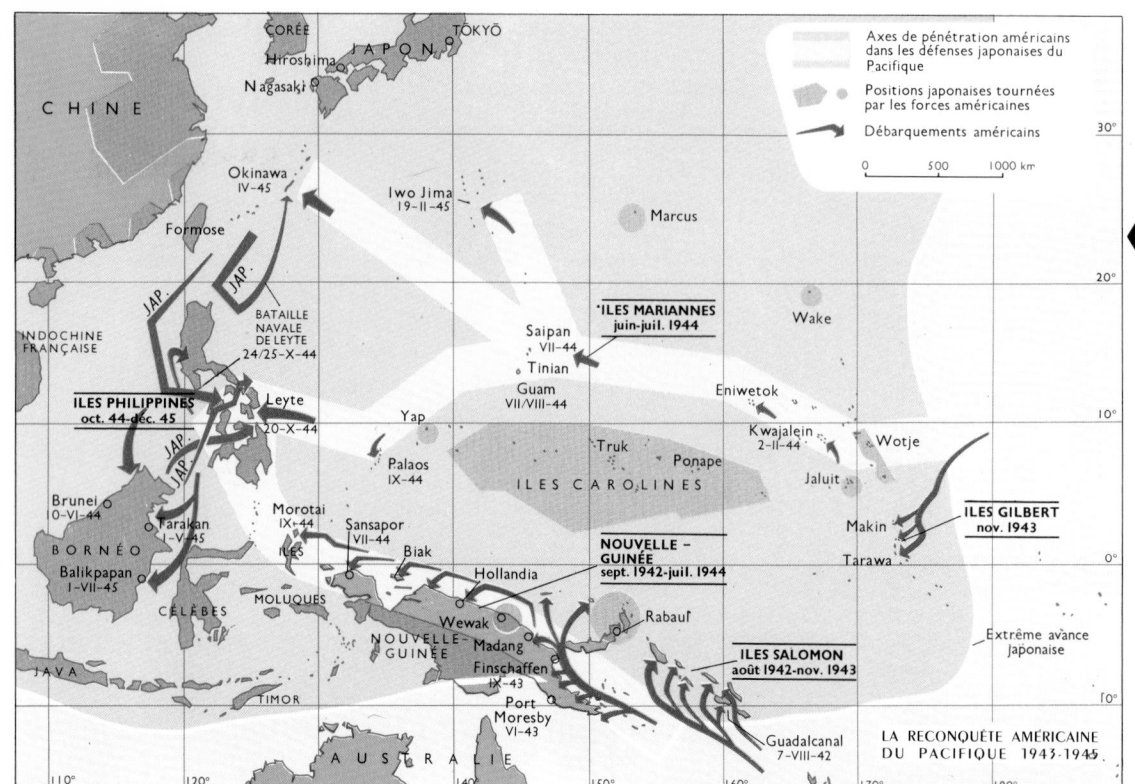

Axes de pénétration américains
dans les défenses japonaises du
Pacifique

Positions japonaises tournées
par les forces américaines

Débarquements américains

CORÉE

TŌKYŌ

JAPON

Hiroshima

Nagasaki

CHINE

30°

Okinawa
IV-45

Iwo Jima
19-II-45

Marcus

Formose

20°

JAP.

BATAILLE
NAVALE DE LEYTE
24/25-X-44

'ÎLES MARIANNES
juin-juil. 1944

Wake

INDOCHINE
FRANÇAISE

Saipan
VII-44

Tinian

Guam
VII/VIII-44

Eniwetok

10°

ÎLES PHILIPPINES
oct. 44-déc. 45

Leyte
20-X-44

Yap

Kwajalein
2-II-44

Wotje

Palaos
IX-44

Truk

Ponape

Jaluit

ÎLES GILBERT
nov. 1943

Brunei
10-VI-45

Tarakan
1-V-45

Morotai
IX-44

Sansapor
VII-44

ÎLES

Biak

ÎLES CAROLINES

Makin

ÎLES CAROLINES

0°

BORNÉO

Balikpapan
1-VII-45

CÉLÈBES

MOLUQUES

Hollandia

NOUVELLE-
GUINÉE
sept. 1942-juil. 1944

Tarawa

JAVA

NOUVELLE-
GUINÉE

Wewak

Madang

Finschaffen
IX-43

Rabaul

ÎLES SALOMON
août 1942-nov. 1943

TIMOR

Port
Moresby
VI-43

Guadalcanal
7-VIII-42

Extrême avance
japonaise

AUSTRALIE

LA RECONQUÊTE AMÉRICAINE
DU PACIFIQUE 1943-1945

110°　120°　140°　150°　160°　170°　180°

◄ L'immensité des distances, le caractère particulier des forces qui y sont employées imposent aux opérations du Pacifique un rythme plus lent qu'en Europe. Partie de Guadalcanal, libérée en février 1943, la reconquête américaine se joue par une double offensive : l'une, aéronavale (amiral Nimitz), sur les îles Gilbert (nov. 1943) et Mariannes (juin 1944); l'autre, amphibie (général Mac Arthur), sur la Nouvelle-Guinée. Les deux attaques convergent sur l'île de Leyte où, en octobre 1944, la flotte japonaise est pratiquement détruite. L'offensive alliée s'en prend ensuite aux Philippines, puis aux approches mêmes du Japon en attaquant Iwo Jima et Okinawa (févr. et avr. 1945). Ayant subi sur le continent (Birmanie) des défaites aussi décisives, Tōkyō se trouve dans une situation désespérée. Les 6 et 9 août 1945, les bombes atomiques américaines sur Hiroshima et Nagasaki entraînent, le 14, la capitulation de l'Empire nippon. L'U.R.S.S. vient de lui déclarer la guerre (8 août) et a envahi la Mandchourie. Le 2 septembre, l'acte de reddition est signé en rade de Tōkyō.

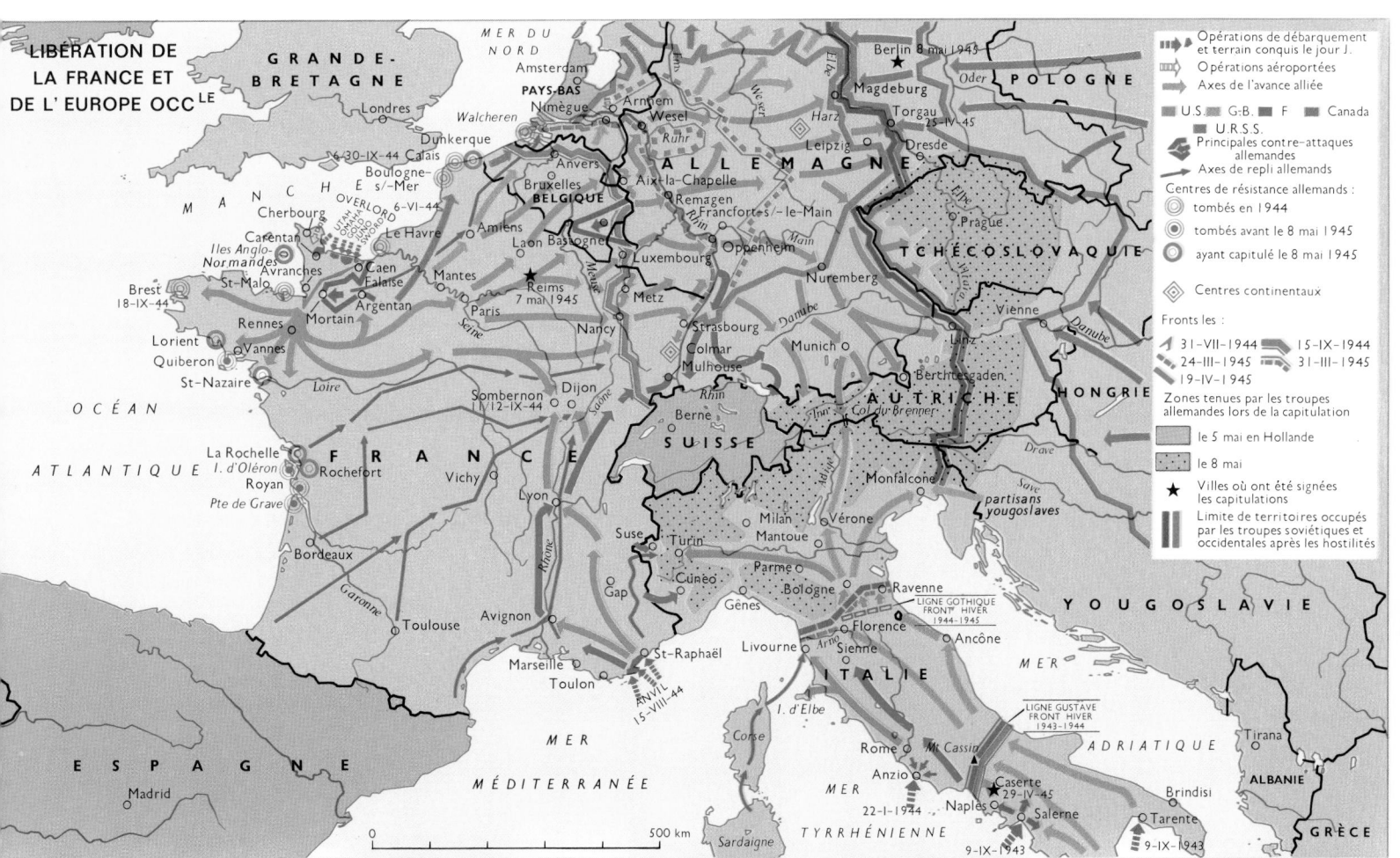

LIBÉRATION DE LA FRANCE ET DE L'EUROPE OCC^LE

Le 6 juin 1944, 5 divisions américaines, anglaises et canadiennes, appuyées par 20 000 parachutistes, débarquent en Normandie. Le 1er août, les blindés américains, ayant rompu le front allemand à Avranches, foncent sur Rennes, mais aussi sur Paris, Verdun, Lille, Bruxelles et Anvers, libérés du 25 août au 4 septembre. Le 12, les Alliés prennent liaison, près de Dijon, avec les Franco-Américains débarqués le 15 août en Provence, alors que les Allemands, harcelés par les forces de la Résistance, se replient en hâte et s'enferment dans quelques ports, de Dunkerque à Royan.

Dès février 1945, c'est en Allemagne qu'est livrée, à l'est comme à l'ouest, l'ultime bataille. Tandis que les Soviétiques foncent sur Berlin et sur Vienne, les Alliés franchissent le Rhin (mars), encerclent la Ruhr et marchent sur l'Elbe, où, du 25 avril au 3 mai, ils prennent contact avec l'armée rouge. Après la reddition à Caserte des Allemands d'Italie et d'Autriche (29 avril), puis de ceux des Pays-Bas (4 mai), c'est la capitulation générale de la Wehrmacht, signée à Reims (7 mai) et confirmée à Berlin le lendemain dans la nuit du 8 au 9.

L'EUROPE OCCIDENTALE
politique et militaire (1972)

Conseil de l'Europe (Strasbourg) — U.E.O. (Londres) — Conseil nordique (réunion annuelle dans l'une des capitales nordiques)

Dans une Europe en déclin, déchirée par les nationalismes, la «guerre froide» et la création de l'O.E.C.E. (1948), liée à l'aide américaine (plan Marshall), conduisent à une «prise de conscience européenne». De là viennent, outre des ententes régionales limitées (Benelux, Conseil nordique), des tentatives de coopération politique et militaire : Conseil de l'Europe en 1949, Union de l'Europe occidentale en 1954. Mais ces tentatives, prématurées, apparaissent peu efficaces : l'Europe se construit d'abord au plan économique.

SIGLES DES ORGANISATIONS EUROPÉENNES ET ATLANTIQUES

A.E.L.E. *Association européenne de libre-échange.* Siège à Genève.

C.E.C.A. *Communauté européenne du charbon et de l'acier.* Siège à Luxembourg.

C.E.E. *Communauté économique européenne,* ou «Marché commun». Siège à Bruxelles.

C.E.E.A. *Communauté européenne de l'énergie atomique* (Euratom). Siège à Bruxelles.

Cern *Conseil européen pour la recherche nucléaire.* Siège à Genève.

C.E. *Conseil de l'Europe.* Siège à Strasbourg.

C.N. *Conseil nordique.* Cinq secrétariats régionaux dans les États membres.

ELDO *European Space Vehicle Launcher Development Organization* (Organisation européenne pour la mise au point et la construction de lanceurs d'engins spatiaux). Siège à Paris.

ESRO *European Space Research Organization* (Organisation européenne de recherche spatiale). Siège à Paris.

Euratom *European Atomic Energy Community.* V. C.E.E.A.

GATT *General Agreement on Tariffs and Trade* (Accord général sur les tarifs douaniers et le commerce). Siège à Genève.

O.C.D.E. *Organisation de coopération et de développement économiques,* formée le 30 septembre 1961. Elle est issue de l'O.E.C.E. Siège à Paris.

O.E.C.E. *Organisation européenne de coopération économique,* instituée par l'accord de Paris du 16 avril 1948. Remplacée le 30 septembre 1961 par l'O.C.D.E. Siège à Paris.

O.T.A.N. *Organisation du traité de l'Atlantique Nord* (NATO en anglais). Siège à Paris, transféré le 16 octobre 1967 à Evere, près de Bruxelles.

U.E.O. *Union de l'Europe occidentale,* instituée le 23 octobre 1954. L'organisation du pacte d'assistance réciproque de Bruxelles du 17 mars 1948 est alors fusionnée avec celle de l'U.E.O. Siège à Londres.

L'effort de coopération européenne, encouragé par les États-Unis, s'accompagne d'une perte d'autonomie, dans un processus d'intégration à un «monde occidental» dominé par les États-Unis : intégration économique, notamment par le GATT, chargé des questions douanières, et par l'O.C.D.E. (avatar de l'O.E.C.E. en 1961), chargée d'une certaine harmonisation des politiques économiques; intégration politico-militaire, surtout, par l'O.T.A.N., qui lie depuis 1951 la stratégie et les forces militaires européennes à celles des États-Unis (traité de Washington, 4 avril 1949).

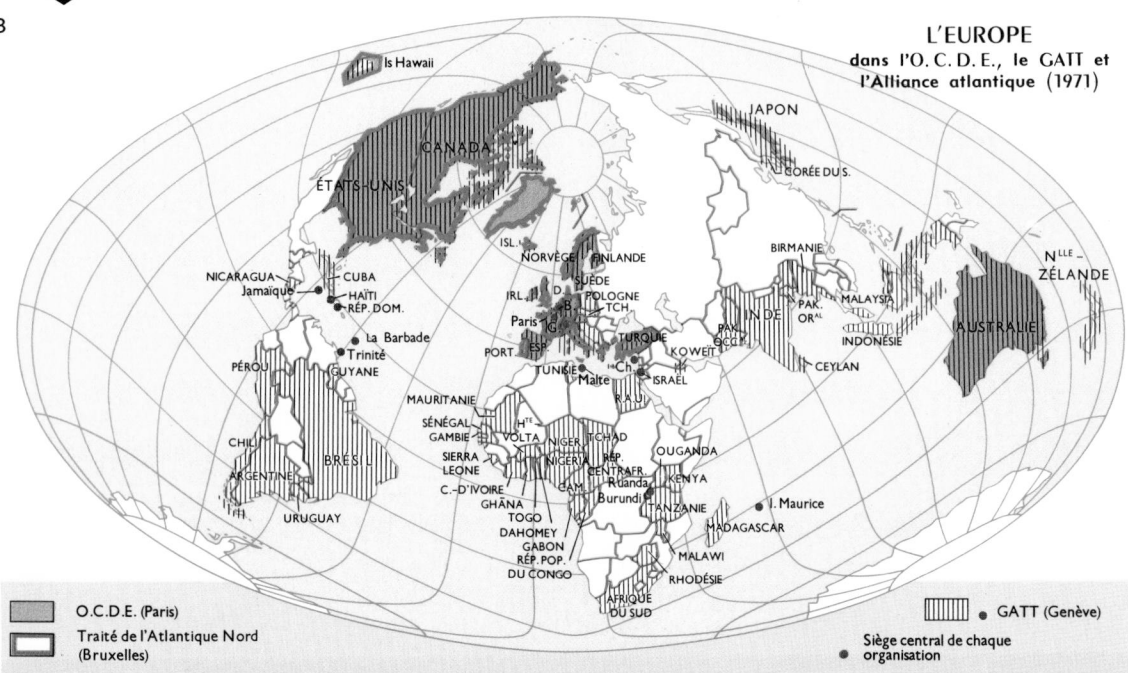

L'EUROPE dans l'O.C.D.E., le GATT et l'Alliance atlantique (1971)

O.C.D.E. (Paris) — Traité de l'Atlantique Nord (Bruxelles) — GATT (Genève) — • Siège central de chaque organisation

L'EUROPE OCCIDENTALE
économique et technologique

C.E.E. (Bruxelles)

Pays du Marché commun depuis 1958

Pays membres du Marché commun au 1er janvier 1973

Pays associés en 1972   Candidats à l'association en 1972

△ A.E.L.E. en 1972 (Genève)

△ Pays associé

EURATOM en 1972 (Bruxelles)

Mol   Établissement du Centre commun de recherches (Euratom)

⊙ Centre de recherches national lié par contrat avec Euratom

◐ Centrale nucléaire bénéficiant d'une participation Euratom ou du statut d'entreprise commune d'Euratom

L'Europe et les organisations atomiques

Cern en 1972 (Genève)

◆ Observateurs

■ Siège des organisations

Marché commun (1973)

● Pays associés au Marché commun en 1972

L'Europe et les organisations spatiales

Pays membres de l'ESRO et de l'ELDO

▲ Pays membres de l'ESRO uniquement

Pays membres de l'ELDO uniquement

Le caractère trop large et vague de l'O.C.D.E., les médiocres résultats des organismes technologiques créés sous son égide (ESRO et ELDO) expliquent que la coopération économique européenne se soit faite à l'intérieur de groupes plus restreints : la C.E.E. (préparée par la C.E.C.A. dès 1951), créée en 1957, et l'A.E.L.E., en 1959. Mais, si l'A.E.L.E. est une simple zone de libre-échange où les États gardent leur autonomie, la C.E.E., construction pragmatique et progressive (souvent freinée par le jeu des nationalismes), est plus ambitieuse : l'union douanière prépare l'unification des politiques économiques, que doit couronner l'union politique. La forte croissance qui a résulté de cette unification et de la coopération technologique au sein de la C.E.E.A. (Euratom) explique l'élargissement progressif de la C.E.E., d'abord aux anciennes colonies africaines, associées, puis aux nouveaux adhérents (trois pays de l'A.E.L.E. en 1972, les pays méditerranéens à l'heure actuelle).

L'EUROPE

DEPUIS L'AN MILLE

••

LES PAYS D'EUROPE

LE SAINT EMPIRE
AU X° s.

Limites du Saint Empire
Duchés "nationaux"
Marches
Royaume d'Italie

Principales campagnes d'Otton I°ʳ
Invasions hongroises
Batailles
États de l'Église
Patriarcats
Évêchés créés à l'est
Archevêchés
948 Date d'érection
Abbayes importantes

0   300 km

DANEMARK

Slesvig 968 — Hedeby
la Recknitz (955)
Oldenburg 948
HOLSTEIN
Hambourg
MARCHE DES BILLUNG
Korobrzeg 1000
Gdańsk
POMÉRANIE
FRISE
Brême — Lüneburg
Weser
Verden
NORDMARK
Havelberg 948
Havel
Brandebourg 948
Warta
Poznań 968
Gniezno 1000
Vistule
HOLLANDE
Utrecht
ZÉLANDE
D^CHÉ DE SAXE
Minden
Magdeburg 962
ROY. DE
POLOGNE
Bruges
Gand
Anvers
Louvain
Escaut
Meuse
Münster
Goslar
Corvey
Quedlinburg
Nordhausen
MARCHE DE LUSACE
FLANDRE
Aix-la-Ch.
Liège
Cologne
Fritzlar
Merseburg 968
Erfurt
THURINGE
Zeitz 968
M^CHÉ DE MISNIE
Meissen 968
Wrocław 1000/1054
Odra
D^CHÉ DE B^SE-LORRAINE
Cambrai
Bouillon
Trèves
Moselle
Mayence
Ingelheim
Francfort
Main
D^CHÉ DE FRANCONIE
Würzburg
Bamberg
Prague 973
Pilsen
BOHÊME
MORAVIE
Brno
Reims
Luxembourg
Verdun
Metz
Spire
D^CHÉ DE
Worms
Rhin
GERMANIE
Ratisbonne
Morava
908. 938
Bar
H^TE-LORRAINE
Toul
ALSACE
Strasbourg
937
Eichstätt
Freising
Augsbourg
Lechfeld (955)
Passau
Danube
OSTMARK
Melk
Vienne
Esztergom. 1001 (Gran)
Seine
ROYAUME
DE FRANCE
Brisach
Bâle
D^CHÉ DE SOUABE
Constance
St-Gall
D^CHÉ DE BAVIÈRE
954
Salzbourg
Raab
HONGRIE
Besançon
C. du Brenner
MARCHE DE CARINTHIE
Raab
Loire
Sion
Genève
Coire
FRIOUL
Drave
ROYAUME DE BOURGOGNE
Saône
Feurs
Lyon
Aoste
Moûtiers
Ivrée
Trente
951. 961
MARCHE DE VÉRONE
Aquilée
ISTRIE
Kalocsa 1006
Vienne
Monza
Milan
LOMBARDIE
Vérone
Venise
CROATIE
Rhône
Turin
Pavie 951. 961
ROY. D'ITALIE
Pô
Bobbio
Save
Embrun
Gênes
Ravenne
ROMAGNE
Arles
Nice
PROVENCE
Aix
Pise
Florence
PENTAPOLE
Ancône
Sienne
TOSCANE
Tibre
D^CHÉ DE Spolète
CORSE
962
SPOLÈTE
PATRIMOINE
Couronnement d'Otton Ier, 962
ROME
Tusculum
Mt Cassin
BYZANTINS
DE S^T-PIERRE
Capoue
Bénévent

Sacré et proclamé *rex Francorum* à Aix-la-Chapelle le 8 août 936, prenant à Pavie le 23 septembre 951 le titre de *rex Langobardorum* (ou *Italicorum*), également à l'instar de Charlemagne, exerçant depuis 937 une tutelle de fait sur le royaume de Bourgogne, Otton I°ʳ étend dès lors son autorité sur les deux tiers de l'ancien Empire carolingien, à l'exclusion de la *Francia occidentalis*. Auréolé du prestige du vainqueur des

Hongrois et des Slaves au Lechfeld et sur la Recknitz les 10 août et 16 octobre 955, il reçoit à Rome la couronne impériale des mains du pape Jean XII le 2 février 962. Relayant l'Empire carolingien dans sa prétention à assurer l'héritage de l'Empire romain et donc à imposer aux autres royaumes chrétiens d'Occident un *dominium mundi* idéal mais irréalisable, le *Sacrum Imperium* est déjà dans les faits *romain germa-*

nique. Flanquée, à l'est, de marches constituées en pays slave et évangélisées à partir de Magdeburg, cette construction politique apparaît très fragile, les souverains ne pouvant exercer leur autorité que s'ils contrôlent les six ducs nationaux. Retenant le droit de lever l'armée, ceux-ci jouent un rôle essentiel dans l'élection des rois de Germanie. En 1002, la mort d'Otton III scelle l'échec du rêve d'un Empire universel.

ALBANIE, pp. 72, 73 et 83.

LE SAINT EMPIRE
A L'ÉPOQUE DES HOHENSTAUFEN
XIIe · XIIIe SIÈCLE

Légende :

- Biens patrimoniaux des Staufen
- Forteresses des Staufen
- Principaux châteaux
- Biens patrimoniaux des Welfs
- Villes de la Ligue lombarde en 1167
- Batailles
- Diètes
- Traités de paix
- Possessions des Hohenstaufen en Italie méridionale (1194–1266)
- Principaux châteaux forts

Au XIIe et au XIIIe siècle, le Saint Empire est le champ clos des rivalités de deux familles : celle des ducs de Bavière, puis de Saxe, les *Welfs* (*al.* guelfes), qui n'accèdent qu'épisodiquement à l'Empire (Otton IV de Brunswick, 1198/1209-1218); celle des ducs de Souabe, les *Staufen* (ou Waiblingen, *al.* gibelins), adversaires irréductibles du Saint-Siège, auquel ils disputent le *dominium mundi*, dans le cadre de la querelle du Sacerdoce et de l'Empire. L'insuffisance et la dispersion de leurs biens patrimoniaux ainsi que le mirage italien, qui séduit même Otton IV, ne permettent pas aux rois de Germanie de juguler les ambitions des princes : l'Allemagne se pulvérise en une multitude de petits États, vassaux en droit, indépendants en fait des empereurs. Qu'ils appuient leurs actions sur ce royaume (Frédéric Ier Barberousse, 1152-1190) ou sur la Sicile, que le mariage d'Henri VI (1190-1197) fait passer entre les mains de Frédéric II (1197-1250), que leurs troupes soient vaincues à Legnano en 1176 ou victo-rieuses à Cortenuova en 1237, les Staufen ne peuvent maîtriser la coalition qui, autour de la ville nouvelle d'Alexandrie, lie la papauté aux communes italiennes unies au sein des ligues lombardes de 1167 et de 1226. Humiliée à Venise par le pape en 1177, à Constance par les villes en 1183, l'autorité impériale ne survit pas à la mort, en 1250, de Frédéric II et à l'émiettement de la souveraineté de part et d'autre des Alpes. En apparence, tout au moins, le triomphe du Sacerdoce sur l'Empire est assuré.

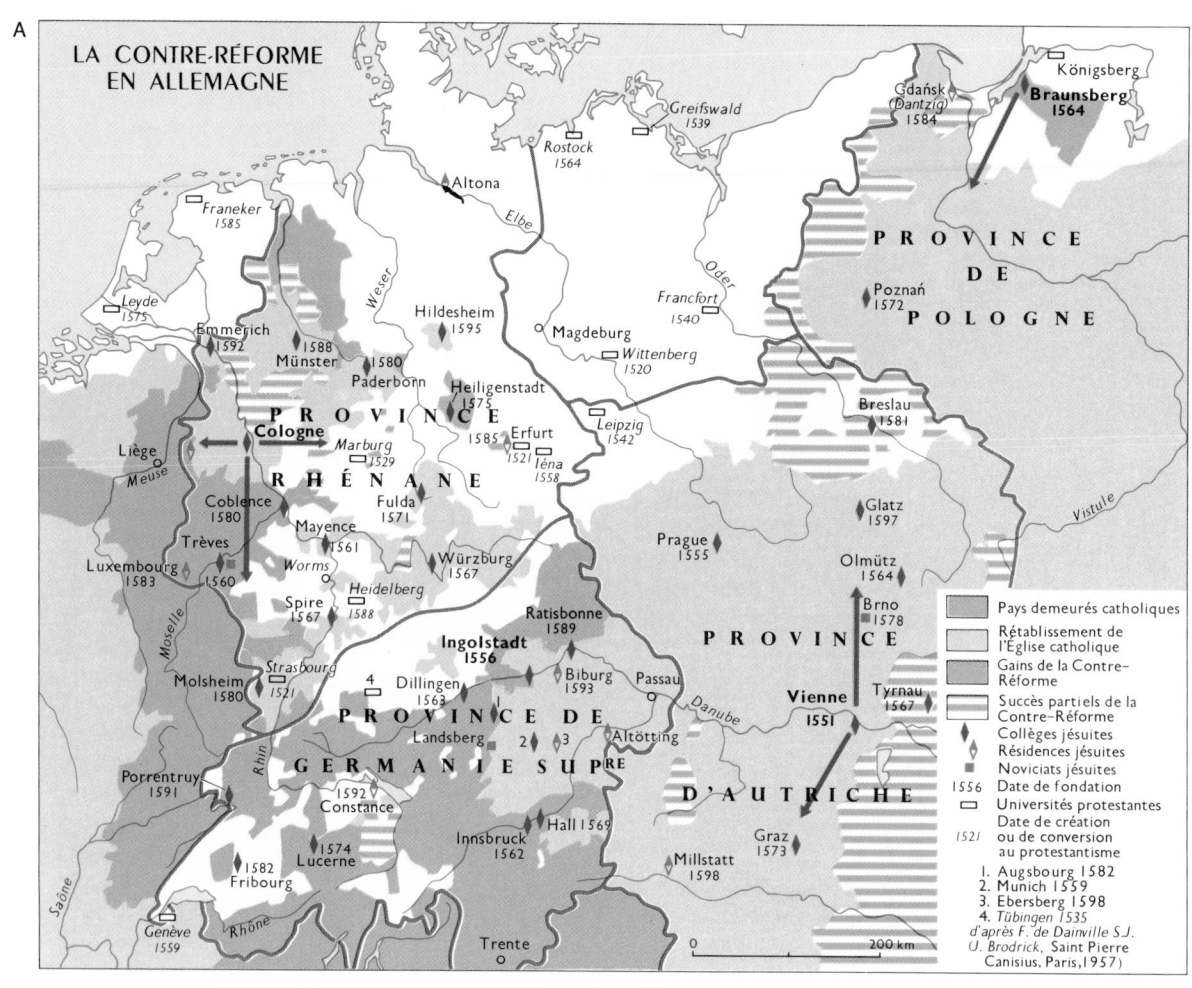

A

LA CONTRE-RÉFORME EN ALLEMAGNE
Königsberg
Gdańsk (Dantzig) 1584
Braunsberg 1564
Greifswald 1539
Rostock 1564
Altona
Franeker 1585
Elbe
Oder
PROVINCE DE POLOGNE
Poznań 1572
Leyde 1575
Hildesheim 1595
Francfort 1540
Magdeburg
Wittenberg 1520
Emmerich 1592
1588 Münster
1580 Paderborn
Heiligenstadt 1575
Weser
Breslau 1581
PROVINCE RHÉNANE
Cologne
Liège
Meuse
Marburg 1529
1585 Erfurt 1521
Iéna 1558
Leipzig 1542
Coblence 1580
Fulda 1571
Glatz 1597
Vistule
Trèves
Mayence 1561
Prague 1555
Luxembourg 1583
1560
Worms
Würzburg 1567
Olmütz 1564
Spire 1567
Heidelberg 1588
Brno 1578
Moselle
Ratisbonne 1589
Ingolstadt 1556
PROVINCE
Molsheim 1580
Strasbourg 1521
4 Dillingen 1563
Biburg 1593
Passau
Vienne 1551
Tyrnau 1567
Danube
PROVINCE DE GERMANIE SUPÉRIEURE
Landsberg 2 3
Altötting
Rhin
Porrentruy 1591
1592 Constance
D'AUTRICHE
Hall 1569
Innsbruck 1562
Graz 1573
1574 Lucerne
1582 Fribourg
Millstatt 1598
Saône
Genève 1559
Rhône
Trente
0 200 km
Pays demeurés catholiques
Rétablissement de l'Église catholique
Gains de la Contre-Réforme
Succès partiels de la Contre-Réforme
Collèges jésuites
Résidences jésuites
Noviciats jésuites
1556 Date de fondation
Universités protestantes
1521 Date de création ou de conversion au protestantisme
1. Augsbourg 1582
2. Munich 1559
3. Ebersberg 1598
4. Tübingen 1535
d'après F. de Dainville S.J. (J. Brodrick, Saint Pierre Canisius, Paris, 1957)

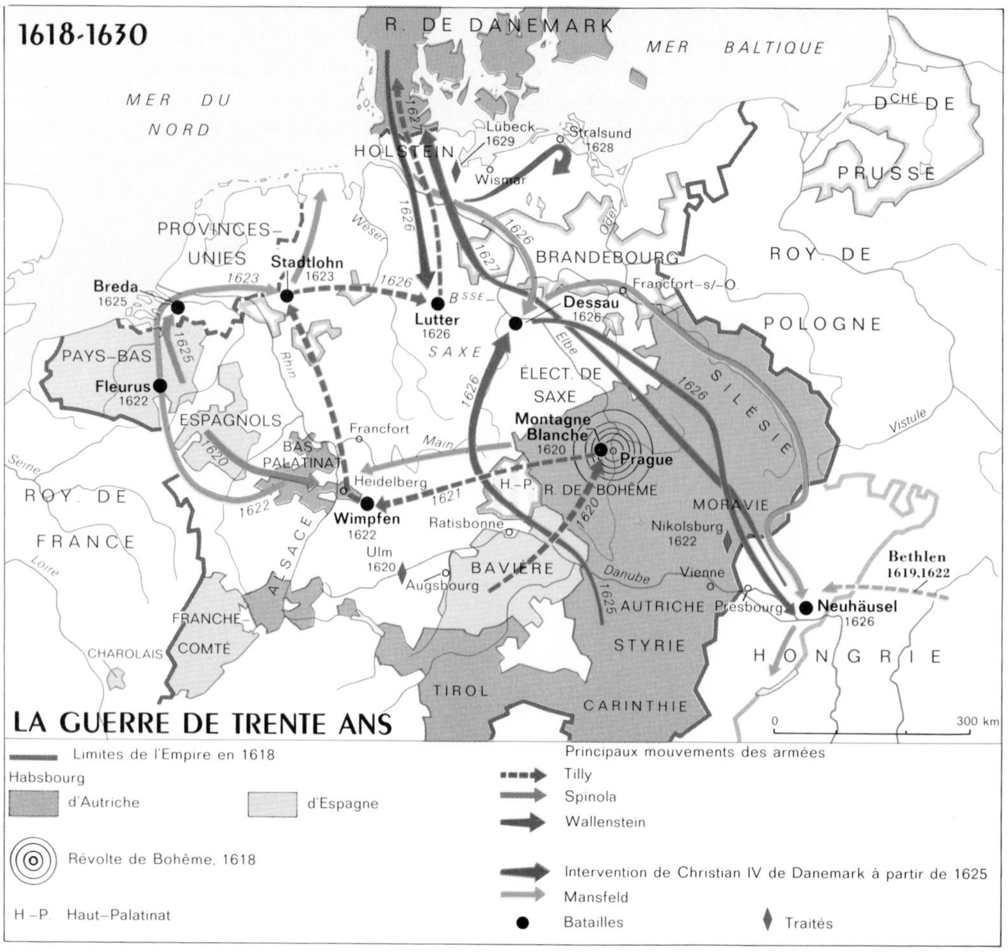

1618-1630
R. DE DANEMARK
MER BALTIQUE
MER DU NORD
DCHÉ DE
Lübeck 1629
Stralsund 1628
HOLSTEIN
Wismar
PRUSSE
PROVINCES-UNIES
Stadtlohn 1623
Weser
1626
1627
Oder
BRANDEBOURG
ROY. DE
Breda 1625
1623
1626
BSSE
Lutter 1626
Francfort-s/-O
Dessau 1626
POLOGNE
PAYS-BAS
1625
SAXE
Elbe
Fleurus 1622
Rhin
ÉLECT. DE SAXE
SILÉSIE
ESPAGNOLS
Francfort
Main
Montagne Blanche 1620
Prague
Vistule
Seine
BAS-PALATINAT
1620
Heidelberg
1621
H.-P.
R. DE BOHÊME
ROY. DE
1622
Wimpfen 1622
Ratisbonne
MORAVIE
Nikolsburg 1622
FRANCE
ALSACE
Ulm 1620
Bethlen 1619,1622
Loire
Augsbourg
BAVIÈRE
Danube
Vienne
FRANCHE-COMTÉ
AUTRICHE
Presbourg
Neuhäusel 1626
CHAROLAIS
STYRIE
HONGRIE
TIROL
CARINTHIE
LA GUERRE DE TRENTE ANS
0 300 km
Limites de l'Empire en 1618
Habsbourg
d'Autriche
d'Espagne
Révolte de Bohême, 1618
H.-P. Haut-Palatinat
Principaux mouvements des armées
Tilly
Spinola
Wallenstein
Intervention de Christian IV de Danemark à partir de 1625
Mansfeld
Batailles
Traités

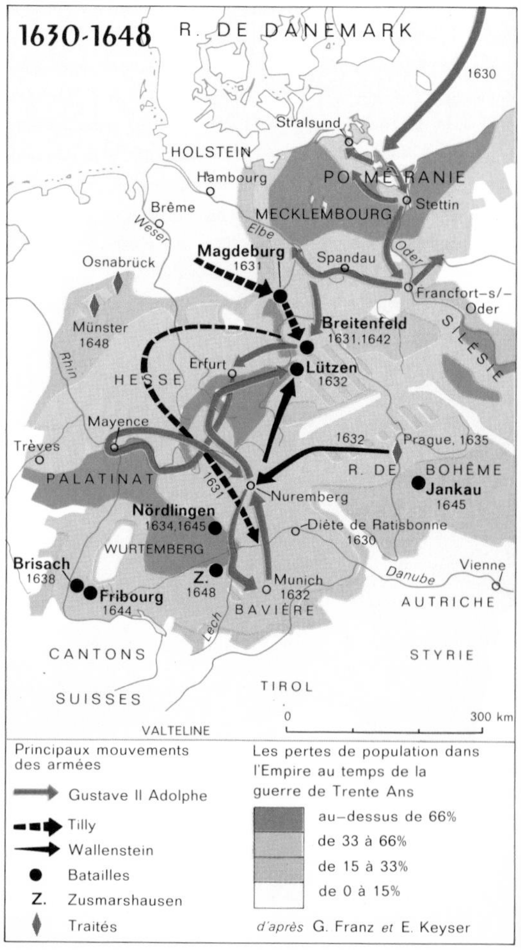

1630-1648
R. DE DANEMARK
1630
Stralsund
HOLSTEIN
Hambourg
POMÉRANIE
Brême
MECKLEMBOURG
Stettin
Weser
Elbe
Oder
Osnabrück
Magdeburg 1631
Spandau
Francfort-s/-Oder
Münster 1648
Breitenfeld 1631,1642
SILÉSIE
Rhin
Erfurt
HESSE
Lützen 1632
Mayence
Trèves
1632
Prague, 1635
R. DE BOHÊME
PALATINAT
1631
Nuremberg
Jankau 1645
Nördlingen 1634,1645
Diète de Ratisbonne 1630
WURTEMBERG
Brisach 1638
Z. 1648
Munich 1632
Danube
Vienne
Fribourg 1644
Lech
BAVIÈRE
AUTRICHE
CANTONS SUISSES
STYRIE
TIROL
VALTELINE
0 300 km
Principaux mouvements des armées
Gustave II Adolphe
Tilly
Wallenstein
Batailles
Z. Zusmarshausen
Traités
Les pertes de population dans l'Empire au temps de la guerre de Trente Ans
au-dessus de 66%
de 33 à 66%
de 15 à 33%
de 0 à 15%
d'après G. Franz et E. Keyser

LES ALLEMAGNES
AU XVIIIᵉ s.

ROYAUME DE SUÈDE

R. DE SUÈDE

ROYAUME DE DANEMARK

Copenhague

SCHLESWIG

HOLSTEIN

Cuxhaven

Lübeck

POMÉRANIE SUÉDOISE

POMÉRANIE

Wismar

Königsberg

Dantzig

ROYAUME DE PRUSSE

1772

Frise orle 1744

Emden

Hambourg

Brême

MECKLEMBOURG

Stettin

1795 Prusse

PROVINCES

Amsterdam

Münster

HANOVRE

BRANDEBOURG

Rheinsberg
Neuruppin

Spandau
Potsdam

Berlin
1742

Küstrin

Kunersdorf
1759

ROYAUME DE POLOGNE

Varsovie

UNIES

Dché de Clèves

Paderborn

2

BRUNSWICK

Goslar

3

Nordhausen

Halle

SAXE

1793 Prusse

1795 Autr.

PAYS-BAS

Anvers

Dortmund

Krefeld 1758

Cologne

HESSE-CASSEL

Mühlhausen

Rossbach 1757

Hubertsbourg 1763

DCHÉ DE SAXE

Dresde 1745

SILÉSIE 1742

Leuthen 1757

Breslau

Mollwitz 1741

1795 Pr.

Bruxelles

Rocourt 1746

Aix-la-Ch. 1748

Liège

4

Wetzlar

5

Klein-Schnellendorf 1741

Fontenoy 1745

Philippeville Fr.
Mariembourg Fr.

AUTRICHIENS

Trèves

Francfort

BAS. PALATINAT

Mayence

Worms

Spire

Schweinfurt

Princ. de Bayreuth 1791 Pr.

Prague

Elbe

BOHÊME

Chotusitz 1742

Teschen

R. DE GALICIE 1772 Autr.

ROY. DE FRANCE

BARROIS

Saarwerden

LORRAINE 1735/66

Landau Fr.

Salm

Bade

WURT BERG

Esslingen

Reutlingen

6

Rottweil

Biberach

Roth

Hall

8

Princ. d'Ansbach 1791 Pr.

HAUT-PALATINAT

Nördlingen

BAVIÈRE

Ulm

Augsbourg

Nuremberg

Ratisbonne

MORAVIE

Brünn

AUTRICHE

ROY. DE

Presbourg

Vienne

Munich

1779

Danube

Mulhouse

Montbéliard

Bâle

Lindau

Memmingen

Kaufbeuren

Kempten

ARCH. DE SALZBOURG

Salzbourg

Buda

Pest

HONGRIE

Berne

Princ. de Neuchâtel 1707 Pr.

SUISSE

TYROL

STYRIE

CARINTHIE

1. Dché d'Oldenbourg
2. Pté de Lippe
3. Pté d'Anhalt
4. Pté de Nassau
5. Landgraviat de Hesse-Darmstadt
6. Principauté de Hohenzollern
7. Wimpfen
8. Heilbronn
● Batailles
■ Traités

SAVOIE

PIÉMONT

Milan

RÉP. DE VENISE

MILANAIS

Trente

CARNIOLE

Trieste

Venise

Fiume

0 ———— 200 km

L'État prussien en 1740
Acquisitions de Frédéric II
Possessions des Habsbourg
Possessions ecclésiastiques
● Villes libres impériales
SAXE Électorats
—— Limites du Saint Empire

B

Aux yeux des catholiques, surpris et débordés, la paix d'Augsbourg n'était qu'une trêve. Après le concile de Trente, Rome disposa de forces nouvelles : un dogme bien défini ; les Jésuites, disciplinés, avisés, audacieux. En outre, les princes invoquèrent et utilisèrent le *jus reformandi*, garanti par la paix d'Augsbourg. La Contre-Réforme parvint à reconquérir la Rhénanie, les États héréditaires d'Autriche, la Bavière. Les Jésuites rayonnaient à partir des universités et de leurs collèges ; leurs principaux points d'appui se trouvaient à Rome (le collège *Germanicum*), Vienne, Ingolstadt, Cologne, Trèves. Après 1564, Albert V de Bavière, le duc d'Autriche, l'archiduc Ferdinand de Styrie, le prince abbé de Fulda, l'archevêque électeur de Mayence, les évêques de Würzburg et de Paderborn employèrent la manière forte. Vers la fin du siècle, les protestants, qui conservaient la plaine du Nord et la Saxe, durent renoncer à dominer l'Ouest et le Sud et à rétablir dans l'Empire l'unité religieuse.

Ferdinand II tenta de réaliser par les armes ses desseins d'hégémonie. Pour commander ses bandes de mercenaires, il eut deux bons généraux : Tilly, un Wallon, Wallenstein, un Tchèque. Tilly écrasa l'insurrection de la Bohême à la Montagne Blanche et battit, à Lutter, Christian IV de Danemark, que Wallenstein coupa, à Dessau, des Transylvains et des Turcs. L'irruption, en 1630, de Gustave-Adolphe transforma la guerre : une armée nationale, un armement léger, des formations en ordre mince. Tilly fut vaincu et tué, et Wallenstein battu à Lützen, mais Gustave-Adolphe périt dans l'action. La victoire de Ferdinand sur les Suédois à Nördlingen en 1634 lui rendit la prépondérance dans l'Empire. La France entra alors dans la guerre. Condé et Turenne furent vainqueurs à Fribourg-en-Brisgau en 1644 et à Nördlingen en 1645 ; la jonction de Turenne avec les Suédois à Zusmarshausen menaça directement Vienne et contraignit l'empereur à traiter (1648) ; l'état de dévastation quasi totale de l'Allemagne ne lui laissait d'ailleurs que ce choix. (V. carte p. 64.)

Réduit, depuis l'élection de Rodolphe de Habsbourg en 1273, au seul royaume de Germanie, pulvérisé en une multitude d'États princiers (plus de 400) et urbains, le Saint Empire n'est plus, au XVIIIᵉ siècle, qu'une institution prestigieuse dénuée de contenu réel. La Diète (*Reichstag*) n'est qu'un théâtre d'ombres où électeurs (neuf), princes et villes s'affrontent en trois collèges rivaux soumis à l'impossible règle de l'unanimité. Tout les oppose : le statut juridique, la condition sociale et économique (nobles ou bourgeois, laïcs ou clercs), la religion (catholicisme, luthéranisme, calvinisme), les intérêts politiques (les trois plus puissants électeurs : le Habsbourg de Bohême et d'Autriche, le Hohenzollern du Brande-

bourg, le Welf du Hanovre, sont respectivement rois en Hongrie, en Prusse et en Grande-Bretagne, c'est-à-dire en dehors des limites du Saint Empire). Ainsi s'aggravent l'anarchie et le particularisme local dans les Allemagnes, au sein desquelles l'*Aufklärung* favorise pourtant la naissance du despotisme éclairé et celle du sentiment national allemand. Adhérant au premier, s'efforçant de capter le second, Habsbourg et Hohenzollern engagent alors pour la Silésie un long combat, dont l'enjeu final est, en fait, la réunification des Allemagnes au profit de l'une de ces deux maisons. Mais il n'est définitivement atteint par la seconde qu'en 1871.

(V. cartes pp. 98 et 99.)

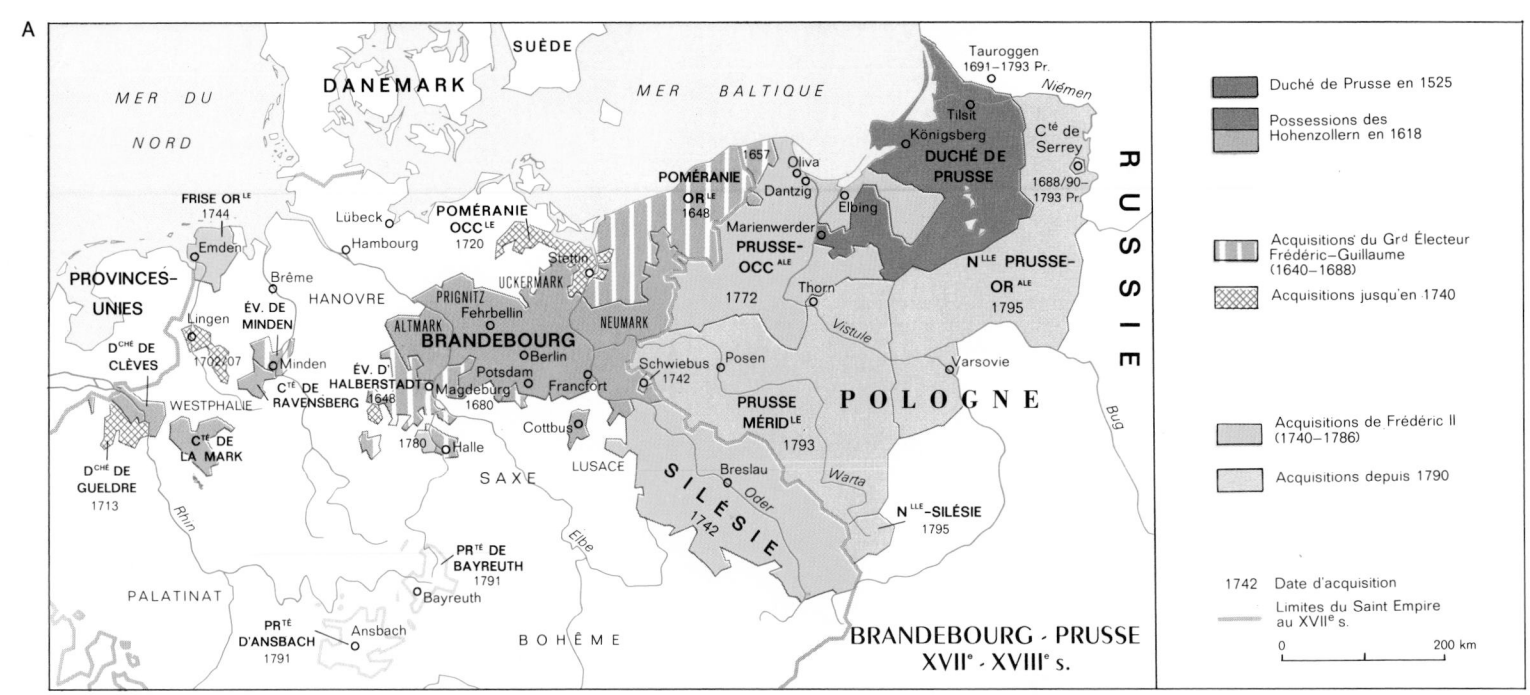

A

MER DU NORD

DANEMARK

SUÈDE

MER BALTIQUE

Tauroggen
1691–1793 Pr.

Niémen

Tilsit

Königsberg

C^té de Serrey

1688/90
1793 Pr.

DUCHÉ DE PRUSSE

N^lle PRUSSE-OR^ale
1795

1657

Oliva

Dantzig

Elbing

Marienwerder

POMÉRANIE OR^le
1648

PRUSSE-OCC^ale
1772

Thorn

Lübeck

Hambourg

Brême

POMÉRANIE OCC^le
1720

Stettin

UCKERMARK

FRISE OR^le
1744

Emden

PROVINCES-UNIES

HANOVRE

ÉV. DE MINDEN

D^ché DE CLÈVES
1702-07

Lingen

Minden

WESTPHALIE

C^té DE RAVENSBERG
1648

ÉV. D' HALBERSTADT

Magdebourg
1680

D^ché DE GUELDRE
1713

C^té DE LA MARK

1780

Halle

Rhin

Elbe

PALATINAT

PR^te DE BAYREUTH
1791

Bayreuth

PR^té D'ANSBACH
1791

Ansbach

BOHÊME

PRIGNITZ

Fehrbellin

ALTMARK

BRANDEBOURG

Berlin

Potsdam

Francfort

Cottbus

SAXE

LUSACE

NEUMARK

Schwiebus
1742

Posen

PRUSSE MÉRID^le
1793

Breslau

Oder

N^lle-SILÉSIE
1795

SILÉSIE
1742

Warta

POLOGNE

Vistule

Bug

Varsovie

RUSSIE

BRANDEBOURG - PRUSSE
XVIIe - XVIIIe s.

	Duché de Prusse en 1525
	Possessions des Hohenzollern en 1618
	Acquisitions du Gr^d Électeur Frédéric–Guillaume (1640–1688)
	Acquisitions jusqu'en 1740
	Acquisitions de Frédéric II (1740–1786)
	Acquisitions depuis 1790

1742 Date d'acquisition

Limites du Saint Empire au XVIIe s.

0   200 km

B

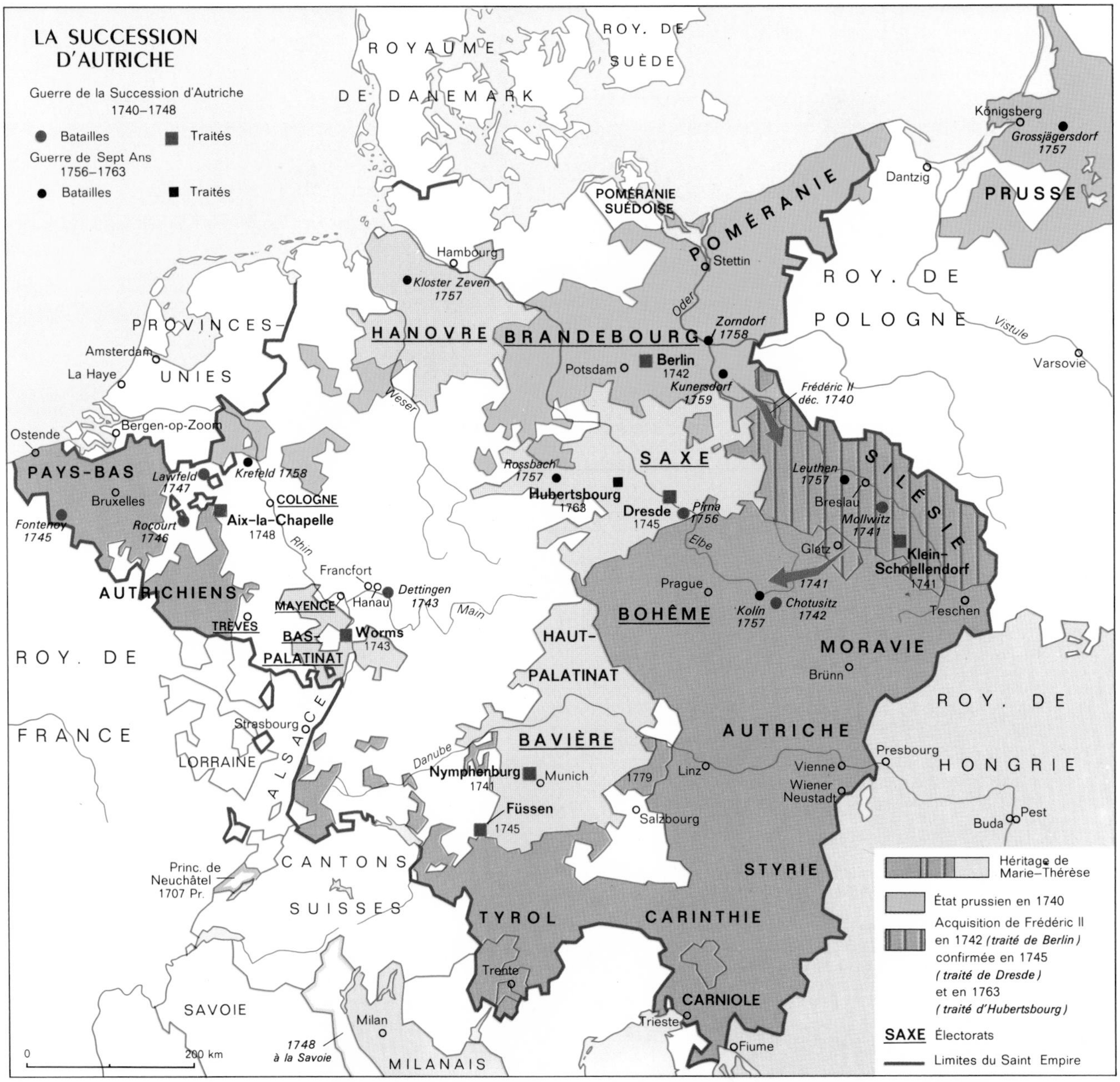

LA SUCCESSION D'AUTRICHE

Guerre de la Succession d'Autriche 1740–1748

● Batailles   ■ Traités

Guerre de Sept Ans 1756–1763

● Batailles   ■ Traités

ROYAUME DE SUÈDE

ROY. DE DANEMARK

Königsberg

Grossjägersdorf 1757

Dantzig

PRUSSE

POMÉRANIE SUÉDOISE

POMÉRANIE

Stettin

ROY. DE POLOGNE

Hambourg

Kloster Zeven 1757

HANOVRE

BRANDEBOURG

Zorndorf 1758

Varsovie

Vistule

PROVINCES-UNIES

Amsterdam

La Haye

Ostende

Bergen-op-Zoom

PAYS-BAS

Bruxelles

Lawfeld 1747

Krefeld 1758

COLOGNE

Aix-la-Chapelle 1748

Potsdam

Berlin 1742

Kunersdorf 1759

Frédéric II déc. 1740

SAXE

Leuthen 1757

SILÉSIE

Breslau

Mollwitz 1741

Klein-Schnellendorf 1741

Teschen

Weser

Oder

Fontenoy 1745

Rocourt 1746

AUTRICHIENS

Francfort

Hanau

Dettingen 1743

MAYENCE

TRÈVES

BAS-PALATINAT

Worms 1743

Rhin

Main

Rossbach 1757

Hubertsbourg 1763

Dresde 1745

Pirna 1756

Elbe

Prague

BOHÊME

Kolín 1757

Chotusitz 1742

1741

Glatz

MORAVIE

Brünn

ROY. DE FRANCE

LORRAINE

Strasbourg

ALSACE

HAUT-PALATINAT

BAVIÈRE

Nymphenbourg 1741

Munich

Füssen 1745

Danube

1779

Linz

AUTRICHE

Vienne

Wiener Neustadt

Salzbourg

Presbourg

Buda

Pest

ROY. DE HONGRIE

Princ. de Neuchâtel 1707 Pr.

CANTONS SUISSES

STYRIE

TYROL

CARINTHIE

Trente

CARNIOLE

Trieste

Fiume

SAVOIE

0   200 km

1748 à la Savoie

Milan

MILANAIS

	Héritage de Marie-Thérèse
	État prussien en 1740
	Acquisition de Frédéric II en 1742 (traité de Berlin) confirmée en 1745 (traité de Dresde) et en 1763 (traité d'Hubertsbourg)

SAXE Électorats

Limites du Saint Empire

Deux héritages heureux (Clèves en 1614, Prusse en 1618), un traité bénéfique (Westphalie, 1648) permettent aux Hohenzollern de constituer dès le XVIIᵉ siècle, tout autour de l'électorat de Brandebourg, un État certes discontinu, mais qui s'étire en écharpe à travers la plaine de l'Allemagne du Nord, des rives du Niémen à celles du Rhin. Consacrée par l'octroi d'une couronne royale « en » Prusse, c'est-à-dire « hors » du Saint Empire, le 18 janvier 1701, cette œuvre territoriale est parachevée par Frédéric II (1740-1786).

En 1763, au terme d'une longue et parfois dangereuse lutte contre l'Autriche, ce souverain annexe définitivement la Silésie, dont la possession fait de l'État des Hohenzollern une grande puissance, à laquelle le triple partage de la Pologne, en 1772, en 1793 et en 1795, assure à la fois cohésion géographique et vocation à réaliser l'unité allemande aux dépens des Habsbourg. (V. carte p. 95.)

LA CONFÉDÉRATION DU RHIN 1806-1813

La Confédération du Rhin à sa fondation (juill. 1806)

Extension de la Confédération du Rhin de 1806 à 1810

Domaine incorporé à l'Empire français en 1810

L'Empire français en 1811

0   150 km

Contestée par la Bavière, objet des ambitions annexionnistes de la France aux Pays-Bas, de l'Espagne et de la Sardaigne en Italie, la *succession d'Autriche* est exploitée par l'ambitieux roi de Prusse Frédéric II. Celui-ci, en effet, peu après l'ouverture de la succession en 1740, entame contre Marie-Thérèse une longue série de guerres.

Menée, de 1740 à 1748, avec l'aide de nombreux alliés (Bavière, France), dont il néglige totalement les intérêts, poursuivie dans une quasi-solitude, de 1756 à 1763, contre une coalition franco-germano-russe animée par Marie-Thérèse, cette lutte, malgré des moments difficiles (prise de Berlin par les Russes en octobre 1760), permet au roi de Prusse d'acquérir la Silésie (et le comté de Glatz), dont son adversaire doit lui reconnaître la possession à trois reprises entre 1742 et 1763. Ainsi a-t-il atteint son objectif final : abaisser la maison des Habsbourg pour accroître à ses dépens l'influence des Hohenzollern au sein du monde germanique. (V. carte p. 65.)

Dès 1803, Napoléon a entrepris la vassalisation de l'Allemagne; la défaite de l'Autriche en 1805 lui permet de remplacer le *Saint Empire* par une *Confédération du Rhin* de 16 États (dont il est le « Protecteur »); après la défaite de la Prusse en 1806, cette Confédération s'élargit à toute l'Allemagne (Prusse exceptée). Mais, économiquement lésée par la perte de ses débouchés maritimes (annexés à l'Empire français) et minée par le nationalisme allemand orienté vers la Prusse, la Confédération se désagrège après la défaite de Leipzig en 1813.

LA CONFÉDÉRATION GERMANIQUE 1815-1866

DANEMARK

SCHLESWIG
Kiel
Königsberg
PRUSSE OR^ALE
D. DE HOLSTEIN
1866 Prusse
LÜBECK Rostock Greifswald
Dantzig
G^d D^CHÉ DE
LAUENBURG
7 MECKLEMBOURG
Stettin
D^CHÉ HAMBOURG
BRÊME
Elbe
PRUSSE OCC^ALE
D'OLDENBURG
ROY. DE HANOVRE
BRANDEBOURG
P R U S S E
PAYS-BAS
Münster
D. DE
Berlin
Francfort
Posen
ROY.
LIPPE
BRUNSWICK
Paderborn
Duisburg
D^CHÉ D'ANHALT
Göttingen
Halle
D E
Oder
DE POLOGNE
1839 dans la Conf^tion
D. DE
LIMBOURG
WALDECK Kassel
Cologne
ÉL. DE
3 HESSE
Leipzig
ROY. DE
SAXE
Breslau
SILÉSIE
Rép. de Cracovie 1846 Autr.
BELGIQUE
Bonn
D. DE
Giessen 4
ÉTATS DE THURINGE
Iéna
Sadowa
3 juill. 1866 ★
G^d.D. DE
NASSAU
G^d. D. DE FRANCFORT
Mayence
Main
23 août 1866 Prague
1818 dans la Conf^tion
G^d. D^CHÉ DE
LUXEMBOURG
Trèves
HESSE
Darmstadt
Würzburg Bamberg
Erlangen
BOHÊME
Olmütz
MORAVIE
1839 à la Belgique
PALATINAT BAVAROIS
Heidelberg
Karlsruhe
Bade
ROY. DE
WURTEMBERG
EMPIRE D'AUTRICHE
Strasbourg
BADE
Tübingen
6
Landshut
Vienne 30 oct. 1864
ROY. DE
FRANCE
Rhin
HOHENZOLLERN
ROY. DE
BAVIÈRE
Linz
AUTRICHE
Danube
Buda Pest
Belfort
Fribourg
Munich
Salzbourg
HONGRIE
Bâle
LIECHTENSTEIN
Innsbruck
STYRIE
Graz
SUISSE
Convention de Gastein 14 août 1865
TYROL
CARINTHIE
Trente
VÉNÉTIE
CARNIOLE
Villafranca
Venise

Légende

Limites de la Confédération germanique
FRANCFORT Siège de la Diète
■ Traités   ● Universités
Limites de la Confédération de l'Allemagne du Nord (23 août 1866) succédant à la Confédération germanique

1. Birkenfeld (Oldenb.)
2. P^té de Lichtenberg
3. Marburg
4. Fulda
5. Mannheim
6. Stuttgart
7. D^ché de Lauenburg
1816-64 Danemark
1865-Prusse

0   300 km

Gardant les frontières anachroniques du vieux Saint Empire, la *Confédération germanique* de 38 États n'est encore qu'une forme politique lâche, où la Diète de Francfort, réunissant les représentants des souverains, est dépourvue de moyens et dominée par l'influence autrichienne. Mais la poussée du libéralisme (réprimé en 1848) et surtout celle du nationalisme allemand menacent cet édifice hétérogène : malgré son échec en 1850 (v. carte p. 72), la Prusse, disposant d'une économie fortifiée depuis 1834 par le *Zollverein*, entreprend de construire la « Petite Allemagne ».

A

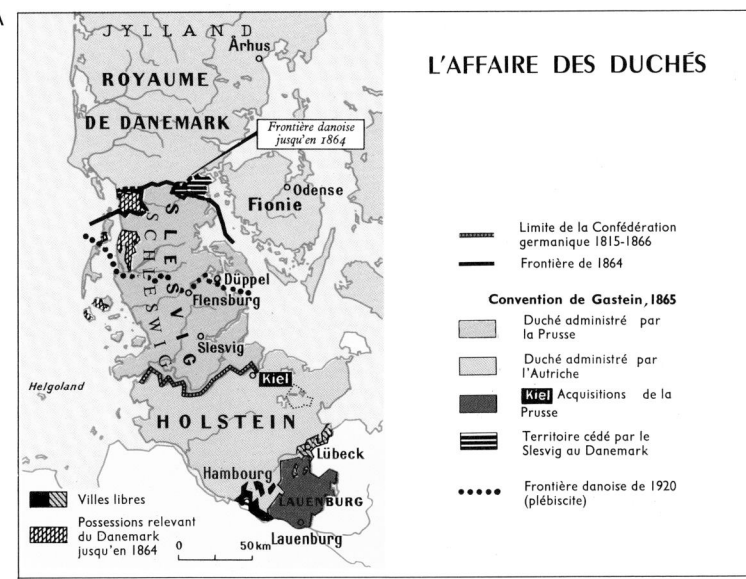

L'AFFAIRE DES DUCHÉS

J Y L L A N D
Århus
ROYAUME
DE DANEMARK
Frontière danoise jusqu'en 1864
Odense
Fionie
Düppel
Flensburg
Slesvig
Helgoland
Kiel
HOLSTEIN
Hambourg
Lübeck
LAUENBURG
Lauenburg

Villes libres
Possessions relevant du Danemark jusqu'en 1864
0   50 km

Limite de la Confédération germanique 1815-1866
Frontière de 1864

Convention de Gastein, 1865

Duché administré par la Prusse
Duché administré par l'Autriche
Kiel Acquisitions de la Prusse
Territoire cédé par le Slesvig au Danemark
Frontière danoise de 1920 (plébiscite)

L'« affaire des duchés » est la première étape de la politique prussienne d'unification de l'Allemagne. Ces trois territoires, possession personnelle du souverain danois mais surtout peuplés d'Allemands, ont été incorporés au Danemark en 1863 : se posant en champion du nationalisme allemand, la Prusse entraîne l'Autriche dans une guerre rapidement menée, qui aboutit, à la convention de Gastein, à un partage des duchés favorable à la Prusse (qui construit le canal de Kiel) et surtout gros d'une nouvelle guerre.

B Commencée dès 1834 au plan économique par une union douanière *(Zollverein)* qui renforce la primauté de la Prusse en Allemagne du Nord, l'unification politique de l'Allemagne passe désormais par l'élimination de l'Autriche. Fort de l'appui de la bourgeoisie rhénane, des milieux nationalistes et même des libéraux, gagnés par un projet de réorganisation de la Diète, Bismarck rompt avec l'Autriche dès 1866; l'armée prussienne, modernisée et « rodée » par la guerre des Duchés, bat rapidement les alliés de l'Autriche à Langensalza et défait celle-ci à Sadowa. Mais, soucieux de se concilier l'Empire, Bismarck limite ses ambitions à l'exclure de la nouvelle Allemagne, en constituant, autour de la Prusse agrandie, une *Confédération de l'Allemagne du Nord* dont le roi de Prusse est le président. Reste, pour achever l'unité, à rallier les États du Sud : la maladresse de la diplomatie française (qui a réclamé, en échange de sa neutralité en 1866, des compensations en Allemagne) en offre l'occasion; permettant l'annexion de l'Alsace-Lorraine, qui devient « terre d'Empire », c'est-à-dire la propriété commune de tous les États allemands, la guerre de 1870 cimente l'unité, qui est concrétisée par la proclamation de l'Empire allemand, dont la structure fédérale ménage le particularisme du Sud (v. carte C p. 123).

V. AUSSI CARTES pp. 79-87.

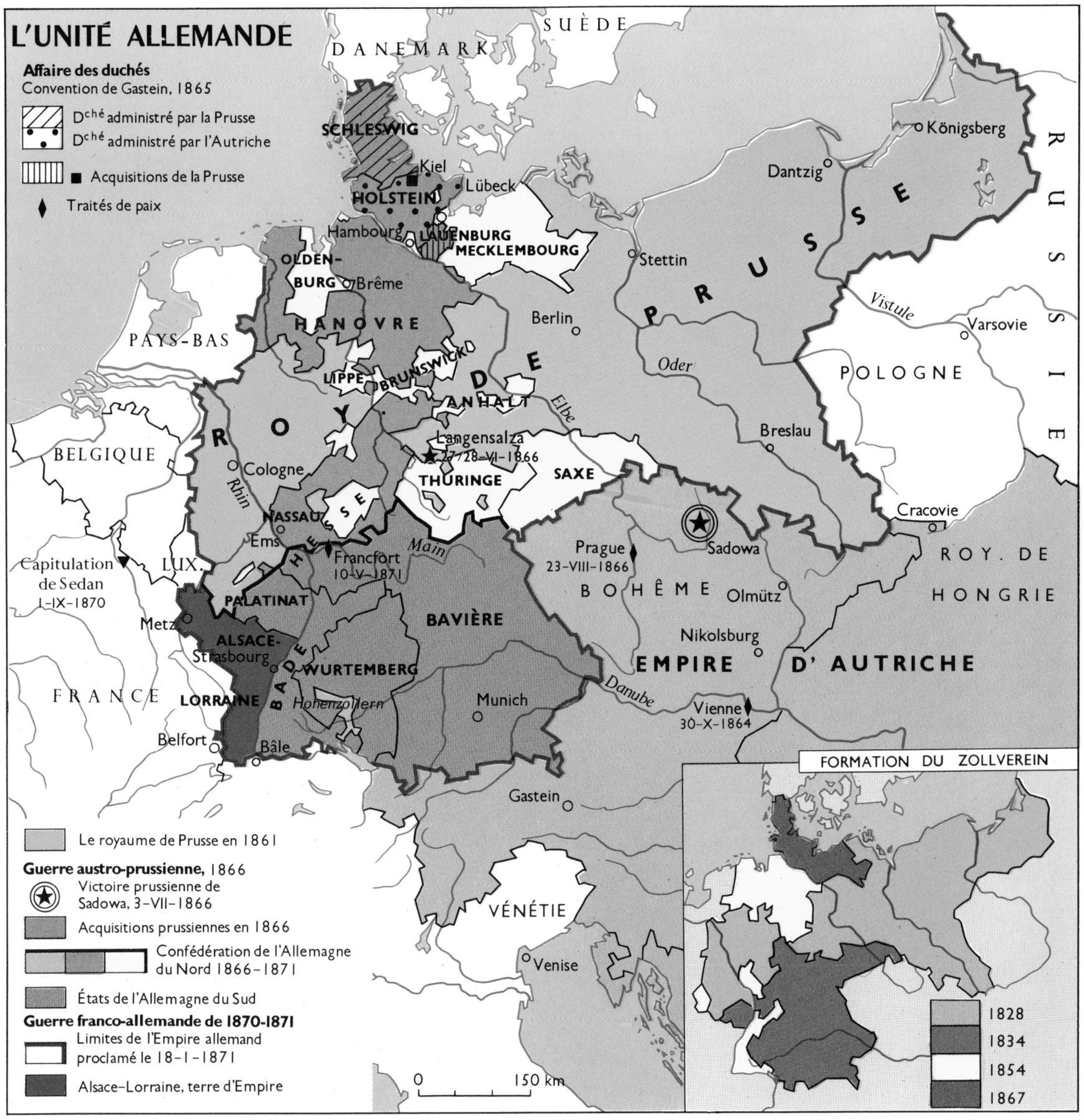

L'UNITÉ ALLEMANDE

Affaire des duchés
Convention de Gastein, 1865

D^{ché} administré par la Prusse
D^{ché} administré par l'Autriche
Acquisitions de la Prusse
Traités de paix

SUÈDE
DANEMARK
SCHLESWIG
Kiel
HOLSTEIN
Lübeck
Königsberg
Dantzig
Hambourg LAUENBURG
OLDEN-BURG MECKLEMBOURG
Brême
Stettin
Berlin
R O Y A U M E
PAYS-BAS
HANOVRE
LIPPE
BRUNSWICK
D E
ANHALT
Oder
Vistule
Varsovie
P R U S S E
POLOGNE
Breslau
BELGIQUE
Cologne
Rhin
Langensalza
27-28-VI-1866
THURINGE
SAXE
Sadowa
Cracovie
NASSAU
Ems
Francfort
10-V-1871
Main
Prague
23-VIII-1866
BOHÊME
Olmütz
ROY. DE HONGRIE
Capitulation de Sedan
1-IX-1870
LUX.
PALATINAT
BAVIÈRE
Nikolsburg
Metz
ALSACE
Strasbourg
BADE
WURTEMBERG
Munich
EMPIRE D'AUTRICHE
Danube
Vienne
30-X-1864
LORRAINE
Hohenzollern
FRANCE
Belfort
Bâle
Gastein
VÉNÉTIE
Venise
0   150 km

Le royaume de Prusse en 1861
Guerre austro-prussienne, 1866
Victoire prussienne de Sadowa, 3-VII-1866
Acquisitions prussiennes en 1866
Confédération de l'Allemagne du Nord 1866-1871
États de l'Allemagne du Sud
Guerre franco-allemande de 1870-1871
Limites de l'Empire allemand proclamé le 18-I-1871
Alsace-Lorraine, terre d'Empire

FORMATION DU ZOLLVEREIN

1828
1834
1854
1867

A

L'ALLEMAGNE AU LENDEMAIN
DE LA SECONDE GUERRE MONDIALE.

Légende de la carte A :

Limites de l'Allemagne en 1937
Zones d'occupation (1945–1954)
- britannique
- française
- américaine
- soviétique
- Couloirs aériens
- Territoires sous administration polonaise depuis 1945
- Territoire sous administation soviétique depuis 1945
- Territoire de la Ruhr sous contrôle international (1948/49–1952)
- Capitale fédérale (R.F.A.)
- Capitale de Land (R.F.A.)
- Capitale de Land (R.D.A.)

.... Limites des Länder en R.F.A.
.... Limites des Länder en R.D.A. jusqu'en 1952

Encart BERLIN :
- Quartier général allié
- "Mur" de Berlin, 1961
- secteur français (Tegel)
- BERLIN-Pankow EST
- BERLIN-OUEST
- secteur britannique
- secteur soviétique
- secteur américain (Gatow, Tempelhof)
- Aéroports de Berlin-Ouest

B

RÉPUBLIQUE DÉMOCRATIQUE ALLEMANDE

Administration 1952
— Limite de district
■ Capitale de district
● "Berlin–Pankow", capitale

Limite de district depuis juillet 1952

Après la capitulation du 8 mai 1945, conformément aux accords de Yalta et à ceux de Potsdam, l'Allemagne, amputée des territoires à l'est de la *ligne Oder-Neisse,* est partagée en quatre zones d'occupation ; il en est de même de Berlin, enclavé dans la zone soviétique ; l'autorité de l'État est remise à un *Conseil de contrôle* quadripartite qui est chargé de limiter la puissance industrielle de ce pays tout en procédant à sa démocratisation, à sa démilitarisation et à sa dénazification, œuvre à laquelle contribue le tribunal de Nuremberg, qui condamne à mort les principaux chefs du IIIᵉ Reich (20 novembre 1945-1ᵉʳ octobre 1946). Mais, en déclenchant la « guerre froide » en 1947, l'U.R.S.S. facilite la socialisation de l'économie de

l'Allemagne de l'Est avec l'appui des partis ouvriers ; le souci de barrer la route au communisme amène alors les alliés occidentaux à freiner la dénazification et à favoriser le relèvement économique de leurs zones, pratiquement unifiées par la réforme monétaire du 18 juin 1948. En réponse à cette politique, le blocus de Berlin-Ouest par les Soviétiques, du 24 juin 1948 au 12 mai 1949, conduit à la coupure définitive de l'Allemagne en deux (création de la République fédérale, puis de la République démocratique les 8 mai et 7 octobre 1949). Dans la nuit du 12 au 13 août 1961, cette coupure est matérialisée par la construction du *mur de Berlin.* (V. cartes, pp. 87, 88, 89 et 151 [B et C].)

Très touchée par les bombardements de 1945, privée de ses sources de ravitaillement en charbon et en acier par la perte de la Silésie et par la coupure avec la Ruhr, la zone soviétique est, en outre, soumise à une politique rigoureuse de réparations et de démantèlement d'usines au profit de l'U.R.S.S. Pourtant, les réformes de structures (réforme agraire, nationalisation des grandes industries, élaboration d'une planification) entreprises par les Soviétiques, qui s'appuient sur le *parti socialiste unifié* de Otto Grotewohl et de Walter Ulbricht, permettent de jeter les bases d'une nouvelle économie socialisée ; celle-ci se développe lorsque cesse le démontage

des usines en 1947. Peu à peu, la *République démocratique allemande,* formée le 7 octobre 1949 et réorganisée en juillet 1952, affirme sa personnalité, face aux Soviétiques (insurrection berlinoise du 17 juin 1953) et surtout face au rival ouest-allemand. En 1955, elle récupère toute sa souveraineté (restitution au gouvernement des sociétés d'économie mixte soviétiques [les SAG, *Sowjetische Aktiengesellschaften*] ; fin des réparations ; remilitarisation dans le cadre du pacte de Varsovie). À cette date, la R.D.A. est devenue, grâce à ses traditions industrielles et à la coopération au sein du Comecon, la deuxième puissance du « bloc socialiste ».

A

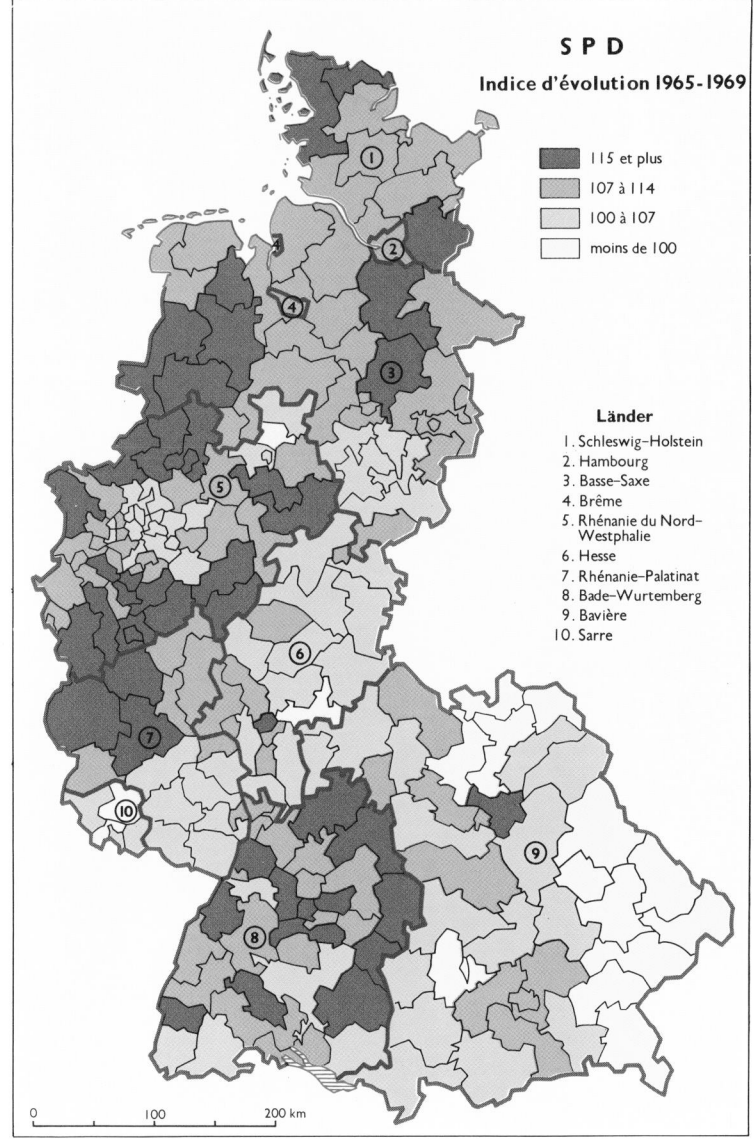

B

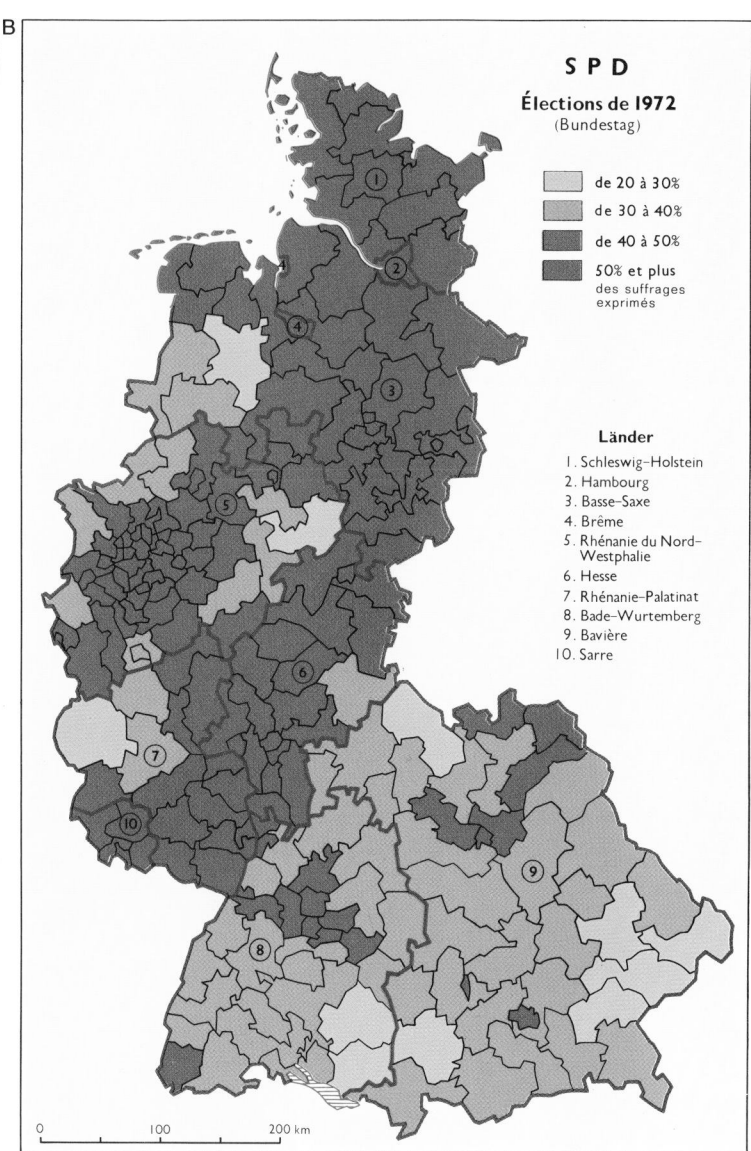

Victime, après la guerre, de la conjoncture de « guerre froide », le parti social-démocrate *(Sozial demokratische Partei Deutschlands)* connaît depuis 1949 une progression continue (de 29,2 p. 100 à 42,7 p. 100 en 1969). Elle est due à une orientation de plus en plus réformiste (abandon de toute référence marxiste, acceptation de la *soziale Marktwirtschaft* [économie sociale de marché], qui fait du SPD un « parti du peuple » de type travailliste). Tout en gardant les voix ouvrières (grâce à l'encadrement de puissants syndicats), le SPD progresse surtout auprès des classes moyennes urbaines et même paysannes du Nord et du Sud-Ouest.

La popularité du SPD atteint son apogée en 1972 (45,9 p. 100 des voix), grâce à une sage gestion réformiste et au succès de l'*Ostpolitik* du chancelier Brandt. Si les progrès sont partout nets, l'implantation du parti reste inégale : les « bastions ouvriers » (Ruhr et Rhénanie, Basse-Saxe, Hambourg, Brême) et, plus largement, le Nord, à tradition protestante, s'opposent aux régions plus agricoles, surtout celles du Sud, catholiques et autonomistes (Bavière), qui restent largement réfractaires au socialisme.

A

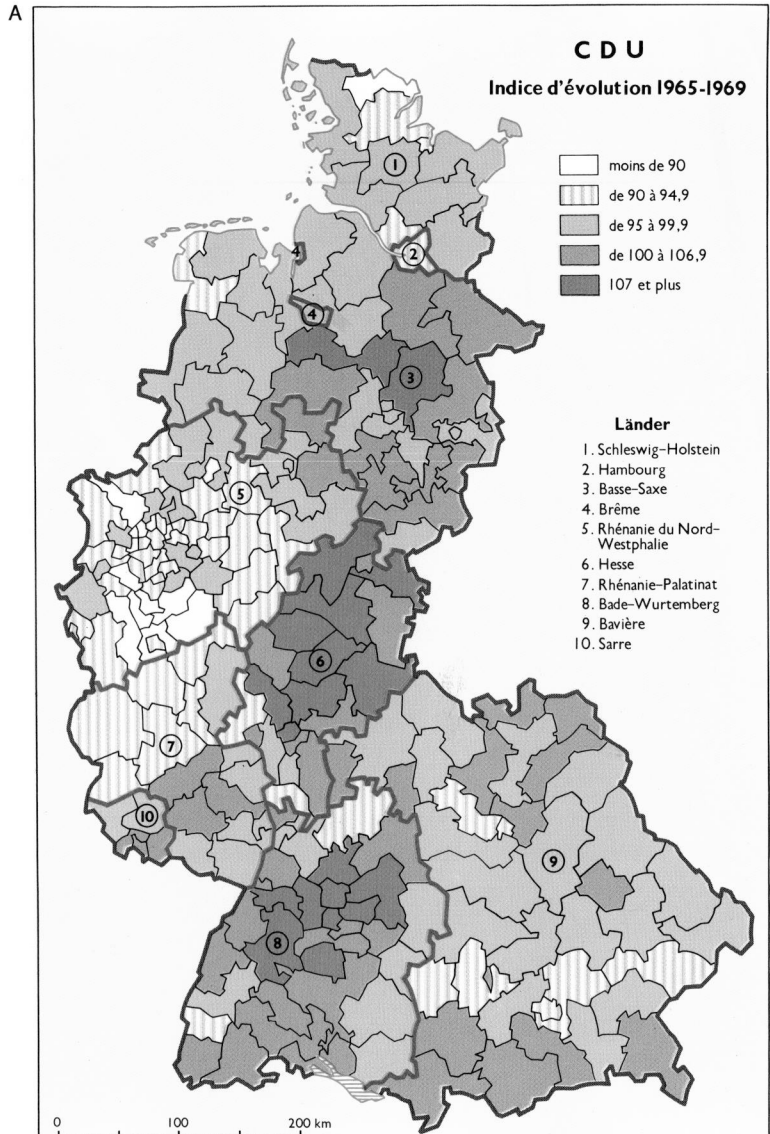

C D U

Indice d'évolution 1965-1969

- moins de 90
- de 90 à 94,9
- de 95 à 99,9
- de 100 à 106,9
- 107 et plus

Länder

1. Schleswig–Holstein
2. Hambourg
3. Basse–Saxe
4. Brême
5. Rhénanie du Nord–Westphalie
6. Hesse
7. Rhénanie–Palatinat
8. Bade–Wurtemberg
9. Bavière
10. Sarre

0   100   200 km

B

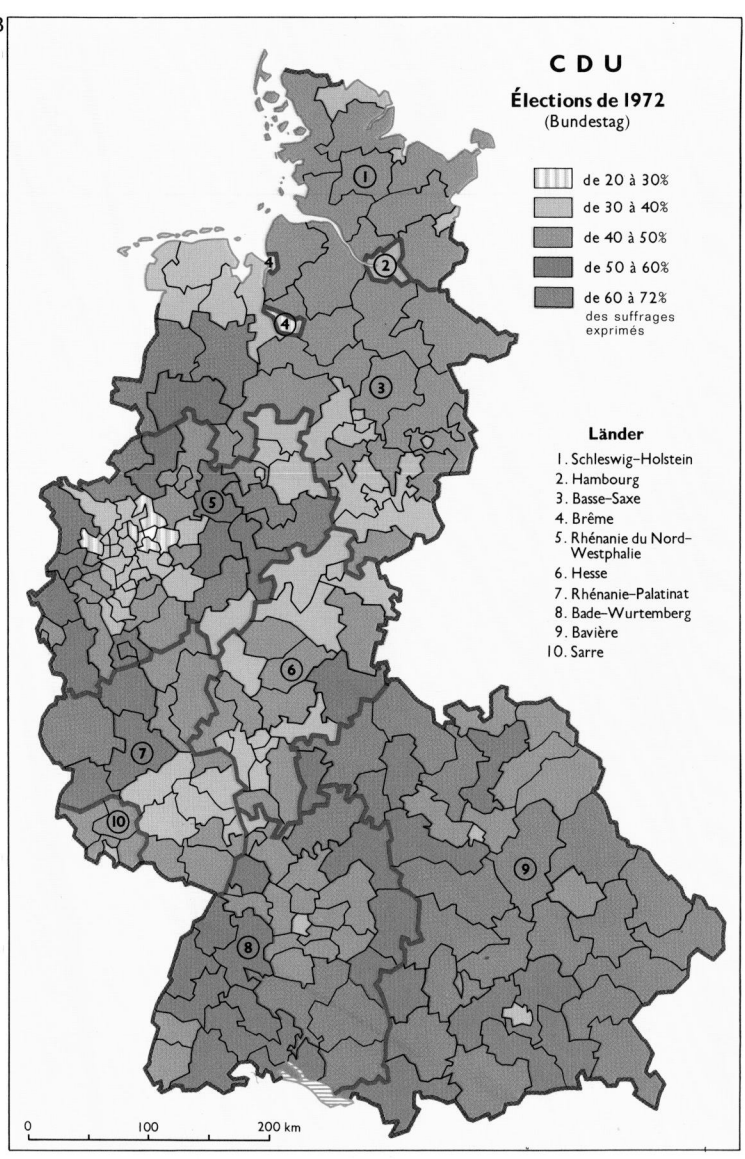

C D U

Élections de 1972
(Bundestag)

- de 20 à 30%
- de 30 à 40%
- de 40 à 50%
- de 50 à 60%
- de 60 à 72%
des suffrages exprimés

Länder

1. Schleswig–Holstein
2. Hambourg
3. Basse–Saxe
4. Brême
5. Rhénanie du Nord–Westphalie
6. Hesse
7. Rhénanie–Palatinat
8. Bade–Wurtemberg
9. Bavière
10. Sarre

0   100   200 km

Sa structure « interclassique » à base confessionnelle, sa réussite dans la gestion économique (symbolisée par Konrad Adenauer et Ludwig Erhard) ont fait de la *Christlich-Demokratische Union* (CDU) — avec son aile bavaroise, la *Christlich-Soziale Union* (CSU) de Franz Josef Strauss — le premier parti allemand pendant vingt ans. Mais l'usure du pouvoir, le progressif glissement à droite expliquent le fléchissement du parti en 1969. Sa progression vers les régions rurales de l'Est et du Nord, sa nette baisse dans les zones urbaines et ouvrières montrent que la CDU s'identifie de plus en plus avec un simple rassemblement conservateur.

Dans l'opposition depuis 1969, la CDU voit cette tendance se renforcer. Comme parti conservateur, elle est solidement implantée dans les régions rurales, les petites villes « provinciales », même protestantes, tandis que les grandes villes (et même Munich) et surtout les grandes agglomérations ouvrières lui échappent (Ruhr notamment). Mais l'écrasante majorité de la CSU en Bavière, sa prédominance générale dans le Sud témoignent de la persistance de la tradition catholique et autonomiste dans le parti : celle de l'ancien *Zentrumspartei.*

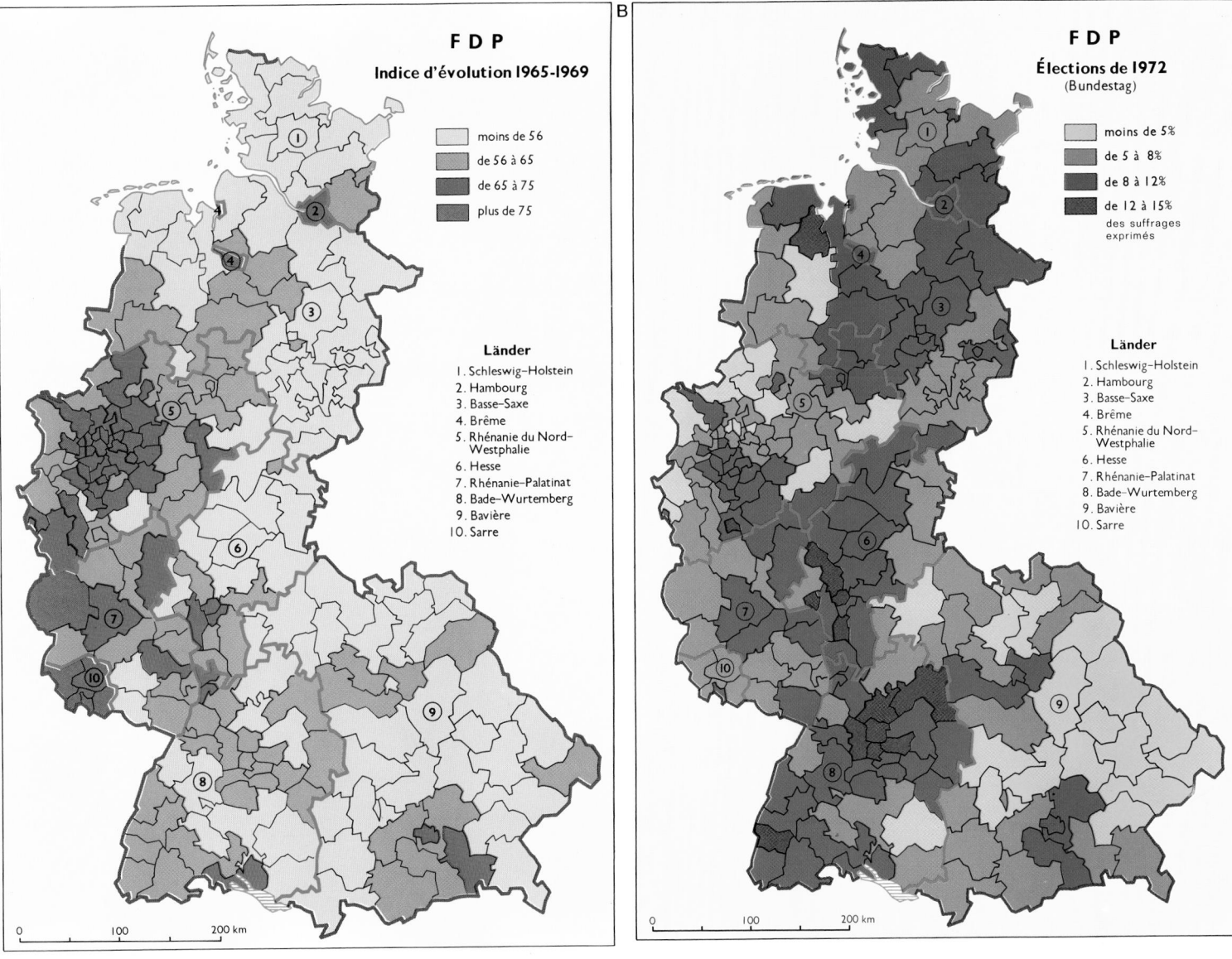

A

FDP

Indice d'évolution 1965-1969

moins de 56
de 56 à 65
de 65 à 75
plus de 75

Länder
1. Schleswig-Holstein
2. Hambourg
3. Basse-Saxe
4. Brême
5. Rhénanie du Nord-
   Westphalie
6. Hesse
7. Rhénanie-Palatinat
8. Bade-Wurtemberg
9. Bavière
10. Sarre

0   100   200 km

B

FDP

Élections de 1972
(Bundestag)

moins de 5%
de 5 à 8%
de 8 à 12%
de 12 à 15%
des suffrages
exprimés

Länder
1. Schleswig-Holstein
2. Hambourg
3. Basse-Saxe
4. Brême
5. Rhénanie du Nord-
   Westphalie
6. Hesse
7. Rhénanie-Palatinat
8. Bade-Wurtemberg
9. Bavière
10. Sarre

0   100   200 km

Le petit parti libéral *(Freie Demokra-tische Partei)* est un parti charnière, lié tantôt à la CDU (1949-1966), tantôt au SPD (depuis 1969). Le contraste ambigu entre la prudence de ses positions économiques et sociales et la hardiesse de sa politique scolaire et étrangère explique la bipolarisation accentuée de la vie politique : le FDP perd 40 p. 100 de ses voix entre 1965 et 1969, plus au profit de la CDU (pertes très lourdes dans les régions rurales du Sud et de l'Est) que du SPD (le parti résiste un peu mieux dans les zones urbaines de l'Ouest).

Malgré une remontée nette en 1972, le FDP reste médiocrement implanté. Particulièrement faible dans les petites villes, les régions rurales, surtout catholiques (Bavière), son audience est également limitée dans les régions à forte population ouvrière (Ruhr, Saxe, Basse-Saxe). L'implantation privilégiée se situe dans les zones fortement urbanisées, surtout les grandes villes bourgeoises (Rhénanie moyenne, de Cologne à Stuttgart) : le FDP apparaît comme un parti de moyenne bourgeoisie, de cadres, de professions libérales et indépendantes.

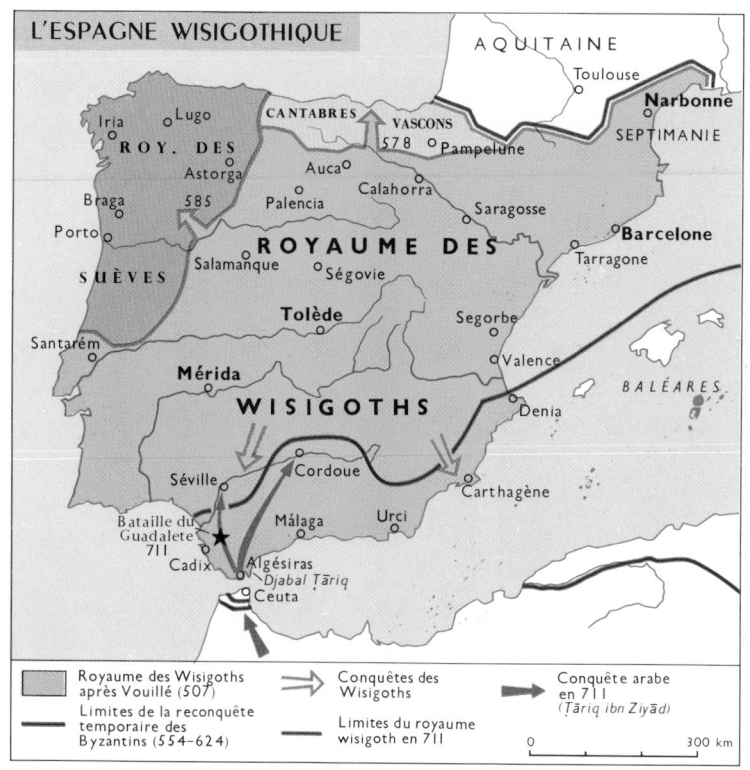

A — L'ESPAGNE WISIGOTHIQUE

▨ Royaume des Wisigoths après Vouillé (507)	⟹ Conquêtes des Wisigoths	⟹ Conquête arabe en 711 (*Tāriq ibn Ziyād*)
— Limites de la reconquête temporaire des Byzantins (554-624)	— Limites du royaume wisigoth en 711	0 300 km

Après la victoire de Clovis à Vouillé en 507, le centre de gravité de la puissance wisigothique se déplace du nord au sud des Pyrénées. Ne conservant en Gaule que la Septimanie, transférant leur capitale de Toulouse à Narbonne en 507, à Barcelone en 531, à Mérida en 551, enfin à Tolède, qui devient vers 554 le cœur politique et spirituel de leur royaume (tenue de dix-huit conciles), les souverains wisigoths fixent l'essentiel de leur peuple en Vieille-Castille. Ainsi peuvent-ils plus facilement contenir la menace franque aux confins de la Septimanie, soumettre en partie en 578 le pays des Vascons au nord, où ils fondent Vitoria (v. carte p. 105), annexer à l'ouest le royaume des Suèves en 585 et finalement rejeter, au VIIᵉ siècle, du sud-est de la péninsule les Byzantins que Justinien y avait établis en 554.

Mais, affaiblis par leurs querelles successorales, par les intrigues des aristocraties laïque et ecclésiastique, ils ne peuvent résister à l'invasion berbéro-musulmane de Tāriq qui submerge la péninsule de 711 à 714 : les Wisigoths disparaissent de l'histoire.

Réfugiés dans les montagnes du nord de l'Espagne où ils échappent à la domination musulmane, les chrétiens constituent, dès le VIIIᵉ siècle de petites principautés (Asturies, Navarre...), plus tard de royaumes indépendants (León, Navarre et Aragon). Sous l'impulsion du deuxième d'entre eux, ces États s'ouvrent au début du XIᵉ siècle à l'influence française : celle des pèlerins qui se rendent à Saint-Jacques-de-Compostelle; celle des chevaliers qui participent aux *algarades* (raids) que les princes espagnols mènent contre les nombreux (25) et faibles royaumes musulmans de *taifas* (« partis ») nés de la disparition du califat de Cordoue en 1031. Assumée de 1035 à 1065 par le roi de Castille, puis de León (1037), Ferdinand Iᵉʳ, la Reconquista englobe Coimbra en 1064 et vassalise les souverains de Badajoz, de Saragosse, de Tolède et de Séville.

Accordant l'indulgence plénière à ceux qui participent à la grande expédition dans la vallée de l'Èbre en 1063-1064, le pape Alexandre II donne alors à la Reconquista l'allure d'une « croisade » sans le signe de la croix. Commune à toute la chrétienté, cette entreprise reste pourtant essentiellement l'œuvre des Castillans : Alphonse VI, qui occupe Tolède en 1085; le Cid Campeador, qui constitue à son profit la seigneurie de Valence (1094-1102). Mais, réunificateurs de l'Andalousie musulmane et vainqueurs d'Alphonse VI à Sagrajas en 1086, les Almoravides ont déjà arrêté pour un temps la Reconquista.

B — LA RECONQUISTA - XIᵉ s.

▨ Royaumes chrétiens en 1035 à la mort de Sanche III Garcés, roi de Navarre.	▥ Royaumes tributaires du Cid ou protégés par lui (1092)	◩ Royaumes de taifas
▬ Limites de la Reconquista en 1035	▥ Seigneurie du Cid (1094-1102)	⟹ Conquête des Almoravides à partir de 1080
▬ Limites de la Reconquista en 1099 à la mort du Cid		0 300 km

LA RECONQUISTA · XIIIᵉ s.

GASCOGNE
Garonne
Albi
Montpellier
1204
Maison d'Aragon
Toulouse
Muret
1213
Rhône

Oviedo
Sᵗ-Sébastien
Bayonne
Lugo
Bilbao
Foix
Narbonne
Sᵗ-Jacques-de-
Compostelle
Vitoria
Pampelune
BÉARN
CERDAGNE
Perpignan
LEÓN
Miranda
NAVARRE
Jaca
ROUSSILLON
Astorga
León
Burgos
ARAGON
Seo de
Urgel
Besalú
Gérone
Palencia
Tudela
CATALOGNE
Braga
Zamora
Valladolid
Saragosse
Lérida
Barcelone
Douro
CASTILLE
Ebre
Salou
Salamanque
Ségovie
Molina
Tortose
Début XIIIᵉ s.
PORTUGAL
Ávila
Morella
Coimbra
Coria
Tolède
Cuenca
Teruel
Castellón
Burriana
Minorque
1232/1287
Santarém
Tage
Alcántara
1214
Valence
1238
Palma
Majorque
1229
Lisbonne
1147
Elvas
Mérida
Calatrava
Alarcos
1195
Montiel
Játiva
1248
Villena
Ibiza
1235
BALÉARES
Début
XIIIᵉ s.
Évora
Badajoz
Guadiana
EMPIRE
Las Navas
de Tolosa
1212
DES
Fin XIIIᵉ s.
Alcacer
Serpa
Cordoue
1236
Ubeda
Jaén 1246
Murcie
1243
Alicante
Orihuela
ALGARVE
Niebla
ANDALUS
Lorca
Séville
1248
AL-
Tavira
Grenade
ROY. DE GRENADE
Alger
Guadalquivir
Cadix
1262
Málaga
Almería
Tarifa
1292
Algésiras
Chélif
Ceuta
Oran
Tanger
ALMOHADES

Royaumes chrétiens
au début du XIIIᵉ s.

Castille
Aragon
Portugal
Navarre

Reconquête
au XIIIᵉ s.

◉ Universités fondées
au XIIIᵉ s.
★ Batailles

0   300 km

Désunis à leur tour face à un islām maghrébin et ibérique dominé depuis le milieu du XIIᵉ siècle par les Almohades, les États chrétiens n'ont réalisé que de médiocres gains territoriaux au XIIᵉ siècle, à l'exception du royaume de Portugal. Tardivement constitué en 1139-1143, celui-ci a maîtrisé l'estuaire du Tage dès 1147. Affaiblie par des luttes fratricides avec le León, la Castille, par contre, subit un désastre qui paraît irrémédiable : celui d'Alarcos en 1195. En fait, ce dernier relance la *Reconquista,* organisée par le fameux traité de Cazola. Ce traité a délimité, le 20 mars 1179, les zones d'expansion respective des Castillans et des Aragonais, ces derniers renonçant à Murcie et assurant à terme à leurs alliés et rivaux la possession de Carthagène, et donc un débouché sur la Méditerranée avec laquelle ils entretiennent, à la fin du Moyen Âge, d'importants courants d'échange. Unissant leurs forces à celles des Navarrais, les chrétiens remportent alors, en 1212, la victoire décisive de Las Navas de Tolosa, qui brise la puissance almohade et livre, en quelques années, le sud de la péninsule Ibérique et les Baléares au Portugal, à la Castille et à l'Aragon. Accroché à la cordillère Bétique, bientôt encerclé par la Castille, qui occupe Murcie en 1243 et Cadix en 1262 et qui, depuis lors, a la charge exclusive de la *Reconquista,* seul le petit royaume naṣride de Grenade maintient, après 1232, la présence politique de l'islām. C'est un défi. Les Rois Catholiques le relèvent en 1492. (V. carte p. 41.)

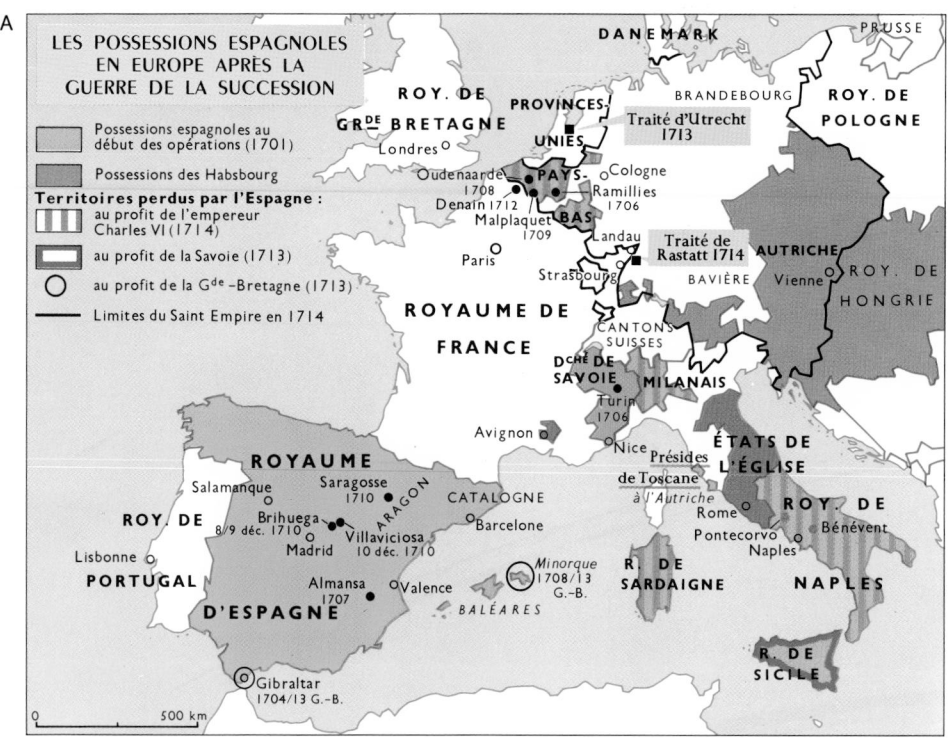

A

LES POSSESSIONS ESPAGNOLES
EN EUROPE APRÈS LA
GUERRE DE LA SUCCESSION

Après la mort sans postérité de Charles II, le duc d'Anjou, petit-fils de Louis XIV, devient le roi Philippe V d'Espagne. Mais la non-renonciation de ce dernier à ses droits à la couronne de France coalise dès 1701 l'Europe contre les Bourbons. En 1703, l'archiduc d'Autriche, Charles de Habsbourg est reconnu roi d'Espagne. Animée par son père, l'empereur Léopold Ier, et surtout par l'Angleterre, la guerre de la Succession ruine la péninsule Ibérique et la France, qui ne sont sauvées que par les victoires de Vendôme à Villaviciosa et de Villars à Denain. À Utrecht et à Rastatt, la présence des Bourbons à Madrid est confirmée. Mais les Habsbourg d'Autriche et, subsidiairement, la Savoie se partagent les Pays-Bas et l'Italie espagnols, tandis que l'Angleterre obtient la maîtrise des mers. Là est l'essentiel. (V. cartes pp. 65 et 76.)

V. AUSSI CARTE A p. 70.

B LA GUERRE CIVILE
   1936-1939

1936
zone nationaliste en juillet 1936
zone républicaine
offensive nationaliste
offensive républicaine
front en novembre 1936

C févr. 1937 - avr. 1939
secteur nationaliste
secteur républicain
offensive nationaliste
offensive républicaine

FRONT NORD (Bilbao)
front initial
attaques nationalistes
front fin juin 1937

OFFENSIVES NATIONALISTES
Aragon
9 mars-20 juin 1938
Catalogne
23 déc. 1938-févr. 1939

La victoire, aux élections de février 1936, du *Frente popular,* accompagnée d'une vague d'agitation sociale (réclamation d'une réforme agraire, mouvements anarchistes), alarme les grands propriétaires fonciers, les possédants, solidement appuyés sur l'armée et l'Église. Le soulèvement organisé le 18 juillet 1936 par les généraux Sanjurjo et Franco ne réussit pourtant que partiellement, en raison de la résistance populaire organisée par le gouvernement socialiste avec l'appui des syndicats ouvriers, des salariés agricoles, des autonomistes basques et catalans.

La guerre civile s'internationalise bientôt en raison de l'importance stratégique de l'Espagne et de l'enjeu idéologique de la guerre (dictature ou démocratie; fascisme ou socialisme). Mais les forces sont inégales entre les nationalistes de Franco, puissamment aidés par l'Italie fasciste et l'Allemagne nazie, et les gouvernementaux, qui ne reçoivent que des secours limités (rôle surtout des *brigades internationales*) : après l'écrasement du Pays basque durant l'été 1937, une offensive nationaliste en Aragon coupe en deux la zone gouvernementale; la contre-offensive désespérée sur l'Èbre ne peut empêcher la chute de la Catalogne en janvier 1939. En mars, la prise de Madrid par les franquistes achève une guerre qui a fait au moins 636 000 morts, entraîné le départ en exil d'environ 350 000 Espagnols et ruiné un pays dont le territoire a servi de base d'essai aux armements et aux troupes des protagonistes de la Seconde Guerre mondiale.

‡ Archevêchés   ‡ Évêchés   • Abbayes   La *Francia occidentalis* après le traité de Verdun, 843

L'ÉGLISE EN FRANCE À L'ÉPOQUE CAROLINGIENNE

Plus richement dotée en évêchés et en archevêchés dans les régions densément romanisées, qui ont été christianisées depuis la fin du IIe siècle apr. J.-C. (Provence, vallée du Rhône), la Gaule carolingienne est divisée, dans le reste du pays, en diocèses et en provinces ecclésiastiques, dont les limites et les villes épiscopales et archiépiscopales correspondent aux limites et aux chefs-lieux des *civitates* et des provinces gallo-romaines du IVe siècle.

À l'époque carolingienne, cette structure ecclésiastique est complétée par la fondation de nouveaux évêchés dans les régions les plus récemment soumises : Septimanie, Bretagne. Mais, partout, aux côtés du comte, l'évêque ou l'archevêque métropolitain préside aux destinées de la cité : ce dernier se trouve, en outre, investi par le capitulaire de Her-

stal de 779, d'une autorité morale et de contrôle qu'il doit exercer progressivement à l'intérieur de sa province ecclésiastique.

Depuis le Ve siècle, de nombreuses fondations monastiques ont complété cette carte : mais, adeptes de la règle de saint Césaire (Sainte-Croix, de Poitiers) ou de celle de saint Colomban dans le Nord-Ouest et dans l'Est (Fontenelle [Saint-Wandrille], Luxeuil), elles sont toutes soumises, en 816 et 817, par Benoît d'Aniane à la règle de saint Benoît de Nursie, dans le respect théoriquement absolu de la clôture.

Piliers institutionnels de l'Empire carolingien, auquel ils survivent, évêchés et abbayes assurent, à travers les siècles, la permanence de l'encadrement des populations dans les structures romaines.

FINLANDE,   pp. 158 et 159

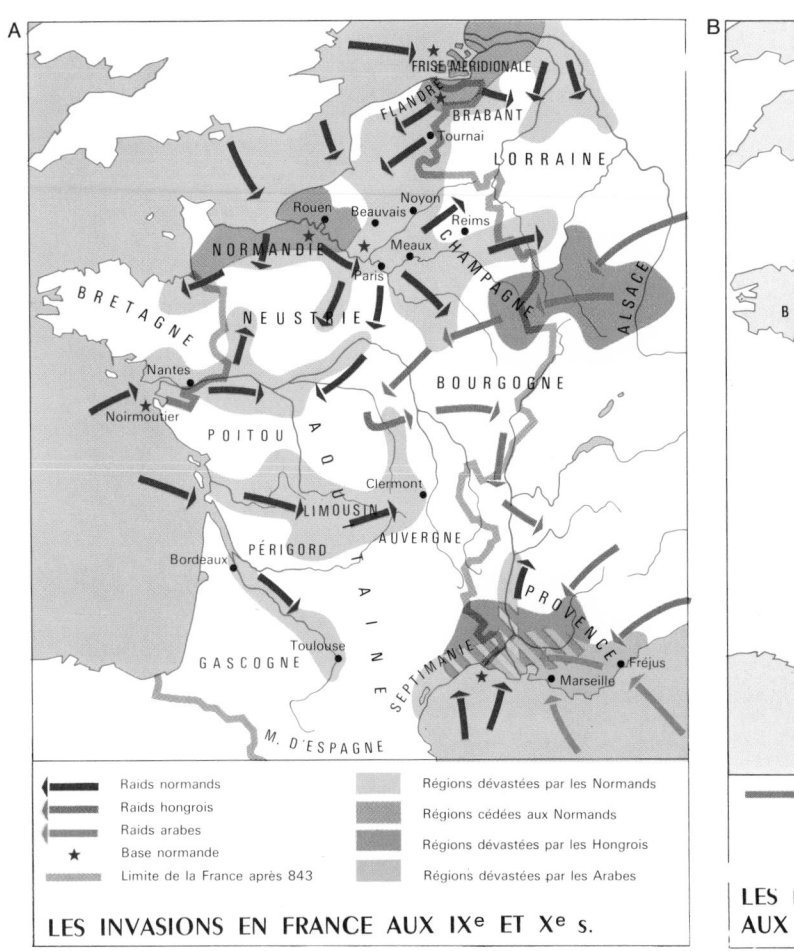

A

FRISE MÉRIDIONALE

FLANDRE BRABANT

LORRAINE

Tournai

Rouen Beauvais Noyon Reims

NORMANDIE Meaux CHAMPAGNE

BRETAGNE Paris ALSACE

NEUSTRIE

BOURGOGNE

Nantes

Noirmoutier POITOU

Clermont

LIMOUSIN AUVERGNE

Bordeaux PÉRIGORD

PROVENCE

GASCOGNE Toulouse SEPTIMANIE Fréjus

Marseille

M. D'ESPAGNE

Raids normands	Régions dévastées par les Normands
Raids hongrois	Régions cédées aux Normands
Raids arabes	Régions dévastées par les Hongrois
★ Base normande	
Limite de la France après 843	Régions dévastées par les Arabes

LES INVASIONS EN FRANCE AUX IXe ET Xe s.

B

FLANDRE

PONTHIEU ARTOIS

VERMANDOIS LORRAINE

ROUMOIS VALOIS RAINCIEN

COTENTIN LIEUVIN VEXIN PARISIS

BESSIN MULCIEN PERTHOIS

BRETAGNE MAINE CHARTRAIN BARROIS

VANNETAIS DUNOIS GÂTINAIS SÉNONAIS LANGOGNE

NANTAIS ANJOU ORLÉANAIS

P. DE METZ TOURAINE AUXERROIS BOURGOGNE

HERBAUGE POITOU BERRY NIVERNAIS

AUNIS AUTUNOIS

LIMOUSIN AUVERGNE

SAINTONGE LIVRADOIS PROVENCE

UZERCHAIS VELAY

PÉRIGORD TALLENDAIS GÉVAUDAN

BORDELAIS ROUERGUE

BAZADAIS AGENAIS QUERCY

AIRAIS ALBIGEOIS MAGUELONE

BÉARN TOULOUSAIN NARBONNAIS

LABOURD BIGORRE CARCASSÈS

SOULE COMMINGES RAZÈS

NAVARRE CERDAGNE ROUSSILLON

Limites du royaume	Limites des commandements territoriaux créés par Charles le Chauve

LES DIVISIONS RÉGIONALES DE LA FRANCE AUX IXe ET Xe s.

C

ROY. D'ANGLETERRE

Cassel DUCHÉ DE Cologne

Montreuil FLANDRE BASSE-LORRAINE

C^{té} DE PONTHIEU Corbie Mayence

Rouen COMTÉ DE VERMANDOIS Trèves

D^{ché} DE NORMANDIE VEXIN Compiègne Reims Attigny Metz

Mortain Poissy COMTÉ DE DUCHÉ DE

Paris CHAMPAGNE HAUTE-LORRAINE Strasbourg

C^{té} DE BRETAGNE PENTHIÈVRE Rennes Sens Troyes

CORNOUAILLE MAINE Blois Orléans

ANJOU Tours Bourges D^{ché} DE Dijon COMTÉ Bâle

Nantes BOURGOGNE Besançon

Nevers DE BOURGOGNE

Poitiers Chalon

POITOU S^{ie} DE BOURBON Beaujeu

DUCHÉ D'AQUITAINE Lyon

Saintes Limoges Clermont FOREZ ROY.

AUVERGNE DAUPHINÉ DE

Bordeaux GÉVAUDAN Viviers Embrun BOURGOGNE

DUCHÉ QUERCY PROVENCE

DE ROUERGUE Arles

GASCOGNE Albi GOTHIE Aix

C^{té} DE

BÉARN TOULOUSE Narbonne

COMMINGES

ROYAUME DE NAVARRE ROUSSILLON

COMTÉ DE BARCELONE

ESPAGNE

	Le Domaine royal à l'avènement d'Hugues Capet (987)

LA FRANCE À LA FIN DU Xe s.

Si la force des armes et la vertu d'un traité (Saint-Clair-sur-Epte, 911) sont à l'origine du duché de Normandie, celui-ci se distingue par la vigueur de son particularisme régional, voire ethnique et linguistique. Un même particularisme caractérise toutes les principautés périphériques qui se sont constituées entre 880 et 920 : duchés d'Aquitaine et de Bourgogne ; comtés de Bretagne, de Barcelone, de Toulouse et de Flandre.

Plus petites, plus tardivement émancipées sont les principautés comtales du cœur de la *Francia* (Anjou et Maine, Vermandois, Blois et Chartres, Troyes et Meaux). Elles restent soumises à l'autorité des ducs de France, les descendants de Robert le Fort. L'un d'eux, Hugues Capet, est élu roi, contre le Carolingien Charles, à Senlis en 987. Il se hâte d'associer, par le sacre, à la magistrature royale son fils aîné Robert. Ainsi commence la dynastie capétienne.

A ◀ Coïncidant avec le déclin de l'Empire carolingien, les invasions, normandes et sarrasines au IXᵉ siècle, hongroises au Xᵉ siècle, convergent au cœur de la *Francia occidentalis,* n'épargnant que les régions éloignées des côtes et à l'écart des fleuves.

Apparus vers 810 au nord et à l'ouest, multipliant à partir de 834 leurs raids depuis leurs bases (Angleterre, Noirmoutier), remontant la Seine, la Loire... sur leurs légers *snekkja,* poursuivant à cheval leur pénétration à l'intérieur du royaume, les Normands contraignent les souverains à leur verser de lourds tributs, puis à reconnaître l'existence des États qu'ils créent sur leurs territoires (Nantes, 919-937; duché de Rouen, 911).

S'orientant du sud vers le nord depuis la Méditerranée dès 828, mais ne devenant systématiques qu'avec la constitution de la base de *Fraxinetum* près de Saint-Tropez (vers 890-972/973), les raids des Sarrasins ravagent les Alpes jusqu'aux abords du lac de Constance, où ils recoupent les rapides chevauchées des Hongrois qui, venus de l'est, sèment la désolation de la Lorraine au Languedoc entre 917 et 955. La puissance carolingienne n'y survit pas.

B ◀ La constitution de principautés territoriales en *Francia occidentalis* et à ses confins a été favorisée au IXᵉ et au Xᵉ siècle par des facteurs nombreux : permanence des particularismes locaux chez les Aquitains, les Burgondes, les Goths, les Vascons et surtout les Bretons; enracinement d'une même famille aristocratique dans une même région où ses membres exercent souvent des fonctions comtales; existence de vastes commandements militaires créés soit par Charlemagne (« marches » d'Espagne, de Bretagne, de Gothie [Septimanie], de Toulouse), soit par Charles le Chauve, tel celui confié en 861 à Robert le Fort entre Seine et Loire (Neustrie) afin d'organiser localement la défense contre les Bretons et surtout les Normands; enfin et surtout appropriation de l'autorité publique, c'est-à-dire du droit de ban, après la mort de Charles le Chauve, par ceux qui la détiennent dans le cadre du système vassalique — marquis, ducs et 200 à 250 comtes. Cessant d'être les représentants du roi, ils deviennent des princes, dont certains ne prêtent même pas hommage au monarque défaillant. Le monde féodal se met en place.

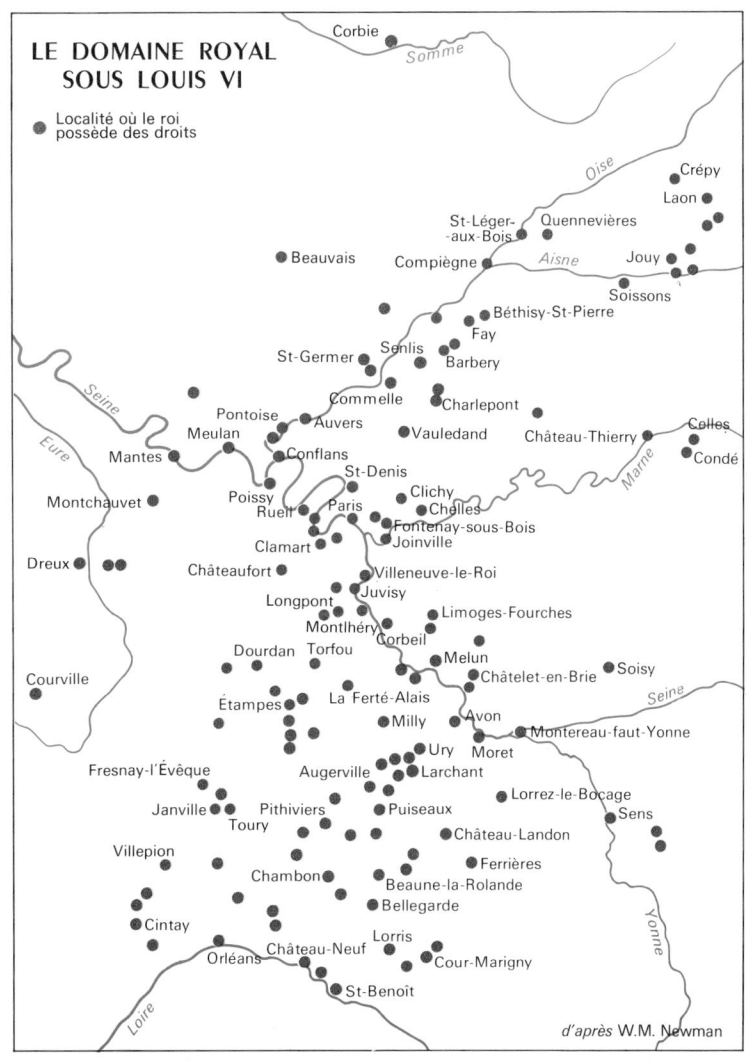

LE DOMAINE ROYAL SOUS LOUIS VI

● Localité où le roi possède des droits

d'après W.M. Newman

◀ Hérité en partie des Carolingiens (palais royaux de Compiègne, d'Attigny, etc.), et en partie des Robertiens, le domaine royal est constitué de trois ensembles territoriaux principaux : autour d'Orléans et de Sens au sud, de Paris au centre, de Senlis au nord; il dispose en outre, dès l'origine, d'un débouché sur la mer (Montreuil-sur-Mer). Au XIᵉ siècle, il s'adjoint les comtés du Gâtinais et du Vexin, la vicomté de Bourges, et des droits sur les grandes abbayes de Corbie et de Saint-Denis.

De superficie modeste mais sans cesse accrue, le domaine royal est sans doute plus vaste et plus riche que ceux de tous les grands vassaux à l'exception du duc des Normands. Des châtelains, tels les seigneurs de Montlhéry, de Montmorency tentent d'y créer des principautés indépendantes : Philippe Iᵉʳ et Louis VI s'acharnent à les ramener à la soumission. La politique d'expansion des comtes de Blois-Champagne menace le domaine. Mais, bien tenu en main, prospère, joint au prestige du sacre et aux prérogatives féodales du souverain, le domaine royal forme l'assise de la puissance capétienne.

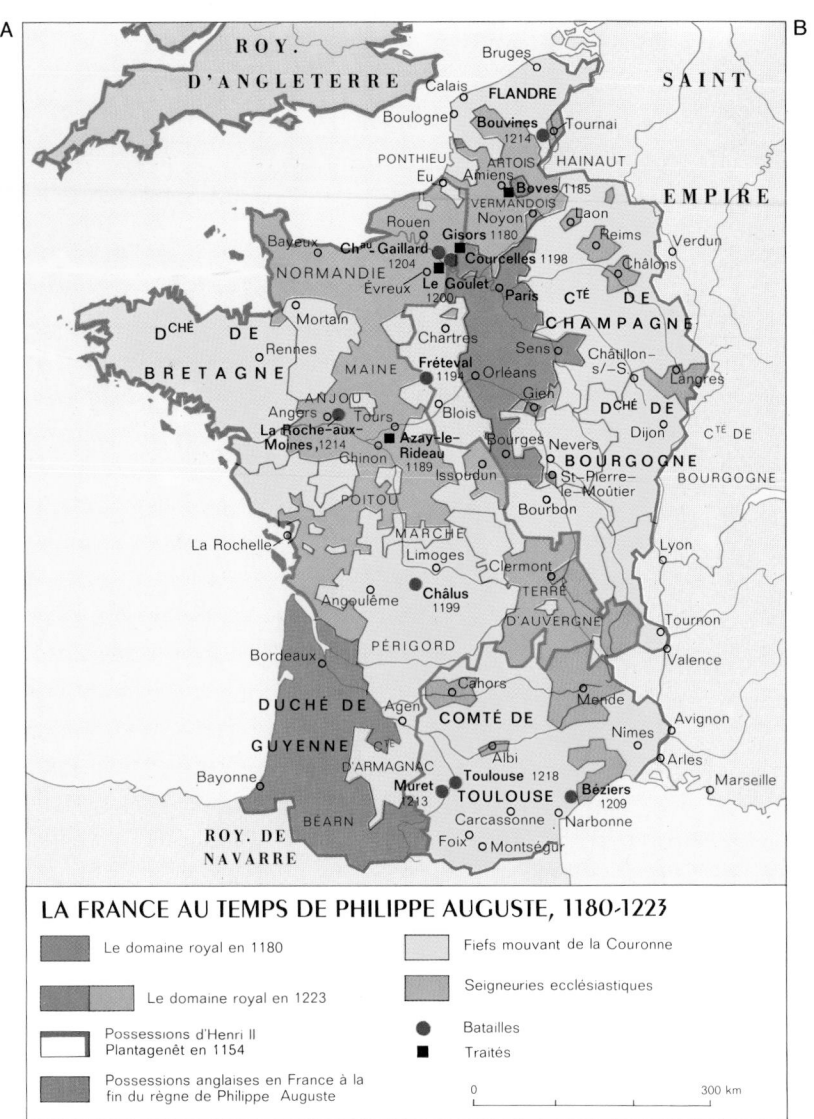

A

LA FRANCE AU TEMPS DE PHILIPPE AUGUSTE, 1180-1223

- Le domaine royal en 1180
- Le domaine royal en 1223
- Possessions d'Henri II Plantagenêt en 1154
- Possessions anglaises en France à la fin du règne de Philippe Auguste
- Fiefs mouvant de la Couronne
- Seigneuries ecclésiastiques
- ● Batailles
- ■ Traités

0   300 km

B

LES DÉBUTS DE LA GUERRE DE CENT ANS DE 1338 À 1350

- Le domaine royal à la mort de Charles IV le Bel (1328)
- Le domaine royal à l'avènement de Philippe VI de Valois (1328)
- Acquisition de 1349
- ★ Batailles
- Fiefs du roi d'Angleterre au début de la guerre de Cent Ans (1338)
- Zones d'influence anglaise
- → Chevauchée d'Édouard III (1346)
- ◯ Siège et prise de Calais par Edouard III (4 sept. 1346-4 août 1347)

0   300 km

▲ La puissance capétienne s'affirme réellement à l'aube du XIIIᵉ siècle, lorsque Philippe II Auguste réussit à tripler, pour le moins, la superficie du domaine royal par les moyens les plus divers : acquisitions matrimoniales (Artois); commise féodale en 1202 des terres d'un vassal félon, le roi d'Angleterre, Jean sans Terre; occupation progressive de ces dernières par la force des armes (Normandie, Maine, Anjou, Touraine, Terre d'Auvergne). En brisant la coalition anglo-germano-flamande de 1214 à La Roche-aux-Moines et à Bouvines, où Jean sans Terre et l'empereur Otton IV de Brunswick sont tour à tour vaincus, Philippe II Auguste consolide ses conquêtes, affaiblit de manière décisive la dangereuse puissance des Plantagenêts à l'intérieur du royaume de France et, par contrecoup, affirme la sienne propre à l'égard des autres grands vassaux : l'avenir de la dynastie est assuré (v. carte p. 130).

▲ Maîtres d'un royaume riche de 12 à 16 millions d'habitants ainsi que d'un domaine qui en englobe désormais les deux tiers — et qui s'accroît en 1349 de Montpellier et du Dauphiné —, les Valois disposent dès 1338 des moyens incomparablement supérieurs à ceux des Plantagenêts. L'Angleterre n'est, en effet, peuplée que de 4 millions d'habitants au plus, et les possessions continentales de ses rois sont réduites au Ponthieu et à la Guyenne, terres pour lesquelles ces derniers voudraient être déliés de tout hommage à l'égard du roi de France, dont ils revendiquent par ailleurs la couronne.

Renversant en sa faveur le rapport des forces, Édouard III d'Angleterre s'assure, dès 1340, l'appui des Flamands pour des raisons économiques, et, dès 1341, celui des Bretons de Jean de Montfort pour des motifs dynastiques; il impose sa suprématie militaire : sur mer, le 24 juin 1340 à L'Écluse; sur terre, le 26 août 1346 à Crécy et le 4 août 1347 à Calais, qu'il transforme en tête de pont économique et militaire en France du Nord. La guerre peut reprendre.

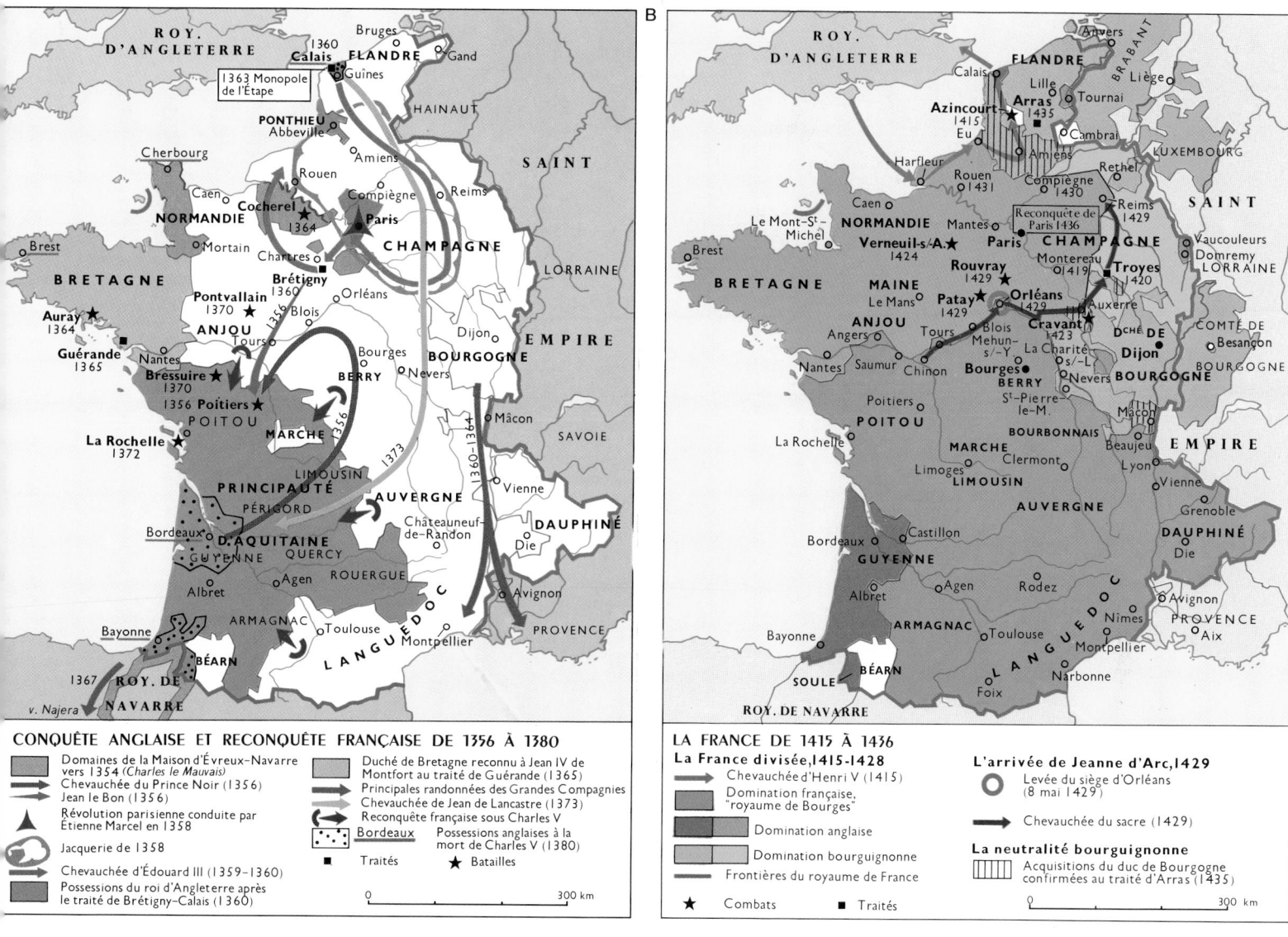

CONQUÊTE ANGLAISE ET RECONQUÊTE FRANÇAISE DE 1356 À 1380

Domaines de la Maison d'Évreux-Navarre vers 1354 (*Charles le Mauvais*)

Chevauchée du Prince Noir (1356)

Jean le Bon (1356)

Révolution parisienne conduite par Étienne Marcel en 1358

Jacquerie de 1358

Chevauchée d'Édouard III (1359-1360)

Possessions du roi d'Angleterre après le traité de Brétigny-Calais (1360)

Duché de Bretagne reconnu à Jean IV de Montfort au traité de Guérande (1365)

Principales randonnées des Grandes Compagnies

Chevauchée de Jean de Lancastre (1373)

Reconquête française sous Charles V

Bordeaux

Traités ■   Batailles ★

0   300 km

LA FRANCE DE 1415 À 1436
La France divisée, 1415-1428

Chevauchée d'Henri V (1415)

Domination française, "royaume de Bourges"

Domination anglaise

Domination bourguignonne

Frontières du royaume de France

★ Combats   ■ Traités

L'arrivée de Jeanne d'Arc, 1429

○ Levée du siège d'Orléans (8 mai 1429)

Chevauchée du sacre (1429)

La neutralité bourguignonne

Acquisitions du duc de Bourgogne confirmées au traité d'Arras (1435)

0   300 km

Trois bases territoriales (Bordelais, Ponthieu, Calaisis), l'appui des maisons de Montfort en Bretagne, d'Évreux-Navarre en Normandie, tels sont les atouts dont dispose Édouard III lorsque le prince de Galles Édouard (le Prince Noir) fait prisonnier Jean II le Bon près de Poitiers en 1356, contraignant ce souverain à signer en 1360 le traité de Brétigny-Calais. Cette victoire assure la possession de l'Aquitaine aux Plantagenêts, dont l'empire continental est partiellement reconstitué à l'heure où les Valois sont affaiblis par la révolution parisienne d'Étienne Marcel et par l'insurrection paysanne des Jacques.

La crise intérieure surmontée dès 1358, Charles V et du Guesclin renversent la situation : Charles le Mauvais est vaincu à Cocherel en 1364; la Bretagne rentre dans la vassalité française par le traité de Guérande en 1365; la France est libérée des Grandes Compagnies qui sont envoyées en 1367 en Castille, qui devient alliée en 1369; les Anglais, enfin, vaincus à Pontvallain et à Bressuire en 1370, sont rejetés hors du royaume, où ils ne contrôlent plus en 1380 que cinq ports : Calais, Cherbourg, Brest, Bordeaux et Bayonne. La reconquête française semble alors parvenue à son terme.

Longtemps retardée en France par la folie de Charles VI, par la querelle des Armagnacs et des Bourguignons, en Angleterre par la crise dynastique de la fin du XIVe siècle, la reprise des hostilités est provoquée en 1411 par l'appel du duc de Bourgogne, Jean sans Peur, à Henri IV de Lancastre.

La victoire décisive de son successeur, Henri V, à Azincourt le 25 octobre 1415, l'occupation de la Normandie par ses troupes de 1415 à 1419, l'assassinat de Jean sans Peur à Montereau par les hommes du Dauphin entraînent, le 21 mai 1420, la signature du traité de Troyes. Celui-ci rend possible l'avènement d'Henri VI de Lancastre au trône

de France le 21 octobre 1422 et consacre la division du royaume entre les trois dominations, anglaise, bourguignonne (Philippe le Bon), delphinale (Charles VII).

L'intervention de Jeanne d'Arc renverse alors la situation : Orléans est sauvée le 8 mai 1429, et Charles VII sacré à Reims le 17 juillet. L'exécution de l'héroïne à Rouen, le 30 mai 1431, pour hérésie, bloque un moment la reconquête. Favorisée par la paix franco-bourguignonne d'Arras du 21 mai 1435, celle-ci aboutit à la reprise de Paris par les troupes de Charles. Le destin des Lancastre en France est scellé.

A

LES ACQUISITIONS DE LOUIS XI

	Domaine royal en 1461		Acquisitions temporaires
Acquisitions			Fiefs des princes de la maison de Valois et de la maison de Bourbon
	sur la maison de Bourgogne		
	sur la maison d'Anjou		Autres fiefs
	sur la maison d'Aragon		Principauté détachée du royaume
			Foires nouvelles

0   300 km

But essentiel de la politique de Louis XI, le renforcement de l'autorité monarchique dans les domaines économique et politique se traduit par les résultats suivants : création de foires franches à Lyon, à Caen et à Rouen, afin de favoriser l'enrichissement du royaume; rétablissement de la paix avec l'Angleterre par la trêve de Picquigny, qui met pratiquement fin à la guerre de Cent Ans le 29 août 1475; adjonction, enfin, au domaine royal des biens de la maison de Bourgogne, après la défaite et la mort de Charles le Téméraire devant Nancy

en 1477 (duché de Bourgogne, Picardie et Boulonnais) et de l'héritage angevin *dans* (Anjou, 1480; Maine, 1481) et *hors* du royaume (Provence, 1481), à la mort du roi René en 1480 et à celle de Charles de Maine en 1481. Bien que Charles VIII rétrocède à l'Aragon en 1493 la Cerdagne et le Roussillon occupés depuis 1475 et bien qu'il restitue aussi aux Habsbourg en 1493 l'Artois et le « Comté » de Bourgogne, également occupés depuis 1477, l'essentiel de l'œuvre territoriale de Louis XI reste acquis à la monarchie.

Relevant soit de l'Empire, soit du royaume de France, l'État fondé par Philippe le Hardi se caractérise à l'origine par une triple hétérogénéité, politique, économique et surtout géographique, 200 kilomètres séparant ses deux blocs constitutifs. Désireux de les rendre plus cohérents, Philippe le Bon s'efforça d'abord d'unifier les Pays-Bas sous son autorité directe (Brabant, Luxembourg) ou indirecte (Liège, Cambrai). Puis Charles le Téméraire tenta de les souder en un seul ensemble géopolitique soit en imposant à Louis XI l'abandon de la Champagne à un prince dévoué à ses intérêts (Charles de France, en 1468), soit en occupant de gré ou de force les terres lotharingiennes jusqu'au Rhin (Lorraine, en 1473). Mais le triple échec subi devant Neuss en 1474-75, en Suisse en 1476 et près de Nancy en 1477 scella le destin des Valois-Bourgogne dont la seule héritière, Marie de Bourgogne, légua aux Habsbourg le rêve impérial en épousant Maximilien d'Autriche.

B

L'ÉTAT BOURGUIGNON

Philippe le Hardi (1364-1404)
  Possessions de Ph. le Hardi
  Apanages de ses fils

Philippe le Bon (1419-1467)
  Acquisitions
  États sous influence bourguignonne

Charles le Téméraire (1467-77)
  Reconquête
  Conquête
  Zone contrôlée à partir de 1473

Campagnes
  1474
  mars 1476
  juin 1476
  1477

	Limites occidentales du Saint Empire
★	Batailles

0   100 km

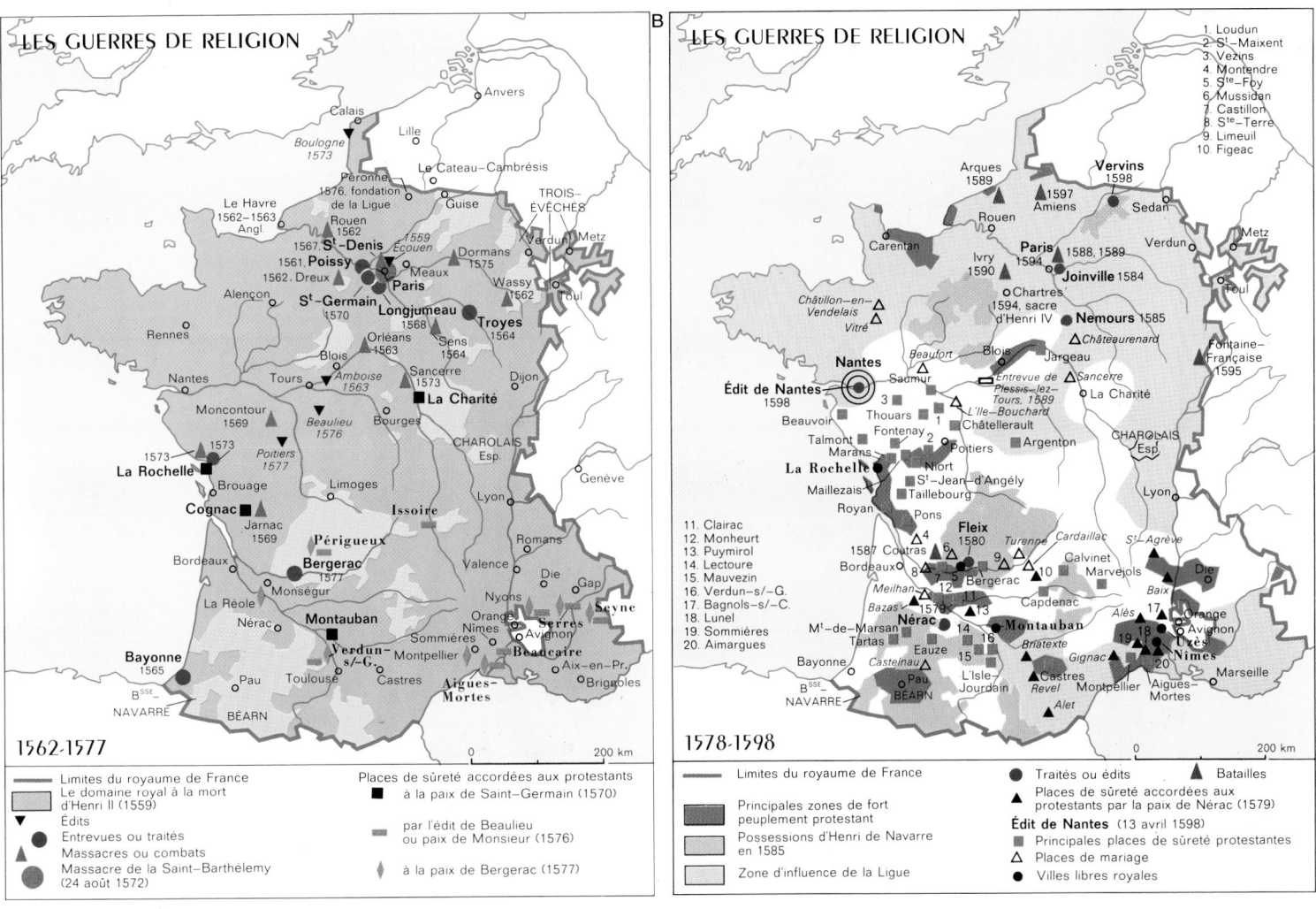

A — LES GUERRES DE RELIGION

1562-1577

Limites du royaume de France
Le domaine royal à la mort d'Henri II (1559)
▼ Édits
▲ Entrevues ou traités
▲ Massacres ou combats
● Massacre de la Saint-Barthélemy (24 août 1572)

Places de sûreté accordées aux protestants
■ à la paix de Saint-Germain (1570)
▬ par l'édit de Beaulieu ou paix de Monsieur (1576)
◆ à la paix de Bergerac (1577)

B — LES GUERRES DE RELIGION

1578-1598

1. Loudun
2. St-Maixent
3. Vezins
4. Montendre
5. Ste-Foy
6. Mussidan
7. Castillon
8. Ste-Terre
9. Limeuil
10. Figeac

11. Clairac
12. Monheurt
13. Puymirol
14. Lectoure
15. Mauvezin
16. Verdun-s/-G.
17. Bagnols-s/-C.
18. Lunel
19. Sommières
20. Aimargues

Limites du royaume de France
Principales zones de fort peuplement protestant
Possessions d'Henri de Navarre en 1585
Zone d'influence de la Ligue

● Traités ou édits
▲ Batailles
▲ Places de sûreté accordées aux protestants par la paix de Nérac (1579)

Édit de Nantes (13 avril 1598)
■ Principales places de sûreté protestantes
△ Places de mariage
● Villes libres royales

Les protestants avaient été d'abord des réformateurs, puis ils fondèrent une Église séparée : ils obtinrent, par le premier édit d'Amboise (18 mars 1560), une liberté de conscience illimitée et une liberté du culte limitée. Enfin, ils s'organisèrent en parti politique. S'ouvrit alors l'« ère des révoltes, combats, traités ». On distingue huit guerres civiles. Durant les six premières, les protestants furent le plus souvent battus, comme à Saint-Denis, Jarnac, Moncontour. Mais les « paix » leur rendaient les libertés de 1560, parfois accrues : paix d'Amboise, de Longjumeau, de Saint-Germain (quatre « places de sûreté »), de La Rochelle, de Beaulieu (la plus avantageuse : huit places de sûreté), paix de Bergerac (1577). Une république protestante s'était peu à peu créée au sein du royaume. Mais tous n'admettaient pas son existence.

La septième guerre ne fut qu'un « petit feu de paille » (1579-1580). La huitième (1585-1598), ou « guerre des Trois Henri » (Henri III, Henri de Navarre, Henri de Guise), vit enfin une nette victoire protestante à Coutras. Le vainqueur, Henri de Navarre, descendant au 10e degré de Saint Louis, devint le prétendant légitime après l'assassinat de Henri III; il avait pour concurrents : d'une part, l'infante Isabelle, fille de Philippe II et nièce de Henri III et, d'autre part, le duc de Mayenne, frère de Henri de Guise. Ses victoires à Arques et à Ivry, son abjuration, le sentiment national, la lassitude générale firent de lui le roi de Paris (1594), puis de la France entière. Par l'édit de Nantes (1598), il confirma aux protestants les libertés des édits antérieurs en les élargissant encore, notamment à une centaine de places de sûreté : tolérance unique en Europe!

FRANCE

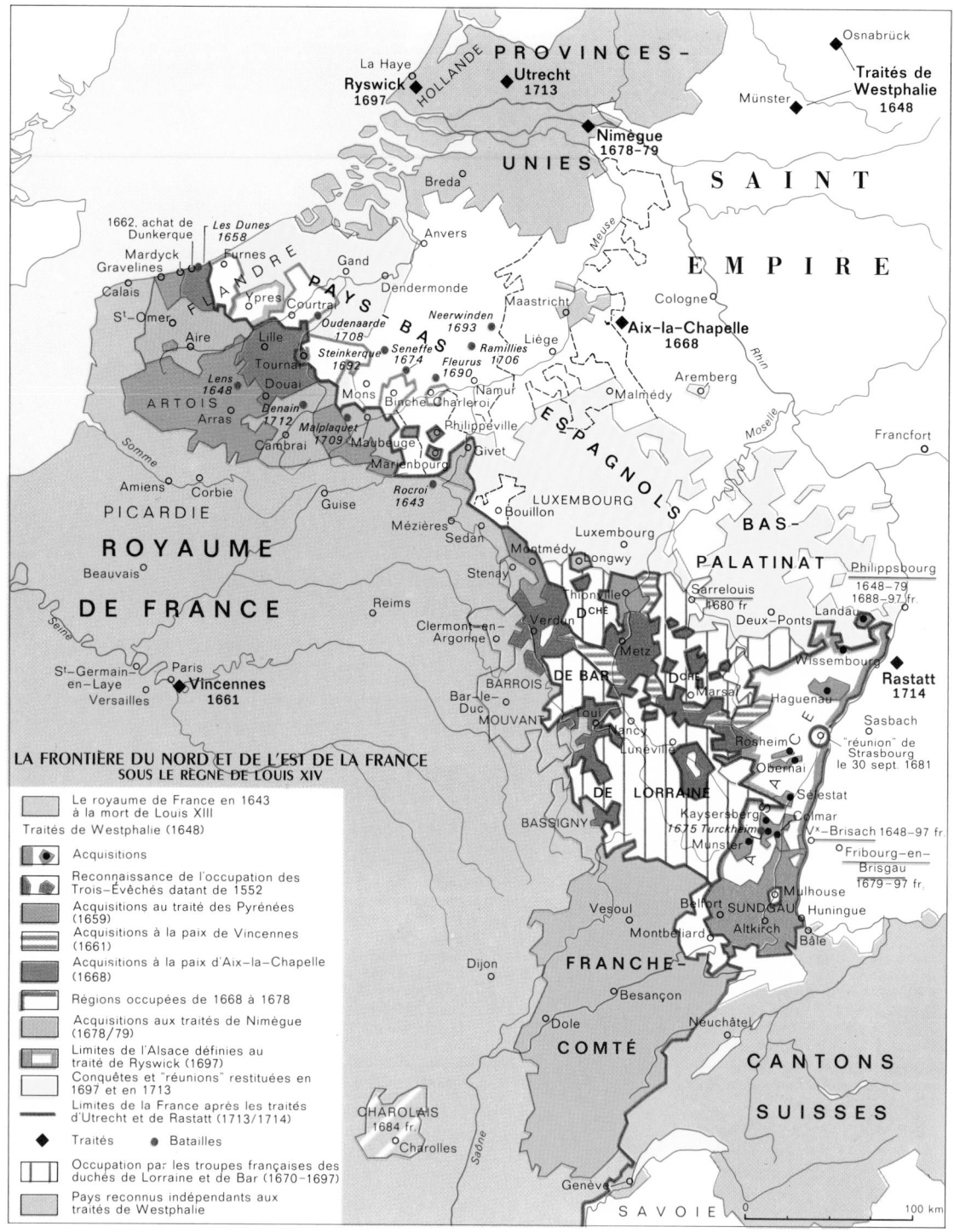

PROVINCES-UNIES

La Haye
Ryswick
1697
Utrecht
1713
HOLLANDE
Osnabrück
Traités de Westphalie 1648
Münster

Nimègue 1678-79
Breda
Anvers

S A I N T

E M P I R E

1662, achat de Dunkerque
Les Dunes 1658
Mardyck
Gravelines
Furnes
FLANDRE
Gand
Dendermonde
Maastricht
Meuse
Cologne
Rhin

Calais
S¹-Omer
Ypres
Courtrai
PAYS
BAS
Neerwinden 1693
Liège
Aix-la-Chapelle 1668
Aremberg
Francfort

Aire
Lille
Oudenaarde 1708
Steinkerque 1692
Senette 1674
Ramillies 1706
Fleurus 1690
Malmédy
Moselle

ARTOIS
Lens
1648
Tournai
Douai
Mons
Binche Charleroi
Namur
ESPAGNOLS

Arras
Benain 1712
Malplaquet 1709 Maubeuge
Philippeville
Marienbourg
Givet

Amiens
Corbie
Guise
Rocroi 1643
Bouillon
LUXEMBOURG
BAS-PALATINAT

PICARDIE
Mézières
Sedan
Luxembourg
Philippsbourg
1648-79
1688-97 fr.

ROYAUME
Montmédy
Longwy
Sarrelouis
1680 fr
Deux-Ponts
Landau

Beauvais
Reims
Stenay
Thionville
DCHE
Verdun
Wissembourg
Rastatt 1714

DE FRANCE
Clermont-en-Argonne
Metz
DCH
Marsa
Haguenau
Sasbach

Seine
S¹-Germain-en-Laye
Paris
Vincennes 1661
Versailles
BARROIS
DE BAR
Toul
Rosheim
"réunion" de Strasbourg le 30 sept. 1681

Bar-le-Duc
MOUVANT
Nancy
Lunéville
Obernai
Sélestat

DE LORRAINE
1675 Turckheim
Colmar
Kaysersberg
Vˣ-Brisach 1648-97 fr.

BASSIGNY
Munster
Fribourg-en-Brisgau
1679-97 fr.

Vesoul
Belfort
SUNDGAU
Mulhouse
Huningue

Dijon
Montbéliard
Altkirch
Bâle

FRANCHE-
Besançon

LA FRONTIÈRE DU NORD ET DE L'EST DE LA FRANCE
SOUS LE RÈGNE DE LOUIS XIV

Le royaume de France en 1643 à la mort de Louis XIII

Traités de Westphalie (1648)

Acquisitions

Reconnaissance de l'occupation des Trois-Évêchés datant de 1552

Acquisitions au traité des Pyrénées (1659)

Acquisitions à la paix de Vincennes (1661)

Acquisitions à la paix d'Aix-la-Chapelle (1668)

Régions occupées de 1668 à 1678

Acquisitions aux traités de Nimègue (1678/79)

Limites de l'Alsace définies au traité de Ryswick (1697)

Conquêtes et "réunions" restituées en 1697 et en 1713

Limites de la France après les traités d'Utrecht et de Rastatt (1713/1714)

◆ Traités   ● Batailles

Occupation par les troupes françaises des duchés de Lorraine et de Bar (1670-1697)

Pays reconnus indépendants aux traités de Westphalie

COMTÉ
Dole
Neuchâtel
CANTONS

CHAROLAIS
1684 fr.
Charolles
Saône
Genève
SUISSES

S A V O I E
100 km

Les traités de Westphalie et des Pyrénées n'avaient fait qu'améliorer les mauvaises frontières de l'Est et du Nord : l'Espagne en Franche-Comté, l'Alsace sans Strasbourg, la Lorraine occupée mais non annexée, les plaines sans défense des Pays-Bas espagnols d'où débouchent les routes d'invasion de la Lys, de l'Escaut, de la Sambre. Dès 1662, Louis XIV acheta Dunkerque à Charles II d'Angleterre. À Aix-la-Chapelle, il acquit une partie des Flandres, maritime et wallonne, avec Lille; et, pour servir soit de bases de départ soit de monnaie d'échange, il obtint, en outre, des enclaves au nord (Oudenaarde, Ath, Binche, Charleroi). Ces enclaves furent échangées, à Nimègue, contre douze villes, dont Saint-Omer, Cambrai, Valenciennes, Maubeuge qui fermaient les voies d'invasion; l'Espagne cédait la Franche-Comté. En pleine paix, Louis XIV « réunit » Strasbourg *(Gallia Germanis clausa)* et d'autres positions avancées, qu'il fallut rendre au traité de Ryswick; mais Strasbourg resta française; en outre, la Lorraine retournait à son duc. Ainsi, les frontières actuelles au nord étaient à peu près atteintes. Elles restèrent intactes, malgré les défaites de la guerre de la Succession d'Espagne; mais, par le traité d'Utrecht, l'Angleterre obtint en 1713 la destruction des forts et du port de Dunkerque : ainsi renforça-t-elle sa prépondérance dans la Manche et en mer du Nord.

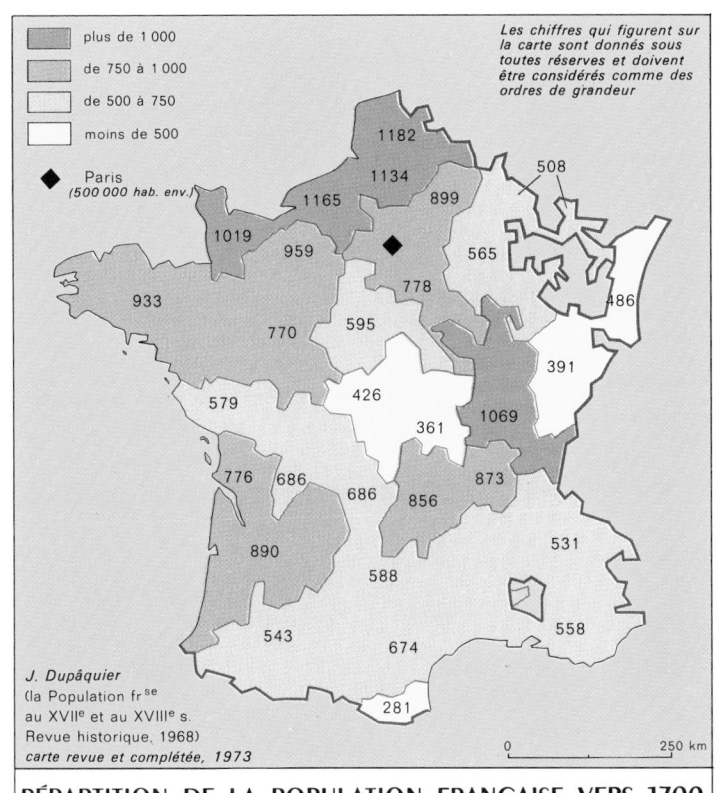

A

▨	plus de 1 000
▨	de 750 à 1 000
▨	de 500 à 750
□	moins de 500
◆	Paris (500 000 hab. env.)

Les chiffres qui figurent sur la carte sont donnés sous toutes réserves et doivent être considérés comme des ordres de grandeur

1182
1134
1165   899   508
1019   959
770   778   565
933   595   486
579   426   391
        361   1069
776 686 686 856 873
890   588   531
543   674   558
        281

J. Dupâquier
(la Population fr^se
au XVIIe et au XVIIIe s.
Revue historique, 1968)
carte revue et complétée, 1973

0   250 km

RÉPARTITION DE LA POPULATION FRANÇAISE VERS 1700
Densité par lieue carrée calculée dans le cadre des intendances.

Cette carte a été établie d'après les dénombrements de la période 1695-1699 et ceux de 1709 à 1713, dont les résultats, confrontés, ont permis d'éliminer un certain nombre de chiffres invraisemblables.

Malheureusement, la superficie des intendances n'étant connue avec précision que pour la fin du XVIIIe s., les calculs ont dû être faits dans le cadre administratif de la fin de l'Ancien Régime, qui a subi de profondes modifications de 1770 à 1787, avec la création des intendances d'Auch et de Pau.

Vers 1700, on peut distinguer deux zones de haute pression démographique : la région du Nord-Nord-Ouest, entre Dunkerque et Avranches, et la région Bourgogne-Auvergne; et trois zones de basse pression : l'Est, le sud du Bassin parisien (Berry-Bourbonnais) et le Roussillon. À noter que la ville de Paris n'a pas été prise en compte pour le calcul de la densité de sa généralité : sur une carte plus détaillée, l'Île-de-France apparaîtrait entourée d'une couronne de pays faiblement peuplés (sauf au nord).

L'inégalité de richesse (surtout entre Nord et Sud) repose d'abord sur des facteurs agronomiques : la «grande culture» des riches pays d'openfield (Île-de-France, Picardie) et la culture sans jachère du Nord et de l'Alsace s'opposent à la «petite culture» aux médiocres techniques qui domine dans le Sud (assolement biennal, labour à l'araire). En outre, le morcellement excessif de l'exploitation et la prédominance des métayers, «bordiers» et manouvriers caractérisent le Sud, tandis que dans les exploitations plus vastes du Nord se développe une classe de fermiers et «laboureurs» aisés.

L'absolutisme, qui définit théoriquement un pouvoir sans limites et fortement centralisé, est en fait limité par le maintien de «privilèges» sociaux et territoriaux. C'est ce qui explique l'absence d'unité nationale véritable : aux pays d'élection, où la centralisation est très lourde (notamment au point de vue fiscal), s'opposent les pays d'états, dans les régions périphériques les plus récemment réunies : dans ces derniers, l'existence d'états provinciaux, aux importantes attributions administratives et fiscales (ils lèvent eux-mêmes la taille «réelle»), limite le pouvoir des intendants.

B

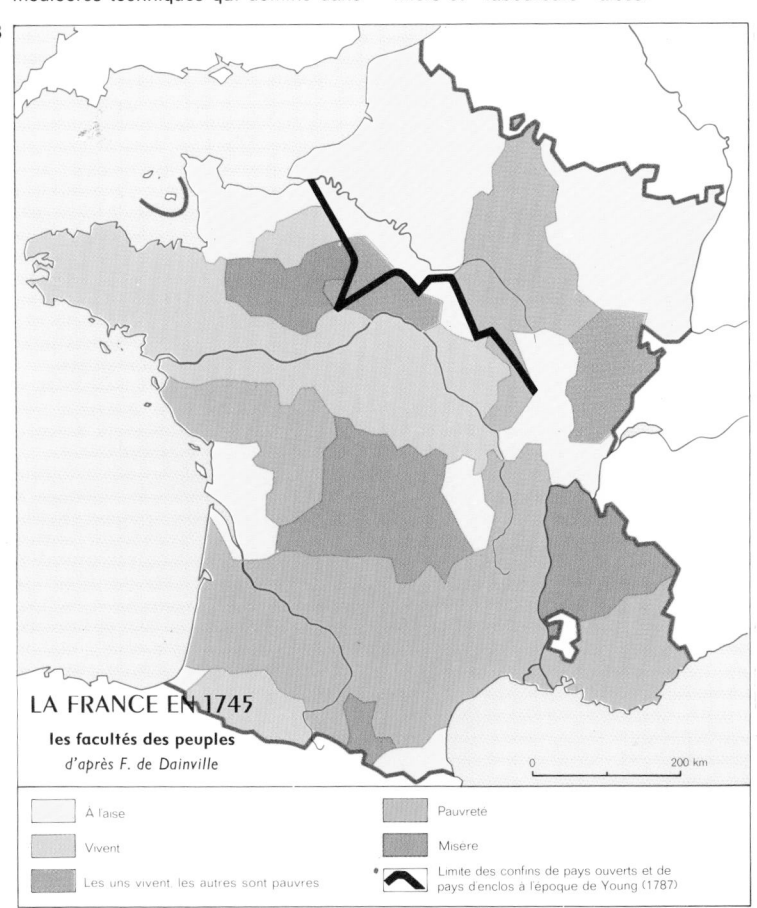

LA FRANCE EN 1745

les facultés des peuples

d'après F. de Dainville

0   200 km

□	À l'aise
▨	Vivent
▨	Les uns vivent, les autres sont pauvres
▨	Pauvreté
▨	Misère
* ◠	Limite des confins de pays ouverts et de pays d'enclos à l'époque de Young (1787)

C

LA FRANCE EN 1789

▨	Pays d'état
▨	Pays d'élection
ARTOIS	Gouvernements militaires

0   200 km

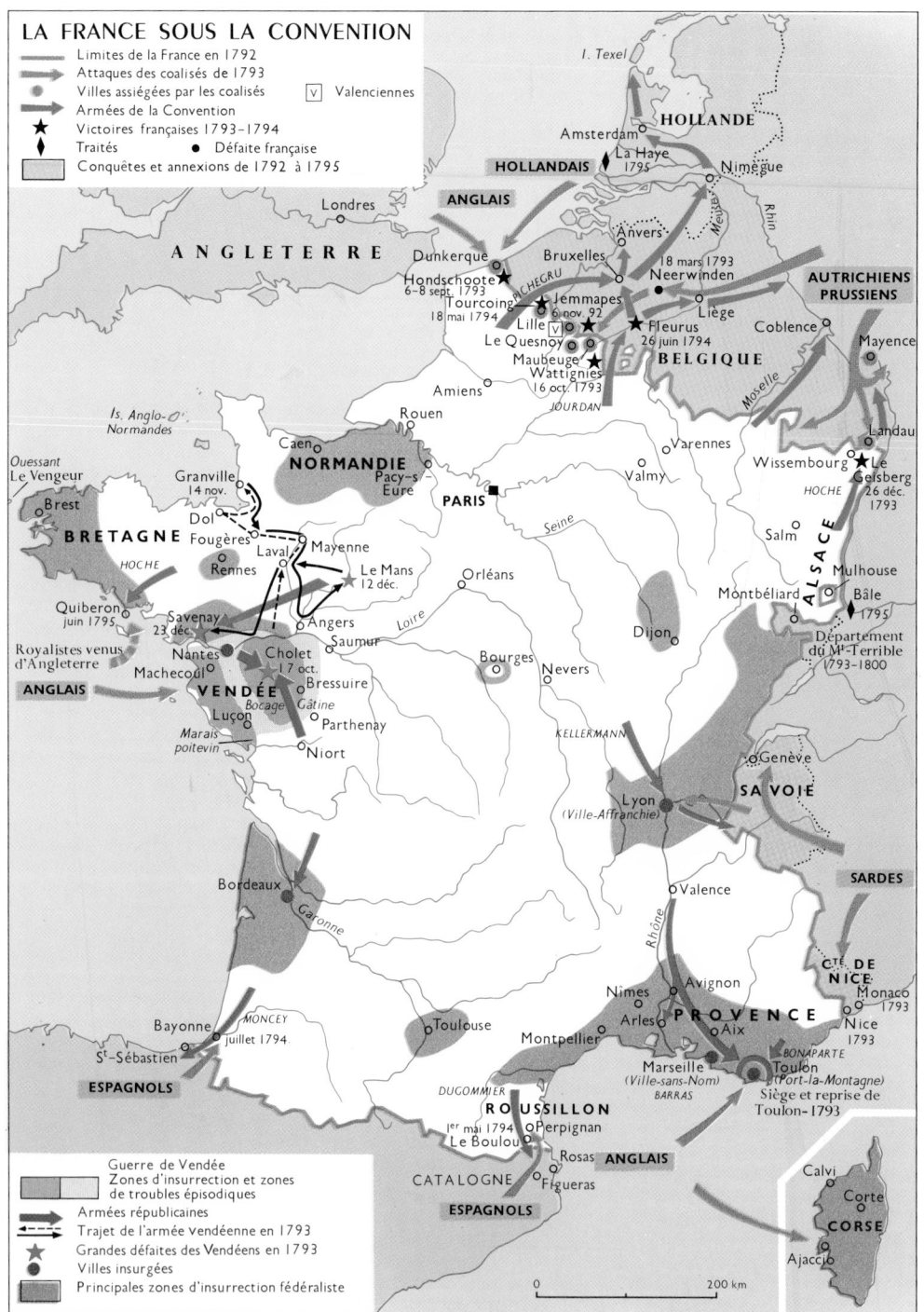

LA FRANCE SOUS LA CONVENTION

Limites de la France en 1792
Attaques des coalisés de 1793
Villes assiégées par les coalisés   [V] Valenciennes
Armées de la Convention
★ Victoires françaises 1793–1794
◆ Traités   ● Défaite française
Conquêtes et annexions de 1792 à 1795

Guerre de Vendée
Zones d'insurrection et zones de troubles épisodiques
Armées républicaines
Trajet de l'armée vendéenne en 1793
★ Grandes défaites des Vendéens en 1793
● Villes insurgées
Principales zones d'insurrection fédéraliste

0   200 km

Les premières défaites dans la guerre commencée le 20 avril 1792 ont provoqué en été (10 août) une radicalisation du mouvement révolutionnaire qui aboutit à la proclamation de la république le 21 septembre. Ce sursaut permet d'arrêter l'invasion austro-prussienne à Valmy dès le 20 septembre et même de pénétrer en Belgique (victoire de Jemmapes). Mais les succès mêmes de la Convention, qui semble défier l'Europe par l'exécution du roi le 21 janvier 1793, provoquent une coalition des pays voisins, dont les armées bousculent les troupes françaises, souvent mal commandées (trahison de Dumouriez après son échec à Neerwinden le 18 mars). La nouvelle poussée à gauche qui en résulte suscite des révoltes intérieures, attisées et utilisées par les Anglais : celle des paysans de l'Ouest, solidement encadrés par leurs seigneurs et par un clergé fanatisé, contre la levée de 300 000 hommes décrétée par la Convention le 24 février; celle de la bourgeoisie « girondine » éliminée du pouvoir le 2 juin 1793 et qui appelle à une insurrection des provinces contre le Paris des « sans-culottes ». L'extrême péril de l'été 1793 explique la formation du gouvernement révolutionnaire qui, mobilisant les énergies par la Terreur, écrase dans le sang (surtout à Lyon, à Nantes, en Vendée) les révoltes intérieures, avant de passer à l'offensive à l'extérieur : la victoire de Fleurus permet l'occupation des Pays-Bas et de la rive gauche du Rhin.

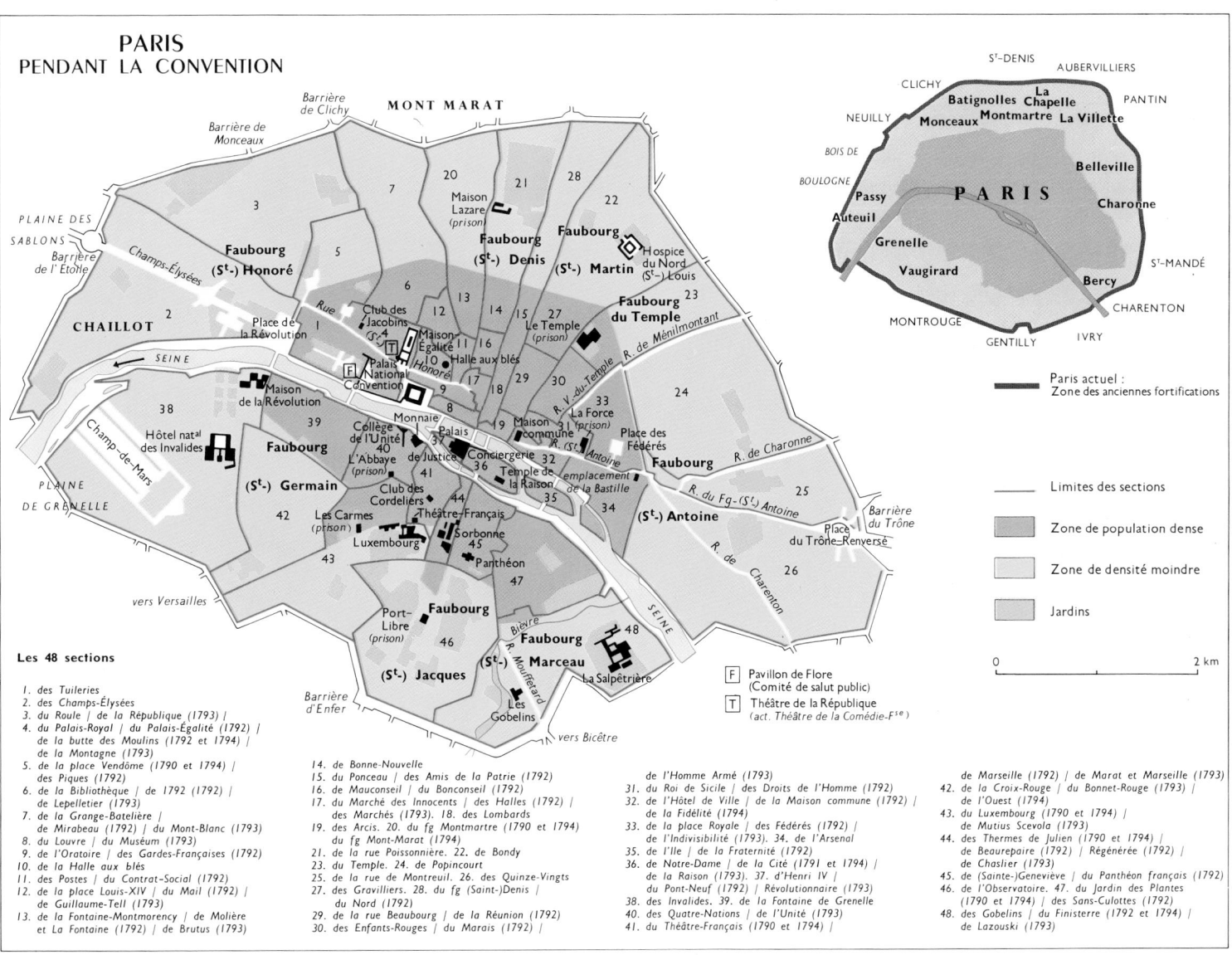

PARIS
PENDANT LA CONVENTION

MONT MARAT

Barrière de Clichy

Barrière de Monceaux

Barrière de l' Étoile

Champs-Élysées

PLAINE DES SABLONS

CHAILLOT

Place de la Révolution

Rue Honoré

Club des Jacobins

Maison Égalité

Palais National Convention

Halle aux blés

Pavillon de Flore

SEINE

Maison de la Révolution

Hôtel nat.al des Invalides

CHAMP-de-Mars

PLAINE DE GRENELLE

Monnaie

Collège de l'Unité

L'Abbaye (prison)

Palais de Justice

Conciergerie

Maison commune

Temple de la Raison

Les Carmes (prison)

Club des Cordeliers

Théâtre-Français

Sorbonne

Luxembourg

Panthéon

Faubourg (St-) Germain

vers Versailles

Port-Libre (prison)

Barrière d'Enfer

Faubourg (St-) Jacques

Les Gobelins

vers Bicêtre

Faubourg (St-) Honoré

Faubourg (St-) Denis

Maison Lazare (prison)

Faubourg (St-) Martin

Hospice du Nord (St-) Louis

Faubourg du Temple

Le Temple (prison)

R. de Ménilmontant

R. V. du Temple

La Force (prison)

R. (St) Antoine

emplacement de la Bastille

Place des Fédérés

Faubourg (St-) Antoine

R. de Charonne

R. du Fg-(St) Antoine

Barrière du Trône

Place du Trône-Renversé

SEINE

R. de Charenton

R. de Mouffetard

Bièvre

Faubourg (St-) Marceau

La Salpêtrière

Les 48 sections

1. des Tuileries
2. des Champs-Élysées
3. du Roule / de la République (1793) /
4. du Palais-Royal / du Palais-Égalité (1792) / de la butte des Moulins (1792 et 1794) / de la Montagne (1793)
5. de la place Vendôme (1790 et 1794) / des Piques (1792)
6. de la Bibliothèque / de 1792 (1792) / Lepelletier (1793)
7. de la Grange-Batelière / de Mirabeau (1792) / du Mont-Blanc (1793)
8. du Louvre / du Muséum (1793)
9. de l'Oratoire / des Gardes-Françaises (1792)
10. de la Halle aux blés
11. des Postes / du Contrat-Social (1792)
12. de la place Louis-XIV / du Mail (1792) / de Guillaume-Tell (1793)
13. de la Fontaine-Montmorency / de Molière et La Fontaine (1792) / de Brutus (1793)

14. de Bonne-Nouvelle
15. du Ponceau / des Amis de la Patrie (1792)
16. de Mauconseil / du Bonconseil (1792)
17. du Marché des Innocents / des Halles (1792) / des Marchés (1793). 18. des Lombards
19. des Arcis. 20. du fg Montmartre (1790 et 1794) du fg Mont-Marat (1794)
21. de la rue Poissonnière. 22. de Bondy
23. du Temple. 24. de Popincourt
25. de la rue Montreuil. 26. des Quinze-Vingts
27. des Gravilliers. 28. du fg (Saint-)Denis / du Nord (1792)
29. de la rue Beaubourg / de la Réunion (1792)
30. des Enfants-Rouges / du Marais (1792) /

de l'Homme Armé (1793)
31. du Roi de Sicile / des Droits de l'Homme (1792)
32. de l'Hôtel de Ville / de la Maison commune (1792) / de la Fidélité (1794)
33. de la place Royale / des Fédérés (1792) / de l'Indivisibilité (1793). 34. de l'Arsenal
35. de l'Ile / de la Fraternité (1792)
36. de Notre-Dame / de la Cité (1791 et 1794) / de la Raison (1793). 37. d'Henri IV / du Pont-Neuf (1792) / Révolutionnaire (1793)
38. des Invalides. 39. de la Fontaine de Grenelle
40. des Quatre-Nations / de l'Unité (1793)
41. du Théâtre-Français (1790 et 1794) /

de Marseille (1792) / de Marat et Marseille (1793)
42. de la Croix-Rouge / du Bonnet-Rouge (1793) / de l'Ouest (1794)
43. du Luxembourg (1790 et 1794) / de Mutius Scevola (1793)
44. des Thermes de Julien (1790 et 1794) / de Beaurepaire (1792) / Régénérée (1792) / de Chaslier (1793)
45. de (Sainte-)Geneviève / du Panthéon français (1792)
46. de l'Observatoire. 47. du Jardin des Plantes (1790 et 1794) / des Sans-Culottes (1792)
48. des Gobelins / du Finisterre (1792 et 1794) / de Lazouski (1793)

F Pavillon de Flore (Comité de salut public)

T Théâtre de la République (act. Théâtre de la Comédie-Fse)

(carte d'ensemble)

ST-DENIS

CLICHY

AUBERVILLIERS

PANTIN

NEUILLY

La Chapelle

Batignolles

Monceaux

Montmartre

La Villette

BOIS DE BOULOGNE

Passy

Auteuil

Grenelle

Vaugirard

P A R I S

Belleville

Charonne

Bercy

ST-MANDÉ

CHARENTON

MONTROUGE

GENTILLY

IVRY

Paris actuel : Zone des anciennes fortifications

Limites des sections

Zone de population dense

Zone de densité moindre

Jardins

0   2 km

Les « sections » parisiennes, simples circonscriptions électorales en 1790, deviennent vite des organismes politiques permanents, regroupant les éléments les plus avancés de la « sans-culotterie », dont les soulèvements périodiques organisés par la puissante *Commune* (installée après le 10 août 1792), jouent un rôle essentiel dans l'accélération de la Révolution.

Ce rôle de Paris s'explique d'abord par son poids démographique : dans l'enceinte des *Fermiers généraux* s'entassent déjà environ 550 000 personnes, inégalement réparties entre les faubourgs (encore de gros villages, principalement à l'ouest) et le centre surpeuplé (ce qui y explique l'acuité du problème des subsistances). D'ailleurs, hormis les faubourgs de l'ouest, Paris est une ville populaire (280 000 personnes vivent du salariat) : le centre et le nord, fortement ouvriers (avec des entreprises relativement grandes), apparaissent curieusement moins « remuants » que les faubourgs de l'est (Saint-Antoine) et du sud (Saint-Marceau), dont la population plus composite comprend des petits artisans, des compagnons, et surtout des indigents (un habitant sur trois dans le faubourg Saint-Antoine). La sans-culotterie est moins une *classe* qu'un groupe social hétérogène, pour qui le droit de manger et l'égalité des propriétés sont les revendications essentielles.

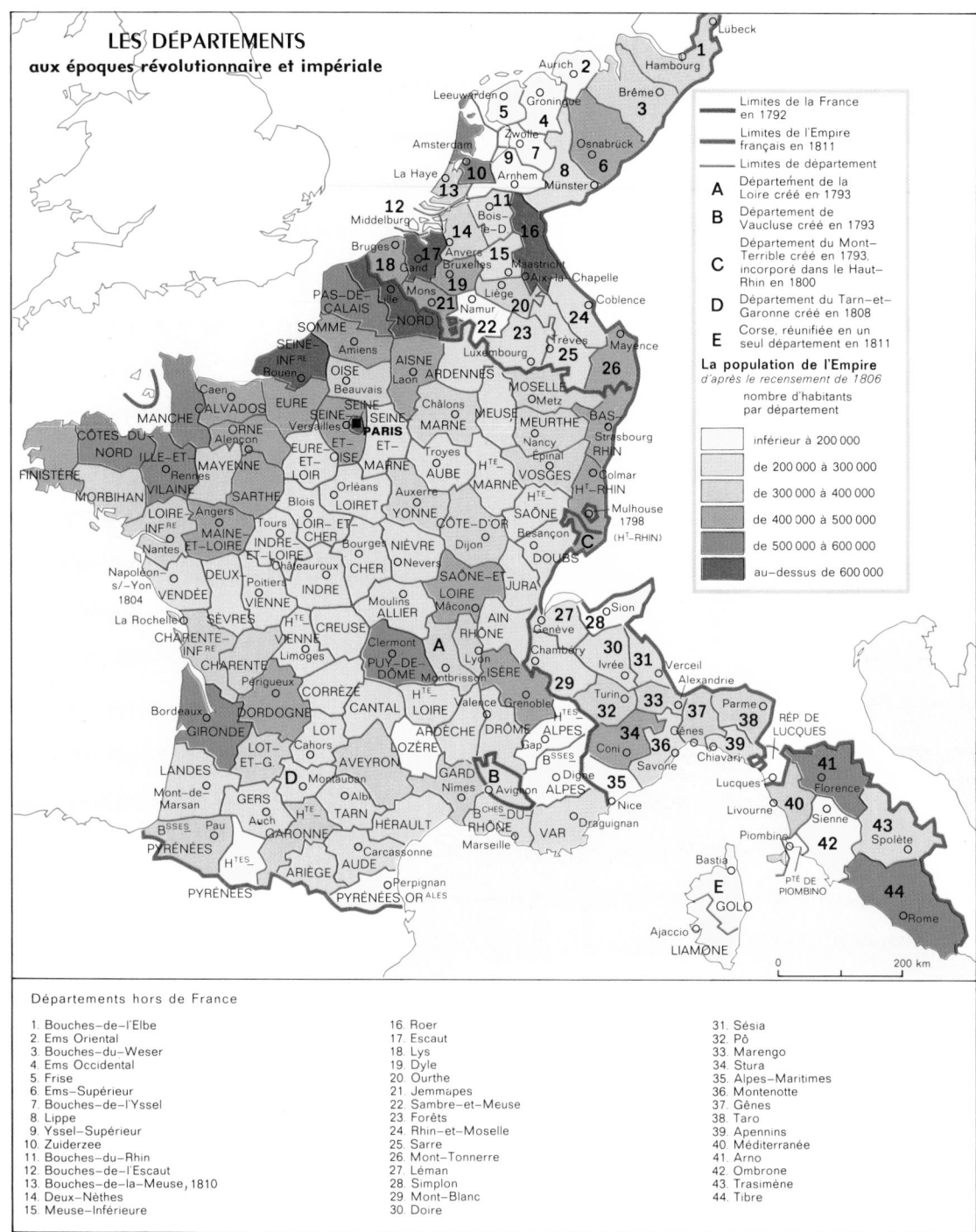

LES DÉPARTEMENTS
aux époques révolutionnaire et impériale

Limites de la France en 1792
Limites de l'Empire français en 1811
Limites de département

A   Département de la Loire créé en 1793
B   Département de Vaucluse créé en 1793
C   Département du Mont-Terrible créé en 1793, incorporé dans le Haut-Rhin en 1800
D   Département du Tarn-et-Garonne créé en 1808
E   Corse, réunifiée en un seul département en 1811

La population de l'Empire
d'après le recensement de 1806
nombre d'habitants par département

inférieur à 200 000
de 200 000 à 300 000
de 300 000 à 400 000
de 400 000 à 500 000
de 500 000 à 600 000
au-dessus de 600 000

Départements hors de France

1. Bouches-de-l'Elbe
2. Ems Oriental
3. Bouches-du-Weser
4. Ems Occidental
5. Frise
6. Ems-Supérieur
7. Bouches-de-l'Yssel
8. Lippe
9. Yssel-Supérieur
10. Zuiderzee
11. Bouches-du-Rhin
12. Bouches-de-l'Escaut
13. Bouches-de-la-Meuse, 1810
14. Deux-Nèthes
15. Meuse-Inférieure

16. Roer
17. Escaut
18. Lys
19. Dyle
20. Ourthe
21. Jemmapes
22. Sambre-et-Meuse
23. Forêts
24. Rhin-et-Moselle
25. Sarre
26. Mont-Tonnerre
27. Léman
28. Simplon
29. Mont-Blanc
30. Doire

31. Sésia
32. Pô
33. Marengo
34. Stura
35. Alpes-Maritimes
36. Montenotte
37. Gênes
38. Taro
39. Apennins
40. Méditerranée
41. Arno
42. Ombrone
43. Trasimène
44. Tibre

Instaurée par la loi du 22 décembre 1789 afin d'unifier la base territoriale des services administratifs, la division en départements évolue au rythme des circonstances politiques et des conquêtes. Aux départements découpant la France de l'Ancien Régime (83 en 1790, 86 en 1793, 87 en 1808, 86 en 1811) s'ajoutent, en effet, ceux qui ont été créés dans les territoires annexés : 44, y compris les départements savoyards. Au total, l'Empire français compte donc 130 départements à l'apogée du système continental en 1811.

Réalisé dans ce cadre à des fins économiques et militaires, sous le contrôle du *Bureau de la statistique,* le recensement de 1806 souffre de l'imperfection des méthodes utilisées. Il met pourtant en évidence quelques données permanentes de la géographie humaine de l'Europe occidentale : fortes concentrations autour des capitales (Paris, Amsterdam, Aix-la-Chapelle, Rome), dans les grandes régions industrielles du textile (Flandre, haute Normandie, Toscane) ou du charbon (Flandre, Saône-et-Loire), dans les zones agricoles les plus riches (Picardie, Île-de-France, basse Normandie, Alsace) ou de toute natalité (Bretagne); faible peuplement des autres régions à l'exception de quelques départements isolés (Gironde et Dordogne viticoles, Isère industrielle); enfin, sous-peuplement non seulement des traditionnels départements montagnards (Alpes méridionales, Lozère, Hautes-Pyrénées) mais aussi des pays pauvres, que les Italiens (Ombrone) et surtout les Néerlandais (Pays de l'Est) n'ont pas encore mis systématiquement en valeur. (V. cartes pp. 67 [A] et 69.)

A

L'analphabétisme au début de la monarchie de Juillet

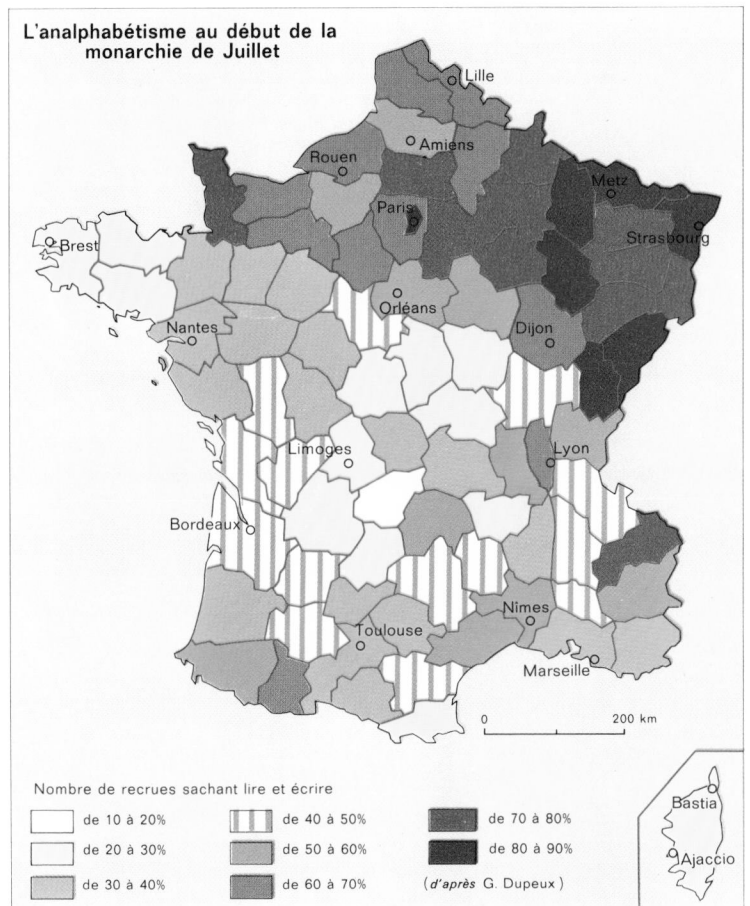

Nombre de recrues sachant lire et écrire

de 10 à 20%	de 40 à 50%	de 70 à 80%
de 20 à 30%	de 50 à 60%	de 80 à 90%
de 30 à 40%	de 60 à 70%	(d'après G. Dupeux)

B

Les électeurs censitaires en 1846

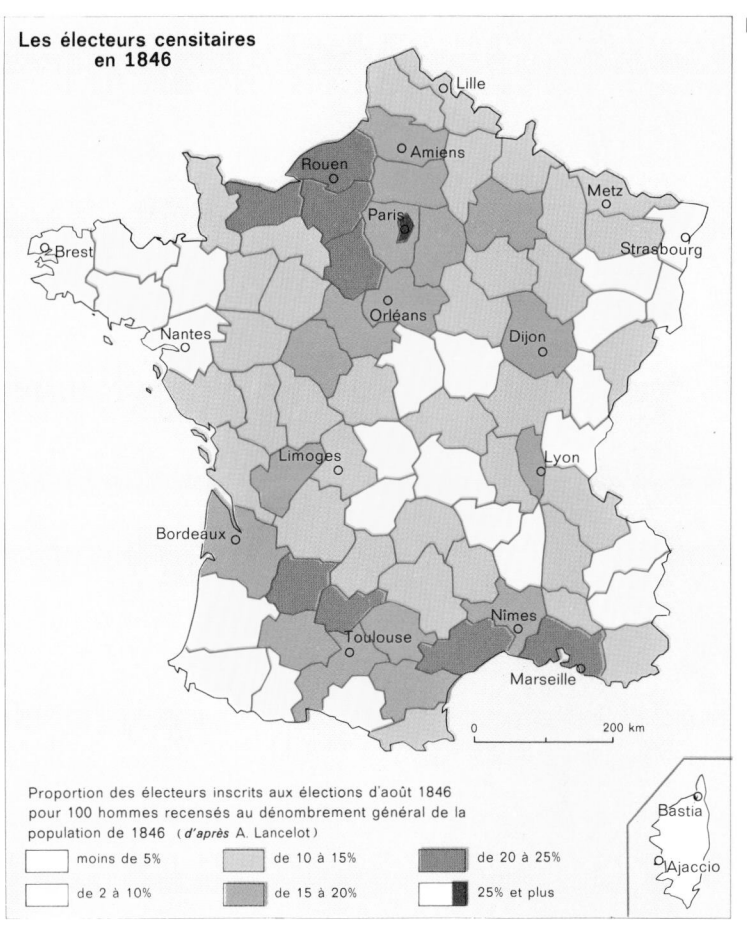

Proportion des électeurs inscrits aux élections d'août 1846 pour 100 hommes recensés au dénombrement général de la population de 1846 (d'après A. Lancelot)

moins de 5%	de 10 à 15%	de 20 à 25%
de 2 à 10%	de 15 à 20%	25% et plus

La scolarisation en 1830 est à la fois limitée (un adulte sur deux est analphabète) et fort inégale : une ligne Saint-Malo-Genève sépare le pays en deux. Plus urbanisée, plus ouverte sur l'extérieur, dotée d'une industrie rurale diffuse qui élargit l'« horizon mental » des villageois, la France du Nord est déjà bien scolarisée à partir de trois foyers : région parisienne, Lorraine, Normandie. Plus exclusivement rurale, très peu mobile, la population de la France de l'Ouest et du Sud reste confinée dans les activités paysannes : aussi cette région apparaît-elle souvent comme un désert scolaire. À cette insuffisance, la loi Guizot du 28 juin 1833 sur l'enseignement primaire a apporté un premier mais insuffisant remède.

C

Les machines à vapeur en France en 1841

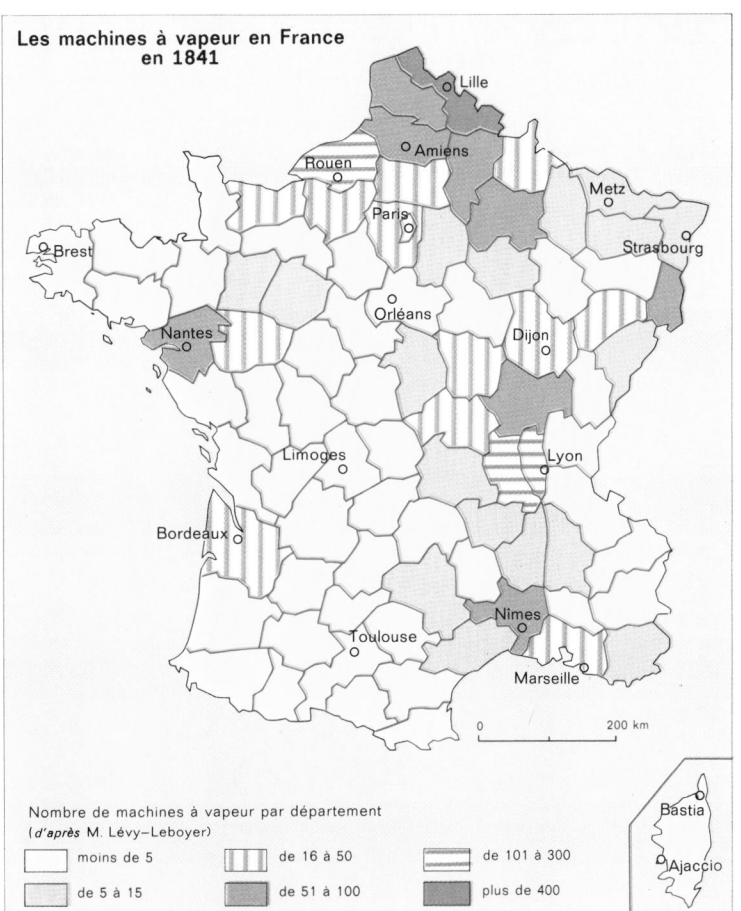

Nombre de machines à vapeur par département
(d'après M. Lévy-Leboyer)

moins de 5	de 16 à 50	de 101 à 300
de 5 à 15	de 51 à 100	plus de 400

Le suffrage censitaire, en réservant le droit de vote aux riches, crée un « pays légal » sans rapport avec le « pays réel » : 95 p. 100 des citoyens — paysans, ouvriers, petits-bourgeois — sont exclus de la vie politique. Mais, comme le système fiscal repose essentiellement sur l'impôt foncier, les plus forts pourcentages viennent, les grandes villes mises à part, surtout des régions de riche agriculture et de grande propriété; les régions industrielles sont sous-représentées. En fait, la classe au pouvoir n'est pas tant la *bourgeoisie* que le groupe des *notables* dont la fortune est principalement foncière et immobilière.

Bien que l'industrialisation ait commencé depuis un demi-siècle, l'équipement mécanique de la France reste limité : en 1848, il y a seulement 4800 machines à vapeur développant 62000 ch, et l'énergie hydraulique est encore largement dominante. La modernisation technique se limite à quelques secteurs : mines de charbon et grosse métallurgie (Nord, Loire, Gard, région du Creusot); grande industrie textile avec tissage du coton (Normandie, Picardie, Champagne, Nord, Mulhouse) ou travail de la soie (région lyonnaise).

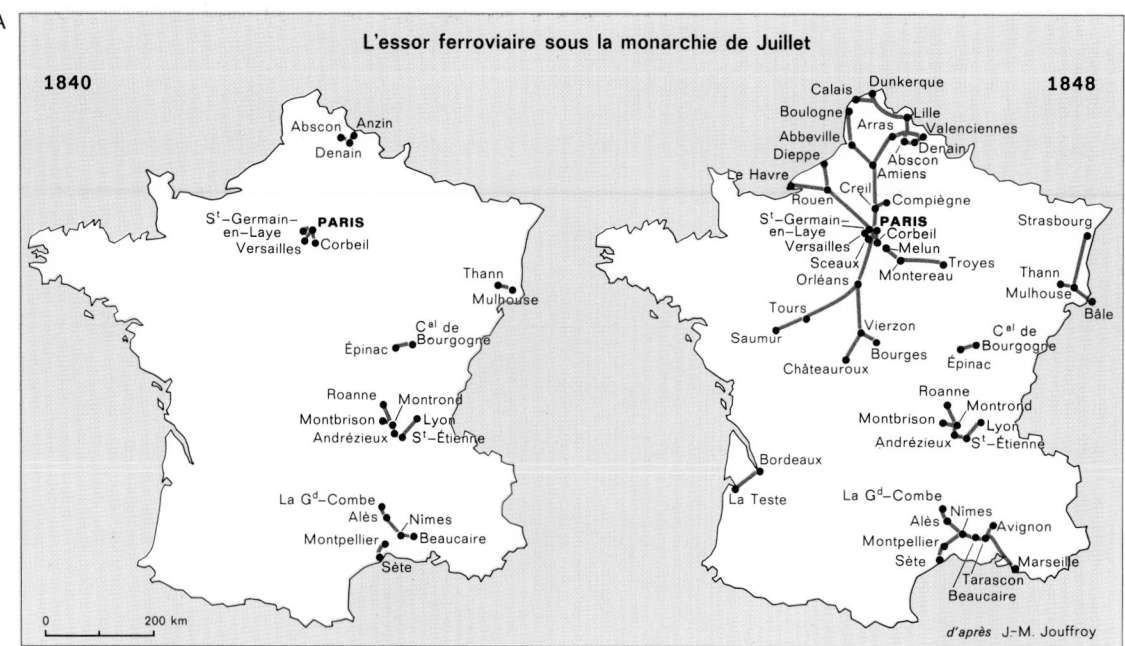

A

L'essor ferroviaire sous la monarchie de Juillet

1840

1848

d'après J-M. Jouffroy

À l'origine, les chemins de fer ont une fonction exclusivement industrielle : les transports charbonniers (d'où la précocité des lignes dans les bassins houillers). Mais l'action d'entrepreneurs inspirés par le saint-simonisme ainsi que l'adoption de la charte de 1842 (premier signe de l'intervention officielle de l'État) permettent la création d'un réseau qui esquisse déjà l'organisation radiale à partir de Paris. Malgré un important programme de constructions, stimulé par un boom boursier, la France ne compte encore que 1 930 km de voies ferrées en 1848.

B

LE DÉVELOPPEMENT
DES CHEMINS DE FER
SOUS LE SECOND EMPIRE

Lignes exploitées en 1851
Lignes ouvertes de 1851 à 1860
Lignes ouvertes de 1860 à 1870

0   200 km

Le réseau ferroviaire français se crée véritablement sous le Second Empire, grâce au climat de prospérité et au rôle moteur de la bourgeoisie industrielle désormais au pouvoir. L'aide de l'État, la fusion des compagnies ferroviaires (six seulement en 1857) permettent la création de 9 000 km de voies nouvelles en 1858. Rayonnant autour de Paris, cet « ancien réseau » est complété, après l'accord de 1859 entre l'État et les compagnies, par un « nouveau réseau » ramifiant le précédent (construction des premières transversales est-ouest) et « désenclavant » la plupart des régions françaises.

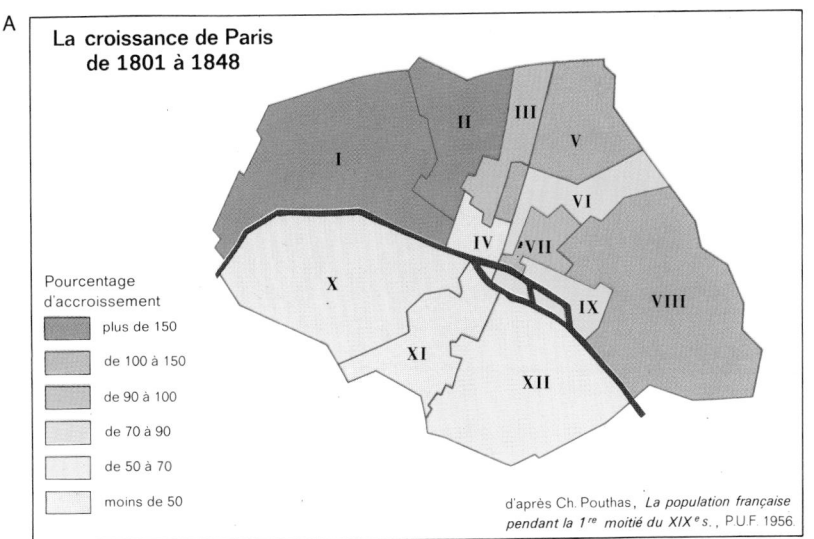

A

**La croissance de Paris
de 1801 à 1848**

Pourcentage
d'accroissement

- plus de 150
- de 100 à 150
- de 90 à 100
- de 70 à 90
- de 50 à 70
- moins de 50

d'après Ch. Pouthas, *La population française
pendant la 1re moitié du XIXe s.*, P.U.F. 1956.

Après la Révolution (v. carte p. 117), Paris connaît une forte croissance : de 550 000 habitants en 1801, la population atteint 1 000 000 en 1848. Le centre, déjà surpeuplé, achève de se « taudifier » à la suite d'une immigration de Rastignacs ou de miséreux (début de l'exode rural), qui gonfle surtout les quartiers est (faubourg St-Antoine) de plus en plus prolétarisés. Mais la plus forte croissance touche les quartiers ouest de la rive droite, où la moindre densité et les aménagements napoléoniens attirent la bourgeoisie parisienne et les notables provinciaux « montant » vers la capitale.

B

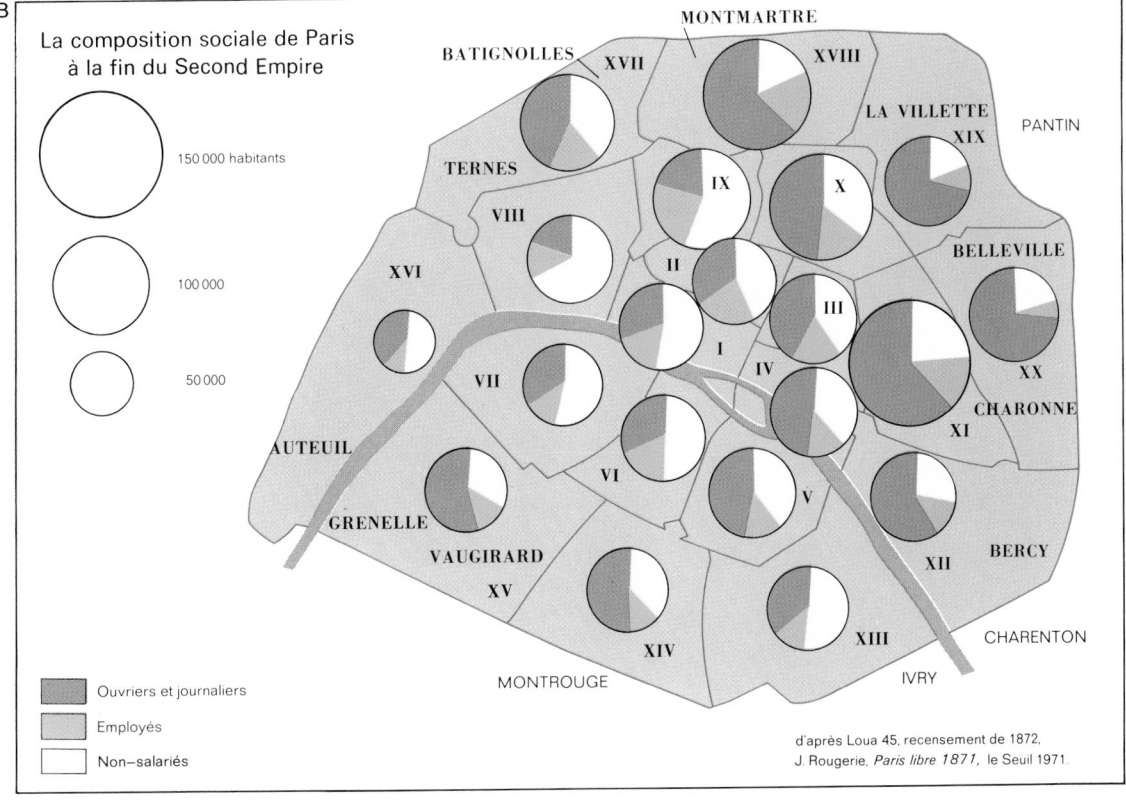

**La composition sociale de Paris
à la fin du Second Empire**

150 000 habitants

100 000

50 000

- Ouvriers et journaliers
- Employés
- Non-salariés

d'après Loua 45, recensement de 1872,
J. Rougerie, *Paris libre 1871,* le Seuil 1971.

Les travaux du baron Haussmann ont accentué une tendance esquissée depuis le début du XIXe siècle : la ségrégation entre l'ouest et l'est de Paris. Chassés du centre par la spéculation, les éléments populaires grossissent les Xe, XIe, XIIe arrondissements; « passant la barrière », ils doivent même s'exiler dans les arrondissements périphériques, plus ouvriers au nord et à l'est, des Batignolles à Belleville, plus « artisans » au sud, d'Ivry à Grenelle. Interrompue seulement des Ternes à Auteuil, cette « ceinture rouge » enserre la ville, dont le cœur, réoccupé par la bourgeoisie, est de plus en plus pénétré par des activités de type tertiaire.

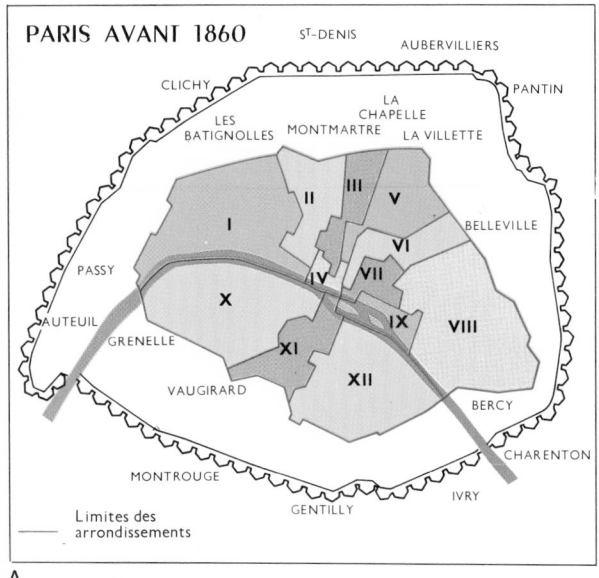

PARIS AVANT 1860

Limites des arrondissements

A

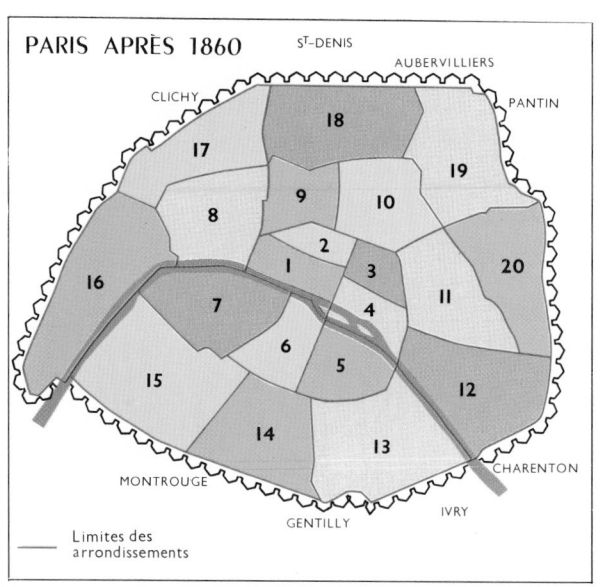

PARIS APRÈS 1860

Limites des arrondissements

B

Dès 1796, pour éviter la résurrection de la puissante Commune, Paris a été découpé en douze arrondissements (eux-mêmes partagés en quatre quartiers) disposant chacun d'un maire, nommé à partir de 1801. Mais la forte croissance de la ville et, surtout, celle de sa périphérie nécessitent de nouvelles structures administratives : l'absorption, en 1860, des communes suburbaines (déjà enfermées dans l'enceinte fortifiée construite de 1841 à 1845) aligne la réalité administrative sur la réalité démographique; en même temps, les arrondissements sont réaménagés et leur nombre porté de douze à vingt.

Face à l'extraordinaire croissance de la population (121 000 personnes entre 1851 et 1856), Napoléon III décide une modernisation complète de Paris, réalisée par le préfet Haussmann. Assainissement de la ville, par la destruction des îlots insalubres du centre, par l'achèvement du réseau d'égouts, par l'organisation des espaces verts; meilleur ravitaillement en eau et en nourriture (reconstruction des Halles); moyens de communication plus aisés (chemin de fer de ceinture, service d'omnibus, dégagement des six grandes gares) : les préoccupations sociales et économiques sont évidentes; la recherche du prestige aussi. Mais la réorganisation de la voirie (percement des grands axes du centre, création de rocades unissant les divers arrondissements) répond autant au désir d'empêcher les barricades et d'expulser les éléments populaires qu'à la volonté de faciliter les communications.

Un an après son coup d'État, Louis Napoléon Bonaparte obtient un triomphe au plébiscite proposant le rétablissement de l'empire : 17 p. 100 seulement d'abstentions (2 millions) et 3 p. 100 d'opposants, recrutés surtout dans les milieux républicains des grandes villes (Paris, Lyon) ou de quelques zones rurales du Midi, qui avaient manifesté la résistance la plus vive au coup d'État. Mais cette adhésion collective laisse apparaître un clivage entre la France du Sud, plus rurale, où le mythe napoléonien joue à plein, et la France du Nord, plus urbanisée et instruite, moins enthousiaste.

Dix-huit ans plus tard, un autre plébiscite, malgré son ambiguïté, semble consolider le régime impérial chancelant (7 358 000 « oui », 1 572 000 « non », 113 000 bulletins nuls et près de 2 000 000 d'abstentions). Pourtant, si les paysans votent encore massivement pour l'empire (surtout dans le Nord, le Centre, le Sud-Ouest), deux types d'opposition apparaissent nettement : celle de la droite conservatrice (Gironde), catholique et royaliste (zones rurales de l'Ouest breton ou de l'Est); celle des républicains, présents surtout dans les grandes villes et les régions ouvrières, mais aussi dans des zones rurales « rouges » comme le Midi méditerranéen ou le Limousin.

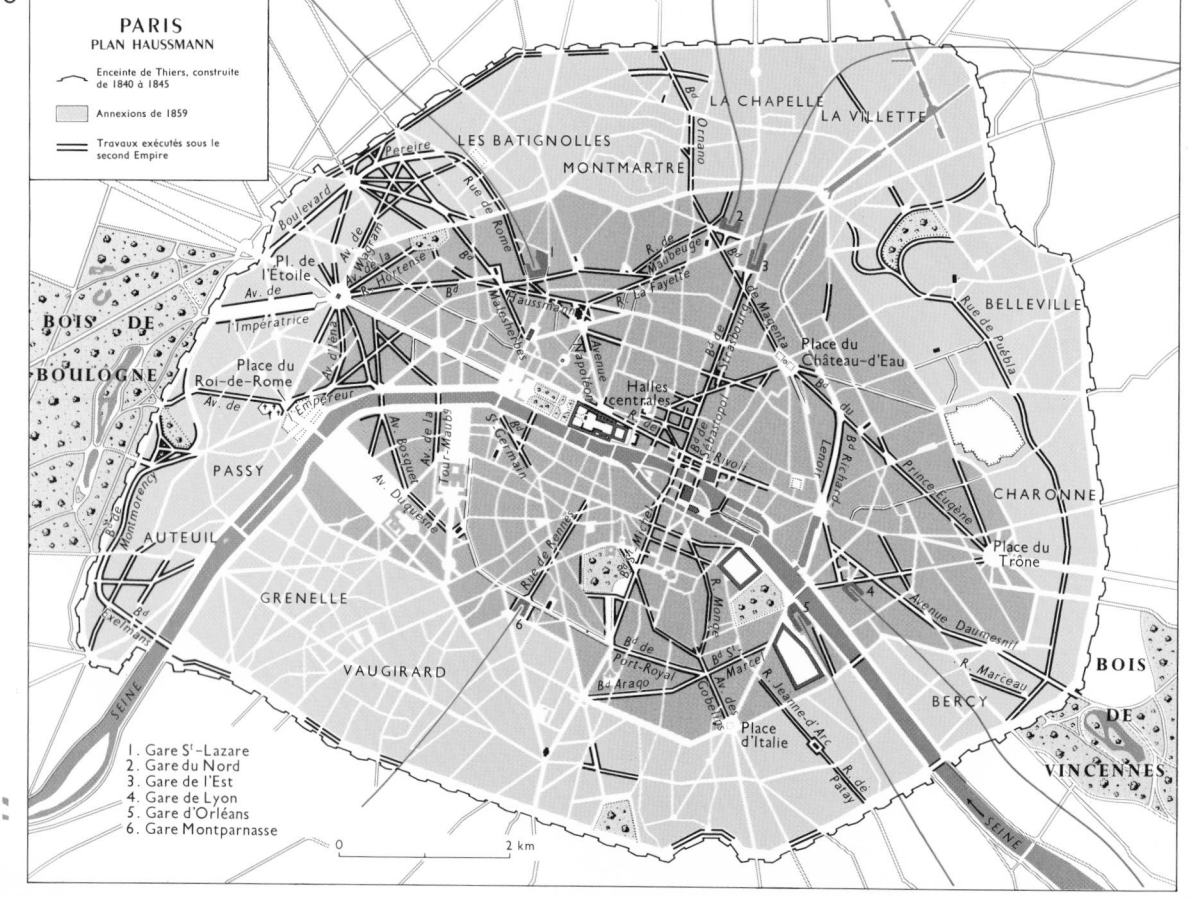

C

PARIS
PLAN HAUSSMANN

Enceinte de Thiers, construite de 1840 à 1845

Annexions de 1859

Travaux exécutés sous le second Empire

1. Gare St-Lazare
2. Gare du Nord
3. Gare de l'Est
4. Gare de Lyon
5. Gare d'Orléans
6. Gare Montparnasse

0   2 km

Née de la volonté prussienne d'achever l'unité allemande et du désir de Napoléon III de rehausser le prestige terni de l'Empire, la guerre franco-allemande s'engage le 19 juillet 1870 dans les plus mauvaises conditions possibles pour la France : isolement diplomatique, impréparation militaire, infériorité du matériel, du commandement et de la stratégie, face à une armée allemande moderne, entraînée, plus rapide dans ses mouvements. Le résultat en est l'écrasement rapide des armées impériales : l'Alsace est abandonnée en dix jours; l'armée de Lorraine est obligée de s'enfermer dans Metz par suite de l'indécision et des arrière-pensées politiques de Bazaine; et la lenteur du mouvement tournant opéré par Mac-Mahon, à partir de Châ-

A

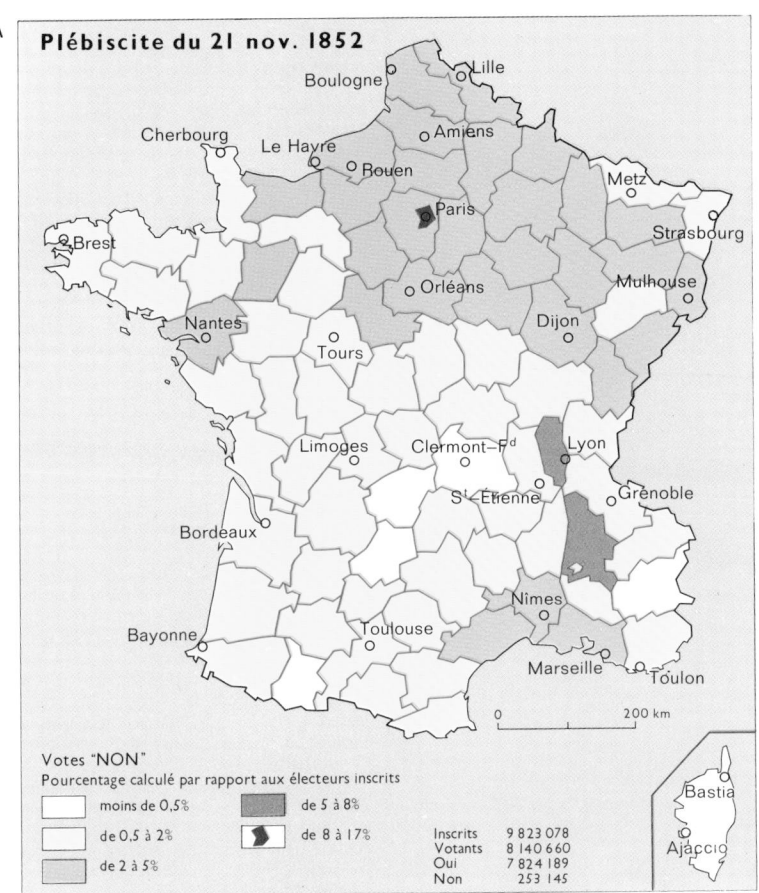

Plébiscite du 21 nov. 1852

Votes "NON"
Pourcentage calculé par rapport aux électeurs inscrits

- moins de 0,5%
- de 0,5 à 2%
- de 2 à 5%
- de 5 à 8%
- de 8 à 17%

Inscrits   9 823 078
Votants   8 140 660
Oui   7 824 189
Non   253 145

B

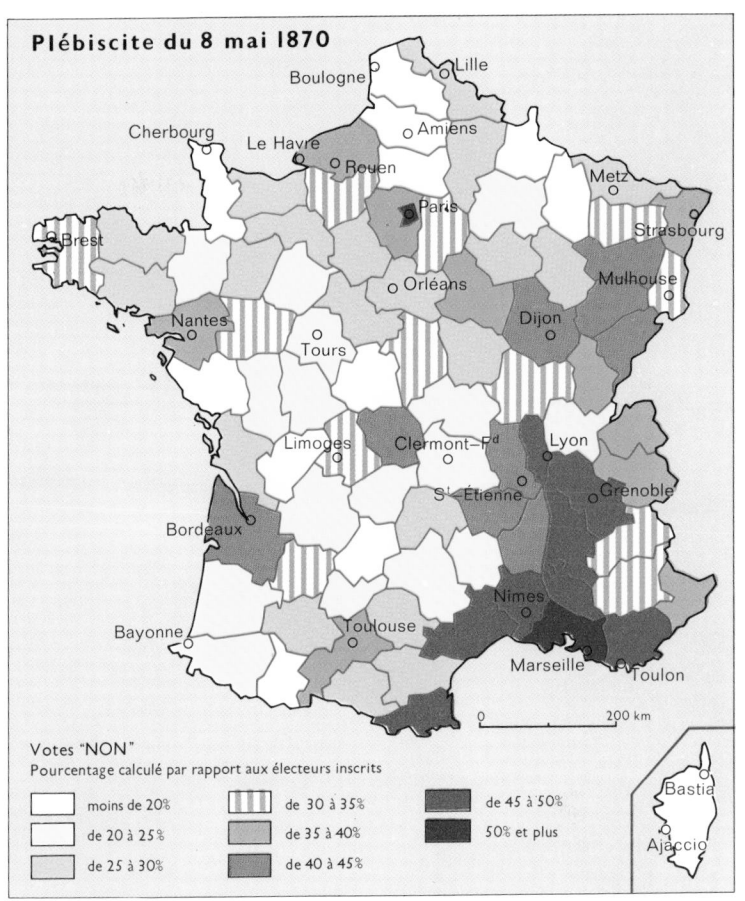

Plébiscite du 8 mai 1870

Votes "NON"
Pourcentage calculé par rapport aux électeurs inscrits

- moins de 20%
- de 20 à 25%
- de 25 à 30%
- de 30 à 35%
- de 35 à 40%
- de 40 à 45%
- de 45 à 50%
- 50% et plus

lons-sur-Marne, pour débloquer Metz assiégé, aboutit au désastre. Piégée à Sedan, la dernière armée française est capturée le 2 septembre, Napoléon III à sa tête. Libres de leurs mouvements, les armées allemandes peuvent alors occuper tout l'Est, mettre le siège devant Belfort, puis Orléans et surtout Paris (18-19 septembre), tandis que Bazaine capitule honteusement le 27 octobre.

Dans ces conditions, l'effort entrepris par le *Gouvernement (provisoire) de la Défense nationale,* proclamé le 4 septembre à l'annonce du désastre de Sedan, tourne bientôt court : malgré l'activité de Gambetta, malgré un sursaut national inattendu et même une certaine aide internationale (rôle de Garibaldi), les armées nouvelles mises sur pied dans le Nord (Faidherbe), sur la Loire (d'Aurelles de Paladines, puis Chanzy), enfin dans l'Est (Bourbaki) ne peuvent remporter que des succès partiels vite interrompus. Dès janvier 1871, la résistance semble désespérée.

Tous les efforts déployés n'ont pu débloquer Paris. Irritée par les échecs des tentatives de sortie, affamée, soumise à un bombardement intensif, la population s'agite de plus en plus; c'est finalement la crainte d'un soulèvement populaire (qui éclatera, en effet, le 18 mars 1871 avec la *Commune*) qui décide le gouvernement provisoire à signer l'armistice le 28 janvier 1871 et à sacrifier l'armée de l'Est. Libérée de la guerre, jouant d'un sentiment national exacerbé par la perte de l'Alsace-Lorraine, détenant la majorité à l'Assemblée nationale élue le 8 février 1871, la France rurale et conservatrice décide de briser le Paris populaire et révolutionnaire de la *Commune*.

C

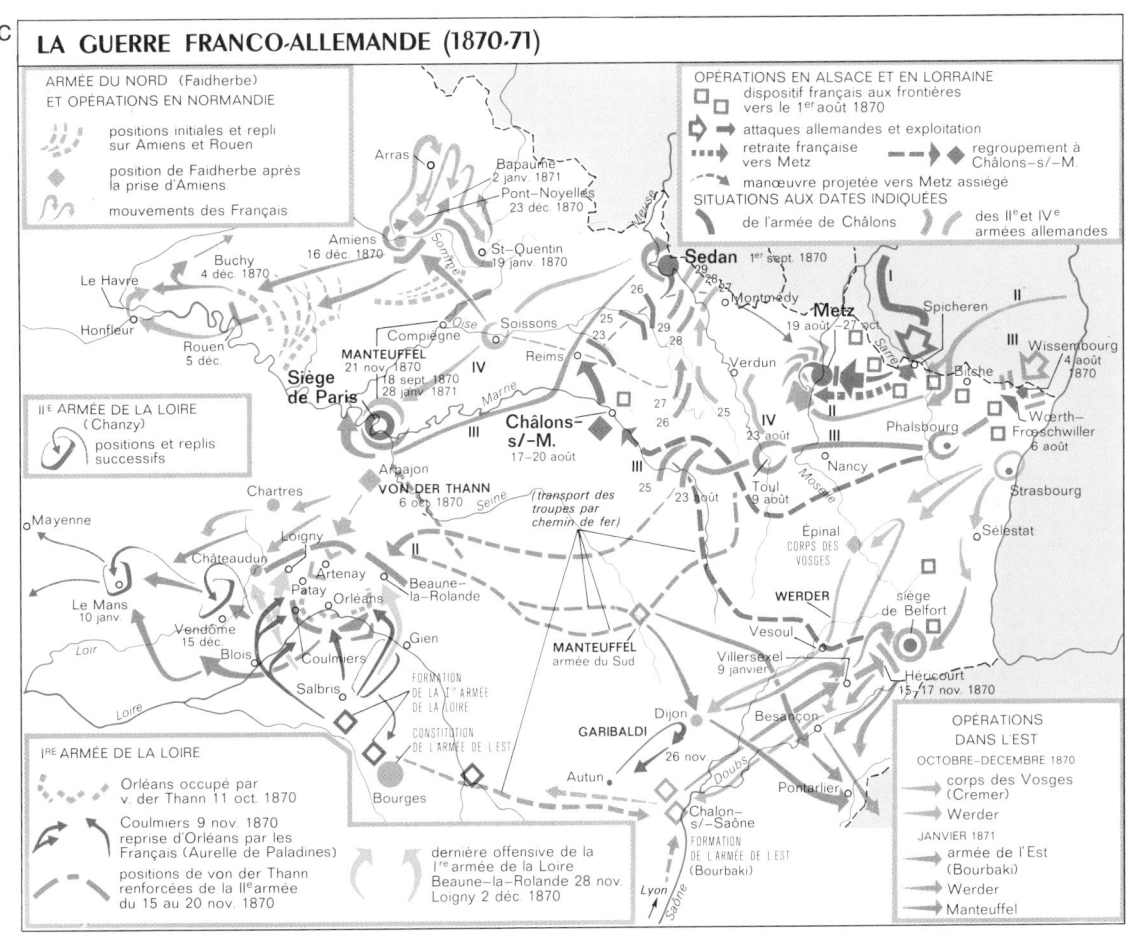

LA GUERRE FRANCO-ALLEMANDE (1870-71)

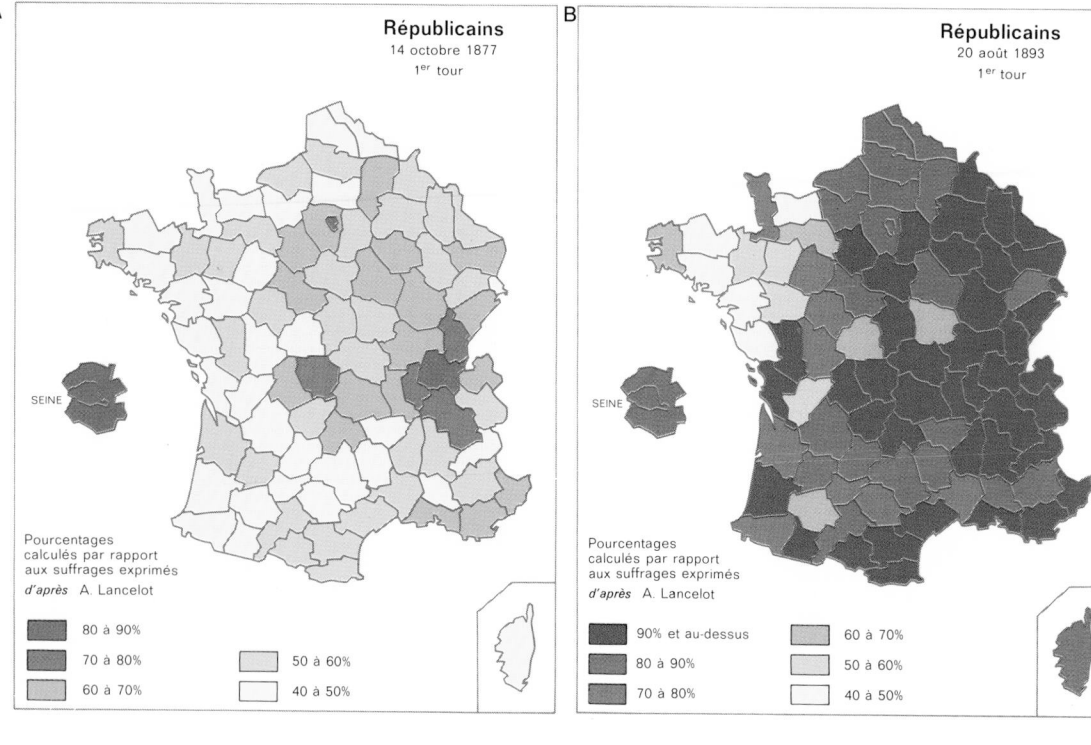

A Républicains
14 octobre 1877
1ᵉʳ tour

SEINE

Pourcentages
calculés par rapport
aux suffrages exprimés
d'après A. Lancelot

- 80 à 90%
- 70 à 80%
- 60 à 70%
- 50 à 60%
- 40 à 50%

B Républicains
20 août 1893
1ᵉʳ tour

SEINE

Pourcentages
calculés par rapport
aux suffrages exprimés
d'après A. Lancelot

- 90% et au-dessus
- 80 à 90%
- 70 à 80%
- 60 à 70%
- 50 à 60%
- 40 à 50%

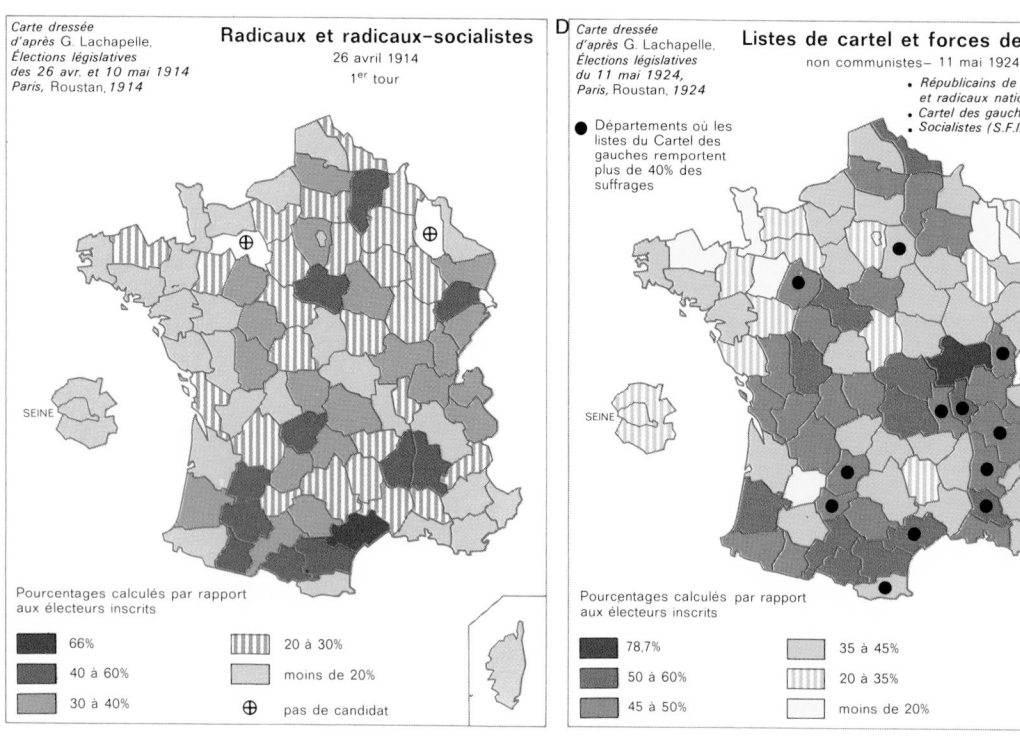

C *Carte dressée*
d'après G. Lachapelle,
Élections législatives
des 26 avr. et 10 mai 1914
Paris, Roustan, 1914

Radicaux et radicaux–socialistes
26 avril 1914
1ᵉʳ tour

SEINE

Pourcentages calculés par rapport
aux électeurs inscrits

- 66%
- 40 à 60%
- 30 à 40%
- 20 à 30%
- moins de 20%
- ⊕ pas de candidat

D *Carte dressée*
d'après G. Lachapelle,
Élections législatives
du 11 mai 1924,
Paris, Roustan, 1924

Listes de cartel et forces de gauche
non communistes– 11 mai 1924

• *Républicains de gauche*
  et radicaux nationaux
• *Cartel des gauches*
• *Socialistes (S.F.I.O.)*

● Départements où les
listes du Cartel des
gauches remportent
plus de 40% des
suffrages

SEINE

Pourcentages calculés par rapport
aux électeurs inscrits

- 78.7%
- 50 à 60%
- 45 à 50%
- 35 à 45%
- 20 à 35%
- moins de 20%

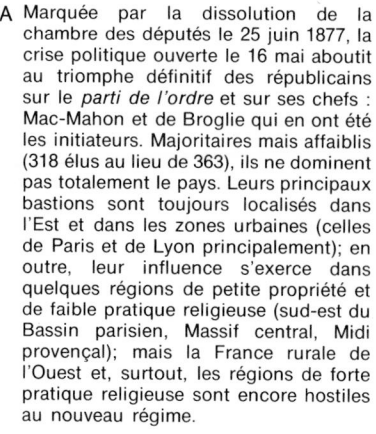

A Marquée par la dissolution de la chambre des députés le 25 juin 1877, la crise politique ouverte le 16 mai aboutit au triomphe définitif des républicains sur le *parti de l'ordre* et sur ses chefs : Mac-Mahon et de Broglie qui en ont été les initiateurs. Majoritaires mais affaiblis (318 élus au lieu de 363), ils ne dominent pas totalement le pays. Leurs principaux bastions sont toujours localisés dans l'Est et dans les zones urbaines (celles de Paris et de Lyon principalement); en outre, leur influence s'exerce dans quelques régions de petite propriété et de faible pratique religieuse (sud-est du Bassin parisien, Massif central, Midi provençal); mais la France rurale de l'Ouest et, surtout, les régions de forte pratique religieuse sont encore hostiles au nouveau régime.

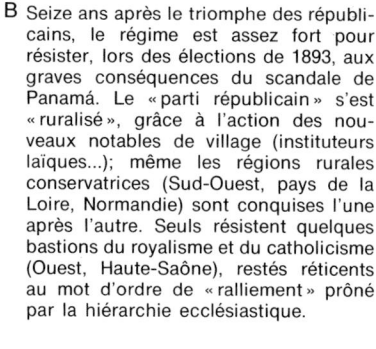

B Seize ans après le triomphe des républicains, le régime est assez fort pour résister, lors des élections de 1893, aux graves conséquences du scandale de Panamá. Le «parti républicain» s'est «ruralisé», grâce à l'action des nouveaux notables de village (instituteurs laïques...); même les régions rurales conservatrices (Sud-Ouest, pays de la Loire, Normandie) sont conquises l'une après l'autre. Seuls résistent quelques bastions du royalisme et du catholicisme (Ouest, Haute-Saône), restés réticents au mot d'ordre de «ralliement» prôné par la hiérarchie ecclésiastique.

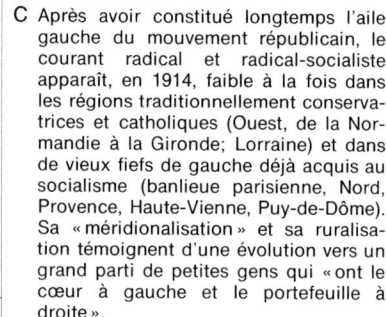

C Après avoir constitué longtemps l'aile gauche du mouvement républicain, le courant radical et radical-socialiste apparaît, en 1914, faible à la fois dans les régions traditionnellement conservatrices et catholiques (Ouest, de la Normandie à la Gironde; Lorraine) et dans de vieux fiefs de gauche déjà acquis au socialisme (banlieue parisienne, Nord, Provence, Haute-Vienne, Puy-de-Dôme). Sa «méridionalisation» et sa ruralisation témoignent d'une évolution vers un grand parti de petites gens qui «ont le cœur à gauche et le portefeuille à droite».

D La victoire du *Cartel* (réunissant radicaux et socialistes) en 1924 semble renouer avec la grande tradition de gauche, interrompue à l'issue de la *Première Guerre mondiale* par le succès du *Bloc national* en novembre 1919. Mais, privée d'une partie des voix populaires par la scission du mouvement ouvrier en 1920 (création de la S.F.I.C. [section française de l'Internationale communiste]), cette gauche n'obtient que de médiocres résultats dans certaines régions ouvrières. Tiraillé entre les nostalgies socialistes de la S.F.I.O., qui refuse sa participation au gouvernement, et le conservatisme petit-bourgeois des radicaux, le *Cartel* ne survit pas à ses contradictions internes ni aux difficultés financières auxquelles il se heurte et qui provoquent le retour de Poincaré au pouvoir le 23 juillet 1926.

A
B Renforcée par les succès des dictatures et les premières initiatives hitlériennes, la crainte d'une poussée fasciste jointe à la politique autoritaire et déflationniste de Doumergue et Laval, a conduit à un rapprochement des trois familles de gauche (radicaux, socialistes, communistes) dans un *Front populaire*. La lourdeur du climat international, la dramatisation de l'enjeu (« péril rouge » contre « menace fasciste ») conduisent, lors des élections de 1936, à une simplification du choix politique et à une polarisation vers les extrêmes (le centre droit, les radicaux perdent de nombreuses voix). D'où l'opposition tranchée entre deux France politiques, désormais très stables : à gauche, les régions ouvrières du Nord, de la banlieue parisienne communiste, les régions rurales de petite propriété et d'indifférence religieuse (Centre, Limousin, Sud-Ouest, Midi méditerranéen); à droite, les régions catholiques et conservatrices de l'Ouest, du Nord-Est, du sud et de l'est du Massif central, des Alpes maritimes et de l'ouest des Pyrénées.

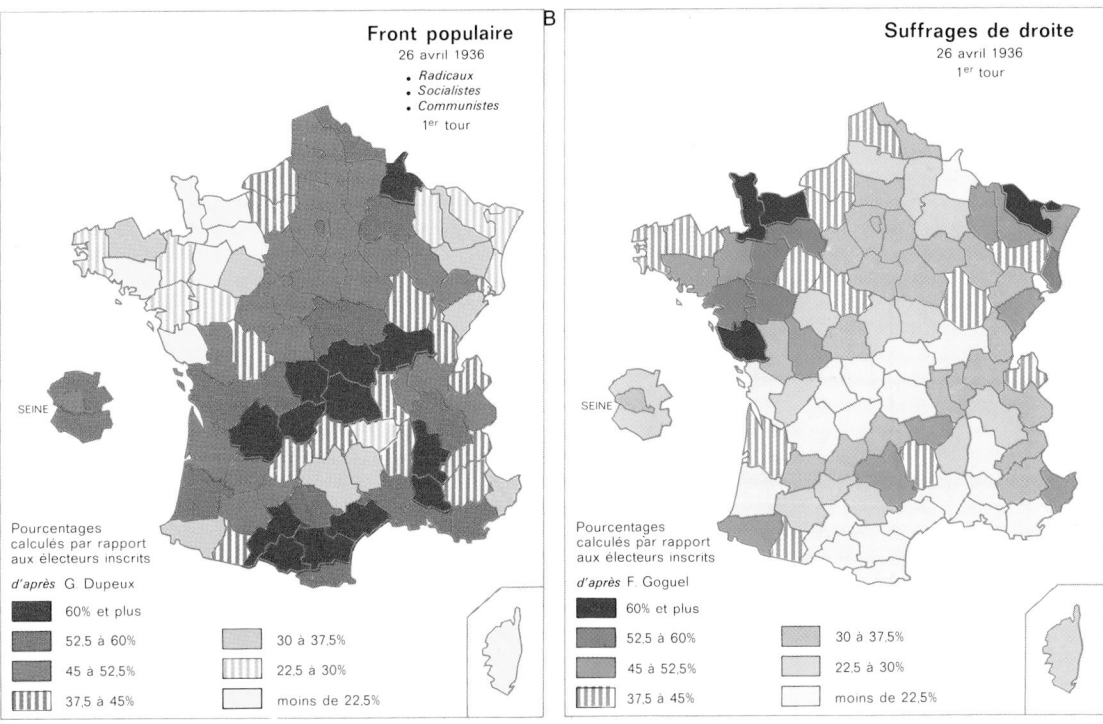

C Le 21 octobre 1945 est élue une première Assemblée constituante, à l'initiative du G.P.R.F. (Gouvernement provisoire de la République française), formé le 3 juin 1944 sous la présidence du général de Gaulle. Disposant de la majorité absolue, le P.C.F. et la S.F.I.O. présentent un projet de constitution qui établit un régime d'Assemblée analogue à celui de la Convention de 1792. Ce texte n'obtient pourtant que 47 p. 100 des suffrages exprimés, exclusivement issus des régions classiques de gauche. Cette apparente stabilité de l'électorat recouvre en fait une modification politique importante : la gauche semble se limiter désormais aux partis marxistes, le courant radical faisant cause commune avec le centre et la droite.

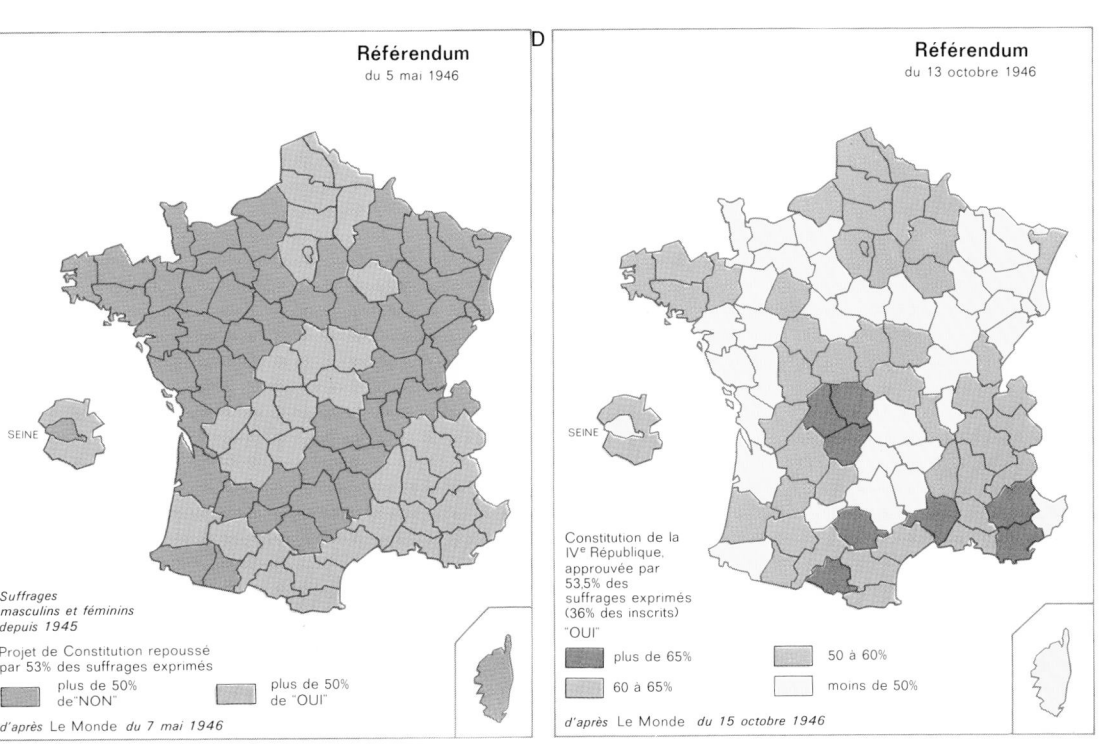

D Élaboré par la seconde Constituante, élue le 2 juin 1946, le nouveau projet de constitution ne doit d'être adopté qu'à la masse des abstentionnistes (31,4 p. 100). Bien que proposé par le M.R.P. (premier parti de l'Assemblée par le nombre des députés) et par la S.F.I.O., il ne recueille d'importants suffrages que dans les régions de gauche : face à la discipline des électeurs socialistes et communistes, ceux du M.R.P., par réflexe antimarxiste ou par fidélité au général de Gaulle, ont refusé presque partout de suivre leur parti ou se sont réfugiés dans l'abstention — premier signe de la fragilité de son implantation.

A
En Corse et en Savoie,
les listes communes
P.C.–S.F.I.O. ont été
portées au crédit
des communistes

Communistes
10 novembre 1946
Législatives

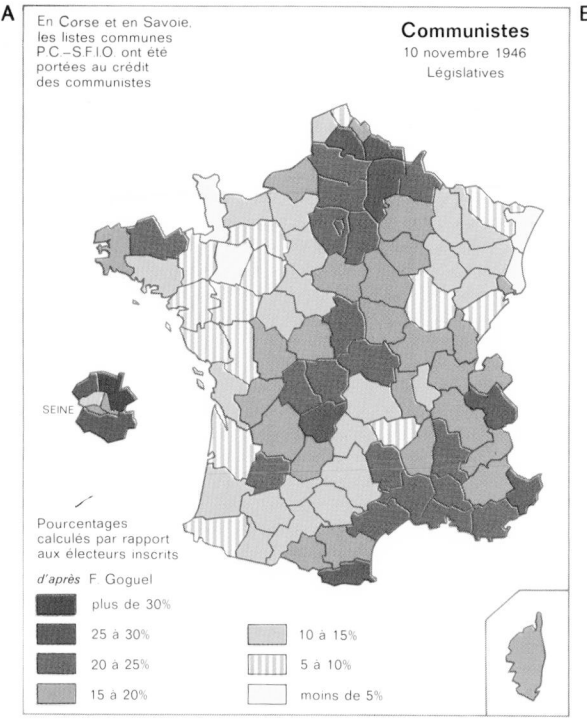

SEINE

Pourcentages
calculés par rapport
aux électeurs inscrits

d'après F. Goguel

- plus de 30%
- 25 à 30%
- 20 à 25%
- 15 à 20%
- 10 à 15%
- 5 à 10%
- moins de 5%

B
En Corse et en Savoie,
les listes communes
P.C.–S.F.I.O. ont été
portées au crédit
des communistes

Socialistes
10 novembre 1946
Législatives

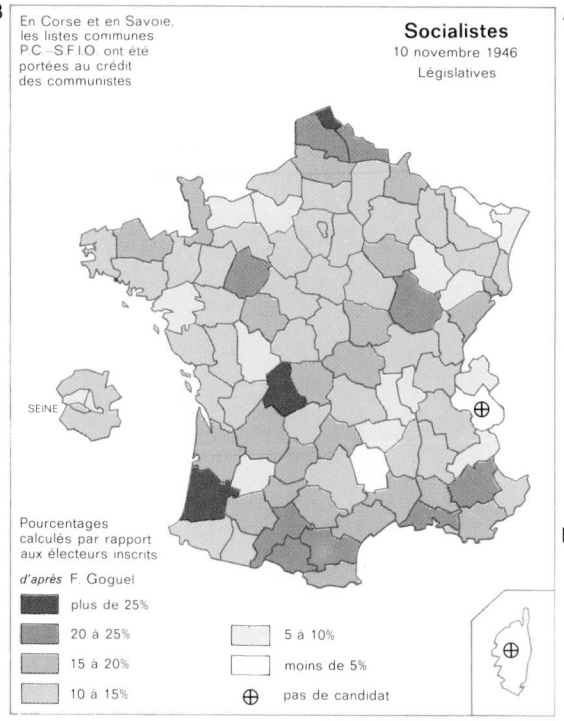

SEINE

Pourcentages
calculés par rapport
aux électeurs inscrits

d'après F. Goguel

- plus de 25%
- 20 à 25%
- 15 à 20%
- 10 à 15%
- 5 à 10%
- moins de 5%
- ⊕ pas de candidat

C

M.R.P.
Mouvement républicain populaire
Législatives
10 novembre 1946

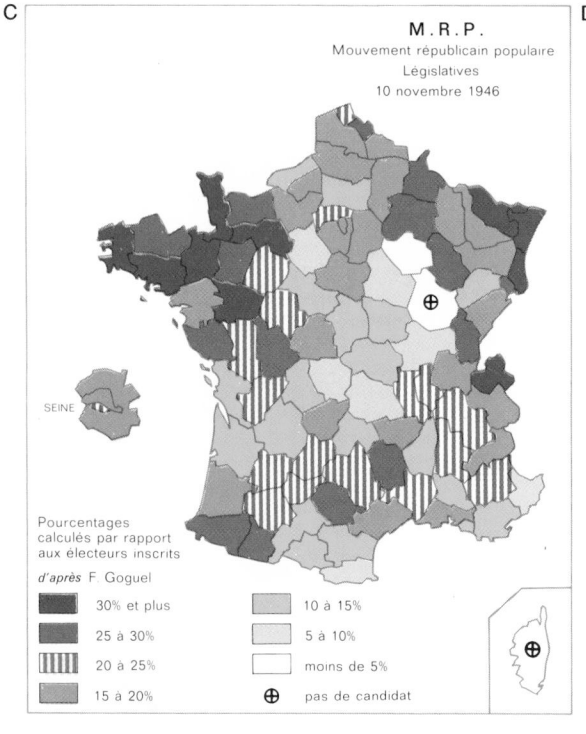

SEINE

Pourcentages
calculés par rapport
aux électeurs inscrits

d'après F. Goguel

- 30% et plus
- 25 à 30%
- 20 à 25%
- 15 à 20%
- 10 à 15%
- 5 à 10%
- moins de 5%
- ⊕ pas de candidat

D
En Eure-et-Loir, Landes,
Loire–Atlantique (ex L.–Infʳᵉ),
Vendée, les listes communes
R.P.F. et Modérés ont
été portées au crédit
du R.P.F.

R.P.F.
Rassemblement du
peuple français
17 juin 1951
Législatives

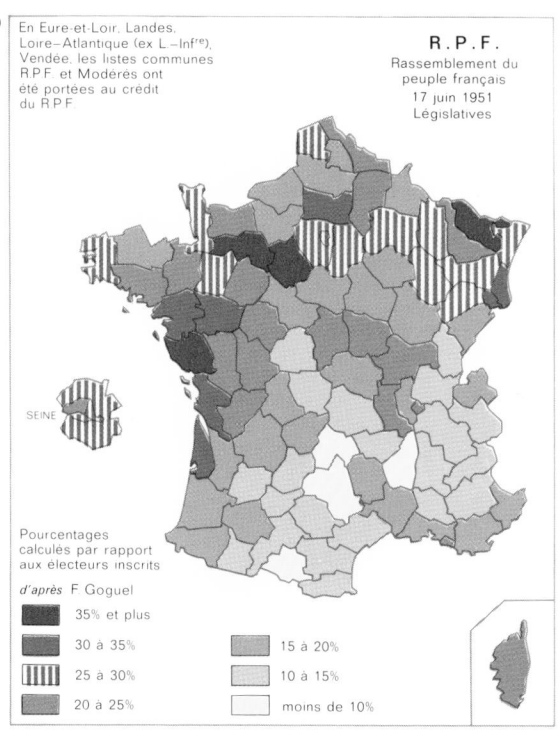

SEINE

Pourcentages
calculés par rapport
aux électeurs inscrits

d'après F. Goguel

- 35% et plus
- 30 à 35%
- 25 à 30%
- 20 à 25%
- 15 à 20%
- 10 à 15%
- moins de 10%

A L'évolution du parti communiste vers une forme de grand parti populaire et national, commencée en 1935, et son rôle essentiel dans la *Résistance* expliquent sa remarquable progression après la guerre : 27,7 p. 100 des suffrages exprimés contre 15,37 p. 100 en 1936. Désormais partout présent, le P. C. F. a cependant trois zones privilégiées : la France du Nord, où il recueille l'essentiel des voix ouvrières, et deux régions rurales, le Centre (Berry, Bourbonnais, Limousin) et le Midi méditerranéen (où il apparaît comme le dernier avatar de l'extrême gauche anticléricale des années 1880).

B L'évolution de l'implantation de la S. F. I. O. est complémentaire de celle du P. C. F. : ses trois anciens bastions du Nord, du Centre, du Midi méditerranéen se sont rétrécis et affaiblis. Inversement, les socialistes se sont renforcés dans des régions de tradition catholique ou radicale : Ouest breton, Franche-Comté, Sud-Ouest. Ces changements géographiques traduisent une évolution interne : plus méridionale, moins ouvrière, la S. F. I. O. tend à devenir simplement le grand parti républicain qu'était le mouvement radical au début du XXᵉ siècle.

C Force neuve en 1946, le *Mouvement républicain populaire*, qui se proclame le « parti de la fidélité » au général de Gaulle, veut concilier les espoirs de la Résistance et la tradition chrétienne : de là sa forte audience (25,48 p. 100 des voix) et son implantation dans certaines régions de gauche (Nord, Ardennes, Gard, Hérault). Pourtant, il recrute des électeurs surtout dans les régions catholiques votant traditionnellement à droite; à la recherche d'une structure politique d'accueil au lendemain du conflit mondial, ceux-ci votent pour ce parti, qui glisse ainsi vers le conservatisme social; mais, peu fidèles, la moitié d'entre eux reportent leurs voix sur les candidats R. P. F. ou Indépendants en 1951.

D La lassitude devant l'immobilisme de la « troisième force » et, surtout, la popularité du général de Gaulle expliquent le succès du *Rassemblement du peuple français*, fondé le 7 avril 1947 à Strasbourg. Bien qu'il se veuille au-delà du clivage gauche-droite, c'est d'abord un avatar de la droite (en témoigne sa faiblesse dans le Centre et le Sud, radicaux et socialistes); pourtant, sa médiocre implantation dans des régions modérées (Bretagne, Bourgogne, Franche-Comté), son audience dans les milieux populaires (Nord, banlieues parisienne ou lyonnaise) attestent l'originalité politique du gaullisme.

A 1958 semble marquer l'effondrement de la gauche en France : condamnant implicitement le *Front républicain* de 1956 et approuvant le recours à l'« homme providentiel », le projet constitutionnel obtient 79,25 p. 100 des suffrages. Si la droite apporte son adhésion, même des régions de gauche (Nord, Sud-Ouest) votent majoritairement « oui »; seuls s'opposent vraiment quelques bastions d'extrême gauche (banlieue parisienne, Limousin, Languedoc). En fait, l'ampleur même du succès traduit à la fois une volonté de sécurité et une large adhésion à la personne du général de Gaulle.

B Le nouveau référendum marque une double évolution par rapport à 1958 : un recul apparent du gaullisme (23 p. 100 d'abstentions, 38,2 p. 100 de suffrages exprimés hostiles), surtout dans les fiefs radicaux et socialistes, du Berry au Sud-Ouest, mais aussi dans des régions modérées (Est, Normandie, sud du Massif central); inversement, le maintien ou le progrès dans certains foyers d'extrême gauche (banlieue parisienne, Nord, Limousin). Face au « cartel des non » des notables, le gaullisme se présente ainsi comme une force nouvelle alliant, par-delà les partis traditionnels, des électeurs de toutes origines, « modérées » ou populaires, caractère qui, pour certains auteurs, le rapproche du « bonapartisme ».

C La surprise des élections de 1965 est la
D mise en ballottage du général de Gaulle : le « charisme » gaulliste tend à s'estomper après l'achèvement de la décolonisation algérienne et du fait de la nécessité de régler des questions plus quotidiennes (plan de stabilisation de 1963 qui a contribué à une certaine désaffection à l'égard du gaullisme). Certes, la popularité du général de Gaulle reste grande, même dans des milieux ouvriers (Nord, banlieue parisienne), mais la carte du gaullisme s'identifie plus nettement que précédemment à celle de la droite.
   Par contre, François Mitterrand obtient ses meilleurs résultats dans les vieux bastions de gauche, dans le centre et le sud de la France, sans pour autant jamais réunir toutes les voix de la gauche. La médiocrité du « score » (32,23 p. 100 des suffrages exprimés) confirme apparemment son affaiblissement; pourtant, 1965 peut apparaître comme le début d'un renouveau de la gauche, marqué par l'abandon de la stratégie de « troisième force » (échec de la candidature de Gaston Defferre, création de la F.G.D.S. se rapprochant du P.C.F.).

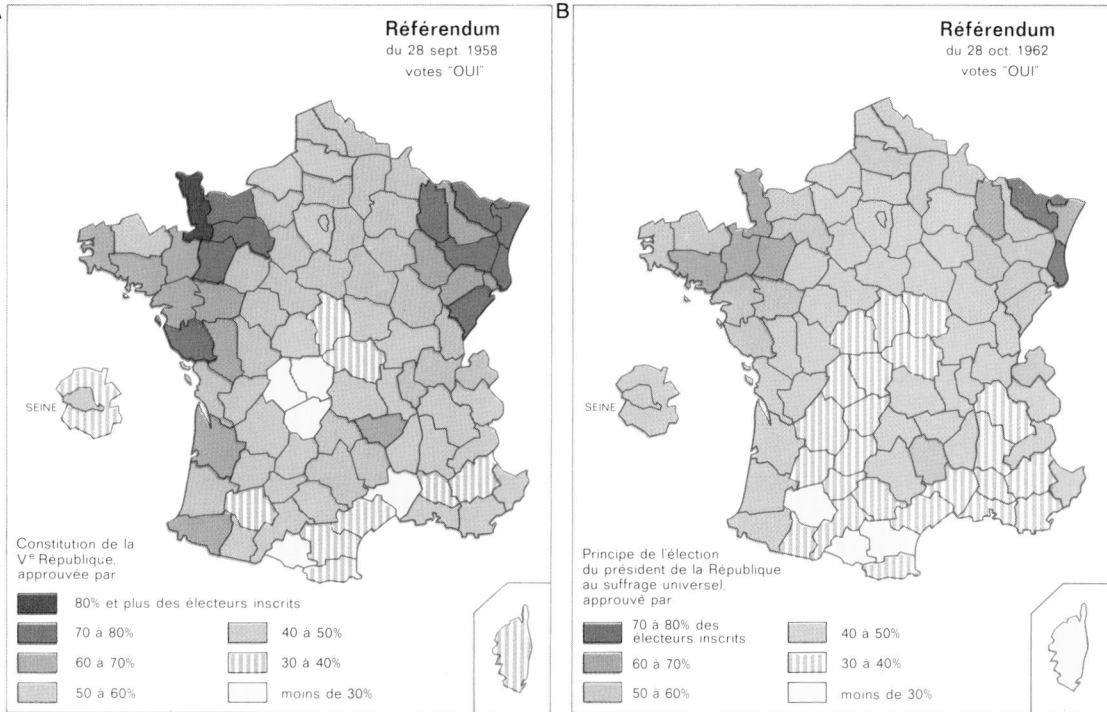

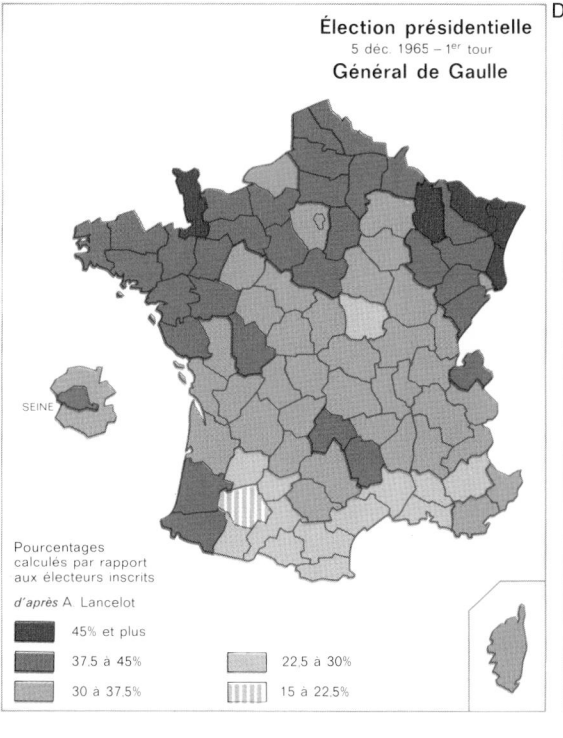

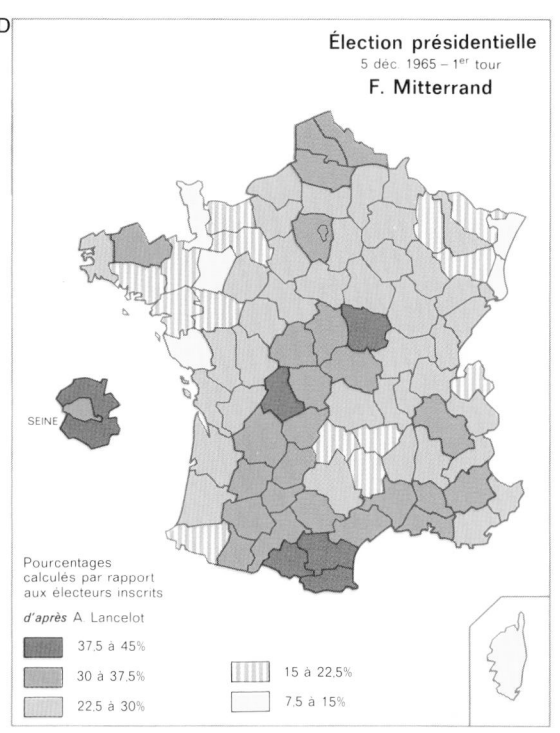

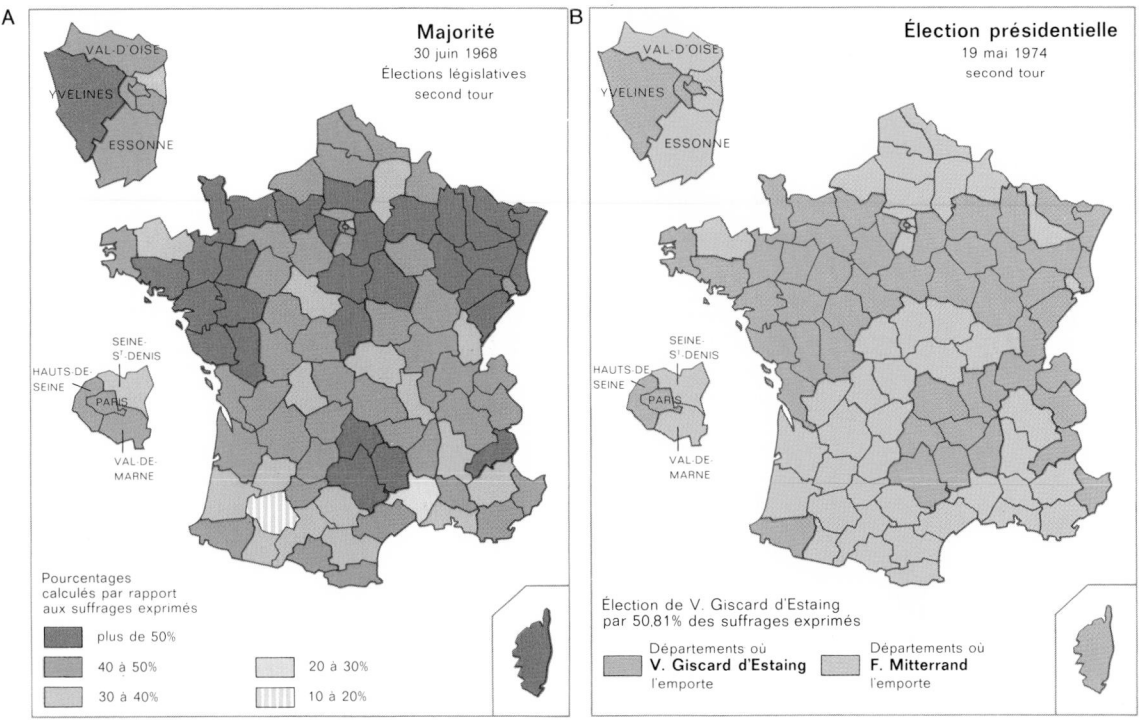

A

Majorité
30 juin 1968
Élections législatives
second tour

VAL-D'OISE
YVELINES
ESSONNE

SEINE-
ST-DENIS
HAUTS-DE-
SEINE
PARIS
VAL-DE-
MARNE

Pourcentages
calculés par rapport
aux suffrages exprimés

■ plus de 50%
■ 40 à 50%   □ 20 à 30%
□ 30 à 40%   ▥ 10 à 20%

B

Élection présidentielle
19 mai 1974
second tour

VAL-D'OISE
YVELINES
ESSONNE

SEINE-
ST-DENIS
HAUTS-DE-
SEINE
PARIS
VAL-DE-
MARNE

Élection de V. Giscard d'Estaing
par 50,81% des suffrages exprimés

■ Départements où   □ Départements où
  V. Giscard d'Estaing   **F. Mitterrand**
  l'emporte   l'emporte

Sensible lors des élections des 12 et 19 mars 1967, la poussée de la gauche semble culminer avec les mouvements universitaires et ouvriers de mai-juin 1968. Le régime semble un moment vaciller, mais la violence même des manifestations, la dramatisation des événements voulue par le général de Gaulle (appel à l'armée, dissolution de l'Assemblée) expliquent le succès de la majorité aux « élections de la peur »; la gauche recule sensiblement au premier tour (41,2 p. 100 des voix contre 45 p. 100 en 1967); pour les reports de voix au deuxième tour, le réflexe de conservation l'emporte partout sur le « réflexe de gauche ».

Le résultat le plus net des élections de 1974 est la coupure de la France en deux camps sensiblement égaux. Valéry Giscard d'Estaing, avec 50,81 p. 100 des suffrages exprimés, l'emporte dans les régions de tradition modérée (Ouest, Nord-Est, sud du Massif central, Alpes) : François Mitterrand, avec 49,19 p. 100 des suffrages exprimés, domine dans le Centre, le Sud-ouest, le Midi méditerranéen, le Nord. Pourtant, les déterminismes géographiques tendent à s'estomper (progrès majoritaires dans le Sud, progrès de la gauche dans l'Ouest et le Nord-Est) : de nouveaux clivages sociaux modifient les traditions électorales.

Au peuplement primitif précelique (Pictes) ou celtique (Scots et Bretons), les invasions superposent un peuplement d'origine germanique : Angles, Saxons et Jutes dans le sud-est de la Bretagne, dont une fraction de la population se réfugie au Vᵉ siècle en Armorique; Norvégiens dans les îles et sur les côtes du nord et du nord-est de la Bretagne et sur celles de l'Irlande orientale dès l'extrême fin du VIIIᵉ siècle; Danois, enfin, au IXᵉ siècle en Angleterre du Nord-Est (pays du *Danelaw*) et du Sud. De 1016/1017 à 1035, Knud le Grand incorpore ces derniers territoires à l'empire maritime qu'il constitue autour de la mer du Nord. Restaurée en 1042, la royauté anglo-saxonne brise à Stamford Bridge une ultime tentative de reconquête norvégienne le 25 septembre 1066, mais ne survit pas à la défaite de Hastings que Guillaume le Conquérant inflige le 14 octobre 1066 à Harold.

Si les *earldoms* palatins de Chester et de Shrewsbury (comté des Marches) et si le comté palatin de Durham (Northumbrie) gardent leur unité aux frontières dangereuses du pays de Galles et de l'Écosse, le roi Guillaume évite la constitution d'autres principautés en concédant des fiefs très dispersés à ses vassaux. Introduit outre-Manche, le régime féodal assure le renforcement de la puissance royale anglaise dont la supériorité s'affirme à l'égard du pouvoir capétien, un moment miné par la féodalisation.

En 1603, l'avènement du roi d'Écosse Jacques Iᵉʳ au trône d'Angleterre assure l'union personnelle des deux royaumes antérieurement ennemis. Mais la politique absolutiste des Stuarts en matière financière et en matière religieuse mécontente les Britanniques. Rejetant en 1637 le *Prayer Book* épiscopalien, l'Écosse s'unit la première contre Charles Iᵉʳ (1625-1649) par le *National Covenant* de 1638. Humilié en 1641 par l'exécution de Strafford, par l'insurrection de l'Irlande et en 1642 par la *Grande Remontrance* qui limite ses pouvoirs, le roi se retire à York (1642-1644), déclenchant la guerre civile. Chef, d'abord victorieux, du parti « cavalier », il est bientôt vaincu à Newbury en 1643, à Marston Moor en 1644 (par Oliver Cromwell) et à Naseby en 1645. Finalement, il est exécuté le 9 février 1649 (nouveau style : celui du calendrier grégorien, qui ne fut introduit en Grande-Bretagne qu'en septembre 1752). Oliver Cromwell instaure alors le *Commonwealth* : l'Irlande est reconquise (sac de Drogheda, 1649); Charles II est repoussé à Dunbar en 1650; la puissance maritime et commerciale néerlandaise est brisée par l'acte de navigation de 1651 malgré les exploits de Tromp et de Ruyter; enfin Dunkerque est acquise en 1658. Fragile, le nouveau régime s'effondre deux ans après la mort de son fondateur, et Charles II est restauré (1660-1685). Mais les imprudences de Jacques II (1685-1688) provoquent une seconde révolution, au bénéfice de son gendre : Guillaume III d'Orange. Débarqué à Tor Bay en 1688, reconnu roi d'Angleterre en 1689, ce dernier fait échec, sur la Boyne en 1690, à un retour en force des Stuarts. La monarchie absolue a vécu.

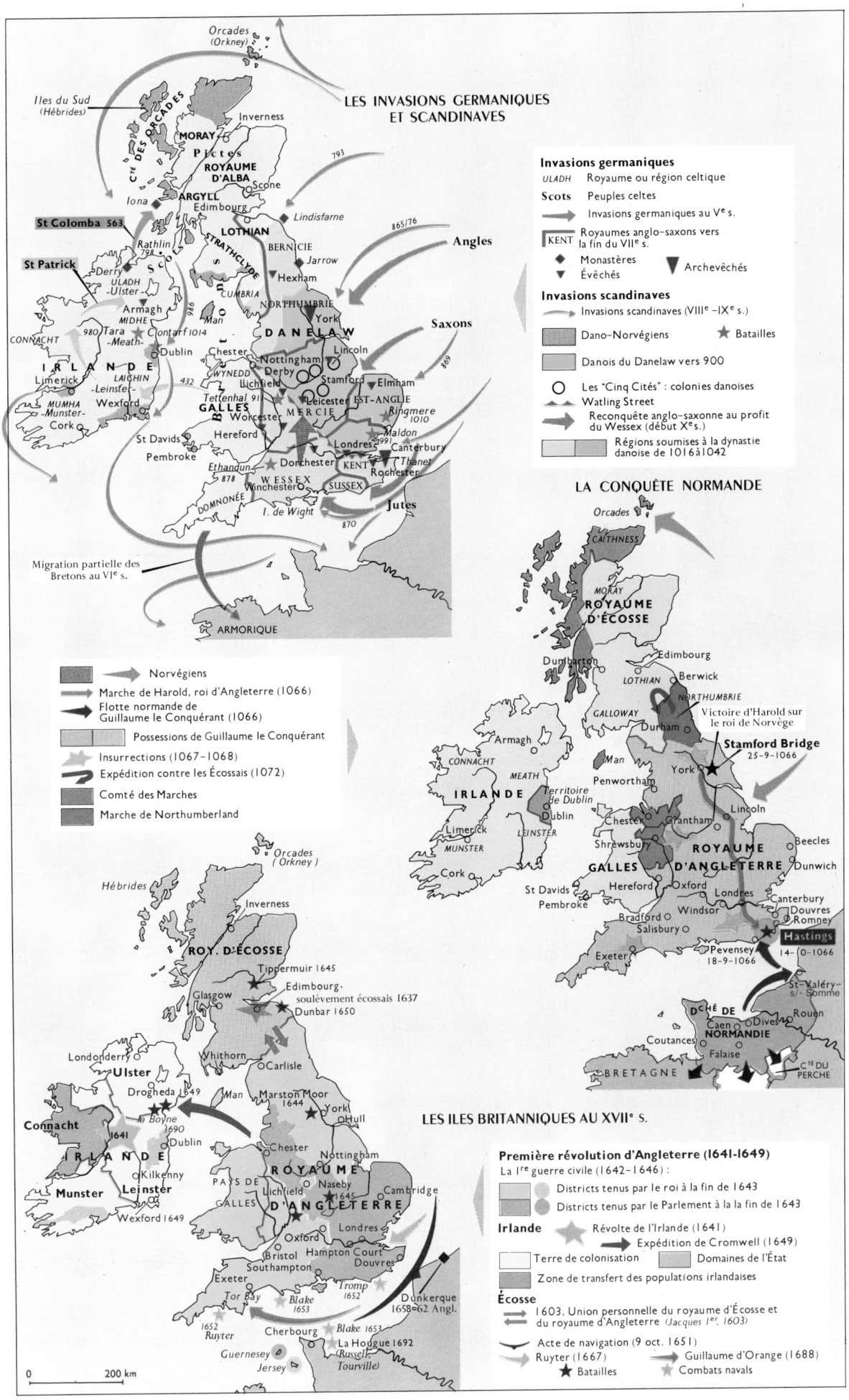

POSSESSIONS DU ROI D'ANGLETERRE AU XIIe ET AU XIIIe s.

Légende :
- Comté d'Anjou de Foulques Ier le Roux en 929
- Possessions angevines en 1044
- Terres sous l'autorité directe d'Henri II Plantagenêt (1154–1189)
- Terres relevant d'Henri II Plantagenêt (*suzeraineté théorique*)
- Terres héritées de son père
- Terres acquises par mariage avec Aliénor d'Aquitaine

Légende (bas de carte) :
- Frontières du royaume de France au XIIe s.
- Domaine royal à l'avènement de Philippe Auguste (1180)
- Fiefs mouvant de la Couronne
- Possessions anglaises en France à la fin du règne de Philippe Auguste
- Batailles
- Traités
- Les Cinq Ports
- Nécropole des Plantagenêts

0   200 km

Formée au début du Xe siècle par Foulques le Roux, premier comte d'Anjou, augmentée au XIe siècle d'une partie de la Touraine et au début du XIIe siècle du Maine, la riche principauté angevine tire profit au XIIe siècle du mariage de Geoffroi V le Bel (1131-1151) avec Mathilde, fille et unique héritière du roi d'Angleterre et duc de Normandie Henri Ier Beauclerc.

Premier de sa dynastie à porter le nom de *Plantagenêt,* Geoffroi V installe, dès 1144, son fils Henri à la tête du duché de Normandie. Comte d'Anjou en 1151 à la mort de son père, duc d'Aquitaine en 1152 par son mariage avec Aliénor, roi d'Angleterre en 1154 après la disparition d'Étienne de Blois, dominant enfin le comté de Bretagne grâce au mariage de son fils Geoffroi en 1166, Henri II d'Angleterre étend sa puissance des frontières de l'Écosse à celles de l'Espagne.

Mais, vassal, sur le continent, du roi de France, auquel il doit fidélité, il ne dispose pas d'une liberté totale, notamment en matière diplomatique. Il n'exerce souverainement son autorité qu'outre-Manche en tant que roi d'Angleterre.

L'ambiguïté de cette situation juridique est à l'origine des deux guerres dites « de Cent Ans » (1154-1258/59 et 1337-1475) qui opposent les Plantagenêts aux Capétiens. Faisant habilement prononcer par ses barons en 1202, la « commise » des fiefs de Jean sans Terre, Philippe II Auguste réussit à réduire le domaine continental des Plantagenêts aux seules terres du Sud-Ouest.

Marquées de défaites anglaises (La Roche-aux-Moines et Bouvines, 1214; Saintes et Taillebourg, 1242) ou françaises (L'Écluse, 1340; Crécy, 1346; Poitiers, 1356), coupées de paix qui ne sont que des trêves (Paris, 1258-59; Brétigny-Calais, 1360), les deux guerres de Cent Ans aboutissent au début du XVe siècle au retour en force des rois anglais sur le continent. Victoire éphémère : à la fin du XVe siècle, ceux-ci ne possèdent plus en France que Calais, qui ne faisait pas partie primitivement de leur domaine. (V. cartes pp. 110, 111 et 112.)

Également issus d'Édouard III, les Lan- A
castre (rose rouge) et les York (rose
blanche) se disputent la couronne, pendant trente ans, les armes à la main.

Bénéficiant d'abord de l'appui de
Richard Neville, comte de Warwick, de
1455 à 1469, les York l'emportent; leur
chef, Richard, devient «protecteur du
royaume» après la victoire de Saint
Albans le 22 juillet 1455, mais il est
défait et tué à Wakefield le
30 décembre 1460, et Warwick est
vaincu à Saint Albans le 17 février 1461;
ayant pris sa revanche grâce à ce
dernier à Towton le 29 mars 1461, le
nouveau duc d'York devient le roi
Édouard IV (1461-1483); pourtant, en
1464, le mariage du souverain avec
Élisabeth Woodville entraîne la rupture
avec le «faiseur de rois», qui restaure
temporairement (1470-71) le roi Henri VI
de Lancastre, captif depuis 1465.
Mais lui-même et le prince de Galles,
Édouard de Lancastre, sont vaincus et
tués en 1471, le premier à Barnet, le
second à Tewkesbury.

Le triomphe de la rose blanche
semble définitif : pourtant, à la mort
d'Édouard IV, en 1483, il est remis en
cause par le frère de celui-ci, Richard III,
qui fait assassiner ses neveux (les
enfants d'Édouard). En les vengeant le
22 août 1485 à Bosworth, où Richard III
trouve la mort, Henri VIII Tudor, l'héritier
des deux maisons, met fin à la guerre
civile, qui a affaibli économiquement et
surtout démographiquement le royaume
mais renforcé paradoxalement la monarchie en ruinant l'aristocratie.

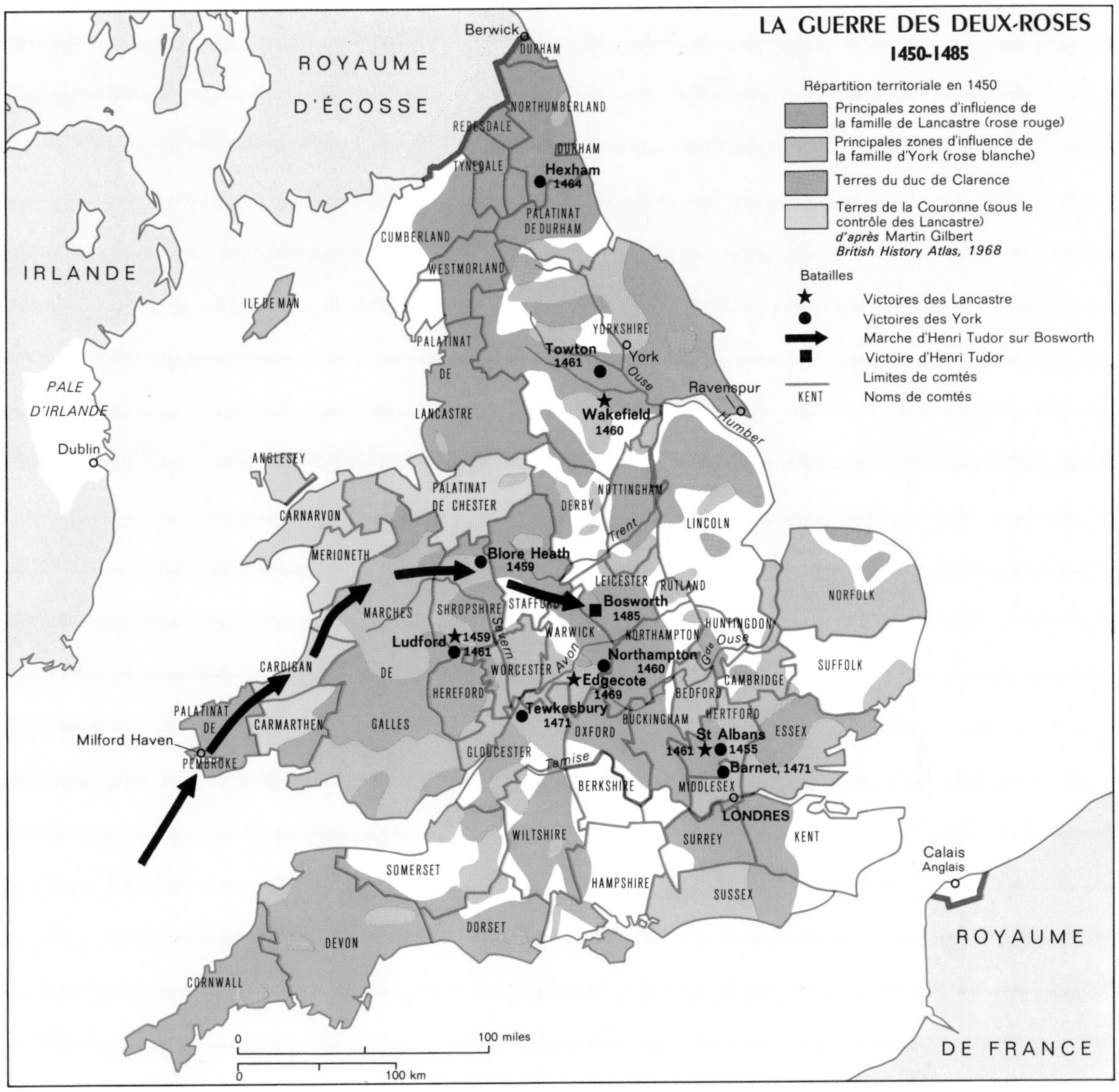

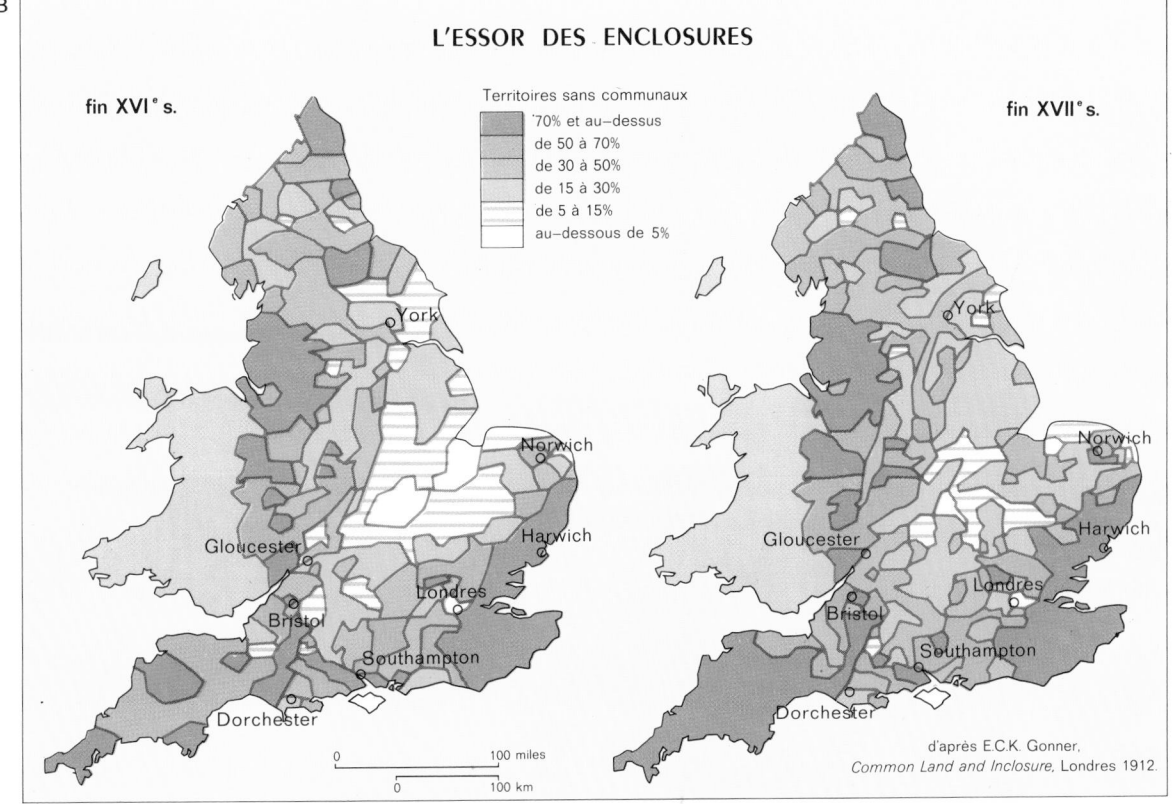

LA GUERRE DES DEUX-ROSES
1450-1485

Répartition territoriale en 1450

Principales zones d'influence de
la famille de Lancastre (rose rouge)

Principales zones d'influence de
la famille d'York (rose blanche)

Terres du duc de Clarence

Terres de la Couronne (sous le
contrôle des Lancastre)
d'après Martin Gilbert
British History Atlas, 1968

Batailles

★ Victoires des Lancastre

● Victoires des York

→ Marche d'Henri Tudor sur Bosworth

■ Victoire d'Henri Tudor

— Limites de comtés

KENT Noms de comtés

ROYAUME D'ÉCOSSE

IRLANDE

PALE D'IRLANDE

Dublin

Berwick
DURHAM
NORTHUMBERLAND
REDESDALE
TYNEDALE
Hexham 1464
CUMBERLAND
PALATINAT DE DURHAM
WESTMORLAND
ILE DE MAN
PALATINAT DE LANCASTRE
ANGLESEY
Towton 1461
York
Ouse
Ravenspur
YORKSHIRE
Wakefield 1460
Humber
CARNARVON
MERIONETH
PALATINAT DE CHESTER
DERBY
NOTTINGHAM
Trent
LINCOLN
Blore Heath 1459
MARCHES
SHROPSHIRE
STAFFORD
LEICESTER RUTLAND
Bosworth 1485
NORFOLK
CARDIGAN
DE
Ludford 1459 1461
WARWICK
Severn
Northampton 1460
NORTHAMPTON
HUNTINGDON
Nene Ouse
SUFFOLK
CAMBRIDGE
WORCESTER
Avon
Edgecote 1469
BEDFORD
HEREFORD
GALLES
Milford Haven
PALATINAT DE PEMBROKE
CARMARTHEN
Tewkesbury 1471
OXFORD
BUCKINGHAM
HERTFORD
St Albans 1461 1455
ESSEX
GLOUCESTER
Barnet, 1471
MIDDLESEX
LONDRES
Calais Anglais
BERKSHIRE
Tamise
SURREY
KENT
WILTSHIRE
SOMERSET
HAMPSHIRE
SUSSEX
DEVON
DORSET
CORNWALL

ROYAUME
DE FRANCE

0   100 miles
0   100 km

B

L'ESSOR DES ENCLOSURES

fin XVIᵉ s.

fin XVIIᵉ s.

Territoires sans communaux

70% et au-dessus
de 50 à 70%
de 30 à 50%
de 15 à 30%
de 5 à 15%
au-dessous de 5%

York

Norwich

Harwich

Gloucester

Londres

Bristol

Southampton

Dorchester

York

Norwich

Harwich

Gloucester

Londres

Bristol

Southampton

Dorchester

d'après E.C.K. Gonner,
Common Land and Inclosure, Londres 1912.

Débutant dès la fin du XIVᵉ siècle pour
pallier les conséquences de la diminution du nombre des tenanciers et du
coût croissant de la main-d'œuvre, le
mouvement des *enclosures* permet de
remembrer les terres et de séparer les
cultures des pâtures à moutons, en
augmentation rapide. Ruinant des petits
paysans, privés des ressources des communaux au profit des *lords* qui procè-
dent trop souvent à des évictions
brutales, l'essor des enclosures est
ralenti par le Parlement, qui les condamne en 1515. Mais, comme il permet
d'améliorer les rendements et les conditions de travail, ce mouvement s'accélère lorsque le Parlement lève son opposition en 1656, sous la forte pression de
ses bénéficiaires. Aussi, à la fin du
XVIIᵉ siècle, l'*openfield* est-il déjà en
large recul.

0   100 miles
0   100 km

**Évolution de
la population**

A

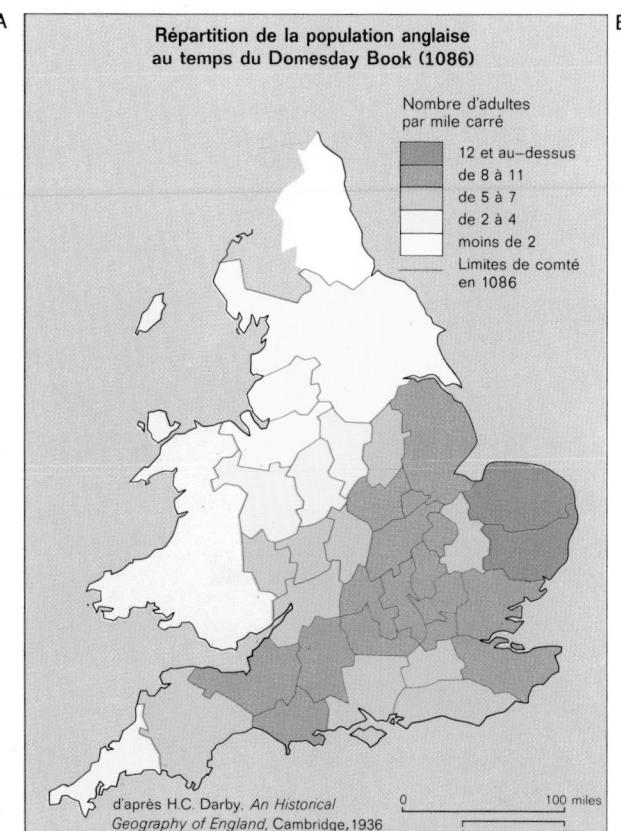

Répartition de la population anglaise
au temps du Domesday Book (1086)

Nombre d'adultes
par mile carré

12 et au–dessus
de 8 à 11
de 5 à 7
de 2 à 4
moins de 2
Limites de comté
en 1086

d'après H.C. Darby, *An Historical
Geography of England*, Cambridge, 1936

0   100 miles

0   100 km

B

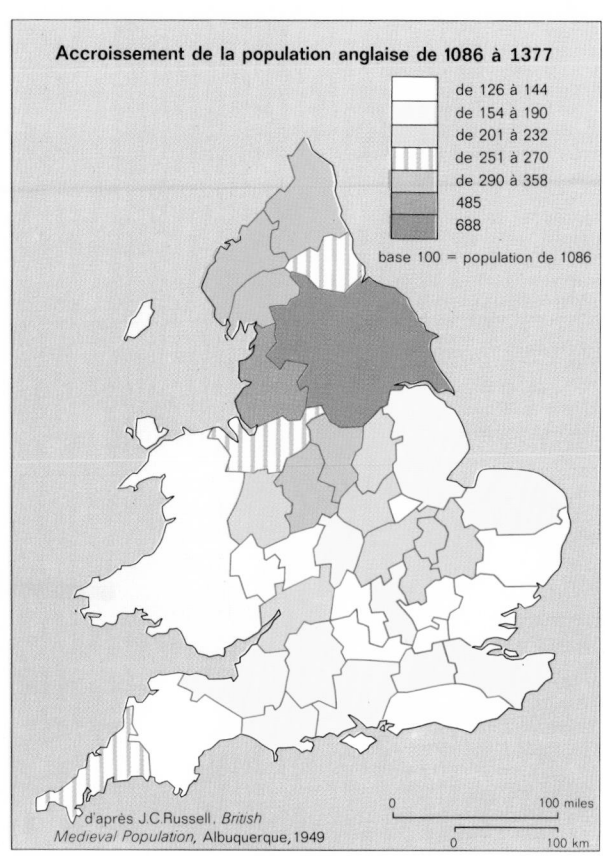

Accroissement de la population anglaise de 1086 à 1377

de 126 à 144
de 154 à 190
de 201 à 232
de 251 à 270
de 290 à 358
485
688

base 100 = population de 1086

d'après J.C. Russell, *British
Medieval Population*, Albuquerque, 1949

0   100 miles

0   100 km

Établi par enquêtes en 1086 par Guillaume Ier le Conquérant pour évaluer avec précision la richesse en hommes et en biens de l'Angleterre et donc la capacité fiscale et militaire des fiefs, le *Domesday Book* est un répertoire d'un intérêt exceptionnel. Son analyse permet d'évaluer à 1 500 000 le nombre des habitants de l'Angleterre à cette époque; la plupart vivant dans l'East Anglia et le bassin de Londres; la Cornouailles, les confins anglais du pays de Galles et de l'Écosse sont de deux à six fois moins peuplés.

Il n'en est plus de même au début du XIVe siècle; ces régions frontalières, longtemps vides d'hommes, ont été les grandes bénéficiaires, par voie de migrations intérieures, d'un croît démo-

graphique biséculaire. Dû sans doute à une nuptialité précoce et à un taux de natalité supérieur à 50 p. 1 000, celui-ci a porté la population anglaise à 3 500 000 habitants et déterminé les progrès de l'urbanisation, dont ont profité surtout les villes-marchés et les ports, notamment Londres qui aurait compté 34 900 habitants en 1377 (J.-C. Russell). Le déclin démographique provoqué par la famine des années 1315 et 1316 et surtout par la peste noire de 1348-49 et ses séquelles ne réduit pas entièrement les effets de cette croissance : on estime à 2 200 000 habitants la population de l'Angleterre d'après le recensement des personnes assujetties à la *poll tax* en 1377.

Baptêmes, enterrements et mariages à Hartland (Devon) de 1558 à 1837.

L'étude de ces courbes révèle une sensibilité toujours très grande de la population anglaise aux contrecoups d'une mauvaise récolte ou d'une épidémie (peste de 1665), puisque l'amplitude des

décès apparaît beaucoup plus forte (8 en 1596; 70 en 1643) que celle des naissances (18 en 1597; 66 en 1798) et surtout que celle des mariages (0 en 1720; 20 en 1834). Mais elle met en

valeur également une fécondité exceptionnellement élevée. C'est cette dernière qui est responsable de l'accroissement rapide de la population anglaise, surtout lorsque se recréent, vers 1740,

mais de manière définitive cette fois, les conditions d'un nouveau régime démographique qui avaient déjà prévalu entre 1558 et 1585 : maintien d'une très forte natalité; baisse de la mortalité, qui n'est

C

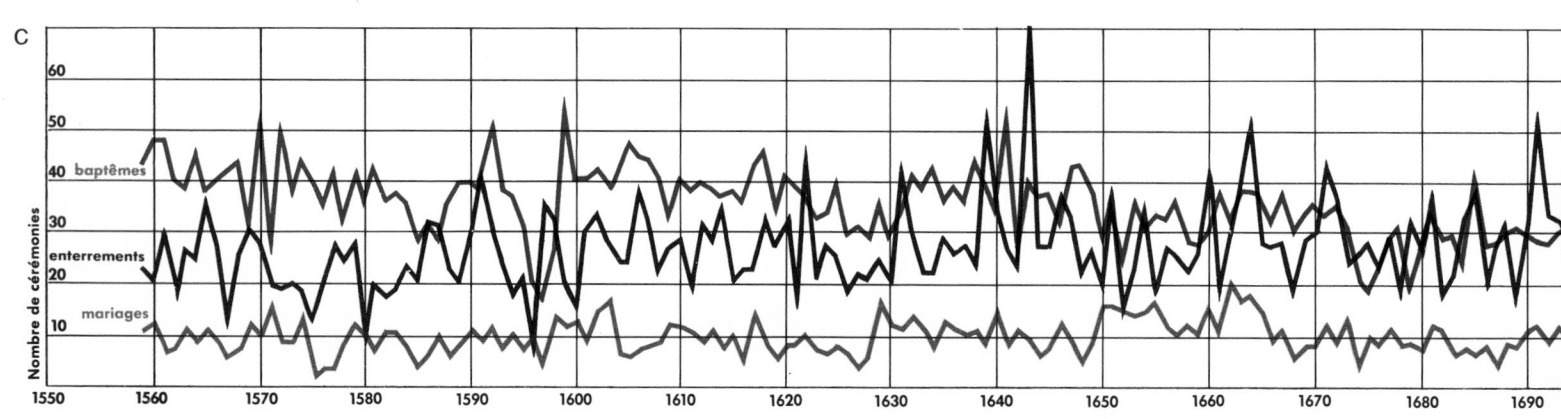

A

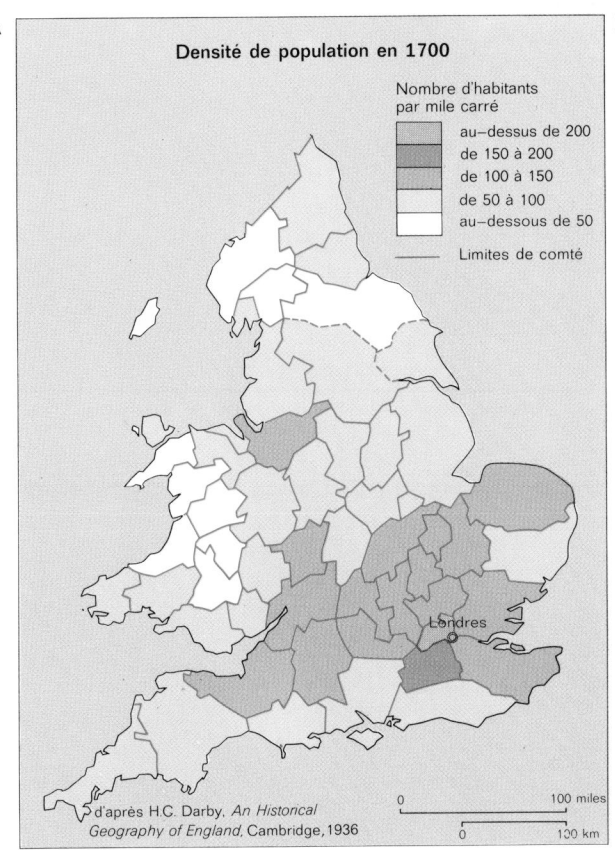

Densité de population en 1700

Nombre d'habitants
par mile carré

au-dessus de 200
de 150 à 200
de 100 à 150
de 50 à 100
au-dessous de 50

Limites de comté

Londres

0   100 miles
0   100 km

d'après H.C. Darby, *An Historical
Geography of England*, Cambridge, 1936

B

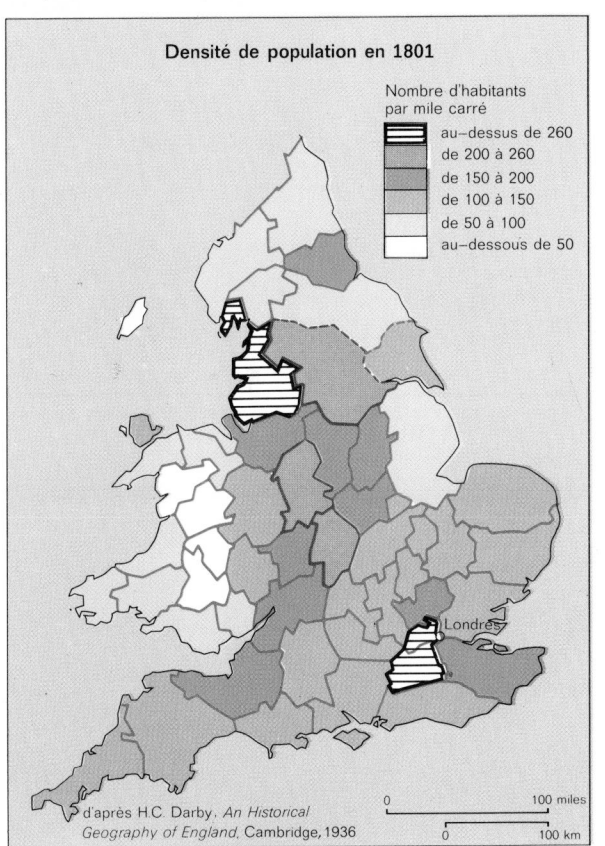

Densité de population en 1801

Nombre d'habitants
par mile carré

au-dessus de 260
de 200 à 260
de 150 à 200
de 100 à 150
de 50 à 100
au-dessous de 50

Londres

0   100 miles
0   100 km

d'après H.C. Darby, *An Historical
Geography of England*, Cambridge, 1936

Évaluée d'après les estimations de Gregory King et de Charles Davenant à cinq millions et demi d'habitants en 1700, la population anglaise et galloise en compte neuf millions lors du 1er recensement décennal de 1801. Exceptionnel puisque jusqu'alors le rythme du doublement de la population était biséculaire, cet accroissement démographique est dû à l'amélioration de l'alimentation et de l'hygiène, ainsi qu'au recul de l'alcoolisme (loi de 1751). Presque nul dans le cœur du pays de Galles ou aux confins de la frontière écossaise, où la densité de la population reste partout inférieure à 100, voire à 50 habitants au mile carré, cet accroissement est faible dans l'Angleterre verte du bassin de Londres, où la densité s'uniformise

entre 100 et 150 au mile carré. En fait, il bénéficie surtout à trois régions : l'*Angleterre noire du Nord-Ouest,* où la densité dépasse 200 habitants dans le Yorkshire du Sud-Ouest (West Riding) [laine] et dans les Midlands (métallurgie), s'élevant même de moins de 100 à plus de 260 dans le Lancashire (coton); les *régions portuaires,* qui servent de débouchés à cette Angleterre noire (Liverpool, Bristol) et dont la densité a crû de plus de 100 à plus de 150 habitants au mile carré; la région de *Londres,* enfin, capitale financière et commerciale du négoce international et dont la population, avec une densité supérieure à 200 habitants, constitue l'un des deux grands foyers de concentration humaine de l'Angleterre en 1801.

supérieure à la natalité que de 8 fois jusqu'en 1837 contre 38 fois entre 1597 et 1740. L'excédent des naissances est donc devenu la règle : il nourrit le croît démographique.

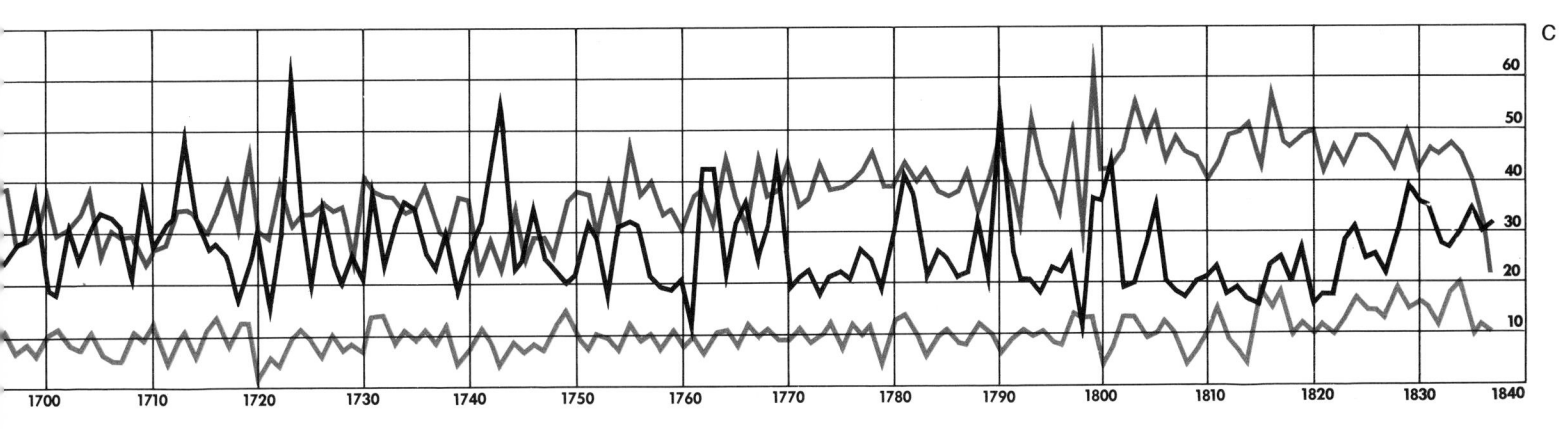

C

| 1700 | 1710 | 1720 | 1730 | 1740 | 1750 | 1760 | 1770 | 1780 | 1790 | 1800 | 1810 | 1820 | 1830 | 1840 |

A

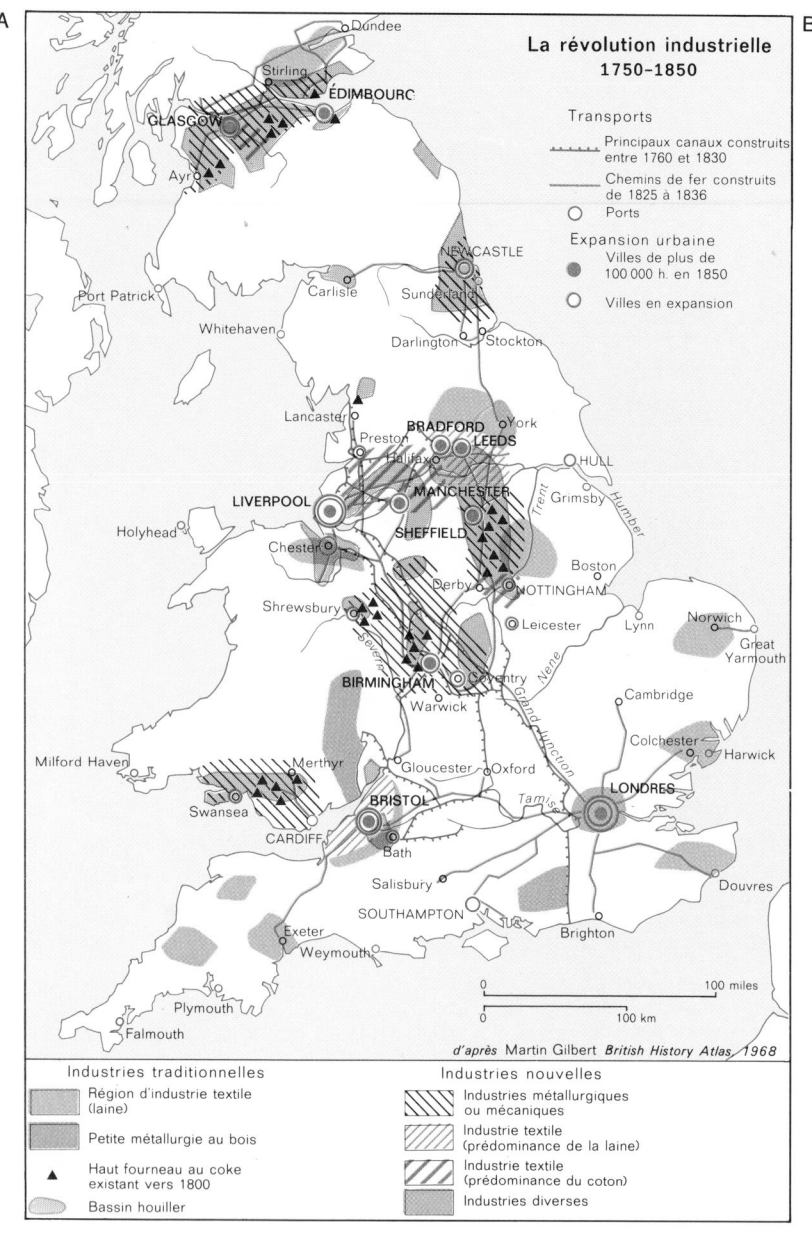

La révolution industrielle
1750-1850

Transports

········· Principaux canaux construits
entre 1760 et 1830

——— Chemins de fer construits
de 1825 à 1836

○ Ports

Expansion urbaine

● Villes de plus de
100 000 h. en 1850

○ Villes en expansion

d'après Martin Gilbert *British History Atlas* 1968

Industries traditionnelles	Industries nouvelles
Région d'industrie textile (laine)	Industries métallurgiques ou mécaniques
Petite métallurgie au bois	Industrie textile (prédominance de la laine)
Haut fourneau au coke existant vers 1800	Industrie textile (prédominance du coton)
Bassin houiller	Industries diverses

B

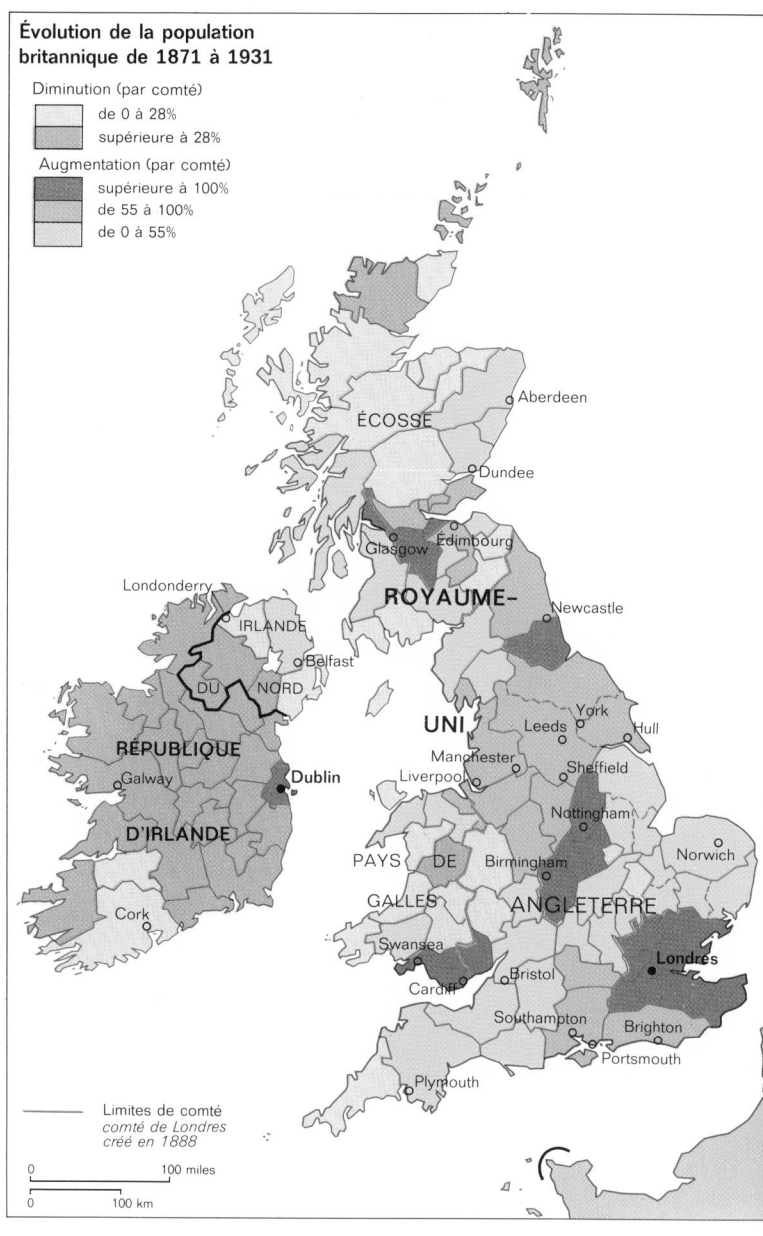

Évolution de la population
britannique de 1871 à 1931

Diminution (par comté)

de 0 à 28%

supérieure à 28%

Augmentation (par comté)

supérieure à 100%

de 55 à 100%

de 0 à 55%

——— Limites de comté
*comté de Londres
créé en 1888*

▲

Au XVIIIᵉ siècle, l'Angleterre bénéficie d'un ensemble de circonstances exceptionnellement favorables à l'essor du machinisme, caractéristique essentielle de la « révolution industrielle » : augmentation rapide de la population (6 millions en 1750; près de 28 millions en 1850); accroissement de la production et de la productivité agricoles (enclosures; prairies artificielles...) libératrices de main-d'œuvre; maîtrise du commerce mondial assurant, depuis la signature du traité d'Utrecht (1713), l'afflux des matières premières (coton) et l'accumulation en Angleterre d'un capital commercial et financier valorisé par les techniques bancaires (crédit bon marché) et par de judicieux réinvestissements industriels; enfin, existence d'un milieu intellectuel très évolué favorable à l'éclosion de nombreuses inventions. L'application industrielle de celles-ci est rapidement financée, dans des régions géographiquement concentrées sur les gisements de charbon ou autour des grands ports et que relient entre elles

des canaux dès 1760, puis des voies ferrées à partir de 1825.

Premières bénéficiaires de ces inventions (navette de John Kay, 1733; machine à filer [water frame] d'Arkwright, 1768, etc.), les industries textiles connaissent un développement rapide : celle de la laine, dont la production augmente de 150 p. 100 au XVIIIᵉ siècle; celle du coton, qui connaît parallèlement une « croissance *phénoménale* ».

La mise au point du procédé de la fonte au coke (1709-1713) par Abraham Darby et celle de la machine à vapeur (1769) par James Watt assurent l'essor des industries charbonnières (10 millions de tonnes en 1784; 56 en 1850) et sidérurgiques, la production de la fonte croissant de 500 t en 1717 à 14 000 t en 1789 et à 6 millions de tonnes vers 1870. Ainsi est assuré le passage de l'Angleterre de l'âge artisanal à l'ère industrielle, avec près d'un siècle d'avance sur les autres pays du monde, au sein duquel sa prépondérance économique est incontestée jusqu'en 1914.

▲

Stimulée par l'expansion économique, la croissance démographique reste forte jusque vers 1914 (plus de 1 p. 100 d'accroissement annuel), avant de décliner à partir de 1921; au total, la population passe de 32 millions à 48,7 millions d'habitants (45,8 pour le Royaume-Uni et 2,9 pour l'Eire). Cette croissance globale s'accompagne d'un important exode rural, notamment dans les campagnes pauvres (Highlands d'Écosse, massif gallois, Irlande surtout), qui se dépeuplent. Les ruraux déracinés vont gonfler les grandes agglomérations, comme Londres et Dublin, et surtout les régions industrielles, où s'opère une distinction entre zones de vieille industrie textile (Lancashire, Cotswolds) à faible croissance, et zones d'industries métallurgiques et minières, plus dynamiques (Lowlands, Cumberland, Sud du Pays de Galles, Midlands et région de Birmingham).

A

Élections de 1945

Régions où les travaillistes ont la majorité

Régions où les conservateurs ont la majorité

ÉCOSSE

IRLANDE DU NORD

NORTHERN ENGLAND

PAYS DE GALLES

MIDLANDS

COMTÉ DE LONDRES

SOUTHERN ENGLAND

0 100 miles
0 100 km

Limites de région

Élections de 1970

Régions où les conservateurs ont la majorité

Régions où les travaillistes ont la majorité

ÉCOSSE

IRLANDE DU NORD

NORTHERN ENGLAND

PAYS DE GALLES

MIDLANDS

COMTÉ DE LONDRES

SOUTHERN ENGLAND

0 100 miles
0 100 km

Limites de région

B

GRÈCE	p. 162
HONGRIE	p. 164
IRLANDE	pp. 129, 134 et 135
ISLANDE	pp. 88 et 89

Après 1964, les difficultés économiques contraignent Harold Wilson à une politique d'austérité et à la dévaluation de la *livre sterling* le 18 novembre 1967. En outre, son gouvernement est affaibli par les échecs de sa politique étrangère : rupture avec la Rhodésie en 1965/66; guerre du Biafra, 1967-1970; repli des troupes stationnées à l'est de Suez à partir de 1967. Ébranlé de ce fait par des crises internes, le *Labour Party* perd les élections du 18 juin 1970. Seule l'Écosse lui restant fidèle, il n'obtient que 43 p. 100 des suffrages exprimés : son plus mauvais score depuis la guerre. Aussi les conservateurs reviennent-ils au pouvoir sous l'autorité d'Edward Heath.

Malgré le prestige considérable de Winston Churchill, chef du gouvernement d'*union nationale* depuis 1940, l'usure du pouvoir (1931-1945) joue contre les conservateurs. Le désir de profonds changements économiques et sociaux favorise, en outre, les travaillistes. Visant à l'instauration du *Welfare State* («État providence») prévu par le rapport Beveridge du 1er décembre 1942, le programme électoral du *Labour Party* propose, de plus, d'importantes nationalisations pour lutter contre les monopoles capitalistes. Aussi recueille-t-il 47,80 p. 100 des suffrages exprimés et même 63 p. 100 des sièges grâce au scrutin uninominal à un tour, système amplificateur du succès.

C

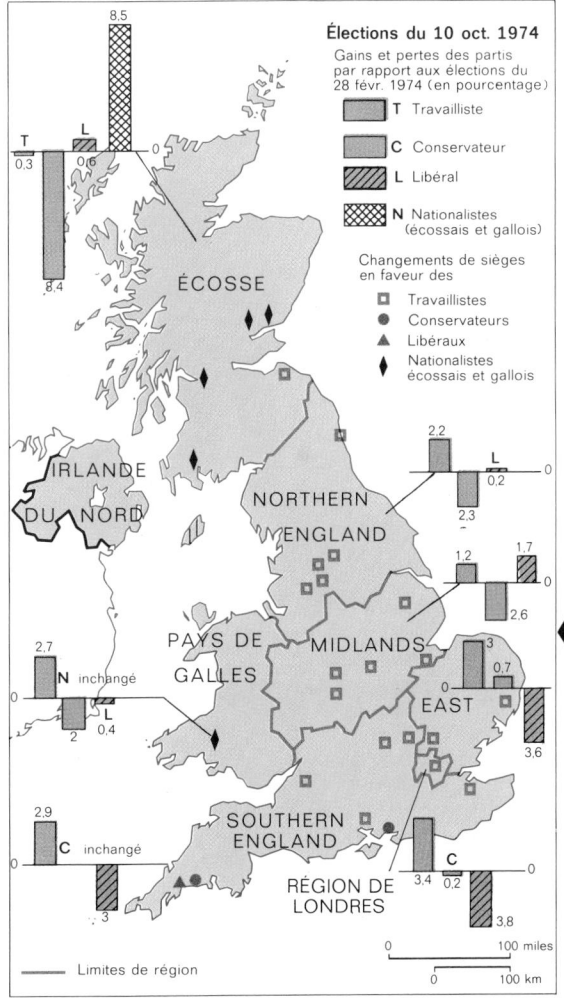

Élections du 10 oct. 1974

Gains et pertes des partis par rapport aux élections du 28 févr. 1974 (en pourcentage)

T Travailliste
C Conservateur
L Libéral
N Nationalistes (écossais et gallois)

Changements de sièges en faveur des

☐ Travaillistes
● Conservateurs
▲ Libéraux
◆ Nationalistes écossais et gallois

ÉCOSSE

IRLANDE DU NORD

NORTHERN ENGLAND

PAYS DE GALLES

MIDLANDS

EAST

SOUTHERN ENGLAND

RÉGION DE LONDRES

0 100 miles
0 100 km

Limites de région

Le résultat indécis des élections du 28 février 1974 incite le Premier ministre Harold Wilson à provoquer, dès le 10 octobre, de nouvelles élections, qui clarifient la situation politique : recul des conservateurs (surtout dans les régions industrielles du Centre et du Nord) et des libéraux, qui avaient profité, en février, du désarroi des électeurs. Cette double (et relative) baisse profite à la majorité travailliste (malgré ses médiocres résultats économiques) et, en Écosse, aux nationalistes, dont la progression s'explique largement par les perspectives pétrolières de la mer du Nord. En fait, les réels vainqueurs sont les abstentionnistes (27,2 p. 100 des inscrits en octobre contre 21,3 p. 100 en février!).

A

L'ITALIE BYZANTINE ET LOMBARDE
du VIᵉ siècle au milieu du VIIIᵉ s.

Conquêtes d'Alboïn, roi des Lombards, de 568 à 572
Territoire des Lombards au début du VIIᵉ s.
Duchés lombards indépendants
Possessions byzantines au début du VIIᵉ s.
Musulmans (fin VIIᵉ s.)
Incursions arabes, à la fin du VIIᵉ s. et au début du VIIIᵉ s.
Campagnes de Pépin le Bref contre les Lombards (754, 756)
Formation de l'État pontifical (donation de Pépin, 756)

LOMBARDIE
Cividale
Milan
Vicence
Aquilée
Grado
Vérone
Venise
ISTRIE
Pavie
EXARCHAT
Bobbio
Gênes
Ravenne
DE RAVENNE
PENTAPOLE
Zara
CORSE
DCHÉ DE SPOLÈTE
Pérouse
Narni
DCHÉ DE ROME
Rome
Mᵗ Cassin
Bénévent
Naples
BÉNÉVENT
Brindisi
SARDAIGNE
Tarente
Palerme
Reggio
SICILE
Carthage
Tunis
Syracuse
EXARCHAT DE CARTHAGE
720
652, 667

1. Novare
2. Côme
3. Bergame
4. Plaisance
5. Crémone
6. Brescia
7. Parme
8. Mantoue
9. Vérone
10. Padoue
11. Trévise

Royaume d'Italie

Frédéric Barberousse 1152-1190
Limites du Saint Empire
Expéditions impériales
1158
1174
Assemblée de Roncaglia (1158)
Principales villes de la ligue Lombarde constituée en 1167
Paix de Venise (1177)
Sièges
États de l'Église au début du XIIᵉ s.
Sous l'autorité du pape
Passés à des féodaux
Abbayes
0 150 km

B

L'ITALIE
AU XIIᵉ ET AU XIIIᵉ S.

ROY. DE GERMANIE
Legnano 1176
Trente
MARCHE DE VÉRONE
LOMBARDIE
Turin
Milan 1159/62
Aquilée
Trieste
Alexandrie 1174
Venise
Gênes
ROY.
Ferrare
Pise
Lucques
BOLOGNE
ROMAGNE
PENTAPOLE
Ancône
Zara
Spalato
Raguse
DCHÉ DE TOSCANE
Sienne
DITALIE
Spolète
SPOLÈTE
PATRIMOINE DE Sᵗ-PIERRE
Tagliacozzo 1268
Rome
Gaète
CORSE
ROY. DE POUILLE
Naples
Bénévent 1266
Brindisi
Amalfi
SARDAIGNE
SICILE
5ᵉ croisade Frédéric II (1228-29)
Palerme
Messine
Reggio
DCHÉ DE CALABRE
Catane
Syracuse

Royaume normand de Sicile (1194, Hohenstaufen; 1266, Angevins)
République de Venise
4ᵉ croisade (1202-1204)
Possessions de Pise et Gênes
États de l'Église au XIIIᵉ s.
0 150 km
Batailles

C

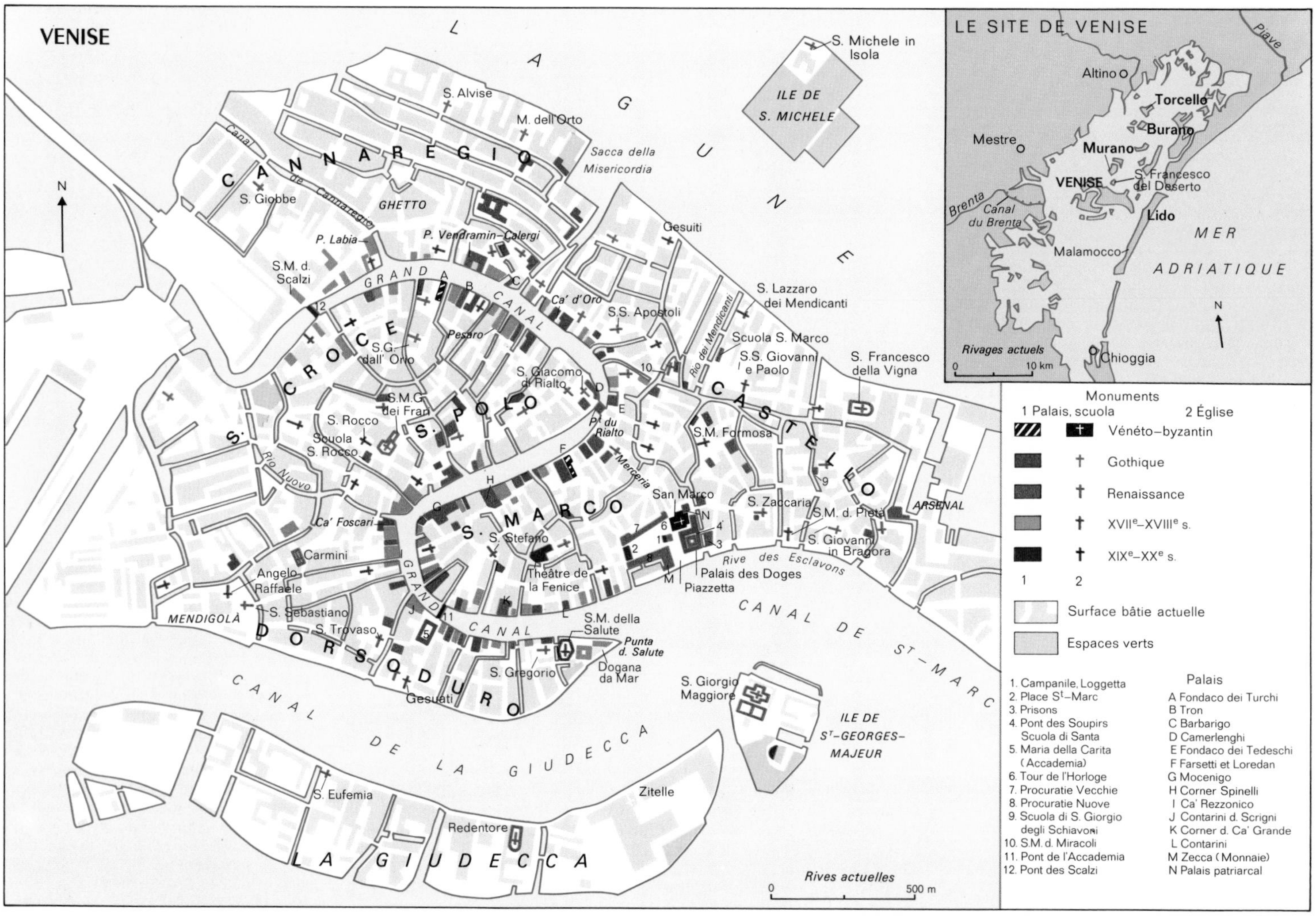

VENISE

LAGUNE
S. Michele in Isola
ILE DE S. MICHELE
CANNAREGIO
S. Alvise
M. dell'Orto
Sacca della Misericordia
S. Giobbe
GHETTO
Gesuiti
P. Labia
P. Vendramin-Calergi
S.M. d. Scalzi
Ca' d'Oro
S. Lazzaro dei Mendicanti
GRAND
S.S. Apostoli
Scuola S. Marco
S. POLO
S.G. dall'Orto
Pesaro
S. Giacomo d'Rialto
S.S. Giovanni e Paolo
S. Francesco della Vigna
S. CROCE
S.M.G. dei Frari
CANAL
CASTELLO
S. Rocco
Pᵗ du Rialto
Scuola S. Rocco
S.M. Formosa
Rio Nuovo
Merceria
Ca' Foscari
S. MARCO
San Marco
S. Zaccaria
ARSENAL
S.M. d. Pietà
Angelo Raffaele
Théâtre de la Fenice
S. Stefano
Palais des Doges
S. Giovanni in Bragora
Carmini
Piazzetta
Rive des Esclavons
MENDIGOLA
S. Sebastiano
S.M. della Salute
CANAL DE Sᵗ-MARC
S. Trovaso
CANAL
Punta d. Salute
S. Gregorio
Dogana da Mar
DORSODURO
Gesuati
S. Giorgio Maggiore
ILE DE Sᵗ-GEORGES-MAJEUR
CANAL DE LA GIUDECCA
S. Eufemia
Zitelle
Redentore
LA GIUDECCA
N
Rives actuelles
0 500 m

LE SITE DE VENISE
Piave
Altino
Torcello
Burano
Mestre
Murano
VENISE
S. Francesco del Deserto
Brenta
Canal du Brenta
Lido
MER ADRIATIQUE
Malamocco
Rivages actuels
Chioggia
N
0 10 km

Monuments
1 Palais, scuola 2 Église
Vénéto–byzantin
Gothique
Renaissance
XVIIᵉ–XVIIIᵉ s.
XIXᵉ–XXᵉ s.
Surface bâtie actuelle
Espaces verts

1. Campanile, Loggetta
2. Place Sᵗ–Marc
3. Prisons
4. Pont des Soupirs
5. Scuola di Santa Maria della Carita (Accademia)
6. Tour de l'Horloge
7. Procuratie Vecchie
8. Procuratie Nuove
9. Scuola di S. Giorgio degli Schiavoni
10. S.M.d. Miracoli
11. Pont de l'Accademia
12. Pont des Scalzi

Palais
A Fondaco dei Turchi
B Tron
C Barbarigo
D Camerlenghi
E Fondaco dei Tedeschi
F Farsetti et Loredan
G Mocenigo
H Corner Spinelli
I Ca' Rezzonico
J Contarini d. Scrigni
K Corner d. Ca' Grande
L Contarini
M Zecca (Monnaie)
N Palais patriarcal

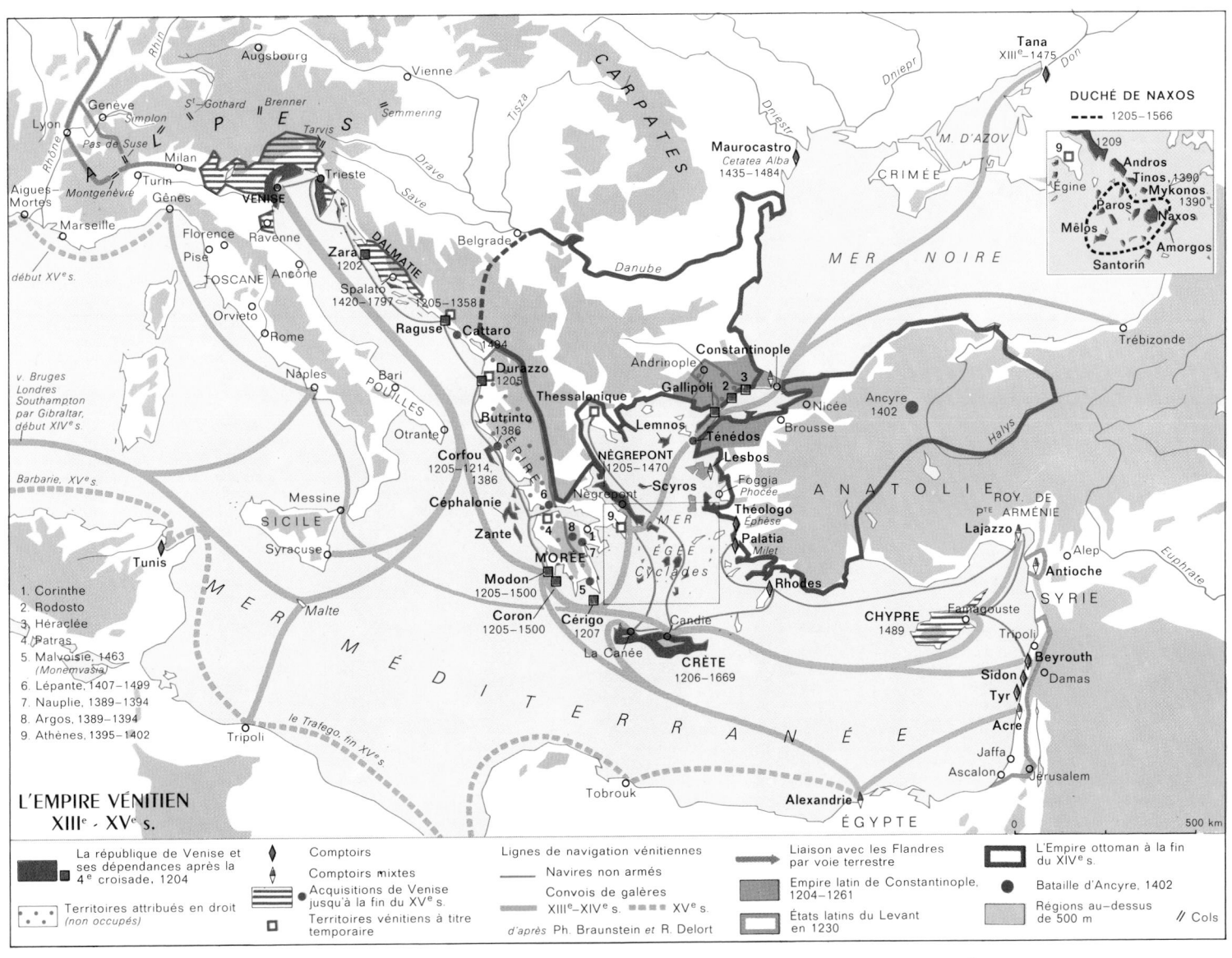

L'EMPIRE VÉNITIEN
XIIIᵉ - XVᵉ s.

1. Corinthe
2. Rodosto
3. Héraclée
4. Patras
5. Malvoisie, 1463 *(Monemvasia)*
6. Lépante, 1407-1499
7. Nauplie, 1389-1394
8. Argos, 1389-1394
9. Athènes, 1395-1402

La république de Venise et ses dépendances après la 4ᵉ croisade, 1204

Territoires attribués en droit *(non occupés)*

Comptoirs

Comptoirs mixtes

Acquisitions de Venise jusqu'à la fin du XVᵉ s.

Territoires vénitiens à titre temporaire

Lignes de navigation vénitiennes

Navires non armés

Convois de galères
XIIIᵉ-XIVᵉ s. ▬ XVᵉ s.

d'après Ph. Braunstein et R. Delort

Liaison avec les Flandres par voie terrestre

L'Empire ottoman à la fin du XIVᵉ s.

Empire latin de Constantinople, 1204-1261

États latins du Levant en 1230

Bataille d'Ancyre, 1402

Régions au-dessus de 500 m

// Cols

DUCHÉ DE NAXOS
▬▬▬ 1205-1566

B ◄ Si le nord de la péninsule est soumis à l'autorité de l'Empereur qui est à la fois roi de Germanie et roi d'Italie, par contre les États de l'Église échappent, en fait, à l'autorité de ce souverain grâce à l'appui des Normands de Sicile et à celui des communes lombardes. En 1158, à Roncaglia, Frédéric Iᵉʳ Barberousse impose à chacune d'elles le contrôle d'un podestat impérial; il assiège et rase Milan (1159-1162), mais celle-ci constitue en 1167, sous l'égide du pape Alexandre III, la Ligue lombarde qui fonde la place-forte d'Alexandrie (1168). Vaincu à Legnano (1176), Frédéric Iᵉʳ se réconcilie avec le pape (paix de Venise, 1177), puis avec la Ligue (paix de Constance, 1183). Brusquement, le double avènement de Henri VI à l'Empire (1190) et en Sicile (1194) rend les Hohenstaufen maîtres de la péninsule. La mort de cet empereur (1197) sauve la papauté de l'encerclement; fils d'Henri VI, Frédéric n'hérite que de la Sicile, mais le pape Innocent III facilite son accession à l'Empire (1212-1220). Héritier des Hohenstaufen, Frédéric II écrase à Cortenuova la Ligue lombarde reconstituée (1237). Après sa mort (1250), Urbain II investit Charles d'Anjou, frère de Saint Louis, de la Sicile. Celui-ci vainc les derniers des Hohenstaufen, Manfred et Conradin, respectivement à Bénévent (1266) et à Tagliacozzo (1268). Leur disparition assure la survie des États de l'Église : la querelle du Sacer-

Érigée en préfecture en 554 et débarrassée des derniers Ostrogoths par les Byzantins en 555, la péninsule est envahie dès 568 par les Lombards. Occupant la plaine centrale et occidentale du Pô ainsi que la Toscane où ils s'établissent un royaume, les envahisseurs fondent, en outre, les duchés de Spolète et de Bénévent. Mais les Byzantins s'accrochent à un dernier lambeau de *Romania* (Romagne); siégeant à Ravenne, l'exarque étend en théorie son autorité sur le reste de l'Italie byzantine : littoral nord de l'Adriatique, où naît Venise au VIIIᵉ siècle; Ligurie, où Gênes ne succombe qu'en 640; Italie méridionale, où Tarente est prise en 675 mais non Bari, Brindisi et Naples; les îles, qui résistent aux Sarrasins aux VIIᵉ et VIIIᵉ siècles; Rome, où l'indépendance de fait de la papauté, réelle sous Grégoire le Grand (590-604), est remise en cause par le roi lombard Aistolf, qui occupe Ravenne en 751. Mais, dès 756, son vainqueur, Pépin le Bref, donne à « saint Pierre » ses conquêtes : Ravenne, une partie de la Pentapole et le duché de Pérouse. Les États de l'Église sont fondés. (V. cartes pp. 30, 32, 34 et 139.)

doce et de l'Empire est achevée. (V. cartes pp. 41 et 93.)

C ◄ Dans la seconde moitié du VIᵉ siècle, les habitants de l'Italie du Nord, fuyant les Lombards, se réfugient dans la lagune, où naît Venise au IXᵉ siècle.

« Pointements calcaires (*Dorsoduro, Rialto* [*Rivo alto*]), îlots de boue recouverts de roseaux (*Cannaregio*), fragments de cordons littoraux (*lidi*) percés de graus (*porti*) » sont progressivement réunis pour former San Giorgio Maggiore, la Giudecca et surtout les deux îles principales que sépare le Grand Canal et que les petits canaux subdivisent en îlots administrativement regroupés en *sestieri* : trois sur la rive droite (Dorsoduro, Santa Croce, San Polo), trois sur la rive gauche (Cannaregio, Castello et surtout San Marco). La vie se rassemble autour du centre politique et religieux de San Marco et du centre économique du Rialto, que la *Merceria* relie depuis 1368. Plus à l'est, l'Arsenal, créé au XIIᵉ siècle, emploie, au milieu du XVᵉ siècle, 16 000 ouvriers. Premiers bénéficiaires de la puissance navale et commerciale de Venise, l'État et l'aristocratie marchande font de cette ville d'eau une ville de marbre, parée de magnifiques monuments. (V. cartes pp. 34, 35, 40, 41, 46, 47, 48, 50, 51, 52, 56, 59, 60, 61, 63, 64, 65, 66 [A], 137, 138 et 139 [A et B].)

Évincée de l'Empire byzantin en 1171, Venise s'y réintroduit au XIIIᵉ siècle lors de la quatrième croisade. Occupant Zara en 1202, puis Constantinople en 1204, elle fait proclamer son doge, Enrico Dandolo, seigneur « d'un quart et demi de l'Empire (latin) de Romanie ». Renonçant à coloniser ses possessions, à l'exception de la Crète, la « Sérénissime » les cède soit à des étrangers (Morée, 1209), soit à des seigneurs vénitiens (Naxos...). Mais elle occupe les bases navales et les regroupe en trois secteurs administratifs : *Haute Romanie* (Constantinople); *Basse Romanie et Archipel* (Candie); *Morée* et *îles Ioniennes* (Corfou). Depuis 1211, des convois annuels (*mudae*) les unissent à leur métropole.

Perdant le monopole du commerce de la mer Noire en 1261, menacée, en outre, par les Ottomans dès la fin du XIVᵉ siècle, Venise acquiert Chypre en 1489 et prospecte des marchés de substitution en Afrique du Nord; parallèlement, elle entretient des relations régulières avec l'Occident par les passes alpestres et, depuis le XIVᵉ siècle (et malgré Gênes), par voie de mer (Gibraltar). Enfin, elle conquiert, de 1381 à 1454, la riche et agricole *Terre Ferme* à l'heure où s'affirme la montée des puissances ottomane, à l'est, et atlantiques, à l'ouest. Ainsi se trouve-t-elle entraînée dans les conflits européens. (V. cartes pp. 50, 51, 138 et 139 [A et B].)

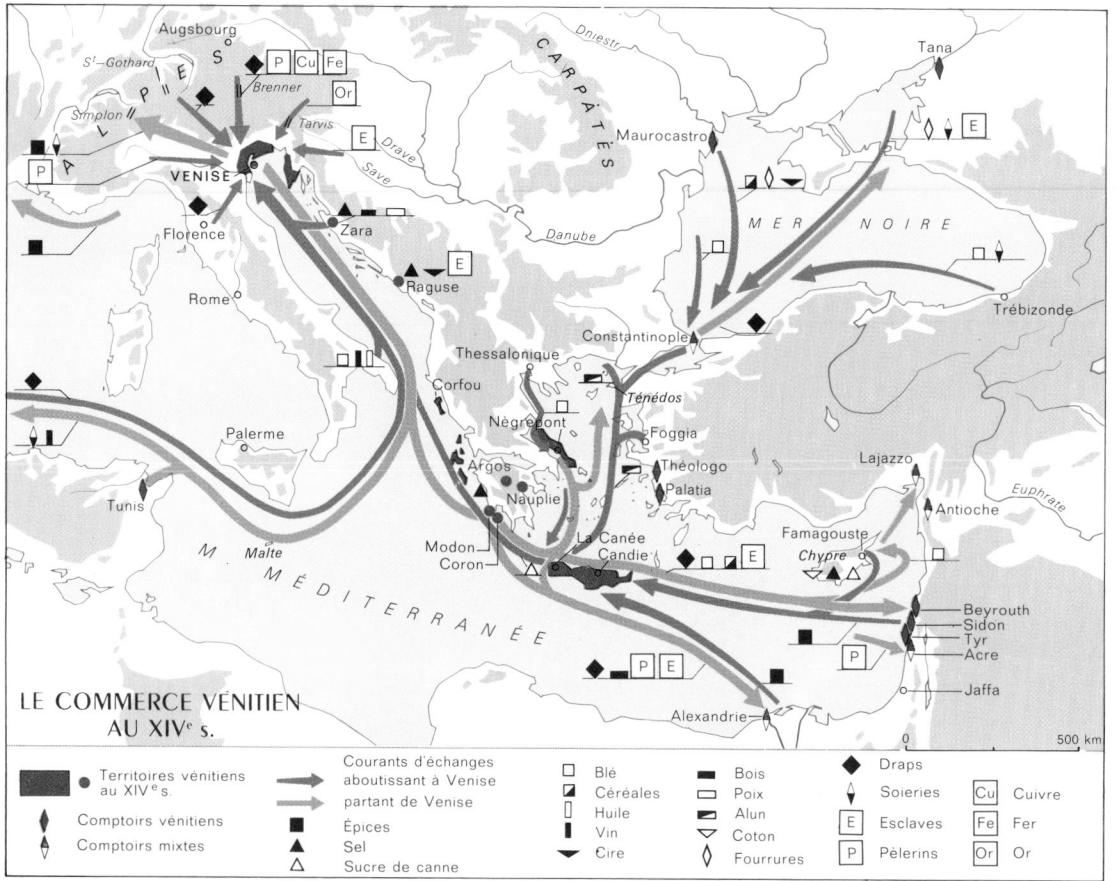

LE COMMERCE VÉNITIEN
AU XIVe s.

▰ ●	Territoires vénitiens aboutissant à Venise	→	Courants d'échanges aboutissant à Venise
		→	partant de Venise
◆	Comptoirs vénitiens	■	Épices
◆	Comptoirs mixtes	▲	Sel
		△	Sucre de canne

□ Blé	▬ Bois	◆ Draps	Cu Cuivre
◪ Céréales	▭ Poix	▾ Soieries	Fe Fer
▯ Huile	◩ Alun	E Esclaves	Or Or
▼ Vin	▽ Coton	P Pèlerins	
▾ Cire	◇ Fourrures		

Dès le début du XIVe siècle, Venise se trouve située au point de convergence des grands courants d'échange internationaux. Au nord, elle abandonne à des marchands allemands le soin d'acheminer vers le sud, par le col du Brenner, les produits de l'Europe centrale (fer et cuivre d'Allemagne), qu'ils stockent et négocient au *fondaco dei Tedeschi;* par contre, la République organise elle-même les convois annuels (mudes) reliant son port aux grandes places marchandes de l'Occident (Southampton, Londres, Bruges), qui l'alimentent surtout en draps, et ceux qui l'unissent à ses nombreux comptoirs de la Méditerranée orientale et de la mer Noire par le relais de Modon et de Coron, de Candie et de Constantinople. Les trois principaux comptoirs Tana, Lajazzo et

Alexandrie) dirigent vers Venise les richesses de l'Extrême-Orient (soies et soieries chinoises, épices de l'Asie du Sud-Est), celles du monde slave (bois, fourrures, cire, céréales), celles du Proche-Orient (alun d'Asie Mineure, sel, sucre de canne, coton de Chypre ou du Levant, etc.)

Elle redistribue ces produits dans le monde entier. Elle exporte aussi ce qui lui vient de ses possessions de Terre Ferme et des îles (blés, huile, vins, fruits frais ou secs), des Pouilles (blé) et de la Dalmatie (bois, poix, cire, sel, esclaves). À ces profits commerciaux s'ajoutent ceux que procure le transport des pèlerins. Tous ces trafics assurent la richesse des Vénitiens et la puissance de Venise, premier emporium de l'Occident à la fin du Moyen Âge.

Délivrée, en fait, de la tutelle impériale depuis 1250, l'Italie s'est divisée en un grand nombre de petits États, dont le regroupement est essentiel au milieu du XVe siècle. Aux deux extrémités de la Péninsule s'imposent, en effet, la maison de Savoie, qui a acquis le titre ducal en 1416, et la maison d'Aragon, qui a reconstitué en 1443 l'unité des Deux-Siciles au détriment des Angevins. Et, si, au centre de l'Italie, les États de l'Église restent difficilement gouvernables du fait de leur hétérogénéité politique, par contre, dans la plaine du Pô et en Toscane, les communes ont dû concéder la seigneurie aux seules puissances capables de s'assurer les services coûteux des *condottieri* (entrepreneurs de guerre) qui se vendent aux plus offrants. C'est le cas de Venise, qui s'est rendue maîtresse de la Terre Ferme au début du XVe siècle (v. carte p. 137) — de Milan, dont le condottiere, Francesco Sforza, est devenu duc en 1450 — de Florence enfin, dont Cosme de Médicis étend le territoire sur toute la Toscane à l'exclusion de Sienne. Conclue entre ces trois États, à l'initiative du Médicis, la paix de Lodi (1454) prélude à la conclusion, pour vingt-cinq ans, de la Très Sainte Ligue unissant les États italiens sous l'égide du pape (1455). Ainsi se trouve introduite, pour la première fois, dans les relations inter-États la notion d'équilibre qui a fixé pour quatre siècles les grandes lignes de la géographie politique de la Péninsule. (V. cartes pp. 51, 52 et 59 [B].)

Le morcellement politique de la péninsule, des conflits intérieurs qui, traditionnellement suscitent l'appel des Italiens à l'étranger, facilitent les interventions françaises en Italie. Celles-ci sont justifiées par les droits que Charles VIII fait valoir sur Naples et Louis XII sur Milan en tant qu'héritiers respectifs des maisons d'Anjou et d'Orléans-Visconti.

Parcourant triomphalement l'Italie (1494-95), Charles VIII doit céder devant la *Sainte Ligue* des princes italiens, brusquement effrayés par ses succès trop rapides. Il rapatrie son armée victorieuse à Fornoue, mais il ne peut sauver de la capitulation la garnison française de Naples encerclée à Atella par Gonzalve de Cordoue (1496).

Plus prudent, allié de nombreux princes italiens et des Suisses, Louis XII occupe Milan à deux reprises (1499 et 1500), ainsi que Naples; mais, pressées par Gonzalve de Cordoue sur les bords du Garigliano, ses forces sont chassées du royaume dès 1504. Victorieuses de celles de Venise à Agnadel et de celles du pape et de l'Espagne à Ravenne, elles doivent pourtant évacuer le Milanais après la défaite de Novare, victimes des incessants retournements d'alliance de Jules II.

Plus modeste, François Ier limite ses ambitions au Milanais : Marignan et les Suisses le lui donnent en 1515; La Bicoque en 1522 et, plus encore, Pavie en 1525 le lui retirent. Charles Quint le contraint à renoncer définitivement à ses ambitions italiennes, au profit de l'Espagne, par les traités de Madrid (1526) et de Cambrai (1529) [v. carte p. 58].

A

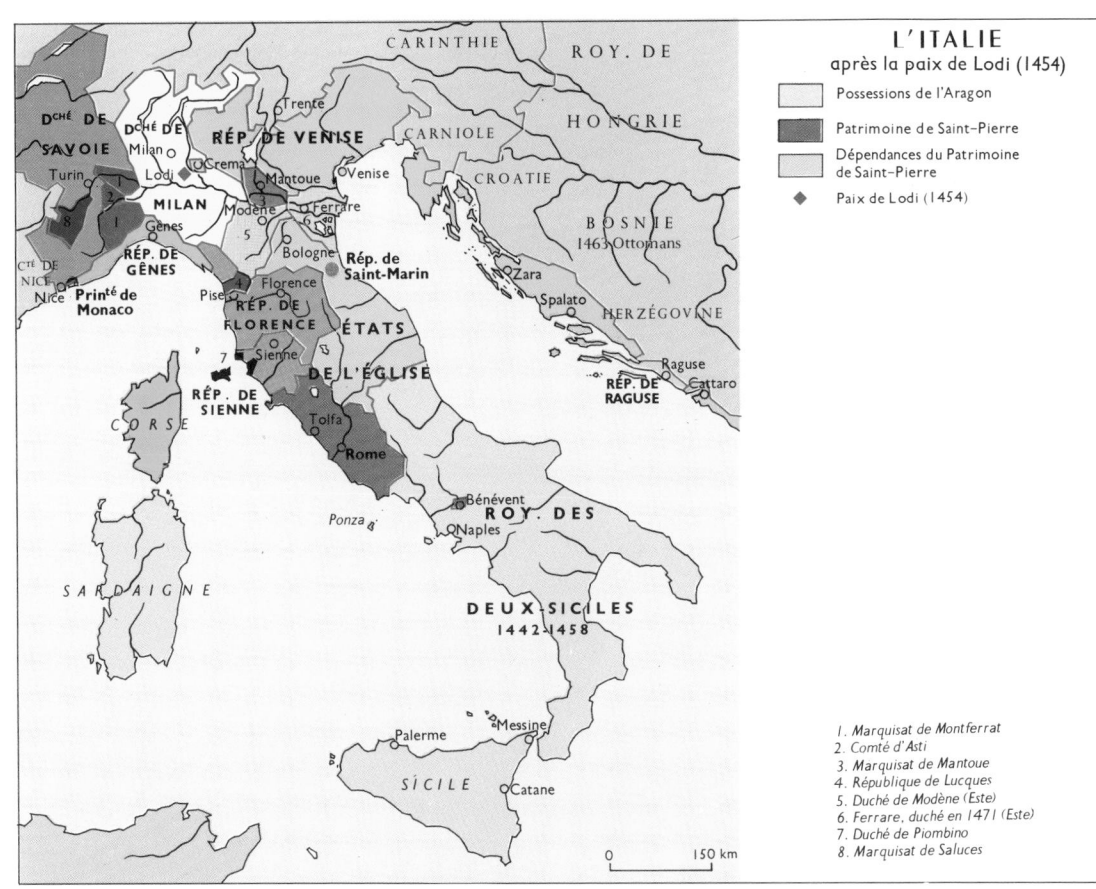

L'ITALIE
après la paix de Lodi (1454)

- Possessions de l'Aragon
- Patrimoine de Saint-Pierre
- Dépendances du Patrimoine de Saint-Pierre
- ◆ Paix de Lodi (1454)

1. Marquisat de Montferrat
2. Comté d'Asti
3. Marquisat de Mantoue
4. République de Lucques
5. Duché de Modène (Este)
6. Ferrare, duché en 1471 (Este)
7. Duché de Piombino
8. Marquisat de Saluces

C

Formation de l'État pontifical.

B

LES GUERRES D'ITALIE

Charles VIII	Louis XII	
➤ Expédition de 1494		Royaume de Naples, occupé par Charles VIII et Louis XII
● Batailles	○ Batailles	Milanais occupé par Louis XII (1499–1512) et François Ier (1515–1525)
François Ier		Frontières de 1494
➤ Expédition de 1515	● Batailles	

Les États de l'Église sont effectivement fondés en 756 lorsque Pépin Ier le Bref fait don à « saint Pierre » des territoires jadis byzantins conquis sur les Lombards : l'exarchat de Ravenne et une partie de la Pentapole. Un étroit couloir (Pérouse), les relie au Patrimoine. Accrus dès le VIIIe siècle par de nouvelles donations carolingiennes, ces États prennent la péninsule en écharpe de l'Adriatique à la Tyrrhénienne. Pour leur donner cohérence, la papauté tente d'incorporer les biens que la comtesse Mathilde lui a légués en 1077 (Toscane), mais les empereurs lui disputent ici la souveraineté temporelle afin de mieux contrôler l'Italie. Affaiblis par une féodalisation extrême, délaissés par la papauté lorsqu'elle se fixe à Avignon (1309-1377), ces États sont alors réorganisés par Albornoz, mais ils ne retrouvent définitivement leur souverain qu'en 1443. Enrichis par l'exploitation de l'alun de Tolfa à partir de 1462, les États de l'Église acquièrent leurs pleines fonctions sous le pontificat de Jules II. Après de nombreuses vicissitudes entre 1797 et 1849, ils subissent des amputations définitives en 1860 au profit du royaume d'Italie (Romagne, Marche et Ombrie). Ils sont enfin annexés totalement par celui-ci, à la seule exception de la Cité du Vatican dont la *loi des Garanties* du 13 mai 1871 reconnaît au pape la possession en toute souveraineté.

▶ C et D

D

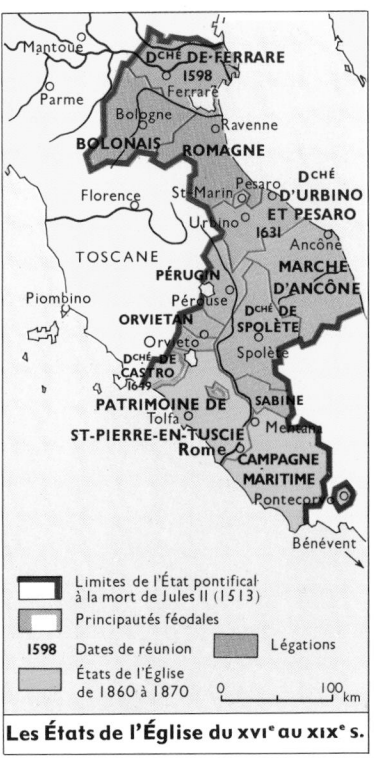

- ▢ Limites de l'État pontifical à la mort de Jules II (1513)
- ▢ Principautés féodales
- **1598** Dates de réunion
- Légations
- États de l'Église de 1860 à 1870

Les États de l'Église du XVIe au XIXe s.

Pour éliminer l'obstacle autrichien à
l'unité italienne, Cavour, président du
Conseil du royaume sarde depuis 1852,
gagne à Plombières, le 21 juillet 1858,
l'appui de Napoléon III, très italophile :
le traité franco-sarde du 26 janvier 1859
permet d'engager contre l'Autriche une
guerre ponctuée par les victoires de
Magenta le 4 juin et de Solferino le 24.
Mais, craignant une intervention prussienne et par ailleurs soumis aux pressions des catholiques français, Napoléon III signe prématurément l'armistice
de Villafranca, qui ne donne que la
Lombardie au Piémont.
Déçu, Cavour profite de l'agitation
nationaliste née de la défaite autrichienne pour organiser des plébiscites,
qui unissent, en mars 1860, l'Italie centrale au Piémont, puis consacrent, en
avril, la cession à la France de Nice et de
la Savoie en compensation de son aide
militaire; durant l'été 1860, il laisse

Garibaldi « tirer les marrons du feu »
dans le royaume des Deux-Siciles (les
Mille); il organise alors une expédition
militaire qui s'empare des Marches et de
l'Ombrie, avant de confisquer la victoire
des républicains à Naples. De nouveaux
plébiscites entérinent, en octobre-
novembre 1860, ces annexions au nouveau royaume d'Italie, proclamé en
1861.
Pour régler le problème vénitien, le
gouvernement italien s'allie à la Prusse,
le 8 avril 1866, par l'entremise de Napoléon III, selon une stratégie diplomatique
éprouvée en 1858-1859. Aussi, à l'issue
de la guerre austro-prussienne de 1866,
peut-il récupérer la Vénétie, malgré les
défaites de Custozza et de Lissa. Mais,
après l'échec de Garibaldi à Mentana en
1867, échec dû à l'intervention armée de
Napoléon III soucieux de conserver l'appui des catholiques, les Italiens doivent
attendre 1870 pour recouvrer Rome.

LES DÉBUTS DE L'UNITÉ ITALIENNE

Le royaume de Sardaigne en 1859	Armée sarde
Acquisition de 1859	Armistice de Villafranca 12 juillet 1859
Intervention des troupes françaises en 1859	Expédition des Mille, Garibaldi (1860)

0   300 km

L'ITALIE DE 1860 A 1870

Acquisitions :

Territoires cédés à la France en 1860	de 1866
Le royaume d'Italie en 1861	de 1870
Capitulation du roi François II (13 février 1861)	Expédition de Garibaldi en 1867

0   300 km

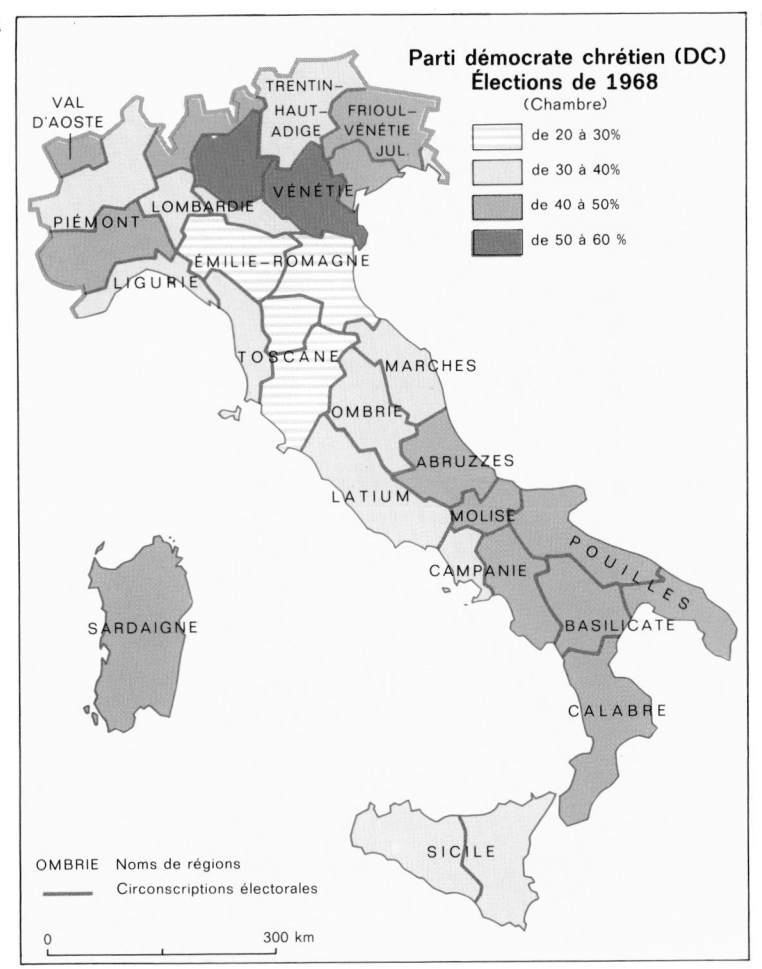

A

**Parti démocrate chrétien (DC)
Élections de 1968**
(Chambre)

de 20 à 30%
de 30 à 40%
de 40 à 50%
de 50 à 60 %

VAL D'AOSTE
TRENTIN–HAUT–ADIGE
FRIOUL–VÉNÉTIE JUL.
VÉNÉTIE
PIÉMONT
LOMBARDIE
LIGURIE
ÉMILIE–ROMAGNE
TOSCANE
MARCHES
OMBRIE
ABRUZZES
LATIUM
MOLISE
CAMPANIE
POUILLES
BASILICATE
SARDAIGNE
CALABRE
SICILE

OMBRIE Noms de régions
        Circonscriptions électorales

0   300 km

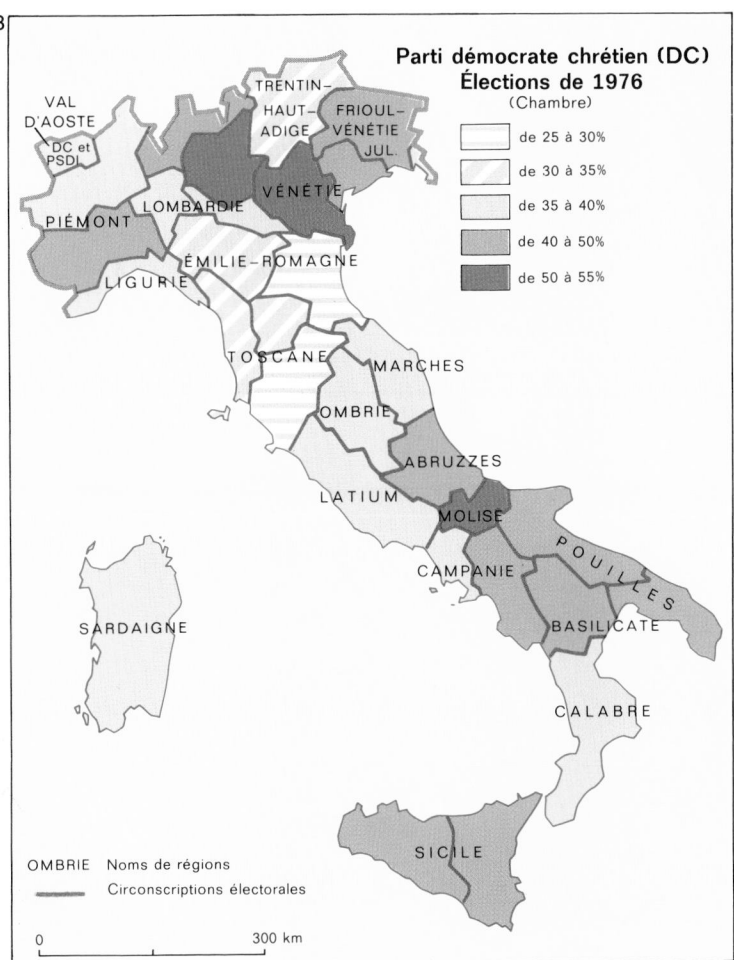

B

**Parti démocrate chrétien (DC)
Élections de 1976**
(Chambre)

de 25 à 30%
de 30 à 35%
de 35 à 40%
de 40 à 50%
de 50 à 55%

VAL D'AOSTE
DC et PSDI
TRENTIN–HAUT–ADIGE
FRIOUL–VÉNÉTIE JUL.
VÉNÉTIE
PIÉMONT
LOMBARDIE
LIGURIE
ÉMILIE–ROMAGNE
TOSCANE
MARCHES
OMBRIE
ABRUZZES
LATIUM
MOLISE
CAMPANIE
POUILLES
BASILICATE
SARDAIGNE
CALABRE
SICILE

OMBRIE Noms de régions
        Circonscriptions électorales

0   300 km

La suprématie de la démocratie chrétienne (DC) depuis 1945 s'explique par
l'influence décisive de l'Église, par son
caractère réformiste, hérité du *parti
populaire* de 1919, mais aussi par son
ambiguïté : elle apparaît comme le plus
efficace rempart de la droite, issue du
fascisme, contre le danger communiste.
L'implantation du parti, médiocre dans
les régions ouvrières, est particulièrement solide dans les régions
« blanches » à forte tradition catholique
(Nord-Est, provinces rurales du Nord-
Ouest) et dans le Sud, où la pauvreté,
l'inculture de la population, le maintien
d'une tradition semi-féodale favorisent
la puissance des notables.

Malgré la crise économique et politique
qui touche l'Italie depuis 1968, la démocratie chrétienne (DC) obtient toujours,
lors des élections, entre 38 et 39 p. 100
des suffrages exprimés, preuve de la
solidité du parti. Les grandes tendances
régionales persistent mais s'atténuent :
progrès dans le Centre (de l'Émilie au
Latium) et dans le Nord-Ouest industriel;
léger recul dans le Sud (sauf en Sicile).
Cette évolution indique un fléchissement de l'audience des notables, dont
la relève est assurée par des éléments
plus jeunes et plus dynamiques.

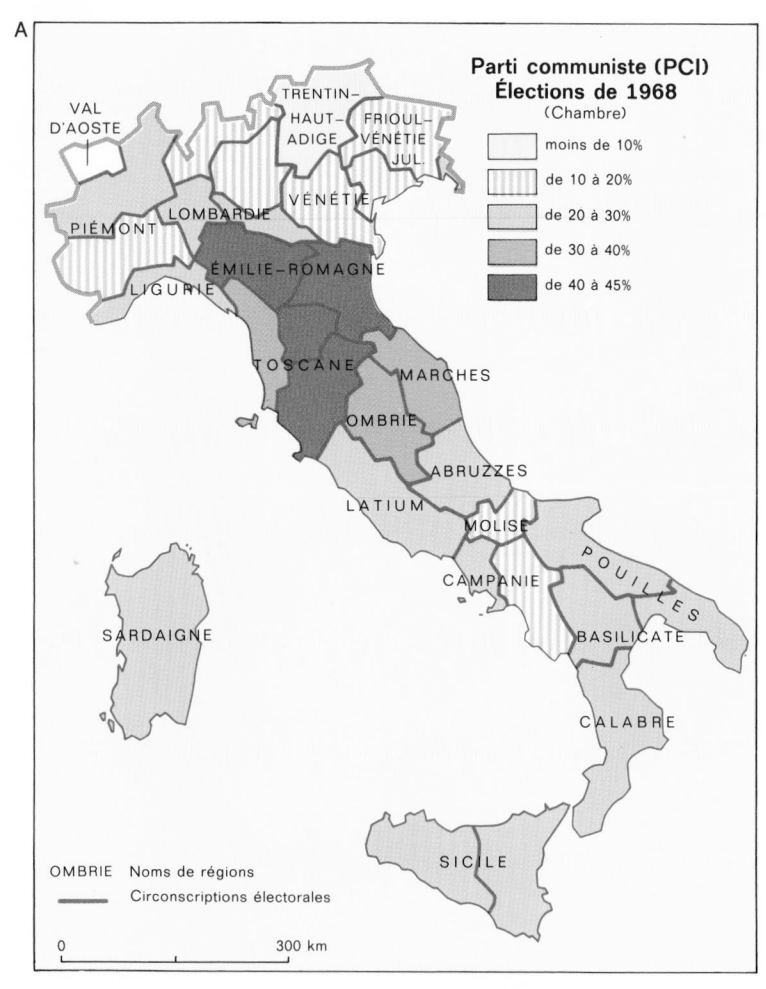

A

Parti communiste (PCI)
Élections de 1968
(Chambre)

moins de 10%
de 10 à 20%
de 20 à 30%
de 30 à 40%
de 40 à 45%

OMBRIE   Noms de régions

——   Circonscriptions électorales

0   300 km

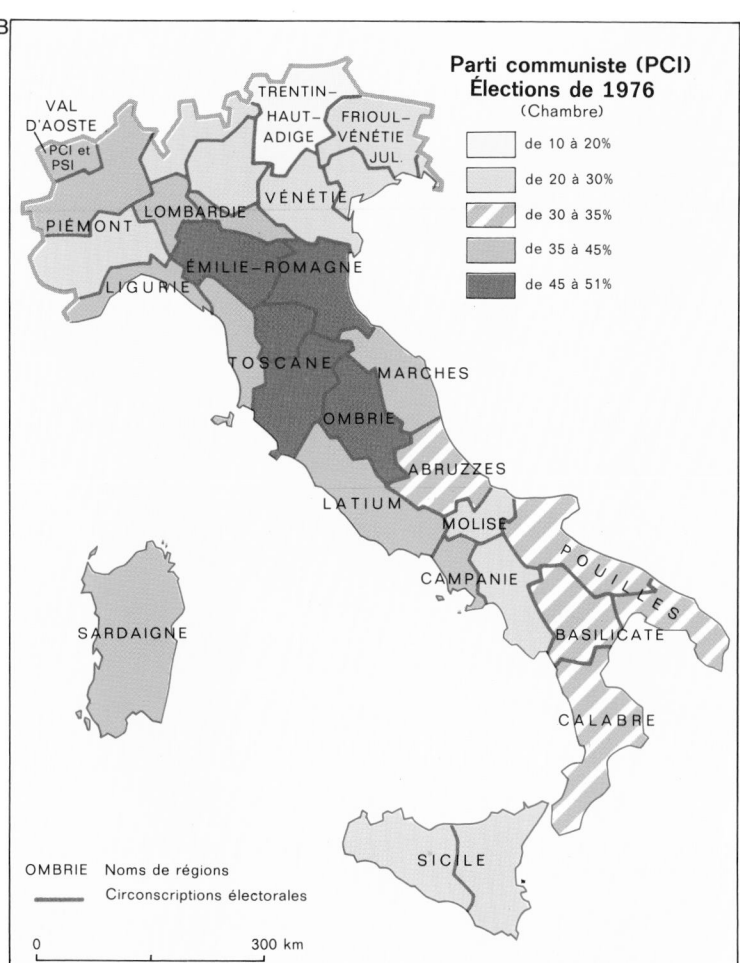

B

Parti communiste (PCI)
Élections de 1976
(Chambre)

de 10 à 20%
de 20 à 30%
de 30 à 35%
de 35 à 45%
de 45 à 51%

OMBRIE   Noms de régions

——   Circonscriptions électorales

0   300 km

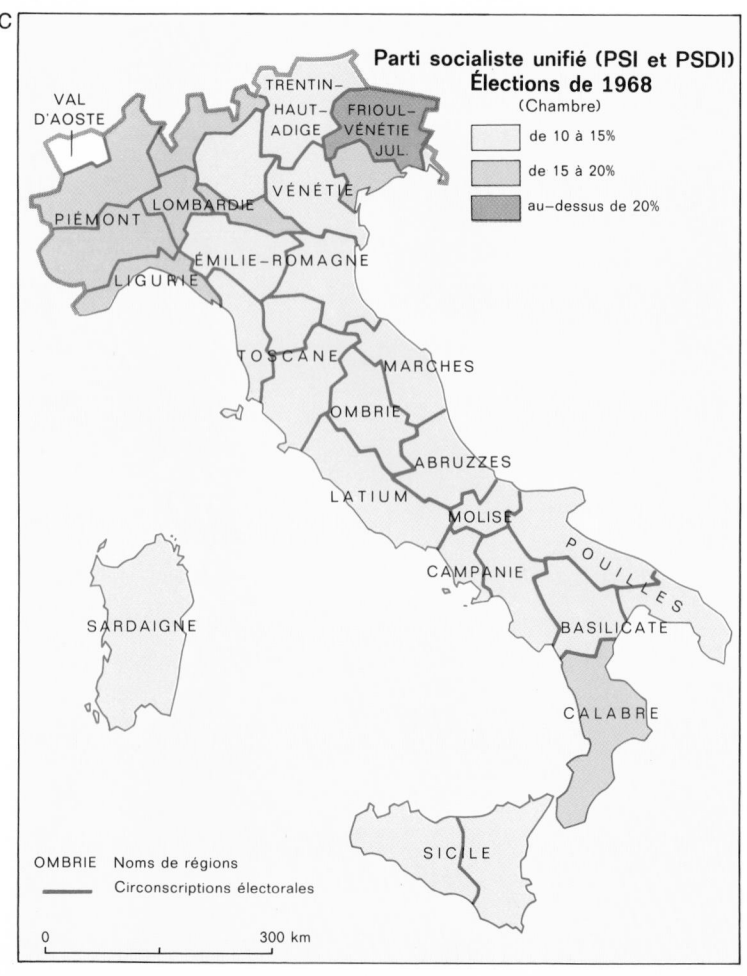

C

Parti socialiste unifié (PSI et PSDI)
Élections de 1968
(Chambre)

de 10 à 15%
de 15 à 20%
au–dessus de 20%

OMBRIE   Noms de régions

——   Circonscriptions électorales

0   300 km

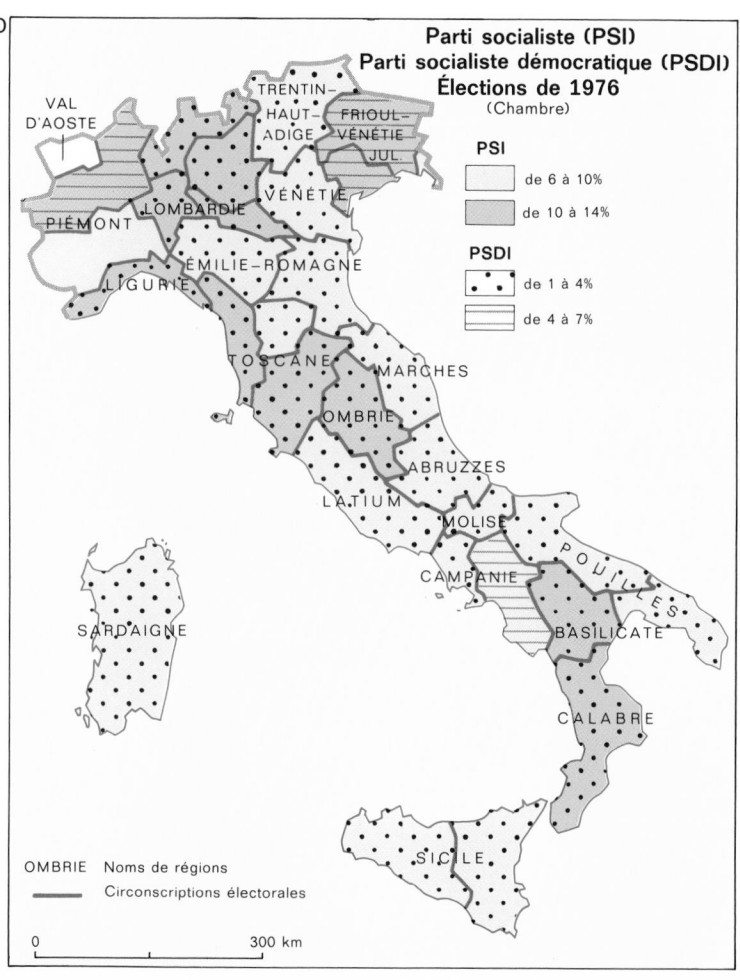

D

Parti socialiste (PSI)
Parti socialiste démocratique (PSDI)
Élections de 1976
(Chambre)

PSI

de 6 à 10%
de 10 à 14%

PSDI

de 1 à 4%
de 4 à 7%

OMBRIE   Noms de régions

——   Circonscriptions électorales

0   300 km

La principale force d'opposition à la démocratie chrétienne est le PCI, que son pragmatisme politique et sa capacité de gestion, depuis longtemps illustrée au niveau local, dotent d'une audience qui dépasse largement les milieux proprement marxistes. Son bastion est le centre de l'Italie, où la tradition des luttes agraires explique l'adhésion des paysans, solidement encadrés dans les coopératives; il est moins bien implanté dans le Nord, où il ne recrute pas toutes les voix ouvrières, et surtout dans le Sud (sauf à l'extrême pointe de la péninsule, où un important prolétariat agricole lui apporte ses voix).

LUXEMBOURG	
	pp. 144
	et 145
NORVÈGE	pp. 158
	et 159

La crise économique et l'instabilité politique depuis 1968, la politique modérée et constructive du PCI (proposition du « compromis historique ») expliquent sa popularité croissante : de 26,9 p. 100 des voix en 1968, il passe à 34,4 p. 100 en 1976. Cette poussée touche toutes les régions, d'où une certaine uniformisation de l'implantation : si le centre de la péninsule reste son bastion principal, le PCI progresse nettement dans le Sud, surtout en milieu urbain (Rome, Naples, Cagliari), comme dans le Nord industriel. Finalement, le PCI est de moins en moins un « parti de classe », en raison de la diversité d'origine de plus en plus grande de ses électeurs.

Premier parti de gauche en 1946, le parti socialiste connaît depuis cette date un recul régulier, dû aux continuelles hésitations de ses dirigeants sur la stratégie à suivre (participation aux gouvernements de centre gauche avec la DC ou alliance avec le PCI), qui déterminent une série de crises internes (scission PSI-PSDI). Bien que réunifié en 1966, le PSU (parti socialiste unifié) connaît un échec grave aux élections de 1968 : il ne se maintient que dans les zones urbaines à forte tradition socialiste de l'Italie du Nord (où pourtant le recul est sensible) et en Calabre, bastion de gauche de l'Italie du Sud.

La nouvelle scission entre PSI et PSDI en 1969, la bipolarisation croissante de la vie politique italienne accentuent le laminage du mouvement socialiste, qui s'accompagne d'une modification de l'implantation des partis : le fléchissement dans le Nord (Piémont, Vénétie, Gênes), qui n'épargne que la Lombardie, est mal compensé par un léger progrès dans le Sud (des Pouilles à la Calabre) et le Centre (Ombrie). Cette méridionalisation relative témoigne du déclin (très net pour le PSDI) de son influence en milieu ouvrier, au profit du PCI.

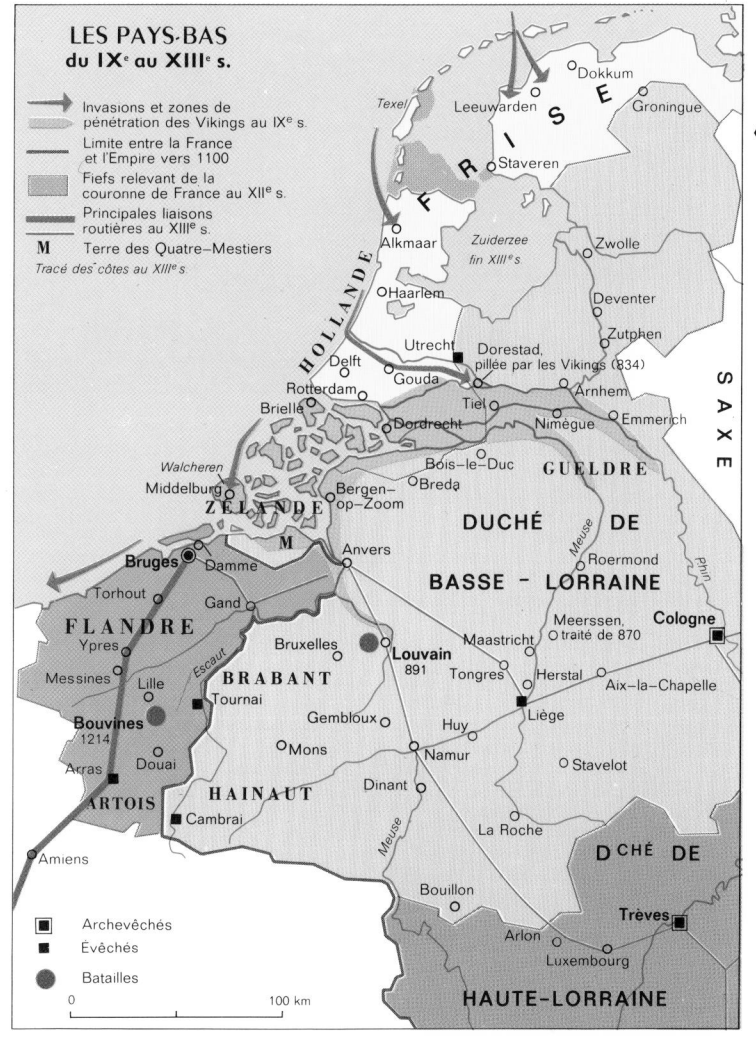

LES PAYS-BAS du IXe au XIIIe s.

→ Invasions et zones de pénétration des Vikings au IXe s.
— Limite entre la France et l'Empire vers 1100
▨ Fiefs relevant de la couronne de France au XIIe s.
═ Principales liaisons routières au XIIIe s.
M Terre des Quatre-Mestiers
Tracé des côtes au XIIIe s.

■ Archevêchés
■ Évêchés
● Batailles

0   100 km

Plus profondément pénétrés par la mer que de nos jours au sud, moins au nord, où le lac Flevo ne s'est élargi qu'à la fin du XIIIe siècle dans le vaste Zuiderzee, les Pays-Bas ont été le premier terrain de l'expansion franque. Originaires de l'Austrasie, les Carolingiens établissent sur ses lisières la capitale impériale, Aix-la-Chapelle; l'aristocratie laïque et religieuse y poursuivant la colonisation agricole, une intense activité batelière s'y développe, assurant les échanges entre le continent, l'Angleterre et la Scandinavie. Les Vikings y multiplient leurs incursions au IXe siècle; Arnulf de Carinthie les repousse à Louvain en 891.

Partagés en 870 en vertu du traité de Meersen entre la *Francia occidentalis* et la *Francia orientalis,* les Pays-Bas se décomposent en plusieurs principautés : à l'ouest, les comtés de Flandre, d'Artois et de Boulogne relèvent de la mouvance capétienne; à l'est, le duché de Basse-Lotharingie, divisé en 959 en duchés de Haute- et de Basse-Lorraine, appartient au *Saint Empire.*

Continue du XIe au XIIIe siècle, l'expansion démographique favorise alors le renforcement des États, la disparition du servage, la création de *polders,* le défrichement des terres pauvres des *kampen,* le développement des villes et des ports à la confluence des fleuves (Gand), à la tête des estuaires (Anvers), à l'abri des digues. Bien situées au point d'aboutissement des itinéraires qui, venant d'Italie, traversent les foires de Champagne, les villes d'Artois et de Flandre bénéficient d'un grand essor commercial (foires de Messine) et artisanal (draperie d'Ypres, de Gand); Bruges est un grand carrefour de l'Europe du Nord-Ouest, à la fin du XIIIe siècle. (V. cartes pp. 36 [A], 46 et 47.)

LES PAYS-BAS
au temps de Charles Quint

● Centres d'imprimerie
  existant en 1500

● Premiers noyaux de réformés
  vers 1520

◆ Communautés d'anabaptistes
  vers 1531

☆ Révolte de Gand (1537/1540)

▮ Conquêtes ou reconquêtes
  de Charles Quint

▮ Les dix–sept provinces
  constituant le cercle de Bourgogne
  (décret d'Augsbourg, 1548)

▯ Principautés ecclésiastiques

■ Traités de paix

De Charles Quint les Pays-Bas étaient la patrie : il était né à Gand; sa langue maternelle était le wallon; il abdiqua à Bruxelles. Avec une opiniâtreté invincible, malgré son éloignement et son immense empire, il a réalisé les ambitions de ses ancêtres bourguignons : unification et centralisation. De 1521 à 1549 il a : 1° *acquis* Tournai et le Tournaisis, la seigneurie de Frise, la principauté d'Utrecht et l'Overijssel, la seigneurie de Groningue et la Drenthe, le duché de Gueldre et le comté de Zutphen; 2° *rompu,* par le traité de Madrid (1526) et par la paix de Cambrai (1529), les liens parfois très anciens de ces pays avec la couronne de France; 3° *satellisé* les principautés épiscopales de Liège et de Cambrai; 4° *organisé* les « dix-sept provinces » en *cercle de Bourgogne,* État centralisé dont la puissance résultait autant de sa situation géographique que de son économie : draps, mines, agriculture, pêche, marché international d'Anvers. Gouvernés par sa tante Marguerite d'Autriche (1518-1530) puis par sa sœur Marie de Hongrie (1531-1555), bien administrés par des magistrats issus essentiellement de la bourgeoisie belge, les Pays-Bas sont, par contre, déchirés par les querelles religieuses. L'humanisme, l'imprimerie avaient, en effet, favorisé la pénétration des idées réformées dans ces populations laborieuses, sensibles à la doctrine nouvelle de la glorification du travail et du succès dans l'entreprise. En déclenchant des persécutions contre leurs adeptes, Charles Quint affaiblit un régime auquel la durée semblait pourtant assurée. (V. carte B, p. 112 : l'État bourguignon.)

A

LES PAYS-BAS
de 1555 à 1648

○ Villes où a débuté le soulèvement de 1572
→ Campagnes des armées espagnoles de 1572 à 1574
▨ Union d'Utrecht en 1579
▯ Union catholique d'Arras en 1579
▯ Universités catholiques
▯ Universités protestantes
● Batailles
■ Traités

GRONINGUE
Groningue 1604
Franeker 1585
FRISE
Bolsward
Sneek
TERRE DE LA DRENTHE
Alkmaar
Enkhuizen
Hoorn
OVERIJSSEL
Haarlem
Amsterdam
Deventer
HOLLANDE
Leyde 1575
La Haye 1648
UTRECHT 1636
GUELDRE
Zutphen
Prise de Brielle 1572
Delft
Arnhem
Rotterdam
Nimègue
Brielle
Dordrecht
ZÉLANDE
Mook 1574
Veere
Bois-le-Duc
Middelbourg
PAYS DE LA GÉNÉRALITÉ
Arnemuiden
Breda
Flessingue
Venlo
Ostende
Bruges
Sac d'Anvers 1576 1585
Roermond
Nieuport
Pacification de Gand 1576
Malines
Princté
Dunkerque
FLANDRE
Bruxelles
Louvain
St-Trond
Maastricht
Ypres
Armentières 1566
Tournai
BRABANT
Liège
LIMBOURG
Lille
Gembloux 1578
Namur
ARTOIS
Mons
de Liège
Malmédy
Douai
HAINAUT
Arras 1579
Valenciennes
Cambrai
LUXEMBOURG
Bouillon
Luxembourg

▨ Pays de la Généralité rattaché aux Provinces-Unies en 1648
▯ République des Provinces-Unies en 1648
▯ Pays-Bas espagnols en 1648

0   100 km

Prince espagnol ignorant des réalités néerlandaises au contraire de Charles Quint, Philippe II (1555-1598) pratique à l'égard des Pays-Bas une politique de centralisation et de répression religieuse (Inquisition). Brisée en 1566 par Marguerite de Parme (1559-1567), la révolte des ouvriers du textile d'Armentières justifie l'instauration en 1567 par le duc d'Albe (1567-1573) d'un Conseil des troubles. Des têtes tombent en 1568 : celles des comtes d'Egmont et de Hornes. Les calvinistes répondent par un nouveau soulèvement : *la guerre de Quatre-Vingts Ans* commence. Rapidement maîtresse du Nord, s'imposant même dans le Sud après le premier sac d'Anvers par les Espagnols en 1576, l'insurrection semble obtenir satisfaction par la *pacification de Gand,* le 8 novembre. Les maladresses de Guillaume d'Orange, l'intolérance des réformés provoquent une rupture définitive. Dans les provinces catholiques de l'*Union d'Arras* (6 janvier 1579), l'université de Douai et les Jésuites assurent désormais le triomphe de la Contre-Réforme; dans les sept provinces de l'*Union d'Utrecht* (23 janvier 1579), par contre, les universités de Leyde, puis d'Utrecht renforcent la cohésion doctrinale des calvinistes. Ainsi naissent les Provinces-Unies. Au terme d'une longue lutte, l'Espagne reconnaît leur indépendance *de facto* en 1609, puis *de jure* en 1648 par le traité de La Haye, qui les accroît officiellement des *pays de la Généralité,* biens communs de l'État. (V. cartes pp. 60, 64 et 94.)

L'occupation française à partir de 1795 ne revêt pas la même signification dans les deux parties des Pays-Bas. En Belgique, conquise une première fois pendant l'hiver 1792-93, elle est d'abord libération de la tutelle autrichienne; l'incorporation du territoire à la France est assez bien acceptée, car elle apporte une législation libérale et permet le développement des manufactures. Par contre, la transformation des Provinces-Unies en « république sœur » (soumise à un lourd tribut), puis en royaume de Hollande donné à Louis Bonaparte, mécontente d'autant plus les populations que le *Blocus continental* lèse les intérêts commerciaux néerlandais. (V. cartes pp. 66 [A] et 67 [A]).

C Créé en 1815 comme « État tampon » contre la France, le nouveau royaume des Pays-Bas réunit deux peuples séparés par leurs convictions religieuses, leurs rivalités économiques et, finalement, par deux siècles et demi d'histoire qui ont forgé deux tempéraments nationaux. Érigé en grand-duché en 1815, incorporé à la *Confédération germanique* et pourvu dès lors d'une garnison prussienne, le Luxembourg, propriété personnelle du souverain, renforce le rôle international des Pays-Bas.

Malgré les efforts du roi Guillaume Ier pour souder politiquement et économiquement les deux parties du royaume, il se forme en 1828 une coalition entre les catholiques flamands, irrités des interventions d'un roi protestant, et les libéraux wallons, francophiles : l'émeute du 25 août 1830 à Bruxelles débouche sur la proclamation de l'indépendance belge, qui n'est reconnue par les Pays-Bas qu'en 1839 (fixation définitive des frontières). À cette date, la moitié occidentale du grand-duché de Luxembourg

est définitivement incorporée au royaume de Belgique, alors que sa moitié orientale reste propriété personnelle du roi des Pays-Bas. À la mort de Guillaume III d'Orange-Nassau en 1890, le grand-duché devient pleinement indépendant sous le règne d'Adolphe de Nassau en vertu du pacte successoral de 1783.

Si, de 1914 à 1918, la neutralité des Pays-Bas est respectée par l'Allemagne, il n'en est pas de même de celle du Luxembourg et de la Belgique. Le territoire de cette dernière est presque entièrement occupé par les Allemands. Elle est la seule de ces trois États à tirer un bénéfice territorial du conflit : l'annexion d'Eupen, de Malmédy et de Moresnet. (V. cartes pp. 71 [A et B], 72 et 98 [A].)

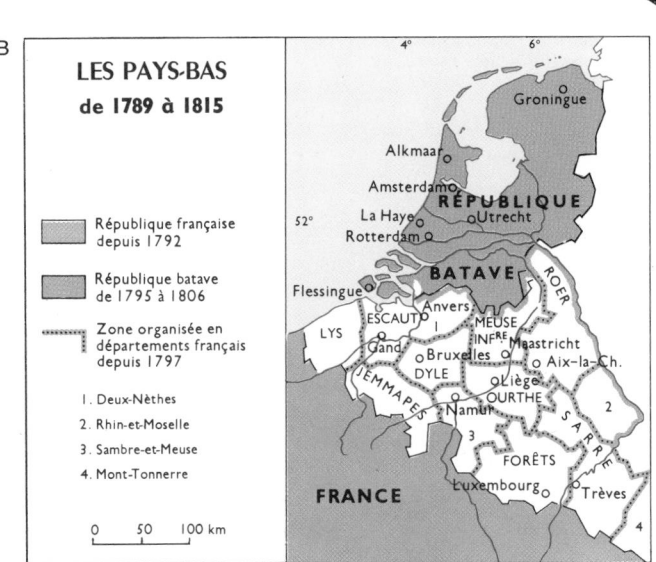

B

LES PAYS-BAS
de 1789 à 1815

▨ République française depuis 1792
▨ République batave de 1795 à 1806
┈ Zone organisée en départements français depuis 1797
1. Deux-Nèthes
2. Rhin-et-Moselle
3. Sambre-et-Meuse
4. Mont-Tonnerre

Groningue
Alkmaar
Amsterdam
RÉPUBLIQUE
52° La Haye
Utrecht
Rotterdam
Flessingue
BATAVE
LYS
Anvers
ESCAUT
MEUSE INFRE
ROER
Gand
Maastricht
Aix-la-Ch.
Bruxelles
DYLE
Liège
JEMMAPES
OURTHE
Namur
SARRE
FORÊTS
FRANCE
Luxembourg
Trèves

0   50   100 km

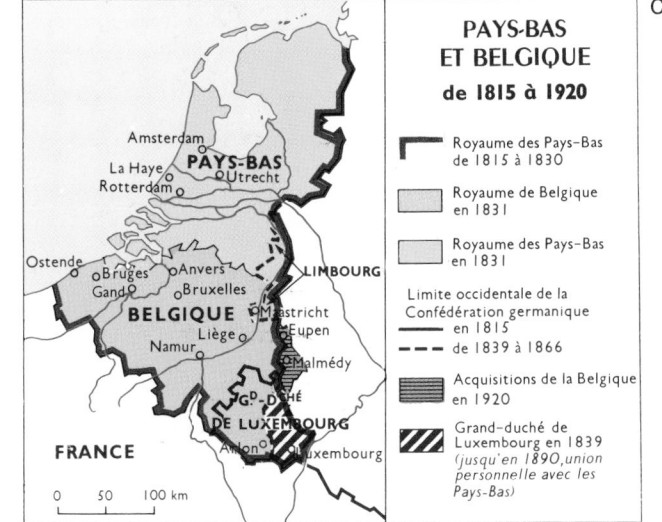

C

PAYS-BAS ET BELGIQUE
de 1815 à 1920

Amsterdam
PAYS-BAS
La Haye
Utrecht
Rotterdam
Ostende
Bruges
Anvers
LIMBOURG
Gand
Bruxelles
BELGIQUE
Maastricht
Eupen
Liège
Namur
Malmédy
GD-DUCHÉ
DE LUXEMBOURG
Arlon
Luxembourg
FRANCE

▬ Royaume des Pays-Bas de 1815 à 1830
▨ Royaume de Belgique en 1831
▨ Royaume des Pays-Bas en 1831
▬ Limite occidentale de la Confédération germanique
— en 1815
┈ de 1839 à 1866
▨ Acquisitions de la Belgique en 1920
▨ Grand-duché de Luxembourg en 1839 *(jusqu'en 1890, union personnelle avec les Pays-Bas)*

0   50   100 km

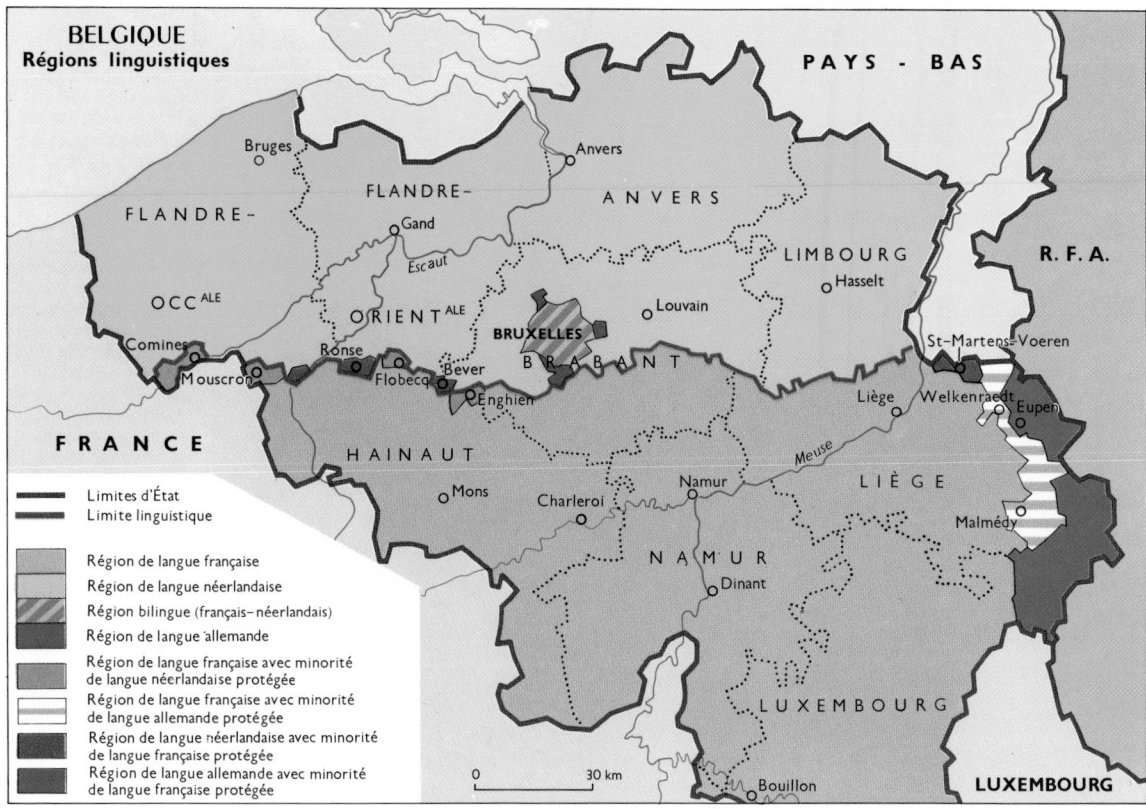

BELGIQUE
Régions linguistiques

PAYS - BAS

FLANDRE-

Bruges

FLANDRE-

Anvers

ANVERS

R. F. A.

LIMBOURG

Gand

Hasselt

OCC^ALE

Escaut

Louvain

ORIENT^ALE

St-Martens-Voeren

Comines

Ronse

Bever

BRABANT

BRUXELLES

Liège

Welkenraedt

Eupen

Mouscron

Flobecq

Enghien

Meuse

Malmédy

FRANCE

HAINAUT

LIÈGE

Mons

Charleroi

Namur

NAMUR

Limites d'État

Limite linguistique

Dinant

Région de langue française

Région de langue néerlandaise

Région bilingue (français–néerlandais)

Région de langue allemande

Région de langue française avec minorité
de langue néerlandaise protégée

Région de langue française avec minorité
de langue allemande protégée

Région de langue néerlandaise avec minorité
de langue française protégée

Région de langue allemande avec minorité
de langue française protégée

LUXEMBOURG

0   30 km

Bouillon

LUXEMBOURG

La Belgique est le type même de la nation *voulue* (née d'un commun choix politique) et non *subie*. Pourtant, les différences linguistiques témoignent de l'existence de deux *nationalités* essentielles (si l'on néglige les quelques minorités allemandes de l'Est). Ignoré lors de la fondation de l'État (le français, « langue de culture », s'imposait même aux élites flamandes), le problème linguistique se trouve posé politiquement en 1870; les revendications des flamingants aboutissent à une série de lois linguistiques, que couronne, en 1932, le partage officiel du pays en deux grandes zones linguistiques, Bruxelles gardant seule un statut bilingue.

Pourtant, le problème rebondit dans les années 1960, compliqué par les rivalités politiques (Flandre sociale-chrétienne contre Wallonie socialiste) et surtout économiques : la Flandre, plus dynamique aux plans démographique et économique, est en position conquérante face à la Wallonie, en proie aux difficultés de reconversion des régions minières. Les passions s'exacerbent sur deux points : le tracé des frontières linguistiques fixées en 1963; le statut de Bruxelles, condamné aussi bien par les Flamands, qui y voient un « bastion avancé du français en pays flamand », que par les Brabançons eux-mêmes, qui dénoncent le blocage de l'extension de leur ville.

Renforcées par la montée des régionalismes en Europe, ces passions entraînent l'instauration d'un État communautaire et régional, lors de la révision constitutionnelle du 10 déc. 1970.

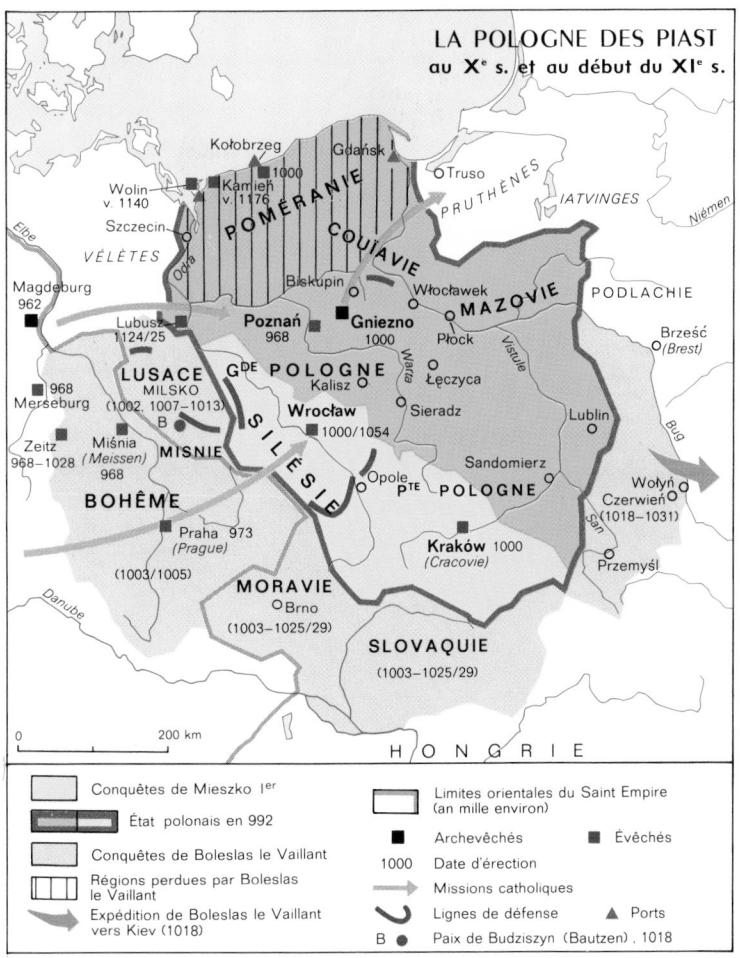

LA POLOGNE DES PIAST
au Xᵉ s. et au début du XIᵉ s.

Légende :

- Conquêtes de Mieszko Iᵉʳ
- État polonais en 992
- Conquêtes de Boleslas le Vaillant
- Régions perdues par Boleslas le Vaillant
- Expédition de Boleslas le Vaillant vers Kiev (1018)
- Limites orientales du Saint Empire (an mille environ)
- Archevêchés ■ Évêchés
- 1000 Date d'érection
- Missions catholiques
- Lignes de défense ▲ Ports
- B ● Paix de Budziszyn (Bautzen), 1018

Le duc Miezko Iᵉʳ (v. 960-992), premier ancêtre connu des princes polanes de Gniezno, les Piast, donne au premier État polonais une extension territoriale qui correspond approximativement à celle de la République populaire (v. carte C., p. 151). C'est un pays de plaines dont les frontières, mal fixées, paraissent perméables aussi bien aux incursions des Allemands qu'à celles des Slaves de Bohême et de Kiev, qui le pressent de toutes parts. La vigueur du sentiment national, le baptême de Miezko en 966, enfin, l'appui que l'Église, puis l'empereur Otton III apportent en conséquence à son successeur Boleslas Iᵉʳ le Vaillant (992-1025) assurent le destin de la Pologne : en l'an 1000, celle-ci est constituée en une province ecclésiastique autonome avec un archevêque à Gniezno.

L'unité polonaise est consacrée par les couronnements comme rois de Pologne de Boleslas Iᵉʳ en 1025 et de Boleslas II en 1076. Ce pays survit ainsi aux échecs nombreux qui l'éprouvent au XIᵉ siècle : perte du glacis dont Boleslas Iᵉʳ l'avait couvert entre 1002 et 1025 de l'Elbe au Butg; querelles dynastiques, troubles intérieurs d'origine populaire ou nobiliaire (v. 1034-1040 notamment), qui entraînent le transfert de la capitale à Cracovie par Casimir Iᵉʳ le Rénovateur (1039-1058); déposition en 1079 de Boleslas II le Hardi (1058-1079); partage enfin de l'ancien royaume en quatre duchés héréditaires, au profit des quatre fils rivaux de Boleslas III Bouche-Torse (1102-1138). L'épreuve cette fois dure deux siècles, mais la Pologne la surmonte.

(V. carte p. 92.)

ÉTATS DE LA MAISON DES JAGELLONS
XIVe - XVIe s.

Le royaume de Pologne en 1370, à la mort de Casimir III le Grand

Grand-duché de Lituanie (XIVe–XVe s.)

Expansion de l'ordre Teutonique jusqu'à la bataille de Grunwald (1410)

Territoires reconquis sur l'ordre Teutonique

par la Lituanie en 1410

par la Pologne en 1466 (paix de Toruń)

Union polono-lituanienne

Territoire polono-lituanien en 1466

Duchés vassaux de Mazovie rattachés à la couronne en 1526

Vassaux de la couronne

Union de Lublin (1569)

Nouvelle frontière entre le royaume et le grand-duché unis en une seule république

Autres États de la maison des Jagellons (XVe–XVIe s.)

État russe au début du XVIe s.

Batailles

Incursions tatares

0   250 km

Église catholique

Archevêchés

Principaux évêchés

1386 Date d'érection

Église orthodoxe

Métropoles

Archevêchés

Évêchés

1401 Date d'érection

Grands-ducs héréditaires de Lituanie (1377-1392 et 1440-1572), les Jagellons conservent la couronne élective de Pologne de 1386 à 1572, le fondateur de leur dynastie, Ladislas II Jagellon, ayant promis en 1385 d'unir à jamais au royaume ses terres « de Lituanie et de Russie ». Recevant en outre très rapidement l'hommage des princes de Moldavie (1387), de Valachie (1389) et de Bessarabie (1396), ce prince devient le maître d'un immense empire catholique. La constitution de cet empire bouleverse le rapport des forces dans l'Est européen, d'une part aux dépens de l'Église orthodoxe, qui ne peut plus espérer gagner à sa foi les Lituaniens désormais catholiques, et d'autre part aux dépens des chevaliers Teutoniques, auxquels est infligée à Grunwald (Tannenberg), en 1410, la défaite décisive qui leur enlève

la Samogitie; un demi-siècle plus tard, la paix de Toruń ôte aux chevaliers la Poméranie et Gdańsk au profit de la Pologne, dont l'Ordre se reconnaît alors vassal pour le reste de ses possessions en 1466. Acquérant ainsi la maîtrise de leurs échanges extérieurs par la Baltique, les Jagellons s'assurent également les couronnes de Bohême (1471-1526) et de Hongrie (1490-1526), grâce au mariage de Casimir IV (1440/1445-1492) avec Élisabeth de Habsbourg. Mais la survie du Saint Empire en son réduit allemand se trouvant de la sorte menacée, l'empereur Frédéric III se rapproche alors du tsar Ivan III, qui reconquiert dès 1503 le tiers des terres russes du grand-duché.

Privés par ailleurs de tout accès à la mer Noire par les Ottomans (1475-1485), les Jagellons perdent, en outre, les

couronnes de Bohême et de Hongrie après la défaite et la mort de Louis II à Mohács en 1526. Malgré d'ultimes succès en Mazovie (1526) et en Livonie (1561), le grand déclin est amorcé. Marqué notamment par la prise de Połock par le tsar Ivan IV en 1564, il est consacré en 1569 par l'*Union de Lublin*. Perpétuelle, celle-ci fond les deux nations en une « République commune » ayant Varsovie pour capitale; mais, en rendant élective la fonction grand-ducale, cette décision supprime l'obstacle qui, fixant la monarchie polonaise dans une même famille, l'empêchait de devenir l'enjeu des enchères diplomatiques européennes. Celles-ci sont ouvertes dès 1572 par la mort du dernier des Jagellons, Sigismond II-Auguste.

(V. cartes pp. 52, 53 et 153.)

LA POLOGNE
au XVIIᵉ s.

ROY. DE SUÈDE

Stockholm

1671 · INGRIE

ESTONIE

Narva

Novgorod

Dorpat

Pskov

1629, 1660

MOSCOVIE

Piltyń

Deoulino
■ 1618

Riga

LIVONIE
1629, 1660

LIVONIE INTÉRIEURE
1660

Moscou

COURLANDE

Połock

Dvina

1648

1629

1625

1667

1657, au Brandebourg

Memel (Kłajpeda)

GRAND-DUCHÉ

Smolensk ■☐
1609/11, polonaise
1654, russe

Gdańsk

Pillau

Königsberg

Wilno

Mińsk

Androussovo
1667

Oliwa ■
1660

Dᶜʰᵉ DE

Altmark ■
1629

WARMIE

PRUSSE

DE LITUANIE

BIÉLORUSSIE

Chełmno

Nowogródek (Novogroudok)

Toruń

Gniezno

Vistule

Bug

Poznań

ROY. DE

Brześć (Brest)

Pińsk

Pripet

Czernihów (Tchernigov)

Desna

Warszawa ●
(Varsovie)
1596, capitale

1656

1667

SILÉSIE

Breslau (Wrocław)

Legnica

Lublin

POLOGNE

Monastère de Częstochowa ☐

Kijów (Kiev)

Sandomierz

Zamość

Kraków (Cracovie)

Siège de Lwów (Léopol)
par les Ottomans
(1672)

Pilawce

UKRAINE

Poltawa

Dniepr

SPISZ

Buczacz ■☐
1672

PODOLIE
Kamieniec Podolski

Bracław

Cosaques Zaporogues

Kudak

AUTRICHE

Vienne ■
1683

Chocim ●
(Khotin)
1621, 1673

1699

Sicz Zaporoska

Danube

EMPIRE OTTOMAN

Bug (Boh)

Dniestr

0   300 km

Légende :

- La Pologne en 1618, après la trêve de Deoulino
- Expéditions polonaises (1610-1618)
- Zone de soulèvement des peuples ukrainiens et biélorussiens (1648–1667)
- Provinces perdues par la Pologne *(avec date de cession)*
- Duché vassal de la Pologne jusqu'en 1657
- ➤ Attaques des Ottomans en 1672
- Région dominée par les Ottomans (1672–1699)
- Invasion suédoise
- Invasion russe (1654)
- Libération de Varsovie (1656) par Jean II Casimir lors de l'invasion suédoise
- Aide polonaise apportée à l'empereur, lors du siège de Vienne par les Ottomans (1683)
- ▲ Port de Gdańsk
- ■ Villes assiégées
- ● Batailles
- ■ Traités de paix

L'« âge d'or » polonais (celui du grand commerce d'exportation, par Gdańsk, des grains, du bois, du lin, du chanvre) se prolonge pendant la première moitié du XVIIᵉ siècle. Vient ensuite l'« âge de fer ». Trois facteurs expliquent cette décadence : un *relief de plaines,* sans frontières naturelles; un *esprit national de croisés :* les Polonais combattent dans l'Allemand et le Suédois le luthérien, dans le Russe et le Cosaque Zaporogue l'orthodoxe, dans l'Ottoman l'infidèle; une *constitution destructrice* de l'État; à la fois république, monarchie élective et oligarchie, la Pologne doit à la « liberté dorée » de son aristocratie et au *liberum veto* d'être surtout une anarchie organisée. Sous la dynastie sué-

doise des Vasa (1587-1668), les Polonais occupent Moscou pendant deux ans (1610-1612), combattent la Suède qui ne voulait pas d'un roi commun, restent neutres pendant la guerre de Trente Ans, refoulent les Turcs. Mais, sous Jean II Casimir, Russes, Suédois, Ottomans ravagent et dépeuplent le pays. Un noble polonais, Jean III Sobieski (élu roi en 1674), écrase les Turcs sous les murs de Vienne en 1683. Les pertes territoriales restent lourdes : l'Électeur de Brandebourg devient indépendant en Prusse, les Suédois occupent la Livonie (paix d'Oliwa, 1660), les Russes acquièrent Smolensk et Kiev; seule la Podolie est reprise aux Turcs (1699). [V. pp. 62, 159, 178 et 179.]

A

SUÈDE

LES PARTAGES DE LA POLOGNE
au XVIIIᵉ s.

——— Frontières de la Pologne en 1772

● Batailles

0   300 km

Premier partage, 1772	Deuxième partage, 1793	Troisième partage, 1795
Part de la Prusse	Part de la Prusse	Part de la Prusse
Part de la Russie	Part de la Russie	Part de la Russie
Part de l'Autriche	Insurrection de 1794 : principaux foyers	Part de l'Autriche

La Suède en déclin, la France affaiblie par la guerre de Sept Ans, puis retenue par la Révolution, ne peuvent empêcher la Russie, la Prusse, et, par contrecoup, l'Autriche de profiter de la faiblesse de l'État polonais pour s'en partager à trois reprises le territoire en toute sécurité.

Réagissant contre la constitution en 1768 de la confédération de Bar dirigée contre elle, Catherine II accepte en 1772 le principe d'un partage partiel, qui lui livre la Russie Blanche à l'est de la Dvina et du Dniepr, tandis que Frédéric II unit la Poméranie à la Prusse par l'annexion de la Prusse polonaise (moins Gdańsk et Toruń), peu avant que l'hésitante Marie-Thérèse n'occupe la Galicie.

L'adoption de la Constitution révolutionnaire, d'inspiration française, du 3 mai 1791 provoque un second partage en 1793 au profit seulement de la Russie (Biélorussie occidentale, Podolie) et de la Prusse (Gdańsk, Poznań, Toruń).

Dirigée par Kościuszko, l'insurrection nationale qui en résulte en 1794 n'aboutit qu'à un dernier partage, auquel participent de nouveau en 1795 la Russie (Courlande, Lituanie), la Prusse (Mazovie avec Varsovie) et l'Autriche (Cracovie et Mazovie méridionale). Pour cent vingt-trois ans, la Pologne n'est plus un État indépendant : « Finis Poloniae ».

(V. cartes pp. 65, 66 [A] et 154.)

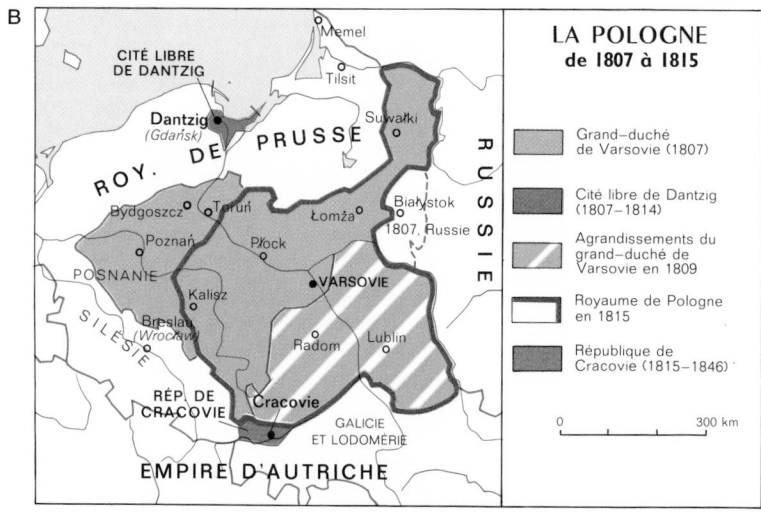

B

LA POLOGNE
de 1807 à 1815

	Grand–duché de Varsovie (1807)
	Cité libre de Dantzig (1807–1814)
	Agrandissements du grand–duché de Varsovie en 1809
	Royaume de Pologne en 1815
	République de Cracovie (1815–1846)

0   300 km

Pour ménager la Russie, Napoléon se borne en 1807 à reprendre à la Prusse l'essentiel de sa part de Pologne et à l'ériger en grand-duché de Varsovie; en 1809, il y ajoute une partie de la Galicie autrichienne avec Cracovie et Lublin. Le congrès de Vienne maintient le principe du partage tripartite. La Prusse reçoit Poznań (Posen) et Gdańsk (Dantzig) l'Autriche récupère sa part du premier partage, et la Russie celle des deux premiers. Les négociateurs créent un « royaume du Congrès » « à jamais réuni à l'empire de Russie », avec Varsovie comme capitale et le tsar comme roi. La liberté polonaise se réfugie alors dans la ville libre de Cracovie, érigée en république indépendante. (V. cartes pp. 69 [A et B] et 71 [A].)

« La création d'une Pologne indépendante avec accès à la mer » : ce principe, proclamé le 8 janvier 1918 par le président Wilson dans son « treizième point », est accepté par tous, même par l'Autriche et par l'Allemagne qui, pendant la guerre, avaient promis aux Polonais l'indépendance pour obtenir leur appui. Outre le problème de la cohésion du nouvel État, qui regroupe des régions séparées depuis plus d'un siècle, la question essentielle est celle des frontières. À l'ouest, le traité de Versailles donne satisfaction aux Polonais en restaurant à peu près le tracé immédiatement antérieur au partage de 1772 (v. carte p. 150); l'Allemagne, coupée en deux par le « corridor de Dantzig », est mécontente; la Pologne est déçue par les résultats défavorables des plébiscites en Mazurie (1920) et en Haute-Silésie (1921). À l'est, c'est par la force que les Polonais repoussent leur frontière très au-delà de la *ligne Curzon* (guerre polono-soviétique, v. carte p. 82). Mais cet expansionnisme polonais est dangereux, à la fois par ses implications internationales et par ses conséquences intérieures, le pouvoir étant très vite confisqué par les militaires (Piłsudski, plus tard Rydz-Śmigły et Beck).

Ayant signé, le 23 août 1939, avec l'U.R.S.S. un pacte de non-agression assorti d'un protocole secret de partage de la Pologne, l'Allemagne nazie attaque cette dernière le 1er septembre. Privés de tout appui, les Polonais sont rapidement battus par les armées allemandes : le 28 septembre, le partage est accompli, le Bug servant de nouvelle frontière. Mais, dès 1940, la résistance polonaise est animée de Londres par le général Władysław Sikorski jusqu'en 1943, puis par Stanisław Mikołajczyk, qui forme en février 1942 une *armée nationale de l'intérieur* (*Armia Krajowa* : AK); elle s'amplifie lorsque, après l'agression hitlérienne contre l'U.R.S.S. (qui entraîne l'occupation de toute la Pologne par les Allemands), celle-ci encourage la formation de la « Garde populaire », transformée en 1944 en *Armia Ludowa* (A. L.) et soutient la création d'un *Conseil national populaire,* qui organise en 1944 le *Comité de Lublin* présidé par le socialiste Osóbka-Morawski. Mais cette résistance suscite une très violente répression : déportations massives en camps de concentration, extermination des juifs, écrasement durant l'été 1944 du soulèvement de Varsovie. À la fin de la guerre, on compte environ 6 millions de morts (le quart de la population).

Refusant d'admettre en 1945 la reconstitution de la Pologne dans les frontières de 1921, cause immédiate de la guerre, Staline obtient à Yalta l'accord de principe des Anglo-Américains sur la translation vers l'ouest du territoire polonais, au profit de l'U.R.S.S. qui s'accroît de 180 000 km² et au détriment de l'Allemagne qui en perd 100 000. Retrouvant à l'est le tracé (amélioré) de la ligne Curzon, se fixant à l'ouest le long de la ligne Oder-Neisse, incorporant enfin au nord la moitié de la Prusse-Orientale, les nouvelles frontières de la Pologne réduisent sa superficie de 380 000 à 300 000 km², mais la dotent d'une façade maritime de 400 km le long de la Baltique (accord de Moscou, le 17 août 1945). Le problème du corridor de Dantzig ne se pose plus. Et celui des minorités disparaît avec le rapatriement des deux millions de Polonais originaires de Galicie, de Polésie et de Volhynie, qui s'établissent dans les provinces occidentales dont sont chassés deux ou trois millions d'Allemands. Compte tenu des victimes de la guerre (6 millions dont 3 millions de juifs), la Pologne ne compte donc plus en 1945 que 24 millions d'habitants contre 35 en 1938.

En même temps se pose le problème de la nature du régime politique. Il est compliqué par l'existence de deux gouvernements rivaux : celui *de Londres,* soutenu par les Anglo-Américains; celui *de Lublin,* appuyé par les Soviétiques. Leur fusion, le 28 juin 1945, en un seul gouvernement d'*union nationale* présidé par le socialiste Osóbka-Morawski ne résiste pas à la guerre froide : Mikołajczyk s'exile clandestinement en octobre 1947; et le *parti ouvrier polonais* (communiste) s'empare de tous les rouages du pouvoir. En 1949, le processus est achevé : la démocratie populaire est en place.

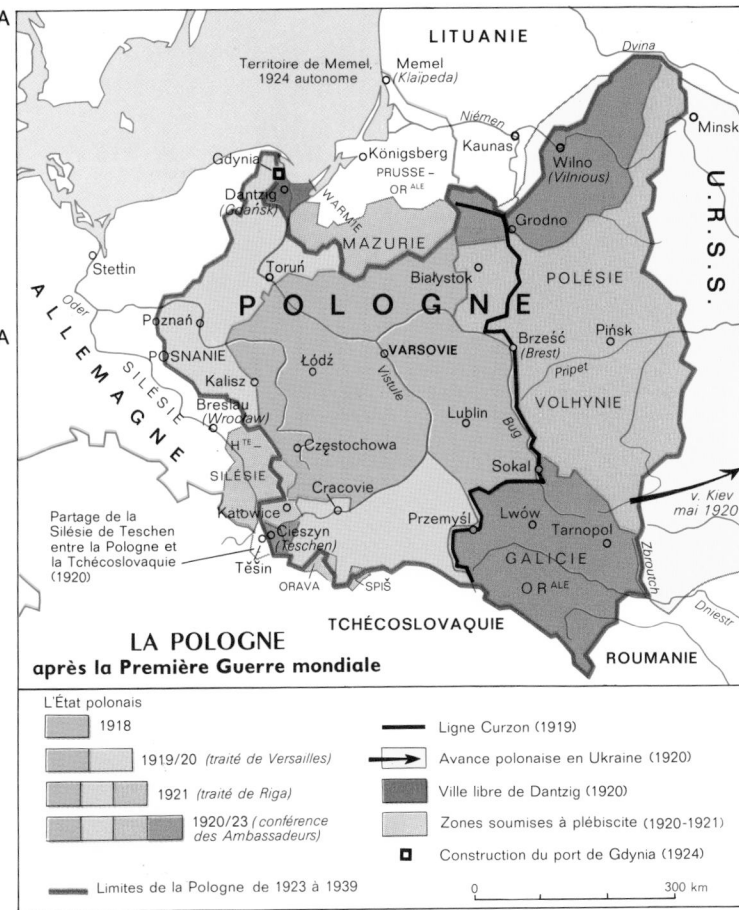

LA POLOGNE
après la Première Guerre mondiale

L'État polonais

▦	1918
▦	1919/20 *(traité de Versailles)*
▦	1921 *(traité de Riga)*
▦	1920/23 (*conférence des Ambassadeurs)*

━━ Limites de la Pologne de 1923 à 1939

━━ Ligne Curzon (1919)

➝ Avance polonaise en Ukraine (1920)

▦ Ville libre de Dantzig (1920)

▦ Zones soumises à plébiscite (1920-1921)

▫ Construction du port de Gdynia (1924)

0 _____ 300 km

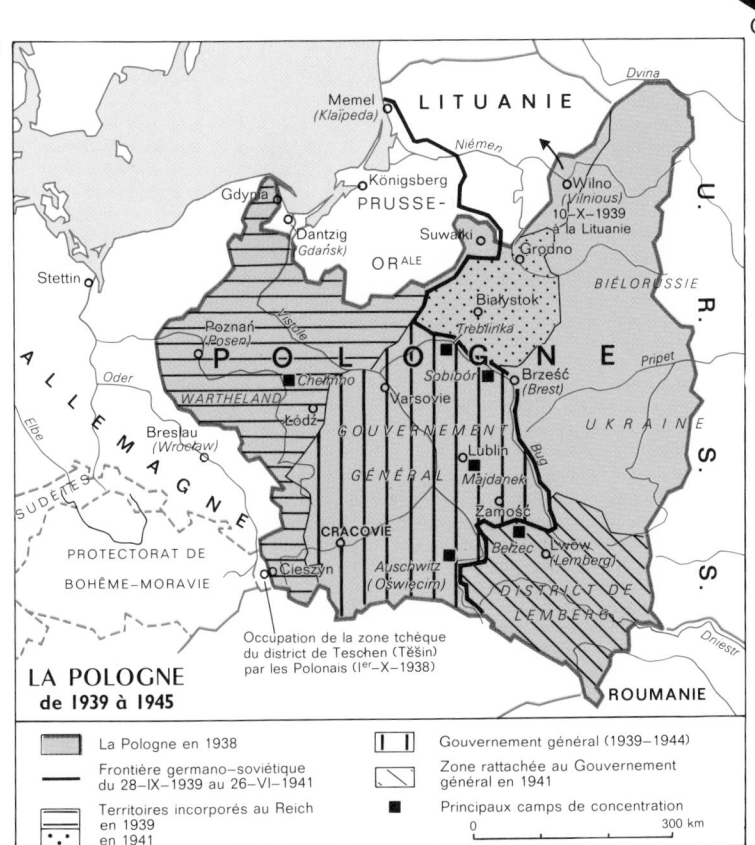

LA POLOGNE
de 1939 à 1945

▦	La Pologne en 1938
━━	Frontière germano-soviétique du 28-IX-1939 au 26-VI-1941
▦	Territoires incorporés au Reich en 1939 en 1941
▯	Gouvernement général (1939–1944)
▱	Zone rattachée au Gouvernement général en 1941
■	Principaux camps de concentration

0 _____ 300 km

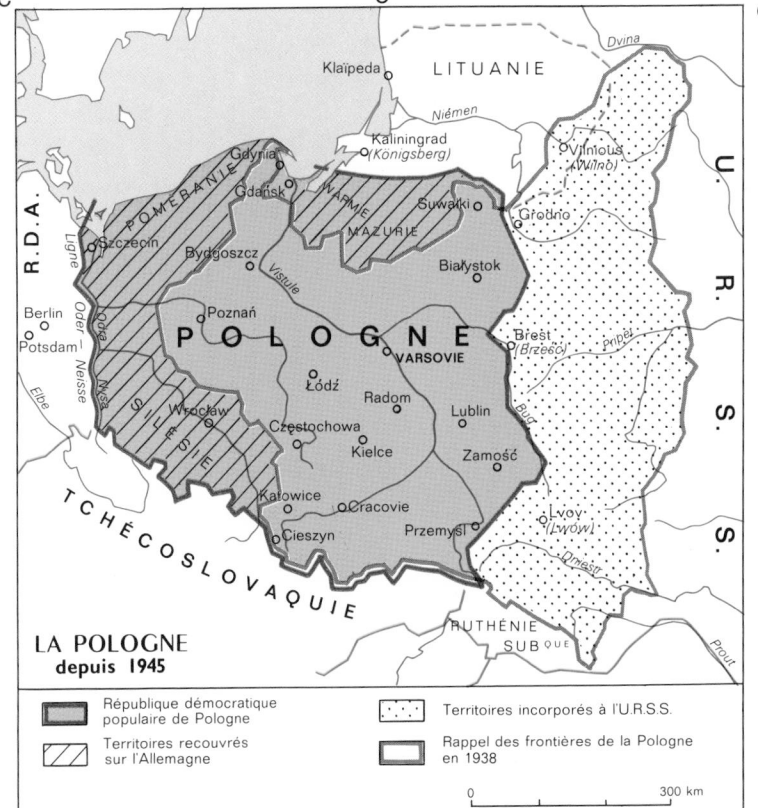

LA POLOGNE
depuis 1945

▦	République démocratique populaire de Pologne
▱	Territoires recouvrés sur l'Allemagne
⠿	Territoires incorporés à l'U.R.S.S.
▭	Rappel des frontières de la Pologne en 1938

0 _____ 300 km

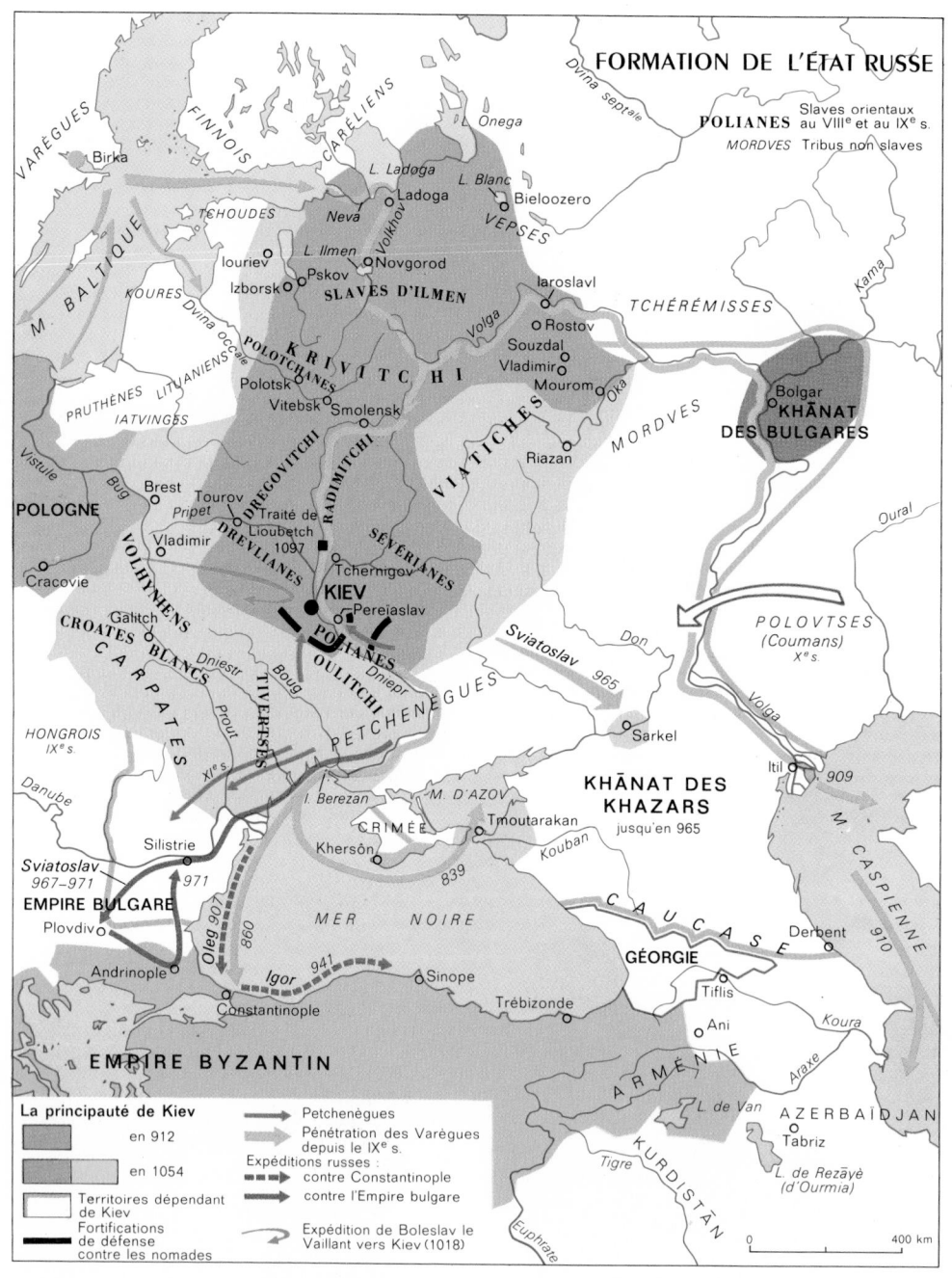

FORMATION DE L'ÉTAT RUSSE

POLIANES — Slaves orientaux au VIIIe et au IXe s.
MORDVES — Tribus non slaves

La principauté de Kiev
en 912
en 1054
Territoires dépendant de Kiev
Fortifications de défense contre les nomades

Petchenègues
Pénétration des Varègues depuis le IXe s.
Expéditions russes :
contre Constantinople
contre l'Empire bulgare
Expédition de Boleslav le Vaillant vers Kiev (1018)

0   400 km

Les tribus des Slaves orientaux qui ont donné naissance au peuple russe s'individualisent, au VIIIe et au IXe siècle, dans une immense zone dont l'axe nord-sud est marqué par le Volkhov et le Dniepr. Ces fleuves étaient parcourus, au IXe et au Xe siècle, par les Varègues, marchands d'origine scandinave qui trafiquaient activement avec l'Empire byzantin ainsi que dans les contrées avoisinant la Caspienne et desservies par la Volga. Diffusé depuis Birka, ce commerce convergeait vers Novgorod et Kiev. Autour de ces villes se sont constituées les premières principautés russes sous l'autorité de deux princes qui seraient d'origine varègue : Riourik, dont le nom déformé aurait servi à baptiser le peuple sur lequel il régnait (Rous : russe), et son fils Oleg. Ce dernier fait de Kiev, vers 882, la capitale du premier État russe unifié.

Vassalisant de proche en proche de nouvelles tribus, combattant avec plus ou moins de succès les peuples voisins (Khazars, Bulgares de la Kama et des Balkans, Polonais), Oleg (882-912), puis ses héritiers étendent leur souveraineté sur l'ensemble des Slaves orientaux; malgré des alternatives de succès (907) et d'échecs (941, 971), ils imposent même leur alliance à Byzance dont ils adoptent la foi, vers 988, puis les institutions. La principauté de Kiev est à son apogée en 1054. Mais déjà jouent contre elle des facteurs de dissolution : velléités d'indépendance des villes périphériques en voie d'expansion (Novgorod...); pratique du partage de la fonction grand-ducale, inaugurée en 1054 par Iaroslav en faveur de ses trois fils et confirmée en 1097 par le traité de Lioubetch. La Russie de Kiev n'y survit pas. (V. cartes pp. 35, 36 [A] et 40.)

L'ÉTAT RUSSE
de 1300 à 1689

XVIᵉ s. Anglais Hollandais

ROY. DE SUÈDE

FINLANDE

Lapons

Samoyèdes

M. BLANCHE

TERRE DE

CARÉLIE

Arkhangelsk (1584)

Zyrianes

OURAL

SIBÉRIE

Ob

Petchora

NOVGOROD

L. Ladoga

L. Onega

Veliki Oustioug

Dvina sept.

Solikamsk

Kama

Narva

Ladoga

ESTONIE

L. de Tchoudsks (L. Peïpous)

LIVONIE

Novgorod

Pskov

Gᵈᵉ-PRINCIPAUTÉ DE MOSCOU

Iaroslav

Rostov

Souzdal

Tchérémisses

Viatka

Perm

Votiaks

Bachkirs

COURLANDE

Riga

Königsberg

Niémen

Wilno (Vilnious)

Polotsk

Vitebsk

Tver

Déoulino 1618

MOSCOU

Vladimir

Mourom

Nijni-Novgorod

KHĀNAT

Kazan

T

Grunwald 1410

Smolensk

Gᴰ-DUCHÉ DE LITUANIE

Androussovo 1667

Toula

Kassimov

Riazan

DE KAZAN

Simbirsk (1648)

Oufa (1586)

Bug

Varsòvie

Briansk

Oka

Koulikovo 1380

Mordves

Samara (1586)

Iaitski Gorodok (Ouralsk)

Lublin

Pripet

Tchernigov

Novgorod-Séverski

Voronej

Volga

Saratov (1590)

Psel

Kiev

UKRAINE

Dniepr

Don

Nogay

Cosaques de l'Oural

KHĀNAT DE LA HORDE D'OR

jusqu'en 1502

Boug

Dniestr

Cosaques Zaporogues

Cosaques du Don

Tsaritsyne (1589)

Saray

KHĀNAT D'ASTRAKHAN

Gouriev (1645)

Emba

MOLDAVIE

KHĀNAT DE CRIMÉE

1475

Azov

Kalmouks

Astrakhan

Danube

Perekop

Turcs

MER NOIRE

Kouban

CAUCASE

MER CASPIENNE

Terek

Tiflis

Koura

Araxe

Légende:

■ La Grande-Principauté de Moscou en 1300

à l'avènement d'Ivan III (1462)

Territoire de l'État russe au début du règne d'Ivan IV (1533)

Acquisitions d'Ivan IV et de Fédor Iᵉʳ (1533-1598)

Régions perdues au profit de la Suède (1617)

Acquisitions ou reconquêtes russes au XVIIᵉ s.

Grandes révoltes paysannes au XVIIᵉ s.

—— Bolotnikov (1606-1607)

···· Stenka Razine (1667-1671)

☐ État polono-lituanien en 1410

→ Expédition russe contre le khânat de Kazan (1552)

↝ Marche de Iermak vers la Sibérie (1581-1582)

⇒ Expéditions polonaises de 1610 à 1618

◎ Reprise de Smolensk par les Russes (Androussovo, 1667)

● Batailles   ■ Traités

(1586) Date de fondation d'une ville

T Tchouvaches

0 ———— 400 km

Née en 1263 du legs consenti par le prince de Vladimir-Souzdal, Alexandre Nevski, à son fils cadet Daniel, la petite principauté de Moscou lie habilement son sort à celui de la Horde d'Or, qui confère en 1328 à son souverain le titre de grand-prince. Aussi s'étend-elle rapidement autour du noyau original. Après la conversion au catholicisme de la Lituanie, qui s'unit à la Pologne en 1386 et abandonne de ce fait à la Moscovie le rôle de seul rassembleur des terres russes et orthodoxes, la progression s'oriente vers le nord et vers l'est. Une victoire fugitive mais prestigieuse sur les Mongols à Koulikovo en 1380, la chute de Constantinople en 1453, le mariage en 1472 de Zoé Paléologue avec Ivan III (1462-1505) font d'ailleurs de Moscou la « troisième Rome » et de ses princes les héritiers des Césars byzantins, dont Ivan IV (1533-1584) assume pour la première fois le titre (tsar) en 1547. Ivan III qui s'était proclamé souverain de toute la Russie dès 1494, puis Basile III (1505-1533) avaient achevé déjà le rassem-

blement des terres russes, exploitant le déclin de la Horde d'Or. Annexant Kazan en 1552, puis Astrakhan en 1556, Ivan IV laisse Iermak s'engager en 1581 sur la voie sibérienne (v. carte p. 155). Au nord, Arkhangelsk est atteint dès le XVIᵉ siècle. Mais c'est à l'ouest et au sud que se joue, au XVIIᵉ siècle, la survie du jeune État contre les ambitions de ses voisins suédois, polonais et turcs. Affaiblie par les graves crises dynastiques du *temps des troubles* (1584-1613), puis par de nombreuses révoltes paysannes, la Rus-

sie cède d'abord à la Suède sa fenêtre baltique (Stolbovo, 1617), puis à la Pologne la ville de Smolensk (Deoulino, 1618). Mais, dès 1667, Smolensk est récupérée, l'Ukraine orientale et Kiev sont occupées (Androussovo). Ainsi la Russie des Romanov affirme-t-elle sa puissance continentale à la veille de l'avènement de Pierre le Grand en 1689.

(V. cartes pp. 52, 64, 148, 149, 154, 155, 159 et 185.)

LA RUSSIE DE
CATHERINE II
1762-1796

Territoire de l'Empire russe en 1762		Limites des gouvernements après la réforme de 1775
Territoires réunis à l'Empire russe : en 1774 (paix de Kutchuk-Kaïnardji)		Limites de l'Empire russe à la fin du règne de Catherine II
en 1783		Domaine insurrectionnel de Pougatchev (1773-1774)
en 1792 (paix de Iaşi)		Campagnes de Pougatchev
en 1784		Soulèvement des Kazakhs (1783-1797)
Territoires provenant des partages de la Pologne		Principales usines métallurgiques
1772	1793	Principaux centres d'industrie textile
1795		Foires importantes

0   400 km

Véritable héritière de Pierre le Grand, Catherine II s'attire les sympathies de l'Europe grâce à son adhésion à la « philosophie des lumières ». Instruite par la tragique révolte de Pougatchev, qui soulève les paysans en leur promettant la terre et la liberté (1773-1774), elle confie à Potemkine (1774-1787) la charge de procéder à une certaine décentralisation administrative par l'ordonnance de 1775 qui découpe l'Empire en un nombre accru de gouvernements et de districts; surtout, par les chartes de 1785, elle libère la noblesse du service de l'État et de l'impôt pour lui permettre de consacrer ses ressources à

la création de richesses nouvelles (textiles du bassin de Moscou, métallurgie de l'Oural...) et elle favorise l'autonomie de communautés urbaines (marchands) afin d'assurer l'essor des échanges intérieurs (foires) et des échanges extérieurs (dont le volume triple). Mais, pour atteindre de tels objectifs, elle abandonne aux nobles 800 000 paysans libres qui sont réduits au servage.

Cet exemple souligne le caractère froidement réaliste de la politique impériale. Disposant d'une puissante armée et d'une flotte importante, Catherine II les utilise avec prudence contre ses adversaires naturels : la *Pologne*, dont

elle accepte le premier partage en 1772 et dont elle provoque le deuxième en 1793 et le troisième en 1795; la *Turquie*, qu'elle contraint à lui abandonner les côtes de la mer Noire aux termes de deux guerres imprudemment engagées par le Sultan (1768-1774 et 1786-1792), la première à l'instigation de la France pour soutenir la Pologne, la seconde à la suite de l'annexion du khânat de Crimée en 1783; la *Suède* enfin, qui a tenté de secourir la Turquie de 1788 à 1790 par une attaque de diversion.

La Russie a désormais pour frontière occidentale les cours du Niémen, du Bug et du Dniestr et pour frontière

méridionale le littoral de la mer Noire, sur les rives de laquelle Catherine II édifie en 1784 le port de guerre de Sébastopol et en 1794 le port de commerce d'Odessa. Pouvant faire franchir depuis 1774 les Détroits à ses navires de commerce, mais non à ses navires de guerre, l'impératrice songe même à restaurer l'Empire byzantin en 1782, mais renonce à son projet pour attirer les Ottomans dans la coalition que l'Europe constitue en 1792 contre la France. Le réalisme l'emporte sur le rêve.

(V. cartes pp. 62, 66 [A], 150, 155 [A] et 179.)

A

L'EMPIRE RUSSE
de la fin du XVIIe s. à 1860

L'Empire russe en 1689

Territoires réunis à l'Empire russe

de 1689 à 1725   de 1815 à 1860

de 1725 à 1800   Zone attribuée à la Russie par le traité d'Aihun (1858)

de 1800 à 1815   Limites de l'Empire russe en 1860

Depuis la fin du XVIe siècle, l'un des premiers mobiles de l'expansion russe a été d'assurer des fenêtres maritimes à un État purement continental à l'origine; celui-ci aspire, en effet, surtout à partir du règne de Pierre le Grand (1682-1725), à jouer un rôle de premier plan dans la vie internationale.

La poursuite de cet objectif entraîne une quadruple expansion : vers le nord, où Arkhangelsk est fondé sur la mer Blanche dans la seconde moitié du XVIe siècle; vers l'ouest, où Pierre le Grand édifie Saint-Pétersbourg en 1703 aux portes de la Baltique; vers le sud, où l'étroite fenêtre ouverte par intermittence au XVIIIe siècle sur la mer d'Azov est élargie par Catherine II de 1774 à 1792 au littoral septentrional de la mer Noire; vers l'est, enfin, où le détroit de Béring est atteint dès 1648 et la mer du Japon en 1860 seulement (traité de Pékin), les Chinois, ayant écarté les Russes pendant deux siècles des bassins de l'Amour et de l'Ossouri par le traité de Nertchinsk en 1689. Provoquée, en outre, par le goût de l'aventure et par la triple quête des fourrures, des richesses minières et des terres à cultiver, cette expansion de type colonial est complétée, au XIXe siècle, par la mise en place de glacis protégeant les terres russes à l'ouest (grand-duché de Finlande en 1809, Bessarabie en 1812, royaume de Pologne en 1815), au sud du Caucase (Géorgie, 1801; Azerbaïdjan, Arménie en 1828), puis au sud de la Sibérie, où le Kazakhstan, annexé en 1846, permet de surveiller les dernières Hordes turco-mongoles d'Asie centrale. (V. cartes pp. 153, 154, 186 [C] et 206.)

B

LA GUERRE CIVILE
1917-1921

Limites occidentales de l'Empire russe en 1914

Brest-Litovsk, armistice du 15 déc. 1917, paix du 3 mars 1918

Offensives des armées blanches

Denikine Chefs des armées blanches

Interventions des armées de l'Entente, 1918-1920

Front en juin 1919

Offensive polonaise, avr.-mai 1920

Contre-offensives de l'armée rouge

Soulèvements antisoviétiques

Territoires restés constamment sous contrôle soviétique

Républiques sécessionnistes

Territoires de l'Empire russe perdus par la Russie soviétique

Traité de Riga, 12 mars 1921

Limites de l'U.R.S.S. en 1922

Née de la révolution d'octobre 1917, la Russie bolchevique est confrontée à deux dangers immédiats : l'intervention directe, par voie de mer, des Alliés, qui, relayant celle des Empires centraux après la signature du traité de Brest-Litovsk le 3 mars 1918, isole le nouveau régime du monde extérieur; la rébellion intérieure des allogènes et des contre-révolutionnaires.

Les premiers proclament leur indépendance (Finlande, États baltes, Pologne, Ukraine, Bessarabie, Transcaucasie); les seconds opposent des armées blanches (500 000 hommes) à l'armée rouge constituée par Trotski à partir du 28 janvier 1918 (5 millions d'hommes).

Mal commandées mais disposant de lignes de communications plus courtes en raison de leur position centrale, les forces bolcheviques l'emportent finalement sur des adversaires incapables de coordonner leurs offensives et qui, de plus, commettent l'erreur de restaurer, dans les territoires reconquis, les grands propriétaires dans leurs droits ou de réincorporer à la Russie les populations allogènes qui s'en sont détachées. Génératrices de jacqueries et de soulèvements nationaux, ces mesures contribuent aux échecs successifs en 1919 de Koltchak à l'est, de Denikine au sud, de Ioudenitch au nord-ouest, puis de Miller au nord.

Malgré la victoire remportée par les Polonais devant Varsovie le 15 août 1920, l'ultime effort de Wrangel pour menacer Moscou échoue (juin-septembre 1920). La guerre civile est pratiquement terminée. Mais le pays exsangue et l'économie ruinée nécessitent un vigoureux effort de reconstitution. (V. cartes pp. 81 et 82 [A et B].)

U.R.S.S.
évolution de la situation administrative de 1921 à 1924

La République fédérative de Transcaucasie

L'Asie centrale après 1924

1 **R.S.F.S.R., 1917,** Rép. socialiste fédérative soviétique de Russie
2 A.S.S.R. du Turkestan
3 A.S.S.R. bachkire, **1919**
4 A.S.S.R. tatare, **1920**
5 Commune prolétaire de Carélie *(transformée en juillet 1923 en A.S.S.R. de Carélie)*
6 R.A. tchouvache
7 A.S.S.R. de Kirghizie
8 R.A. des Votes (Oudmourtes)
9 R.A. des Maris
10 A.S.S.R. de la montagne, 1921 à 1924
1922, autonomie des régions
  • *kabardine–balkare*
  • *tchetchène*
  • *karatchaï–tcherkesse*
1924: régions autonomes
  • *d'Ossétie du Nord*
  • *Ingouche*
11 A.S.S.R. du Daguestan, **1921**
12 R.A. des Komis *(Zyrianes)*
13 R.A. des Kabardines
14 R.A. des Bouriates–Mongols
15 R.A. des Tcherkesses
16 A.S.S.R. de Iakoutie
17 R.A. des Oïrotes

18 R.A. des Adyguéens (Tcherkesses)
19 S.S.R. d'Ukraine
20 S.S.R. de Biélorussie
21 S.S.R. fédérative de Transcaucasie
22 S.S.R. d'Azerbaïdjan
23 R.A. de Nakhitchevan
24 S.S.R. d'Arménie
25 S.S.R. de Géorgie
26 A.S.S.R. d'Abkhazie, **1921**
27 A.S.S.R. d'Adjarie, **1921**
28 R.A. d'Ossétie du Sud
29 République démocratique soviétique du Kharezm (anc. Khiva), **1920**
30 République démocratique soviétique de Boukhara, **1920**

A.S.S.R. République autonome socialiste soviétique
S.S.R. République socialiste soviétique
R.A. Région autonome
1918 Date de formation
  • *des républiques*
  • *des républiques autonomes*
  • *des régions*
République d'Extrême–Orient de 1920 à 1922
Chemin de fer ■ Traités

En affirmant le droit à la sécession, le décret sur les nationalités ou *Déclaration des droits des peuples de Russie* du 15 novembre 1917 témoignait à la fois du désir d'en finir avec le «chauvinisme grand-russe» et d'une reconnaissance réaliste d'un état de fait. Mais les succès bolcheviques dans la guerre civile permettent de récupérer les provinces perdues (Ukraine, Biélorussie, pays du Caucase, Asie centrale, Extrême-Orient), puis d'y installer des républiques soviétiques liées à la R.S.F.S.R. Le 30 décembre 1922, la création de l'U.R.S.S. soude ces républiques en une fédération hiérarchisée selon l'importance des groupes ethniques. Elle comprend des *républiques fédératives* (R.S.F.S.R. [Russie], Transcaucasie), des *républiques socialistes* (Ukraine, Biélorussie...), des *républiques autonomes* (Turkestan...), des *régions autonomes* (des Komis, d'Ossétie du Sud...); elle est «ouverte», ce qui laisse la possibilité de remodelages (ce fut le cas de l'Asie centrale entre 1924 et 1929), de scissions et de réunions (v. carte p. 157).

L'U.R.S.S.
après la Seconde Guerre mondiale

Limites de l'U.R.S.S. de 1924 à 1940
Limites de l'U.R.S.S. en 1947
Acquisitions de l'U.R.S.S. de 1940 à 1947

Structure administrative :   ● Capitale fédérale

R.S.F.S.R. : République soviétique fédérale socialiste russe

A.S.S.R. : République autonome socialiste soviétique

S.S.R. : République socialiste soviétique

R.A. : Région autonome

1   S.S.R. de Géorgie
2   S.S.R. d'Azerbaïdjan
3   S.S.R. d'Arménie
4   A.S.S.R. tatare
5   A.S.S.R. bachkire
6   A.S.S.R. du Daguestan
7   A.S.S.R. des Kabardines
8   A.S.S.R. des Maris
9   A.S.S.R. des Mordves
10 A.S.S.R. d'Ossétie du Nord

11 A.S.S.R. des Oudmourtes
12 A.S.S.R. des Tchouvaches
13 A.S.S.R. d'Abkhazie
14 A.S.S.R. d'Adjarie
15 A.S.S.R. du Nakhitchevan
16 R.A. des Adyguéens
17 R.A. des Tcherkesses
18 R.A. d'Ossétie du Sud
19 R.A. du Haut–Karabakh

Depuis le 30 janvier 1922, « l'égalité et la souveraineté des peuples de Russie » sont assurées dans le cadre fédéral de l'*Union des républiques socialistes soviétiques*. Mais la Constitution du 31 janvier 1924 ne reconnaît pas à chacune d'elles le même statut. En nombre croissant (4 en 1924, 7 en 1929, 11 en 1936), les *républiques fédérées* regroupent les populations les plus évoluées de l'Union; trois sont russes (Russie, Biélorussie, Ukraine), trois sud-caucasiennes (Géorgie, Azerbaïdjan et Arménie) et cinq musulmanes (Kazakhstan, Ouzbékistan, Tadjikistan, Turkménistan, Kirghizistan). En fait, leur poids politique est très différent, puisque les trois républiques slaves regroupent les trois quarts des habitants de l'Union et que la seule R.S.F.R. (Russie) couvre les trois quarts de son territoire. Celle-ci englobe d'ailleurs en son sein l'essentiel des *républiques autonomes* (A.S.S.R.) et des *régions autonomes* (R.A.) que le régime maintient en tutelle plus ou moins étroite en raison de la persistance de leur nationalisme (Tatars), de la faiblesse numérique ou du retard culturel de leurs populations.

Accrue en 1940 de cinq nouvelles républiques (Lettonie, Lituanie, Estonie, Moldavie et Carélo-finnoise [région autonome en 1956]), l'U.R.S.S. annexe en outre, à l'issue de la Seconde Guerre mondiale, la moitié septentrionale de la Prusse-Orientale, les anciens territoires polonais situés approximativement à l'est de la ligne Curzon, la république autonome de Touva, le sud de Sakhaline et les Kouriles. Le régime soviétique a donc effacé, pour l'essentiel, les conséquences des défaites que le Japon, en 1905, et l'Allemagne, en 1917, avaient infligées aux armées du tsar. Ainsi, sur le quadruple front de l'Arctique (Petsamo), de la Baltique (Kaliningrad), de la mer Noire (bouches du Danube) et de la mer du Japon (Sakhaline), la progression russe vers la mer libre a repris : l'équilibre stratégique du monde est modifié au profit de l'U.R.S.S. (V. cartes pp. 151, 156 et 161.)

LA SCANDINAVIE
AU MOYEN ÂGE

Évangélisation

■ Archevêchés   ◊ Monastères

→ Missions de l'archevêché de
   Brême–Hambourg (Xe–XIe s.)

   Conquête de la Finlande par les
   Suédois après 1157

● Bataille de Falköping (1389)

   Union dite de Kalmar (1397)

   Courants hanséatiques dans la
   seconde moitié du XIVe s.

0   500 km

Conséquence de l'expansion des Vikings et de celle des Varègues (v. cartes pp. 35 et 36), la christianisation de la Scandinavie est réalisée, pour l'essentiel, entre le IXe et le Xe siècle par des missions sous l'autorité des archevêques de Brême-Hambourg. Après la disparition du dernier grand temple païen à Uppsala à la fin du XIe siècle, les églises du Danemark, de Norvège et de Suède acquièrent leur autonomie lorsque sont créés les archevêchés de Lund en 1103, de Nidaros (act. Trondheim) en 1152 et d'Uppsala en 1164. Ainsi se trouve facilitée la constitution en États des trois royaumes scandinaves. Plus largement ouvert aux influences occidentales, le Danemark construit, le premier, d'éphémères empires, soit autour de la mer de Norvège sous le règne de Knud le Grand (1018-1035), soit dans la Baltique au temps de Valdemar le Grand (1157-1182) et de ses premiers successeurs, maîtres de Lübeck en 1201 et fondateurs en 1219 de Tallinn, la « ville des Danois » (Reval). Plus tardivement unifiée, la Norvège constitue un empire nord-

atlantique, englobant l'Islande en 1261 et le Groenland en 1262-1264, sous les règnes de Haakon IV (1223-1263) et de Magnus le Législateur (1263-1280). Plus archaïque, la Suède érige pourtant à la même époque un empire baltique grâce à la conquête de la Finlande par Birger Jarl (1250-1266), fondateur de la dynastie des Folkungs. Un mariage heureux permet à Magnus VII Eriksson d'hériter des deux couronnes de Suède et de Norvège (1319-1363), que sa mère Ingeborg accroît de la Scanie en 1332 et qu'il transmet à sa belle-fille, la reine Marguerite de Danemark. Souveraine de fait des trois royaumes après avoir remporté, en 1389, la victoire de Falköping sur le roi de Suède Albert de Mecklembourg, elle désigne pour héritier son petit-neveu, Erik de Poméranie. Au profit de celui-ci, l'Acte de Kalmar institue en 1397 l'union personnelle et perpétuelle des trois États, qui restent pourtant des entités politiques juridiquement distinctes. Constamment contestée, l'Union de Kalmar ne survit pas à l'avènement de Gustave Vasa au trône de Suède en 1523. (V. cartes pp. 33, 35, 36, 42 et 53.)

LA SCANDINAVIE
ET LES RÉGIONS BALTIQUES
DU XVIᵉ AU XVIIIᵉ s.

Église catholique au début du XVIᵉ s.
■ Archevêchés   □ Évêchés
● Villes nouvelles avec date de fondation
Liaisons commerciales
XVᵉ–XVIᵉ s.
fin XVIᵉ–XVIIᵉ s.
● Batailles
◆ Traités de paix
B. Brömsebro (1645)

Royaume de Danemark à partir de 1537
Frontières du XVIᵉ s.
0   300 km

La Suède à la mort de Jean III Vasa (1592)
Conquêtes de Gustave II Adolphe (1611–1632)
Acquisitions de Christine de Suède (1632–1654)

Conquêtes de Charles X Gustave à la paix de Roskilde (1658)
Régions perdues par la Suède à la paix de Nystad (1721)

Interventions suédoises (1625–1655)
Campagnes de Gustave II Adolphe (1630–1632)
Campagnes de Charles XII de 1700 à 1718

En rompant l'Union de Kalmar en 1523, Gustave Iᵉʳ Vasa restaure l'indépendance de la Suède, désormais opposée au royaume dano-norvégien pour la maîtrise de la Baltique que dominent encore les Hanséates (v. carte p. 53). Souhaitant contrôler ses débouchés, la Suède mène contre le Danemark et la Pologne, la guerre de Sept Ans (1563-1570). Réformés, les Scandinaves donnent, en outre, une dimension religieuse à leurs conflits avec la Pologne et l'empereur catholiques, avec la Russie orthodoxe. Gustave II Adolphe (1611-1632) gagne, à la paix de Stolbova, l'Estonie et l'Ingrie (1617), fonde Göteborg (1619) sur un territoire racheté aux Danois, puis s'engage dans la Guerre de Trente Ans après l'échec de l'intervention danoise (1625-1629). Allié de la France, ses victoires (Lützen, 1632), puis celles de ses généraux sur les Impériaux (1635-1642) prennent à revers Christian IV de Danemark. À Brömsebro (1645), celui-ci cède les îles et provinces d'Ösel, de Gotland, de Halland (danoises) de Jamtland et de Härdjedalen (norvégiennes). Puis, par les traités de Westphalie (1648), la Suède acquiert la Poméranie occidentale, Wismar, Brême et Verden. Enfin, par le traité de Roskilde (1658), elle annexe la Scanie et partage les péages du Sund. Malgré la victoire du Brandebourg à Fehrbellin (1675), elle poursuit son essor grâce aux victoires de Charles XII (1697-1718) sur le Danemark, la Pologne et la Russie. Mais, vaincue à Poltava (1709), elle doit accepter à Nystad (1721) que soit mis fin à sa prépondérance en Baltique, où Pierre le Grand a enfin ouvert une fenêtre à la Russie en fondant Saint-Pétersbourg (1703). [V. cartes pp. 94, 149 et 153.]

Menacés dans leurs libertés traditionnelles par les Habsbourg, les cantons montagnards *(Waldstätte)* de Schwyz, Uri et Unterwald s'unissent par un *pacte perpétuel* de défense, le 1er août 1291. Ainsi naît la *Confédération suisse*, du nom du principal canton associé. En conflit en 1313 avec la riche abbaye d'Einsiedeln qui est protégée par Frédéric de Habsbourg, les confédérés brisent, à Morgarten, le 15 novembre 1315, une tentative du frère de celui-ci, Léopold Ier, pour rétablir l'autorité de sa maison. Les adversaires des Habsbourg s'associent alors, selon des formes diverses, à la Confédération : Lucerne en 1332, Zurich en 1351, Glaris et Zoug en 1352, enfin Berne en 1353. S'étant déjà exercée aux dépens des seigneurs féodaux à Laupen en 1339, la puissance militaire bernoise aide les confédérés à vaincre les Autrichiens à Sempach en 1386 et à Näfels en 1388. Par l'armistice de 1389, les Habsbourg reconnaissent l'existence de la *Confédération des huit cantons,* dont la cohésion militaire est assurée en 1393 par le convenant de Sempach. (V. cartes pp. 52 et 58.)

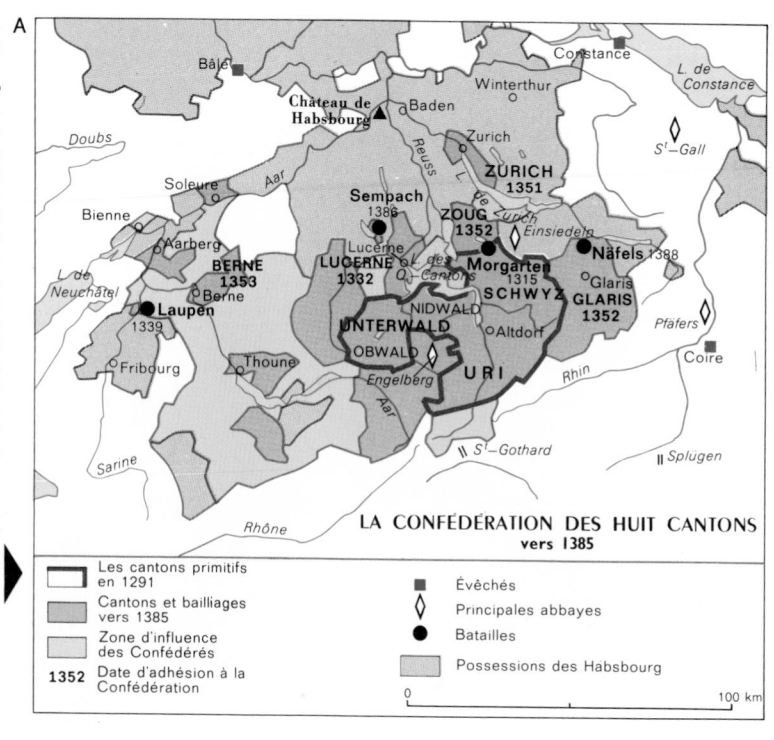

LA CONFÉDÉRATION DES HUIT CANTONS
vers 1385

☐ Les cantons primitifs en 1291	■ Évêchés
Cantons et bailliages vers 1385	◇ Principales abbayes
Zone d'influence des Confédérés	● Batailles
1352 Date d'adhésion à la Confédération	Possessions des Habsbourg

0 _____ 100 km

B

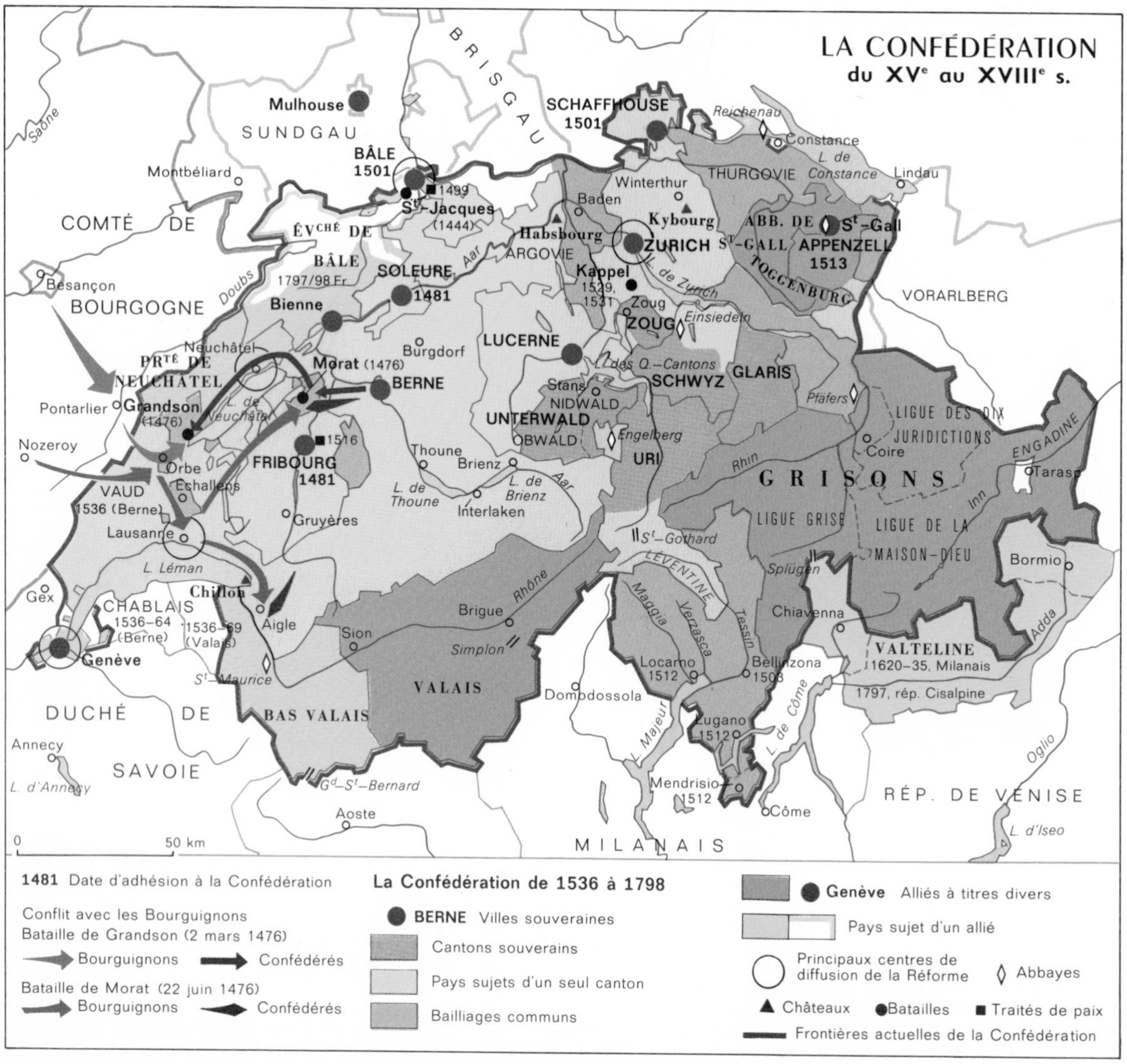

LA CONFÉDÉRATION
du XVe au XVIIIe s.

BRISGAU
Mulhouse
SUNDGAU
SCHAFFHOUSE 1501
Reichenau
Constance
L. de Constance
Lindau
Montbéliard
BÂLE 1501
THURGOVIE
Winterthur
Baden
Kybourg
ZURICH 1351
St-Gall
ABB. DE St-Gall
APPENZELL 1513
COMTÉ DE
ÉVCHÉ DE
1499
St-Jacques (1444)
Habsbourg
TOGGENBURG
BÂLE
1797/98 Fr.
SOLEURE 1481
ARGOVIE
Kappel 1529, 1531
Zoug
Einsiedeln
VORARLBERG
BOURGOGNE
Besançon
Bienne
ZOUG
 des Q.-Cantons
Pfäfers
Coire
LIGUE DES DIX JURIDICTIONS
Pontarlier
PRTÉ DE NEUCHÂTEL
Neuchâtel
Burgdorf
LUCERNE
Stans
NIDWALD
GLARIS
SCHWYZ
ENGADINE
Nozeroy
Grandson (1476)
Morat (1476)
BERNE
1516
UNTERWALD
OBWALD
G R I S O N S
Tarasp
Orbe
FRIBOURG 1481
Thoune
Brienz
Engelberg
URI
St-Gothard
LIGUE GRISE
Inn
Echallens
L. de Thoune
L. de Brienz
Aar
Rhin
LIGUE DE LA MAISON-DIEU
VAUD 1536 (Berne)
Gruyères
Interlaken
LÉVENTINE
Spügen
Bormio
Lausanne
L. Léman
Brigue
Rhône
Maggia
Chiavenna
CHABLAIS 1536-64 (Berne)
Chillon
1536-59 (Valais)
Aigle
Sion
Simplon
Locarno 1512
VALTELINE 1620-35, Milanais
1797, rép. Cisalpine
Genève
St-Maurice
VALAIS
Bellinzona 1503
DUCHÉ DE
BAS VALAIS
Gd-St-Bernard
Domodossola
Lugano 1512
L. de Côme
Adda
Annecy
L. d'Annecy
SAVOIE
Aoste
Mendrisio 1512
Côme
RÉP. DE VENISE
Oglio
MILANAIS
L. d'Iseo

0 _____ 50 km

1481 Date d'adhésion à la Confédération

Conflit avec les Bourguignons
Bataille de Grandson (2 mars 1476)
→ Bourguignons → Confédérés
Bataille de Morat (22 juin 1476)
⇒ Bourguignons ⇒ Confédérés

La Confédération de 1536 à 1798

● **BERNE** Villes souveraines
Cantons souverains
Pays sujets d'un seul canton
Bailliages communs

● Genève Alliés à titres divers
Pays sujet d'un allié
○ Principaux centres de diffusion de la Réforme
◇ Abbayes
▲ Châteaux ● Batailles ■ Traités de paix
Frontières actuelles de la Confédération

Au XVe siècle, les Habsbourg perdent leurs possessions en Suisse soit au profit de la Confédération (Argovie, 1415), soit au profit de chacun des cantons contigus à leurs terres : Berne, Lucerne et Zurich. Constitués parfois en bailliages communs (Argovie [région de Baden], 1415; Thurgovie, 1460), ces territoires renforcent la puissance du jeune État, qui s'allie, en outre, à de nombreux pays périphériques : Saint-Gall, Grisons, Bienne, Neuchâtel. Surmontant ses crises internes (conflit Schwyz-Zurich), la Confédération affirme sa puissance démographique et militaire aux dépens de Charles le Téméraire, qui est vaincu à Grandson et à Morat en 1476, puis de Maximilien d'Autriche, lors de la guerre de Souabe en 1499. Pour prix de leur aide, Soleure et Fribourg en 1481, Bâle et Schaffhouse en 1501 sont admises dans la *Confédération* dite des *treize cantons* après l'adhésion d'Appenzell en 1513. Accru de nouveaux bailliages communs dans le Tessin à la suite de ses interventions dans les guerres d'Italie pour le compte des belligérants (1502, 1513), le nouvel État est défait à Marignan en 1515; il met alors sa puissance militaire au service de la France en 1521. Mais, à cette époque, les idées réformées pénètrent déjà en Suisse et dans les pays périphériques, où Zwingli à Zurich, Farel à Neuchâtel et Calvin à Genève leur donnent des contenus plus radicaux. Marquée par la défaite, puis par la mort du premier de ces réformateurs à Kappel en 1531, la guerre civile qui en résulte rompt l'unité religieuse de la Confédération, dès lors divisée en deux groupes de cantons opposés : sept catholiques (Schwyz, Uri...) et quatre protestants (Zurich, Bâle, Berne et Schaffhouse), seuls Glaris et Appenzell admettant la liberté religieuse. Après la reconnaissance de la pleine indépendance des treize cantons par les traités de Westphalie en 1648, cette situation se perpétue jusqu'au XIXe siècle. (V. cartes pp. 52, 59, 60, 61, 64, 65, 94, 95, 96 [B] et 139 [B].)

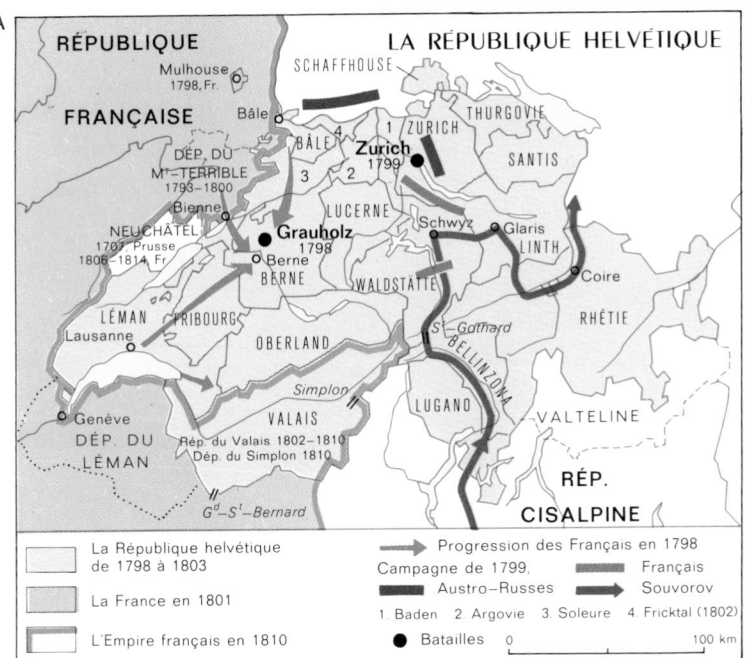

A

RÉPUBLIQUE

FRANÇAISE

LA RÉPUBLIQUE HELVÉTIQUE

Mulhouse 1798, Fr.

SCHAFFHOUSE

BÂLE

THURGOVIE

ZURICH

DÉP. DU Mt-TERRIBLE 1793–1800

Bienne

NEUCHÂTEL 1707, Prusse 1806–1814 Fr.

Berne

Grauholz 1798

BERNE

SANTIS

Zurich 1799

LUCERNE

Schwyz

Glaris

LINTH

WALDSTÄTTE

Coire

RHÉTIE

LÉMAN

FRIBOURG

Lausanne

OBERLAND

St-Gothard

BELLINZONA

Simplon

LUGANO

VALTELINE

Genève

VALAIS

DÉP. DU LÉMAN

Rép. du Valais 1802–1810
Dép. du Simplon 1810

Gd-St-Bernard

RÉP.

CISALPINE

La République helvétique de 1798 à 1803
La France en 1801
L'Empire français en 1810

→ Progression des Français en 1798
Campagne de 1799,
Austro-Russes
Souvorov
Français

1. Baden 2. Argovie 3. Soleure 4. Fricktal (1802)
● Batailles

0   100 km

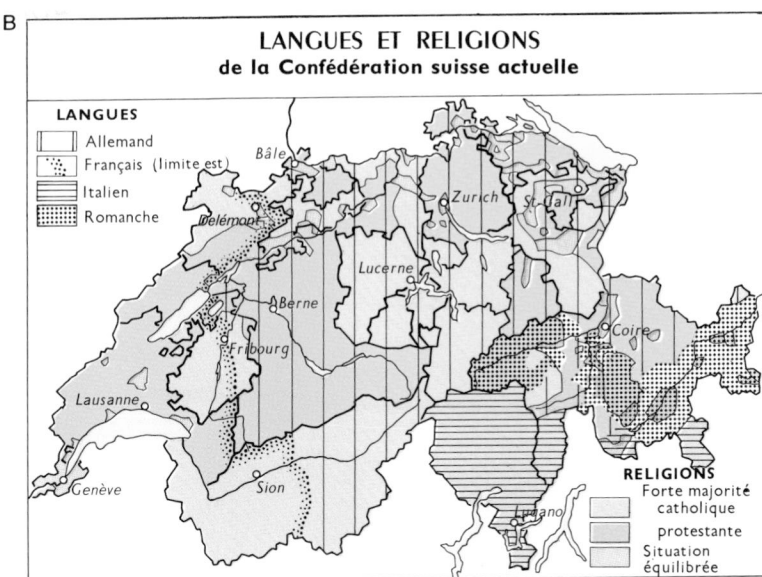

| TCHÉCOSLOVAQUIE, p. 164 | U.R.S.S., pp. 156 et 157 |

B

LANGUES ET RELIGIONS
de la Confédération suisse actuelle

LANGUES
☐ Allemand
Français (limite est)
☰ Italien
⦙ Romanche

Bâle

Delémont

Zurich
St-Gall

Lucerne

Berne

Coire

Fribourg

Lausanne

Sion

Genève

Lugano

RELIGIONS
Forte majorité catholique
protestante
Situation équilibrée

En annexant Genève, Mulhouse, Bienne et les vallées jurassiennes, en substituant la *République helvétique* à la *Confédération des treize cantons* après l'occupation de Berne le 5 mars 1798, le Directoire parachève le glacis des républiques sœurs et renforce ses liens avec la Cisalpine, déjà accrue de la Valteline. Après que Masséna a brisé la contre-offensive austro-russe de Souvorov à Zurich en septembre 1799, Bonaparte crée à cet effet, en 1802, la république du Valais, érigée en département du Simplon en 1810. Puis, par l'*Acte de*

médiation du 19 février 1803, il crée la *Confédération helvétique* de dix-neuf cantons, profondément pénétrés par les départements français (Mont-Terrible et Léman) ainsi que par le fief de Berthier : Neuchâtel (1806-1814). Abattu par les Alliés en décembre 1813, ce régime est remplacé en 1815 par une confédération de vingt-deux cantons, englobant le Valais, Neuchâtel et Genève; l'Europe y restaure l'ancien régime et en consacre la neutralité perpétuelle le 20 novembre. (V. cartes pp. 66 [A], 67 [A], 69 [A et B] et 71 [A].)

En raison de la situation géographique de la Suisse au cœur de l'Europe alpestre, là où Italiens, Français et Allemands se rencontrent, quatre ethnies (alémanique, romande, italienne, rhéto-romane) coexistent sur son territoire de 41 295 km². L'allemand, en léger recul (64,9 p. 100), domine dans seize cantons et même dans les Grisons; le français (18,1 p. 100) dans six cantons, y compris dans celui du Jura bernois en cours de constitution (1976); l'italien (11,9 p. 100) dans le Tessin; le romanche (0,8 p. 100) dans les Grisons; d'autres langues sont parlées un peu partout (4,3 p. 100).

Lointains descendants des Réformateurs du XVIe siècle, les protestants (52 p. 100 env.) sont majoritaires dans douze cantons (9 alémaniques, 3 romands); les catholiques dans dix cantons (7 alémaniques; 2 romands : Fribourg, Valais; 1 italien : Tessin). Mais la population catholique progresse rapidement par l'effet d'une plus forte natalité et de l'immigration (en recul pourtant depuis quelques années) de travailleurs étrangers, italiens pour la plupart (environ 500 000 sur une population totale de 6 480 000 habitants en 1975).
(V. cartes pp. 60 et 61.)

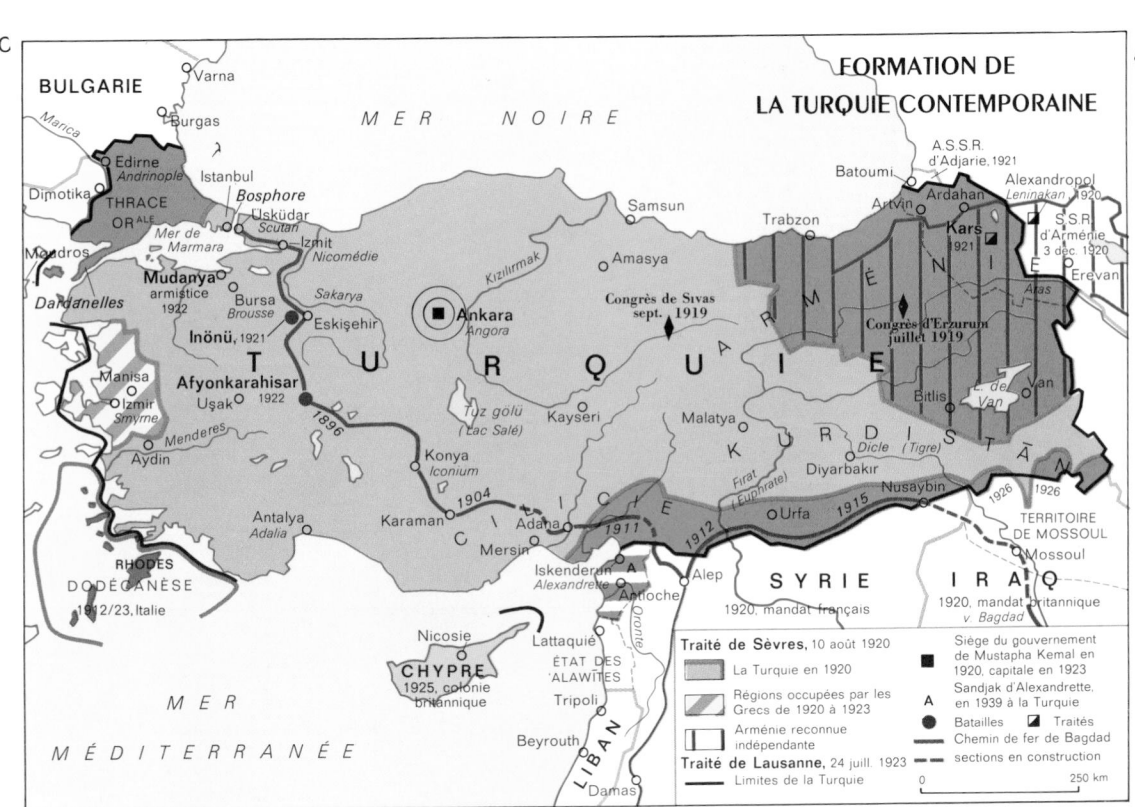

C

FORMATION DE
LA TURQUIE CONTEMPORAINE

BULGARIE

Varna

Burgas

MER NOIRE

Marica

Edirne Andrinople

Dimotika

THRACE OR.ale

Istanbul

Bosphore

Üsküdar Scutari

Izmit Nicomédie

Mer de Marmara

A.S.S.R. d'Adjarie, 1921

Batoumi

Samsun

Trabzon

Alexandropol Leninakan 1920

Artvin

Ardahan

Kars 1921

S.S.R. d'Arménie 3 déc. 1920

Erevan

Moudros

Dardanelles

Mudanya armistice 1922

Bursa Brousse

Inönü, 1921

Eskişehir

Sakarya

Ankara Angora

Kizilirmak

Amasya

Congrès de Sivas sept. 1919

Congrès d'Erzurum juillet 1919

Bitlis

lac de Van

Manisa

Afyonkarahisar

Izmir Smyrne

Uşak 1922

T U R Q U I E

K U R D I S T Â N

Menderes

Aydın

1896

Tuz gölü (Lac Salé)

Kayseri

Konya Iconium

Malatya

Diyarbakır

Dicle (Tigre)

Firat (Euphrate)

1926 1926

Urfa 1915

Nusaybin

1904

Karaman

C I L I C I E

Adana 1911

Mersin

1912

TERRITOIRE DE MOSSOUL

Mossoul

RHODES

DODÉCANÈSE 1912/23, Italie

Antalya Adalia

İskenderun Alexandrette

Alep

Antioche

1920, mandat britannique v. Bagdad

SYRIE

IRAQ

Nicosie

Lattaquié

ÉTAT DES 'ALAWITES

CHYPRE 1925, colonie britannique

1920, mandat français

Orontes

Tripoli

MER MÉDITERRANÉE

Beyrouth

LIBAN

Damas

Traité de Sèvres, 10 août 1920
◫ La Turquie en 1920
▨ Régions occupées par les Grecs de 1920 à 1923
▤ Arménie reconnue indépendante
Traité de Lausanne, 24 juill. 1923
── Limites de la Turquie

■ Siège du gouvernement de Mustapha Kemal en 1920, capitale en 1923
A Sandjak d'Alexandrette, en 1939 à la Turquie
● Batailles ▲ Traités
━━ Chemin de fer de Bagdad
--- sections en construction

0   250 km

Vaincu en Iraq, en Syrie et en Thrace, l'Empire ottoman signe le traité de Sèvres, le 10 août 1920. Ne conservant en Europe qu'Istanbul, il est amputé en Asie de ses provinces arabes et arménienne. À l'ouest, la Grèce annexe la Thrace orientale et Smyrne. Au sud-est, le Liban, la Syrie, la Palestine et l'Iraq sont placés sous mandat français ou britannique; l'Arabie devient indépendante. À l'est sont reconnues l'autonomie du Kurdistan et l'indépendance de l'Arménie. L'Anatolie méridionale et orientale est divisée en trois zones d'occupation : italienne (Antalya, Konya), française (Cappadoce, Kurdistân occidental), britannique (Kurdistân septentrional). Établissant le siège de son gouvernement à Ankara en 1920 à l'issue des deux congrès d'Erzurum (juillet) et de Sıvas (septembre 1919), Mustafa Kemal reconquiert l'Asie Mineure. Il reprend Kars et Ardahan en Arménie (traité de Moscou, 16 mars 1921), la Cilicie (accord d'Ankara, 20 octobre 1921) et, plus tardivement, le sandjak d'Alexandrette (23 juin 1939). Il repousse les Grecs à Inönü (7 janvier et 31 mars 1921), puis sur la Sakarya (23 août-13 sept. 1921), enfin à Afyonkarahisar (26 août 1922) et les contraint à évacuer Smyrne (9 sept.). L'armistice de Mudanya (11 oct.), puis le traité de Lausanne (24 juill. 1923) rendent aux Turcs la Thrace orientale, l'Arménie et le Kurdistân. Rassemblée autour d'un axe économique, le chemin de fer de Bagdad, la république de Turquie entre dans le monde moderne. (V. cartes pp. 62, 81, 82 [B], 157, 178, 179 et 180 [A].)

LA BULGARIE
sous le règne du tsar Jean III Asen II
1218-1241

Extension maximale de l'État bulgare
Territoires vassaux

■ Capitales
● Centres administratifs
○ Autres villes
─── Frontières actuelles

A ◄ Jean III Asen II restaure la Grande Bulgarie quatre cents ans après le tsar Siméon. Son empire, ouvert sur trois mers, se referme sur Constantinople. Il conserve la Thrace, conquise avec Andrinople par Kalojan en 1205, détruit à Klokotnica le despote d'Épire (Albanie), qu'il annexe avec la Serbie orientale. Attirant des Italiens, il stimule la vie économique et culturelle. Sa capitale Tărnovo devient le siège de l'Église bulgare, autonome en 1235. Après Jean III, l'Empire, morcelé, est absorbé par les Ottomans au XIVe siècle.

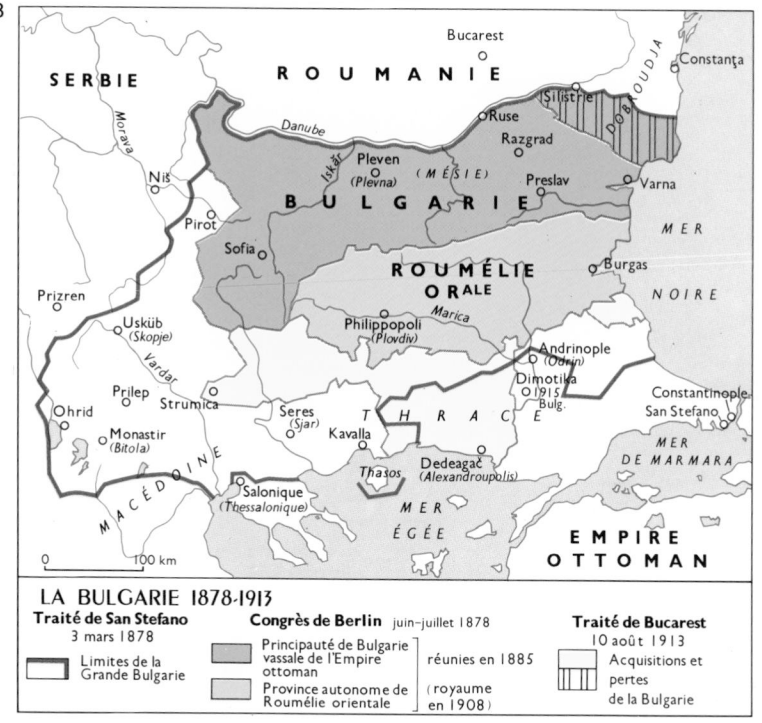

LA BULGARIE 1878-1913

Traité de San Stefano 3 mars 1878
Limites de la Grande Bulgarie

Congrès de Berlin juin-juillet 1878
Principauté de Bulgarie vassale de l'Empire ottoman
Province autonome de Roumélie orientale
réunies en 1885 (royaume en 1908)

Traité de Bucarest 10 août 1913
Acquisitions et pertes de la Bulgarie

B ▲ Au lieu de la Grande Bulgarie édifiée à San Stefano par les Russes, le congrès de Berlin crée une principauté de Bulgarie, vassale de la Porte, et une Roumélie orientale à demi autonome, qui s'unit à la Bulgarie en 1885. Indépendante en 1918, la Bulgarie sort victorieuse d'une première guerre contre les Ottomans (1912-13). Mais vaincue par les Serbes, les Grecs, les Roumains et les Turcs au cours d'une seconde, elle perd la Dobroudja méridionale et ne conserve qu'un fragment de Macédoine et, surtout, la Thrace occidentale avec Dedeagač. (V. cartes pp. 72 et 73.)

C ▼ Vaincue par l'*Entente*, la Bulgarie rétrocède en 1919 la Macédoine, enlevée à la Serbie en 1915, la Dobroudja du Sud, arrachée à la Roumanie en 1916, et enfin son débouché sur la mer Égée. Grâce à l'Allemagne, elle reprend en 1940 la Dobroudja méridionale et croit restaurer la Grande Bulgarie en occupant en 1941 la Macédoine, le port de Kavalla, Thasos et Samothrace. La paix de 1947 la refoule dans ses frontières de 1919, sauf au nord où l'appui de l'U.R.S.S. lui permet de conserver Silistrie et la Dobroudja méridionale. (V. cartes pp. 81-82, 84 et 86 [A].)

D ▼ La frontière de Vólos à Árta, établie en 1830 lors de l'indépendance, n'est qu'une base de départ pour l'irrédentisme grec de la *Megali Idea* : la résurrection de l'Empire byzantin. En 1864, la Grande-Bretagne renonce aux îles Ioniennes, et en 1881 l'Empire ottoman à la Thessalie et au district d'Árta au sud de l'Épire. Les guerres balkaniques procurent en 1913 Salonique, une partie de la Macédoine, l'Épire du Sud, la Crète, Samos, Khíos, Lesbos, et la Première Guerre mondiale, en 1920, le débouché bulgare sur la mer Égée (Thrace occidentale); mais la tentative pour s'emparer de la Thrace orientale, de Smyrne et de la Lydie s'achève en désastre à Afyonkarahisar au sud-ouest d'Ankara (v. carte C p. 161), le 26 août 1922. Le traité de Lausanne (1923) efface alors celui de Sèvres (1920), et le Dodécanèse reste à l'Italie jusqu'en 1947, date de sa cession à la Grèce. (V. carte C p. 161.)

FORMATION DE LA GRÈCE MODERNE

La Grèce en 1830
Agrandissements territoriaux de 1863 à 1881
Acquisitions de 1913 à 1919
Acquisitions temporaires de 1920 à 1923
Acquisitions de 1947
Frontière actuelle
1913 Date de réunion

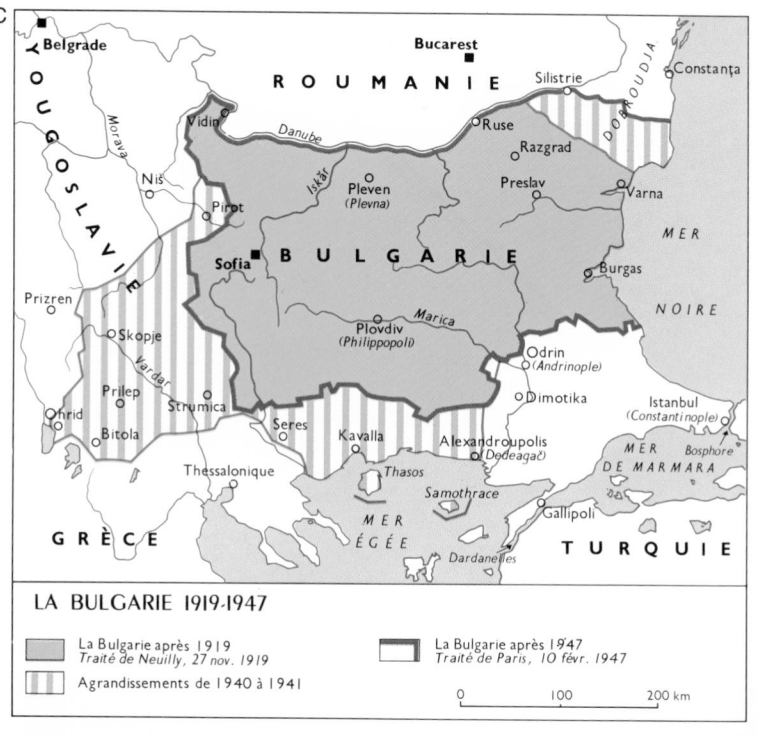

LA BULGARIE 1919-1947

La Bulgarie après 1919 *Traité de Neuilly, 27 nov. 1919*
Agrandissements de 1940 à 1941
La Bulgarie après 1947 *Traité de Paris, 10 févr. 1947*

A

LA MONARCHIE AUSTRO-HONGROISE

EMPIRE

ALLEMAND
1871

Allemands

Tchèques
BOHÊME

Moraves
Brünn (Brno)

MORAVIE

Polonais   Ruthènes
Cracovie   Lemberg

GALICIE

Prague

VIENNE

AUTRICHE

Presbourg

Slovaques

BUDAPEST
1873

BUCOVINE

TRANSYLVANIE
1867
Kolozsvár
(Cluj)

Allemands

Innsbruck

TYROL

Italiens
Trente

LOMBARDIE

VÉNÉTIE

Parme

Modène

Pô

Venise

Graz

Slovènes
Laibach
(Ljubljana)
Trieste

Ital.
Fiume
ISTRIE

Croates

M a g y a r s
HONGRIE

Drave

Save

Zagreb

Serbes
BOSNIE
Sarajevo

DALMATIE

HERZÉGOVINE

Raguse

Tisza

Temesvár

Belgrade

SERBIE

SANDJAK DE
NOVI PAZAR

MONTÉNÉGRO

Cattaro (Kotor)

Roumains

VALACHIE
Bucarest

Danube

L'Empire d'Autriche en 1848
Territoires perdus
en 1859   en 1866
Compromis de 1867
Cisleithanie, administrée
par l'Autriche
Transleithanie, administrée
par la Hongrie

Territoires occupés en 1878
et annexés en 1908
Territoires occupés de 1878
à 1909
Confins militaires
Limites de l'Autriche-Hongrie
en 1914

0   200 km

Mosaïque de nationalités souvent enne- mies, l'Empire d'Autriche survit aux sou- lèvements italien, tchèque, hongrois de 1848; les Allemands de la région alpestre rétablissent leur autorité par la force, quoique difficilement, sur les Hongrois (eux-mêmes oppresseurs des Croates et des Roumains). La défaite de 1859, qui lui enlève la Lombardie, celle de 1866, qui lui coûte la Vénétie et la suprématie en Allemagne, contraignent François-Joseph Ier à admettre les « abus héréditaires » et à conclure avec la Hongrie le « compromis » de 1867, fondé sur le « partage des hordes » de part et d'autre de la Leitha : Budapest, capitale de la Transleithanie, tient sous son autorité les Croates, les Slovaques, les Transylvains de la couronne de Saint-Étienne; Vienne, capitale de la Cisleithanie, gouverne « l'autre moitié impériale », Tchèques, Polonais, Ruthènes, Italiens. Les Allemands empêchent le dualisme de devenir un *trialisme* au profit des Tchèques. En 1878, le congrès de Berlin autorise l'Autriche-Hongrie à occuper « provisoi- rement » la Bosnie-Herzégovine, peu- plée de Slaves; son annexion, en 1908, provoque les protestations des Serbes soutenus par la Russie. La guerre pour- tant n'éclate qu'en 1914 après l'attentat de Sarajevo. (V. cartes pp. 71, 72, 73, 79, 98, 99 [B] et 167.)

B

NOUVELLES FRONTIÈRES
EN EUROPE CENTRALE (1919-1921)

ALLEMAGNE

SILÉSIE

POLOGNE

PRAGUE
BOHÊME

BAVIÈRE

Munich

MORAVIE

TCHÉCOSLOVAQUIE

SLOVAQUIE

GALICIE

Cracovie

RUTHÉNIE
SUBCARPATIQUE

BUCOVINE

VIENNE

AUTRICHE

Innsbruck

SUISSE

TRENTIN
1919/20
Ital.
Trente

VÉNÉTIE

Bratislava
Presbourg

Sopron
Odenburg
1921, Hongrie

BUDAPEST

HONGRIE

Lac
Balaton

SLOVÉNIE
Ljubljana

Zagreb

Drave

CROATIE

Trieste
ISTRIE
1919/20
Ital.
Fiume
Rijeka

Zara
Zadar
Ital.

SLAVONIE

BOSNIE

DALMATIE

Split

Vis

Lagosta
Lastovo
Ital.

Dubrovnik

Kotor

SIRMIE

BAČKA

Tisza

Debrecen

Szeged

Mures

Timişoara
Temesvár

BANAT

ROUMANIE

Cluj

TRANSYLVANIE

Alba-Iulia

VALACHIE

Turnu
Severin

Danube

Klagenfurt
1920, Autriche

ITALIE

Parme

Pô

Venise

Adige

YOUGOSLAVIE

Sarajevo

Novi Pazar

Peć

Pristina

KOSOVO

ALBANIE

SERBIE

BELGRADE

BUCAREST

BULGARIE

SOFIA

Limites de la monarchie
austro-hongroise (1914)
Frontières des nouveaux États
(traités de 1919 et 1920)
Territoires soumis à plébiscites
Territoires attribués à l'Italie
Fiume, ville libre de 1920 à 1924,
1924 à l'Italie

0   200 km

En novembre 1918, l'empire des Habs- bourg se disloque. Le Trentin, le Haut- Adige et l'Istrie sont rattachés à l'Italie; la Slovénie, la Croatie, la Bosnie-Herzé- govine, la Dalmatie et la Serbie forment le royaume des Serbes, des Croates et des Slovènes; le banat de Timişoara et la Transylvanie s'agrègent à la Roumanie, la Galicie à la Pologne; au Nord enfin s'édifie la république de Tchécoslova- quie. Les traités de Saint-Germain-en- Laye du 19 septembre 1919 et de Tria- non du 4 juin 1920 sanctionnent le démembrement de l'Empire austro-hon- grois. Des plébiscites donnent la Silésie de Teschen (Cieszyn) à la Pologne le 28 juillet 1920, Klagenfurt à l'Autriche le 10 octobre, le Burgenland à l'Autriche et Sopron à la Hongrie le 4 décembre. En Haute-Silésie, le plébiscite du 20 mars 1921 est favorable à l'Allemagne; celle-ci doit cependant abandonner le tiers de ce pays à la Pologne, le 20 octobre.
   Peu peuplés, dotés de frontières démesurées et contestées, les États nouvellement créés sont stratégique- ment indéfendables. L'équilibre écono- mique de l'Europe centrale est rompu, la Bohême, la Haute et la Basse-Autriche industrielles se trouvant désormais séparées de la Hongrie et de la Transyl- vanie agricoles. Capitale déchue, Vienne échappe difficilement à l'attraction de l'Allemagne. Interdit par les traités, mais fruit fatal de leur application, l'*Ans- chluss* est réalisé par Hitler, le 13 mars 1938 : cette décision porte en germe la *Seconde Guerre mondiale*. (V. cartes pp. 81, 82, 83, 151, 164, 165 et 167.)

A

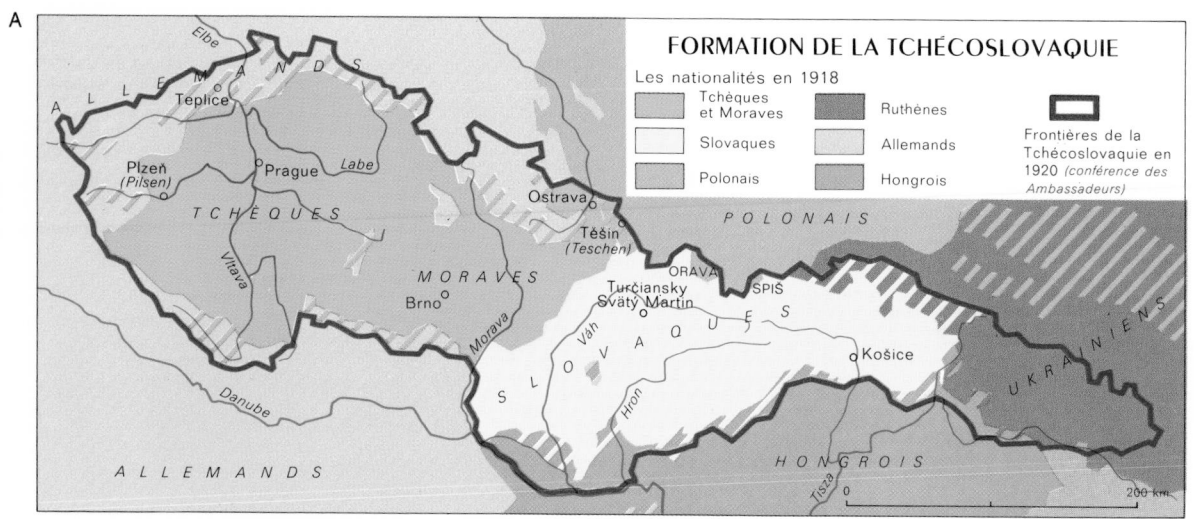

FORMATION DE LA TCHÉCOSLOVAQUIE

Les nationalités en 1918

- Tchèques et Moraves
- Slovaques
- Polonais
- Ruthènes
- Allemands
- Hongrois
- Frontières de la Tchécoslovaquie en 1920 *(conférence des Ambassadeurs)*

Née de l'effondrement de l'Empire austro-hongrois en 1918, la Tchécoslovaquie apparaît comme un État composite : la partie tchèque (Bohême, Moravie, Silésie) issue de l'Autriche, industrialisée, s'oppose à la Slovaquie précédemment hongroise, agricole et attardée; de plus, le pays englobe de très fortes minorités ethniques (35 p. 100 de la population, dont 3,2 millions d'Allemands des Sudètes).

La politique de centralisation pratiquée par le gouvernement, où domine la bourgeoisie tchèque (représentée par Tomáš Masaryk et Edvard Beneš), suscite des oppositions, chez les Slovaques et surtout chez les Allemands, victimes de la « nostrification » économique (naturalisation des sociétés ayant leurs entreprises en Tchécoslovaquie) : l'Allemagne nazie profite de l'agitation du *Sudetendeutsche Partei* (parti allemand des Sudètes) de Konrad Henlein pour intervenir et annexer, après la conférence de Munich des 29 et 30 septembre 1938, tout le pourtour de la Bohême, d'une grande importance stratégique. Le démembrement de la Tchécoslovaquie, désormais impuissante, est achevé, le 15 mars 1939, par la création du « protectorat (allemand) de Bohême-Moravie » et d'une Slovaquie théoriquement indépendante, en fait asservie. Libéré en 1945, le pays retrouve alors ses frontières de 1920 (sauf à l'est, où la Ruthénie — ou Ukraine subcarpatique — est annexée par l'U.R.S.S.), le problème des minorités étant réglé par l'expulsion des Allemands des Sudètes. (V. cartes pp. 82 [B], 83 [A et B] et 163 [A et B].)

B

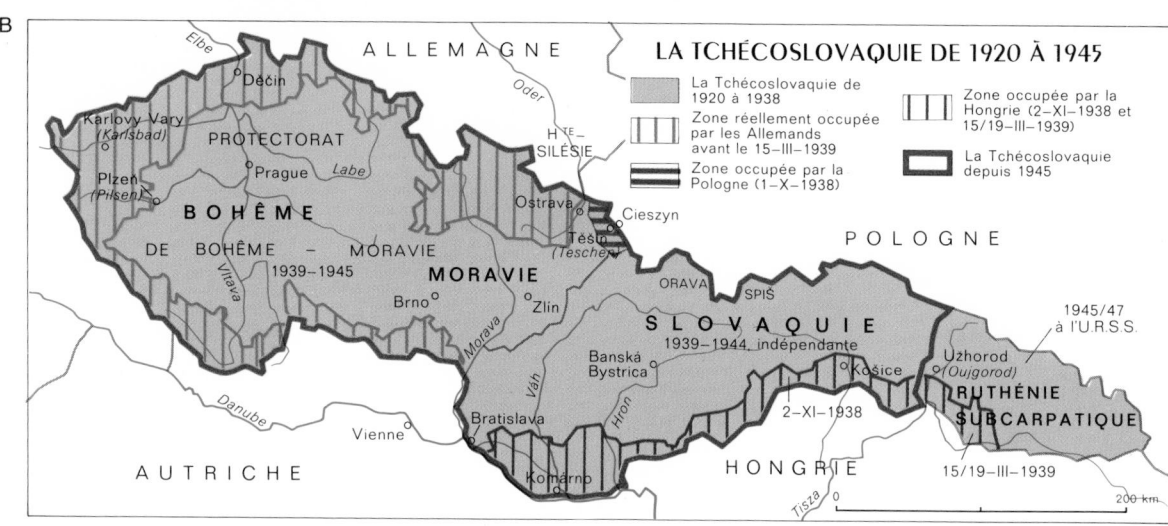

LA TCHÉCOSLOVAQUIE DE 1920 À 1945

- La Tchécoslovaquie de 1920 à 1938
- Zone réellement occupée par les Allemands avant le 15-III-1939
- Zone occupée par la Pologne (1-X-1938)
- Zone occupée par la Hongrie (2-XI-1938 et 15/19-III-1939)
- La Tchécoslovaquie depuis 1945

C

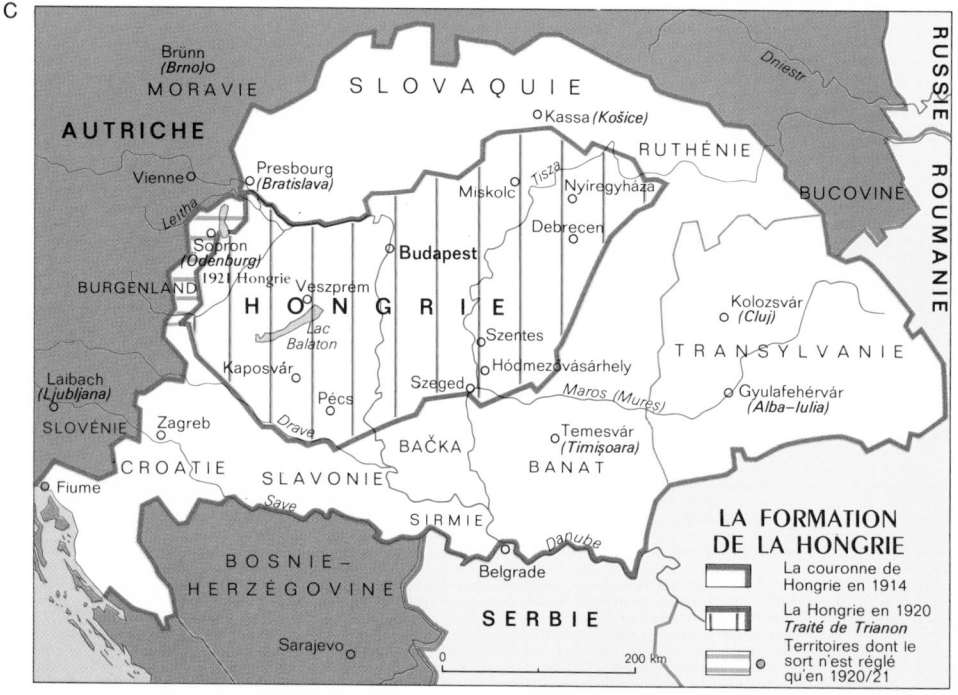

LA FORMATION DE LA HONGRIE

- La couronne de Hongrie en 1914
- La Hongrie en 1920 *Traité de Trianon*
- Territoires dont le sort n'est réglé qu'en 1920/21

L'ancienne Transleithanie, où la république est proclamée le 16 novembre 1918, sort démembrée de la guerre (traité de Trianon du 4 juin 1920) : les 11 millions de Slaves et de Roumains obtiennent leur indépendance, et la « petite Hongrie » est réduite à 92 000 km² avec 8 millions d'habitants. Elle ne regroupe même pas tous les Magyars, dont près de 3 millions sont dispersés en Slovaquie, en Roumanie, en Yougoslavie. Après plébiscite, elle est même amputée, en septembre 1922, du Burgenland à l'exception de Sopron. Cette situation explique la politique « révisionniste » de l'amiral Horthy et le rapprochement avec l'Italie fasciste, puis avec l'Allemagne nazie : la politique de collaboration menée pendant la guerre vaut à la Hongrie d'être ramenée, en 1945, dans ses frontières du 1er janvier 1938. (V. cartes pp. 82 [B] et 83 [A et B].)

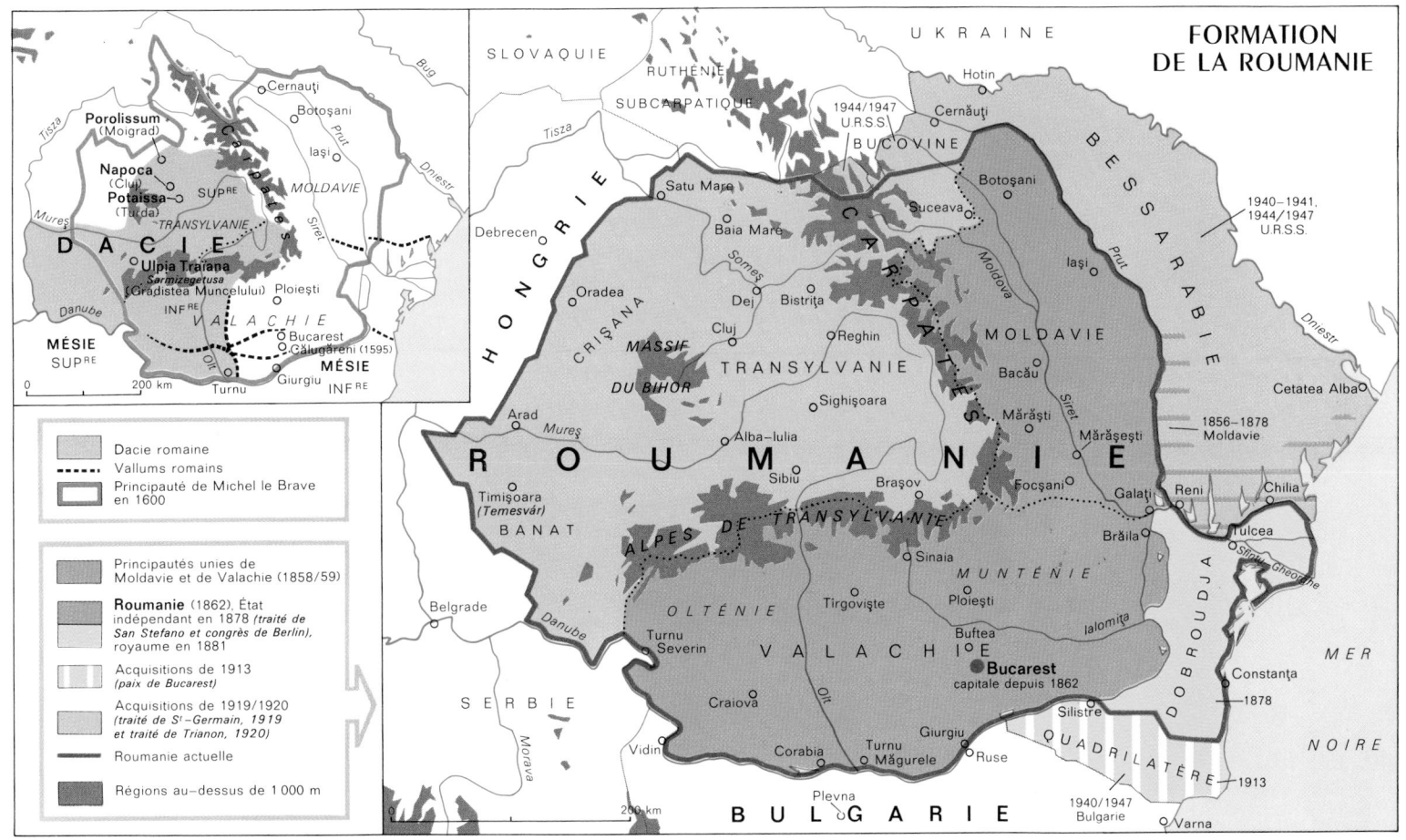

FORMATION
DE LA ROUMANIE

Légende:

- Dacie romaine
- Vallums romains
- Principauté de Michel le Brave en 1600

- Principautés unies de Moldavie et de Valachie (1858/59)
- **Roumanie** (1862), État indépendant en 1878 *(traité de San Stefano et congrès de Berlin)*, royaume en 1881
- Acquisitions de 1913 *(paix de Bucarest)*
- Acquisitions de 1919/1920 *(traité de St-Germain, 1919 et traité de Trianon, 1920)*
- Roumanie actuelle
- Régions au-dessus de 1 000 m

L'originalité de la Roumanie (sensible encore aujourd'hui parmi les démocraties populaires) est d'abord d'ordre culturel : la persistance, dans un monde slave, d'une langue romane héritée de l'occupation de la Dacie par des colons romains. Pourtant, malgré le bref épisode du prince valaque Michel le Brave en 1600-01, la Roumanie, coupée en deux par les Carpates, ne réalise son unité qu'au XXe siècle : tandis que la

Transylvanie est englobée dans l'empire des Habsbourg en 1699, la Moldavie et la Valachie sont la proie des ambitions contradictoires des Ottomans et des Russes. Profitant de l'affaiblissement des premiers et de la guerre de Crimée, les deux principautés obtiennent une véritable autonomie en 1858. Unifiées en 1859, elles sont fusionnées en 1862 en un seul État : la Roumanie. Celle-ci proclame son indépendance en 1877 et

la fait reconnaître en 1878, à l'issue de la guerre russo-turque (annexion de la Dobroudja à majorité bulgare). Sa participation à la Première Guerre mondiale aux côtés des Alliés à partir de 1916 lui permet d'achever son unité. Par le traité de Trianon du 4 juin 1920, la Hongrie lui cède en effet la Transylvanie et le Banat de Timişoara (Temesvár). Entérinée par les Alliés en 1920, l'annexion de la Bessarabie et celle de la Bucovine le

28 novembre 1918 sont contestées par l'U.R.S.S., qui impose à la Roumanie leur rétrocession le 28 juin 1940. Celle-ci est confirmée le 10 février 1947 par le traité de Paris, en même temps que la restitution de la Dobroudja méridionale à la Bulgarie, qui la détenait depuis le 7 septembre 1940. La Roumanie devient une démocratie populaire le 30 décembre 1947. (V. cartes pp. 62 [B], 148, 162 [C et D], 163 [A et B], 178 et 179.)

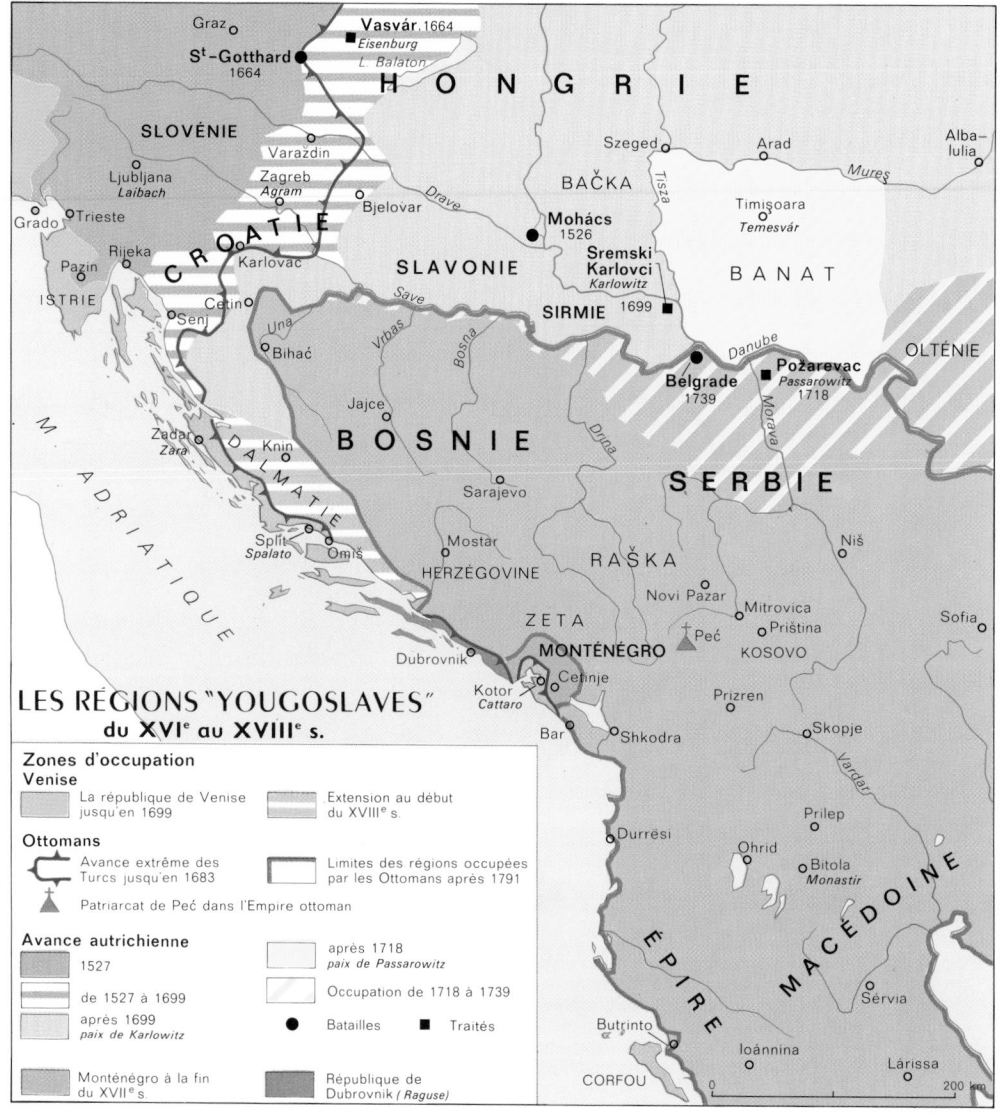

LES RÉGIONS "YOUGOSLAVES"
du XVIᵉ au XVIIIᵉ s.

Zones d'occupation
Venise

La république de Venise jusqu'en 1699

Extension au début du XVIIIᵉ s.

Ottomans

Avance extrême des Turcs jusqu'en 1683

Limites des régions occupées par les Ottomans après 1791

Patriarcat de Peć dans l'Empire ottoman

Avance autrichienne

1527

de 1527 à 1699

après 1699
paix de Karlowitz

après 1718
paix de Passarowitz

Occupation de 1718 à 1739

● Batailles   ■ Traités

Monténégro à la fin du XVIIᵉ s.

République de Dubrovnik (*Raguse*)

Diversité des origines et des confessions religieuses, ambitions contraires des princes, compartimentation du relief, tout oppose les peuples sud-slaves et les livre à des influences centrifuges : *Slovènes* catholiques, établis dans un pays frontière progressivement incorporé aux domaines des Habsbourg à partir de 1282; *Croates* et *Dalmates,* également catholiques, dont le royaume fondé en 925 accepte pour souverain dès 1102 le roi de Hongrie, afin de résister aux Vénitiens qui contrôlent le littoral adriatique depuis l'an mille (le doge de Venise est «Dux Dalmaticorum»); *Serbes* orthodoxes, dont l'indépendance, née en Raška à la fin du IXᵉ siècle, succombe en 1389, à Kosovo, aux coups des Ottomans; *Bosniaques,* enfin, longtemps soumis, au cœur de la région, aux influences contraires de l'Orient et de l'Occident et, de ce fait, plus accessibles aux doctrines hétérodoxes, tel le bogomilisme au XIIᵉ siècle.

Un moment unifiés par les Turcs, dont la progression jusqu'en 1683 n'épargne que la Slovénie et la côte adriatique, les Yougoslaves sont, à la fin du XVIIIᵉ siècle, soumis à une quadruple domination étrangère : celle des *Vénitiens,* qui s'élargit alors à la Dalmatie intérieure; celle des *Allemands,* qui se maintiennent en Slovénie; celle des *Hongrois,* qui, de 1683 à 1791, reprennent la Croatie, la Slavonie et la Sirmie, y établissant une zone de défense frontalière — les confins militaires, havre d'accueil pour les Slaves des États des Habsbourg; celle des *Turcs,* enfin, qui colonisent le reste du pays — l'essentiel. À deux exceptions près pourtant : celle de Raguse (Dubrovnik) indépendante jusqu'en 1806 et celle du Monténégro, qu'un relief tourmenté isole de ses voisins. Là survit la flamme de l'indépendance. Par leurs révoltes de 1804 et 1805, les Serbes la ravivent au XIXᵉ siècle.
(V. cartes pp. 137, 162 [A] et 179.)

FORMATION DE LA YOUGOSLAVIE

Territoires libérés de l'occupation turque
du début du XIXᵉ s. à 1876
1878
1913
Ancien sandjak de Novi Pazar
Frontière entre le Monténégro et la Serbie en 1912/13
Territoires libérés en 1919
de l'occupation autrichienne
de l'occupation hongroise
de l'occupation austro-hongroise
Frontières du royaume des Serbes, Croates et Slovènes en 1920, devenu royaume de Yougoslavie en 1929
Territoires libérés de l'occupation italienne après la Seconde Guerre mondiale (1945/54)

À l'origine de l'unité yougoslave se place l'émancipation des peuples slaves orthodoxes de l'Empire ottoman, les Monténégrins et surtout les Serbes. Totalement autonomes en 1856, ces derniers accèdent à l'indépendance lors du congrès de Berlin de 1878 à l'issue de la guerre russo-turque. Le royaume serbe devient alors un pôle d'attraction pour les populations « yougoslaves » (sudslaves) de l'Empire austro-hongrois. L'orientation russophile du roi Pierre Iᵉʳ Karadjordjević (1903-1921), le prestige accru de la Serbie, qui double son territoire lors des guerres balkaniques de 1912-13, expliquent l'affrontement austro-serbe de 1914 à la suite de l'attentat de Princip à Sarajevo contre l'archiduc François-Ferdinand le 28 juin.

La défaite austro-hongroise permet l'unification yougoslave : le 29 octobre 1918, la Croatie proclame son indépendance; le 26 novembre, le Monténégro dépose son souverain et s'unit à la Serbie; le 1ᵉʳ décembre, le régent Alexandre proclame la création du royaume des Serbes, des Croates et des Slovènes, qu'il érige en royaume de Yougoslavie le 6 janvier 1929. Mais la politique centralisatrice et le nationalisme serbes suscitent de violentes réactions, surtout en Croatie (catholique et économiquement plus développée), où l'agitation prend une tournure fascisante (assassinat d'Alexandre Iᵉʳ par des membres de l'Oustacha obéissant à Ante Pavelić [v. carte A p. 83]; la désorganisation du royaume favorise son attaque, puis son démembrement par l'Allemagne nazie en 1941. Libéré en 1944-45 par la résistance intérieure qu'animent les partisans de Josip Broz Tito, le pays devient une république fédérale, qui suit une voie socialiste originale, politiquement indépendante de l'U.R.S.S. à partir de 1948, économiquement autogestionnaire depuis 1950.
(V. cartes pp. 72, 73 [A et B], 79, 82 [B], 83 [A et B], 162 [B, C et D] et 163 [A et B].)

L'ASIE

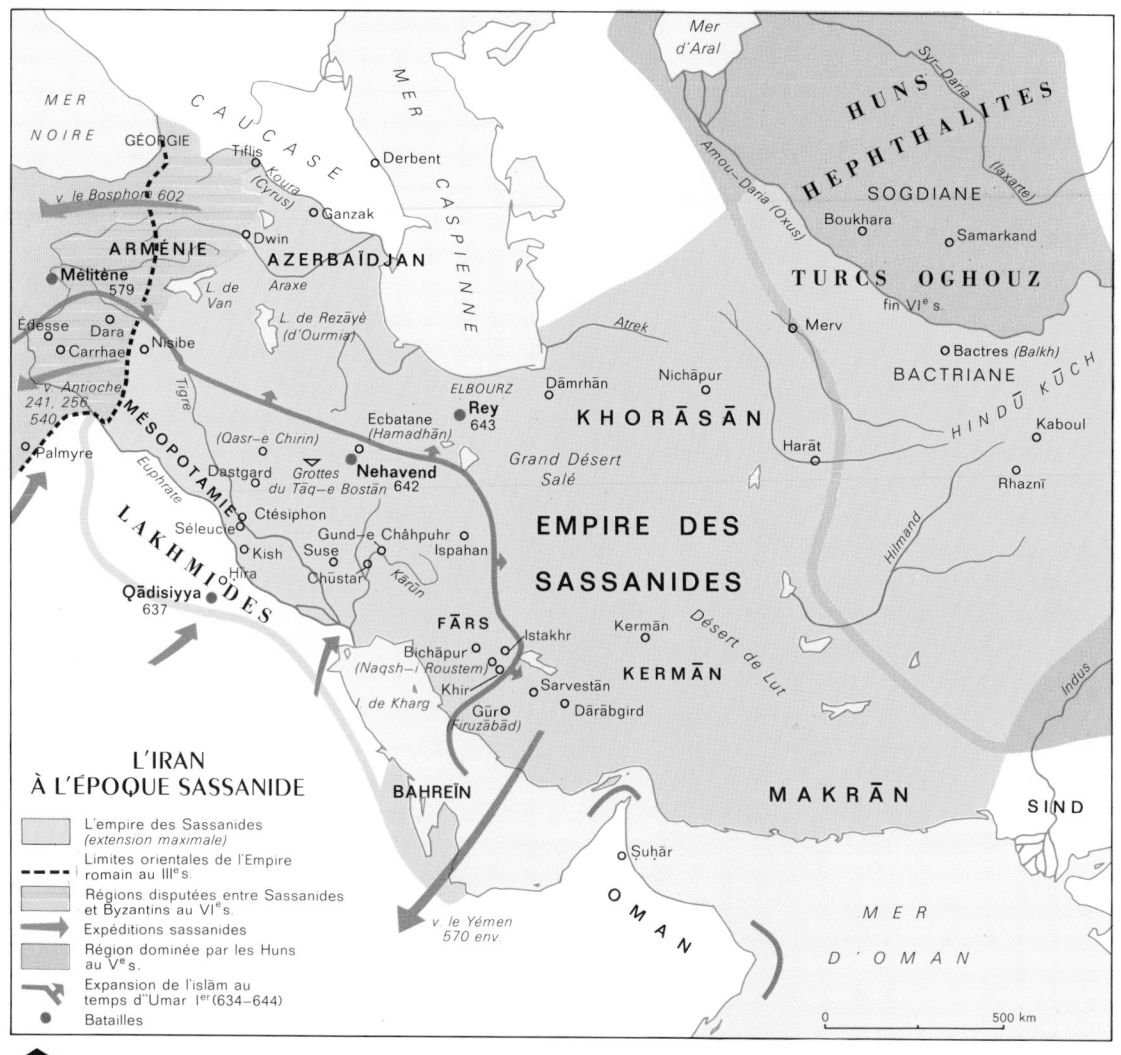

**L'IRAN
À L'ÉPOQUE SASSANIDE**

- L'empire des Sassanides *(extension maximale)*
- - - - Limites orientales de l'Empire romain au IIIe s.
- Régions disputées entre Sassanides et Byzantins au VIe s.
- → Expéditions sassanides
- Région dominée par les Huns au Ve s.
- → Expansion de l'islām au temps d''Umar Ier (634-644)
- ● Batailles

Après la conquête par Rome des royaumes nabatéen en 106 apr. J.-C. et palmyrénien en 272, l'Arabie connaît une période de déclin, aggravé par le dépérissement de la civilisation du Yémen envahi par les Sassanides vers 570. Protégée au nord par les tribus rhassanides et lakhmides, vassalisée par les Byzantins et par les Perses, l'Arabie bénéficie, au VIe siècle, de l'affrontement perso-byzantin, qui détourne vers le Hedjaz une partie du trafic entre Méditerranée et Extrême-Orient. Dans une société à structure pourtant tribale, une telle situation a une double conséquence : croissance des villes et des oligarchies marchandes, notamment à La Mecque; pénétration du monothéisme juif ou chrétien, qui se superpose à une religion à la fois fétichiste et polythéiste et qui influence la prédication de Mahomet. (V. cartes pp. 27, 28, 32 et 170.)

Contraint par l'oligarchie marchande de La Mecque à quitter cette ville en 622 *(Hégire)* pour Yathrib, qui devient alors Médine (la ville du Prophète), Mahomet y précise sa doctrine; surtout, il y organise une communauté ouverte à tous les musulmans, l'*umma,* bientôt assez forte pour s'imposer à La Mecque et unifier l'Arabie. Après la mort du Prophète (632), l'expansion vers le nord, au nom du *djihād,* est facilitée par le mécontentement des populations soumises aux Empires byzantin et sassanide et par le grave affaiblissement de ces derniers : en douze ans, les Byzantins, battus sur le Yarmouk en 636, perdent la Palestine, la Syrie et l'Égypte, et sont menacés sur mer; vaincu à Qādisiyya et donc amputé de l'Iraq dès 637, l'Empire sassanide, brisé à Nehavend en 642, achève de disparaître en 655. L'expansion est alors interrompue par l'affrontement entre le calife 'Alī (656-661), gendre de Mahomet, et le gouverneur de Syrie, Mu'āwiyya. Légitimant son avènement par la capture d''Ā'icha, la jeune veuve du Prophète (bataille du Chameau, 656), 'Alī doit en effet accepter à Şiffīn (657) l'arbitrage d'Adruḥ (658) qui permet finalement à son rival de l'éliminer. (V. carte p. 170.)

L'Iran est un vaste plateau largement ouvert aux menaces extérieures : nomades au nord-est et au sud-ouest, Romains, puis Byzantins à l'ouest; cette situation, qui détermine la création d'une armée solide (cavaliers, archers), explique la longue occupation étrangère des Parthes Arsacides, finalement chassés par une réaction nationale. Sans rejeter totalement l'héritage parthe, les Sassanides prétendent restaurer l'Empire achéménide (v. carte p. 11). Après la conquête de l'Iran (216-224) et celle de la Mésopotamie (230-232), marquée par la prise de Ctési-

phon (226), Ardachîr Ier organise un État centralisé, soumis au mazdéisme. L'ennemi principal, aux IIIe et IVe siècles, est Rome, qui résiste malgré d'humiliantes défaites infligées à des empereurs qui y trouvent la mort : Valérien en 260, Julien en 363. Au Ve siècle, la menace vient des Huns Blancs, ou Hephtalites, et de l'Empire byzantin, qui affirme des ambitions territoriales et prend, en même temps, la défense des chrétiens établis en Iran. Khosrô Ier traite avec Justinien en 532, après une offensive victorieuse de Bélisaire, mais il anéantit le royaume des Huns Blancs avec l'aide des Turcs

Oghouz; vers 570, appelé par les Arabes, il intervient au Yémen contre les Éthiopiens. Khosrô II met en danger Constantinople, mais il est repoussé par Héraclius (610 et 622-627). Ces longues guerres, souvent victorieuses, rendent d'autant plus brutale la conquête arabe : les cavaliers musulmans venus du désert prennent Séleucie et Ctésiphon, après la bataille de Qādisiyya (637); à Nehavend (642), ils remportent la victoire décisive. L'Iran perd son indépendance. Yazdgard III s'enfuit, mais son assassinat près de Merv scelle le destin de la dynastie en 651. (V. cartes pp. 27, 28 et 32.)

 C

L'élimination d''Alī par Mu'āwiyya (661-680) est à l'origine de violentes tensions religieuses : mouvement khāridjite, d'inspiration égalitaire, qui récuse l'arbitrage d'Adruḥ et dont les adeptes assassinent finalement 'Alī; mouvement chi'ite, de nature purement politique, qui estime que le califat doit être réservé aux membres de la famille de Mahomet, c'est-à-dire au cousin et gendre de ce dernier, 'Alī, et à ses descendants. Malgré cette rupture de l'unité spirituelle de

l'Islām, la dynastie omeyyade maintient l'unité politique, tout en faisant glisser son centre de gravité d'Arabie en Syrie, où elle recueille l'héritage byzantin et où naissent une civilisation nouvelle et un nouveau mode de gouvernement, synthèse des apports arabes et impériaux. Mais cette acculturation n'empêche pas un prosélytisme agressif.

Interrompue par les troubles consécutifs à la mort de Mu'āwiyya entre 680 et 690, l'expansion vers l'ouest est mar-

quée par l'occupation de l'Ifrīqiya en 670; puis par celle, plus difficile, du Maghreb, à laquelle s'opposent les Berbères; enfin, par la conquête de l'Espagne par Ṭāriq ibn Ziyād, agissant sur les ordres du gouverneur d'Afrique du Nord, Mūsā. À l'est, les Arabes atteignent les confins indiens (Multān, 713) et chinois (victoire du Talas en 751).

Mais deux difficultés majeures freinent cette expansion : l'*essouflement* de l'élan initial, sous les murs de Cons-

tantinople en 717 et aux abords de Poitiers en 732; l'*apparition* de forces centrifuges, notamment en Perse où l'opposition chi'ite traduit un nationalisme vivace, traditionnellement hostile à la Syrie. Ainsi s'explique la révolte d'Abū al-'Abbās. Partie du Khurāsān en 747-48, celle-ci écrase l'armée des Omeyyades au Grand Zāb en 749 et permet l'avènement de son chef au califat en 750 : l'ère 'abbāsside commence. (V. cartes pp. 35, 40, 172, 198 et 214.)

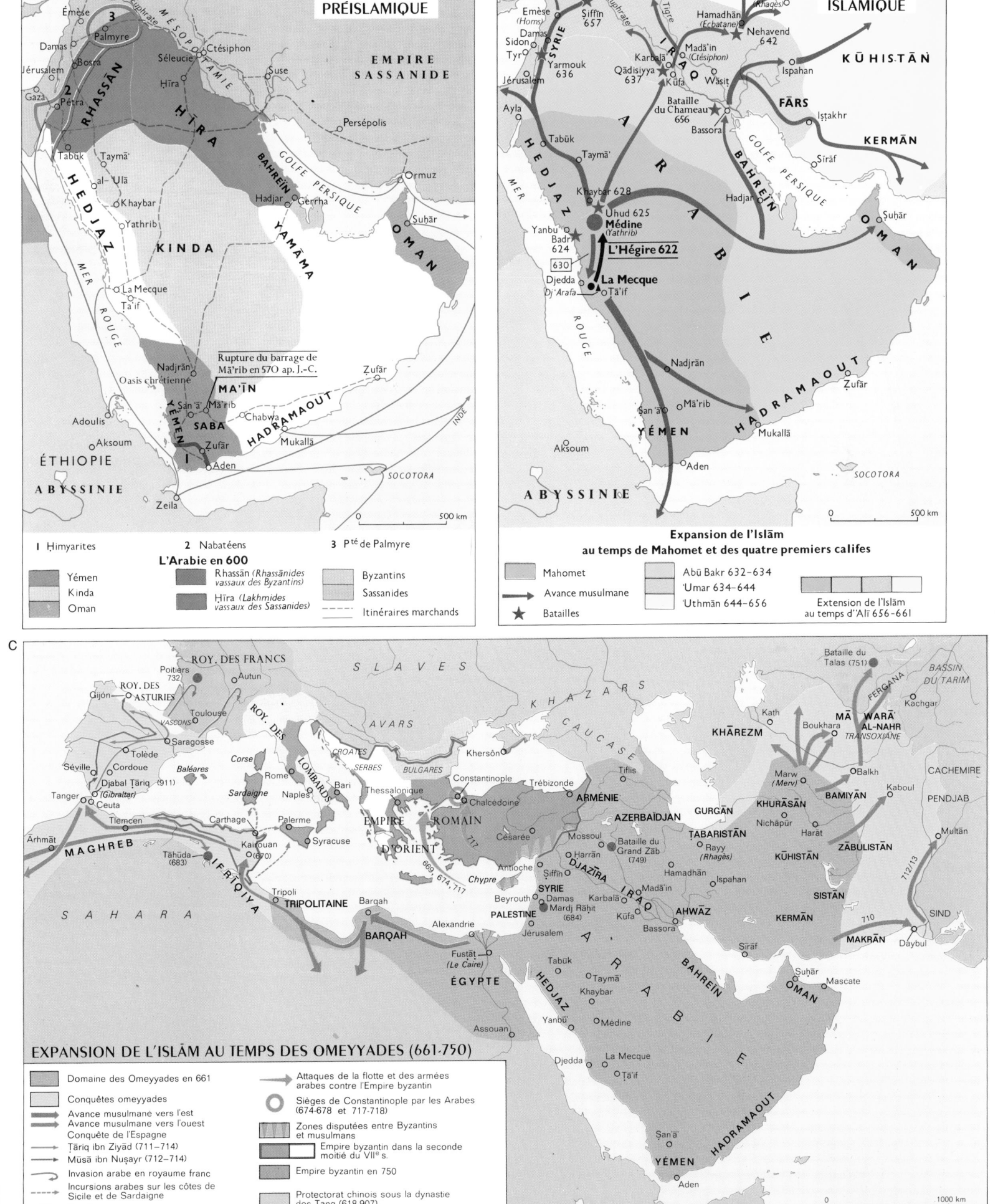

A — L'ARABIE PRÉISLAMIQUE

EMPIRE SASSANIDE

Rupture du barrage de Ma'rib en 570 ap. J.-C.

500 km

1 Himyarites   2 Nabatéens   3 P^té de Palmyre

L'Arabie en 600

- Yémen
- Kinda
- Oman
- Rhassān (Rhassānides vassaux des Byzantins)
- Hīra (Lakhmides vassaux des Sassanides)
- Byzantins
- Sassanides
- --- Itinéraires marchands

B — L'ARABIE ISLAMIQUE

Uhud 625
Médine (Yathrib)
L'Hégire 622
Badr 624
630
Djedda   La Mecque
Dj. 'Arafa   Ta'if

Siffin 657
Yarmouk 636
Qādisiyya 637
Nehavend 642
Madā'in (Ctésiphon)
Bataille du Chameau 656

Expansion de l'Islām au temps de Mahomet et des quatre premiers califes

- Mahomet
- → Avance musulmane
- ★ Batailles
- Abū Bakr 632-634
- 'Umar 634-644
- 'Uthmān 644-656
- Extension de l'Islām au temps d''Alī 656-661

500 km

C — **EXPANSION DE L'ISLĀM AU TEMPS DES OMEYYADES (661-750)**

Poitiers 732
ROY. DES FRANCS
ROY. DES ASTURIES
Djabal Tāriq (711)
Bataille du Talas (751)
Bataille du Grand Zāb (749)
Mardj Rāhit (684)
Tāhūda (683)
Kairouan (670)

- Domaine des Omeyyades en 661
- Conquêtes omeyyades
- ⟹ Avance musulmane vers l'est
- ⟹ Avance musulmane vers l'ouest   Conquête de l'Espagne
- → Ṭāriq ibn Ziyād (711-714)
- → Mūsā ibn Nuṣayr (712-714)
- ↪ Invasion arabe en royaume franc
- ⤍ Incursions arabes sur les côtes de Sicile et de Sardaigne
- ● Batailles
- → Attaques de la flotte et des armées arabes contre l'Empire byzantin
- ◯ Sièges de Constantinople par les Arabes (674-678 et 717-718)
- Zones disputées entre Byzantins et musulmans
- Empire byzantin dans la seconde moitié du VIIᵉ s.
- Empire byzantin en 750
- Protectorat chinois sous la dynastie des Tang (618-907)

1000 km

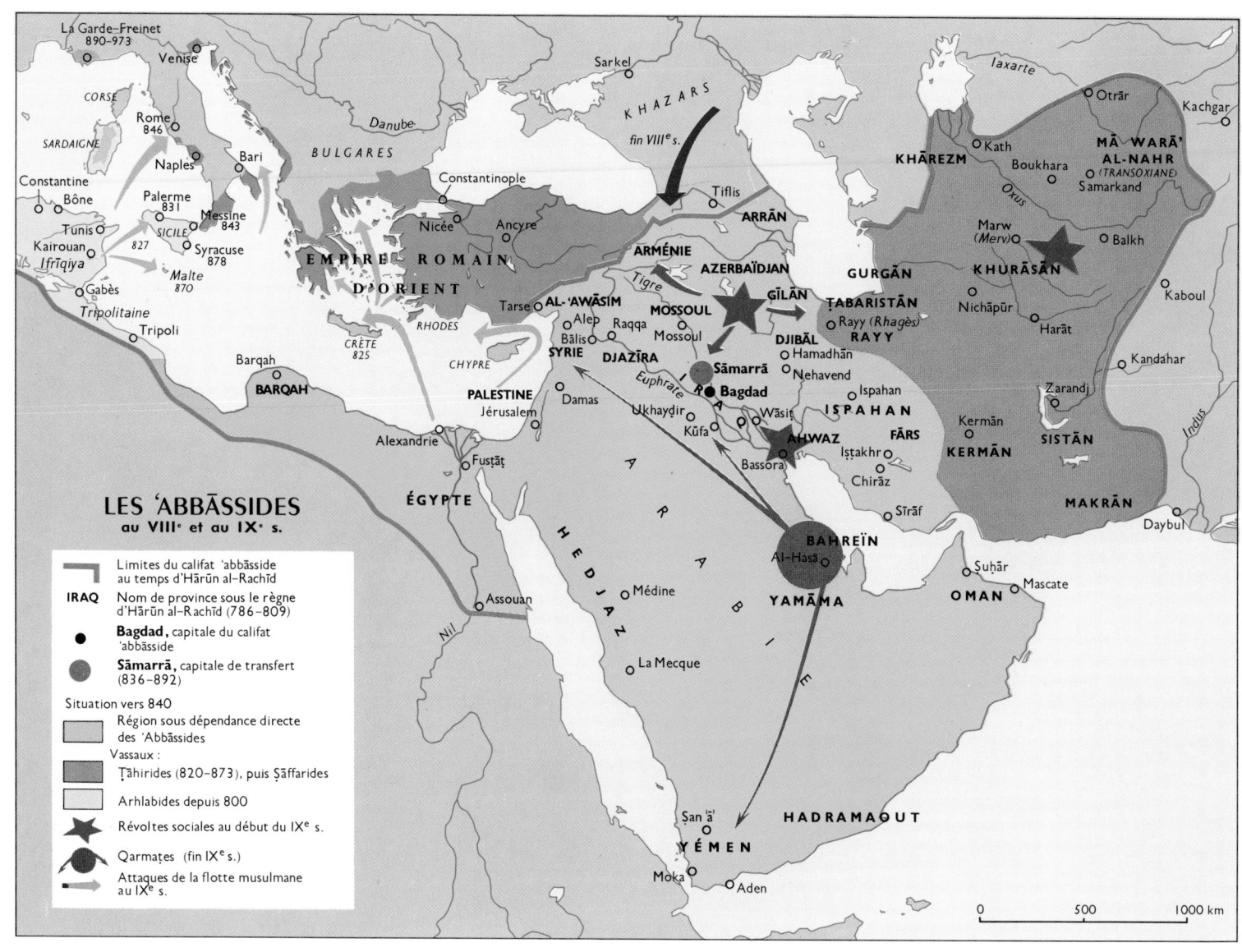

LES 'ABBĀSSIDES
au VIIIe et au IXe s.

Limites du califat 'abbāsside
au temps d'Hārūn al-Rachīd

IRAQ   Nom de province sous le règne
d'Hārūn al-Rachīd (786–809)

●   **Bagdad**, capitale du califat
'abbāsside

●   **Sāmarrā**, capitale de transfert
(836–892)

Situation vers 840

Région sous dépendance directe
des 'Abbāssides

Vassaux :

Ṭāhirides (820–873), puis Ṣāffarides

Arhlabides depuis 800

★   Révoltes sociales au début du IXe s.

●   Qarmaṭes (fin IXe s.)

→   Attaques de la flotte musulmane
au IXe s.

L'accession au califat d'Abū al-'Abbās en 750, le transfert par son successeur al-Manṣūr de la capitale à Bagdad (fondée en 762) signifient, en un sens, la revanche de la Perse sassanide. Ainsi s'expliquent le rôle prépondérant des Persans dans la vie publique et l'adoption progressive de leurs traditions politiques (sacralisation du calife, administration complexe et hiérarchisée, dirigée par le tout-puissant *vizir*); ainsi s'explique surtout l'épanouissement d'une civilisation arabo-persane très brillante. Pourtant, après le règne d'Hārūn al-Rachīd (786-809), qui marque l'apogée de l'Empire 'abbāsside, la décadence politique est rapide. Dès la fin du VIIIe siècle, l'Occident musulman a fait pratiquement sécession et s'est divisé en États autonomes : émirat omeyyade de Cordoue (756-1031), érigé en califat en 929; principauté des Idrīsides au Maghreb (788-974), des Arhlabides en Ifrīqiya (800-909); de plus, le califat s'affaiblit de l'intérieur, du fait notamment des mercenaires turcs, qui exercent, au IXe siècle, une tutelle de fait sur les califes et les vizirs. Cet affaiblissement favorise la création, par les gouvernements provinciaux, de dynasties plus ou moins indépendantes, aux confins iraniens et en Égypte où les Ṭūlūnides s'imposent de 868 à 905; il explique, en outre, l'éclatement de troubles sociaux (révoltes serviles en Ahwaz) qui prennent souvent une coloration religieuse : le mouvement qarmaṭe, qui mêle les revendications égalitaristes d'inspiration khāridjite et le fanatisme chī'ite, accentue le déclin 'abbāsside à la fin du IXe siècle.

(V. cartes pp. 35, 40, 41, 171 et 214.)

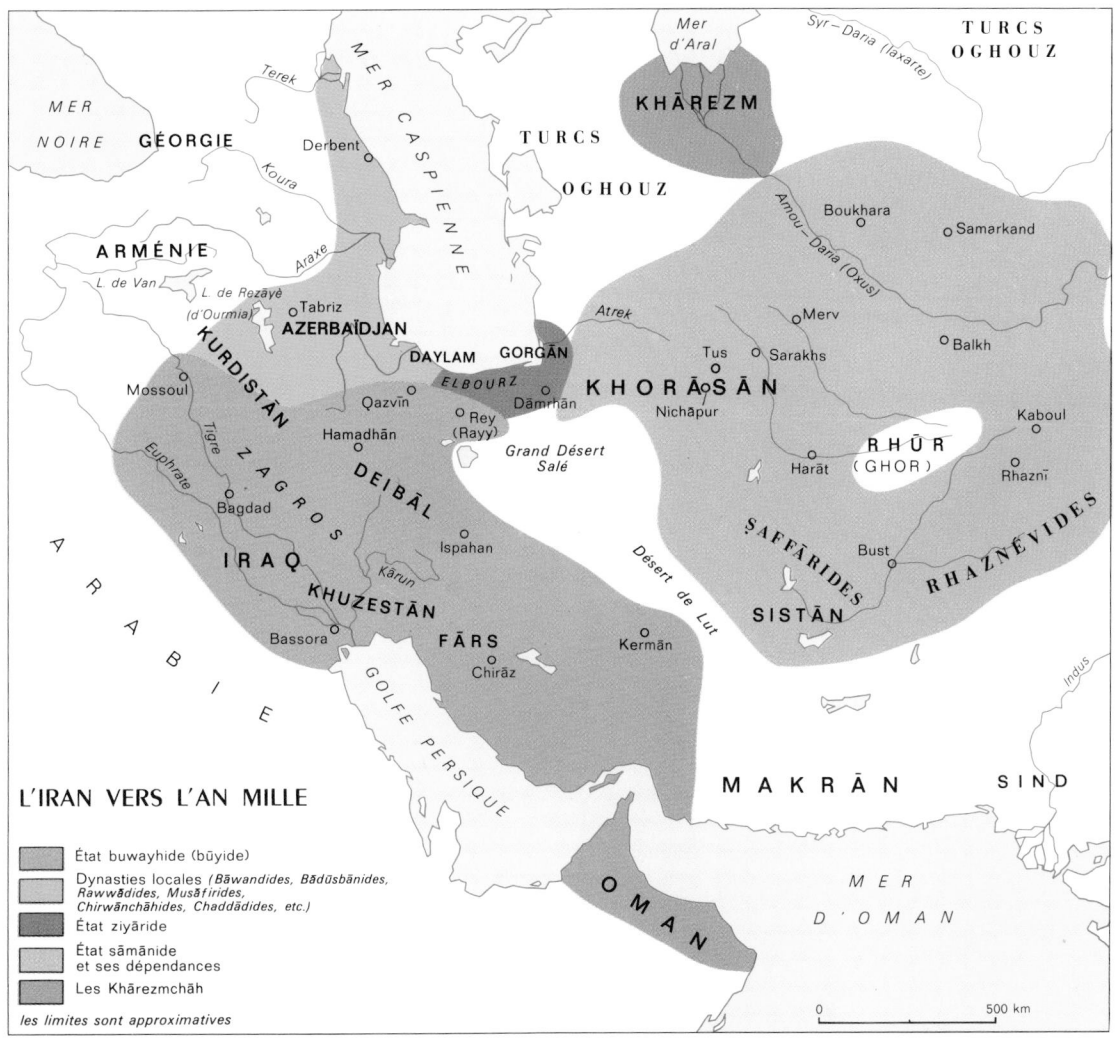

L'IRAN VERS L'AN MILLE

État buwayhide (būyide)

Dynasties locales (Bāwandides, Bādūsbānides, Rawwādides, Musāfirides, Chirwānchāhides, Chaddādides, etc.)

État ziyāride

État sāmānide et ses dépendances

Les Khārezmchāh

les limites sont approximatives

0   500 km

La dislocation de la partie orientale de l'Empire 'abbāsside, après la disparition de Hārūn al-Rachīd en 809, favorise une renaissance postislamique dans les unités territoriales et politiques nouvelles que font surgir les séparatismes locaux.

Cette renaissance se produit d'abord dans la région la plus excentrique : le Khorāsān, d'où les Tāhirides étendent bientôt leur domination des bords de l'Indus à la ville de Rey (Rayy) [820-873]. Éliminés par les Şaffārides dont la domination se rétracte bientôt au seul Sistān (863-902), ils sont remplacés par des descendants du général sassanide Bahrâm VI Tchobên, les Sāmānides de Boukhara. Protégeant le monde de l'islām contre la pénétration turque, ils assurent le renouveau de la langue, de la littérature et de l'histoire iranienne (874-999). Mais dans leur dépendance se forge secrètement la puissance turque des Rhaznévides; celle-ci s'épanouit territorialement aux confins de l'Inde sous Mahmūd de Rhazna (999-1030).

Dans l'Iran septentrional, plus proche de Bagdad, les califes 'abbāssides conservent plus longtemps une autorité nominale sur une mosaïque de dynasties locales. De vieille souche nobiliaire, la plus importante, celle des Ziyārides, constitue au sud de la Caspienne un petit État où sont restaurées les traditions sassanides. Par contre, au sud et à l'ouest de l'Iran, la révolte en 932 des Buwayhides retire toute la réalité du pouvoir au calife 'abbāsside. Ces redoutables guerriers descendus de l'Elbourz lui imposent leur suzeraineté, mais ils n'osent le déposer, car, bien que de confession chi'ite, ils respectent dans sa personne le chef de l'islām sunnite en raison de son immense prestige religieux. (V. cartes pp. 40 et 152.)

A

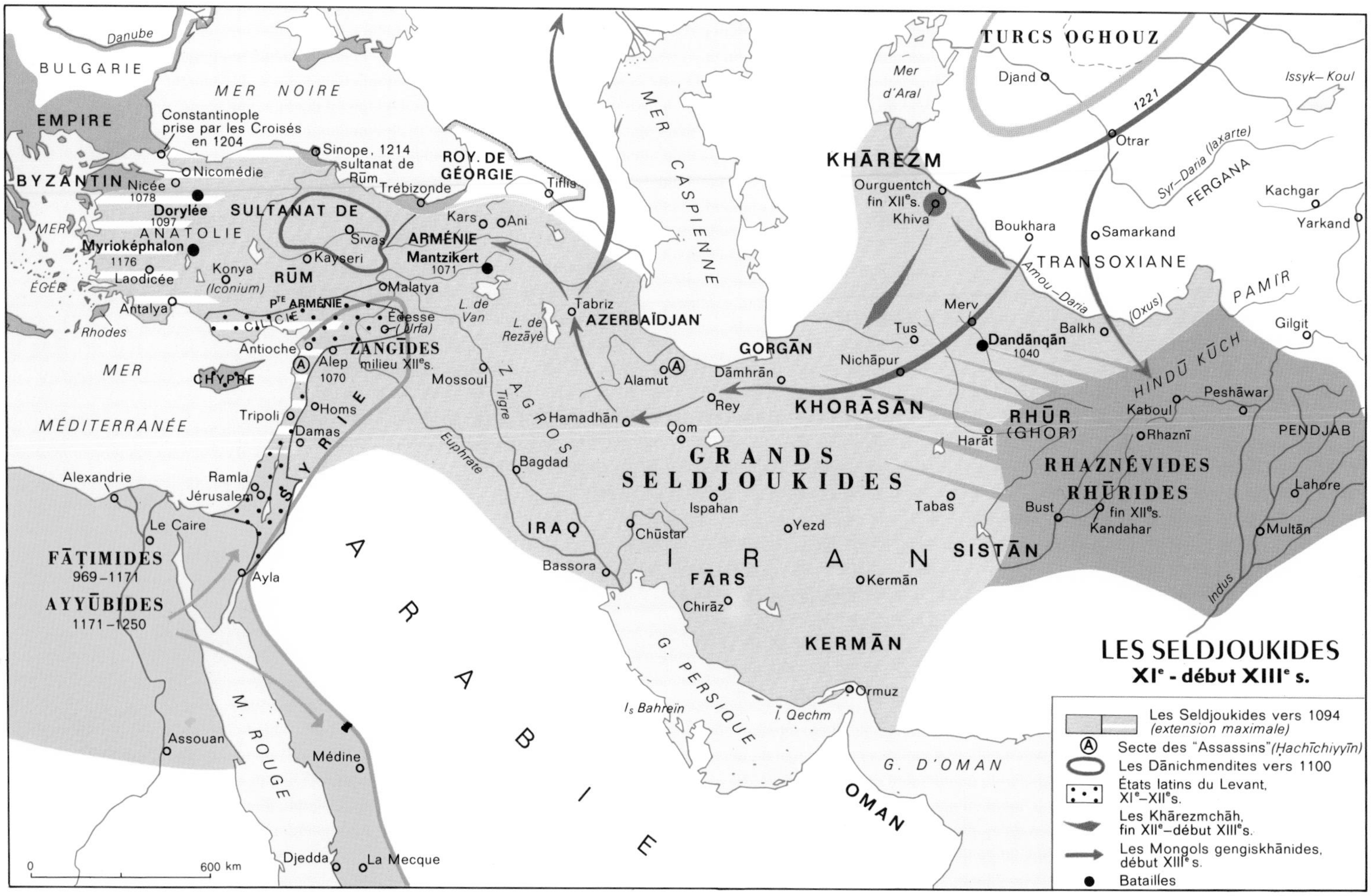

BULGARIE

MER NOIRE

EMPIRE

BYZANTIN Nicée Constantinople
prise par les Croisés
en 1204
Nicomédie
Sinope, 1214
sultanat de Rūm

Dorylée
1097 SULTANAT DE
ANATOLIE Trébizonde ROY. DE
GÉORGIE

Myrioképhalon Sivas Kars Ani Tiflis
1176 Kayseri **ARMÉNIE**
Laodicée Konya **Mantzikert**
(Iconium) RŪM Malatya 1071 AZERBAĪDJAN
Antalya PTE ARMÉNIE L. de
Van L. de
Rezāyé Tabriz

Rhodes CILICIE Édesse
(Urfa) Mossoul Alamut Rey

Antioche ZANGIDES Hamadhān Qom
CHYPRE Alep milieu XIIe s.
1070

Homs Tripoli Bagdad
Damas IRAQ Ispahan Yezd
Ramla FĀRS Chūstar Kermān
Jérusalem Chirāz
Alexandrie
Le Caire KERMĀN

FĀTIMIDES Ayla
969–1171

AYYŪBIDES
1171–1250

Médine

Assouan

Djedda La Mecque

MER
ÉGÉE

MER
MÉDITERRANÉE

MER
CASPIENNE

KHĀREZM Ourguentch
fin XIIe s.
Khiva TURCS OGHOUZ
Djand Otrar 1221
Mer
d'Aral Issyk–Koul

Boukhara Samarkand FERGANA Kachgar
TRANSOXIANE Yarkand
Merv Balkh PAMIR
Tus Gilgit
Nichāpur Dāmghān HINDŪ KŪCH Kaboul Peshāwar

GORGĀN KHORĀSĀN RHŪR
(GHOR) Rhaznī PENDJAB
Harāt Lahore

GRANDS RHAZNÉVIDES
SELDJOUKIDES RHŪRIDES
fin XIIe s. Multān

IRAN Bust Kandahar
SISTĀN Indus

Dandānqān
1040

ZAGROS

Euphrate Tigre

Bassora

G.
PERSIQUE Is Bahrein I. Qechm Ormuz

A R A B I E

M.
ROUGE

OMAN G. D'OMAN

SYRIE

LES SELDJOUKIDES
XIe – début XIIIe s.

	Les Seldjoukides vers 1094 *(extension maximale)*
Ⓐ	Secte des "Assassins" *(Ḥachīchiyyīn)*
⬭	Les Dānichmendites vers 1100
⬚	États latins du Levant, XIe–XIIe s.
➤	Les Khārezmchāh, fin XIIe–début XIIIe s.
→	Les Mongols gengiskhānides, début XIIIe s.
●	Batailles

0 600 km

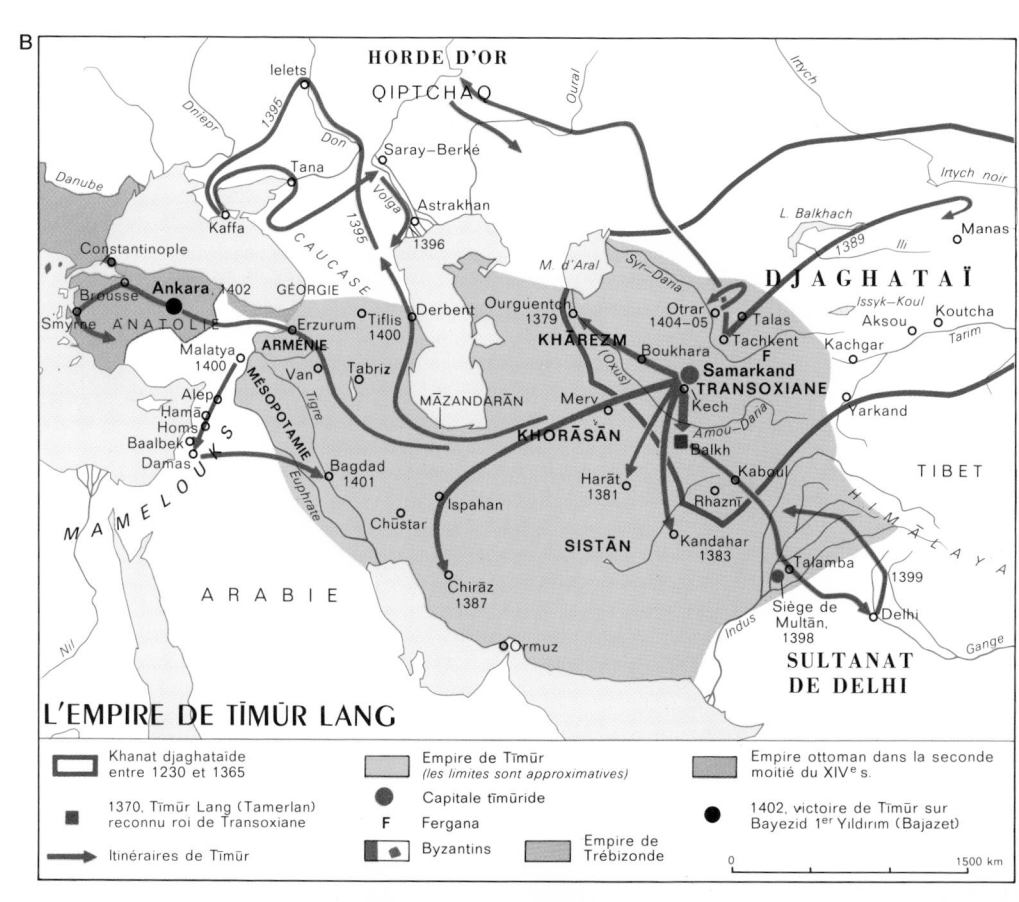

B

HORDE D'OR
QIPTCHAO

Ielets
1395
Tana Saray–Berké
Kaffa Astrakhan
1396

CAUCASE GÉORGIE

Constantinople Ankara, 1402
Brousse ANATOLIE Erzurum Tiflis
Smyrne 1400 Derbent
Malatya ARMÉNIE
1400 Van Tabriz
Alep MĀZANDARĀN
MESOPOTAMIE
Hamāḥ
Homs
Baalbek
Damas Bagdad
1401

MAMELOUKS Ispahan
Chūstar

A R A B I E

Chirāz
1387

Ormuz

DJAGHATAĪ
Otrar
1404–05 Talas
Tachkent F
Samarkand
TRANSOXIANE Kachgar
Kech Aksou
Balkh Yarkand Koutcha
Boukhara Issyk–Koul
Ourguentch Manas
1379 1389
KHĀREZM M. d'Aral Ili
Syr–Daria Tarim
Amou–Daria (Oxus)

Merv KHORĀSĀN
Harāt TIBET
1381 Kaboul
Rhaznī HIMĀLAYA
SISTĀN Kandahar
1383 Talamba
1399
Siège de Delhi
Multān, Gange
1398 SULTANAT
Indus DE DELHI

Danube Dniepr Don Volga   Oural Irtych Irtych noir
L. Balkhach

Nil Euphrate Tigre

L'EMPIRE DE TĪMŪR LANG

▭	Khanat djaghataïde entre 1230 et 1365	
■	1370, Tīmūr Lang (Tamerlan) reconnu roi de Transoxiane	
→	Itinéraires de Tīmūr	
	Empire de Tīmūr *(les limites sont approximatives)*	
●	Capitale tīmūride	
F	Fergana	
	Byzantins	
	Empire ottoman dans la seconde moitié du XIVe s.	
●	1402, victoire de Tīmūr sur Bayezīd 1er Yıldırım (Bajazet)	
	Empire de Trébizonde	

0 1500 km

D'origine oghouz, les Seldjoukides partent de Djand à la conquête du Proche-Orient. Profitant des conflits opposant les Sāmānides d'Iran aux Karakhānides d'Asie centrale, ils occupent la Transoxiane, chassent du Khorāsān les Turcs Rhaznévides vaincus à Dandānqān (1040), s'emparent du Khārezm (1042), puis de l'Iran et de l'Iraq, où le calife 'abbāsside de Bagdad les appelle en 1055 et décerne le titre de sultan à leur chef Toghrul Beg (1038-1063).

Occupant Alep en 1070, écrasant Romain IV Diogène en 1071 à Mantzikert, rejetant les Byzantins sur de minces bandes littorales, Alp Arslan (1063-1073) étend sa domination sur la majeure partie de la Syrie et de l'Asie Mineure.

Ayant ainsi constitué à leur profit un immense empire, les Grands Seldjoukides en assurent la cohésion en défendant l'orthodoxie sunnite et en mettant en place une solide armature administrative, respectueuse des particularismes régionaux dans son recrutement (Iraniens, Arabes...) et dans sa gestion.

Mais ils ne peuvent le stabiliser pour de nombreuses raisons : refus de la sédentarisation; conception patrimoniale de l'État; recours à des *atabeks* pour assurer la tutelle des princes mineurs, ce qui favorise la multiplication des dynasties, puis des usurpations, surtout après la disparition de Malik Chāh (1073-1092) et celle de son fils aîné Sandjar (1118-1157).

Établis dans le Kermān (1041-1186), en Iraq (1118-1194) et en Syrie (1078-1117), trois dynasties cadettes s'effacent rapidement, victimes la première des Oghouz, la deuxième des Khārezmiens, la troisième des atabeks mamelouks : les Zangīdes. La quatrième, celle du Rūm, survit de 1077 à 1308 en Anatolie, où naît la Turquie dans une région retournée à la steppe. Ayant brisé la puissance des Dānichmendites de Sivas (1172-1176), ayant anéanti les Byzantins à Myrioképhalon en 1176, les sultans iranisés de Konya ouvrent leur pays au commerce international par Antalya en 1207, peu avant que les Mongols n'assujettissent l'ensemble des terres seldjoukides à leur domination entre 1221 et 1244. (V. cartes pp. 40, 41, 46, 47, 48, 49, 50, 51, 172, 173 et 185.)

Turc de Transoxiane qui se reconnaît vassal du khān djaghataïde en 1361, mais qui se proclame roi à Balkh en 1370, Tīmūr Lang établit d'abord, difficilement, sa domination sur le Khārezm (1370-1379). Il entreprend ensuite de reconstituer l'empire de Gengis khān par une série de raids fulgurants et de plus en plus audacieux à partir de sa capitale Samarkand (où s'élève son tombeau, le *Gur-e Mir*). Pénétrant profondément dans les pays de la Horde d'Or en 1391 et en 1395, s'avançant à l'est jusqu'à Delhi en 1399, atteignant à l'ouest la mer Égée à Smyrne après avoir momentanément détruit l'Empire ottoman à Ankara en 1402, Tīmūr s'engage enfin sur la route de la Chine en décembre 1404, lorsque la mort le surprend le 19 janvier 1405.

Son œuvre reste inachevée, car en fait son autorité ne déborde pas les limites de l'ancien empire des Grands Seldjoukides. Elle apparaît contradictoire, car, ayant prétendu défendre la foi islamique et promouvoir une économie d'échanges dans un empire pacifié, il a abattu toutes les puissances musulmanes du Proche-Orient sans pouvoir leur substituer un État organisé; au sein de celui-ci, d'ailleurs, il a apanagé largement ses héritiers, dont un seul, son fils Chāh Rukh Mīrzā (1405-1447) réussit à restaurer temporairement la puissance tīmūride dans le respect de la culture de l'Iran dont ses descendants conservent le contrôle jusqu'en 1502.

(V. cartes pp. 62, 153, 175, 178 et 185.)

L'ÉTAT SÉFÉVIDE

★ Confédération des Karakoyunlu ("Mouton Noir") au XVe s.

☆ Confédération des Akkoyunlu ("Mouton Blanc") au XVe s.

XVIe s.

Empire séfévide du chāh Ismā'īl vers 1512

Dynastie ouzbek

Zone contestée entre Ouzbeks et Séfévides

Conquêtes des Ottomans

XVIIIe s.

L'État séfévide à la veille de la révolte afghane vers 1722

500 km

À la faveur du déclin tīmūride, les tribus turcomanes des Karakoyunlu (1406-1468), puis celles des Akkoyunlu (1468-1501) dominent successivement l'Iran occidental, l'Iraq et même (à la fin du XVe s.) le Kermān. En 1501, elles sont finalement éliminées par une famille d'Ardabil, les Séfévides. De souche iranienne, peut-être kurde, prétendant descendre à la fois d''Alī ibn Abī Ṭālib et des rois sassanides, cette dynastie, originairement sunnite, adhère au XVe siècle au chī'isme. L'érection du chī'isme en religion d'État par le premier roi séfévide, Chāh Ismā'īl Ier (1502-1524), favorise l'émigration des intellectuels sunnites et donc la large diffusion du persan en Orient; en outre, elle donne au nationalisme iranien un idéal spirituel : l'attente de l'imām caché. Aussi les Séfévides unifient-ils facilement, sous leur autorité, l'Orient, de l'Afghānistān à l'Euphrate (1503-1510), mobilisant l'énergie de leurs sujets contre leurs adversaires sunnites : Ouzbeks de Transoxiane, qui s'infiltrent à l'est dans le Khorāsān; Ottomans, qui leur enlèvent à l'ouest le Kurdīstān à Tchaldiran en 1514, puis la Mésopotamie en 1534 et la Géorgie en 1540. Facilitée par les contacts variés avec l'Occident par l'intermédiaire du comptoir commercial portugais d'Ormuz (1507/1515-1622) qui assure l'armement de l'armée séfévide, l'alliance de revers contractée avec les Habsbourg jugule la poussée ottomane. Elle permet donc à la civilisation persane de s'épanouir dans les résidences successives de la cour : Tabriz, puis Ispahan, ville fondée par Ismā'īl Ier et qui symbolise la prospérité de l'Empire à l'époque de Chāh 'Abbās Ier (1587-1629). Celui-ci reconquiert Ormuz et fonde le port de Bandar 'Abbās en 1622, avant de réinstaller ses forces à Bagdad en 1623. La faiblesse de ses successeurs, la montée des dangers extérieurs (Ottomans à l'ouest; Rūm au nord-ouest, en Anatolie; Afghans à l'est) permettent aux Afghans de s'emparer de Kandahar en 1709 et d'usurper la royauté en 1722, avant d'être eux-mêmes évincés en 1736 par le dernier grand conquérant asiatique : Nādir Chāh. (V. cartes pp. 174, 178 et 185 [B].)

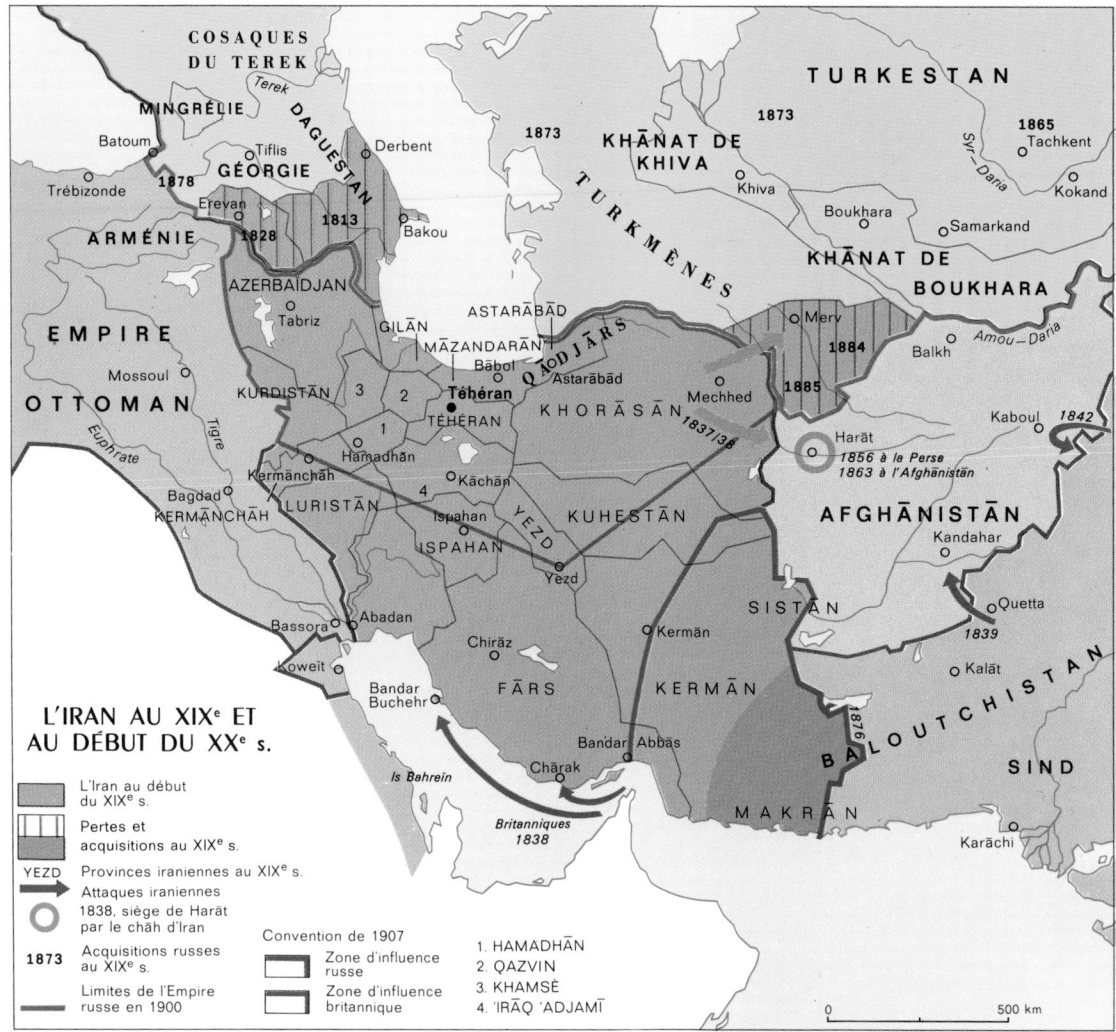

L'IRAN AU XIXe ET AU DÉBUT DU XXe s.

- L'Iran au début du XIXe s.
- Pertes et acquisitions au XIXe s.

YEZD — Provinces iraniennes au XIXe s.

→ Attaques iraniennes

○ 1838, siège de Harāt par le chāh d'Iran

1873 — Acquisitions russes au XIXe s.

— Limites de l'Empire russe en 1900

Convention de 1907
- Zone d'influence russe
- Zone d'influence britannique

1. HAMADHĀN
2. QAZVIN
3. KHAMSÉ
4. 'IRĀQ 'ADJAMĪ

0 — 500 km

Le déclin de l'Iran, commencé dès le XVIIe siècle, n'est que temporairement enrayé par l'arrivée au pouvoir, en 1796, d'une nouvelle dynastie issue de la tribu turco-mongole des Qādjārs. Toutes les tentatives de réformes entreprises au XIXe siècle (notamment sous le règne de Nāṣir al-Dīn, 1848-1896) échouent devant l'agitation des seigneurs « féodaux », l'immobilisme de la classe sacerdotale, les affrontements tribaux et religieux (chī'ites contre ismaéliens ou babistes). Cette faiblesse interne favorise les entreprises de la Russie, qui s'empare, en deux guerres, des régions caucasiennes (1813 et 1828), puis de la région de Merv au sud du Turkestan en 1884-85; elle facilite aussi celles de l'Angleterre qui, à partir des Indes, étend son influence à l'est (Afghānistān) et au sud-est (Baloutchistan et golfe Persique). Cette domination politique s'accompagne d'une mainmise économique, par l'obtention de concessions ferroviaires ou minières (notamment pour le pétrole); seule la rivalité anglo-russe permet de maintenir l'indépendance politique. Celle-ci devient purement formelle, lorsque la réconciliation entre Russes et Anglais aboutit, le 31 août 1907, à un partage en deux zones d'influence séparées par une zone tampon : secoué par l'agitation nationaliste (née dans les centres chī'ites) contre la mainmise étrangère et le despotisme impérial, le pays sombre alors dans l'anarchie. Il n'en sort définitivement qu'en 1925-26 avec l'avènement à l'empire de Rezā Chāh Pahlavi, dont la dynastie se substitue alors à celle des Qādjārs.

(V. cartes pp. 180 [A] et 206.)

Dans le vaste cadre indoméditerranéen conquis par l'Islām entre le VIe et le XVIIe siècle, l'unité de foi et l'unité de climat imposent l'unité de civilisation à travers la diversité des traditions nationales.

Au premier de ces facteurs, le monde de l'Islām doit ses monuments les plus typiques : la *mosquée,* édifice cultuel qui emprunte d'abord à Byzance son plan en rotonde et son décor de mosaïques (*Coupole du Rocher,* à Jérusalem, 688-691), avant de s'adapter aux besoins de la nouvelle religion à Damas où la *Grande Mosquée* est ornée à partir de 705 d'un miḥrāb, niche indiquant la *qibla* (direction) de La Mecque, et d'un minaret, d'où est lancé l'appel à la prière; le *mausolée,* destiné, malgré les interdits de l'Islām, à perpétuer le souvenir des saints ou des grands hommes, tel le *Qubbat al-Ṣulaybiyya* de Sāmarrā,

LES ARTS DE L'ISLĀM

● Centres principaux
● Autres centres

- L'expansion de l'Islām à la chute des Omeyyades (750)
- Conquêtes au IXe s.
- L'Empire ottoman au XVIe s.

monument coiffé d'un dôme ou d'une calotte conique, tels les célèbres tombeaux de Timūr Lang à Samarkand (Gur-e Mir, 1404) et de Chāh Djahān et de son épouse Mumtāz Maḥall à Āgrā (Tādj Maḥall, 1630-1647); la *madrasa*, école religieuse dont le type monumental, apparu en Iran oriental à l'époque seldjoukide, donne naissance à des bâtiments de plan cruciforme, telle la madrasa de Sulṭān Ḥasan au Caire (1356); les *palais,* enfin, dont la fragile parure décorative n'a survécu que dans les villes où ils sont de construction relativement récente — Alhambra de Grenade (XIIIᵉ s.), palais moghols de Delhi et d'Āgrā, séfévides d'Ispahan (XVIIᵉ-XVIIIᵉ s.), ottomans d'Istanbul. En fait, cette parure des palais traduit le raffinement d'une civilisation intimiste : les demeures privées, closes sur l'extérieur, s'ouvrent sur une cour intérieure

ou débouchent sur des jardins ceints de hauts murs dont la disposition en terrasses permet parfois de dégager de vastes perspectives (Srinagar).

La multiplication des bassins, des canaux, des fontaines, de même que l'importance des bains dans les villes de l'Islām soulignent l'importance dans l'art musulman du facteur climatique, qui impose au nomade la quête perpétuelle de l'eau. Manquant de bois de construction, mais bénéficiant de la luminosité et de la transparence de l'air, architectes et décorateurs ont édifié les plus nobles monuments avec le plus humble des matériaux : la terre. La céramique aux bleus et aux ors somptueux dispose, sur les parois internes et externes des monuments, un décor calligraphique, géométrique ou floral, l'islām interdisant à l'artiste, à partir du IXᵉ siècle la reproduction des êtres vivants. Pourtant,

les pays musulmans, généralement non sémitiques et à forte individualité nationale, ne rejettent pas toute représentation de la vie : Espagne naṣride, où la fontaine de la *cour des Lions* anime à Grenade au XIVᵉ siècle un décor encore très stylisé; Espagne chrétienne de la *Reconquista,* où les musulmans synthétisent dans l'*art mudéjar* les apports de l'Islām et ceux de la chrétienté romanogothique du XIIIᵉ au XVᵉ siècle (Alcázar de Séville construit à partir de 1360); Perse chīʿite, où les miniaturistes des écoles de Tabrīz et surtout de Chirāz font de l'homme l'objet central de leur recherche au XIVᵉ siècle; Empire ottoman, où les influences iranienne et italienne se manifestent dans l'art du portrait; Inde, enfin, où l'interprétation des apports iraniens et locaux donne naissance à un art musulman original dont les formes architecturales (art

impérial de Delhi, écoles provinciales, art moghol) sont rehaussées par une décoration picturale. Cette peinture, attentive aux représentations de la vie quotidienne, restitue à la femme la dimension sensuelle que lui a accordée la tradition indienne, ainsi qu'en témoignent les miniatures des XVIIᵉ, XVIIIᵉ et XIXᵉ siècles.

Un dans son inspiration, *multiple* dans ses aspects, l'art musulman porte témoignage du génie de l'homme, qui, sous le signe du Croissant, a su recouvrir l'ensemble du monde indoeuropéen d'une parure de monuments admirables.

(V. cartes pp. 35, 40, 41, 46, 47, 48, 49, 50, 51, 52, 62, 171, 172, 173, 174, 178, 179, 198, 199, 200 et 203.)

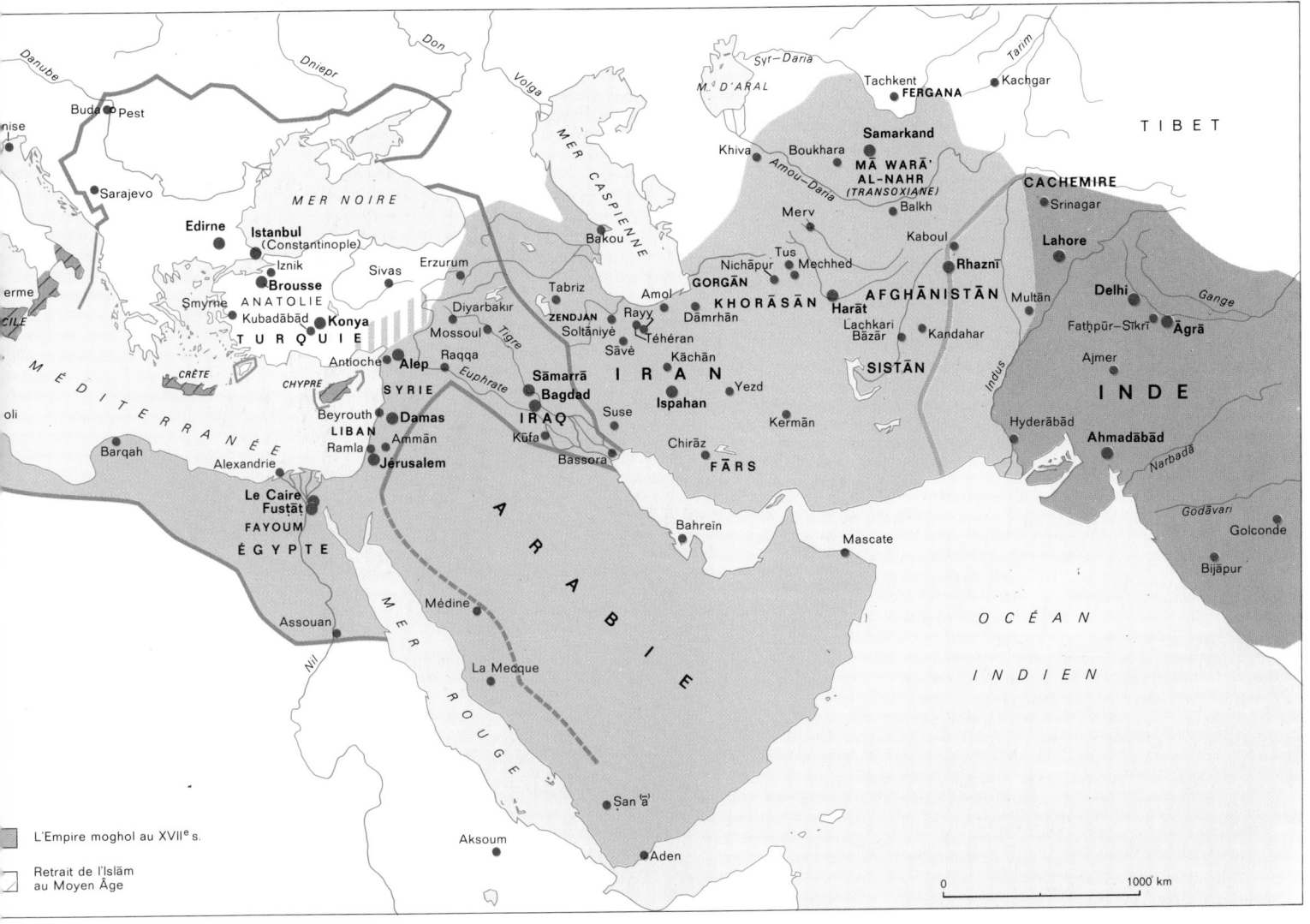

L'Empire moghol au XVIIᵉ s.

Retrait de l'Islām au Moyen Âge

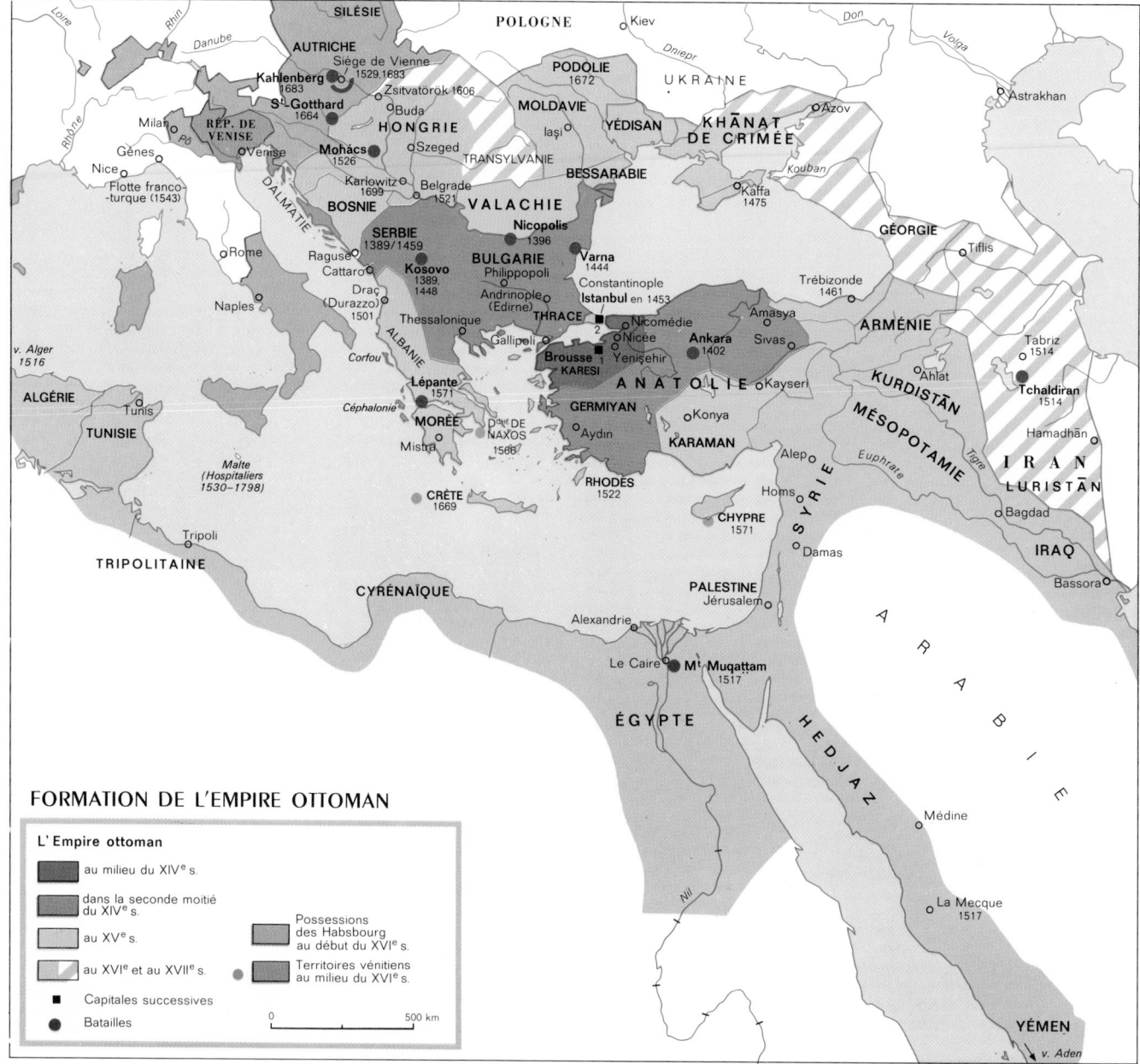

FORMATION DE L'EMPIRE OTTOMAN

L'Empire ottoman

- au milieu du XIVe s.
- dans la seconde moitié du XIVe s.
- au XVe s.
- au XVIe et au XVIIe s.
- Possessions des Habsbourg au début du XVIe s.
- Territoires vénitiens au milieu du XVIe s.
- ■ Capitales successives
- ● Batailles

0 — 500 km

Apparentée aux Oghouz, chassée du Khorāsān par les Mongols, la tribu turque des Ottomans est cantonnée dans la région de Brousse par le sultan de Konya, 'Ala al-Dīn Kay Qubād Ier (1219-1237). Émancipée à la fin du XIIIe siècle par Osman Ier, qui contrôle rapidement l'ouest de l'Anatolie, elle s'accroît du Karesi entre 1335 et 1345.

Marquée par la victoire de Kosovo en 1389 et par la prise de Constantinople en 1453, la conquête de l'Europe se poursuit jusqu'aux portes de Vienne en 1529 et englobe même la Podolie en 1672.

En Asie, par contre, après avoir reçu, en dot de sa femme, la majeure partie du Germiyan en 1381, Bayezid Ier est vaincu en 1402 à Ankara par Timūr Lang. Coup d'arrêt qui aurait pu leur être fatal sans les ressources de l'Europe, ce désastre n'empêche pas les Ottomans de reprendre leur expansion à l'est du Bosphore. Mais tardivement. Après la prise de Trébizonde en 1461, ce n'est en effet qu'en 1514 que le sultan Selim Ier (1512-1520) bat le chāh de Perse Ismā'īl à Tchaldiran. Il occupe alors sa capitale, Tabriz, annexe le Kurdistān, puis la Syrie, les villes saintes d'Arabie, enfin l'Égypte mamelouk que lui livre la bataille du mont Muqaṭṭam le 22 janvier 1517. Désormais tricontinental, l'Empire ottoman englobe même le Maghreb, grâce au ralliement à la personne du Sultan du corsaire turc Khaÿr al-Dīn entre 1518 et 1534. Parachevée à cette dernière date par l'entrée de Soliman le Magnifique (1520-1566) à Bagdad, l'expansion ottomane a réalisé l'unification du monde arabe et du monde islamique autour du successeur, désormais incontesté, du calife 'abbāsside. Mais, en conjuguant leur action, Habsbourg et Vénitiens à l'ouest, Séfévides à l'est font peser sur l'Empire une lourde menace. Et sa défaite navale à Lépante en 1571 révèle qu'il n'est pas invincible à l'heure où, à l'intérieur, agissent déjà de nombreux facteurs de dissociation : corruption, révolutions de palais, désordre des institutions...

(V. cartes pp. 52, 58, 62, 65, 137, 174, 175, 214 et 217.)

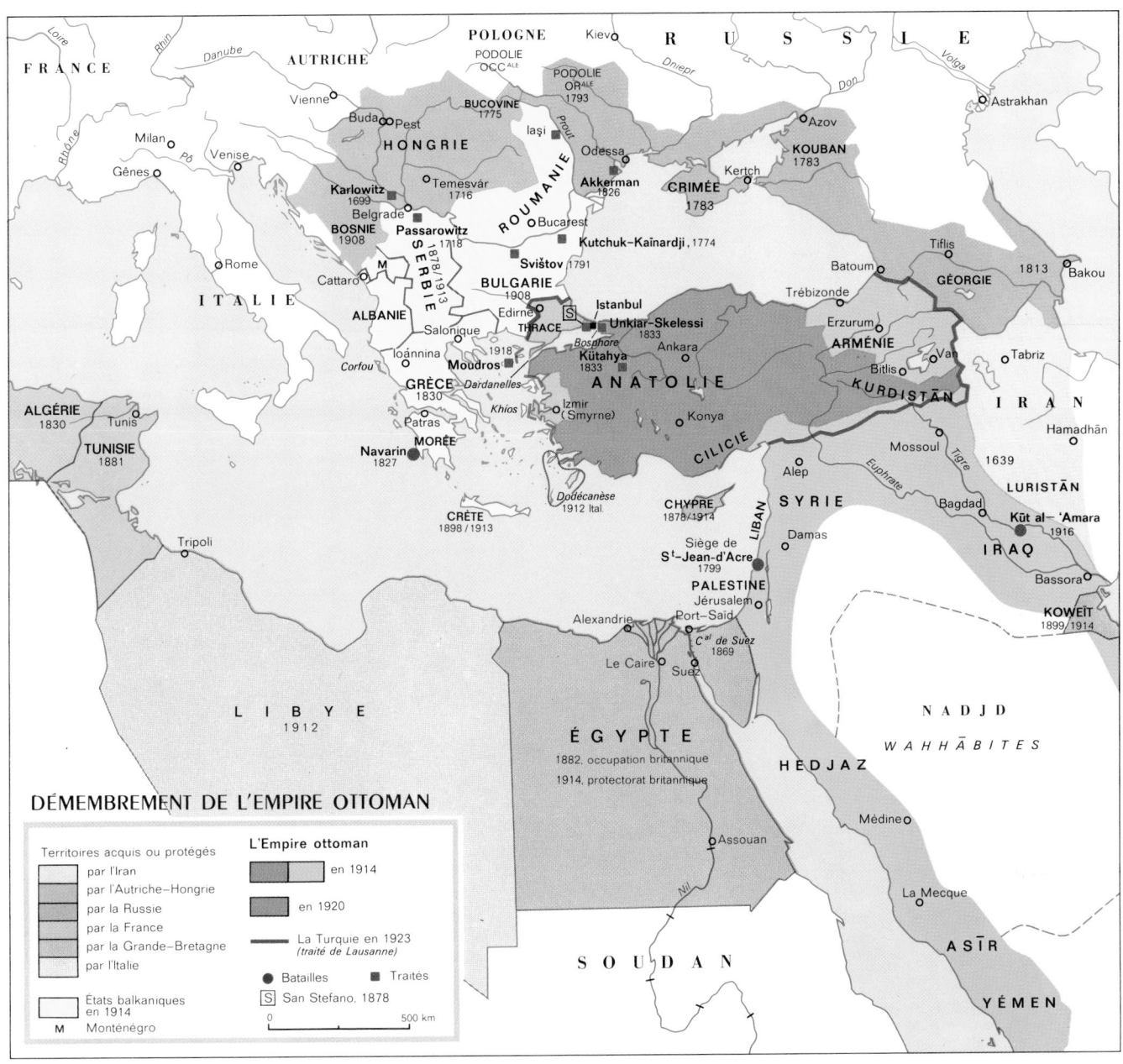

DÉMEMBREMENT DE L'EMPIRE OTTOMAN

Territoires acquis ou protégés
par l'Iran
par l'Autriche–Hongrie
par la Russie
par la France
par la Grande–Bretagne
par l'Italie

États balkaniques
en 1914

M   Monténégro

L'Empire ottoman
en 1914
en 1920

La Turquie en 1923
(traité de Lausanne)

● Batailles   ■ Traités
S San Stefano, 1878

0   500 km

Incapable de se réformer, miné par les tendances centrifuges et l'agitation des populations chrétiennes des Balkans, l'Empire ottoman devient, à partir du XVIIIe siècle, la proie des puissances étrangères. Tandis que l'Autriche affirme sa domination sur les régions danubiennes, la Russie, à la recherche de débouchés maritimes, s'empare des provinces septentrionales de l'Empire et s'efforce d'étendre son influence sur les Balkans, en jouant de la solidarité slave et orthodoxe. Cette poussée russe vers le sud, dont le but est la mainmise sur les Détroits, se heurte à la politique britannique de contrôle de la Méditerranée et de la route des Indes (occupation de Chypre et de l'Égypte). En fait, le processus de démembrement de l'Empire par les trois impérialismes est freiné par leur rivalité même : depuis 1830, le déclin ottoman se marque plus par une désagrégation interne (indépendance des nationalités balkaniques) et l'emprise économique anglo-française que par de nouvelles annexions étrangères (mis à part les territoires africains déjà pratiquement indépendants). La réaction nationaliste du mouvement jeune-turc contre cette domination étrangère amorce bien, par la révolution de 1908, e redressement, mais, en engageant l'Empire dans la Première Guerre mondiale, elle précipite sa dislocation. (V. cartes pp. 62, 65, 72, 73, 162, 163, 166, 167 et 178.)

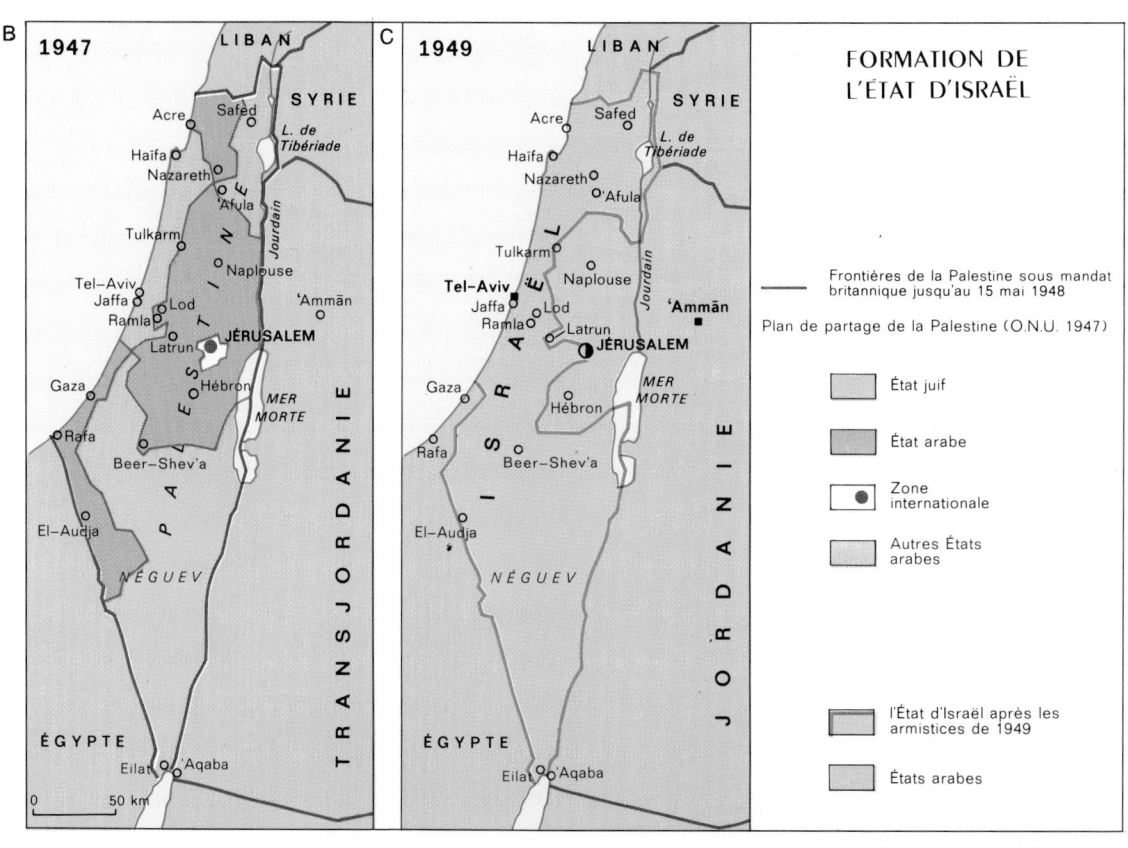

LE MOYEN-ORIENT PENDANT ET APRÈS LA PREMIÈRE GUERRE MONDIALE

A

Salonique
Istanbul
B
MER NOIRE
Samsun
Offensives russes 1916
MER CASPIENNE
TURKESTAN
Khiva
Boukhara

Moudros 1918
D Mudanya 1922
Sakarya
Trabzon Trébizonde
Kars, 1921
Alexandropol, 1920 Leninakan
GRÈCE
Inönü 1921
Ankara
ARMÉNIE
Erzurum
Erevan
Bakou
Merv

TURQUIE
Sivas
KURDISTAN
AZERBAÏDJAN
Tabriz
Mechhed
Harât

Izmir Smyrne
Afyonkarahisar 1922
Mossoul
KHORÂSÂN
Téhéran
AFGHÂNISTAN

Antalya
Adana
Diyarbakir
Crète
Rhodes
CILICIE
A
Alep
I R A N
Hamadhân
Ispahan
Yezd

DODÉCANÈSE 1912/23, Italie
CHYPRE
Lattaquié
SYRIE 1920
Bagdad
Prise de Bagdad par les Anglais mars 1917
Kermân
Mechhed

M. MÉDITERRANÉE
LIBAN 1920
Beyrouth
Damas
Euphrate
IRAQ 1920 1921, roy.
Kut-al-Amara 1916
Bassora
Abadan
Chirâz
Bandar Abbâs

PALESTINE 1923
Jérusalem
Amman
1933
KOWEÏT
Is Bahreïn
OMAN
MAKRÂN

Alexandrie
TRANSJORDANIE 1922
1918
Bandar Buchehr
Zones neutres

Le Caire
Suez
Aqaba 1917
Lawrence
A
1913
HASÂ
QATAR
Abū Zabī
Mascate

Canal de Suez
1926
R
HEDJAZ 1916-1926 roy. indépendant.
QASÎM
Riyâd
TRUCIAL OMAN

ÉGYPTE
1914, protectorat britannique 1922, royaume
El-Ouedj
NADJD
WAHHÂBITES
B

Assouan
1re cat.
Médine
O M A N

2e cat.
Ouadi-Halfa
Djedda
La Mecque
Rub'al-Khâlî
Is Khūriyā Mūriyā (G.-B.)

SOUDAN
Dongola
3e cat.
4e cat. 5e cat.
1926
E

ANGLO-ÉGYPTIEN
6e cat.
ASÎR
OCÉAN

Khartoum
YÉMEN
HADRAMAOUT

El-Obeid
Sennar
ÉRYTHRÉE
San'a'
1920, roy. ind.
PROTECTORAT D'ADEN
INDIEN

Adoua
ÉTHIOPIE
Aden
I. Perim (Aden)
Obock (France)

Légende:
- L'Empire ottoman en 1914
- → Raids germano-turcs sur Suez (1915 et 1916)
- Offensives alliées
  - ⇢ 1916
  - ⇢ 1917
  - → 1918 (Allenby)
  - B. Bosphore   D. Dardanelles
- ● Batailles
- ◪ Traités
- IRAQ États après 1920
- ▨ Acquisitions de la Turquie en 1923 (traité de Lausanne)
- ◉ Capitale de Mustapha Kemal en 1923
- A Sandjak d'Alexandrette
- Conquêtes d''Abd al-'Azīz III ibn Sa'ūd
- Pays sous mandat A depuis 1920 :
  - mandat britannique
  - mandat français
- Possessions britanniques
- Possessions italiennes
- Possession française

0   600 km

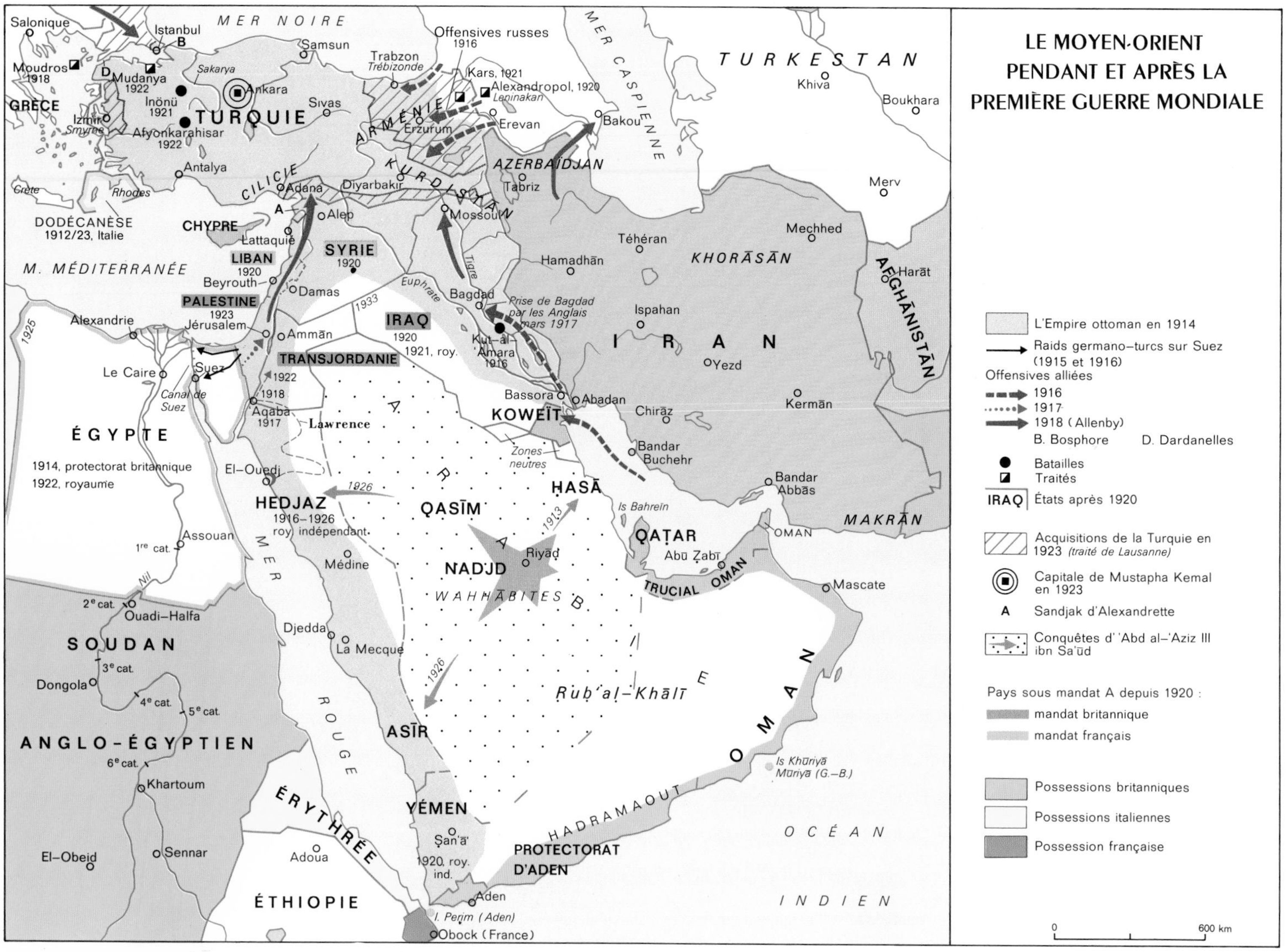

Entre 1915 et 1918, Français et Anglais convergent vers Istanbul (Constantinople) depuis Salonique, Bassora et Suez. En septembre 1918, leur progression est facilitée par la révolte contre les Ottomans du chérif de la Mecque, Ḥusayn ibn ʿAlī, auquel la Grande-Bretagne a promis la constitution d'un *Grand royaume arabe* (juillet 1915-janvier 1916). De nombreux événements l'empêchent : accords concernant le Liban (16 mai 1916); institution d'un *Foyer national juif* en Palestine (2 nov. 1917); attribution par la S. D. N. de mandats A sur la Syrie et le Liban à la France, sur la Palestine et la Mésopotamie à la Grande-Bretagne (1920); prise de Damas par les Français (25 juill. 1920); occupation du Hedjaz par l'émir wahhâbite du Nadj, ʿAbd al-ʿAzīz ibn Saʿūd (1924-25) : fils de Ḥusayn ibn ʿAlī, les Hâchémites Fayṣāl Ier et Abdullah deviennent respectivement roi d'Iraq en 1921 et émir de Transjordanie en 1922.

Imposant la démilitarisation des détroits turcs (1920-1923), se maintenant sur les rives du canal de Suez malgré l'indépendance de l'Égypte (1922), étendant progressivement depuis 1899, sa protection à tous les États du golfe Persique, partie prenante de l'*Iraq Petroleum Company* (Mossoul) et de l'*Anglo-Iranian Company* (Abadan), la Grande-Bretagne maîtrise la route des Indes et le pétrole du Proche-Orient. À la France, protectrice des chrétiens du Levant, reste le rôle ingrat de briser la révolte des Druses (1925-27). (V. cartes pp. 81, 82 [B], 161 [C], 179, 180 [B et C] et 206.)

B
1947
LIBAN
SYRIE
Acre
Safed
L. de Tibériade
Haïfa
Nazareth
'Afula
Tulkarm
Naplouse
Tel-Aviv
Jaffa
Lod
Ramla
Latrun
JÉRUSALEM
Gaza
Hébron
MER MORTE
Rafa
Beer-Shev'a
El-Audja
NÉGUEV
ÉGYPTE
Eilat
Aqaba
PALESTINE
TRANSJORDANIE
0   50 km

C
1949
LIBAN
SYRIE
Acre
Safed
L. de Tibériade
Haïfa
Nazareth
'Afula
Tulkarm
Naplouse
Tel-Aviv
Jaffa
Lod
Ramla
Latrun
JÉRUSALEM
Gaza
Hébron
MER MORTE
Rafa
Beer-Shev'a
El-Audja
NÉGUEV
ÉGYPTE
Eilat
Aqaba
ISRAËL
'Amman
JORDANIE

FORMATION DE L'ÉTAT D'ISRAËL

- —— Frontières de la Palestine sous mandat britannique jusqu'au 15 mai 1948
- Plan de partage de la Palestine (O.N.U. 1947)
  - État juif
  - État arabe
  - ◉ Zone internationale
  - Autres États arabes
- l'État d'Israël après les armistices de 1949
- États arabes

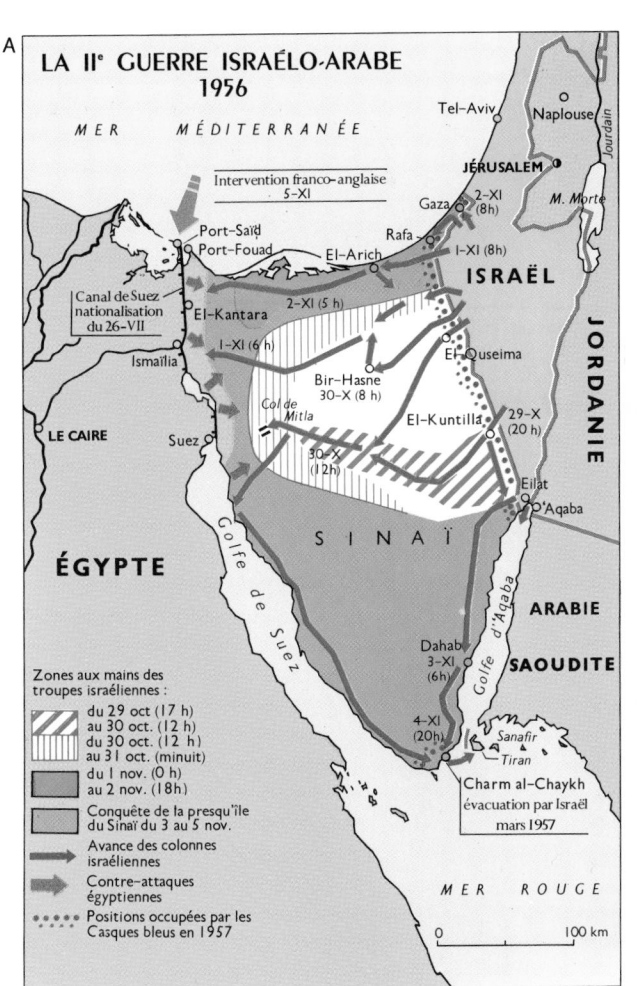

LA IIᵉ GUERRE ISRAÉLO-ARABE 1956

Zones aux mains des troupes israéliennes :
- du 29 oct (17 h) au 30 oct. (12 h)
- au 30 oct. (12 h) au 31 oct. (minuit)
- du 1 nov. (0 h) au 2 nov. (18h)
- Conquête de la presqu'île du Sinaï du 3 au 5 nov.
- Avance des colonnes israéliennes
- Contre-attaques égyptiennes
- Positions occupées par les Casques bleus en 1957

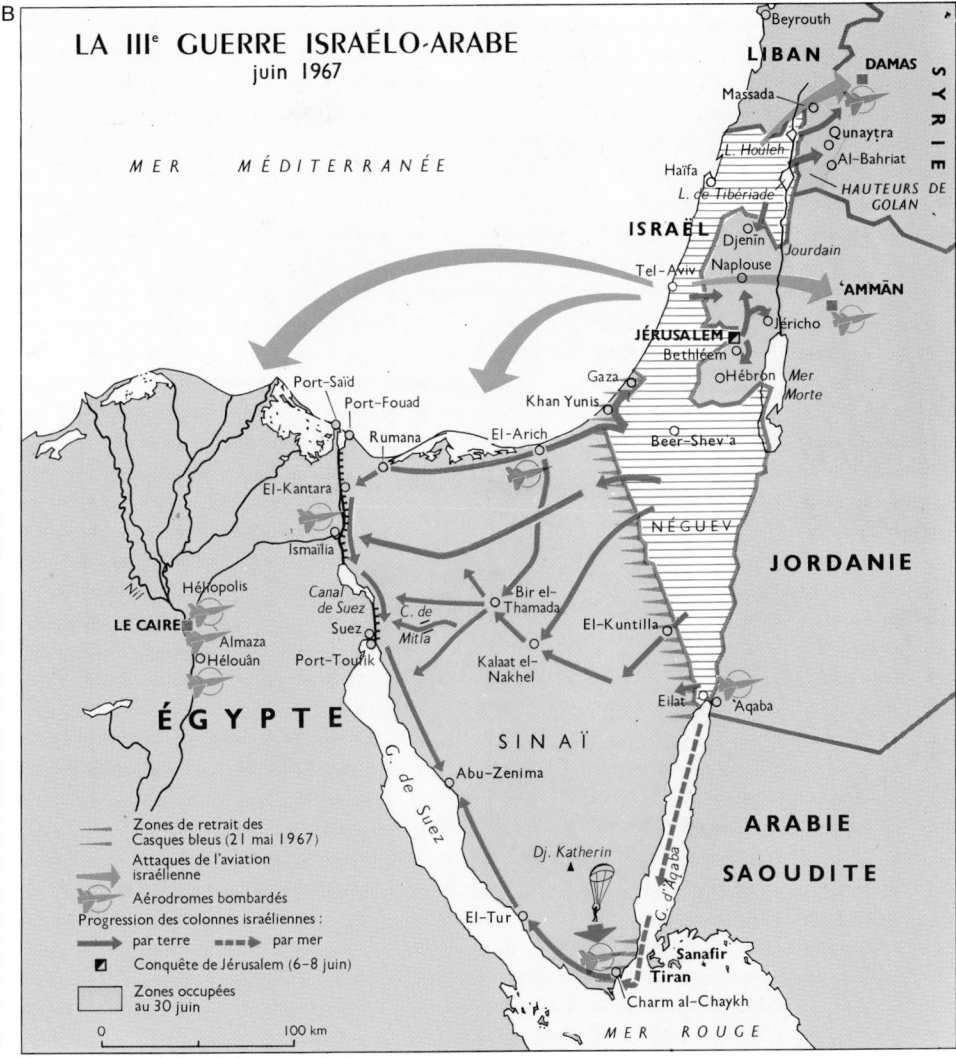

LA IIIᵉ GUERRE ISRAÉLO-ARABE juin 1967

- Zones de retrait des Casques bleus (21 mai 1967)
- Attaques de l'aviation israélienne
- Aérodromes bombardés
- Progression des colonnes israéliennes :
  - par terre
  - par mer
- Conquête de Jérusalem (6-8 juin)
- Zones occupées au 30 juin

Depuis la formation de l'État d'Israël, son existence a été contestée par les États arabes. Trois fois en moins de vingt ans, cette tension a engendré de véritables conflits armés.

Né après 1880 de la recrudescence de l'antisémitisme, le mouvement sioniste réclame la création d'un *État juif* en Palestine (Theodor Herzl, 1896); il est renforcé par la *Déclaration Balfour* (1917), qui promet la constitution d'un *foyer national juif* dans ce pays. Mais l'afflux d'immigrants suscite l'hostilité arabe; aussi les Britanniques bloquent-ils l'immigration après la révolte de 1936-37 (mars 1940). Maintenue alors que 6 millions de Juifs sont exterminés en Europe, cette mesure provoque en 1946 une insurrection juive, menée par l'armée de protection *(Haganah)* ainsi que par des mouvements de résistance *(Irgoun*, groupe *Stern)*; la Grande-Bretagne en appelle à l'O.N.U. qui décide, le 29 novembre 1947, le partage de la Palestine en deux États indépendants, aux territoires également éclatés en trois morceaux. Le refus des Arabes déclenche la guerre civile, qui s'internationalise le 14 mai 1948, lorsque David Ben Gourion proclame l'indépendance d'Israël; vaincus malgré leur supériorité numérique, les cinq États arabes signent les armistices entre le 24 février et le 20 juillet 1949 : (Rhodes, Ras en Naq, Uoura, Cote 232). Doté d'un territoire désormais continu, mais avec plus de 1 000 km de frontières, l'État d'Israël établit sa capitale dans la moitié juive de Jérusalem : l'exode des Palestiniens s'accentue.

A

guerre de 1956

26 juillet : l'Égypte nationalise le canal de Suez.
29-30 octobre : attaque israélienne vers le canal; ultimatum franco-anglais à l'Égypte et à Israël.
5-7 novembre : intervention militaire franco-anglaise, arrêtée à El-Kantara sous la pression conjointe des États-Unis et de l'U.R.S.S.
15 novembre : envoi des casques bleus de l'O.N.U. Rétablissement des frontières de 1949.

B

guerre de 1967 (ou «des six jours»)

21 mai : à la demande de Nasser, les soldats égyptiens remplacent les casques bleus à Charm al-Chaykh et interdisent le golfe d''Aqaba aux Israéliens.
5-8 juin : ouverture des hostilités; les blindés israéliens bordent le canal de Suez et occupent Charm al-Chaykh.
9-10 juin : les Israéliens attaquent la Syrie, prennent Qunaytra et les hauteurs du Golan.
Un cessez-le-feu, exigé par l'O.N.U. le

7 juin, est accepté le 8 par l'Égypte et la Jordanie, le 9 par la Syrie, puis par Israël.
15 juin : l'Égypte annonce la fermeture du canal de Suez.

guerre de 1973 (ou «du Kippour»)

6 octobre : attaque par surprise des forces égyptiennes sur le canal de Suez et des forces syriennes sur le front du Golan. Replis des Israéliens.
11-15 octobre : contre-attaque israélienne dans le Golan et au nord des lacs Amers, où la IIIᵉ armée égyptienne est isolée.
17 octobre : l'Organisation des pays arabes exportateurs de pétrole décide de réduire ses envois vers l'Europe et les États-Unis et hausse brutalement ses tarifs.
23 octobre : l'Égypte et Israël acceptent le cessez-le-feu exigé par les États-Unis, l'U.R.S.S. et l'O.N.U.
26 octobre : arrivée des premiers casques bleus en Égypte.

1974 : accords de désengagement militaire entre Israël et l'Égypte (18 janv.) sur le canal de Suez et entre Israël et la Syrie (31 mai, 5 juin) sur le front du Golan.

1975 (5 juin) : réouverture du canal de Suez.

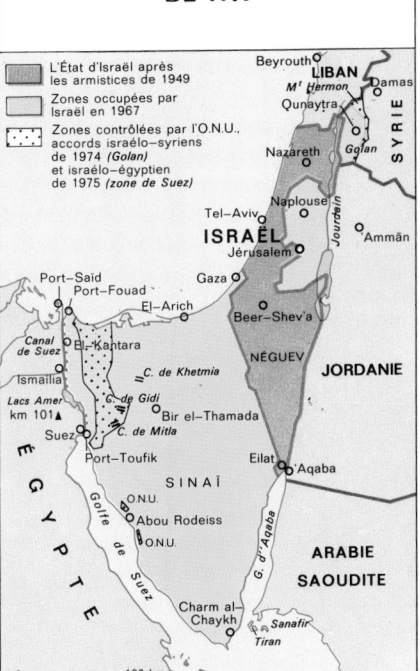

LES CONSÉQUENCES DE LA GUERRE DE 1973

- L'État d'Israël après les armistices de 1949
- Zones occupées par Israël en 1967
- Zones contrôlées par l'O.N.U., accords israélo-syriens de 1974 (Golan) et israélo-égyptien de 1975 (zone de Suez)

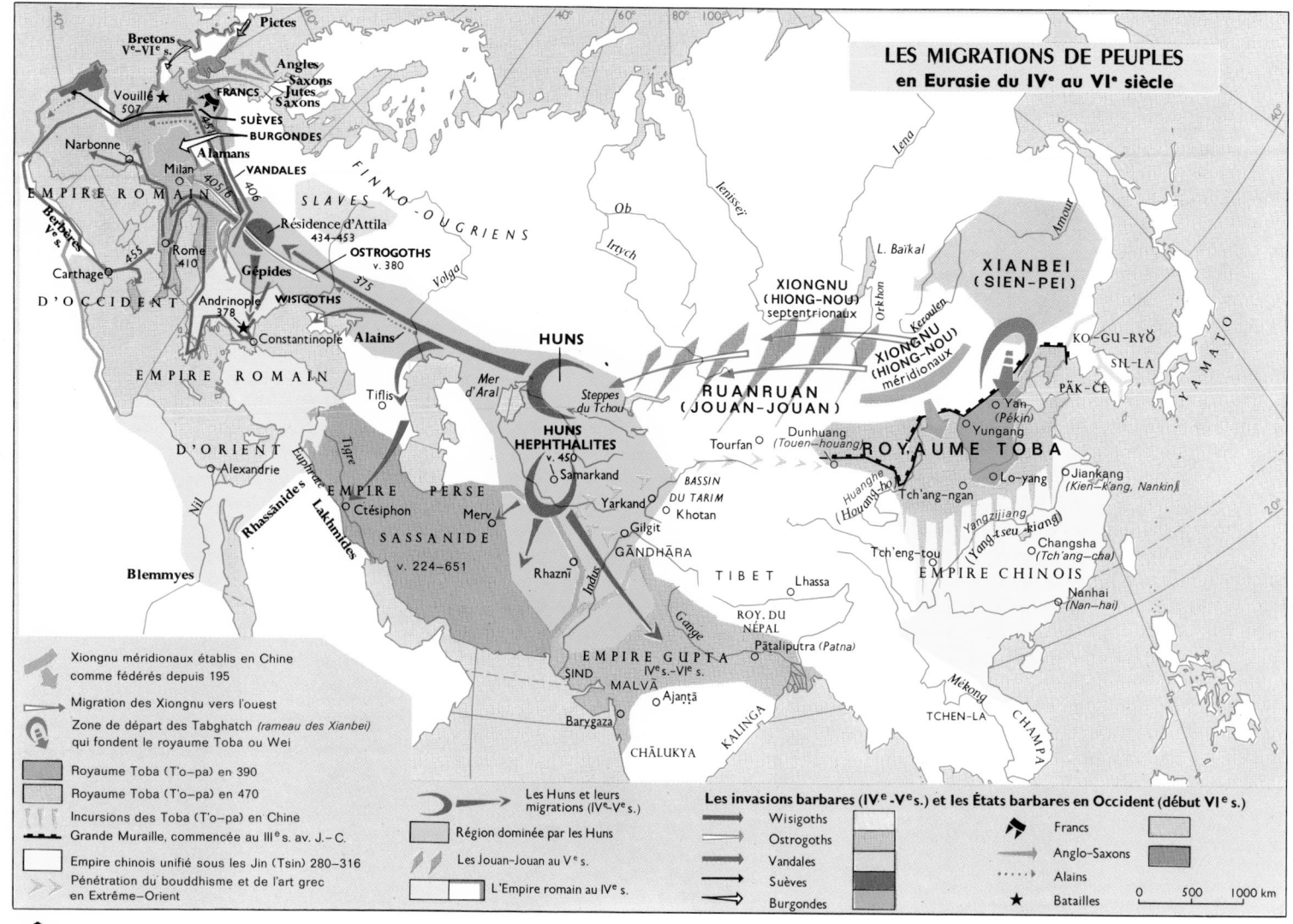

LES MIGRATIONS DE PEUPLES
en Eurasie du IVe au VIe siècle

Xiongnu méridionaux établis en Chine comme fédérés depuis 195

Migration des Xiongnu vers l'ouest

Zone de départ des Tabghatch *(rameau des Xianbei)* qui fondent le royaume Toba ou Wei

Royaume Toba (T'o-pa) en 390

Royaume Toba (T'o-pa) en 470

Incursions des Toba (T'o-pa) en Chine

Grande Muraille, commencée au IIIe s. av. J.-C.

Empire chinois unifié sous les Jin (Tsin) 280–316

Pénétration du bouddhisme et de l'art grec en Extrême-Orient

Les Huns et leurs migrations (IVe-Ve s.)

Région dominée par les Huns

Les Jouan-Jouan au Ve s.

L'Empire romain au IVe s.

Les invasions barbares (IVe-Ve s.) et les États barbares en Occident (début VIe s.)

Wisigoths — Francs
Ostrogoths — Anglo-Saxons
Vandales — Alains
Suèves — Batailles
Burgondes

0   500   1000 km

Au IVe siècle, l'Eurasie est dominée par les quatre grands Empires chinois, indien (gupta), perse (sassanide) et romain, bien défendus par des obstacles naturels (montagnes de l'Asie centrale et du Caucase) ou artificiels (Grande Muraille de Chine, *limes* romain. Mais à leurs fontières se pressent alors de nombreux peuples barbares, qui parfois s'introduisent même sur leurs territoires à titre de fédérés : nomades éleveurs des steppes asiatiques (Xianbei [Sienpei] de Mandchourie, Xiongnu [Hiong-Nou] au nord-ouest du Huanghe); peu-

ples pasteurs du Proche-Orient (Lakhmides, Rhassānides), et d'Afrique du Nord (Blemmyes, Berbères); chasseurs, éleveurs ou agriculteurs des forêts et clairières d'Europe (Germains); pêcheurs pirates des rives des mers du Nord et d'Irlande (Scots, Pictes, Germains).

Au IVe siècle, une possible dégradation du climat, plus sûrement une croissance démographique entraînant une surcharge pastorale des pâturages au rendement immuable lancent ces peuples à l'assaut des empires céréaliers. À l'est, les Xiongnu (Hiong-Nou)

s'emparent de Lo-yang (Luoyang) en 311, avant d'être éliminés par le clan sien-pei des Murong (Mou-jong), puis par celui des Tabghatchs (Toba [T'opa]), fondateur du royaume de Wei qui domine la Chine du Nord jusqu'en 534/581 (v. carte C p. 183).

Au cœur de l'Eurasie, la poussée des Xiongnu fait glisser les Huns Hephthalites de l'Altaï vers l'Asie centrale, puis les jette à l'assaut des Empires sassanides et gupta, à la jonction desquels ils se maintiennent jusque vers 565. À l'ouest enfin, la progression de ces

mêmes Xiongnu pousse Huns et Germains en quatre vagues successives à l'intérieur de l'Empire romain, à partir de 375 (v. carte p. 30). En 476, celui-ci s'efface même en Occident, où les envahisseurs fondent des royaumes barbares. Ainsi se trouve soulignée l'unité profonde de l'histoire de l'Eurasie, dont les grands empires succombent à la même époque sous les coups des peuples de la steppe, en quête d'espaces capables d'assurer leur subsistance. (V. cartes pp. 26, 27, 32, 170, 171 [A] et 197 [A].)

CARTES A, B, C et D p. 183.

Après l'âge de la pierre, la Chine, à l'âge du bronze, passe lentement de la légende à l'histoire. La première grande dynastie, celle des Shang (XVIIIe-XIIe siècle av. J.-C.) a le Henan (Ho Nan) pour centre de gravité. Le roi, sacré, exerce une fonction surtout religieuse. Les habitants ont trois activités essentielles : les récoltes (millet, blé), la guerre, la chasse. On assiste à la naissance d'une civilisation : des idéogrammes traduisent cette langue monosyllabique; l'artisanat engendre l'art (vases polychromes); la religion, polythéiste, s'organise en fonction des besoins de la société (les grands honorent leurs défunts par de vastes tombeaux, les pauvres essaient de se rendre propices les génies de la nature). Avec les Zhou (à partir du XIIe siècle av. J.-C.), le centre

géographique se déplace vers le Shānxi (Chen-si). Jusqu'en 771 av. J.-C., sous les Zhou occidentaux, le roi gouverne conformément à la tradition des Shang, mais avec de nombreux fonctionnaires; après cette date, sous les Zhou orientaux (722-221), le souverain est un véritable « roi fainéant »; aux VIIe et VIe siècles, les *hégémons,* princes féodaux du Qi (Ts'i), du Jin (Tsin), du Chu (Tch'ou), du Wu (Wou) et du Yue, triomphent, car ils président aux rites d'alliance entre cités qui permettent aux plus puissantes de dominer les plus faibles. Les nobles ont le pouvoir et la richesse; ils s'adonnent à la guerre, à la chasse, à la fête. Artisans et commerçants, peu nombreux mais actifs (textiles, armes, chars), commencent à se distinguer de la masse paysanne. Celle-ci est encore majoritaire; elle vit de polyculture, pratique des défrichements. La culture chinoise se

précise : depuis l'époque Shang on s'efforce de suivre le *tao* (la « voie »), qui est le produit du *yang* (élément masculin) et du *yin* (élément féminin); cette culture est toujours de teinte religieuse; de grands philosophes apparaissent, Laozi (Lao-tseu) le mystique et Confucius qui propose la morale comme source du bon gouvernement. L'art produit des vases de bronze, des objets de jade (animaux stylisés, fantastiques). L'époque des Royaumes combattants (453-221) est une période de crise morale et politique (anarchie, éclatement du Jin [Tsin]) qui correspond aux débuts de la fonte du fer (mentionnée pour la première fois par un texte de 513); en 221 av. J.-C., la dynastie de Qin (Ts'in) réalise, sous le premier empereur Qin Shi Huangdi (Ts'in Che Houang-ti) [221-210 av. J.-C.], le premier rassemblement de toute la terre chinoise.

L'INVASION JAPONAISE

Territoires japonais et sous domination japonaise en 1934

Régions contrôlées par l'armée japonaise :

à l'automne de 1938

au début de 1944

Offensives de 1944

d'après J. Guillermaz

La crise économique de 1929, qui touche durement le Japon, l'amène à s'emparer, en septembre 1931, de la Mandchourie, réservoir de matières premières et débouché des produits japonais; le pays, organisé en protectorat le 1er mars 1932 (Mandchoukouo), sert de base pour l'élargissement de l'influence japonaise en Mongolie et en Chine du Nord. Mais ce «grignotage», favorisé par la passivité d'un gouvernement chinois surtout préoccupé de combattre les communistes, suscite une réaction nationaliste : à la suite de l'incident de Xi'an (Si-ngan), le 12 décembre 1936, Jiang Jieshi (Tchang Kaï-chek) est con-

traint d'accepter le «front commun» avec les communistes. Brusquant alors les événements, le Japon envahit la Chine en juillet 1937 et occupe rapidement tout l'est du pays, jusqu'à Nanjing (Nankin), où le gouvernement collaborateur de Wang Jingwei (Wang Tsin-wei) est installé le 30 mars 1940. Mais le contrôle effectif des Japonais se limite aux grandes villes et aux voies de communication, ce qui favorise la résistance des troupes de Jiang Jieshi (qui s'est replié sur Chongqing [Tch'ong-k'ing]) et surtout la guérilla communiste, qui immobilise d'importantes troupes japonaises. (V. cartes p. 85.)

Imposée le 10 janvier 1946 par l'ambassadeur des États-Unis, le général Marshall, la trêve signée entre les forces communistes et les forces nationalistes favorise d'abord ces dernières, qui reconquièrent de nombreux territoires : la région vitale de la Mandchourie entre le 13 mars (Shenyang [Moukden]) et le 27 octobre (Andong); Rehe (Jo-ho) et Tchahar (Chahaer) où Chengde et Zhangjiakou sont réoccupés les 28 août et 11 octobre; axe ferroviaire Jinan-Qingdao; Jiangsu (Kiang-sou) méridional, à partir du bas Yangzijiang : Henan surtout, d'où les communistes sont rejetés vers le sud du Shānxi où ils évacuent même Yan'an le 19 mars 1947.

Ces succès dissimulent les faiblesses réelles des armées gouvernementales (médiocrité du haut commandement, indiscipline des soldats, corruption généralisée). Ils rendent donc plus difficile une réorganisation indispensable

face aux armées communistes qui sont en position de force. Depuis la capitulation japonaise le 2 septembre 1945, Mao Zedong dispose, en effet, d'atouts essentiels pour réaliser le but suprême de sa politique : la prise du pouvoir en Chine par élimination du gouvernement de Jiang Jieshi (Tchang Kaï-chek). Contrôlant la majeure partie de la Mandchourie et de la Chine du Nord, ses forces restent solidement adossées aux pays mongols par où transite l'aide de l'U.R.S.S., qui les a laissées s'approprier le matériel de l'armée japonaise de Mandchourie. Solidement retranchées dans la montagne, elles s'attachent plus à détruire le potentiel de leur adversaire qu'à occuper inutilement le terrain. Moins de trois ans après le départ du général Marshall le 7 janvier 1947, cette stratégie livre la Chine à Mao Zedong.

(V. cartes pp. 85 et 188.)

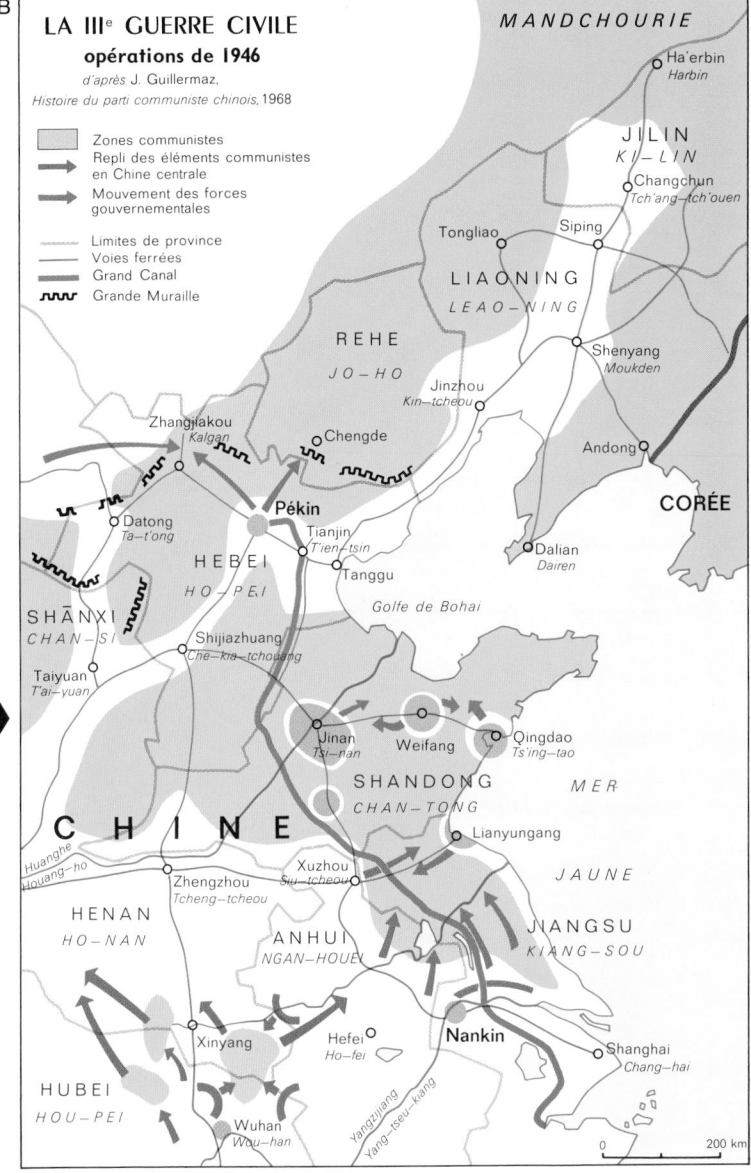

LA IIIe GUERRE CIVILE

opérations de 1946

d'après J. Guillermaz,
Histoire du parti communiste chinois, 1968

Zones communistes

Repli des éléments communistes en Chine centrale

Mouvement des forces gouvernementales

Limites de province

Voies ferrées

Grand Canal

Grande Muraille

CHINE
DIVISIONS ADMINISTRATIVES

■ Capitale d'État
● Capitales de province ou de région autonome
Municipalités
Provinces
Régions autonomes
① Région autonome des Hui (Houei) du Ningxia (Ning-hia)
② Région autonome des Zhuang (Tchouang) du Guangxi (Kouang-si)
③ Région autonome des Ouïgours du Xinjiang (Sin-kiang)

HEILONGJIANG
HEI-LONG-KIANG
Ha'erbin
JILIN
KI-LIN
Changchun
NEIMENGGU — R.A. DE MONGOLIE-INTÉRIEURE
Shenyang
LIAONING
LEAO-NING
XINJIANG
SIN-KIANG
③
GANSU
KAN-SOU
Wulumuqi
NINGXIA NING-HIA
HEBEI
HO-PEI
Beijing
Huhehaote
Tianjin
Taiyuan
Shijiazhuang
SHĀNXI
CHAN-SI
Jinan
SHANDONG
CHAN-TONG
QINGHAI
TS'ING-HAI
Xining
①
Lanzhou
Xi'an
SHĂNXI
CHEN-SI
Zhengzhou
HENAN
HO-NAN
JIANGSU
KIANG-SOU
Nanjing
ANHUI
NGAN-HOUEI
Hefei
Shanghai
XIZANG
R.A. DU TIBET
Lasa
SICHUAN
SSEU-TCH'OUAN
Chengdu
HUBEI
HOU-PEI
Wuhan
ZHEJIANG
TCHÖ-KIANG
Hangzhou
Changsha
Nanchang
HUNAN
HOU-NAN
JIANGXI
KIANG-SI
FUJIAN
FOU-KIEN
Fuzhou
Taibei
GUIZHOU
KOUEI-TCHEOU
Guiyang
TAIWAN
T'AI-WAN
(Formose)
Kunming
YUNNAN
YUN-NAN
GUANGXI
KOUANG-SI
Nanning
②
GUANGDONG
KOUANG-TONG
Guangzhou
Hongkong (G.-B.)
Macao (Port.)
Hainan

0   500 km

Beijing	= Pékin
Changchun	= Tch'ang-tch'ouen
Changsha	= Tch'ang-cha
Chengdu	= Tch'eng-tou
Fuzhou	= Fou-tcheou
Guangzhou	= Canton
Guiyang	= Kouei-yang
Ha'erbin	= Harbin
Hangzhou	= Hang-tcheou
Hefei	= Ho-fei
Huhehaote	= Houhehot
Jinan	= Tsi-nan
Kunming	= K'ouen-ming
Lanzhou	= Lan-tcheou
Lasa	= Lhassa
Nanchang	= Nan-tch'ang
Nanjing	= Nankin
Nanning	= Nan-ning
Shanghai	= Chang-hai
Shenyang	= Chen-yang
Shijiazhuang	= Che-kia-tchouang
Taibei	= T'ai-pei
Taiyuan	= T'ai-yuan
Tianjin	= T'ien-tsin
Wuhan	= Wou-han
Wulumuqi	= Ouroumtsi
Xi'an	= Si-ngan
Xining	= Si-ning
Yinchuan	= Yin-tch'ouan
Zhengzhou	= Tcheng-tcheou

L'organisation administrative est d'abord marquée par un souci de centralisation que reflètent l'organisation provinciale stricte, le rattachement des trois grandes villes au pouvoir central : Beijing (Pékin), Tianjin (T'ien-tsin) et Shanghai (Chang-hai); mais cette centralisation est corrigée par la volonté, née des leçons de la *Longue Marche,* de respecter le particularisme des populations allogènes (d'où la constitution de cinq « régions autonomes ») et surtout par l'exigence idéologique de « compter sur ses propres forces »; les *communes populaires* permettent, en fait, de mieux contrôler la production agricole.

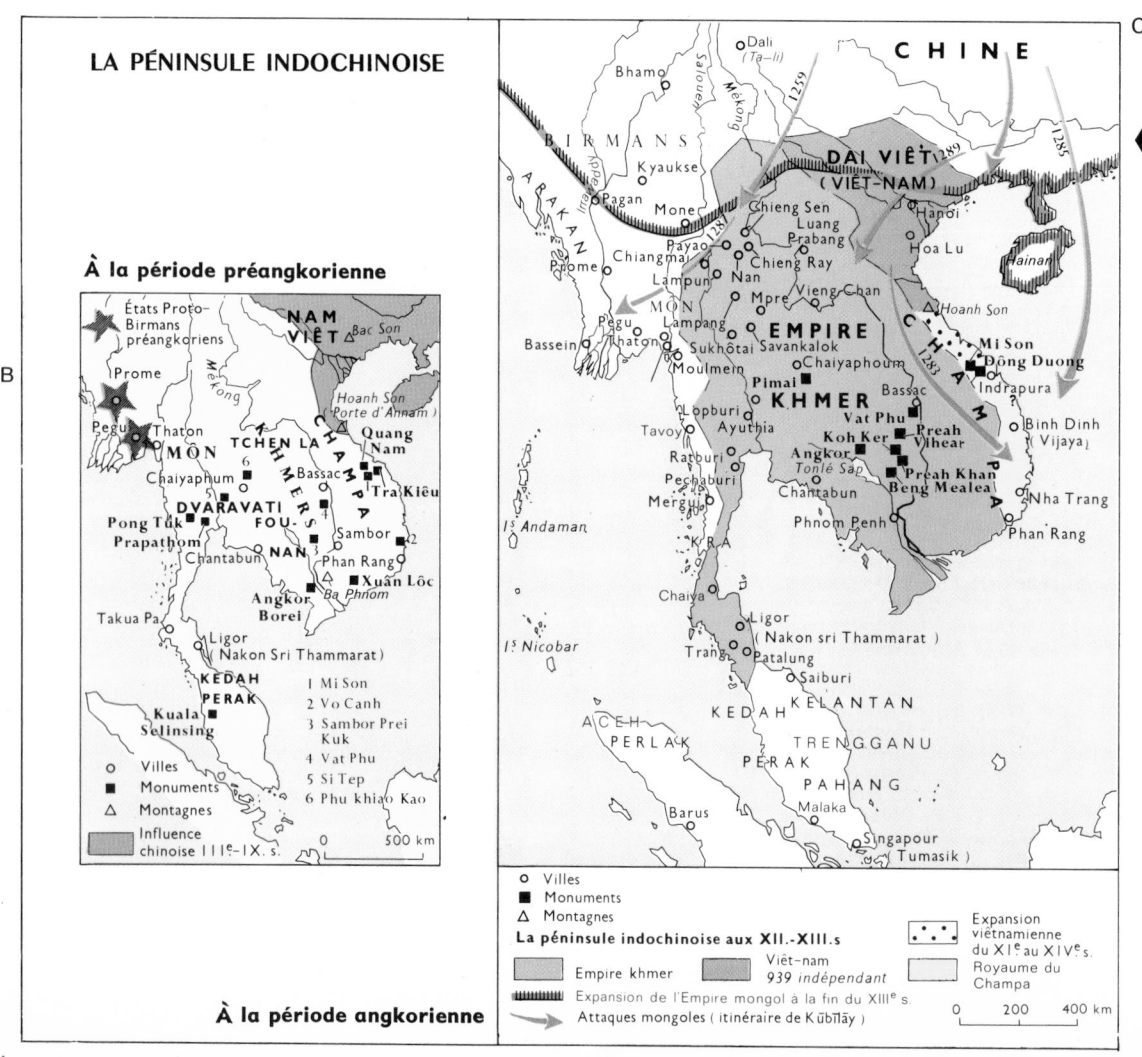

LA PÉNINSULE INDOCHINOISE

À la période préangkorienne

États Proto-Birmans préangkoriens
NAM VIÊT
Bac Son
Prome
Pegu Thaton
MÔN
Chaiyaphum
DVĀRAVATĪ
Pong Tük
Prapathom
NAN
Sambor
Chantabun
Phan Rang
Angkor Borei
Xuân Lôc
Ba Phnom
Takua Pa
Ligor
(Nakon Sri Thammarat)
KEDAH
PERAK
Kuala Selinsing
TCHEN LA
KHMERS
CHAMPA
FOU-NAN
Tra Kiêu
Quang Nam
Hoanh Son (Porte d'Annam)
Bassac

1 Mi Son
2 Vo Canh
3 Sambor Prei Kuk
4 Vat Phu
5 Si Tep
6 Phu khiao Kao

○ Villes
■ Monuments
△ Montagnes
Influence chinoise IIIᵉ-IXᵉ s.

0   500 km

À la période angkorienne

CHINE
Dali (Ta-li)
Bhamo
BIRMANS
ARAKAN
Kyaukse
Pagan
Mone
DAI VIÊT (VIÊT-NAM)
Hanoi
Hoa Lu
Chieng Sen
Luang Prabang
Payao
Chiengmai
Chieng Ray
Lampun
Nan
Vieng Chan
Mpre
MÔN
Lampang
EMPIRE
Sukhôtai Savankalok
Chaiyaphoum
Hoanh Son
Prome
Bassein
Thaton
Moulmein
Pimal
KHMER
Vat Phu
Bassac
CHAMPA
Mi Son
Dông Duong
Indrapura
Lopburi
Ayuthia
Preah Vihear
Koh Ker
Binh Dinh (Vijaya)
Tavoy
Angkor
Tonlé Sap
Preah Khan
Beng Mealea
Nha Trang
Ratburi
Pechaburi
Chantabun
Phnom Penh
Phan Rang
Mergui
KRA
I. Andaman
Chaiya
Ligor
(Nakon sri Thammarat)
Trang
Patalung
Saiburi
I. Nicobar
ACEH
PERLAK
KEDAH
KELANTAN
TRENGGANU
PERAK
PAHANG
Barus
Malaka
Singapour
Tumasik

○ Villes
■ Monuments
△ Montagnes

La péninsule indochinoise aux XIIᵉ-XIIIᵉ s.

Empire khmer
Viêt-nam 939 indépendant
Royaume du Champa
Expansion vietnamienne du XIᵉ au XIVᵉ s.
▨ Expansion de l'Empire mongol à la fin du XIIIᵉ s.
→ Attaques mongoles (itinéraire de Kūbīlāy)

0   200   400 km

Le morcellement physique et humain n'a pas permis l'éclosion d'une civilisation indépendante dans la péninsule indochinoise qui doit son originalité à sa situation dans la zone de convergence des civilisations indienne et chinoise. À l'exception des Vietnamiens, qui lui sont réfractaires, la première pénètre tous les peuples indochinois (Pyus, Môns, Khmers, Chams) et aboutit à la formation, aux premiers siècles de notre ère, de petits royaumes totalement indianisés. À l'ouest, les royaumes pyu (Prome) et môn (Pegu, Dvāravatī, Haripuñjaya) n'ont qu'un faible rayonnement; mais au IXᵉ siècle, l'émigration des habitants de Prome à Pagan donne réellement naissance à la Birmanie, bientôt accrue de Pegu; plus à l'est, les Khmers édifient de vrais empires, porteurs d'une brillante civilisation : après la domination du Fou-nan du IIᵉ au VIᵉ siècle, le relais est pris par la principauté des Kambujas du Tchen-la qui l'absorbe au milieu du VIᵉ siècle. Ainsi se constitue un puissant empire khmer, dont l'apogée au XIIᵉ siècle se reflète dans la splendeur des monuments d'Angkor Vat. Mais, à partir de la fin du XIIIᵉ siècle, la géographie politique indochinoise est bouleversée : la décadence khmère (largement due à la charge écrasante entraînée par les constructions somptueuses), les raids mongols, l'expansion vietnamienne aux dépens du Champa, puis les invasions des peuples thaïs descendus du Yunnan témoignent du recul de l'influence indienne et des progrès des éléments mongoloïdes. (V. cartes pp. 182, 184, 185 et 191.)

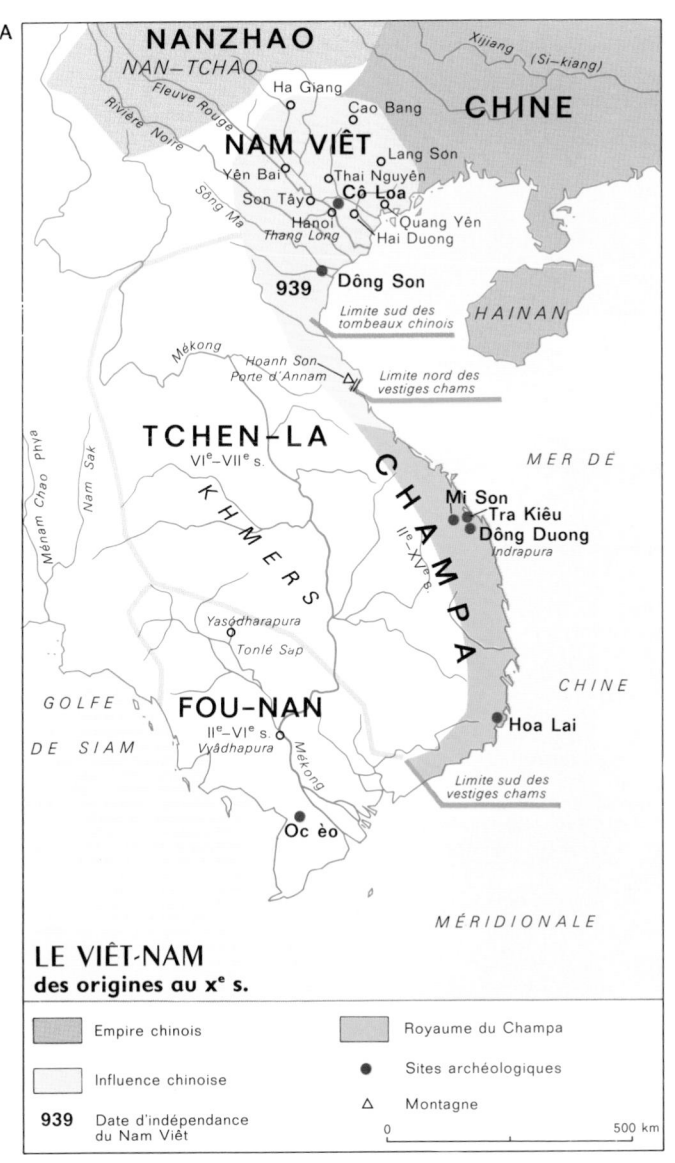

LE VIÊT-NAM
des origines au Xe s.

	Empire chinois			Royaume du Champa
	Influence chinoise		●	Sites archéologiques
939	Date d'indépendance du Nam Viêt		△	Montagne

0   500 km

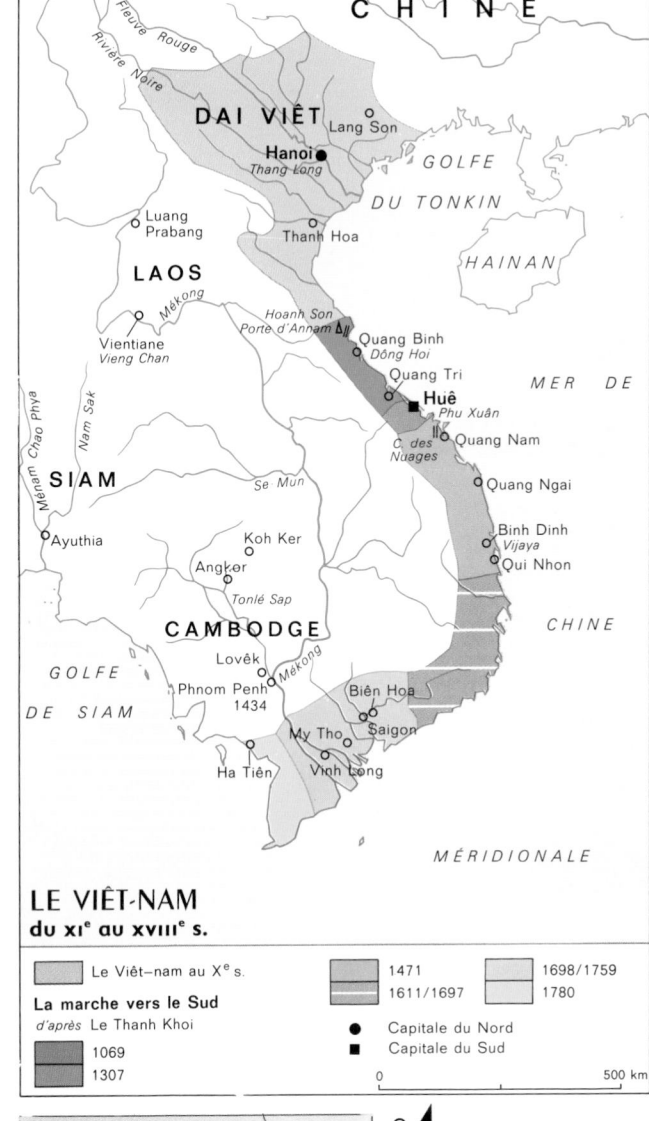

LE VIÊT-NAM
du XIe au XVIIIe s.

	Le Viêt-nam au Xe s.			1471			1698/1759
	La marche vers le Sud			1611/1697			1780
	d'après Le Thanh Khoi						
	1069				●	Capitale du Nord
	1307				■	Capitale du Sud

0   500 km

A

Dès son origine, le Viêt-nam apparaît divisé en deux aires culturelles. Au sud, de la porte d'Annam au delta du Mékong, les Chams, population malayo-polynésienne, subissent l'influence indienne par l'intermédiaire des royaumes du Fou-nan (Oc èo, centre du commerce international), puis du Tchen-la; en 192, ils fondent le royaume du Champa. Au nord, les Vietnamiens, issus du métissage de groupes mongoloïdes (Muongs, Thaïs) avec les autochtones mélano-indonésiens, sont marqués par l'influence chinoise, qui devient prépondérante à partir de la création du royaume du *Nam Viêt* (en chin. Nanyue [Nan-yue]) par un général chinois en 208 av. J.-C. Annexé en 111 av. J.-C. par les Han et englobé dans le Nanyue (Nan-yue), le nouveau royaume du Nam Viêt (Tonkin, Thanh-hoa, Je-nan) subit une sinisation renforcée (diffusion du taoïsme et du confucianisme); mais, en même temps, se développe un sentiment national, forgé par les menaces du Champa et du Nanzhao (Nan-Tchao) [Yunnan] et par les révoltes périodiques contre la tutelle chinoise. Aussi, en 939, profitant de l'affaiblissement de la dynastie des Tang (T'ang) en Chine, un soulèvement général permet d'obtenir l'indépendance du pays, dont la capitale est alors transférée de Hanoï à Cô Loa. Après un siècle d'anarchie, l'arrivée au pouvoir de la dynastie Ly consolide définitivement le nouveau royaume du Dai Viêt; celui-ci s'étend vers le sud au

détriment du Champa, qui transfère sa capitale à Vijaya après le pillage d'Indrapura en 982. (V. cartes pp. 183 [C et D], 184 [A] et 190 [B et C].)

B

L'organisation d'un pouvoir central fort, établi en 1020 à Thang Long (Hanoï), s'appuyant sur une classe de mandarins qui dirigent l'administration, permet de développer la puissance économique et militaire du Dai Viêt; ainsi celui-ci peut-il pratiquer une politique d'expansion que suscite la pression démographique et qui se nourrit d'un nationalisme vivace. Impossible vers le nord en raison de la présence menaçante des Chinois (invasion des Song en 1077; raids mongols du XIIIe s.; nouvelle invasion au début du XVe s.), cette expansion s'exerce au sud, aux dépens du Champa, qui perd ses provinces septentrionales (en deux étapes [1069 et 1307]), puis le Centre-Annam après une bataille décisive en 1471. Mais cette dilatation même du Dai Viêt, en favorisant les tendances centrifuges, affaiblit le pouvoir central, ce qui entraîne la rupture de l'unité du pays au XVIe siècle. Tandis que le Nord est soumis à la dictature du clan Trinh, les Nguyên, établis à Phu Xuân (Huê), reprennent à leur compte la marche vers le sud, atteignant, à la fin du XVIIe siècle, le delta du Mékong, d'où ils refoulent peu à peu les Khmers. Ayant retrouvé son unité en 1789, le Dai Viêt semble atteindre alors son apogée. (V. cartes pp. 184 [A et B], 185 [B] et 186 [A et B].)

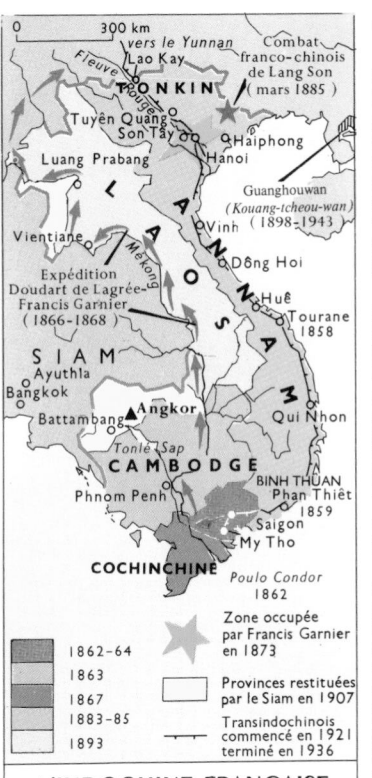

L'INDOCHINE FRANÇAISE

	1862-64		Zone occupée par Francis Garnier en 1873
	1863		
	1867		Provinces restituées par le Siam en 1907
	1883-85		Transindochinois commencé en 1921 terminé en 1936
	1893		

C

La colonisation de l'Indochine débute lorsque, pour protéger les chrétiens persécutés, Napoléon III fait occuper Saigon en 1859, puis la Cochinchine orientale (1862-1864), que l'amiral de La Grandière accroît de la Cochinchine occidentale (1867), après avoir placé en 1863, le Cambodge sous protectorat français pour le soustraire aux ambitions du Siam.

Le désir de conquérir le marché chinois explique l'extension vers le nord. Francis Garnier remonte le Mékong (1866-1868), prend Hanoi en 1873, mais est tué le 21 décembre. L'assassinat du commandant Rivière aux portes de cette ville, le 19 mai 1883, provoque alors l'intervention décisive : dès le 25 août, le protectorat français est accepté par l'Annam, puis étendu au Tonkin le 6 juin 1884. Malgré l'incident de Lang Son en mars 1885, la Chine hostile accepte le fait accompli.

Regroupés en 1887 en une *Union indochinoise*, accrue en 1893 du Laos pacifiquement conquis par Auguste Pavie, ces territoires sont soumis, notamment par le gouverneur général Paul Doumer (1896-1902), à une centralisation systématique et connaissent un incontestable essor économique dont deux des instruments essentiels sont, à la veille de la Seconde Guerre mondiale, le chemin de fer transindochinois et celui du Yunnan. (V. carte C p. 186.)

En 1945, après la défaite du Japon, la Corée est divisée en deux zones d'occupation (américaine et soviétique) de part et d'autre du 38e parallèle nord. La guerre froide rendant la réunification impossible, la « république de Corée » (au sud) et la « république démocratique populaire de Corée » (au nord) sont créées en 1948. Encouragés par les succès communistes en 1949 (première bombe atomique soviétique, victoire communiste en Chine), les Nord-Coréens franchissent le 38e parallèle le 25 juin 1950. À la demande immédiate des États-Unis, l'O.N.U. décide d'intervenir. Essentiellement américaines, ses forces, aux ordres de MacArthur, débarquent audacieusement à In-č'ŏn (Inchon) le 15 septembre 1950 et atteignent le Ya-lu le 26 octobre. Elles sont rejetées aussitôt par les « volontaires » chinois jusqu'au sud de Séoul, qui tombe le 4 janvier 1951 mais est reprise le 14 mars par les troupes de MacArthur. Celles-ci sont renforcées par le président Harry Truman, qui refuse cependant de recourir à l'arme nucléaire, de peur de déclencher une troisième guerre mondiale. MacArthur est rappelé le 11 avril, et son successeur, le général Ridgway, stabilise le front, entre le 23 mai et le 27 novembre 1951, un peu au nord du 38e parallèle. Après deux ans de négociations à Kä-sŏng (Kaesong), l'armistice est signé à P'an-mun-čŏm (Panmunjom) le 27 juillet 1953 : il rétablit le *statu quo ante,* sans résoudre le problème coréen.

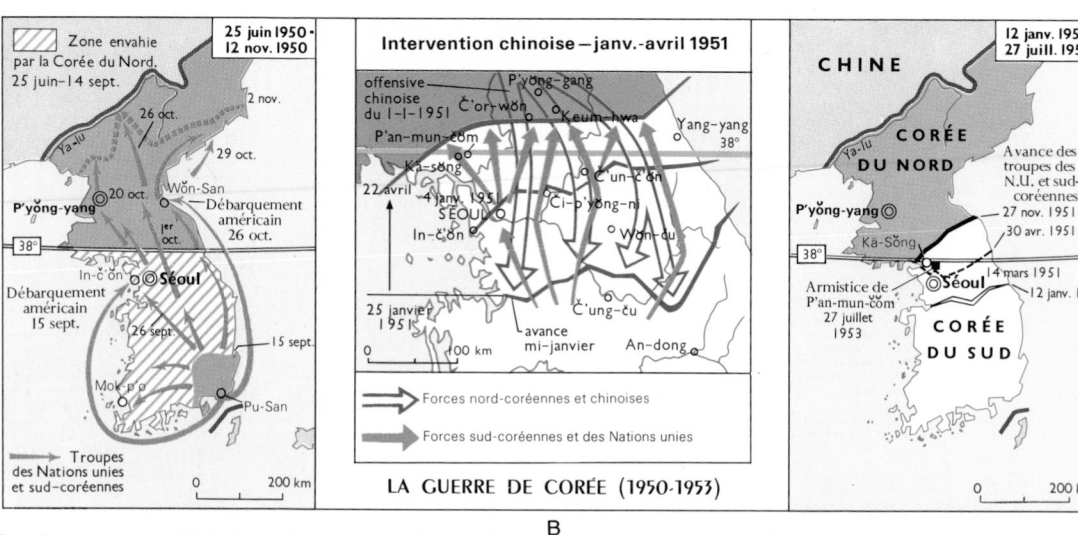

LA GUERRE DE CORÉE (1950-1953)

Conséquence de la défaite française en Europe, l'occupation japonaise, à partir du 23 septembre 1940, a renforcé le nationalisme indochinois; aussi, le 2 septembre 1945, profitant du vide du pouvoir dû à la capitulation japonaise, Hô Chi Minh, chef du mouvement nationaliste et communiste viêt-minh, proclame à Hanoi l'indépendance du Viêt-nam. Pour se réinstaller au Tonkin, les Français doivent donc négocier avec lui; mais malentendus et suspicions concernant l'interprétation des clauses de l'accord du 6 mars 1946 engendrent deux incidents graves qui créent l'irréparable : le bombardement de Haiphong par l'artillerie française le 23 novembre; l'attaque de Hanoi par Vô Nguyên Giap le 19 décembre. Pendant trois ans, les Français se heurtent à la guérilla menée par le Viêt-minh qui, par la propagande ou la terreur, s'assure le contrôle de vastes régions rurales en Cochinchine et au Tonkin; à partir de 1950, l'aide massive que lui assurent les communistes chinois permet au général Giap de remporter d'importants succès dans le nord du Tonkin. En renforçant les effectifs franco-vietnamiens (près de 450 000 hommes à la fin de 1953) et en obtenant l'aide des États-Unis, déjà alertés par la guerre de Corée, le général de Lattre de Tassigny opère pendant deux ans un redressement militaire, mais le désastre de Diên Biên Phu, le 7 mai 1954, précipite la fin de la guerre : dans la nuit du 20 au 21 juillet, à la conférence de Genève, Pierre Mendès France entérine le partage provisoire du Viêt-nam en deux zones, de part et d'autre du 17e parallèle nord, et confirme l'intégrité des États du Cambodge et du Laos, dont l'indépendance a été affirmée dès 1953.

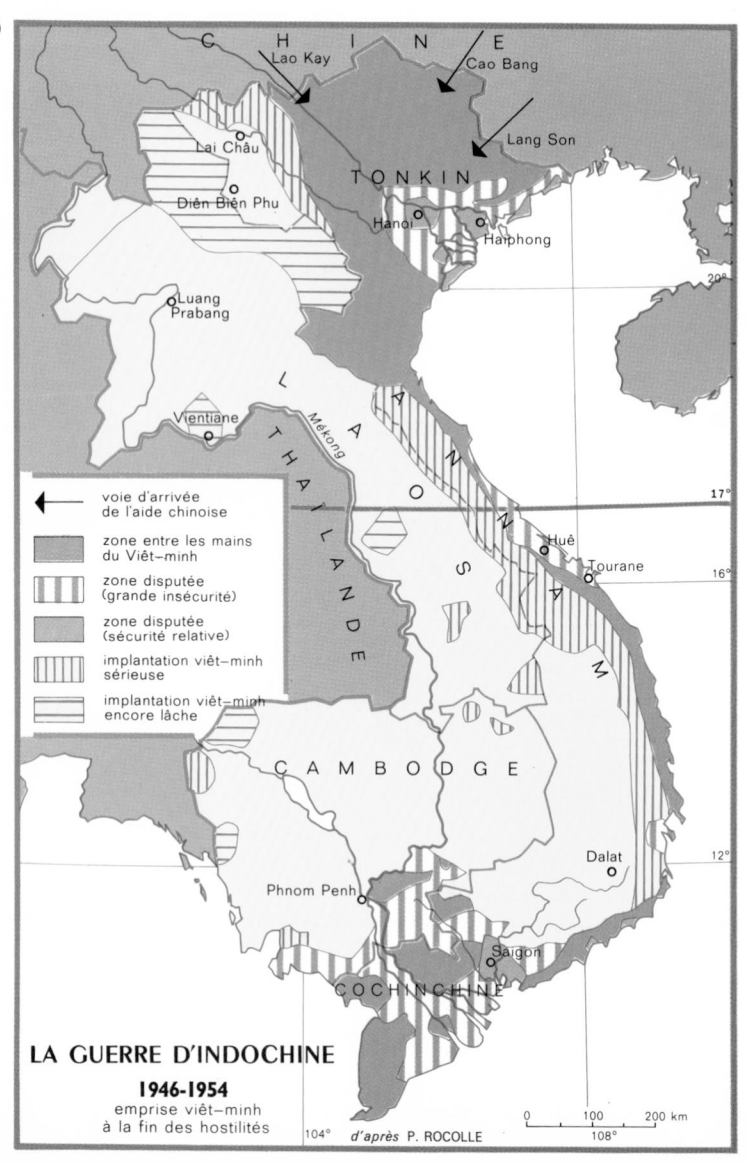

voie d'arrivée de l'aide chinoise
zone entre les mains du Viêt-minh
zone disputée (grande insécurité)
zone disputée (sécurité relative)
implantation viêt-minh sérieuse
implantation viêt-minh encore lâche

LA GUERRE D'INDOCHINE
1946-1954
emprise viêt-minh à la fin des hostilités

d'après P. ROCOLLE

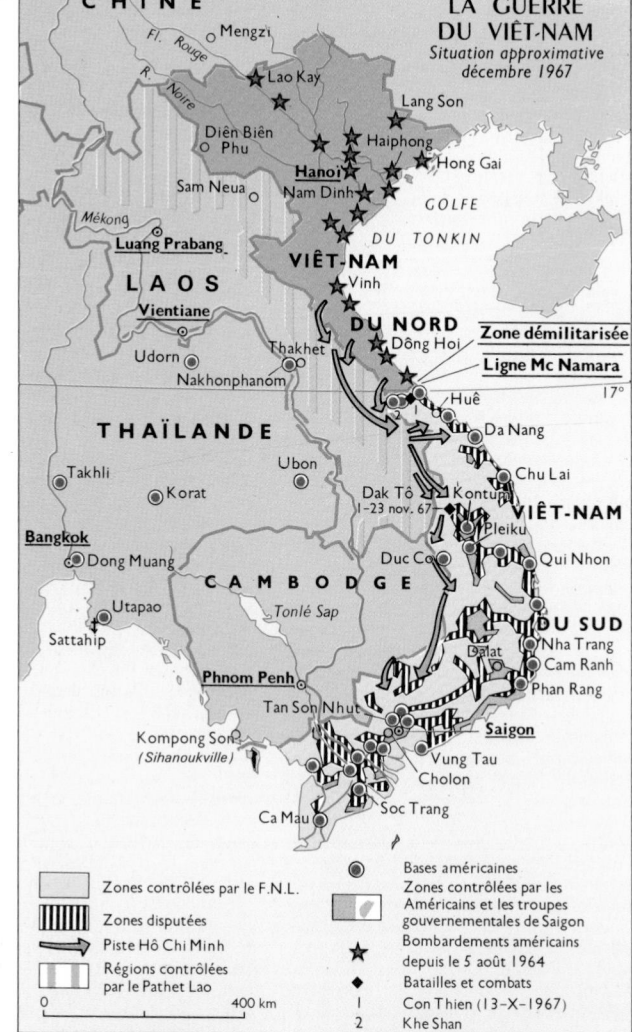

LA GUERRE DU VIÊT-NAM
Situation approximative décembre 1967

Zone démilitarisée
Ligne Mc Namara

Zones contrôlées par le F.N.L.
Zones disputées
Piste Hô Chi Minh
Régions contrôlées par le Pathet Lao

Bases américaines
Zones contrôlées par les Américains et les troupes gouvernementales de Saigon
Bombardements américains depuis le 5 août 1964
Batailles et combats
Con Thien (13-X-1967)
Khe Shan

D'abord peuplé par des groupes venus de Sibérie (Aïnous) ou de l'Asie méridionale, le Japon reçoit, au Ier millénaire avant notre ère, de nouveaux arrivants qui s'installent au sud de l'archipel. Leur avance technique (riziculture, intensive ou non, dès le IIIe s. av. J.-C.; métallurgie du bronze au Ier s. apr. J.-C., puis du fer), l'unification des clans primitifs en petits royaumes permettent la formation, au milieu du VIe siècle, d'un «empire» : l'État du Yamato, que renforce l'adoption, par l'intermédiaire de la Corée, des grands traits de la civilisation chinoise — confucianisme au Ve siècle, bouddhisme au VIe siècle. Après s'être retirés de Corée, les Japonais entreprennent la colonisation de l'Est et du Nord «bar-

bares». Au terme de violents affrontements, les Aïnous sont refoulés au VIIIe siècle au nord de Honshū. Mais cette expansion est freinée, à partir du XIIe siècle par le développement progressif d'une «féodalité» (lié à l'accaparement des terres par l'aristocratie territoriale, qui prend un caractère militaire) et par l'affaiblissement d'un pouvoir impérial trop éloigné (à Heijō-kyō [Nara], 710-794; puis à Heian-kyō [Kyōto], 794-1185) : après l'expulsion définitive des Aïnous d'Honshū, seule la restauration d'un pouvoir central fort (qui s'installe symboliquement plus à l'est, à Edo [auj. Tōkyō] en 1603) permet d'engager, dès la fin du XVIe siècle la colonisation d'Hokkaidō.

L'usurpation de vastes domaines, qu'ils concèdent en fiefs à des vassaux, fait des gouverneurs provinciaux de véritables «seigneurs féodaux» *(daimyō)*, disposant d'une vaste clientèle, et pratiquement indépendants du pouvoir du *shōgun* résidant à Kyōto. Le morcellement politique affaiblit l'autorité centrale; le pouvoir est en effet accaparé

par une trentaine de grands daimyō, par une centaine de petits seigneurs révoltés, enfin par les sectes religieuses (Ikkō). Les guerres sanglantes qui les opposent les uns aux autres plongent le pays dans l'anarchie et le ruinent en suscitant de nombreuses jacqueries, qui aggravent les désordres.

La guerre du Viêt-nam est née du refus de Ngô Dinh Diêm, chef de la république du Viêt-nam (sud), de procéder aux élections prévues par les accords de Genève. Regroupant communistes et progressistes sud-vietnamiens, le *Front national de libération* (F.N.L.) coordonne les opérations de guérilla menées contre le régime en place dès sa fondation en 1960. Deux facteurs contribuent à l'internationalisation rapide du conflit : l'intervention directe des États-Unis (165 000 hommes en 1965; 510 000 en 1968) pour éviter l'effondrement du Viêt-nam du Sud; l'aide apportée au F.N.L., *via* la «piste Hô Chi Minh», par les armées du Viêt-nam du Nord, appuyées par le Pathet Lao et largement ravitaillées en matériel par l'U.R.S.S. et par la Chine. Ainsi les combats s'aggravent-ils dans le Sud et la guerre s'étend-elle au Nord, bombardé par les Américains. L'échec de la politique de «pacification» est révélé par l'«*offensive du Têt*» du 30 janvier 1968 et par l'hostilité de l'opinion américaine, ce qui entraîne l'arrêt des bombardements sur le Nord, l'ouverture de négociations et la mise en œuvre d'une nouvelle stratégie en 1969. Mais, ni la «*vietnamisation*» de la guerre, ni son extension au Cambodge en avril 1970, pour couper la «piste Hô Chi Minh», ni la reprise des bombardements sur le Nord, ni le blocus naval du golfe du Tonkin ne viennent à bout de la résistance du peuple vietnamien. Aussi les États-Unis se retirent-ils du conflit, auquel il est mis un terme théorique par les accords de Paris du 27 janvier 1973. Ne recevant plus, dès lors, qu'une aide américaine limitée, le gouvernement sud-vietnamien du général Nguyên Van Thiêu s'effondre le 30 avril 1975, après deux ans de résistance.

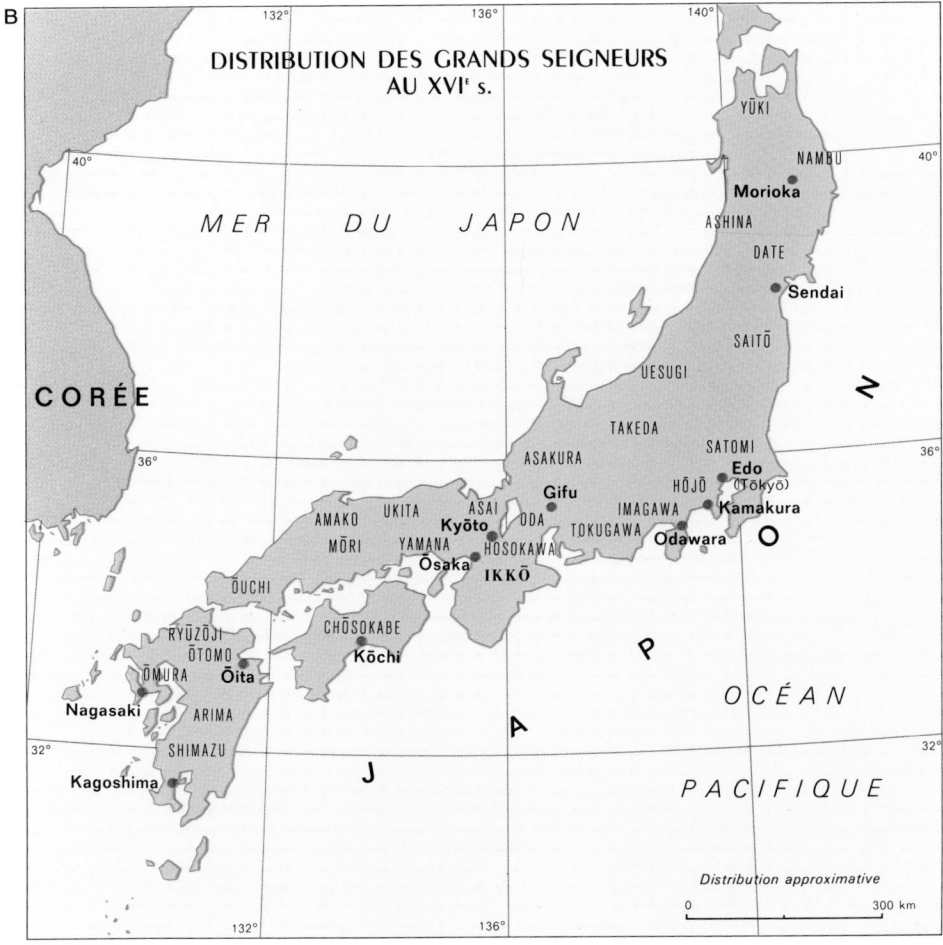

LES SOIXANTE-SIX PROVINCES TRADITIONNELLES
à l'origine

MER DU JAPON

OCÉAN

PACIFIQUE

1. OWARI   4. KAWACHI
2. IGA   5. SETTSU
3. YAMASHIRO 6. CHICUGO

0   300 km

Dans un cadre provincial qui n'a guère changé depuis le VIIᵉ ou le VIIIᵉ siècle, le rétablissement, au XVIIᵉ siècle, de l'autorité centrale par la dynastie shōgunale des Tokugawa entraîne un nouveau style de gouvernement local, mélange de féodalité et de centralisation. Le processus de féodalisation semble achevé, puisque les provinces sont concédées en fiefs aux daimyō; mais le shōgun y assure son autorité en « domestiquant » les seigneurs, soumis à un système rigoureux de « prise d'otages » et contraints de résider une année sur deux dans la capitale, Edo (aujourd'hui Tōkyō).

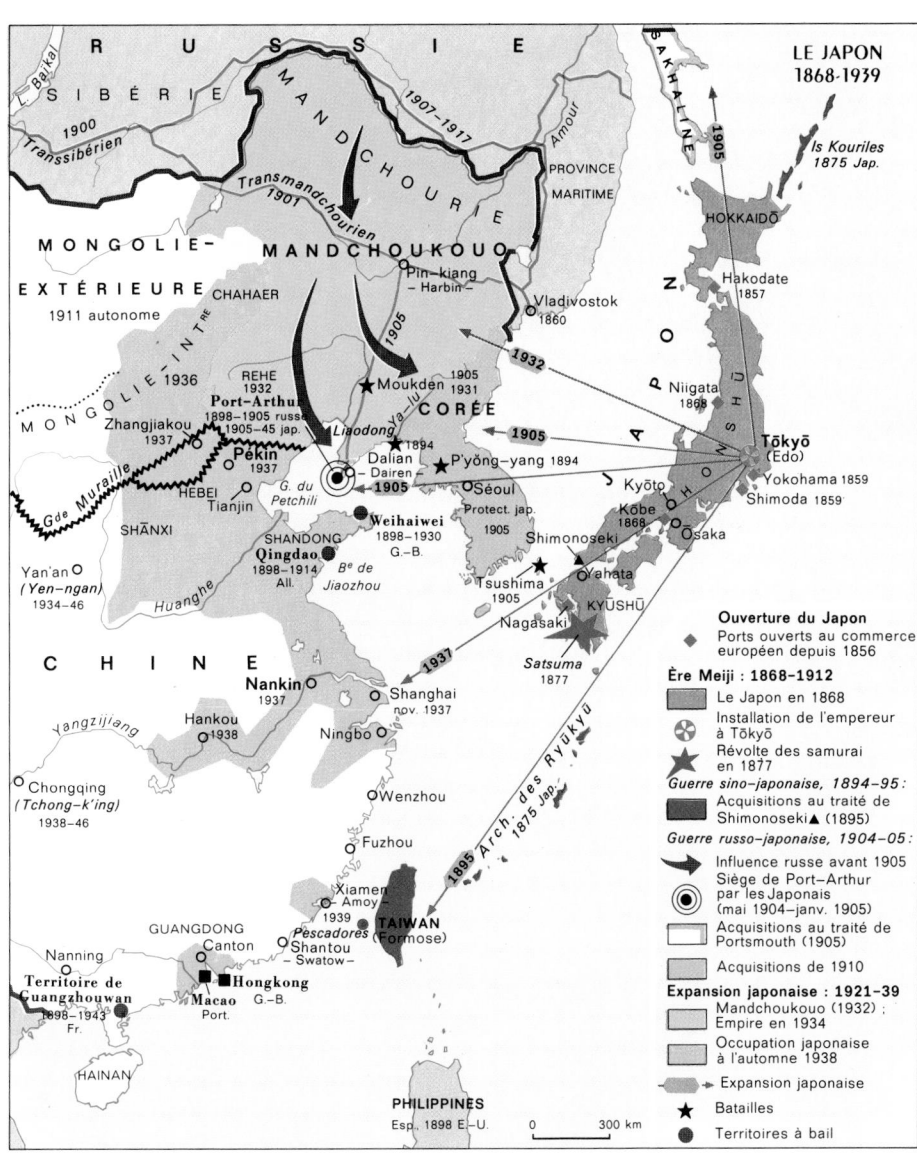

Carte : LE JAPON 1868-1939

Ouverture du Japon
- ◆ Ports ouverts au commerce européen depuis 1856

Ère Meiji : 1868-1912
- ▨ Le Japon en 1868
- ⊕ Installation de l'empereur à Tōkyō
- ★ Révolte des samurai en 1877

Guerre sino-japonaise, 1894-95 :
- ■ Acquisitions au traité de Shimonoseki ▲ (1895)

Guerre russo-japonaise, 1904-05 :
- ⬇ Influence russe avant 1905
- ◎ Siège de Port-Arthur par les Japonais (mai 1904-janv. 1905)
- ☐ Acquisitions au traité de Portsmouth (1905)
- ▨ Acquisitions de 1910

Expansion japonaise : 1921-39
- ▨ Mandchoukouo (1932) ; Empire en 1934
- ▨ Occupation japonaise à l'automne 1938
- ⇢ Expansion japonaise
- ★ Batailles
- ● Territoires à bail

Contraint de s'ouvrir aux étrangers à partir de 1854, le Japon assimile rapidement les apports occidentaux, sous l'impulsion de l'empereur Mutsuhito (1867-1912), qui inaugure l'« ère Meiji » (1868-1912) par l'élimination du shōgunat et par la répression des révoltes féodales. Des réformes politiques et sociales ouvrent la voie à la modernisation économique : l'État fait appel aux techniciens étrangers, subventionne les industries et aide à la création de grandes entreprises, les *zaibatsu*. Mais le rapide développement industriel se heurte au manque de matières premières et à l'étroitesse du marché intérieur : il en résulte un processus impérialiste précoce, dont la visée principale est la Chine. En deux guerres, contre la Chine de 1894 à 1895 et contre la Russie de 1904 à 1905, le Japon s'empare de Taiwan en 1895 et de la Corée en 1905 (mais il n'annexe cette dernière qu'en 1910); à partir de 1905, il étend son influence sur le sud de la Mandchourie. Après la *Première Guerre mondiale,* au cours de laquelle le Japon s'est renforcé en Chine et dans le Pacifique, l'expansion nippone semble prendre une forme plus pacifique, plus exclusivement commerciale. Mais, du fait de la crise de 1929, qui ferme de nombreux marchés au commerce japonais, les militaires reviennent au pouvoir et les thèses impérialistes triomphent : l'occupation de la Mandchourie en 1931, l'invasion de la Chine en 1937 sont les premières étapes de la construction de la « sphère de coprospérité asiatique ». (V. cartes pp. 85 [A et B], 186 [C], 190 [A] et 206.)

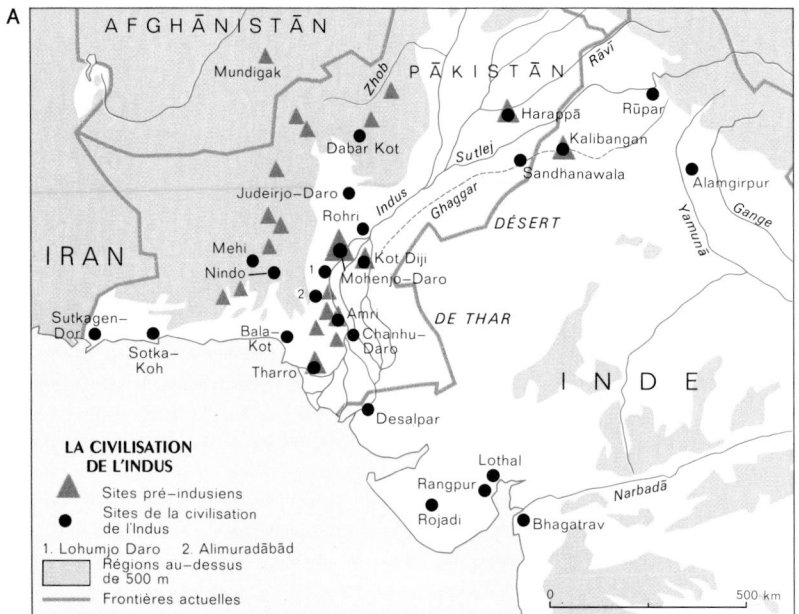

On appelle « civilisation de l'Indus » la culture qui, dans le bassin de ce fleuve, correspond à la période protohistorique et se caractérise par la diffusion du cuivre (v. 2500-v. 1500 av. J.-C.). Les principaux sites sont Mohenjo-Daro, Chanhu-Daro, et, surtout, Harappā; on y voit les vestiges des villes comportant une citadelle et des quartiers d'habitation. L'existence de surplus agricoles (vastes greniers) explique cette floraison urbaine et alimente un commerce lointain, attesté par la découverte de sceaux jusqu'en Mésopotamie. La destruction de la culture d'Harappā correspondrait à l'arrivée de cavaliers armés de fer, les Āryens (Indo-Européens venus d'Iran).

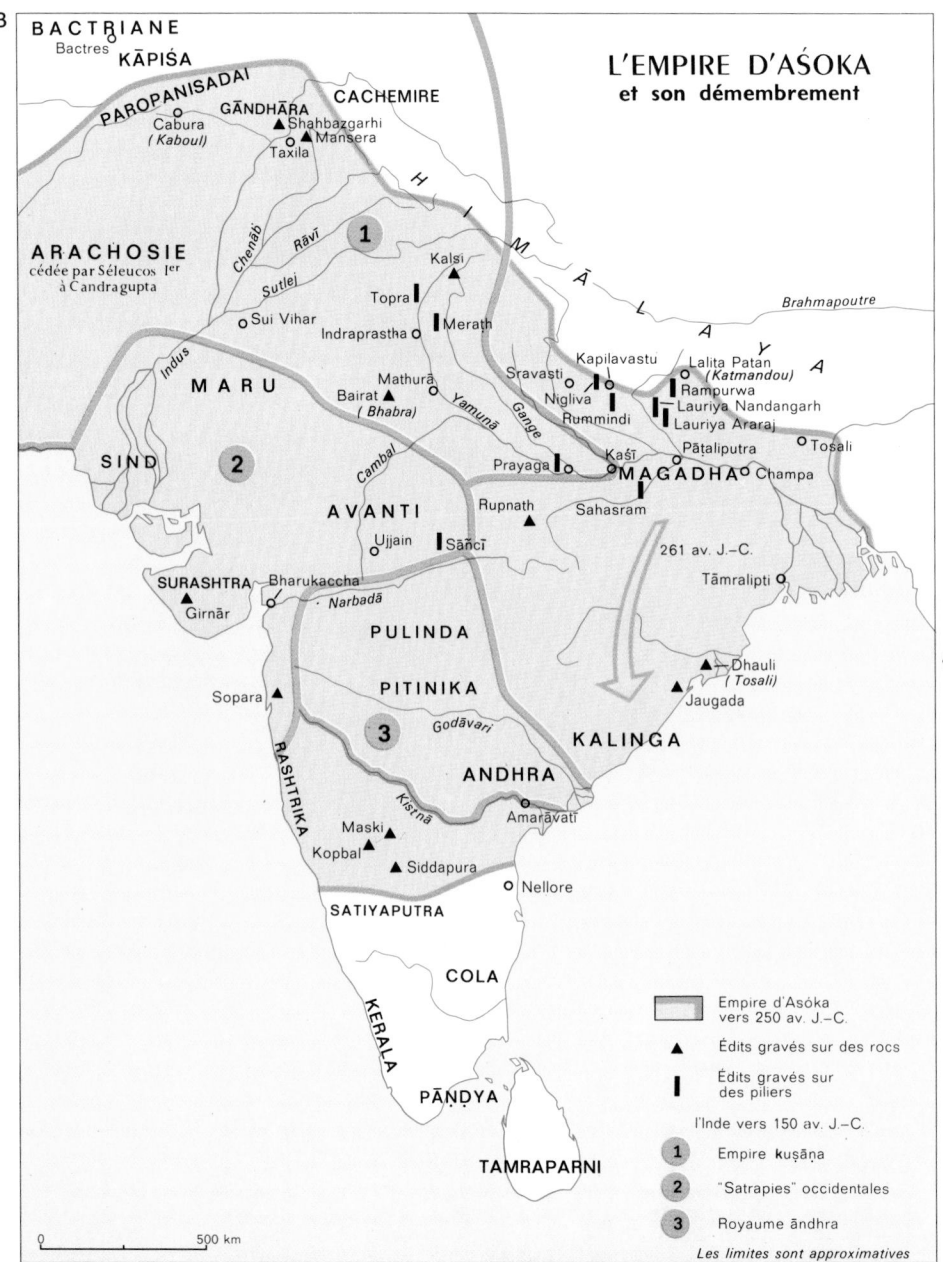

Le règne d'Aśoka (v. 268-v. 232) marque l'apogée de la dynastie des Maurya et, pour l'Inde, sa première unification. Sacré à Pāṭaliputra, sa capitale, le roi est converti au bouddhisme et se montre fervent prosélyte, comme l'attestent ses édits gravés sur le roc; il embellit les sanctuaires existants et en construit d'autres, provoquant l'essor d'un art admirable. Profitant du reflux des Grecs consécutif à la mort d'Alexandre en 323 (v. carte B p. 15), exploitant l'héritage de Candragupta, le Sandrakottos des historiens grecs, Aśoka étend son empire : celui-ci comprenait les bassins de l'Indus et du Gange, le nord-ouest de l'Inde et l'Afghānistān oriental; il atteint les limites de l'Inde actuelle, à l'exception de l'Assam et du sud du Deccan. Le gouvernement est religieux sans excès, la civilisation mixte : au fonds indien s'ajoutent des influences iraniennes et grecques (bilingue de Kandahar en Afghānistān). L'unité de cet ensemble ne survit pas à Aśoka : on a incriminé sa politique de non-violence, une possible réaction des brahmanes contre le bouddhisme; il faut aussi tenir compte de l'excessive pression économique exercée par l'État.

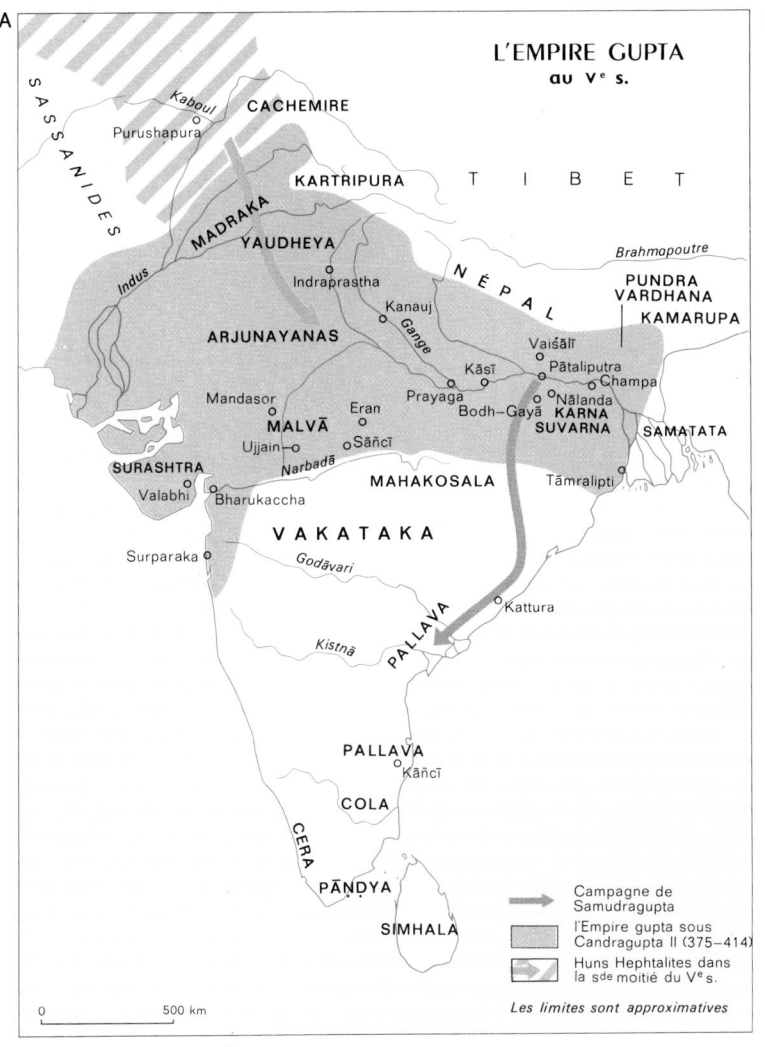

A

L'EMPIRE GUPTA
au Ve s.

SASSANIDES

Purushapura

CACHEMIRE

Kaboul

KARTRIPURA

TIBET

MADRAKA

YAUDHEYA

Indus

Indraprastha

NÉPAL

Brahmapoutre

Kanauj

PUNDRA
VARDHANA

Gange

KAMARUPA

ARJUNAYANAS

Vaiśālī

Kāśī   Pāṭaliputra

Mandasor

Eran

Prayāga

Champa

Bodh-Gayā   Nālandā

Ujjain

Sãñcī

MALVĀ

KARNA
SUVARNA

SURASHTRA

Narbadā

SAMATATA

Valabhi   Bharukaccha

MAHAKOSALA

Tāmralipti

VAKATAKA

Surparaka

Godāvari

Kattura

Kistnā   PALLAVA

PALLAVA

Kāñcī

COLA

CERA

PĀNDYA

SIMHALA

→ Campagne de
Samudragupta

▒ l'Empire gupta sous
Candragupta II (375–414)

⇨ Huns Hephtalites dans
la s^{de} moitié du Ve s.

Les limites sont approximatives

0   500 km

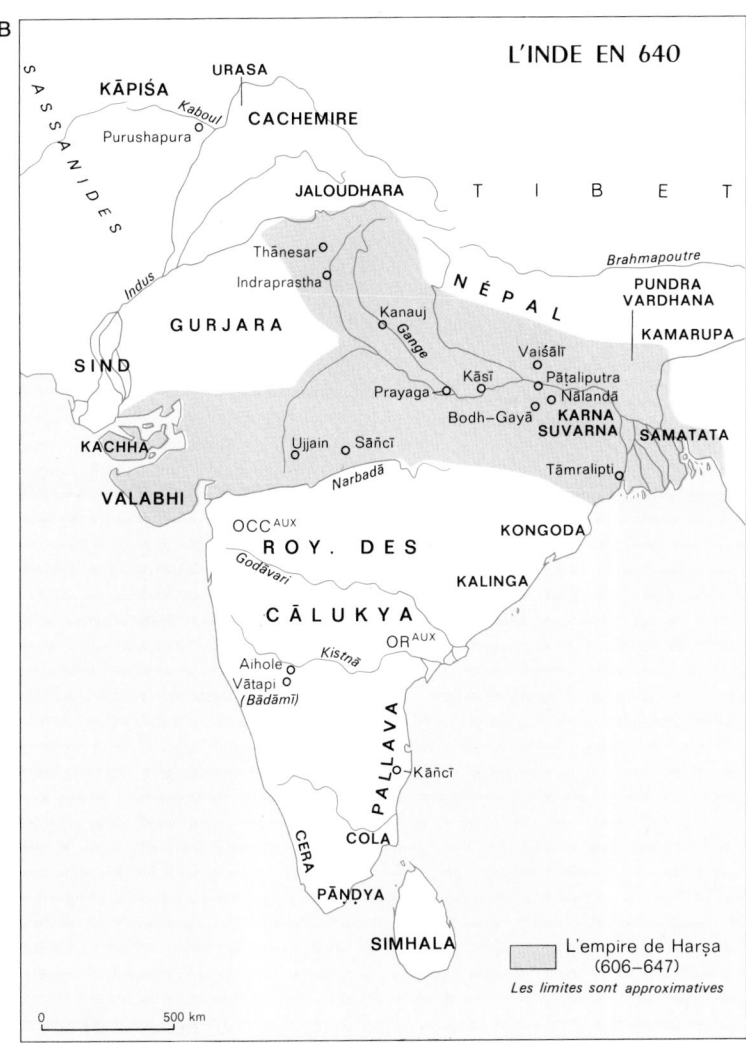

B

L'INDE EN 640

SASSANIDES

KĀPIŚA   URASA

CACHEMIRE

Purushapura

Kaboul

JALOUDHARA

TIBET

Thānesar

Indraprastha

GURJARA

NÉPAL

Brahmapoutre

Kanauj

PUNDRA
VARDHANA

Gange

KAMARUPA

SIND

Vaiśālī

Prayāga   Kāśī   Pāṭaliputra

KACHHA

Ujjain   Sãñcī

Bodh-Gayā   Nālandā

KARNA
SUVARNA

SAMATATA

VALABHI

Narbadā

Tāmralipti

OCC^{AUX}

KONGODA

ROY. DES

Godāvari

KALINGA

CĀLUKYA

OR^{AUX}

Aihole   Kistnā
Vātapi
(Bādāmī)

PALLAVA

Kāñcī

COLA

CERA

PĀNDYA

SIMHALA

▒ L'empire de Harṣa
(606–647)

Les limites sont approximatives

0   500 km

Au début du IVe siècle, dans une Inde morcelée, dont tout le Nord-Ouest est soumis à la domination des Kuṣāṇa, une réaction nationale, partie du Magadha, dha, débouche sur la constitution, par la dynastie Gupta, d'un vaste empire, qui s'étend du Pendjab au Bengale occidental. C'est, pendant deux siècles, un « âge d'or » de la civilisation indienne : renouveau brahmaniste, floraison littéraire et artistique, essor scientifique. Cet Empire atteint son apogée sous Candragupta II (375-414), qui conquiert Ujjain et y établit sa capitale. Mais il est politiquement fragile : d'une part, malgré les expédi-

tions de Samudragupta (v. 335-375), le Deccan et l'Inde dravidienne, à la très forte originalité ethnique, linguistique et culturelle, ont conservé leur indépendance; d'autre part, l'immensité de l'empire et la force des particularismes locaux ont conduit, dès le Ve siècle, à un processus de « féodalisation », accéléré par l'invasion des Huns Hephtalites. D'abord repoussés en 455, ces derniers s'installent dans la vallée de l'Indus, base de départ de raids sur la vallée du Gange, tandis que l'Empire gupta s'effondre vers 467.
(V. carte p. 182.)

À l'écart des convulsions qui secouent la plaine indo-gangétique, de brillants royaumes se développent au VIIe siècle dans le sud de la péninsule : ceux des Cālukya au Deccan, des Pallava, des Cola, des Cera et des Pāṇḍya en pays dravidien. Pourtant, dès le début du VIIe siècle et à la faveur de l'anarchie qui suit l'effondrement des Gupta, Harṣa, prince de Thānesar (région de Lahore), tente, pour la dernière fois avant les Moghols, d'unifier politiquement l'Inde. Dans le Nord, il réussit à s'imposer à ses rivaux et parvient à contrôler un empire

couvrant toute la vallée du Gange. Prolongeant la grandeur de la civilisation des Gupta, il favorise la création littéraire et artistique, essaie de ranimer le bouddhisme déclinant. Mais, pas plus que les Gupta, il ne peut dominer le Deccan. Aussi son empire ne lui survit-il pas : après sa mort, en 647, les tendances centrifuges l'emportent à nouveau; l'anarchie qui s'ensuit favorise les débuts de la conquête musulmane, dont la menace se précise aux confins nord-ouest.
(V. cartes B et C p. 171.)

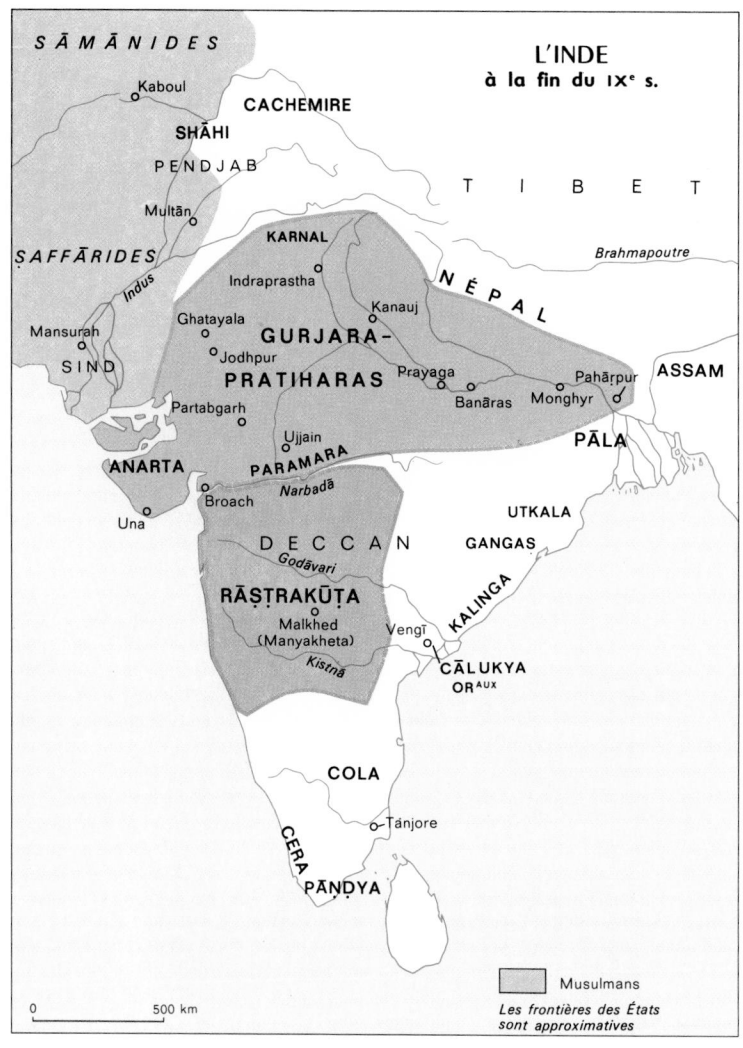

L'INDE
à la fin du IXᵉ s.

SĀMĀNIDES

Kaboul

CACHEMIRE

SHĀHI

PENDJAB

Multān

TIBET

ṢAFFĀRIDES

Indus

KARNAL

Indraprastha

NÉPAL

Brahmapoutre

Mansurah

Ghatayala

Kanauj

GURJARA-

SIND

Jodhpur

PRATIHARAS

Prayaga

Pahārpur

ASSAM

Partabgarh

Banāras

Monghyr

Ujjain

PĀLA

ANARTA

PARAMARA

Narbadā

Una

Broach

UTKALA

DECCAN

GANGAS

Godāvari

RĀṢṬRAKŪṬA

Malkhed
(Manyakheta)

Vengī

KALINGA

Kistnā

CĀLUKYA
OR ᴬᵁˣ

COLA

Tanjore

CERA

PĀNDYA

Musulmans

Les frontières des États
sont approximatives

0   500 km

À partir des VIIIᵉ et IXᵉ siècles, l'Inde est politiquement pulvérisée en une multitude de royaumes ou de petites principautés luttant pour l'hégémonie, tandis que s'accentuent les clivages traditionnels. Au sud, malgré les guerres intestines, les États sont relativement stables : le royaume cola de Tanjore domine le pays tamoul du début du Xᵉ à la fin du XIIᵉ s.; successeurs, vers 750, des Cālukya de Vātapi, les Rāṣṭrakūṭa contrôlent le pays marathe, jusqu'à leur élimination par les Cālukya de Kalyāni en 973. Aussi la civilisation hindoue traditionnelle s'y maintient-elle.

Au nord, au contraire, seule la dynastie Pāla établie au Magadha (actuel Bihār) et au Bengale se maintient pendant quatre siècles (fin du VIIIᵉ-fin du XIIᵉ s.); en revanche, centré sur le Malvā

dès le milieu du VIIIᵉ siècle, l'empire des Gurjara-Pratiharas ne survit pas à la prise de sa capitale Kanauj, par les Turcs Rhaznévides en 1019, qui facilite l'émancipation temporaire de royaumes vassaux : celui des Paramara du Malvā, qui disparaît à la fin du XIIᵉ siècle; celui des Candela du Boundelkhand, brisé par le Turc Aibek en 1203. Cette instabilité facilite l'action des musulmans. Installés d'abord au Sind en 711, arrêtés à Multān au Pendjab en 713, ils reprennent, à la fin du Xᵉ siècle, leurs raids contre cette province et contre le Cachemire, mais cette fois à partir de l'Asie centrale et non plus par la voie de l'Indus : les agents de cette conquête ne sont plus en effet des Arabes, mais des Turcs, des Persans, des Afghans et des Mongols islamisés.

(V. cartes pp. 171 [C], 172, 173 et 197 [B].)

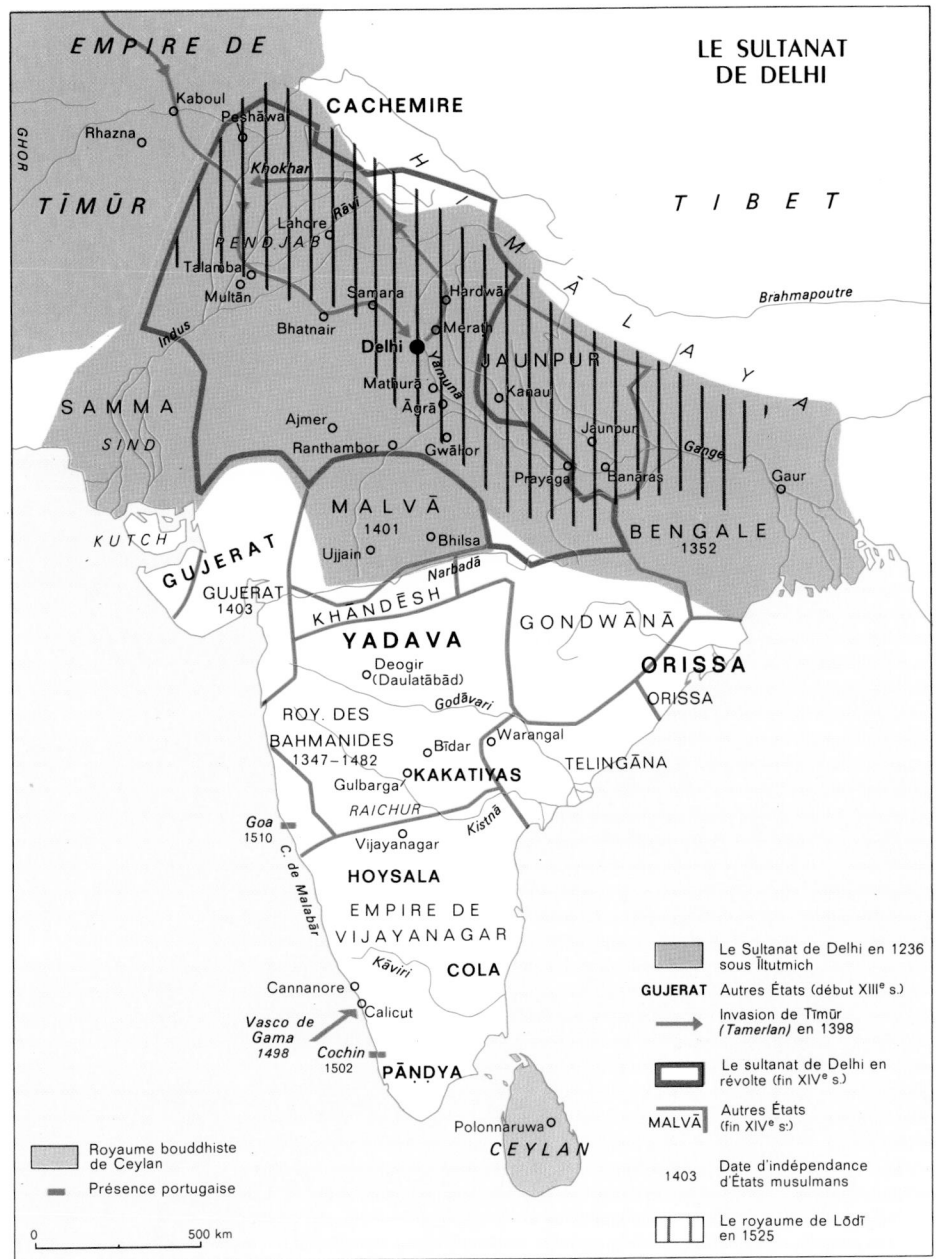

Commencée au XIᵉ siècle par les raids de Maḥmūd de Rhazna, la mainmise des musulmans sur l'Inde septentrionale est achevée par la victoire de Muḥammad de Rhūr (ou de Ghor) sur le roi de Delhi, Prithvī Rāj, à Thānesar en 1192. Le *sultanat de Delhi* passe dès 1206 à des dynasties turques : celle des «Esclaves», que domine le règne d'Īltutmich, jusqu'en 1290; celle des Khaldjī jusqu'en 1320; celle des Turhluq jusqu'en 1414. Étendant sa domination du Sind au Bengale, cet État vassalise, au début du XIVᵉ siècle, presque tous les royaumes hindous du Deccan, à l'exception de l'extrême Sud Tamoul. En même temps, l'islamisation se répand. Mais, dès cette époque, s'amorce un processus de démembrement : dans un aussi vaste empire, les gouverneurs musulmans profitent de la faiblesse des structures politico-administratives pour se tailler des royaumes indépendants (en particulier le Bengale, le royaume des Bahmanides au Deccan, le Malvā, le Gujerat); de surcroît, la résistance hindoue à l'islamisation conduit à la formation d'États qui luttent contre le sultanat (confédération rājpūt, Orissa de la dynastie Ganga, Pāṇḍya et, surtout, empire de Vijayanagar, créé en 1336 et qui incarne jusqu'en 1565 la permanence hindoue). Ce démembrement est accentué, après 1398, par le raid de pillage de Tīmūr, qui plonge définitivement le sultanat de Delhi dans l'anarchie, contre laquelle lutte vainement la dynastie afghane des Lōdī de 1451 à 1526.

(V. cartes pp. 173 et 174.)

La faiblesse du sultanat de Delhi permet au prince tīmūride Bābur (1483-1530), venu d'Afghānistān, de constituer un Empire moghol dans la plaine indo-gangétique, après ses victoires de Pānīpat (1526) contre le dernier sultan de Delhi, Ibrahim Lōdī, et de Khānuā (1527) contre les Rājpūts. Son petit-fils Akbar (1556/1561-1605) renforce l'Empire en annexant toute l'Inde du Nord, du Sind à l'Orissa, et en le protégeant par un système de glacis (Afghānistān, Cachemire, Baloutchistan); de plus, après la destruction du royaume de Vijayanagar en 1565, il vassalise les États du Deccan central. Le renforcement de l'administration, une politique sociale et religieuse habile assurent à l'Empire, au XVIIᵉ siècle, une stabilité et une prospérité remarquables, qui favorisent l'épanouissement d'une civilisation indomusulmane très brillante. À la fin du XVIIᵉ siècle, Awrangzīb (1658-1707) conquiert la majeure partie du Deccan, élargissant encore l'Empire; mais celui-ci est financièrement ruiné par ces guerres, tandis que la politique anti-hindoue suscite de violentes révoltes : Jāts en 1669; Rājpūts, surtout Marathes, qui édifient, à partir de 1674, un véritable État dans l'ouest du Deccan. Cet affaiblissement de la puissance moghole est mis à profit par les Européens, qui ont établi des comptoirs commerciaux dès le XVIᵉ siècle, pour renforcer leurs positions au Bengale, au Mahārāshtra et en pays tamoul. (V. cartes pp. 176 et 177.)

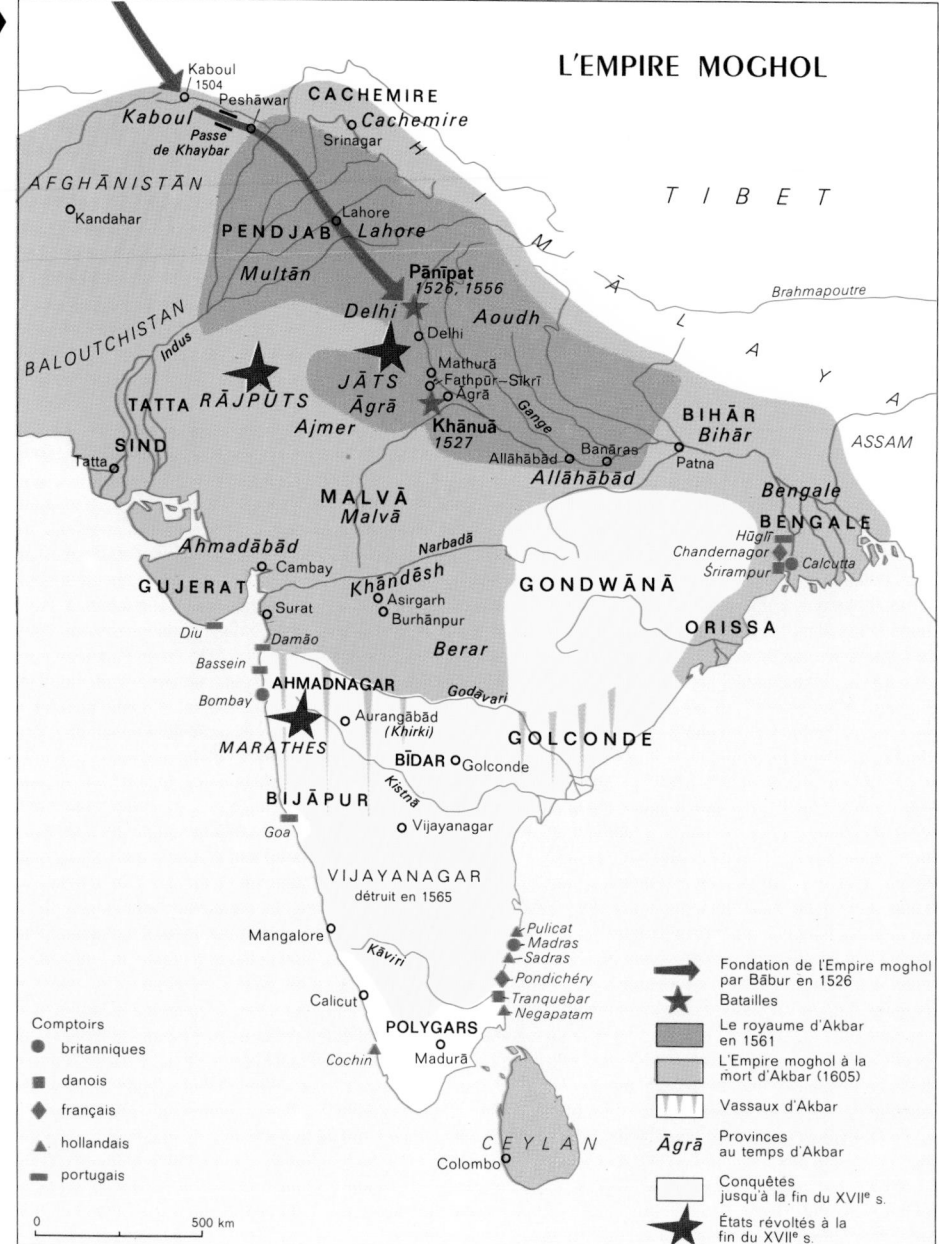

Animé à partir de 1885 par l'Indian National Congress (Congrès National Indien), le mouvement nationaliste indien se développe après la Première Guerre mondiale, sous l'influence de Gāndhī, qui lance une vaste campagne de désobéissance civile et de boycottage des produits anglais; alternant répressions et concessions et jouant sur les dissensions religieuses, la politique britannique renforce, en fait, les éléments extrémistes, qui répudient la stratégie de non-violence de Gāndhī; surtout, elle approfondit le fossé entre hindous et musulmans. Aussi, le processus d'indépendance, inéluctable après la Seconde Guerre mondiale (qui a renforcé les sentiments antibritanniques), détermine-t-il l'éclatement de l'Inde : fondée dès 1906, la Ligue musulmane d'Alī Jinnah exige la création d'un Pākistān regroupant les régions à majorité musulmane; les Britanniques, qui n'ont pu empêcher les émeutes religieuses d'août 1946, entérinent la partition en reconnaissant, le 18 juillet 1947, l'indépendance de deux États — l'Union indienne du Pandit Nehru, qui n'achève son unité que lors de l'annexion des territoires portugais de Goa, Diu et Damão, les 18 et 19 décembre 1961; le Pākistān d'''Alī Jinnah, monstre géographique et économique, dont les deux fractions sont éloignées de 1500 km l'une de l'autre. Aux franges du sous-continent, deux autres États sont créés, les 15 décembre 1947 et 4 janvier 1948 : le Ceylan (Sri Lanka depuis 1972) et l'Union birmane. Dans les deux premiers États (Union indienne et Pākistān), le retrait précipité des Britanniques crée un vide politique, qui favorise de nouvelles violences (massacres au Pendjab, assassinat de Gāndhī le 30 janvier 1948), notamment lors des échanges de populations; entre eux, l'hostilité, aggravée par le problème du Cachemire, semble désormais irréductible, alors même que la Chine populaire conteste le tracé des frontières héritées de la colonisation.

A

**L'INDE
1753-1890**

Kaboul · *P. de Khaybar*

CACHEMIRE

AFGHĀNISTĀN

Srīnagar

Lahore

PENDJĀB

Multān

Pānīpat 1761 ★ Merath

Delhi

Āgrā

SIKKIM

BHOUTAN

AOUDH

N É P A L

Lucknow

RĀJPUTĀNA

ASSAM

BALOUTCHISTAN

Gwālior

Kānpur

BIHĀR

Jhānsi

Patna

SIND

Allāhābād

Plassey 1757 ★

Dacca

Ahmadābād

BENGALE

Mandalay

Nāgpur

BIRMANIE

KĀTHIĀWĀR

ORISSA

Calcutta

Diu · *Damāo*

BERAR

Chandernagor

Bassein

Poona

HYDERĀBĀD

S A R K Ā R S

Bombay

Hyderābād

Rangoon

Yanaon

Goa

MYSORE

Madras

Seringapatām

Pondichéry

Mahé

Kārikāl

TRAVANCORE

C A R N A T I C

États indiens (Native States)

CEYLAN

Territoires de l'Inde britannique

en 1805 au départ de Wellesley

de 1805 à 1858

après 1858

◆ Comptoirs français

Empire des Indes
proclamé en 1877

▬ Possessions portugaises

0   1 000 km

B

Gilgit · *1956*

AFGHĀNISTĀN

CACHEMIRE · *1956*

Ladakh

**LA PARTITION
1947**

Kaboul

Peshāwar

Srīnagar

Rawalpindi

Jammu

1960

Sialkot

PENDJĀB

Lahore

Amritsar

C H I N E

Sahāranpur

revendiqué par la Chine

**PĀKISTĀN
OCCIDENTAL**

Delhi

Merath

New Delhi

N É P A L

SIKKIM

BHOUTAN · *1962*

Ajmer

Āgrā

Lucknow

NEFA

Karāchi

Jodhpur

Gwālior

Kānpur

Chauri Chaura

ASSAM

Gwādar
(Oman)

U N I O N

Allāhābād

Patna

Banāras

Gayā

**PĀKISTĀN
ORAL**

Dacca

Ahmadābād

I N D I E N N E

Barodā

Bhopāl

Chandernagor

B I R M A N I E

Dandī

JUNAGADH

Nāgpur

Bengale

Calcutta

Chittagong

Damāo

Diu

HYDERĀBĀD

Bombay

*État indépendant
de 1947 à 1949*

Bhubaneswar

Poona

Hyderābād

Yanaon

Goa

Is Andaman
(Inde)

État à majorité
hindoue

Bangalore

État à majorité
musulmane

Mysore

Madras

Cachemire

Pondichéry

Ligne de démarcation
(O.N.U. 1949)

Mahé

Kārikāl

Zone occupée par
le Pākistān

Madurā

Territoires réclamés
par la Chine

Is Nicobar
(Inde)

◆ Établissements français
de l'Inde *(cession de
1952 à 1962)*

Trivandrum

CEYLAN
*État
indépendant*

▬ Inde portugaise
jusqu'en 1961

0   500 km

Colombo

Maîtresse du Bengale après la victoire remportée à Plassey en 1757 par Robert Clive, bénéficiaire indirecte, en outre, de la défaite décisive infligée à Pānīpat en 1761 aux Marathes et aux Moghols par l'Afghan Aḥmad khān, *la Compagnie anglaise des Indes orientales* arrache à sa rivale française la suprématie sur l'Inde par le traité de Paris de 1763. Pour empêcher un retour en force de la France, dont les possessions sont dès lors réduites à cinq comptoirs, pour briser aussi les soulèvements indiens, les agents de la Compagnie étendent progressivement leur domination sur toute l'Inde, notamment après le gouvernement de Warren Hastings (1772-1785). En 1849, après l'annexion du Pendjab, le sous-continent est entièrement contrôlé soit directement (Inde britannique), soit indirectement (États princiers théoriquement indépendants, en fait protégés : *Native States*). Mais la grande *révolte des cipayes* de 1857, qui touche toute l'Inde centrale, révèle les tares de la colonisation menée par la Compagnie, à la fois maladroite et brutale, et dépourvue de moyens suffisants (v. carte p. 206). Aussi, une fois la révolte réprimée, l'Inde britannique devient-elle colonie directe de la Couronne, et l'administration locale est-elle renforcée par l'institution de l'*Indian Civil Service;* en même temps, on essaie de désarmer les oppositions par une plus grande souplesse à l'égard des princes et par un effort d'éducation pour dégager une « élite » occidentalisée. L'exploitation économique de la colonie, érigée en « Empire des Indes » en 1877, en fait la pièce maîtresse de l'empire britannique, défendue par tout un système de « glacis » (Népal, allié dès 1815; Birmanie, annexée en 1886; Afghānistān, neutralisé entre la Russie et l'Angleterre en 1895); mais, en détruisant l'économie traditionnelle (ruine de l'artisanat, recul de l'agriculture vivrière, renforcement de la fiscalité), elle suscite un nationalisme virulent. (V. carte p. 206.)

Le double aspect de *mouvement natio-naliste* et de *parti de gouvernement* explique le caractère de « parti attrape-tout » du Congrès, réunissant aussi bien la grande bourgeoisie d'affaires que la masse paysanne; de là ses succès cons-tants aux élections : seuls lui échappent relativement le sud du Deccan (dont le particularisme ethnique et linguistique s'oppose au centralisme hindī qu'in-carne le *Congrès*) et les régions où la misère paysanne favorise l'implantation communiste (Kerala, Orissa, Bihār, Ben-gale occidental surtout, où le mou-vement *naxalite* est très actif). Jusqu'en 1964, le prestige incontesté de Nehru a assuré la cohésion du parti du Congrès; mais, après sa mort, les divergences d'intérêts éclatent : une aile droite refuse la politique socialisante d'Indira Gāndhī (la fille de Nehru), Premier ministre depuis 1966. Cependant, aux élections de mars 1971, ce « vieux Congrès » subit un échec très net (16 élus), n'obtenant d'audience qu'au-près de la grande bourgeoisie urbaine ou des milieux autonomistes du Sud; la popularité d'Indira Gāndhī, sa poli-tique de réformes assurent au « nouveau Congrès » un large soutien populaire (350 élus sur 521) que lui font perdre les élections de mars 1977.

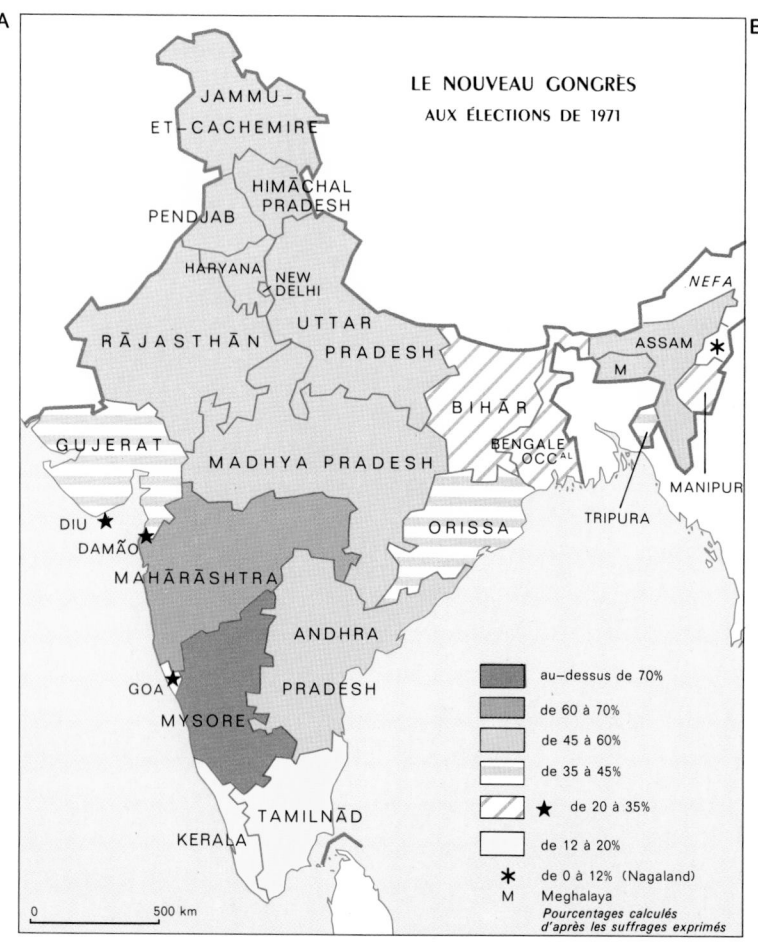

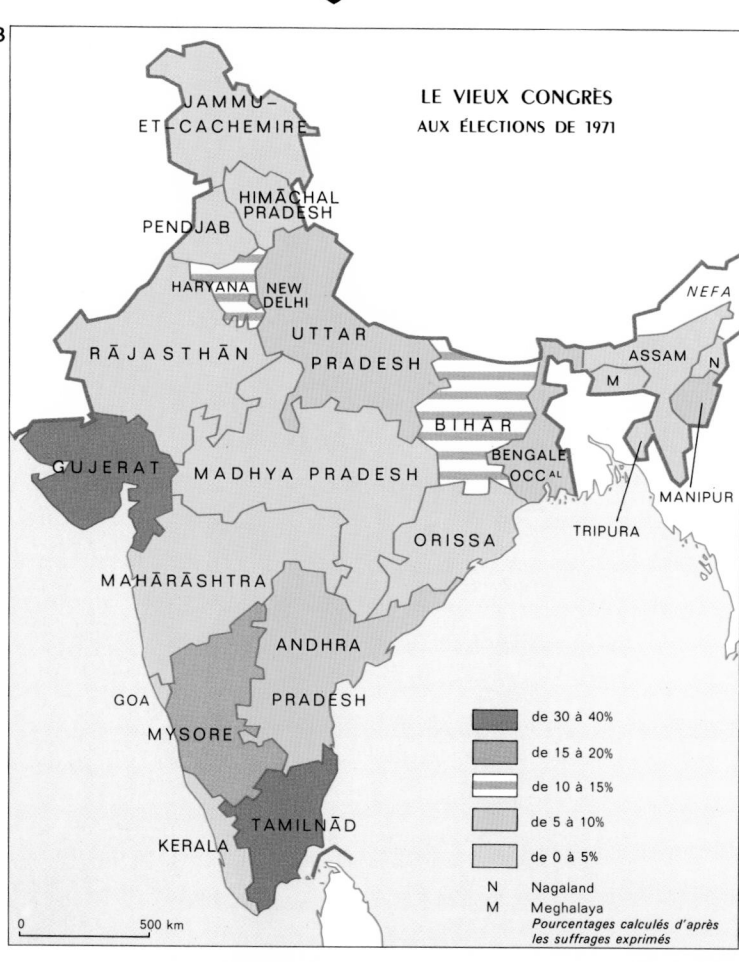

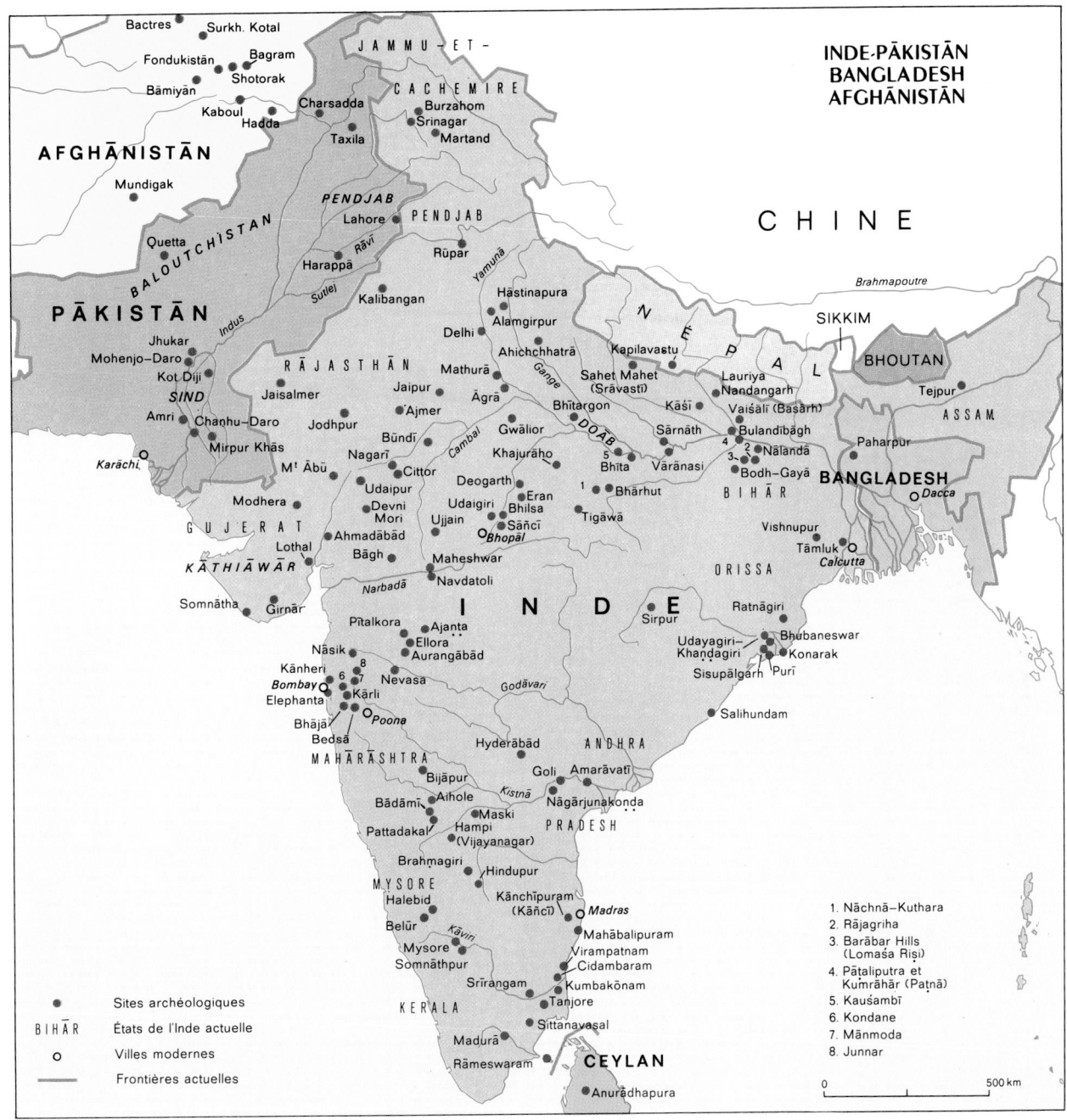

INDE-PĀKISTĀN
BANGLADESH
AFGHĀNISTĀN

Légende:
- • Sites archéologiques
- BIHĀR États de l'Inde actuelle
- ○ Villes modernes
- — Frontières actuelles

1. Nāchnā–Kuthara
2. Rājagriha
3. Barābar Hills (Lomaśa Riṣi)
4. Pāṭaliputra et Kumrāhār (Paṭnā)
5. Kauśambī
6. Kondane
7. Mānmoda
8. Junnar

Antérieures (culture du Baloutchistan : Mundigak ; civilisation de l'Indus : Mohenjo-Daro, Harappā [v. carte A p. 196]), ou postérieures au milieu du IIᵉ millénaire av. J.-C. (culture néolithique-chalcolithique du Gange [Doāb]), les premières manifestations de l'art indien intègrent respectivement les apports élamites, mésopotamiens et aryens.

Cette perméabilité assimilatrice aux influences de l'Occident se perpétue jusqu'à l'époque coloniale sans affaiblir la cohérence d'un art dont le but essentiel est de rapprocher l'homme de la divinité, tout en situant celle-ci dans un sanctuaire qui reproduit durablement, dans le bois et surtout dans la pierre, les particularités idéales des monts inaccessibles où elle séjourne.

Soumis à des prescriptions religieuses et, par contrecoup, à des règles techniques dont ils ne peuvent s'écarter,

architectes, sculpteurs et peintres édifient et ornent, selon des principes préétablis, d'innombrables sanctuaires à partir du règne d'Aśoka (273-236 av. J.-C.) [v. carte B p. 196] : *stūpas*, massifs reliquaires complétés de monastères par les adeptes du bouddhisme (Sāñcī nº 1, Iᵉʳ s. av. J.-C.-Iᵉʳ s. apr. J.-C.) ou regroupés, à partir du XIᵉ siècle apr. J.-C., en cités religieuses par ceux du jinisme (Girnār ; Mont Ābū...) ; premiers sanctuaires rupestres excavés au Mahārāshtra pour le bouddhisme (caves 9 et 10 d'Ajaṇṭā) ou pour le jinisme (Elloṛā...).

Au IIᵉ s. av. J.-C. la pénétration de l'hellénisme favorise au Gāndhāra la constitution d'un art « gréco-bouddhique », qui contribue à introduire dans l'art indien la figuration humaine sculptée (Bouddha apollinien) ou peinte sur mur (Vᵉ-VIIᵉ s.). Ainsi naît l'art classique de l'époque gupta (IVᵉ-Vᵉ s.) et postgupta (VIᵉ - milieu du VIIIᵉ s.), caractérisé

par le déclin du bouddhisme ; au Mathurā, carrefour des cultures et des religions, apparaît alors le temple indien destiné avant tout à abriter des idoles, tandis que sont construits les premiers temples brahmaniques connus (Elloṛā, caves 14 et 15 ; Elephanta...).

Dès la fin du VIIᵉ siècle le morcellement politique de l'Inde favorise l'éclosion d'écoles régionales qui accordent, de nouveau, la primauté à l'architecture, notamment dans le Sud dravidien, où sont édifiés des temples complexes aux nombreuses enceintes et à la décoration exubérante. Le royaume de Vijayanagar apparaît ainsi, du XIVᵉ au XVIᵉ siècle, comme le conservatoire des traditions brahmaniques, alors que l'art de l'Islām conquiert l'Inde du Nord-Ouest.

(V. cartes pp. 176 et 177 ; de 196 à 200 inclus.)

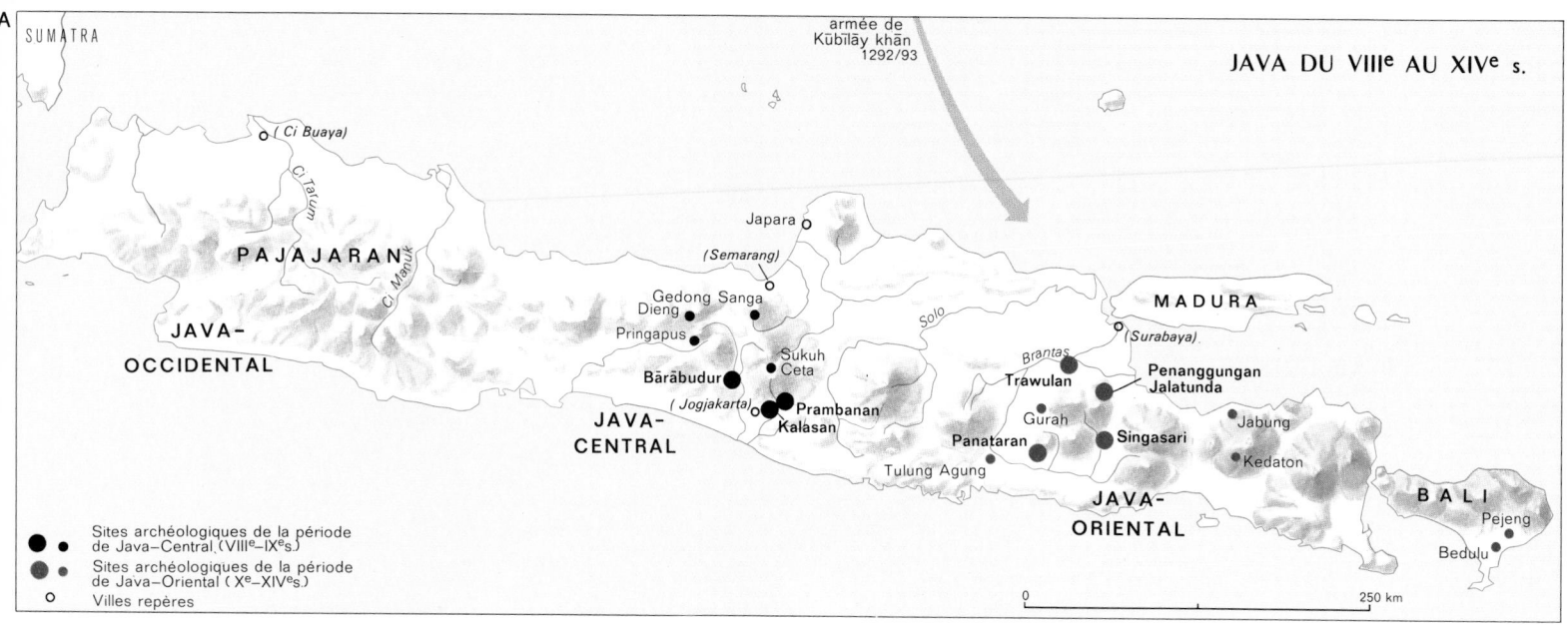

JAVA DU VIIIe AU XIVe s.

SUMATRA

armée de
Kūbīlāy khān
1292/93

(Ci Buaya)

Japara

(Semarang)

MADURA

P A J A J A R A N

JAVA-
OCCIDENTAL

Gedong Sanga
Dieng
Pringapus

Sukuh
Ceta

Bārābudur

(Jogjakarta)
Prambanan
Kalasan

JAVA-
CENTRAL

Solo

(Surabaya)

Brantas

Trawulan

Penanggungan
Jalatunda

Gurah

Panataran

Singasari

Jabung

Kedaton

Tulung Agung

JAVA-
ORIENTAL

B A L I

Pejeng

Bedulu

Sites archéologiques de la période
de Java-Central (VIIIe-IXes.)

Sites archéologiques de la période
de Java-Oriental (X^e-XIVes.)

Villes repères

0   250 km

Débutant à l'ouest de l'île dès le Ve siècle, ainsi que l'attestent des textes épigraphiques dérivés du sanskrit, l'indianisation progresse du VIIe au IXe siècle au centre de Java, où sont édifiés de magnifiques monuments : sanctuaires dédiés dès 732 à Śiva sur le plateau de Dieng ou à la trimūrti hindouiste à Prambanan; célèbre stūpa bouddhique édifié à Bārābudur vers 750. Après la « catastrophe », de nature inconnue, de 928, la création artistique passe brutalement du centre à l'est de Java. C'est dans cette région que sont désormais édifiés, du Xe au XIVe siècle, des sanctuaires (Gurah, XIIe s.; Singasari, XIIIe s.; etc.) et une statuaire où se marque l'invasion progressive d'apports indigènes. Au XIVe siècle, cette tendance s'accentue à l'ère de Majapahit (v. carte p. 203).

Consécutifs à l'expédition maritime dirigée contre Java par Kūbīlāy khān en 1292-93 — expédition qui est à l'origine de la constitution de l'importante colonie chinoise de l'île —, les troubles de la fin du XIIIe siècle facilitent l'avènement d'une nouvelle dynastie qui établit sa capitale à Majapahit (Mojokerto), au sud-ouest de Surabaya.

Contrôlant le centre et l'est de l'île, cette dynastie fonde un grand empire maritime de structure féodale. Sa cohésion repose sur la présence d'une importante flotte qui maintient dans l'obéissance les nombreux vassaux du souverain et qui lui assure le monopole du commerce des épices. Mais, à la fin du XIVe siècle, cet empire se démembre et est partagé entre plusieurs États hindouistes. (V. carte B p. 185.)

Jusqu'au XIVe siècle, l'apport culturel indien (diffusion de l'hindouisme et du bouddhisme tantrique) domine, surtout à Sumatra et à Java, d'où l'empire maritime de Majapahit étend son influence sur tout l'archipel. Mais l'importance commerciale et la richesse en bois et en épices des îles attirent les marchands — Chinois, Arabes et Indiens du Gujerāt; ceux-ci apportent avec eux l'islām, qui s'infiltre dans le nord de Sumatra dès la fin du XIIIe siècle. D'abord diffusé à Malaka et à Sumatra (où la ruine du royaume de Srīvijaya a laissé un vide politique et culturel), l'islām se répand d'autant plus facilement que les princes vassaux de l'empire de Majapahit en profitent pour se soustraire à l'influence de ce dernier; aussi cet empire s'effondre-t-il à la fin du XVe siècle, ce qui accélère alors la

pénétration de l'islām à Java et dans le reste de l'archipel : les fidèles de l'hindouisme doivent se réfugier à Bali (où la civilisation brahmanique s'est maintenue jusqu'à nos jours). Cette islamisation, qui incorpore certains éléments animistes préhindous, s'accompagne d'un morcellement politique de l'archipel en sultanats indépendants, dont les rivalités favorisent de nouvelles pénétrations étrangères : dès le début du XVIe siècle, les Européens, auxquels les Arabes ont fait découvrir la route des épices, s'installent à la périphérie de l'archipel (Malaka, 1511; Timor, 1520; Moluques, 1521; Flores, 1667), avant de s'attaquer aux grands sultanats (Mataram, Banten, Aceh) à l'instigation surtout des Néerlandais à partir du XVIIe siècle. (V. carte A p. 77.)

OCÉAN
PACIFIQUE

DHARMANAGARI

Nashor
Sai

Lamuri
SAMUDRA

LENGKASUKA
Jere
KEDAH
KELANTAN

Saludung

Perlak
Tumihang

TRENGGANU
Paka

PÁHANG
Kelang

Brunei

UDA

Aru
L. Toba
Barus

HUJUNGMEDINI

KALKA

MALANO

MANDAILING
PANAÏ
Rekan
SIAK
KAMPAR
Kampe

Tumasik
Bintan

KOTA LINGGA

SAMBAS
LANDAK
TIREM

KAPUAS

TUNJUNGKUTE

MAIUKU

LAWAI

Dharmasraya
TEBA

Tanjungpura
KADANGDANGAN
KUTAWARINGIN
SÂMPIT

KATINGAN
BARITU

TANJUNGNAGARA

Pasir

LUWUK

Banggai

Palembang

Sawaku

AMBOINE

WANDAN

LAMPUNG

KUNIR

Makasar

BUTUN

SALAYAR

OCÉAN
INDIEN

BANTÉN
PAJAJARAN

MADURA GALIYAO
Majapahit
LOMBOK
MIRAH
DOMPU
BIMA

Bantayan

MAJAPAHIT

BALI
GURUN
SAKSAK

Taliwáng

TIMOR

SUMBA

MAJAPAHIT AU XIVe s.

Le royaume de Majapahit

et son influence

*Les toponymes indiqués sont ceux qui figurent
dans le Nāgarakĕrtāgama (1365),
avec des graphies modernisées.*

0   1 000 km

Installés dès le début du XVIIe siècle à Java, où ils fondent Batavia en 1619, les Hollandais s'assurent, au XVIIIe siècle, le contrôle de la côte nord de l'île et vassalisent le sultanat de Mataram, divisé en 1755 en deux principautés, de Jogjakarta et Surakarta. Après la disparition de la *Vereenigde Oost-Indische Compagnie* (Compagnie hollandaise des Indes orientales) dont la charte expire le 31 décembre 1799 et malgré l'occupation anglaise de Batavia (1811-1814/1816), les Néerlandais renforcent leur mainmise sur l'île : l'autonomie des sultanats est limitée depuis le gouvernement de Daendels (1808-1811); le domaine de l'administration directe s'étend; l'exploitation coloniale s'intensifie avec l'institution du *cultuurstelsel* (« système des cultures ») par le gouverneur Johannes Van den Bosch (1830-1833). [V. carte A p. 77.]

A

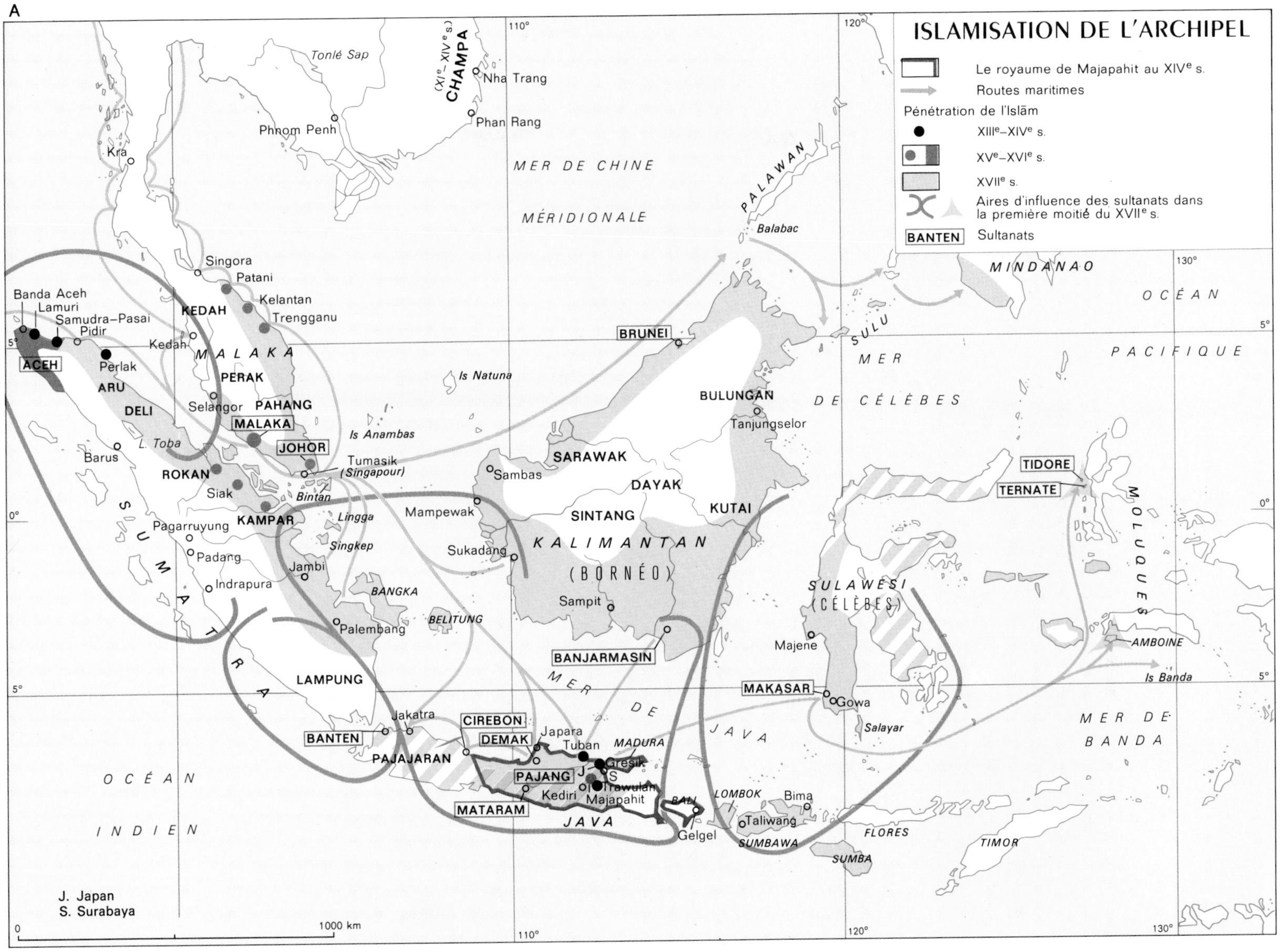

ISLAMISATION DE L'ARCHIPEL

Le royaume de Majapahit au XIVᵉ s.
Routes maritimes

Pénétration de l'Islām
XIIIᵉ–XIVᵉ s.
XVᵉ–XVIᵉ s.
XVIIᵉ s.
Aires d'influence des sultanats dans la première moitié du XVIIᵉ s.
BANTEN Sultanats

CHAMPA (XIᵉ-XIVᵉ s.)
Nha Trang
Phan Rang
Phnom Penh
Kra
Tonlé Sap
MER DE CHINE MÉRIDIONALE
PALAWAN
Balabac
MINDANAO
OCÉAN PACIFIQUE
Singora
Patani
Kelantan
Trengganu
KEDAH
Kedah
Banda Aceh
Lamuri
Samudra–Pasai
Pidir
Perlak
ACEH
Perlak
ARU
DELI
L. Toba
Barus
ROKAN
Selangor
PERAK
PAHANG
MALAKA
MALAKA
JOHOR
Tumasik (Singapour)
Bintan
Siak
KAMPAR
Pagarruyung
Padang
Indrapura
SUMATRA
Jambi
Lingga
Singkep
BANGKA
BELITUNG
Is Natuna
Is Anambas
BRUNEI
BULUNGAN
Tanjungselor
SARAWAK
DAYAK
KUTAI
SINTANG
Sambas
Mampewak
Sukadang
KALIMANTAN (BORNÉO)
Sampit
Palembang
LAMPUNG
MER DE JAVA
BANJARMASIN
SULU
MER DE CÉLÈBES
TERNATE
TIDORE
MOLUQUES
SULAWESI (CÉLÈBES)
Majene
MAKASAR
Gowa
Salayar
AMBOINE
Is Banda
MER DE BANDA
Jakatra
BANTEN
PAJAJARAN
CIREBON
DEMAK
Japara
Tuban
MADURA
Gresik
J.S
PAJANG
Trawulan
Kediri
Majapahit
MATARAM
JAVA
BALI
Gelgel
LOMBOK
Bima
Taliwang
SUMBAWA
FLORES
TIMOR
SUMBA
OCÉAN INDIEN

J. Japan
S. Surabaya

0   1000 km

B

LA PÉNÉTRATION HOLLANDAISE À JAVA 1800-1830

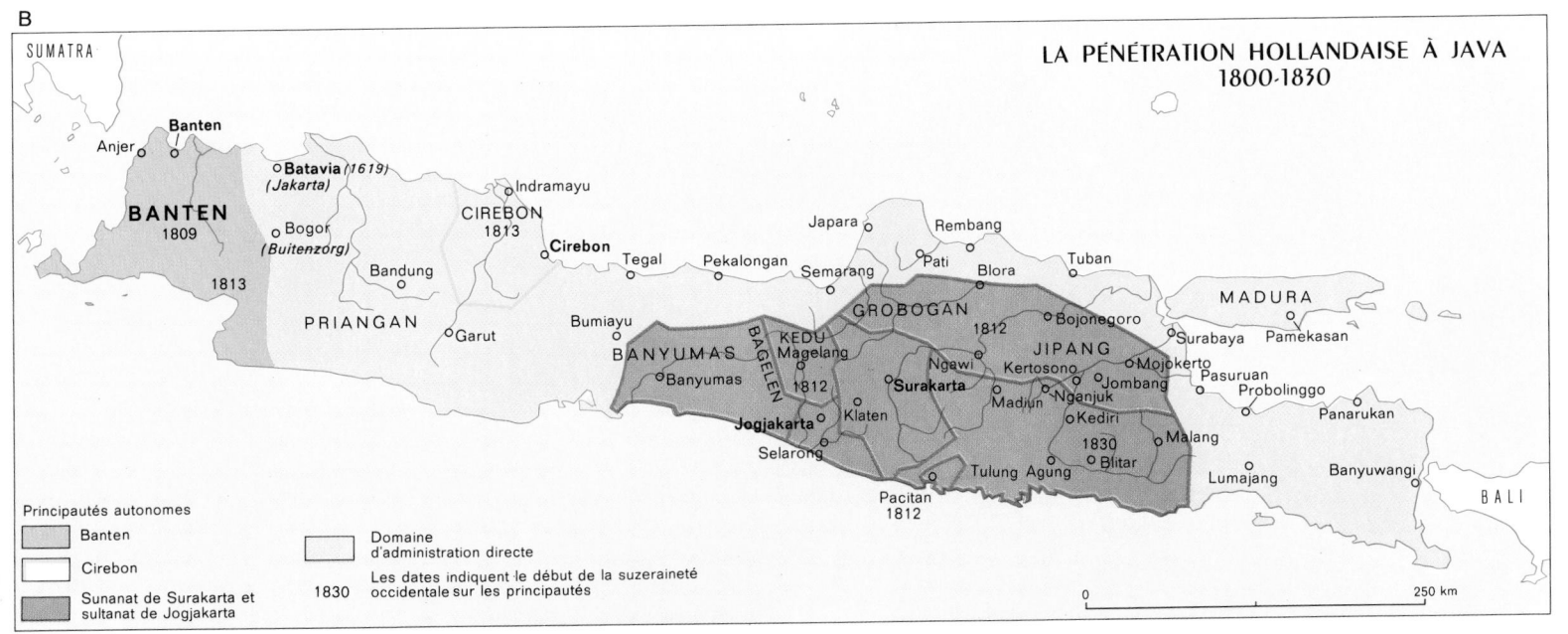

SUMATRA
Anjer
Banten
BANTEN 1809
1813
Batavia (1619) (Jakarta)
Bogor (Buitenzorg)
PRIANGAN
Bandung
Garut
CIREBON 1813
Cirebon
Indramayu
Tegal
Pekalongan
Bumiayu
BANYUMAS
Banyumas
BAGELEN
KEDU
Magelang
1812
Semarang
Pati
Japara
Rembang
GROBOGAN
1812
Blora
Tuban
MADURA
Surabaya
Pamekasan
JIPANG
Ngawi
Kertosono
Mojokerto
Bojonegoro
Jombang
Pasuruan
Probolinggo
Panarukan
Surakarta
Madiun
Nganjuk
Kediri
Klaten
Jogjakarta
Selarong
Tulung Agung
Pacitan 1812
1830
Blitar
Malang
Lumajang
Banyuwangi
BALI

Principautés autonomes
Banten
Cirebon
Sunanat de Surakarta et sultanat de Jogjakarta

Domaine d'administration directe
1830 Les dates indiquent le début de la suzeraineté occidentale sur les principautés

0   250 km

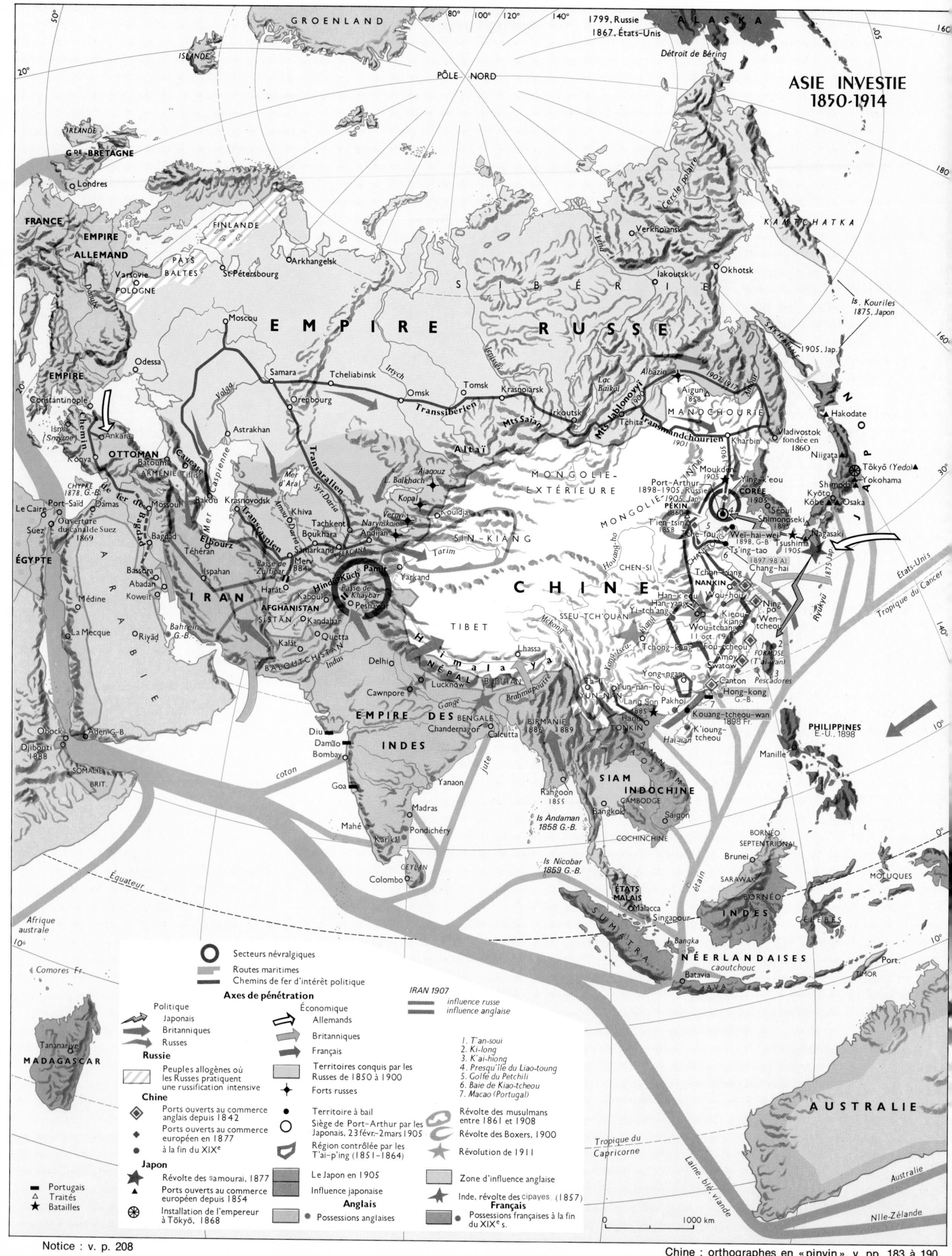

ASIE INVESTIE
1850-1914

GROENLAND

1799, Russie
1867, États-Unis

ALASKA

Détroit de Béring

ISLANDE

IRLANDE

G^de-BRETAGNE

Londres

FRANCE

EMPIRE
ALLEMAND

Varsovie
POLOGNE

PAYS
BALTES

FINLANDE

St-Pétersbourg

Arkhangelsk

Verkhoïansk

KAMTCHATKA

Iakoutsk

Okhotsk

Is. Kouriles
1875, Japon

EMPIRE   RUSSE

SIBÉRIE

Cercle polaire

Moscou

EMPIRE

Odessa

Constantinople

Ismir
(Smyrne)

OTTOMAN

Ankara

Konya

Caucase

Batoumi

ARMÉNIE Tiflis

CHYPRE
1878, G.-B.

Le Caire

Port-Saïd

Damas

Ouverture
du canal de Suez
1869

Suez

ÉGYPTE

Bagdad

Bassora

Médine

La Mecque

Riyad

Bahreïn
G.-B.

Aden G.-B.

Obock

Djibouti
1888

SOMALIE
BRIT.

coton

MADAGASCAR

Tananarive

Comores Fr.

Afrique
australe

Samara

Tcheliabinsk

Orenbourg

Omsk

Tomsk

Krasnoïarsk

Transsibérien

Irkoutsk

Tchita

Transmandchourien

Albazin

Aigun
1858

MANDCHOURIE

Vladivostok
fondée en
1860

Kharbin

Lac
Baïkal

Mts Saïan

Altaï

Mts Iablonovyï

Moukden
1905

Port-Arthur
1898-1905

MONGOLIE-
EXTÉRIEURE

MONGOLIE-

Ying-k'eou

CORÉE

Hakodate

NIPPON

Niigata

Tokyo (Yedo)

Yokohama

Shimoda

Kyoto

Kobe

Osaka

Séoul

Wei-hai-wei
1898, G.-B.

Tsushima
1905

Ts'ing-tao
1897/98 Al.

Nagasaki

PÉKIN

T'ien-tsin
1858

Tche-fou

SIN-KIANG

CHEN-SI

CHINE

Chang-hai

NANKIN

Han-k'eou
Han-yang
Yi-tch'ang

Wou-hou

Ning-
po

Kieou-
kiang

Wen-
tcheou

TIBET

Lhassa

Tchong-king

Fou-tcheou

Amoy

Swatow

Canton

Hong-kong
G.-B.

FORMOSE
(T'ai-wan)

Pescadores

Yun-nan-fou

Lang Son Pakhoi

Kouang-tcheou-wan
1898 Fr.

K'ioung-
tcheou

Hai-nan

PHILIPPINES
É.-U. 1898

Manille

Delhi

Cawnpore

NÉPAL

BHOUTAN

Lucknow

Himalaya

EMPIRE DES

Bengale

Chandernagor

Calcutta

INDES

BIRMANIE
1886   1889

Rangoon
1855

SIAM

Bangkok

CAMBODGE

INDOCHINE

Saïgon

COCHINCHINE

TONKIN

Hanoï

ANNAM

LAOS

Diu

Damão

Bombay

Goa

Yanaon

Madras

Mahé

Pondichéry

Karikal

Colombo

CEYLAN

Is Andaman
1858 G.-B.

Is Nicobar
1859 G.-B.

ÉTATS
MALAIS

Malacca

Singapour

SUMATRA

BORNÉO
SEPTENTRIONAL

Brunei

SARAWAK

BORNÉO

INDES

CÉLÈBES

MOLUQUES

Batavia

JAVA

caoutchouc

NÉERLANDAISES

TIMOR

AUSTRALIE

Équateur

Tropique du Cancer

Tropique du
Capricorne

Laine, blé, viande

Nle-Zélande

Légende

Secteurs névralgiques

Routes maritimes

Chemins de fer d'intérêt politique

Axes de pénétration

Politique
  Japonais
  Britanniques
  Russes

Économique
  Allemands
  Britanniques
  Français

IRAN 1907
  influence russe
  influence anglaise

1. T'an-soui
2. Ki-long
3. K'ai-hiong
4. Presqu'île du Liao-toung
5. Golfe du Petchili
6. Baie de Kiao-tcheou
7. Macao (Portugal)

Russie
  Peuples allogènes où
  les Russes pratiquent
  une russification intensive

Chine
  Ports ouverts au commerce
  anglais depuis 1842
  Ports ouverts au commerce
  européen en 1877
  à la fin du XIXe

Japon
  Révolte des samourai, 1877
  Ports ouverts au commerce
  européen depuis 1854
  Installation de l'empereur
  à Tokyo, 1868

  Portugais
  Traités
  Batailles

Territoires conquis par les
Russes de 1850 à 1900

Forts russes

Territoire à bail

Siège de Port-Arthur par les
Japonais, 23 févr.-2 mars 1905

Région contrôlée par les
T'ai-p'ing (1851-1864)

Le Japon en 1905

Influence japonaise

Anglais
  Possessions anglaises

Révolte des musulmans
entre 1861 et 1908

Révolte des Boxers, 1900

Révolution de 1911

Zone d'influence anglaise

Inde, révolte des cipayes (1857)

Français
  Possessions françaises à la fin
  du XIXe s.

0   1000 km

Notice : v. p. 208

208

CARTE p. 206

Au XIXᵉ siècle, la révolution industrielle fournit à l'Europe les motifs de son expansion (recherche de matières premières et de débouchés commerciaux) et les moyens de subjuguer des empires en pleine décadence. L'Asie est investie par le sud, où l'Angleterre, qui contrôle les routes maritimes d'Aden à Hong-kong, colonise l'Inde, bientôt imitée par la France en Indochine; elle l'est aussi par la progression terrestre des Russes, qui, après la Sibérie, annexent le Turkestan et la Province maritime, consolidant leur domination par la construction de grands axes ferroviaires stratégiques. À partir des années 1890, l'entrée en lice de nouvelles grandes puissances (surtout Allemagne et Japon) et l'irritation des rivalités inter-impérialistes (anglo-russes dans la zone qui s'étend des Détroits au Tibet; anglo-allemandes au Proche-Orient; russo-japonaises en Mandchourie) bloquent le processus de colonisation politique; mais le maintien de l'indépendance formelle de l'Empire ottoman, de la Perse, de la Chine s'accompagne d'un renforcement de l'impérialisme économique, qui transforme, en fait, ces États en semi-colonies. D'abord purement xénophobes et traditionalistes (*cipayes* en Inde, Taiping [T'ai-p'ing] puis Boxeurs [Boxers] en Chine), les réactions nationalistes à ce dépeçage s'affirment bientôt plus nettement, intégrant les apports occidentaux et l'exemple japonais : en 1911, la révolution chinoise prélude au réveil de l'Asie.

(V. cartes pp. 155 [A], 179, 186 [C] et 201 [A].)

CARTE p. 207

Depuis 1931, trois faits essentiels ont marqué l'histoire de l'Asie : l'expansion japonaise, la décolonisation, la diffusion du communisme.

Inaugurée en 1931 par le coup de force de Moukden (auj. Shenyang), englobant l'Asie orientale, le Pacifique occidental et l'Asie du Sud-Est entre 1932 et 1942, la *conquête japonaise* ne survit pas aux effets des bombardements nucléaires de Hiroshima et de Nagasaki, les 6 et 9 août 1945.

L'effondrement de l'Empire nippon libère alors les forces nationalistes dont il a favorisé la constitution, à partir de 1940, dans toute l'Asie du Sud et du Sud-Est.

Ainsi débute le mouvement de décolonisation, que le nombre de ses partisans rend finalement irrésistible. *Consentie* par la Grande-Bretagne, *acceptée* par les Pays-Bas ou *subie* par la France, la décolonisation est réalisée pour l'essentiel entre 1947 (Inde, Pākistān) et 1954 (Viêt-nam).

Enfin, bien qu'elle ait permis au gouvernement nationaliste de Tchang Kaï-chek, réfugié à Chongqing depuis octobre 1938, de retrouver sa liberté d'action, la défaite du Japon facilite également la *diffusion du communisme*. Élu président de la République soviétique chinoise dès 1931, Mao Zedong récupère en 1945 les armes nippones, ce qui lui permet de proclamer la République populaire à Pékin dès le 1ᵉʳ octobre 1949 et de contraindre les forces du Kouomin-tang à se réfugier en décembre à Taiwan (Formose). Ainsi peut-il dès lors favoriser les mouvements communistes qui tentent de conquérir le pouvoir dans les pays voisins, au prix de violents conflits : guerres de Corée (1950-1953), d'Indochine (1946-1954) et du Viêt-nam (1961-1975). Échouant dans le premier de ces pays du fait de l'intervention rapide des États-Unis, cette politique réussit dans le second, car la guerre révolutionnaire s'avère bien adaptée aux conditions du milieu.

Ainsi s'esquisse une division de l'Asie en deux groupes de puissances, irréductibles l'un à l'autre : celui des *pays communistes,* qui répudient le système capitaliste, mais qui hésitent entre l'obédience de Moscou (Mongolie, Corée du Nord, Viêt-nam) et celle de Pékin (Cambodge, sans doute Laos); celui des pays restés fidèles à la *propriété individuelle* et à la *libre entreprise* (Pākistān, Philippines, Taiwan...). Entre ces deux blocs adverses, l'Union indienne, la Birmanie et même l'Indonésie et la Malaysia dégagent une troisième et double voie : celle du *socialisme asiatique,* qui laisse subsister un important capitalisme privé, et celle du *neutralisme* et du *non-engagement politique,* que le pandit Nehru a fait triompher à Bandung en 1955.

Mais la paix reste menacée par les querelles de frontières sur tout le pourtour du continent asiatique, depuis ses confins méditerranéens jusqu'à ses confins sibériens : insoluble conflit entre Israël et les pays arabes, dont les prétentions à contrôler la Palestine se fondent également sur la tradition historique; guerres indo-pakistanaises à fondement religieux en 1947 et en 1971; conflit sino-indien de 1962; enfin, violents incidents sino-soviétiques de 1969, dont les motivations idéologiques ne sont pas exclusives de préoccupations stratégiques.

(V. cartes pp. 78, 85, 180, 188, 189, 192, 195 et 201 [B].)

L'AFRIQUE

L'AFRIQUE ANCIENNE

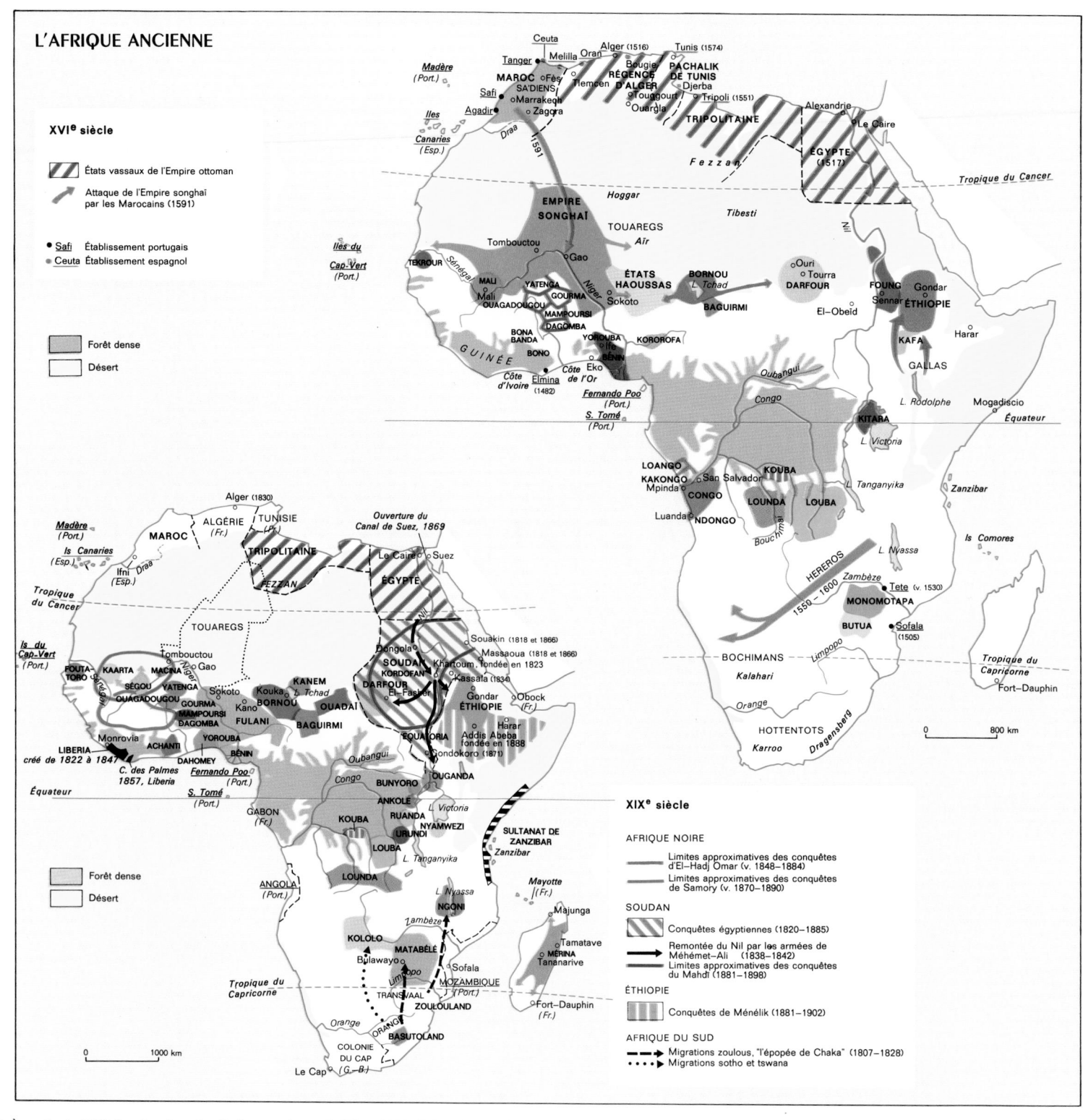

XVIe siècle

▨ États vassaux de l'Empire ottoman

↗ Attaque de l'Empire songhaï par les Marocains (1591)

● Safi Établissement portugais
● Ceuta Établissement espagnol

▨ Forêt dense
☐ Désert

XIXe siècle

AFRIQUE NOIRE

— Limites approximatives des conquêtes d'El-Hadj Omar (v. 1848–1884)
— Limites approximatives des conquêtes de Samory (v. 1870–1890)

SOUDAN

▨ Conquêtes égyptiennes (1820–1885)
➡ Remontée du Nil par les armées de Méhémet-Ali (1838–1842)
— Limites approximatives des conquêtes du Mahdi (1881–1898)

ÉTHIOPIE

▥ Conquêtes de Ménélik (1881–1902)

AFRIQUE DU SUD

⇢ Migrations zoulous, "l'épopée de Chaka" (1807–1828)
⋯⋯➤ Migrations sotho et tswana

XVIe s. À partir de 1522, la migration des Gallas, nomades païens venus du lac Rodolphe, entraîne le déclin de l'empire chrétien d'Éthiopie; en Afrique sud-orientale, celle des Hereros affaiblit les États bantous (Congo, Lumba), parfois décadents (Monomotapa); au Soudan, enfin, les Sa'diens, en 1591, détruisent l'Empire songhaï, ce qui facilite le maintien des États haoussas et mossis et surtout la montée du Bornou. Affaiblie, l'Afrique noire s'ouvre aux chrétiens et aux musulmans. Les Espagnols s'établissent aux Canaries entre 1404/05 et 1496, à Melilla en 1497 et à Oran en 1509. Désireux de commercialiser les épices des Indes orientales, les Portugais colonisent les îles atlantiques du XVe siècle et fondent des comptoirs côtiers (São

Jorge da Mina, 1482; Sofala, 1505/06) ou fluviaux (Tete, 1530/31) : ils drainent ainsi l'or et les esclaves de l'Afrique guinéenne et du Monomotapa. Établis depuis le VIIIe siècle sur la côte orientale du continent entre Mogadiscio (ou Muqdisho ou Mogadishu) et Sofala, les Arabes y diffusent l'islãm avant que les Turcs Ottomans n'aient unifié à leur profit la quasi-totalité de l'Afrique blanche entre 1517 (occupation de l'Égypte) et 1587 (constitution de la Régence d'Alger). [V. cartes pp. 51, 52, 74, 214, 217 (A), 218 (D), 220 (A) et 223.]

▲ **XIXe s.**

Limitée jusqu'en 1882 à l'Afrique du Sud (Boers, Anglais) et à l'Afrique du Nord (Français), la présence européenne ne

peut empêcher le réveil africain, marqué dès 1804 par l'émancipation de fait de l'Égypte. Rejetant l'autorité ottomane, Méhémet-Ali conquiert, à partir de 1820, le Soudan nilotique, ce qui facilite l'islamisation de l'Afrique orientale; en Afrique occidentale s'édifient des États théocratiques : Empires peuls de Sokoto et du Macina, fondés respectivement par Ousmane dan Fodio (1804) et par Cheikhou Ahmadou (1818); Empire toucouleur du Niger créé vers 1850 par El-Hadj Omar et maintenu jusqu'en 1890; Empire mandingue établi par Samory Touré en Guinée orientale entre 1870 et 1898; enfin l'État constitué par le Mahdi dans le Soudan anglo-égyptien, de 1881 à 1898.

Les États esclavagistes de Zanzibar et,

de 1886 à 1900, celui, péritchadien du sultan noir Rabah, se réclament aussi de l'islām auquel restent étrangers quelques peuples. Tels sont les cas des Fantis, des Achantis et, surtout, des Dahoméens du golfe du Bénin qui s'adaptent aux nouvelles conditions économiques. Il en est de même des Mérinas de Madagascar et des Zoulous d'Afrique du Sud qui élargissent leur domination depuis 1817; enfin, grâce à l'énergie de leurs empereurs Théodoros (1855-1867) et Ménélik (1867-1913), les Éthiopiens parviennent seuls à se soustraire à la colonisation européenne. Celle-ci a recouvert en 1914 le reste de l'Afrique. (V. cartes pp. 75, 76, 77 [D], 211, 212 [A et B], 215, 217 [B], 221 [A], 223, 224 et 225 [A].)

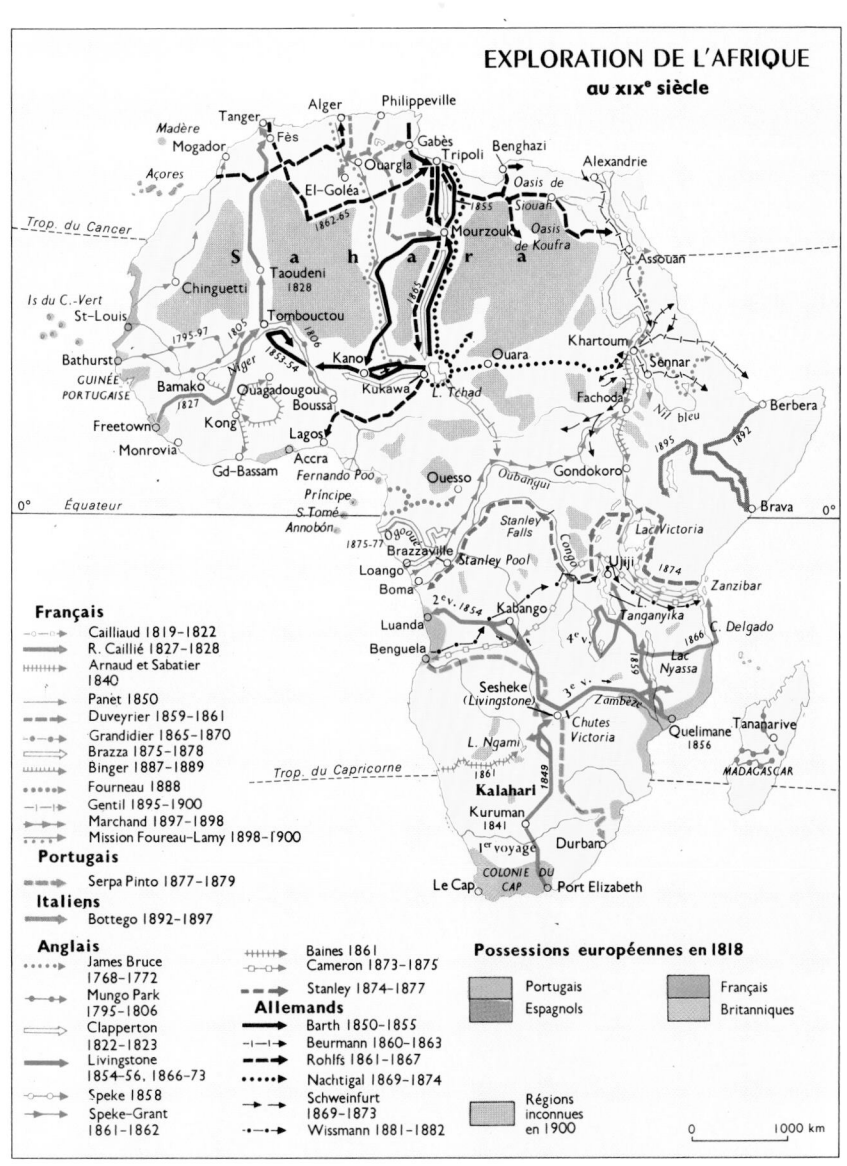

EXPLORATION DE L'AFRIQUE
au XIXe siècle

Français
- Cailliaud 1819-1822
- R. Caillié 1827-1828
- Arnaud et Sabatier 1840
- Panet 1850
- Duveyrier 1859-1861
- Grandidier 1865-1870
- Brazza 1875-1878
- Binger 1887-1889
- Fourneau 1888
- Gentil 1895-1900
- Marchand 1897-1898
- Mission Foureau-Lamy 1898-1900

Portugais
- Serpa Pinto 1877-1879

Italiens
- Bottego 1892-1897

Anglais
- James Bruce 1768-1772
- Mungo Park 1795-1806
- Clapperton 1822-1823
- Livingstone 1854-56, 1866-73
- Speke 1858
- Speke-Grant 1861-1862
- Baines 1861
- Cameron 1873-1875
- Stanley 1874-1877

Allemands
- Barth 1850-1855
- Beurmann 1860-1863
- Rohlfs 1861-1867
- Nachtigal 1869-1874
- Schweinfurt 1869-1873
- Wissmann 1881-1882

Possessions européennes en 1818
- Portugais Espagnols
- Français Britanniques
- Régions inconnues en 1900

0   1000 km

C'est la « révolution » intellectuelle et philosophique de la fin du XVIIIe siècle (mouvement antiesclavagiste, curiosité scientifique) qui éveille un intérêt nouveau pour l'Afrique. Le mouvement d'exploration, entamé par Mungo Park (1795), est renforcé, au XIXe siècle, par le renouveau religieux (souci missionnaire) et surtout par les préoccupations économiques nées de la révolution industrielle en Europe. D'abord consacrées à l'Afrique musulmane, à la liaison Maghreb-Soudan (voyages de Clapperton, de Caillié, de Barth, prolongés plus tard par ceux de Rohlfs et de Nachtigal) et à la recherche des sources du Nil, les explorations s'orientent vers l'Afrique équatoriale, à la suite des voyages missionnaires de Livingstone : les Anglais Cameron et, surtout, Stanley révèlent l'importance du bassin du Congo. Mais, à partir des années 1875-1880, dans un contexte d'âpre rivalité coloniale, les préoccupations politiques deviennent déterminantes : les voyages de Stanley et de von Wissmann pour le compte de Léopold II, de Brazza et de Binger pour la France, de Serpa Pinto pour le Portugal, de Bottego pour l'Italie servent d'abord à frayer la voie à la colonisation. Après 1890, les explorations ne sont plus que des missions militaires chargées d'assurer la liaison entre des territoires déjà colonisés : la mission Foureau-Lamy en 1900 marque la fin de l'époque héroïque de l'exploration.
(V. cartes pp. 210 [B], 212 [A] et 224 [A et B].)

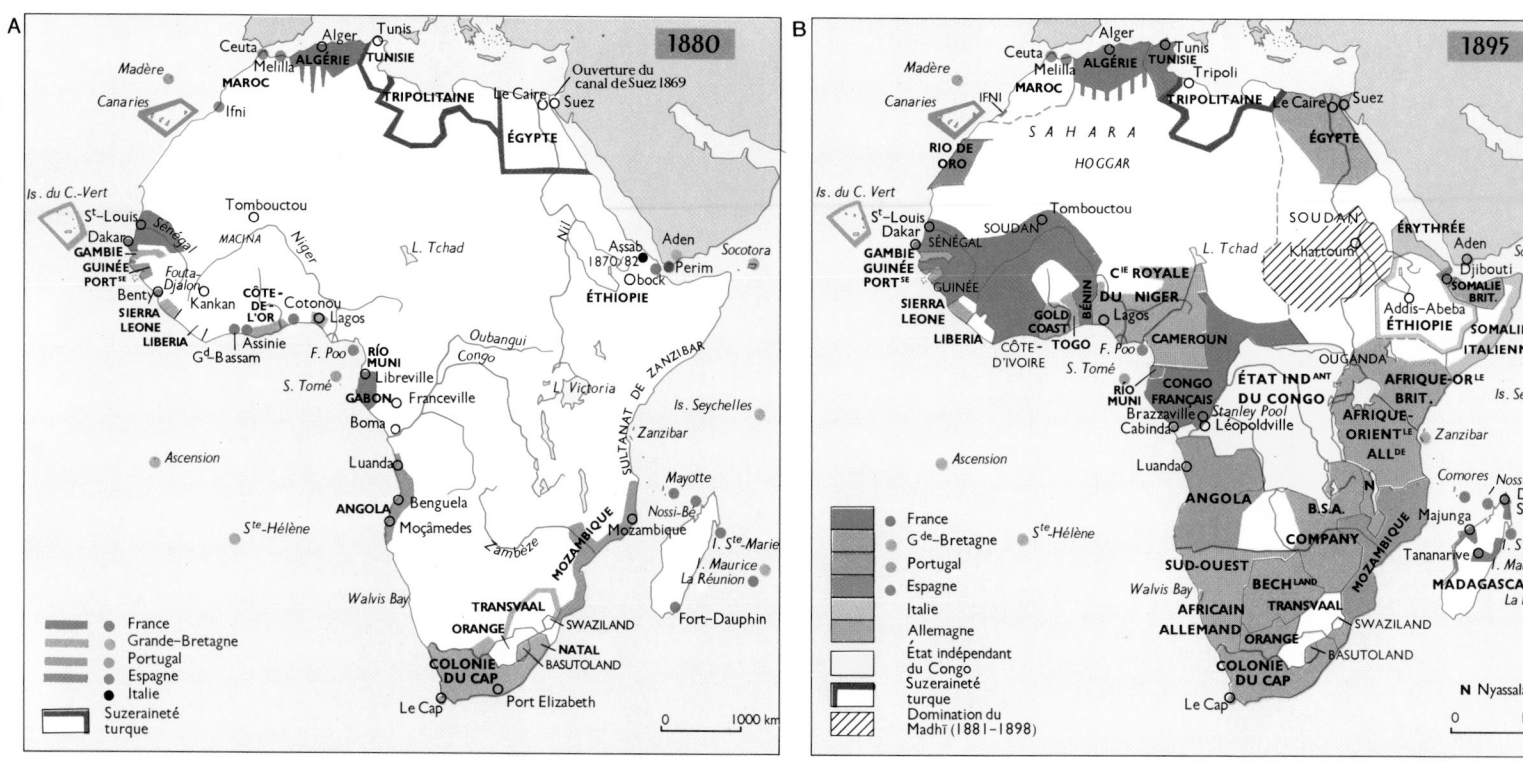

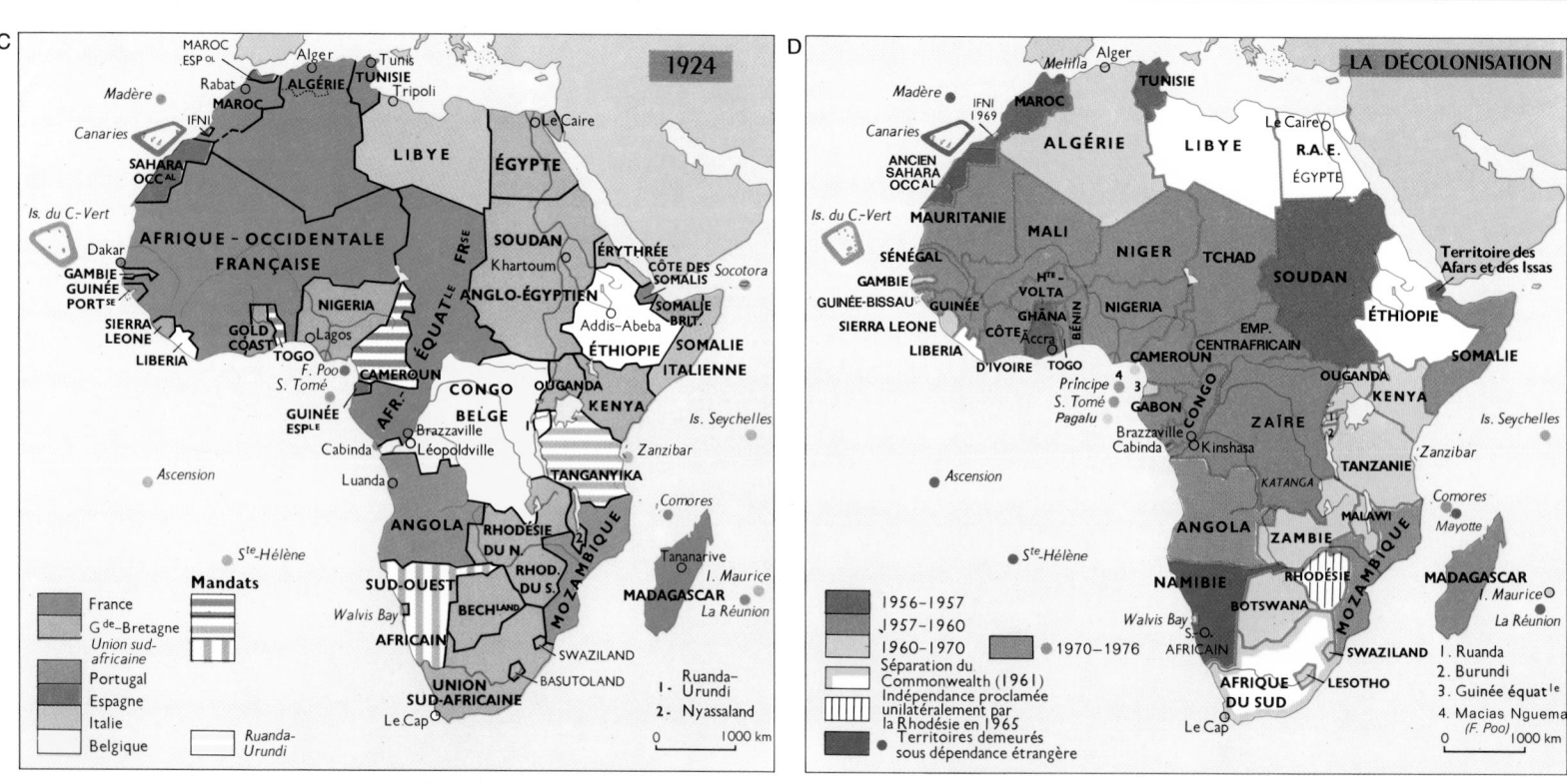

A B C

Longtemps limitée aux zones côtières où ont été fondés depuis le XVIᵉ siècle les quelques « échelles » et comptoirs de traite de la « première colonisation », la pénétration européenne ne s'est épanouie territorialement au XIXᵉ qu'en Algérie et au Sénégal, du fait de la France, et, du fait de l'Angleterre, en Afrique du Sud. Mais les découvertes de diamants (1867) et d'or (1884) dans cette dernière région, de même que l'exaspération des impérialismes européens après 1880 incitent les grandes puissances à rechercher au sud de la Méditerranée un exutoire à leurs rivalités, ainsi que des matières premières et des débouchés pour leurs industries. Au nom de la « mission civilisatrice de l'Occident », qui leur sert de justification idéologique, elles se partagent alors le continent.

Tout en accroissant leur mainmise sur l'Afrique blanche (Tunisie, 1881; Égypte, 1882), elles occupent en effet, dès 1884, tout le littoral de l'Afrique noire. Pour éviter les conflits nés de cette ruée, la conférence de Berlin (1884-85) réglemente la colonisation, en imposant la liberté de navigation sur le Niger et sur le Congo et en prenant acte de la constitution de l'État indépendant du Congo sous la souveraineté personnelle du roi des Belges, Léopold II; surtout, elle reconnaît à tout État civilisé, occupant un point du littoral, un droit de préemption sur l'arrière-pays à condition de le justifier par une occupation notifiée sans délai aux puissances signataires. Des heurts surgissent cependant entre ces dernières. Le tracé des frontières dans les zones mitoyennes, l'incompatibilité de l'axe d'expansion britannique (Le Cap-Le Caire) avec ceux des Français (Dakar-Djibouti) et des Portugais (Angola-Mozambique) entraînent des conflits, que règlent de nombreux traités de partage conclus à partir de 1890, sans tenir compte toujours de l'unité des ethnies. Finalement, en 1914, le partage de l'Afrique est achevé; seuls l'Éthiopie et le Liberia conservent leur indépendance. Ce partage n'est remis en cause entre les deux guerres mondiales que par l'attribution en 1919-20 par la S.D.N. des colonies allemandes aux puissances mandataires (Belgique, France, Royaume-Uni) et par la conquête de l'Éthiopie par l'Italie en 1936.

(V. cartes pp. 74 [A], 75 [A], 76 [A], 77 [C et D], 211, 215, 219, 221 [A et B] et 224 [A et B].)

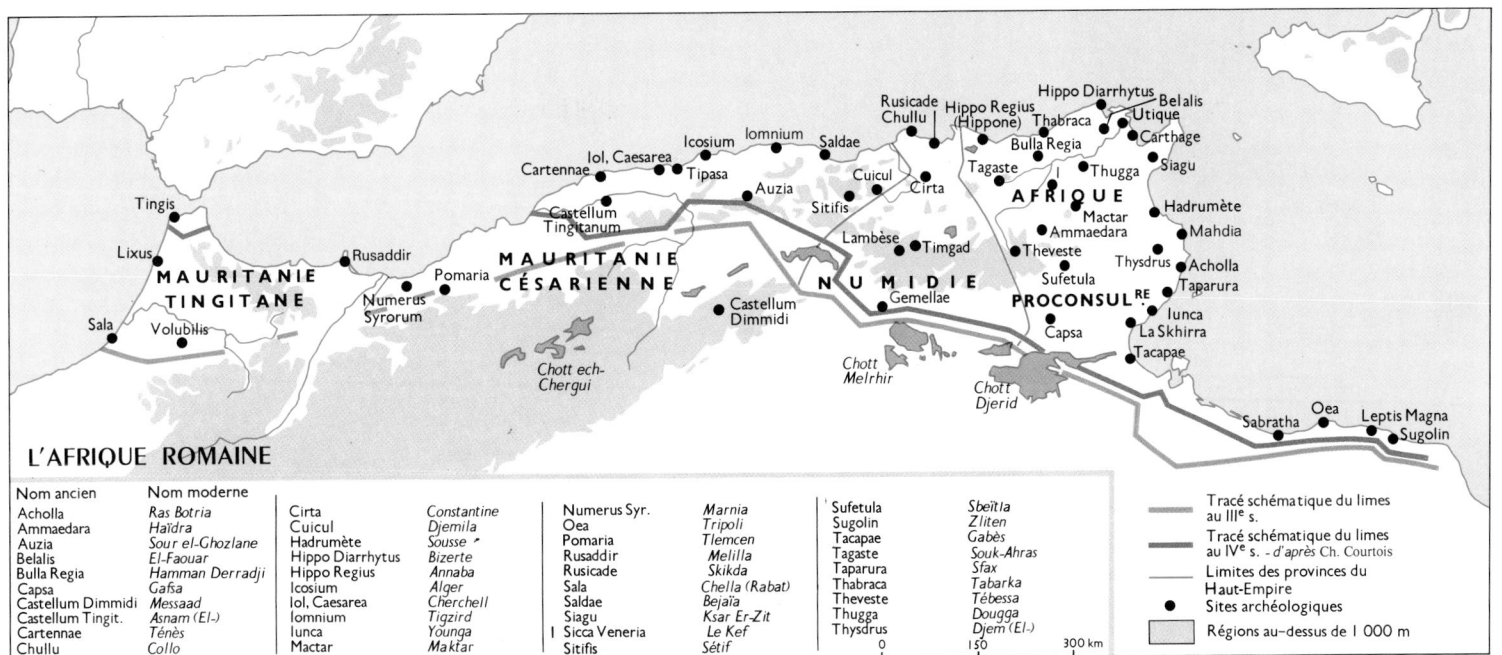

L'AFRIQUE ROMAINE

Nom ancien	Nom moderne								
Acholla	Ras Botria	Cirta	Constantine	Numerus Syr.	Marnia	Sufetula	Sbeïtla	
Ammaedara	Haïdra	Cuicul	Djemila	Oea	Tripoli	Sugolin	Zliten	
Auzia	Sour el-Ghozlane	Hadrumète	Sousse	Pomaria	Tlemcen	Tacapae	Gabès	
Belalis	El-Faouar	Hippo Diarrhytus	Bizerte	Rusaddir	Melilla	Tagaste	Souk-Ahras	
Bulla Regia	Hamman Derradji	Hippo Regius	Annaba	Rusicade	Skikda	Taparura	Sfax	
Capsa	Gafsa	Icosium	Alger	Sala	Chella (Rabat)	Thabraca	Tabarka	
Castellum Dimmidi	Messaad	Iol, Caesarea	Cherchell	Saldae	Bejaïa	Theveste	Tébessa	
Castellum Tingit.	Asnam (El-)	Iomnium	Tigzird	Siagu	Ksar Er-Zit	Thugga	Dougga	
Cartennae	Ténès	Iunca	Younga	Sicca Veneria	Le Kef	Thysdrus	Djem (El-)	
Chullu	Collo	Mactar	Makfar	Sitifis	Sétif			

Tracé schématique du limes au IIIe s.

Tracé schématique du limes au IVe s. - d'après Ch. Courtois

Limites des provinces du Haut-Empire

● Sites archéologiques

Régions au-dessus de 1 000 m

0   150   300 km

L'Afrique romaine sous l'Empire comprend la province d'*Africa* (proconsul; légion), d'où a été détachée la Numidie (198 apr. J.-C.), et les Mauritanies (procurateurs; auxiliaires). Le développement économique de ces provinces est rapide sous les Flaviens et les Sévères; le blé *(Thugga, Ammaedara, Cirta)* et les oliviers (région d'Hadrumète, Numidie, Tingitane) ont favorisé l'essor de nombreuses villes, ports ou marchés (Carthage : v. cartes p. 18). Le particularisme s'exprime par un art baroque (G. Ch. Picard), par des dieux nationaux, dont le « Saturne africain » (M. Leglay).

La décolonisation s'effectue en Afrique selon un double processus. L'Afrique blanche suit le mouvement d'émancipation du monde arabe après la Seconde Guerre mondiale, la révolution égyptienne l'amplifie à partir de 1952; mais l'existence d'une importante colonisation française explique le caractère tardif et violent de la décolonisation du Maghreb. En Afrique noire, après le temps des insurrections mal organisées (rébellion malgache de 1947, mouvements « mau-mau » au Kenya entre 1952 et 1955), l'émancipation prend la forme d'un relais pacifique (sauf au Congo et dans les colonies portugaises) des cadres européens par les élites africaines occidentalisées. Commencé par Kwame Nkrumah au Ghāna en 1957, le mouvement s'étend à toute l'Afrique française en 1960, puis à l'Afrique orientale britannique, contrées où les anciennes métropoles réussissent à conserver une influence économique et intellectuelle privilégiée. Mais de nombreux faits révèlent les limites de cette émancipation : sous-développement; fragilité politique d'un continent balkanisé et en proie aux rivalités des grandes puissances; maintien du « pouvoir blanc » en Rhodésie et en Afrique du Sud. (V. cartes pp. 75 [B] et 78.)

CARTE p. 214 ▶

De 429 à 439, les Vandales occupent l'ancienne Proconsulaire. En 533, ils en sont chassés par les Byzantins. De nombreuses principautés berbères se constituent. Traversé en 681-82 par l'Arabe 'Uqba ibn Nāfi', qui est tué à Tāhūda en 683, le Maghreb berbère n'adhère après 710-720 qu'à des formes hérétiques de l'islam : le royaume de Tlemcen au khāridjisme ṣufrite et le royaume rustémide de Tāhert (Tiaret) au khāridjisme ībaḍite. À Tobna en 771, cette seconde principauté rejette en Ifrīqiya les forces du gouverneur arabe de Kairouan. En 911, les Rustémides sont éliminés par les Berbères Kutāma de Petite Kabylie, agents du chī'isme

des Fāṭimides. Après l'émigration de ces derniers en Égypte en 937, le Maghreb est en fait indépendant, sous l'autorité des Berbères Zīrides qui abandonnent l'ancienne Numidie aux Ḥammādides (1015-1152). Au milieu du XIe siècle, le Maghreb central est submergé par une double invasion de nomades. À l'est d'Alger, celle des Arabes Hilāliens, pillards venus d'Égypte (1050-1052) : l'agriculture recule; la steppe et l'élevage extensif progressent; l'État ḥammādide se rétracte autour de Bougie; les indigènes s'arabisent. À l'ouest d'Alger, celle des Berbères sahariens, les Almoravides (1055-1057), qui intègrent le Maghreb à l'Espagne musulmane. Entre 1147 et 1160, les Almohades (unitariens) étendent leur autorité à toute l'Afrique

du Nord, puis à l'Espagne (bataille d'Alarcos, 1195). Brisée en 1212 à Las Navas de Tolosa, leur puissance s'effondre; deux dynasties berbères, celle des 'Abdalwādides à Tlemcen (1235-1554) et celle des Ḥafṣides à Tunis (1229-1574) se partagent l'Algérie. Débouché de l'or du Soudan (Honeïn), ce pays est l'objet des ambitions contraires des Marīnides, des Ḥafṣides et des Catalans (présides). L'occupation d'Alger par les frères Barberousse en 1516, puis l'échec du siège de cette ville par Charles Quint en 1541 aboutissent à la constitution, en 1587, de la régence ottomane d'Alger, territorialement identique à l'actuelle Algérie. (V. cartes pp. 30, 32, 58, 104, 105, 171, 178, 215, 216 [B, C et D], 217, 218 [A, B et C].)

CARTE p. 215 ▶

Issue d'une simple opération de prestige, qui a permis la prise d'Alger, l'occupation française se limite alors à quelques villes côtières; mais la résistance des émirs locaux incite le gouvernement d'abord à négocier avec eux et notamment avec Abd el-Kader, créateur d'un véritable État algérien indépendant des Turcs (traité de la Tafna), puis à procéder à une conquête de l'arrière-pays, qui déborde sur les confins marocains (bataille de l'Isly); en 1847, celle-ci s'achève par la soumission d'Abd el-Kader. La colonisation permet certes d'importants progrès économiques et sociaux, et donc une forte croissance démographique; mais l'afflux des colons européens en Algérie (109 000 dès 1847,

300 000 en 1881) et surtout leur mainmise sur les terres des autochtones contraignent souvent ces derniers à s'expatrier en France à la recherche d'un emploi, ou parfois même les incitent à l'insurrection (1871); ces réactions sont aggravées par une politique d'*intégration*, qui se veut assimilatrice mais qui fait des musulmans des citoyens de seconde zone. Né vers 1930, le mouvement national algérien est stimulé par la Seconde Guerre mondiale, en particulier par le débarquement américain du 8 novembre 1942; la répression brutale du soulèvement constantinois en mai 1945, et la double hostilité des Français d'Algérie et des musulmans à l'encontre du statut libéral de 1947 expliquent, en partie, l'insurrection du Ier novembre 1954 et la création d'un *Front de libération nationale* (F. L. N.). La guerre s'accentue à partir de 1955-56 :

les nationalistes modérés (Farḥāt 'Abbās) se rallient à la rébellion, qui se dote d'institutions au congrès de la Soummam le 20 août 1956; surtout, de nombreux facteurs contribuent à l'internationalisation du conflit : aide du Maroc et de la Tunisie indépendants; solidarité arabe, notamment égyptienne; interventions diplomatiques anglo-américaines. En reconnaissant le droit de l'Algérie à l'autodétermination le 16 septembre 1959, le général de Gaulle modifie le cours de la guerre, qui se complique des réactions de désespoir d'une partie de l'armée française et des « Pieds-Noirs ». Mais la flambée de violence qui en résulte ne peut empêcher la signature, le 18 mars 1962, des accords d'Évian, prélude à la proclamation de l'indépendance de l'Algérie le 3 juillet et à l'exode de la plus grande partie des « Pieds-Noirs ». (V. carte D p. 212.)

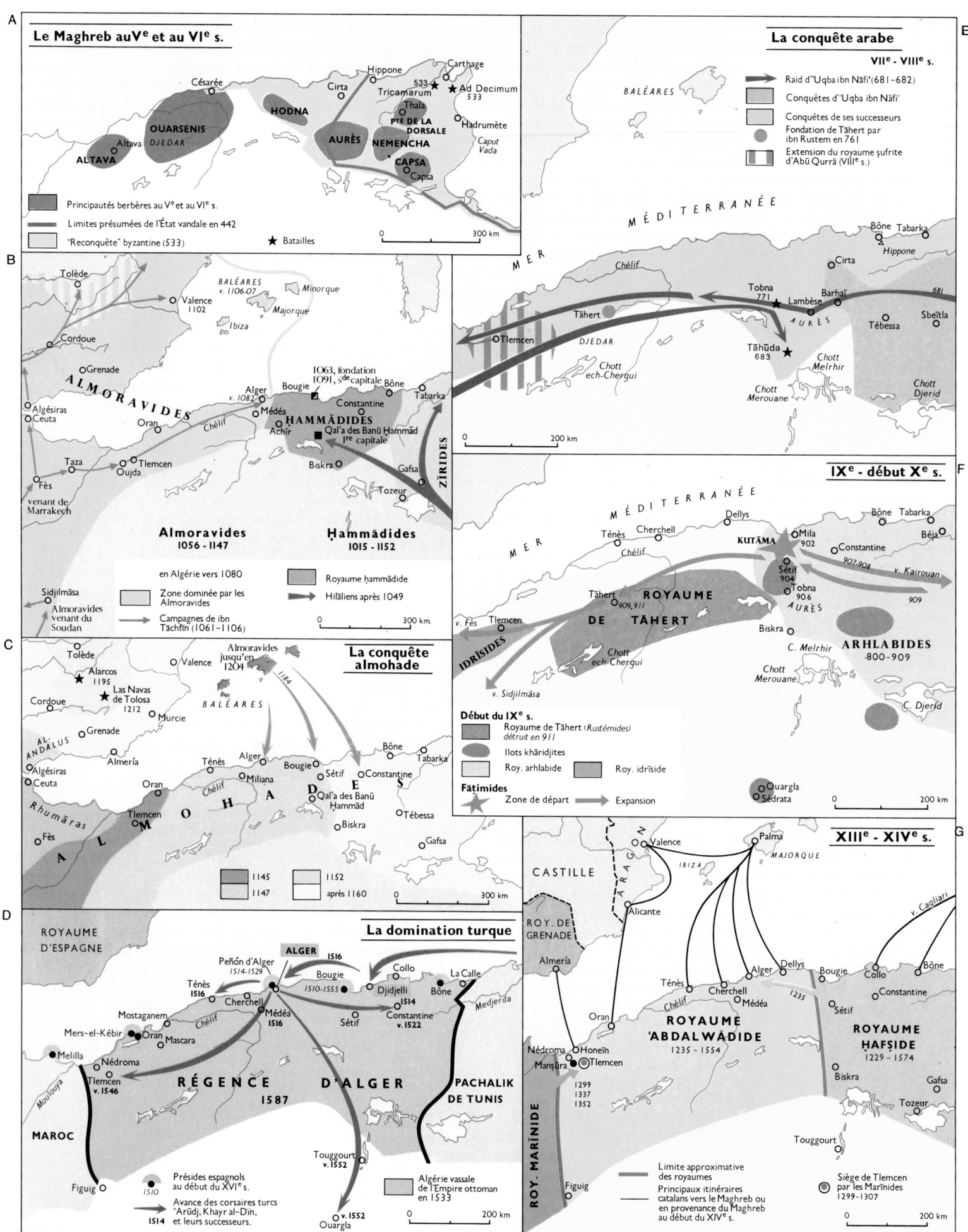

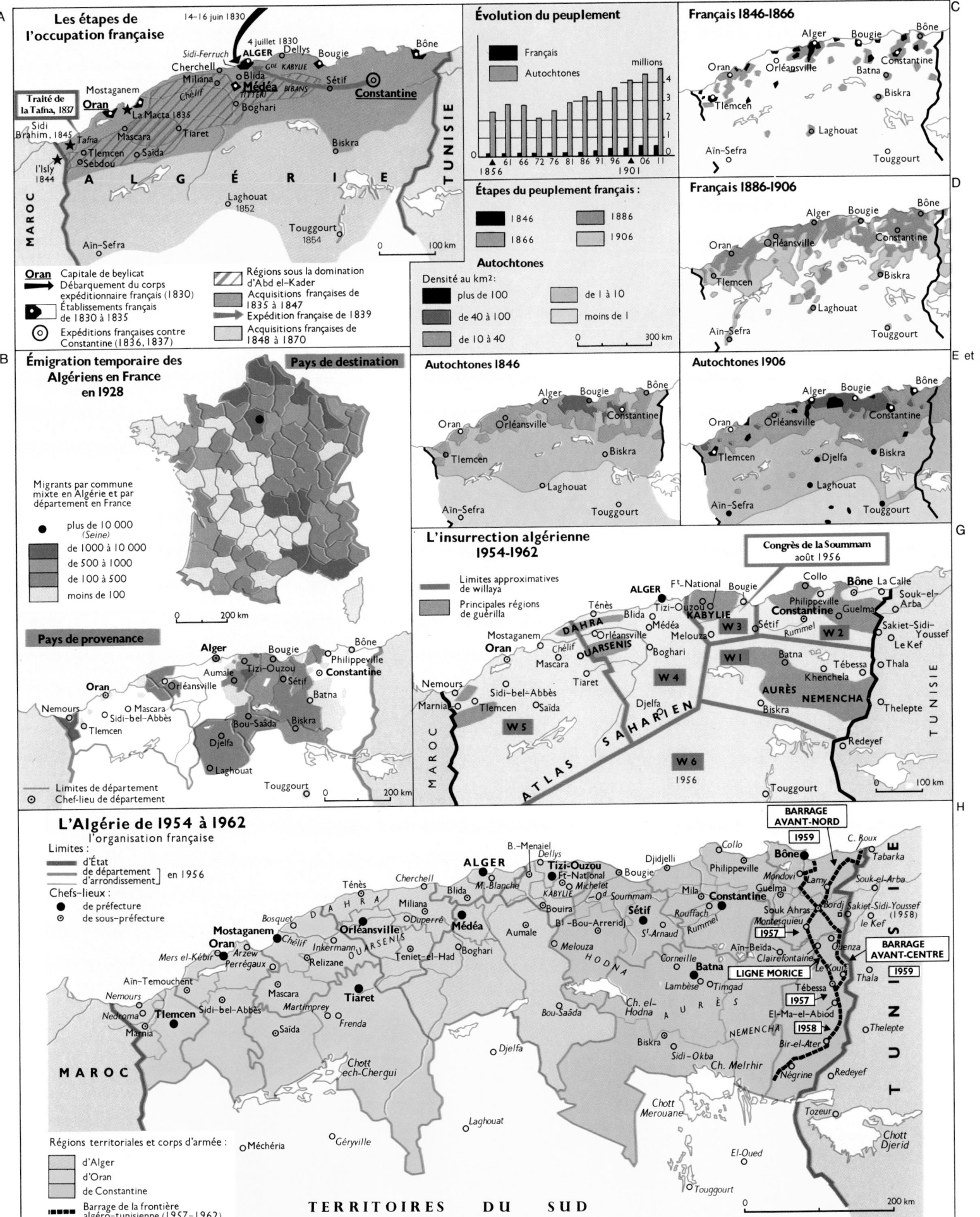

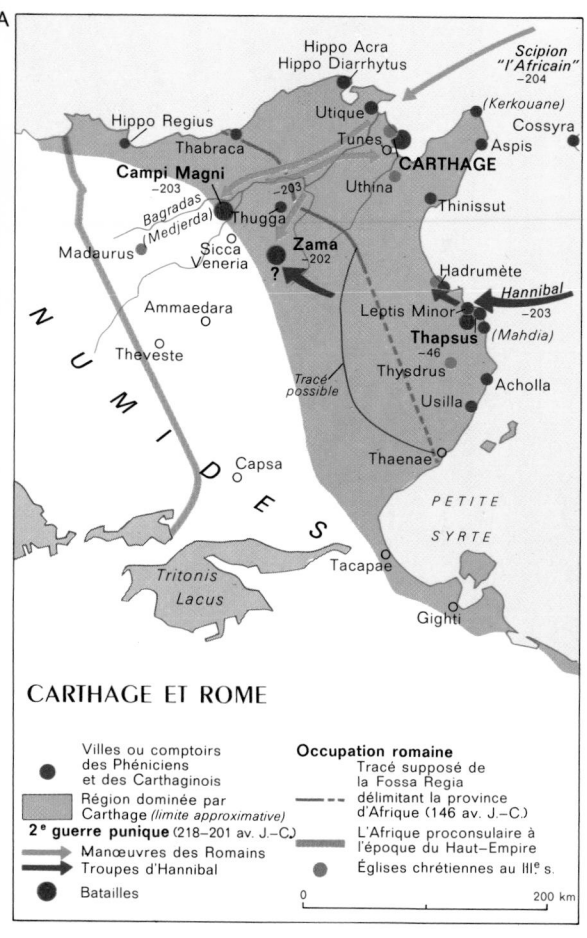

CARTHAGE ET ROME

Villes ou comptoirs des Phéniciens et des Carthaginois

Région dominée par Carthage (limite approximative)

2ᵉ guerre punique (218–201 av. J.-C.)

Manœuvres des Romains

Troupes d'Hannibal

Batailles

Occupation romaine

Tracé supposé de la Fossa Regia délimitant la province d'Afrique (146 av. J.-C.)

L'Afrique proconsulaire à l'époque du Haut-Empire

Églises chrétiennes au IIIᵉ s.

0 ___ 200 km

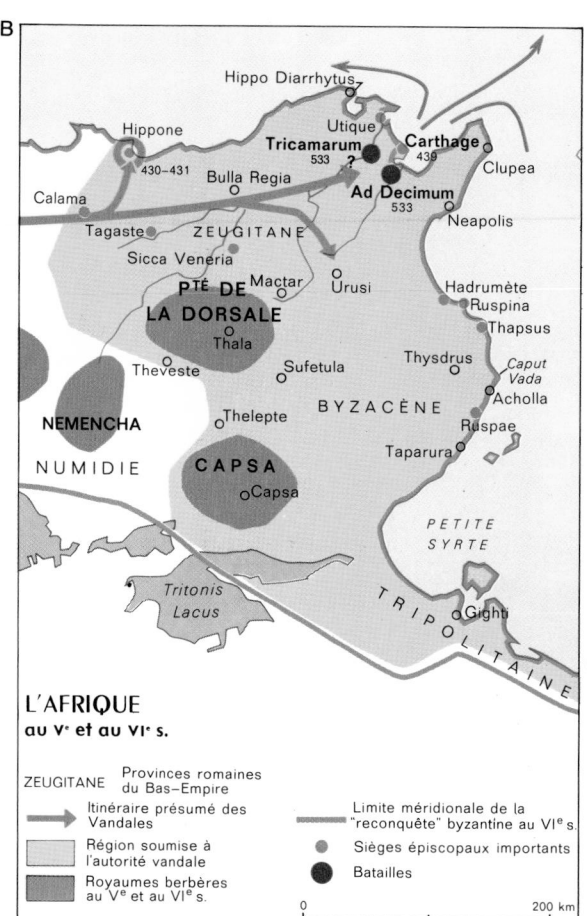

L'AFRIQUE
au Vᵉ et au VIᵉ s.

ZEUGITANE Provinces romaines du Bas-Empire

Itinéraire présumé des Vandales

Région soumise à l'autorité vandale

Royaumes berbères au Vᵉ et au VIᵉ s.

Limite méridionale de la "reconquête" byzantine au VIᵉ s.

Sièges épiscopaux importants

Batailles

0 ___ 200 km

Pendant la deuxième guerre punique (v. carte B p. 18), Carthage domine un territoire limité, approximativement, par la *fossa regia* de 146 av. J.-C., auquel il faut ajouter les *Campi Magni* et le pays au sud de Zama; au traité de 201, Carthage garde ce territoire africain. À l'issue de la troisième guerre punique (149-146), la province d'Afrique est constituée; sa limite est la *fossa regia*. César, en 46 av. J.-C., annexe la Numidie de *Cirta* ou *Africa Nova* (par opposition à l'ancienne province dite dès lors *Africa Vetus* : v. carte p. 213). Auguste fond les deux provinces en une seule, à une date qui reste imprécise : les régions de *Cirta, Theveste, Capsa* en font déjà partie; les Flaviens atteignent l'Aurès, qui est encerclé sous Trajan et Hadrien. Avec Septime Sévère, l'apogée territorial est atteint : au sud, l'Afrique romaine s'étend de *Castellum Dimmidi* à Ghadamès.

Après avoir subi la crise du IIIᵉ siècle apr. J.-C., l'Afrique connaît au IVᵉ siècle une remarquable renaissance, attestée par la littérature et l'archéologie; mais des mouvements religieux (donatistes), sociaux (circoncellions) et nationaux (révolte de Gildon en 396-397) affaiblissent le pays. Les Vandales débarquent en Tingitane (429), traversent l'Afrique et battent les Romains (431); organisés en royaume, ils confisquent des terres, s'établissent. En 533, sur ordre de Justinien, Bélisaire débarque à *Caput Vada*, bat Gélimer (*Ad Decimum, Tricamarum*). Érigé en diocèse indépendant en 534, le pays est partagé en six provinces (Zeugitane, Byzacène, Tripolitaine, Numidie, Mauritanies de Sétif et de Césarée), auxquelles on ajoute la Sardaigne. Un *magister militum* a le commandement de toute l'armée. (V. cartes pp. 30, 32 et 33.)

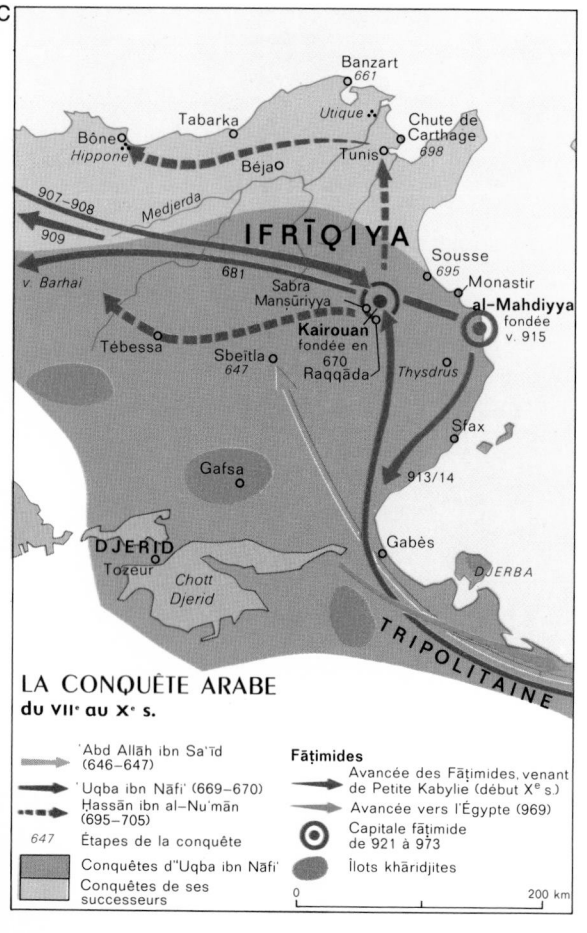

LA CONQUÊTE ARABE
du VIIᵉ au Xᵉ s.

'Abd Allāh ibn Sa'īd (646-647)

'Uqba ibn Nāfi' (669-670)

Ḥassān ibn al-Nu'mān (695-705)

647 Étapes de la conquête

Conquêtes d'Uqba ibn Nāfi'

Conquêtes de ses successeurs

Fāṭimides

Avancée des Fāṭimides, venant de Petite Kabylie (début Xᵉ s.)

Avancée vers l'Égypte (969)

Capitale fāṭimide de 921 à 973

Îlots khāridjites

0 ___ 200 km

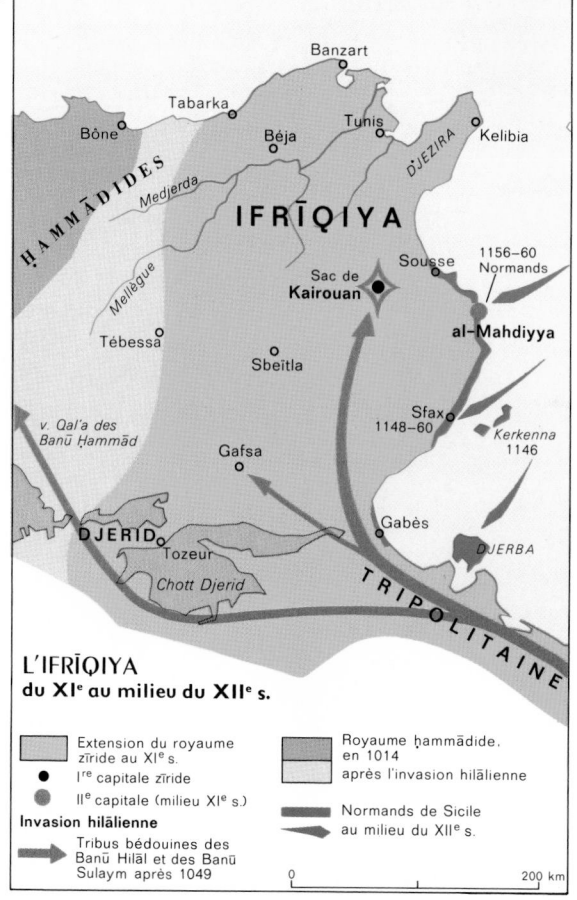

L'IFRĪQIYA
du XIᵉ au milieu du XIIᵉ s.

Extension du royaume zīride au XIᵉ s.

Iʳᵉ capitale zīride

IIᵉ capitale (milieu XIᵉ s.)

Invasion hilālienne

Tribus bédouines des Banū Hilāl et des Banū Sulaym après 1049

Royaume ḥammādide, en 1014 après l'invasion hilālienne

Normands de Sicile au milieu du XIIᵉ s.

0 ___ 200 km

La décomposition de l'Afrique byzantine, l'irrédentisme berbère facilitent la conquête de l'Ifrīqiya par les Arabes. Celle-ci est amorcée par des raids exploratoires, et notamment par celui d''Abd Allāh ibn Sa'īd, vainqueur des Byzantins à Sbeïtla en 647. Elle est poursuivie par 'Uqba Ibn Nāfi', fondateur de Kairouan, place forte et ville sainte de l'islām, finalement tué à Tāhūda en 683 (v. cartes p. 214) par les Berbères.

Elle est achevée par Ḥassān ibn al-Nu'mān, qui occupe Carthage en 698 et brise la résistance berbère en 702 lorsque meurt La Kāhina, héroïne qui l'avait pendant longtemps animée.

Rapidement islamisée et arabisée, l'Ifrīqiya est placée, par le calife 'abbāsside Harūn al-Rachīd, sous l'autorité des Arhlabides, qui fondent un émirat héréditaire (800-909). Se heurtant à l'opposition des Berbères khāridjites, la dynastie mécontente en outre la population par les débauches de la Cour, dont le siège est transféré par Ibrāhīm II (875-952) à Raqqāda. Ainsi se trouve facilitée, à la fin du IXᵉ siècle, l'adhésion au chī'isme des Kutāma. Éliminant en 909, les Arhlabides, la dynastie chī'ite des Fāṭimides fonde en 915 la ville d'al-Mahdiyya, capitale jusqu'en 973 de l'Ifrīqiya. (V. cartes pp. 171 [C], 172 et 214.)

Profitant de la défaite des Almohades à Las Navas de Tolosa en 1212, le gouverneur de l'Ifrīqiya, Abū Zakkariyya' Yaḥyā (1229-1249) fonde à Tunis le royaume ḥafṣide, qui englobe à l'ouest Bougie. Accueillant à Tunis des marchands italiens et catalans, Abū 'Abd Allāh (1249-1277) prend le titre califien d'amīr al-mu'minīn. En 1270, à l'issue de la VIIIe croisade, il octroie des privilèges commerciaux aux sujets des Capétiens.

Querelles de succession, interventions des rois aragonais ou marīnides, révoltes de Berbères entraînent, à partir de 1279, la désagrégation du royaume et le développement de la piraterie côtière. Les représailles se multiplient : attaques navales italo-françaises contre le centre de course musulmane de Mahdia (1390), opérations aragonaises contre les Kerkenna en 1424 et contre Djerba en 1432. Restaurée au XVe siècle, mais ébranlée par les concessions faites aux Espagnols et aux Barbaresques (établissement d''Arūdj à Djerba en 1510), l'unité ḥafṣide ne survit pas aux coups qui lui sont portés par Khayr al-Dīn, puis par Charles Quint, qui s'emparent tour à tour de Tunis en 1534 et en 1535. Le second établit même une forteresse à La Goulette. En 1573, don Juan d'Autriche occupe un moment Tunis. Mais finalement, en 1574, les Turcs s'y établissent et transforment le royaume des Ḥafṣides en pachalik ottoman. (V. cartes pp. 51, 52, 58, 137, 138, 178 et 214 [D et G].)

Depuis 1870, la Régence de Tunis doit faire face à la convoitise des puissances occidentales; les Français, déjà maîtres de l'Algérie, devancent leurs rivaux italiens : par le traité de Bardo (12 mai 1881) et par la convention de La Marsa (8 juin 1883), ils imposent leur protectorat. D'abord relativement discrète, la mainmise française se renforce après 1890; si elle permet le développement économique (mise en place d'une infrastructure ferroviaire), elle s'accompagne d'une exploitation intensive des richesses naturelles par de grosses sociétés coloniales (olivettes de Sousse et de Sfax, phosphates de Gafsa). L'opposition à cette mainmise s'exprime d'abord dans le parti *Destour*, créé en juin 1920; elle prend une coloration laïque et progressiste avec la scission du Néo-Destour (congrès de Qṣar Halāl [Ksar-Hellal]), auquel Ḥabīb Bourguiba fixe comme objectif l'indépendance tunisienne par étapes progressives. Cette stratégie réaliste est maintenue jusqu'en 1951, mais l'arrestation, le 16 janvier 1952, de Ḥabīb Bourguiba et de 150 destouriens, sur ordre du *résident général* français, déclenche l'épreuve de force : grève générale de l'U.G.T.T., émeutes dans tout le pays, apparition du terrorisme *(fellaga)*. En promettant l'autonomie par le discours de Carthage du 31 juillet 1954, Pierre Mendès France désamorce l'insurrection; il ouvre ainsi la voie au processus de l'indépendance, qui est reconnue le 20 mars 1956. (V. carte D p. 212.)

LE ROYAUME ḤAFṢIDE
des origines à l'arrivée des Ottomans

Royaume ḥafṣide de Tunis en 1229

Capitale ḥafṣide

Interventions des États chrétiens

8e croisade (Louis IX), 1270
Français et Génois (1390)
Aragon (début XVe s.)
Établissements espagnols en 1535

Base turque vers 1510
Pachalik de Tunis après 1574

État maraboutique des Shābbiyya (milieu XVIe s.)
Régions au-dessus de 400 m

0   200 km

Combattant les nomades Zénāta à l'ouest de Tāhert (Tiaret) pour le compte des Fāṭimides, le Berbère sanhadjien Yusuf Bulukkīn ibn Zīrī reçoit de ces derniers le gouvernement de l'Ifrīqiya en 973 et celui de la Tripolitaine en 978. Ses successeurs tentant de s'émanciper, les Fāṭimides suscitent contre eux les révoltes des Berbères Kutāma, qui échouent en 986 et en 989. Aussi, lorsque les Zīrides décident de faire allégeance au califat de Bagdad en 1048, les Fāṭimides livrent-ils l'Ifrīqiya en 1051-52 à des nomades, les Banū Hilāl : Kairouan est mise à sac en 1057, et les Zīrides se réfugient à al-Mahdiyya. Disloquée en petites principautés, l'Ifrīqiya tente alors les Normands de Roger II de Sicile qui occupent, dans un but commercial, le littoral oriental du royaume entre 1134 (prise de Djerba) et 1156 (occupation d'al-Mahdiyya). Les Zīrides disparaissent à la veille de l'intervention des Almohades, qui assujettissent les Hilāliens et chassent du Maghreb les Normands en 1160.

Administrée par un gouverneur résidant à Tunis, l'Ifrīqiya n'est plus qu'une dépendance du califat almohade.

(V. cartes pp. 40, 48, 93 et 214 [B et C].)

LA TUNISIE
sous le protectorat français
1881-1956

Convention de La Marsa, 1883
Traité du Bardo, 1881

0   200 km

Population autochtone en 1886
Évaluation, 1 400 000 hab.

densité au km²

plus de 100
de 40 à 100
de 10 à 40
de 1 à 10
moins de 1

Chemin de fer en 1900

existant   en projet

Population autochtone en 1926
Dénombrement, 1 986 427 hab.

densité au km²

plus de 100
de 40 à 100
de 20 à 40
de 10 à 20
de 5 à 10
moins de 5

(Population européenne: 173 281 hab.)

Béja Villes comptant plus de 10 000 hab. agglomérés
▪ Capitale (185 996 hab.)
● Chef-lieu de contrôle civil

Chemin de fer en 1936

à voie normale
à voie étroite   Phosphates

0   200 km

A

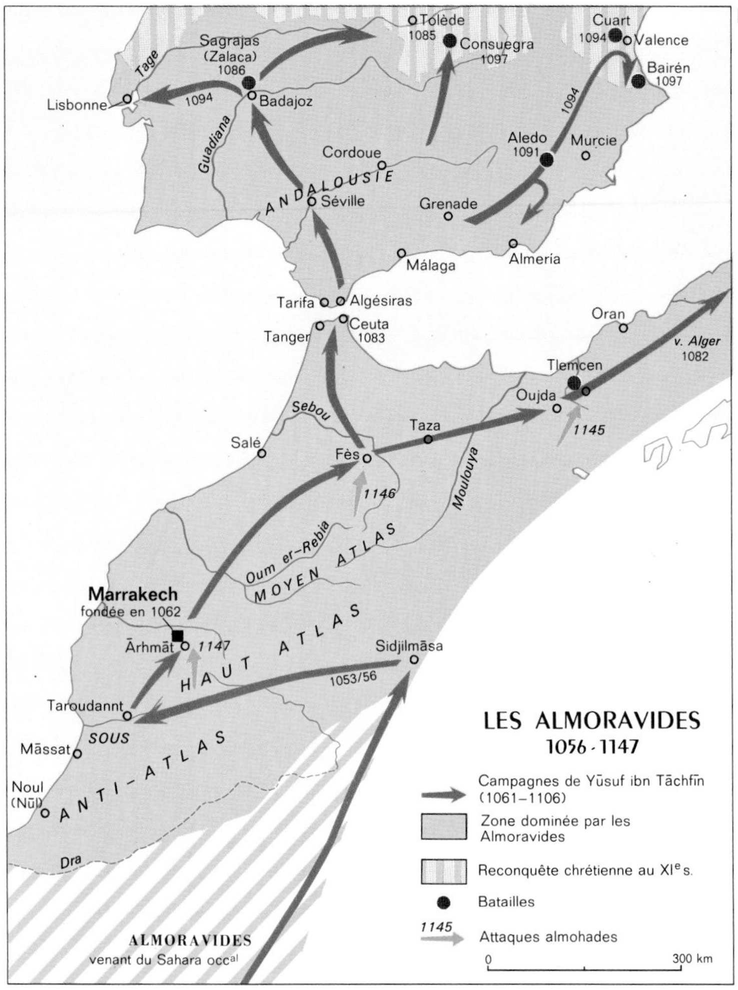

LES ALMORAVIDES
1056-1147

Campagnes de Yūsuf ibn Tāchfīn
(1061-1106)

Zone dominée par les
Almoravides

Reconquête chrétienne au XIᵉ s.

Batailles

1145 Attaques almohades

ALMORAVIDES
venant du Sahara occᵃˡ

0 ——— 300 km

Tage
Lisbonne
Sagrajas (Zalaca) 1086
Badajoz
1094
Guadiana
Tolède 1085
Consuegra 1097
Cuart 1094
Valence
Bairén 1097
Cordoue
ANDALOUSIE
Séville
Aledo 1091
Murcie
Grenade
Málaga
Almeria
Tarifa
Algésiras
Ceuta 1083
Tanger
Oran
v. Alger 1082
Tlemcen
Oujda
1145
Sebou
Salé
Taza
Fès
Moulouya
1146
Oum er-Rebia
MOYEN ATLAS
Marrakech fondée en 1062
Ārhmāt *1147*
HAUT ATLAS
Sidjilmāsa
1053/56
Taroudannt
SOUS
Māssat
ANTI-ATLAS
Noul (Nūl)
Dra

B

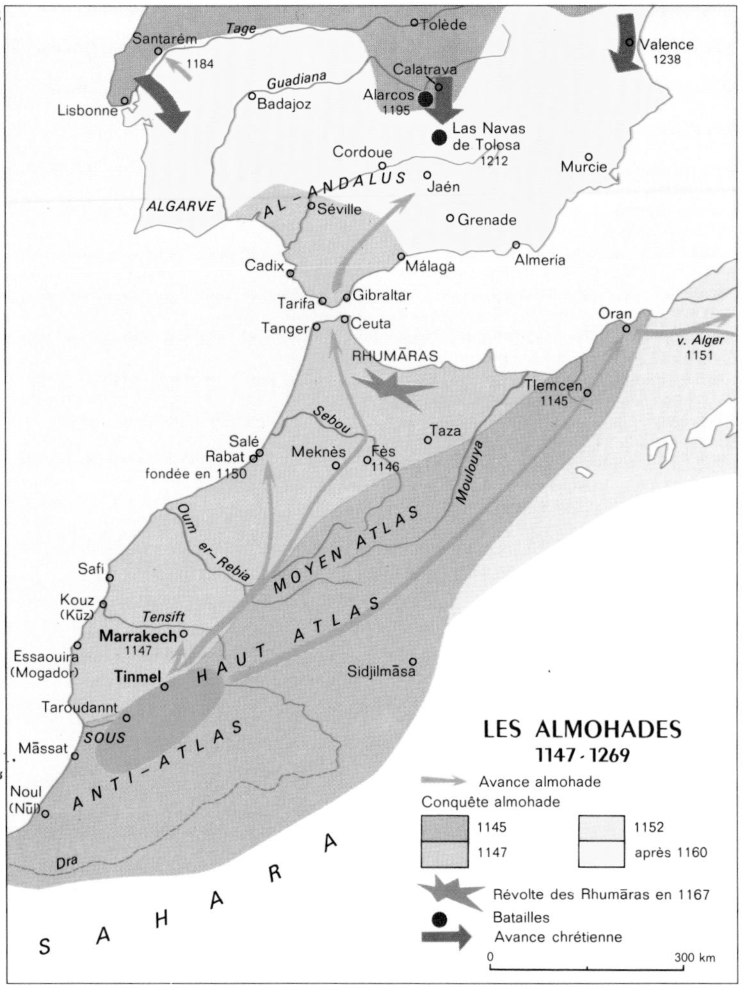

LES ALMOHADES
1147-1269

Avance almohade

Conquête almohade
1145   1152
1147   après 1160

Révolte des Rhumāras en 1167

Batailles

Avance chrétienne

0 ——— 300 km

Santarém 1184
Tage
Tolède
Lisbonne
Guadiana
Badajoz
Calatrava
Alarcos 1195
Las Navas de Tolosa 1212
Valence 1238
Murcie
ALGARVE
AL-ANDALUS
Cordoue
Jaén
Séville
Grenade
Cadix
Málaga
Almeria
Tarifa
Gibraltar
Tanger
Ceuta
RHUMĀRAS
Oran
v. Alger 1151
Tlemcen 1145
Sebou
Salé
Rabat fondée en 1150
Meknès
Fès 1146
Taza
Taroudannt
Safi
Kouz (Kūz)
Tensift
Marrakech 1147
Tinmel
Essaouira (Mogador)
Oum er-Rebia
MOYEN ATLAS
Moulouya
HAUT ATLAS
Sidjilmāsa
SOUS
Māssat
ANTI-ATLAS
Noul (Nūl)
Dra
S A H A R A

C

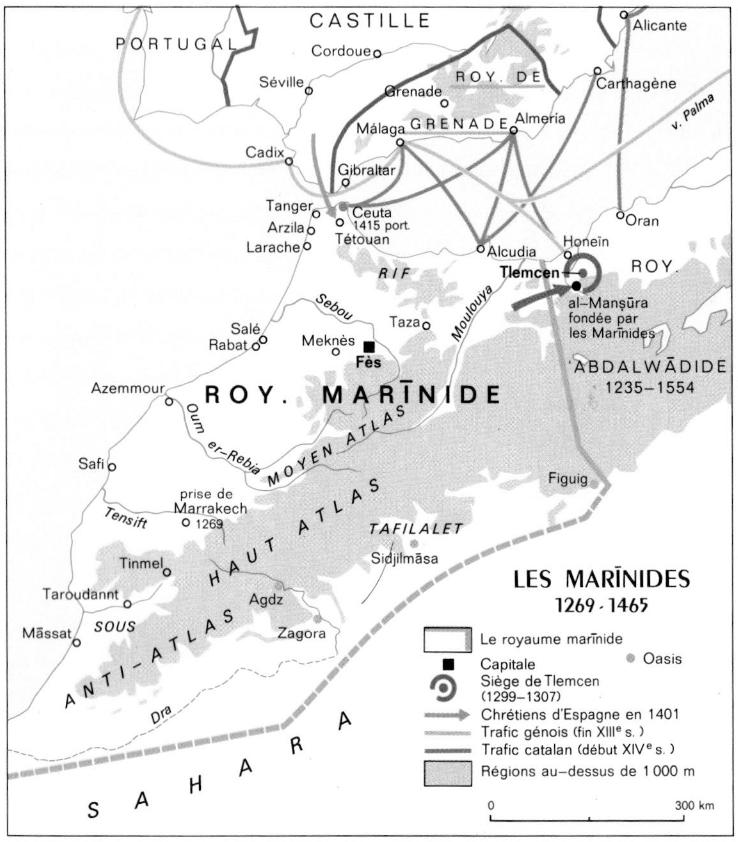

LES MARĪNIDES
1269-1465

Le royaume marīnide

Capitale

Siège de Tlemcen
(1299-1307)

Chrétiens d'Espagne en 1401

Trafic génois (fin XIIIᵉ s.)

Trafic catalan (début XIVᵉ s.)

Régions au-dessus de 1 000 m

Oasis

0 ——— 300 km

PORTUGAL
CASTILLE
Cordoue
Séville
ROY. DE
Alicante
Grenade
Carthagène
ROY. DE GRENADE
Málaga
Almeria
Cadix
v. Palma
Gibraltar
Tanger
Ceuta 1415 port.
Arzila
Tétouan
Larache
Oran
Alcudia
Honeïn
Tlemcen
ROY.
al-Manṣūra fondée par les Marīnides
RIF
Sebou
Salé
Rabat
Taza
Meknès
Moulouya
ʿABDALWĀDIDE 1235-1554
Fès
ROY. MARĪNIDE
Azemmour
Oum er-Rebia
MOYEN ATLAS
Safi
Figuig
prise de Marrakech 1269
Tensift
HAUT ATLAS
TAFILALET
Sidjilmāsa
Tinmel
SOUS
Agdz
Taroudannt
ANTI-ATLAS
Zagora
Māssat
Dra
S A H A R A

D

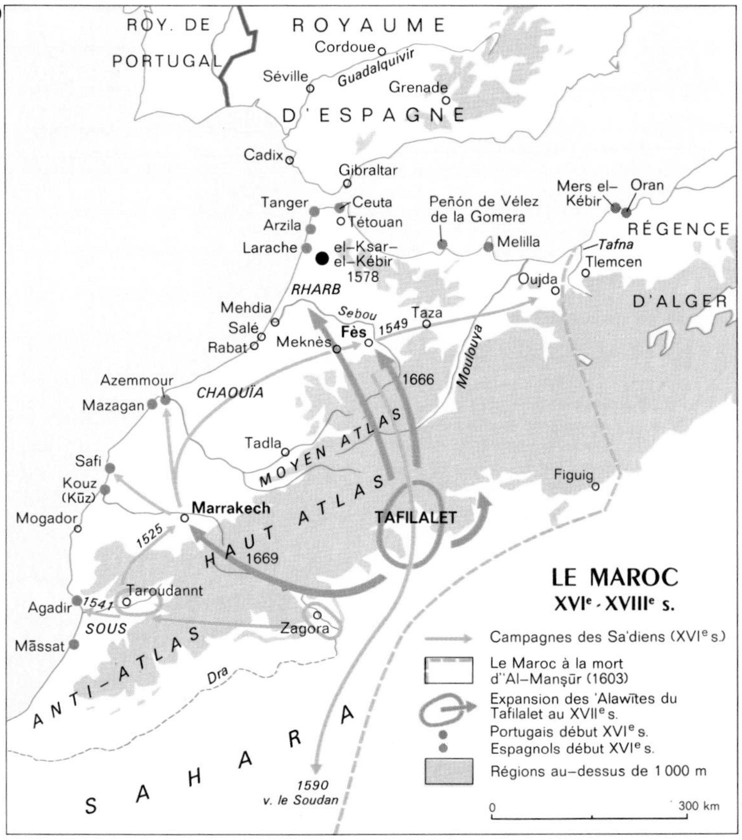

LE MAROC
XVIᵉ - XVIIIᵉ s.

Campagnes des Saʿdiens (XVIᵉ s.)

Le Maroc à la mort d'ʾAl-Manṣūr (1603)

Expansion des ʾAlawītes du Tafilalet au XVIIᵉ s.

Portugais début XVIᵉ s.

Espagnols début XVIᵉ s.

Régions au-dessus de 1 000 m

0 ——— 300 km

ROY. DE PORTUGAL
ROYAUME
Cordoue
Guadalquivir
Séville
Grenade
D'ESPAGNE
Cadix
Gibraltar
Tanger
Ceuta
Peñón de Vélez de la Gomera
Mers el-Kébir
Oran
Arzila
Tétouan
RÉGENCE
Larache
el-Ksar-el-Kébir 1578
Melilla
Tafna
Tlemcen
Oujda
RHARB
D'ALGER
Mehdia
Sebou
Taza
Salé
Meknès
Fès 1549
1666
Rabat
Azemmour
Mazagan
CHAOUIA
Moulouya
Tadla
Safi
MOYEN ATLAS
Figuig
Kouz (Kūz)
Mogador
Marrakech
HAUT ATLAS
TAFILALET
1525
1669
1541
Agadir
Taroudannt
SOUS
Zagora
ANTI-ATLAS
Māssat
Dra
1590 v. le Soudan
S A H A R A

A◀ Au milieu du XIᵉ siècle, les Ṣanhādjas de la tribu berbère des Lemtouna, de rite malékite, veulent imposer leur croyance au monde de l'Islām. Dirigés par 'Abd Allāh ibn Yāsīn, ses membres, les « gens du ribāt » ou Almoravides (almurābiṭūn) [v. carte A p. 222], entreprennent la conquête dans une triple direction : vers le Maghreb, où ils occupent dès 1053-54 les oasis du Maroc du Sud — leur premier souverain Yūsuf ibn Tāchfīn (1061-1106) y fonde Marrakech en 1062, avant d'étendre sa domination jusqu'à Alger car à l'est de cette ville se sont imposés d'autres Ṣanhādjiens, les Ḥammādides et les Zīrides; vers la péninsule Ibérique, où ils débarquent en 1083 à Algésiras et où ils remportent, sur Alphonse VI de Castille, la victoire de Sagrajas (Zalaca) le 23 octobre 1086, victoire qui leur livre l'Espagne jusqu'à Saragosse et qui leur permet d'imposer leur autorité aux « reyes » de *taifas* en 1094; vers le Niger, enfin, où Abū Bakr, oncle de Yūsuf ibn Tāchfīn, occupe la ville de Ghāna en 1076-77.

Augmenté des îles Baléares conquises en 1106-07, l'Empire almoravide s'effondre pourtant dès le règne de Tāchfīn ibn 'Alī (1143-1147), sous les coups conjugués des chrétiens en Espagne et de musulmans encore plus intransigeants au Maghreb : les Almohades. (V. cartes pp. 40, 104, 214 [C], 216 [D] et 222 [A].)

B◀ Fondée par le réformateur Ibn Tūmart, la secte austère des Almohades naît dans le Maroc du Sud. Constituée à l'origine des montagnards berbères de l'Anti-Atlas, la communauté almohade se révolte en 1145. Sous la direction d''Abd al-Mu'min (1128/1130-1163), elle contrôle rapidement les montagnes marocaines, s'emparant des capitales almoravides édifiées à proximité : Tlemcen en 1145, Fès en 1146, Marrakech en 1147. À partir de ces bases, les Almohades progressent dans deux directions : vers l'ouest et le nord, où le Maroc atlantique, le Rif et al-Andalus (jusqu'au Guadalquivir) sont occupés dès 1147; vers l'est, où l'ensemble du Maghreb est conquis entre 1151 et 1160. L'expansion reprend alors en Espagne, où la contre-offensive chrétienne est brisée à Alarcos en 1195 par Abū Yūsuf Ya'qūb al-Manṣūr (1184-1199), qui porte la puissance almohade à son apogée. Ébranlée par la victoire des chrétiens ibériques à Las Navas de Tolosa en 1212, celle-ci s'effondre sous les coups des Berbères Zenāta entre 1244 (chute de Meknès) et 1269 (chute de Marrakech). (V. cartes pp. 41, 105, 214 [C] et 218 [C].)

C◀ Formant comme les 'Abdalwādides une confédération de Berbères Zenāta, les Marīnides nomadisent au début du XIIIᵉ siècle dans les hautes plaines entre Figuig et la Moulouya. Refusant d'accepter l'autorité des Almohades, ils mettent un terme définitif à la puissance de ceux-ci dans le Maghreb occidental en s'emparant de Meknès, en 1244, de Fès en 1248 et de Marrakech en 1269. Réalisée par Abū Yaḥyā Abū Bakr (1244-1258), la conquête du Maroc est donc achevée par Abū Yūsuf Ya'qūb (1258-1286), le fondateur de Fès al-Djīb (Fès-la-Neuve). Mais ni lui ni ses successeurs ne parviennent à restaurer à leur profit l'Empire almohade. De multiples expéditions en Espagne échouent. À l'est, la lutte contre les 'Abdalwādides se cristallise autour de Tlemcen, vainement assiégée de 1299 à 1307, mais occupée en 1337 par Abū al-Ḥasan (1331-1351), puis en 1352 par Abū 'Inān (1349-1358), qui réussissent même à s'établir temporairement à Tunis en 1347, puis en 1357.

Tour à tour aux prises avec les 'Abdalwādides, les Naṣrides de Grenade, les Castillans et même les Portugais maîtres de Ceuta en 1415, incapables en outre d'imposer leur autorité à leurs propres vizirs, les Marīnides doivent accepter la tutelle de la dynastie zenāta des Waṭṭāsides (1420-1465) qui finalement les élimine. (V. cartes pp. 51 et 52.)

D◀ Tuteurs des Marīnides (1420-1465), les Waṭṭāsides s'emparent définitivement du pouvoir en 1471, mais ne peuvent empêcher les Portugais de s'établir sur la côte marocaine (Arzila et Tanger, 1471; Santa Cruz de Aguadir [act. Agadir], 1505; Safi, 1558; Mazagan [auj. El-Jadida], 1514; etc.); les Espagnols les suivent (Melilla, 1497; etc.). Privée de tout espoir de reconquête en Espagne après la chute de Grenade (1492), la dynastie humiliée est chassée du pouvoir en 1553 par celle des Sa'diens, qui ont pu reconquérir Agadir en 1541.

Ces derniers, fondateurs de l'Empire chérifien, organisent de fructueuses expéditions vers le continent noir (Touat, 1581; Soudan, 1590-91); ils contrôlent ainsi le commerce saharien, puis bénéficient de l'afflux des Morisques industrieux chassés d'Espagne en 1609-10. Mais la « Renaissance » sa'dienne ne cache pas les faiblesses du régime.

Menacés par les Ottomans, manquant d'hommes, donc obligés de faire appel à des étrangers et de lever de lourds impôts, victimes enfin de crises successorales, les Sa'diens perdent le pouvoir au profit d'une autre dynastie chérifienne : celle des 'Alawītes du Tafilalet. Maître de Fès (1666), puis de Marrakech (1669), Mūlāy al-Rachid lègue à Mūlāy Ismā 'īl (1672-1727) un Maroc unifié dont celui-ci chasse les Européens (Tanger, 1684) et qu'il pare de monuments magnifiques (Meknès). Mais ses successeurs doivent admettre la pénétration du commerce européen, qui débouche sur l'intervention étrangère au XIXᵉ et au XXᵉ siècle. (V. cartes pp. 58, 65, 214 et 223 [A].)

Les dépenses excessives et la réforme fiscale corrélative (1901) de Mūlāy 'Abd al-'Azīz (1900-1908) permettent à la France d'étendre son influence sur le Maroc. Autorisée dès 1901 par le sultan à pacifier les confins algéro-marocains (1903-1910), puis par l'Europe à assurer l'ordre dans les ports de concert avec l'Espagne (conférence d'Algésiras, 1906), la France occupe Casablanca et la plaine de la Chaouiä (1907-1910). Préalablement désintéressées, l'Italie (1900), le Royaume-Uni (1904) et l'Espagne (1904) ne s'opposent pas à ce que la France occupe Fès où le sultan Mūlāy Ḥafīẓ (1908-1937) est assiégé par des Berbères révoltés. S'étant déclarée garante de l'indépendance du Maroc (discours de Guillaume II à Tanger [31 mars 1905]), l'Allemagne envoie le croiseur allemand *Panther* dans le port d'Agadir (1911) et ne le retire qu'après avoir obtenu une compensation au Congo par l'accord du 4 novembre 1911.

La France impose alors son protectorat au Maroc par la convention de Fès du 30 mars 1912. Nommé résident général, le général Lyautey occupe Taza le 16 mai 1914, achevant la mainmise sur le « Maroc utile »; il met en place une administration très souple de type européen qui facilite l'adaptation du Maroc traditionnel (sultan et maghzen) au monde moderne; puis il entreprend la mise en valeur économique du pays (construction du port de Casablanca, 1913-1934; mise en place d'un réseau routier et ferroviaire; exploitation des phosphates; mise en valeur de 1 000 000 d'hectares de terres par les colons européens). La guerre, menée par Abd el-Krim de 1921 à 1926, contre les Espagnols et contre les Français, révèle la fragilité de cette occupation; celle-ci n'est achevée qu'en avril 1934, la résistance se déplace alors vers les villes, où naît un nationalisme marocain. (V. cartes p. 75.) ▶

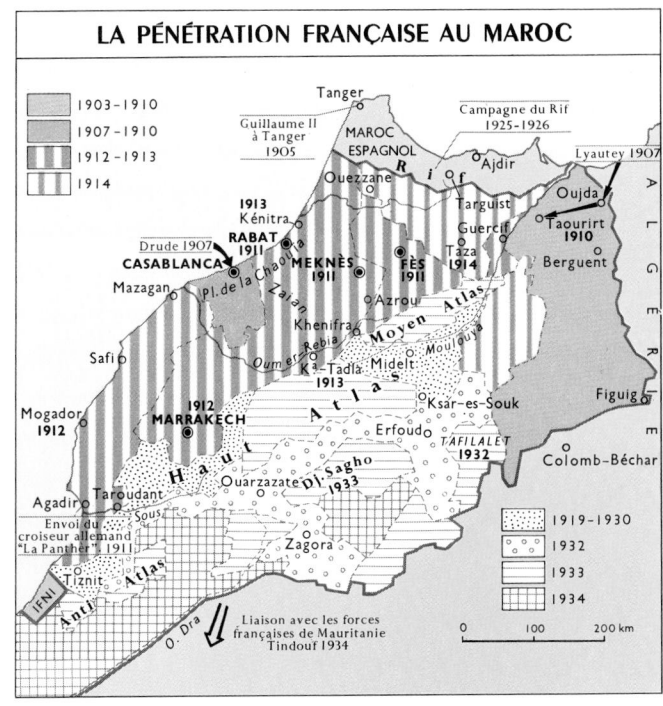

LA PÉNÉTRATION FRANÇAISE AU MAROC

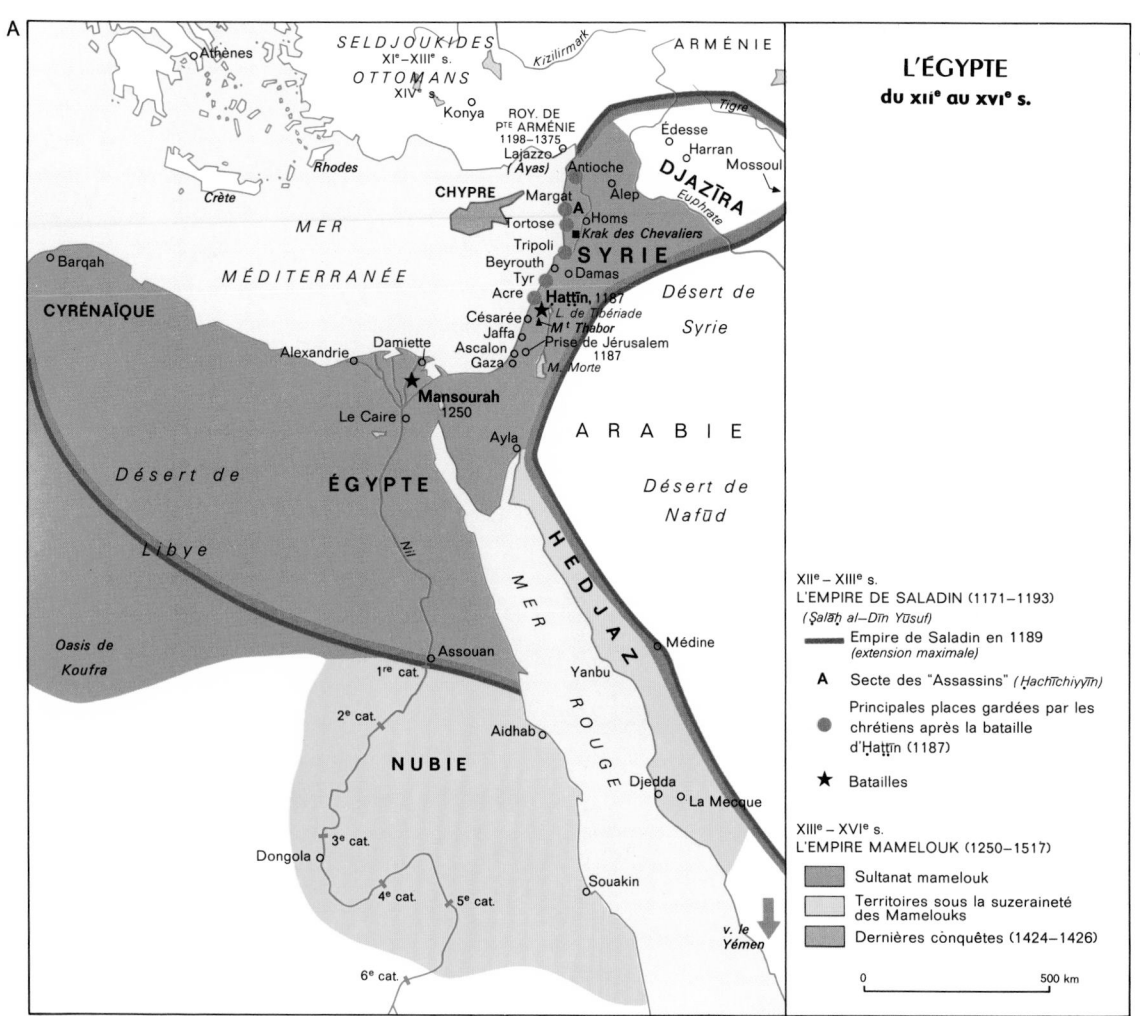

L'ÉGYPTE
du XIIᵉ au XVIᵉ s.

XIIᵉ – XIIIᵉ s.
L'EMPIRE DE SALADIN (1171–1193)
(Ṣalāḥ al-Dīn Yūsuf)

━━━ Empire de Saladin en 1189
(extension maximale)

A Secte des "Assassins" (Ḥachīchiyyīn)

● Principales places gardées par les chrétiens après la bataille d'Ḥaṭṭīn (1187)

★ Batailles

XIIIᵉ – XVIᵉ s.
L'EMPIRE MAMELOUK (1250–1517)

Sultanat mamelouk

Territoires sous la suzeraineté des Mamelouks

Dernières cònquêtes (1424–1426)

0 ————— 500 km

Lieutenant au Caire du prince d'Alep, Nūr al-Dīn, Salāḥ al-Dīn se substitue en 1171 au dernier prince fāṭimide en Égypte, où il restaure aussitôt le sunnisme. Fondateur de la dynastie ayyūbide (1171-1250), il reprend à Damas (1174), puis à Alep (1176) l'héritage de Nūr al-Dīn. Pour renforcer la cohésion de peuples si divers, il proclame alors la guerre sainte contre les États latins du Levant, dont il écrase les forces à Ḥaṭṭīn (1187). De Barqah et d'Assouan à Mossoul se trouve ainsi reconstituée l'unité des pays du Croissant fertile jadis réalisée par les pharaons du Nouvel Empire. La médiocrité des successeurs de Saladin, les multiples interventions des croisés entraînent le déclin de la dynastie. Des esclaves turcs, les Mamelouks, qui viennent de sauver l'Égypte en capturant Saint Louis à Mansourah, l'éliminent en 1250. Chassant définitivement les Latins du Levant en 1291, ils maintiennent, pour l'essentiel, le cadre territorial de l'ancien Empire ayyūbide. Amputée de la boucle de l'Euphrate, mais agrandie de la Nubie, dont les souverains de Dongola (chrétiens jusqu'en 1315, musulmans depuis lors) sont réduits à la condition de tributaires, l'Égypte islamique domine le Proche-Orient au XIVᵉ siècle. Mais, en 1517, les Ottomans portent un coup fatal à sa puissance en l'occupant et en la réduisant à l'état de pachalik. (V. cartes pp. 7, 46, 47, 48, 49 et 51.)

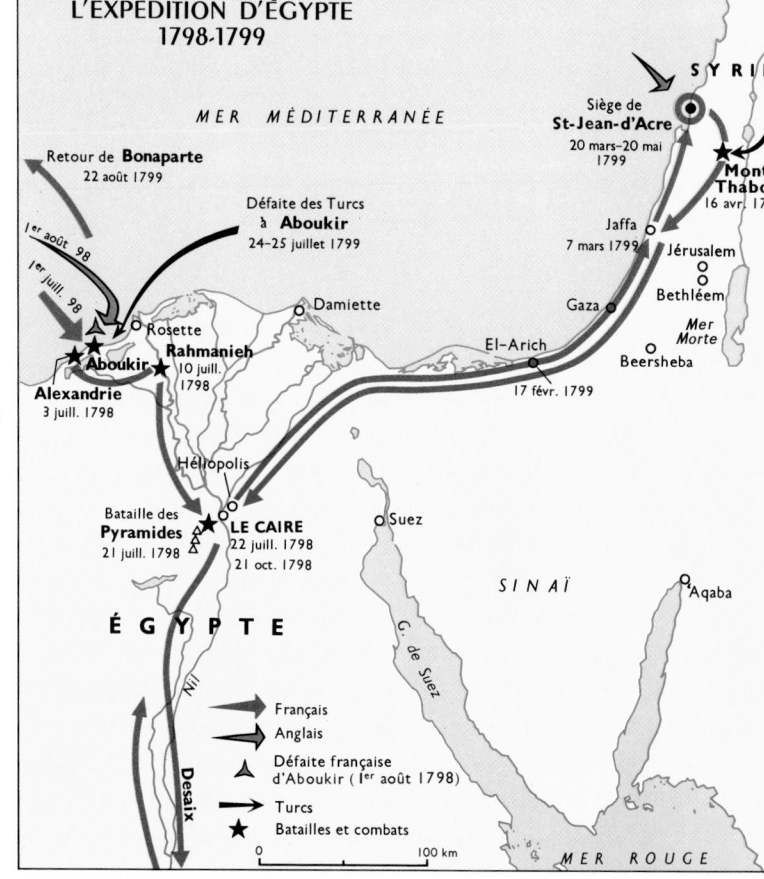

L'EXPÉDITION D'ÉGYPTE
1798-1799

Français
Anglais
△ Défaite française d'Aboukir (1ᵉʳ août 1798)
Turcs
★ Batailles et combats

0 ————— 100 km

Destinée à contraindre l'Angleterre à la paix en menaçant de couper la route des Indes où elle régnait sans partage depuis 1763, l'expédition française en Égypte paraît d'abord facile : la victoire des Pyramides le 21 juillet 1798 permet à Bonaparte de contrôler tout le delta. Mais l'œuvre de pacification (expédition de Desaix vers le sud) et de colonisation est interrompue par la menace turque en Syrie. N'ayant pu s'emparer de Saint-Jean-d'Acre au terme d'un long siège pourtant marqué par la victoire du Mont-Thabor le 16 avril 1799, Bonaparte bat les Turcs à Aboukir les 24 et 25 juillet 1799. Ne disposant plus de sa flotte, détruite par Nelson dès le 1ᵉʳ août 1798 en rade d'Aboukir, son armée bloquée en Égypte, Bonaparte regagne secrètement la France. Après l'assassinat de Kléber le 14 juin 1800, le général Menou capitule le 31 août 1801 entre les mains des Anglais.

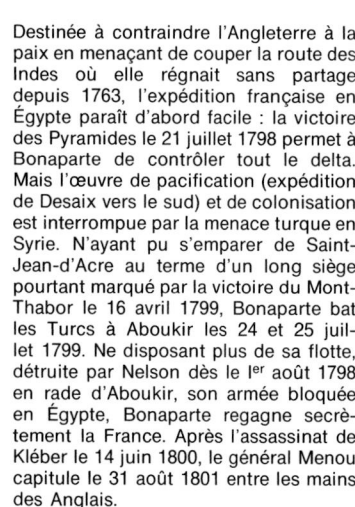

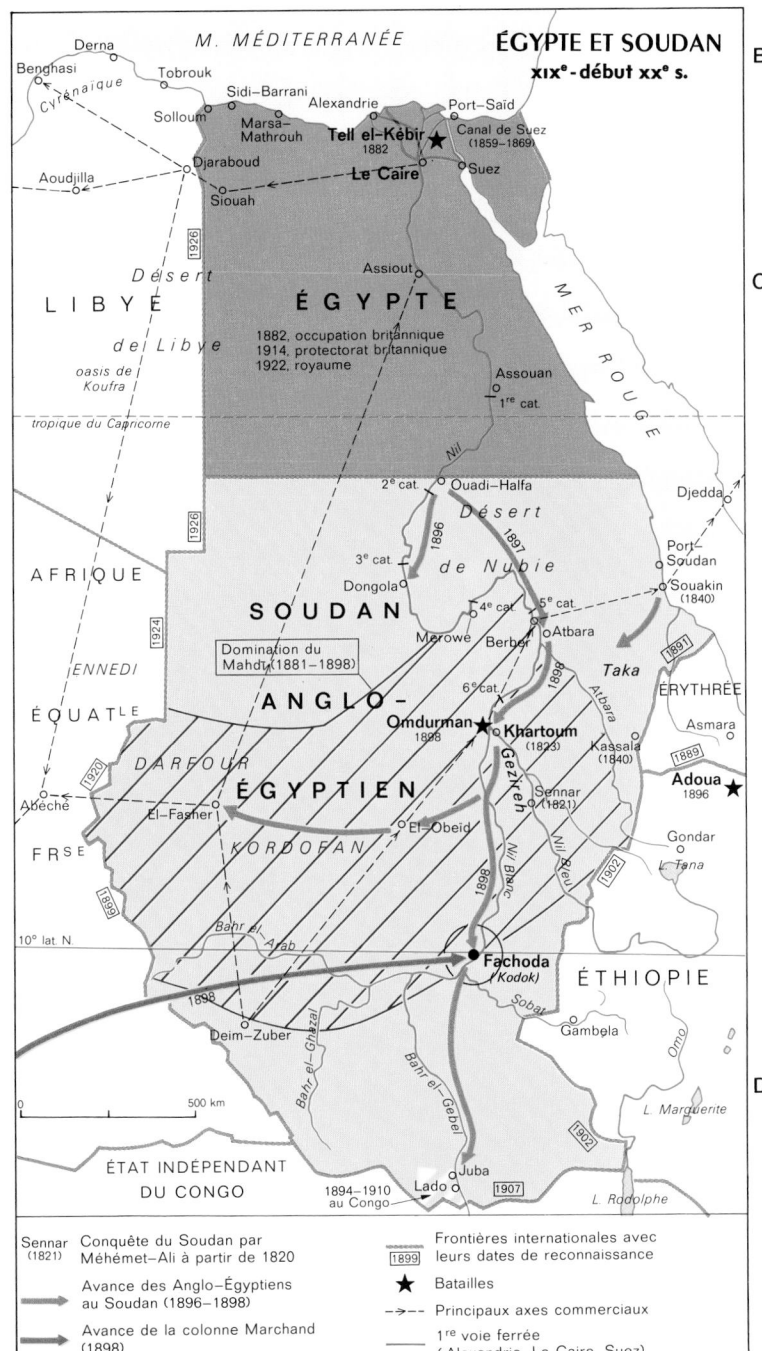

A ÉGYPTE ET SOUDAN
XIXᵉ - début XXᵉ s.

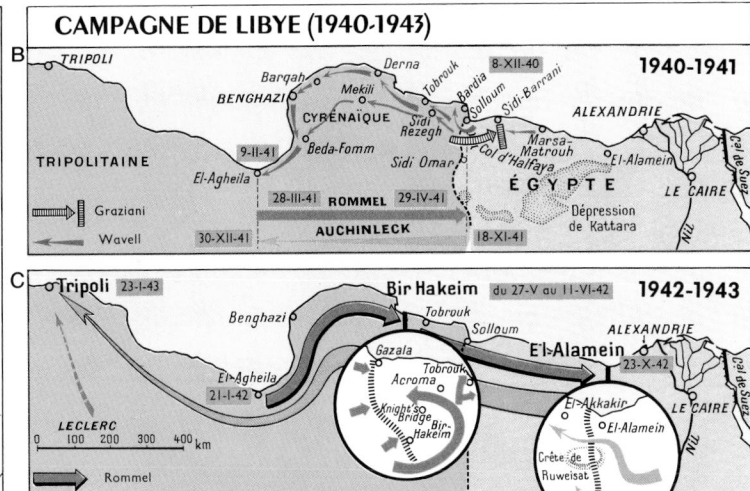

B CAMPAGNE DE LIBYE (1940-1943)
1940-1941

C 1942-1943

Déclenchée le 15 septembre 1940 par les Italiens du maréchal Graziani, qui veulent s'emparer du canal de Suez, la « guerre du désert » s'amplifie le 28 mars 1941 avec l'intervention des Allemands, qui doivent secourir leurs alliés rejetés par les Anglais de Wavell jusqu'à El-Agheila le 9 février 1941. Après une première tentative en 1941, qui échoue du fait de l'immédiate contre-offensive du Britannique Auchinleck, Rommel réussit, par les victoires de Bir-Hakeim et de Tobrouk, à pénétrer en Égypte en juin 1942; mais l'éloignement des bases allemandes oblige l'*Afrikakorps,* qui manque de blindés et de carburant, à s'arrêter à El-Alamein. La puissante contre-attaque qu'y lance Montgomery le 23 octobre amène celui-ci, dès janvier 1943, aux portes de la Tunisie, où il est rejoint par les Forces françaises du général Leclerc venues du Tchad par le Fezzan.
(V. cartes pp. 77 [D] et 86 [A].)

Légende carte A

Sennar (1821)	Conquête du Soudan par Méhémet-Ali à partir de 1820		1899	Frontières internationales avec leurs dates de reconnaissance
	Avance des Anglo-Égyptiens au Soudan (1896-1898)		★	Batailles
	Avance de la colonne Marchand (1898)		- ‑ - >	Principaux axes commerciaux
				1ʳᵉ voie ferrée (Alexandrie-Le Caire-Suez)

Devenue pratiquement indépendante de l'Empire ottoman, l'Égypte commence à se moderniser au XIXᵉ siècle, sous l'impulsion de Méhémet-Ali (1804-1849) et de ses successeurs et elle étend, à partir de 1820, sa domination sur le Soudan, où l'islamisation s'accentue. Mais cette modernisation se fait au prix d'une intervention croissante des puissances occidentales. Après la construction du canal de Suez (1859-1869), qui fait de l'Égypte un jalon essentiel sur la route des Indes, les Anglais supplantent peu à peu les Français, dont la situation était jusqu'alors prépondérante dans ce pays; en 1882, à la faveur de la révolte d'''Urābī pacha qu'ils brisent à Tell el-Kébir le 13 septembre, ils établissent leur protectorat de fait sur l'Égypte, mais celui-ci n'est proclamé en droit que le 18 décembre 1914. Pour liquider la révolte des disciples du Mahdī, Muḥam-

mad Aḥmad ibn 'Abd Allāh, qui s'était emparé progressivement du Soudan de 1881 à 1885, y instaurant un islām purifié, le sirdar Kitchener occupe le Soudan en 1898. En fait, il songe surtout à construire l'Afrique anglaise du Cap au Caire; il vainc les mahdistes à Omdurman le 2 septembre; le 25, il bloque la poussée française à Fachoda (Kodok) : la colonne Marchand, arrivée là le 18 juillet dans le but de relier Dakar à Djibouti, doit se retirer le 7 novembre. Devenu gouverneur général du Soudan, lord Kitchener parvient à placer sur ce pays un *condominium anglo-égyptien* le 19 janvier 1899. La puissance britannique à son apogée renforce, par réaction, le nationalisme égyptien. La Grande-Bretagne doit renoncer, le 28 février 1922, à son protectorat sur le royaume d'Égypte. (V. cartes pp. 75 [A] et 76 [A].)

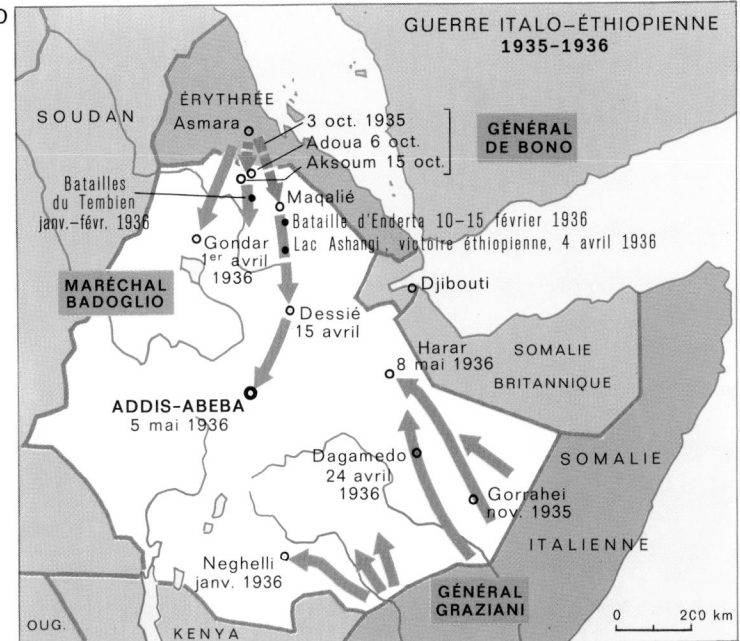

D GUERRE ITALO-ÉTHIOPIENNE
1935-1936

Une volonté de prestige, le souci d'effacer l'humiliation de 1896 (défaite d'Adoua) amènent Mussolini à décider la conquête de l'Éthiopie : le 3 octobre 1935, les Italiens attaquent, à partir de l'Érythrée et de la Somalie, des forces médiocres et mal équipées. Au début, les opérations piétinent, en raison des hésitations du général Emilio De Bono, qui est remplacé en novembre par le maréchal Badoglio; mais, en avril 1936, l'armée italienne, renforcée en blindés et en aviation, enfonce le front éthiopien : Addis-Abeba est prise le 5 mai, l'Éthiopie annexée le 9, alors que le *négus* Hailé Sélassié est parti en exil.

(V. carte D p. 77.)

A

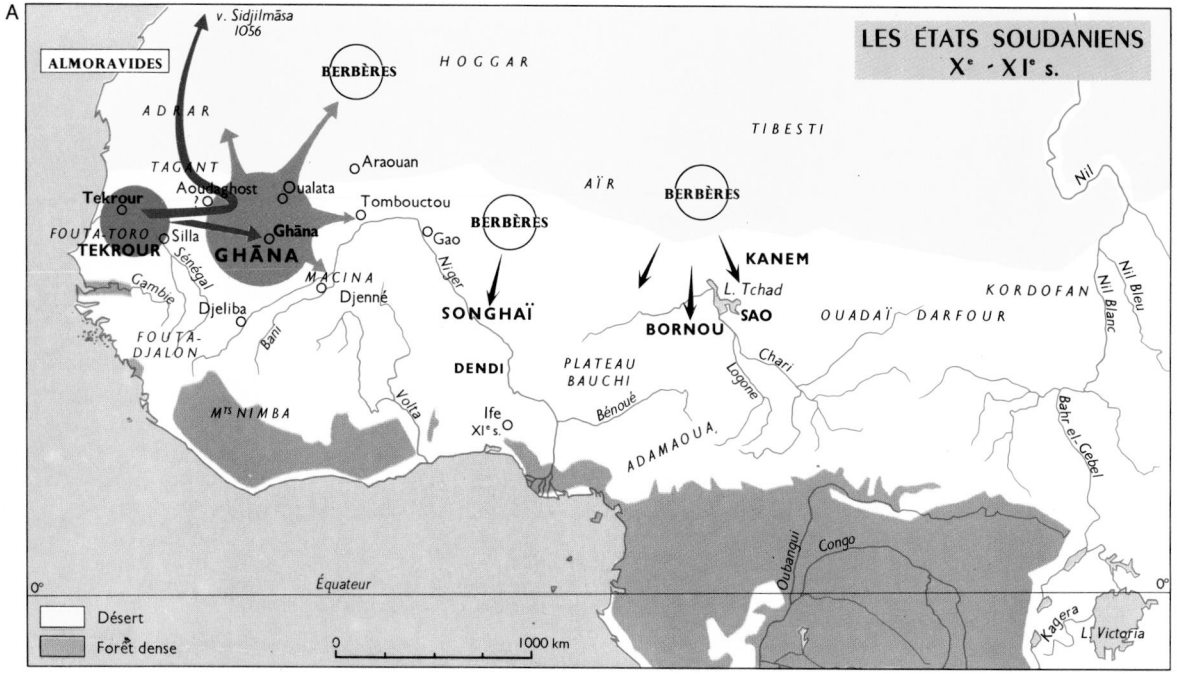

LES ÉTATS SOUDANIENS
Xᵉ - XIᵉ s.

C'est de la symbiose entre les agriculteurs noirs de la zone des savanes et les pasteurs nomades berbères que naissent les premiers États soudaniens. L'intensification des échanges avec le Maghreb, grâce à l'introduction du dromadaire au début de l'ère chrétienne, permet le développement , dès le IVᵉ siècle, du royaume sarakollé du Ghāna. Celui-ci s'enrichit en contrôlant le trafic de l'or du Galam-Bambouk et du Bouré-Mali (entre Sénégal et Niger), qui est échangé contre le sel saharien et les produits maghrébins; aussi le Ghāna domine-t-il, au Xᵉ siècle, une série de petits États vassaux (berbères Sanhadja d'Aoudaghost; Ouolofs du Tekrour; Mandings du Bambouk). Mais, au XIᵉ siècle, la diffusion de l'islām par l'intermédiaire des Berbères bouleverse le Soudan. Alors que s'esquissent les royaumes songhaï et kanouri (au Kanem), les Sanhadja et les Noirs du Tekrour sont convertis par une confrérie militaire qui s'est constituée, entre 1035 et 1042, autour d'un couvent (ribāṭ) construit dans une île du Sénégal ou de la côte mauritanienne; aussi attaquent-ils Ghāna (prise en 1076-77), dont le roi doit embrasser l'islām; et, tandis que les Almoravides (al-murābiṭūn, «ceux du ribāṭ») s'élancent à la conquête du Maghreb, l'émancipation de ses vassaux (eux aussi convertis) entraîne la dislocation du Ghāna. (V. carte A p. 218.)

B

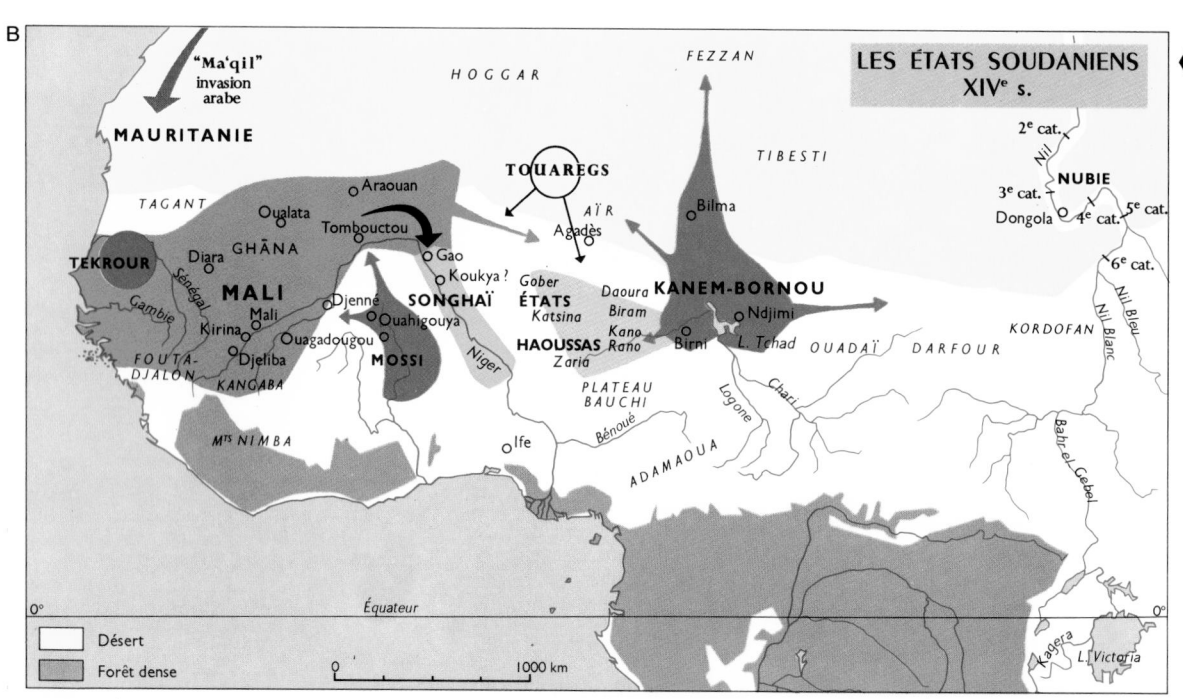

LES ÉTATS SOUDANIENS
XIVᵉ s.

Les progrès de l'islām au Soudan s'accompagnent de la constitution de vastes États jouant le rôle de foyers civilisateurs. Autour du lac Tchad, l'influence de l'empire du Kanem-Bornou rayonne jusqu'au Tibesti, au Fezzan et en pays haoussa, organisé en une confédération de « cités-États » peu à peu islamisées. À l'ouest, dans le vide politique laissé par la décomposition du Ghāna, les Mandings du Mali, grâce à leur maîtrise des régions aurifères, étendent, au XIVᵉ siècle, leur domination de l'Atlantique au moyen Niger (vassalisation du royaume songhaï de Gao à partir de 1325). La richesse et la puissance de l'empire du Mali se manifestent aussi bien par son influence extérieure (notamment en Égypte) que par la grandeur de sa civilisation (art soudano-maghrébin, rayonnement du centre de Djenné). Mais, à partir de la fin du XIVᵉ siècle, le manque de cohésion et les querelles dynastiques affaiblissent l'Empire, par ailleurs soumis aux attaques des Touaregs, qui occupent Tombouctou en 1435, des Songhaïs et, surtout, des Mossis, qui luttent contre l'expansion islamique. Dès le XVᵉ siècle, le Mali est refoulé dans son foyer initial du haut Niger.

Le relais du Mali est pris par les A
Songhaïs païens de Gao, qui s'éman-
cipent de sa tutelle dès le XVe siècle. Au
XVIe siècle, ils édifient un vaste empire
étendant son influence sur le Sénégal,
les États haoussas et le Sud saharien
(exploitation des salines de Teghazza).
Régi à partir de 1493 par la dynastie
musulmane des Askias, l'Empire
songhaï est plus solide que ses prédé-
cesseurs; aussi favorise-t-il l'épanouissement de la civilisation islamo-souda-
nienne (Tombouctou est alors un foyer
essentiel de la culture musulmane).
Mais, à partir du milieu du XVIe siècle, il
commence à décliner, sa cohésion étant
atteinte par la menace constante que les
Mossis au sud et les nomades peuls à
l'ouest font peser sur son axe vital : la
vallée du Niger. Cet affaiblissement est
lié à un bouleversement plus général,
qui affecte toute l'Afrique : l'installation
des Européens sur la côte; cette installation suscite le développement de nouveaux États, par exemple celui du
Congo en pays bantou; surtout, en
drainant l'or vers les régions littorales,
elle contribue au déclin des voies commerciales sahariennes et donc à celui
des États de l'intérieur, déclin auquel
échappe, à l'est, le seul Bornou. D'autre part, le renouveau musulman du
XVIe siècle entraîne l'invasion du Soudan par les Marocains : la destruction
de l'Empire songhaï en 1591 marque la
ruine définitive des grandes civilisations
soudaniennes. (V. carte D p. 218.)

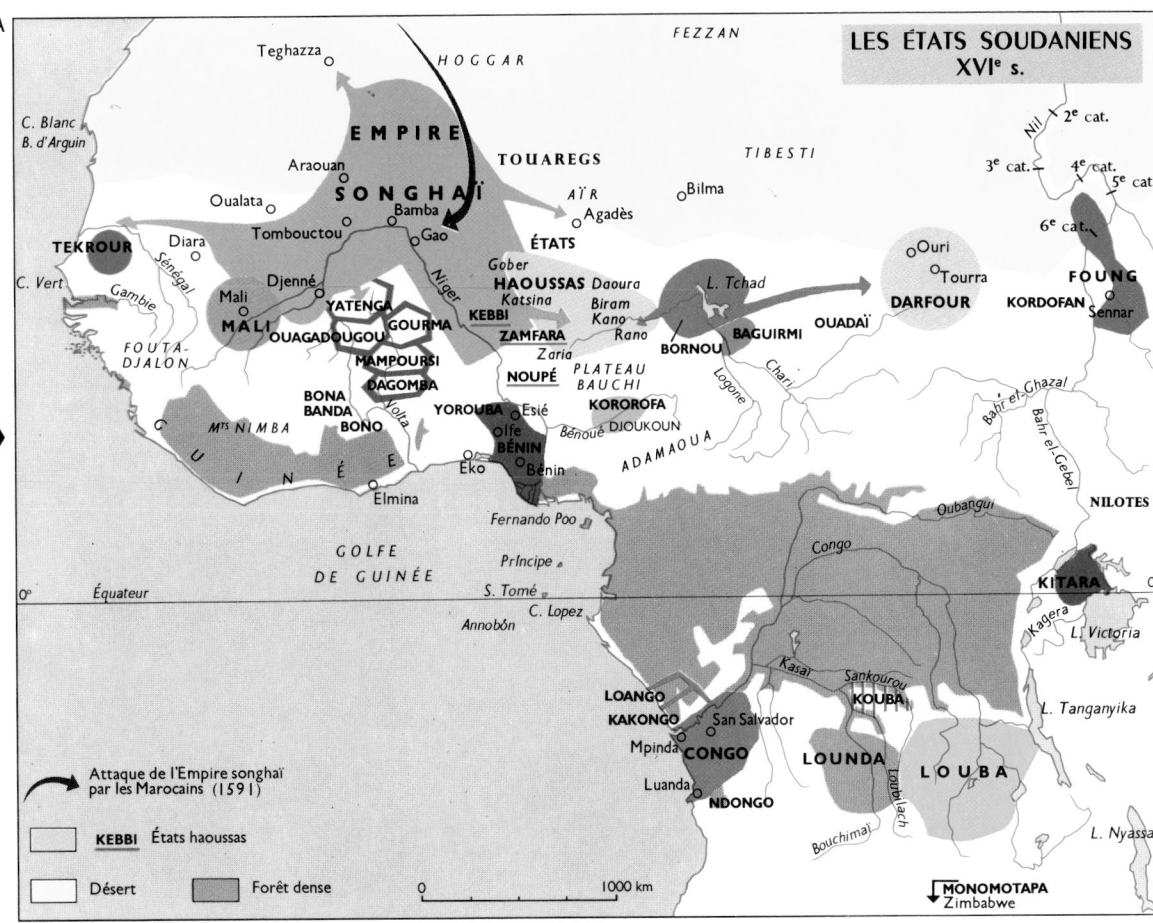

Inaugurée au XVIe siècle par les Portugais, la traite des esclaves est développée au XVIIe et au XVIIIe siècle, à partir
de comptoirs côtiers, par les Européens
qui les ont supplantés : Hollandais et
Anglais au XVIIe siècle, Français au
XVIIIe siècle. Privant l'Afrique noire d'au
moins 11 millions d'habitants entre la fin
du XVe et la fin du XVIIIe siècle et
bouleversant par contrecoup ses structures socio-économiques, cette pratique
provoque d'abord la décadence des
brillantes civilisations créées au XIIIe et
au XIVe siècle par les Yoroubas (région
d'Ibadan) et par le Bénin; mais elle
favorise aussi l'essor, près de la côte de
Guinée, de trois États négriers relativement bien structurés : la confédération achantie, née à la fin du XVIIe siècle
et qui contrôle les petites principautés
Fante du littoral; le royaume d'Oyo, dont
l'apogée se situe au milieu du XVIIIe siècle; le royaume d'Abomey (Dahomey),
enfin, qui se dégage au XIXe siècle du
tribut qu'il payait à l'Oyo au XVIIIe.
Bloquant l'accès à l'intérieur du continent afin d'y razzier plus facilement le
« bois d'ébène » (esclaves noirs) vendu
dans les comptoirs européens, ces États
« négriers » empêchent tout contact
entre les Européens et les États du
Soudan : Mossis, au sud du Niger;
Haoussas, au nord de la Bénoué; et
surtout Bornou, dont l'essor est lié à la
pratique de la traite avec les Turcs de
Tunis et de Tripoli. Mais, désireux chacun de s'assurer le monopole du commerce des esclaves, les trois États gui-
néens sont durablement affaiblis par les
guerres continuelles qui les opposent.
Aussi sont-ils facilement vaincus par les
Européens lorsque ceux-ci décident, au
XIXe siècle, d'entreprendre la colonisation systématique de l'Afrique guinéenne, colonisation à laquelle ne s'opposent réellement que certains peuples
(Achantis, de 1807 à 1901; Adjas du
Dahomey, 1892-1894). (V. cartes pp. 74,
75, 76, 77 [C] et 212 [A et B].)

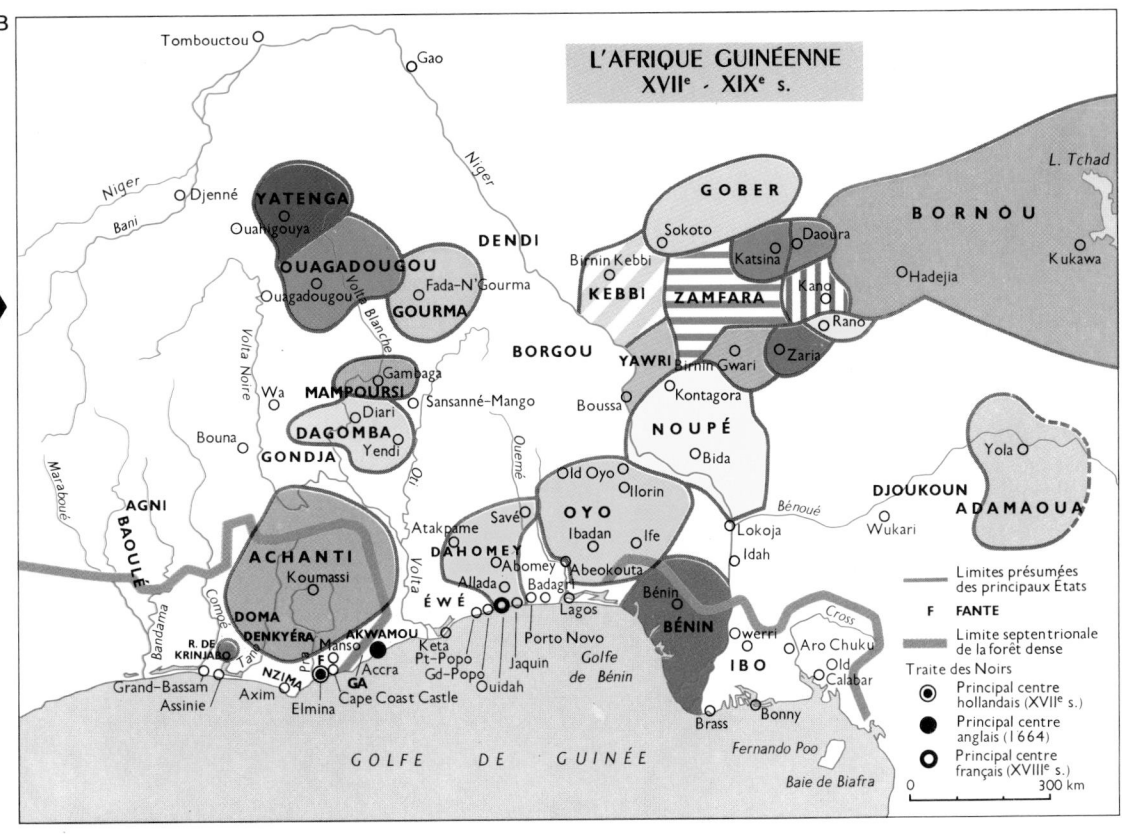

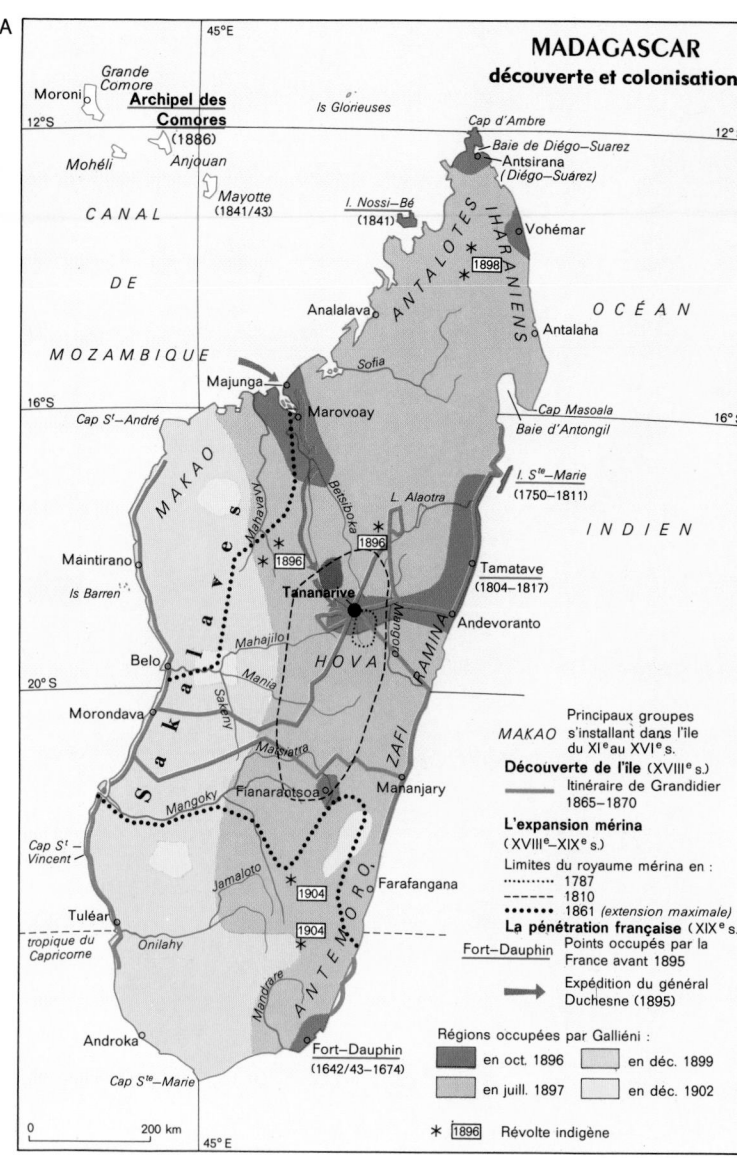

MADAGASCAR
découverte et colonisation

MAKAO   Principaux groupes
s'installant dans l'île
du XIᵉ au XVIᵉ s.

Découverte de l'île (XVIIIᵉ s.)
       Itinéraire de Grandidier
1865–1870

L'expansion mérina
(XVIIIᵉ–XIXᵉ s.)
Limites du royaume mérina en :
············ 1787
–– –– –– 1810
●●●●●●●● 1861 (extension maximale)
La pénétration française (XIXᵉ s.)
Fort–Dauphin Points occupés par la
France avant 1895

➤ Expédition du général
Duchesne (1895)

Régions occupées par Galliéni :
■ en oct. 1896   □ en déc. 1899
□ en juill. 1897   □ en déc. 1902

✱ 1896 Révolte indigène

0   200 km

La France établit précocement des comptoirs à Madagascar : Fort-Dauphin, 1642/43-1674, 1768-1771; île Sainte-Marie, 1750-1811; baie d'Antongil, 1774-1776; Tamatave, 1804-1817. Contrainte par les Anglais de les évacuer, elle s'établit à Nossi-Bé en 1841 et dans les Comores entre 1841 et 1886. Les Mérinas étendent leur emprise sur les deux tiers de la grande île où l'influence britannique, à la fois commerciale et protestante, se substitue à celle de la France catholique en 1869. Pour faire échec à cette pénétration et pour disposer d'une importante base stratégique dans l'océan Indien, les Français occupent les principaux ports en 1883, imposent un «protectorat fantôme» en 1885, reconnu par le Royaume-Uni en 1890.

La résistance des Mérinas nécessite l'envoi d'une expédition en 1894. En 1895, le général Duchesne s'empare de Tananarive, impose à la reine Ranava-lona III un traité de protectorat effectif. Dès 1896, l'île est annexée et érigée en colonie; en 1897, la souveraine est exilée. Jouant habilement des dissensions entre ethnies, le gouverneur général Gallieni (1896-1905) assure à Madagascar une prospérité et une tranquillité relatives. Cela explique la modération du processus d'émancipation, mis à part l'insurrection durement réprimée de 1947. À la fin de 1948, l'ordre est rétabli. Les 14 octobre 1958 et 26 juin 1960, ce processus aboutit sans heurt à la proclamation de la *République malgache,* d'abord *autonome* puis *indépendante* de la France. (V. cartes p. 212.)

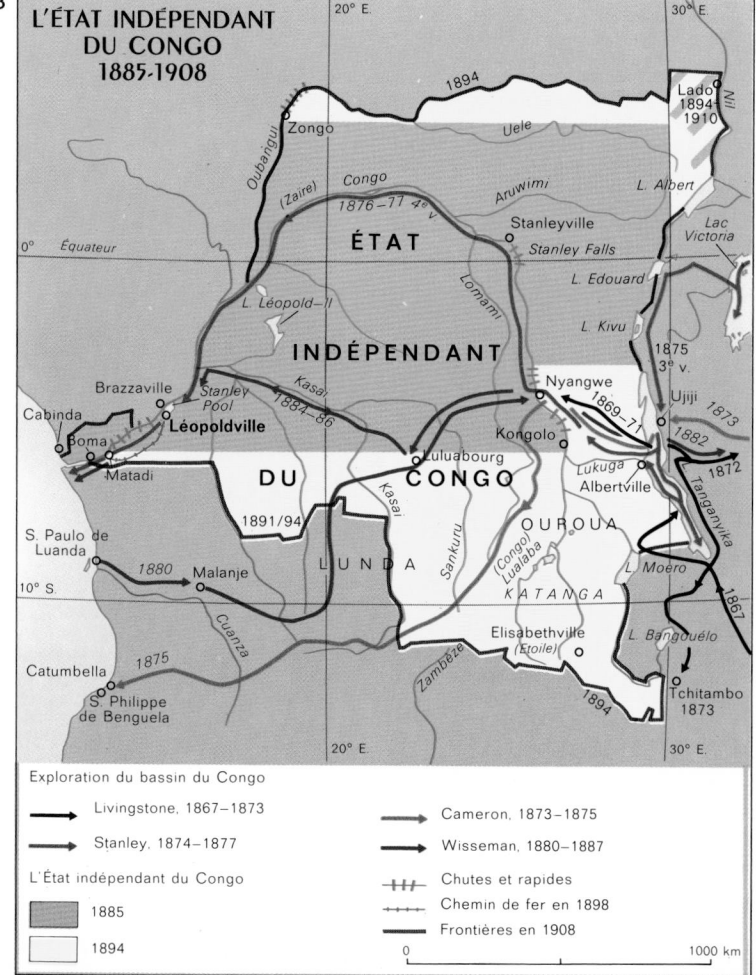

L'ÉTAT INDÉPENDANT
DU CONGO
1885-1908

Exploration du bassin du Congo
→ Livingstone, 1867–1873
→ Stanley, 1874–1877
→ Cameron, 1873–1875
→ Wisseman, 1880–1887

L'État indépendant du Congo
■ 1885
□ 1894

+++ Chutes et rapides
+|+|+ Chemin de fer en 1898
── Frontières en 1908

0   1000 km

▶ B

Ce sont les initiatives privées des explorateurs, surtout celles de Stanley, qui attirent l'attention des Européens sur le Congo : dès 1878, le roi des Belges, Léopold II, fonde un *Comité d'études du Haut-Congo,* qui charge Stanley de s'assurer le contrôle des territoires découverts; à l'issue de tractations menées par le roi avec les grandes puissances (surtout avec ses rivaux français), la *conférence de Berlin* consacre, en février 1885, l'existence de l'*État indépendant du Congo,* confié à titre personnel au souverain belge. Il est agrandi à l'est de territoires dont sont expulsés des «traitants» arabes; en outre, une convention avec l'Angleterre accorde à

Léopold II un bail sur le Bahr el-Ghazal au Soudan (1894), abrogé en 1906 (le territoire de Lado mis à part, où le bail est perpétué jusqu'en 1910). Le nouvel État est systématiquement exploité : le gouvernement s'approprie d'immenses territoires, supprime la liberté commerciale et se réserve le monopole du caoutchouc et de l'ivoire. Mais l'endettement de Léopold II à l'égard de son pays et, surtout, les abus de la colonisation (travail forcé des indigènes) conduisent le Parlement belge à exiger la cession du Congo à la Belgique. Celle-ci devient effective le 14 novembre 1908.

(V. cartes pp. 211 et 212 [B].)

Installés dès 1652 au Cap, les colons hollandais, les *Boers,* élargissent leur territoire africain au XVIIIe siècle, au prix de durs combats contre les indigènes, refoulés ou asservis : Namas, autochtones, au XVIIe siècle; puis Bantous, tardivement arrivés du Nord, vers 1775. En conflit avec les Anglais qui ont occupé à deux reprises la colonie (1795-1802 et 1806-1810) et qui en ont obtenu la cession en 1814, mécontents, en outre, de l'abolition de l'esclavage en 1833, les colons boers émigrent massivement vers le Nord-Est à partir de 1834 : ce «*Grand Trek*» aboutit à la formation des deux républiques du Transvaal et d'Orange, dont l'indépendance est reconnue en 1852 et en 1854 par les Anglais, qui se sont emparés en 1844 du Natal. Mais la découverte des mines de diamant de Kimberley (1867) et surtout celle des mines d'or du Transvaal (1885) renforcent les ambitions impérialistes britanniques (projet de l'Afrique anglaise «du Cap au Caire»), incarnées par Cecil Rhodes. Les Boers sortent victorieux d'un premier conflit (Majuba Hill, 1881), ce qui leur permet de faire renoncer les Anglais en 1884 à l'annexion du Transvaal proclamée en 1877; ils font échouer le raid Jameson en 1896 et entrent de nouveau en guerre contre les Britanniques en 1899. Com-

pensant leur infériorité numérique par leur détermination (que reflète l'action du président Paul Kruger) et par leur expérience militaire, acquise contre les Bantous, les Boers remportent d'abord de brillants succès; mais, en 1900, par la victoire de Paardeberg, l'armée anglaise s'ouvre la route de Bloemfontein et de Pretoria; après deux ans d'une guérilla féroce et désespérée, les chefs boers doivent signer les préliminaires de Vereeniging et la paix de Pretoria (31 mai 1902).

Accélérant la reconstruction économique des républiques boers, les Britanniques ont alors l'habileté de les fédérer en 1910 avec le Cap et le Natal en une *Union sud-africaine;* en 1920, celle-ci est accrue, à titre de mandat, du Sud-Ouest africain, conquis en 1915 par les troupes du nouveau *Dominion.* En outre, son gouvernement est confié à des Afrikaners modérés, les premiers ministres Louis Botha (1910-1919) et Jan Smuts (1919-1924); mais leurs successeurs pratiquent une politique d'*apartheid* qui correspond à la virulence du nationalisme afrikaner et au refus inquiet de la minorité blanche de concéder l'égalité des droits à une très forte majorité noire.

(V. cartes pp. 76, 77 et 212 [A, B et C].)

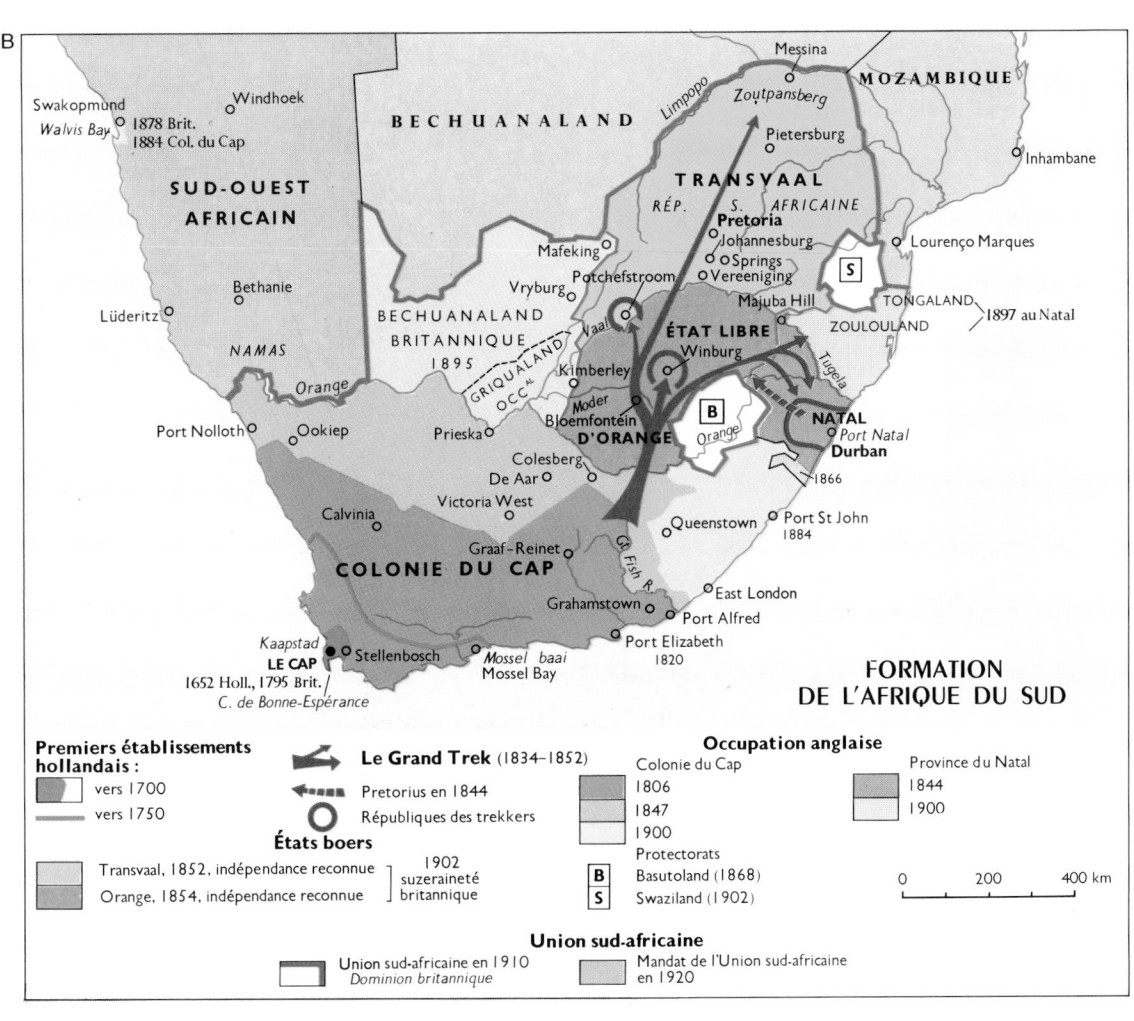

L'AMÉRIQUE

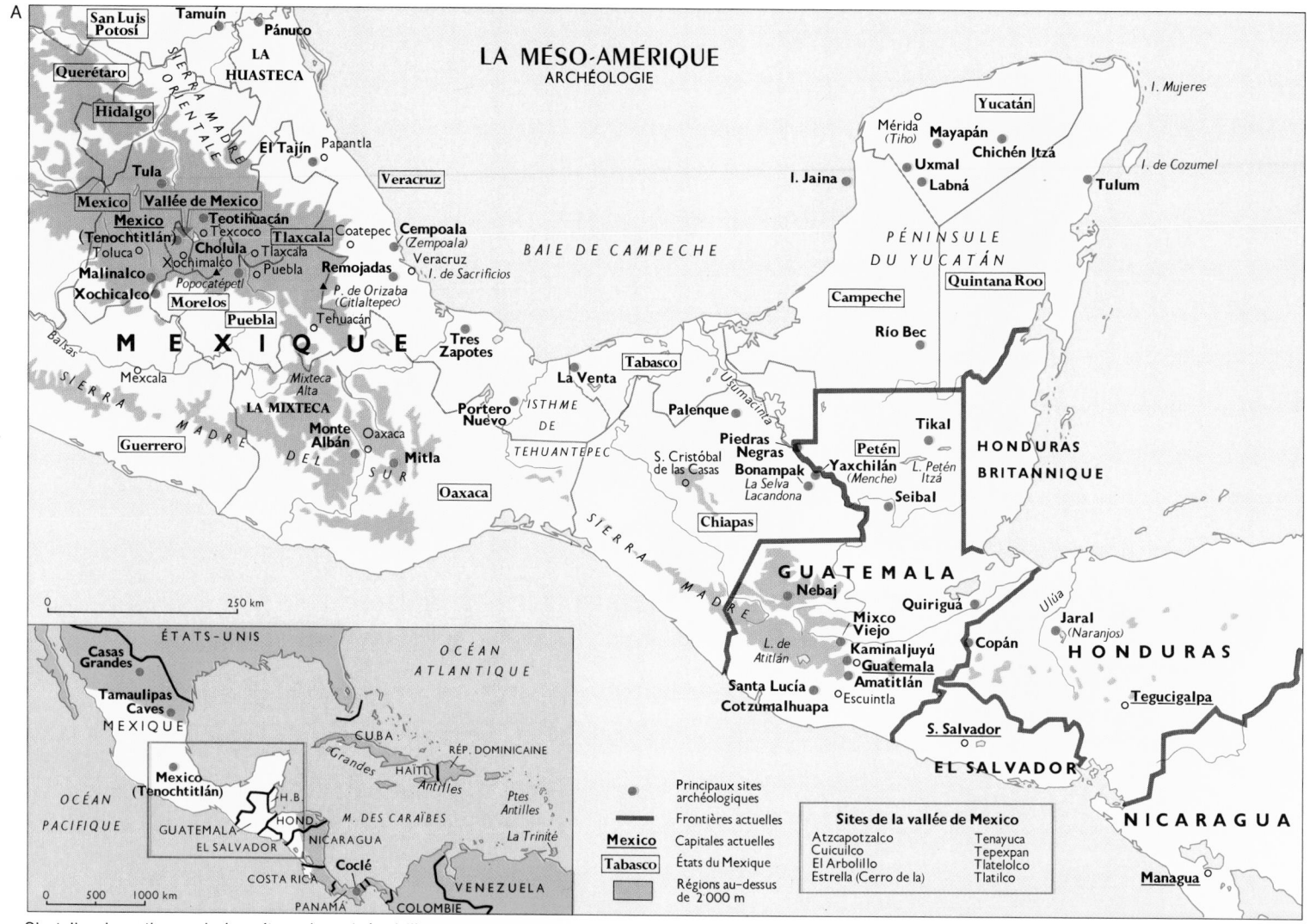

A

LA MÉSO-AMÉRIQUE
ARCHÉOLOGIE

San Luis Potosí · Tamuín · Pánuco · LA HUASTECA · Querétaro · Hidalgo · El Tajín · Papantla · Tula · Veracruz · Mexico · Vallée de Mexico · Mexico (Tenochtitlán) · Teotihuacán · Texcoco · Coatepec · Cempoala (Zempoala) · Veracruz · Toluca · Cholula · Tlaxcala · Tlaxcala · Puebla · I. de Sacrificios · Malinalco · Xochimilco · Popocatépetl · Remojadas · Xochicalco · P. de Orizaba (Citlaltepec) · Morelos · Tehuacán · Puebla · MEXIQUE · SIERRA MADRE ORIENTALE · Balsas · Mexcala · SIERRA MADRE DEL SUR · Mixteca Alta · LA MIXTECA · Tres Zapotes · Portero Nuevo · ISTHME DE TEHUANTEPEC · Guerrero · Monte Albán · Oaxaca · Mitla · Oaxaca · BAIE DE CAMPECHE · La Venta · Tabasco · Palenque · Usumacinta · S. Cristóbal de las Casas · Piedras Negras · Bonampak · La Selva Lacandona · Yaxchilán (Menche) · Petén · Seibal · L. Petén Itzá · Chiapas · SIERRA MADRE · Nebaj · Mixco Viejo · Kaminaljuyú · Guatemala · Amatitlán · Santa Lucía Cotzumalhuapa · Escuintla · S. Salvador · EL SALVADOR · GUATEMALA · Quiriguá · Copán · Ulúa · Jaral (Naranjos) · HONDURAS · Tegucigalpa · NICARAGUA · Managua · PÉNINSULE DU YUCATÁN · Yucatán · Mérida (Tiho) · Mayapán · Chichén Itzá · Uxmal · Labná · I. Jaina · I. Mujeres · I. de Cozumel · Tulum · Campeche · Quintana Roo · Río Bec · HONDURAS BRITANNIQUE

0 — 250 km

Carte insérée (bas gauche) :

ÉTATS-UNIS · Casas Grandes · Tamaulipas Caves · MEXIQUE · Mexico (Tenochtitlán) · GUATEMALA · EL SALVADOR · HOND. · H.B. · NICARAGUA · Coclé · COSTA RICA · PANAMÁ · VENEZUELA · COLOMBIE · La Trinité · Ptes Antilles · M. DES CARAÏBES · Antilles · HAÏTI · RÉP. DOMINICAINE · CUBA · Grandes Antilles · OCÉAN ATLANTIQUE · OCÉAN PACIFIQUE

0 — 500 — 1000 km

Légende :

· Principaux sites archéologiques
— Frontières actuelles
Mexico   Capitales actuelles
Tabasco   États du Mexique
(gris) Régions au-dessus de 2 000 m

Sites de la vallée de Mexico

Atzcapotzalco	Tenayuca
Cuicuilco	Tepexpan
El Arbolillo	Tlatelolco
Estrella (Cerro de la)	Tlatilco

C'est l' « invention » de la culture du maïs, vers le Vᵉ millénaire av. J.-C., qui, en entraînant une sédentarisation et une différenciation sociale accentuée, est à la base des civilisations méso-américaines. Dès le Iᵉʳ millénaire av. J.-C. la civilisation *olmèque* est déjà très évoluée (villes avec temples en pierre et marchés, calendrier et système de numérotation); aussi étend-elle son influence, à partir de la côte atlantique (La Venta [v. 100-v. 400 av. J.-C.], puis de Tres Zapotes [à partir de 31 av. J.-C.]), sur toute la zone méso-américaine; elle donne alors naissance à de nouvelles civilisations qui, au Iᵉʳ millénaire apr. J.-C., s'individualisent en deux grandes aires. Au sud, dans les basses terres guatémaltèques du Petén (Tikal, Uaxactún, Seibal), les Mayas édifient à partir du IVᵉ siècle la plus brillante civilisation de la région, qui rayonne au Chiapaz (Palenque, Bonampak, Yaxchilán), au Yucatán et vers le sud-est (Kaminaljuyú, Amatitlán, Copán). Dans l'aire mexicaine, la civilisation de Teotihuacán étend son influence sur tout le plateau central (Xochicalco, Cholula) et jusqu'en pays maya; elle domine, par la splendeur de ses monuments, les cultures voisines des *Zapotèques,* dans l'Oaxaca (Monte Albán), et des *Totanaques,* en Veracruz (El Tajín). À la fin du Iᵉʳ millénaire apr. J.-C., toutes ces civilisations disparaissent, pour des raisons mal connues, peut-être sous les coups de chasseurs nomades venus du Nord : dans un premier temps, les Toltèques, dans la région de Tula, recueillent l'héritage de Teotihuacán; mais, au XIIᵉ siècle, ils sont balayés par de nouveaux envahisseurs (affrontement mythique entre Quetzalcóatl, le serpent à plumes toltèque, et Tezcatlipoca, le dieu de la guerre); aussi se réfugient-ils au Yucatán, où ils revivifient la civilisation maya, à Uxmal, à Chichén Itzá et enfin à Mayapán. À la même époque, les *Aztèques* s'imposent lentement au Mexique central (fondation de Tenochtitlán-Mexico en 1325); réalisant la synthèse de la civilisation toltèque et de leurs propres traditions guerrières, ils édifient, en cent cinquante ans un empire couvrant tout le Mexique, dont la prospérité (attestée par les Espagnols) et la puissance sont pourtant menacées par l'absence de cohésion interne : c'est cette absence de cohésion qui favorise la conquête de Hernán Cortés.

(V. carte B p. 230.)

B

ÉTATS-UNIS · Sonora · MEXIQUE · BASSE-CALIFORNIE DU SUD · COAHUILA · CHIHUAHUA · R. Fuerte · SINALOA · DURANGO · NUEVO LEÓN · TAMAULIPAS · R. Soto la Marina · R. Pánuco · ZACATECAS · SAN LUIS POTOSÍ · NAYARIT · GUANAJ. · HID. · JALISCO · COLIMA · MICHOACAN · MEXICO · VERACRUZ · R. Balsas · GUERRERO · OAXACA · CHIAPAS · TABASCO · CAMPECHE · YUCATÁN · QUINTANA ROO · HONDURAS BRIT. · GUATEMALA · EL SALVADOR · HONDURAS · NICARAGUA · L. de Nicaragua · COSTA RICA · Péninsule de Nicoya · PANAMÁ · Isthme de Panamá · GOLFE DU MEXIQUE · I. Bahamas · G.-B. · CUBA · JAMAÏQUE · MER DES CARAÏBES

LA MÉSO-AMÉRIQUE
AIRES CULTURELLES
d'après Gordon Willey

1. Hautes terres mayas
2. Basses terres mayas
3. Périphérie sud
4. Veracruz et Tabasco zone sud
5. Oaxaca
6. Guerrero
7. Mexique central
8. Veracruz central
9. La Huasteca
10. Frontières ouest et nord

— Limites des zones culturelles
— Frontières actuelles
— Limites des États du Mexique

0 — 1000 km

Tardivement peuplée (les premiers vestiges humains datent du Xᵉ millénaire av. J.-C.), l'Amérique du Sud précolombienne présente de grandes différences culturelles, liées à la variété des conditions naturelles. Au sud, les populations ignorent encore l'agriculture : pêcheurs de l'archipel fuégien (Yahgans, Alakalufs); chasseurs de guanacos des pampas (Tehuelches, Puelches); tribus du Chaco et du Sud brésilien, combinant chasse et cueillette. Les régions tropicales et l'Est sont peuplées d'Indiens pratiquant une agriculture itinérante sur brûlis (manioc, igname, patate), répartis en trois grands groupes culturels : Tupi-Guaranis au sud de l'Amazonie, Arawaks (qui édifient la civilisation Marajoara sur l'Amazone) et Caríb au nord, d'où ils envahissent les Antilles. Enfin la région andine connaît, depuis le IIᵉ millénaire, une véritable agriculture sédentaire, fondée sur la culture du maïs, qui permet l'éclosion de civilisations évoluées. Mais le relief accidenté des Andes entraîne un morcellement en petites aires culturelles, qui ne sont que tardivement unifiées. Malgré leurs remarquables réussites dans la métallurgie de l'or (Atacames, Milagros), les civilisations des franges septentrionales pâlissent auprès de celles des Andes centrales. Celles-ci sont d'abord marquées par l'influence méso-américaine (civilisation de Chavín, qui rayonne sur toute la côte, à Cupisnique, à Ancón, à Paracas); mais elles

acquièrent un niveau technique (agriculture irriguée, artisanat développé) qui permet l'épanouissement, à partir de 300 av. J.-C., de formes originales : sur la côte, la culture mochica au nord, celle de Nazca au sud sont bientôt éclipsées par les civilisations des hauts plateaux où, à partir de Tiahuanaco, s'édifie, vers 600 apr. J.-C., le premier empire sud-américain. Son effondrement vers 1100 entraîne un nouveau morcellement en petits royaumes ou confédérations (Chincha, Chancay, surtout Chimú), dont la culture composite reprend les acquis des civilisations côtières et de celle de Tiahuanaco. Il faut attendre le XVᵉ siècle pour que se construise, à partir des hautes terres, un nouvel empire qui unifie toute la région andine : après de modestes débuts dans la vallée du Cuzco, les Incas étendent leur domination de l'Équateur au Chili central. De nombreux facteurs témoignent de leur haut degré de civilisation : perfection de l'organisation sociale, importance du réseau routier (les « chemins de l'Inca »); ingéniosité du système comptable basé sur l'utilisation de cordelettes de couleurs différentes, les « quipu »; splendeur des monuments (Machu Picchu). Mais, comme chez les Aztèques, le manque de cohésion de l'Empire, aggravé par les luttes intestines (Huáscar contre Atahualpa), favorise la conquête espagnole en 1532-33.

(V. carte A p. 230.)

SITES ET AIRES CULTURELLES DE LA RÉGION ANDINE

- Sites archéologiques
- MUISCA — Civilisations et aires culturelles

  les flèches vont des cultures les plus anciennes aux plus récentes

- Frontières actuelles
- <u>Caracas</u> — Capitales actuelles
- Mendoza — Autres villes
- Régions au-dessus de 1000 m

0   500   1000 km

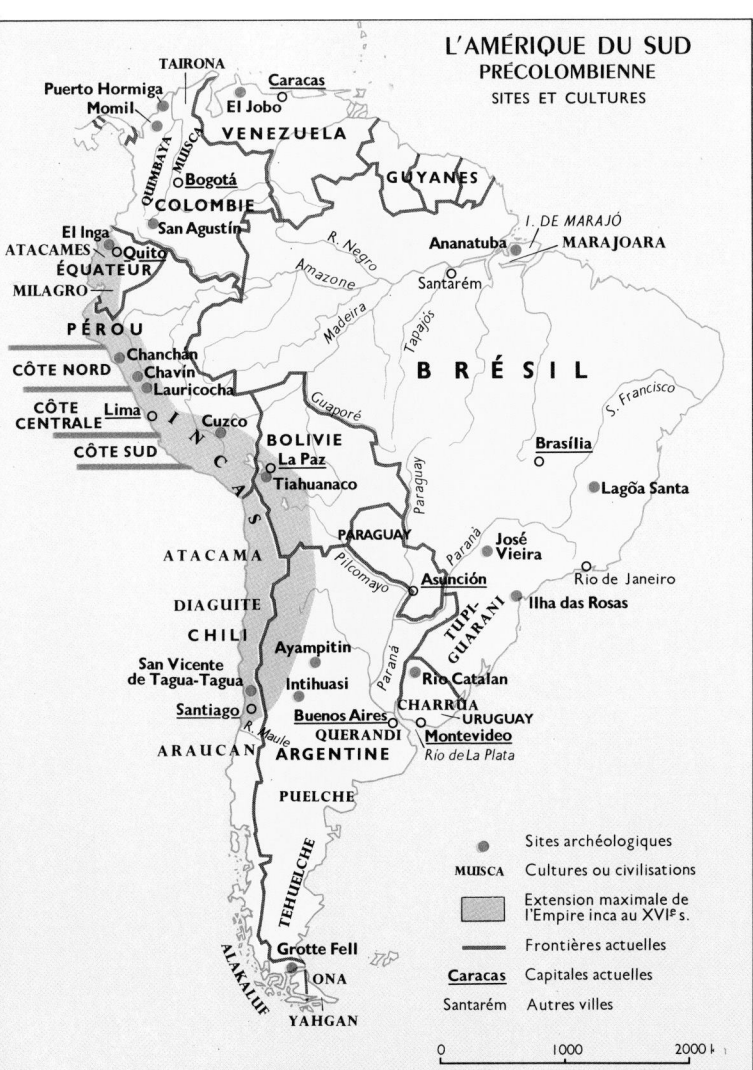

L'AMÉRIQUE DU SUD PRÉCOLOMBIENNE

SITES ET CULTURES

- Sites archéologiques
- MUISCA — Cultures ou civilisations
- Extension maximale de l'Empire inca au XVIᵉ s.
- Frontières actuelles
- <u>Caracas</u> — Capitales actuelles
- Santarém — Autres villes

0   1000   2000 k

A

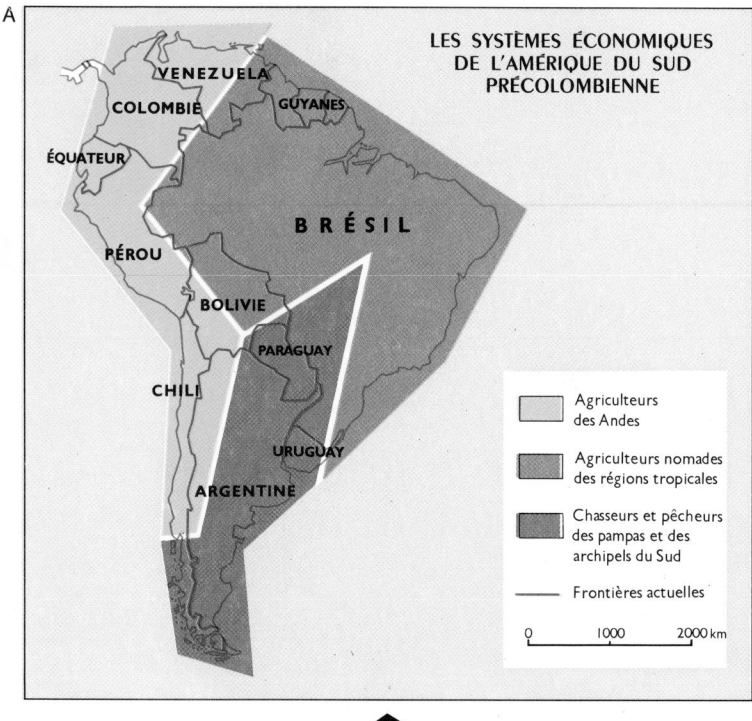

LES SYSTÈMES ÉCONOMIQUES
DE L'AMÉRIQUE DU SUD
PRÉCOLOMBIENNE

Agriculteurs
des Andes

Agriculteurs nomades
des régions tropicales

Chasseurs et pêcheurs
des pampas et des
archipels du Sud

Frontières actuelles

0   1000   2000 km

Notice de cette carte A : v. p. 229.

B

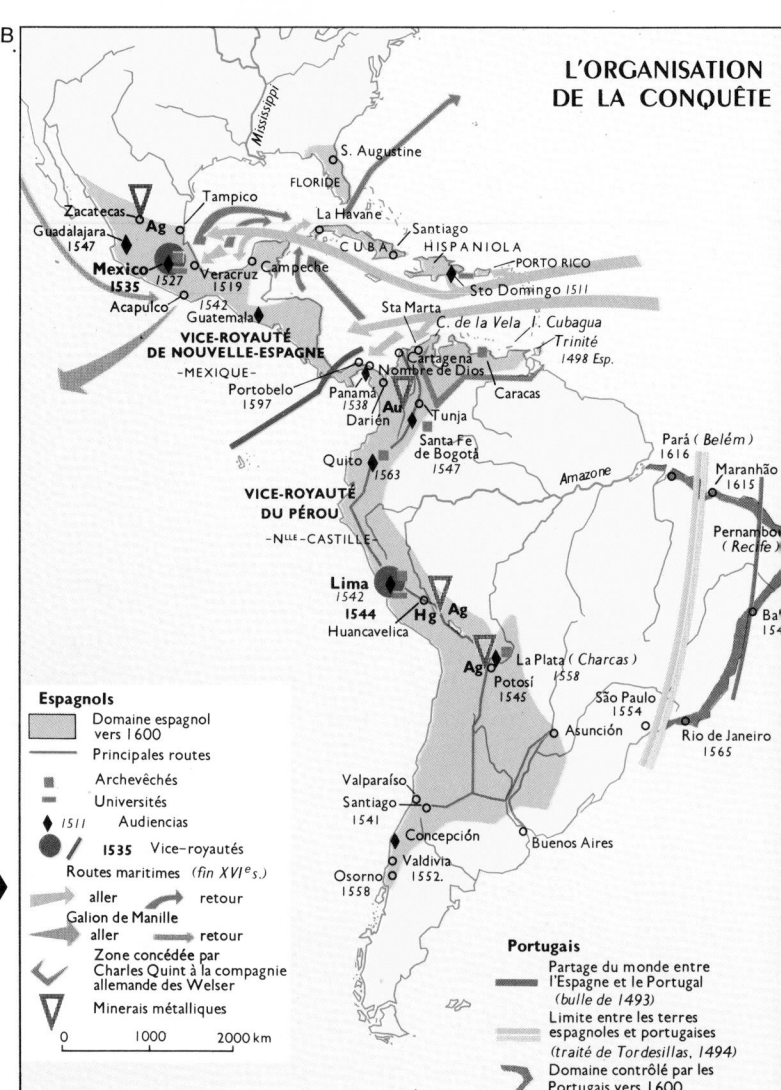

L'ORGANISATION
DE LA CONQUÊTE

Espagnols

Domaine espagnol
vers 1600

Principales routes

■ Archevêchés

▬ Universités

◆ *1511* Audiencias

● **1535** Vice-royautés

Routes maritimes *(fin XVIᵉ s.)*

aller   retour

Galion de Manille
aller   retour

Zone concédée par
Charles Quint à la compagnie
allemande des Welser

Minerais métalliques

0   1000   2000 km

Portugais

Partage du monde entre
l'Espagne et le Portugal
(bulle de 1493)

Limite entre les terres
espagnoles et portugaises
(traité de Tordesillas, 1494)

Domaine contrôlé par les
Portugais vers 1600

Aidés par une poignée d'aventuriers fanatisés par le mirage de l'Eldorado, les *conquistadores* subjuguent en quelques années les puissants empires amérindiens. Hernán Cortés au Mexique, Francisco Pizarro et Diego de Almagro au Pérou. Ainsi se constitue en trente ans un vaste empire espagnol, tandis que les Portugais s'installent lentement sur la côte brésilienne, conformément à l'arbitrage pontifical de 1493 (bulle *Inter caetera*), corrigé par le traité de Tordesillas du 7 juin 1494. La monarchie espagnole met d'abord en place en Europe des organismes de contrôle des nouvelles colonies : la *Casa de la Contratación de Las Indias de Sevilla*, créée en 1503 pour superviser les communications et les échanges; le *Consejo de Indias* (Conseil des Indes), doté en 1524 du pouvoir de gouvernement. Sur place, elle crée une administration locale, formée essentiellement au XVIᵉ siècle de deux vice-royautés et de onze *audiencias*.

En même temps, laissant les colons s'enrichir par le système de l'*enco-*

mienda (seigneurie sur les communautés indiennes), la métropole entreprend l'exploitation forcenée des richesses minières de Colombie (or), du Mexique (argent de Zacatecas) et du Pérou (argent de Potosí et mercure de Huancavelica). Les circuits commerciaux s'organisent : les galions espagnols drainent vers l'Europe les métaux précieux, en rapportent les produits manufacturés et assurent à partir d'Acapulco la liaison avec les Philippines et l'Asie (galion de Manille, depuis 1565). Cette intégration à l'économie européenne se fait au prix de lourdes pertes humaines qui entraînent l'effondrement de la population amérindienne réduite de 80 à 11 ou 12 millions d'habitants entre le début et la fin du XVIᵉ siècle. Condamnées par Bartolomé de Las Casas et par les jésuites, les pratiques qui entraînent une telle hémorragie ne peuvent empêcher la naissance d'une société métisse, exemple unique en milieu colonial.

(V. cartes pp. 57, 58 et 231.)

C

L'ART BAROQUE
EN AMÉRIQUE LATINE

● Centres importants

▲ Monuments isolés

Zones colonisées

au XVIIᵉ s.

au XVIIIᵉ s.

1. Yuririapundaro
2. Guanajuato
3. Taxco
4. Cuitzeo

0   2000 km

Accompagnant la colonisation, l'évangélisation des populations amérindiennes nécessite la multiplication des édifices religieux, bâtis jusqu'au XIXᵉ siècle selon des plans envoyés d'Europe. « [...] Inspirations classiques, [...] survivances gothiques, [...] réminiscences de l'art mudéjar [...] » marquent au XVIᵉ siècle cette architecture. Au XVIIᵉ siècle, notamment sous l'influence des jésuites, celle-ci adopte, comme en Europe, les formes de l'art baroque, auxquelles la tradition locale, afin de mieux atteindre la sensibilité indigène, confère, surtout au Mexique et au Pérou, une exubérance originale, en particulier en matière

décorative : en témoignent le portail de la Compañia à Arequipa, des statues polychromes d'un réalisme dramatique, les richesses ostentatoires de la cathédrale de Mexico.

Au XVIIIᵉ siècle, l'art baroque prend un nouvel essor en Amérique espagnole, où il subit la forte influence des Churriguera; il en est de même au Brésil, où il compose avec la sobriété de l'art portugais post-manuélin, à l'exception des monuments du Minas Gerais, édifiés après la découverte des mines d'or et de pierres précieuses et influencés par le style des Borromini.
(V. carte p. 63.)

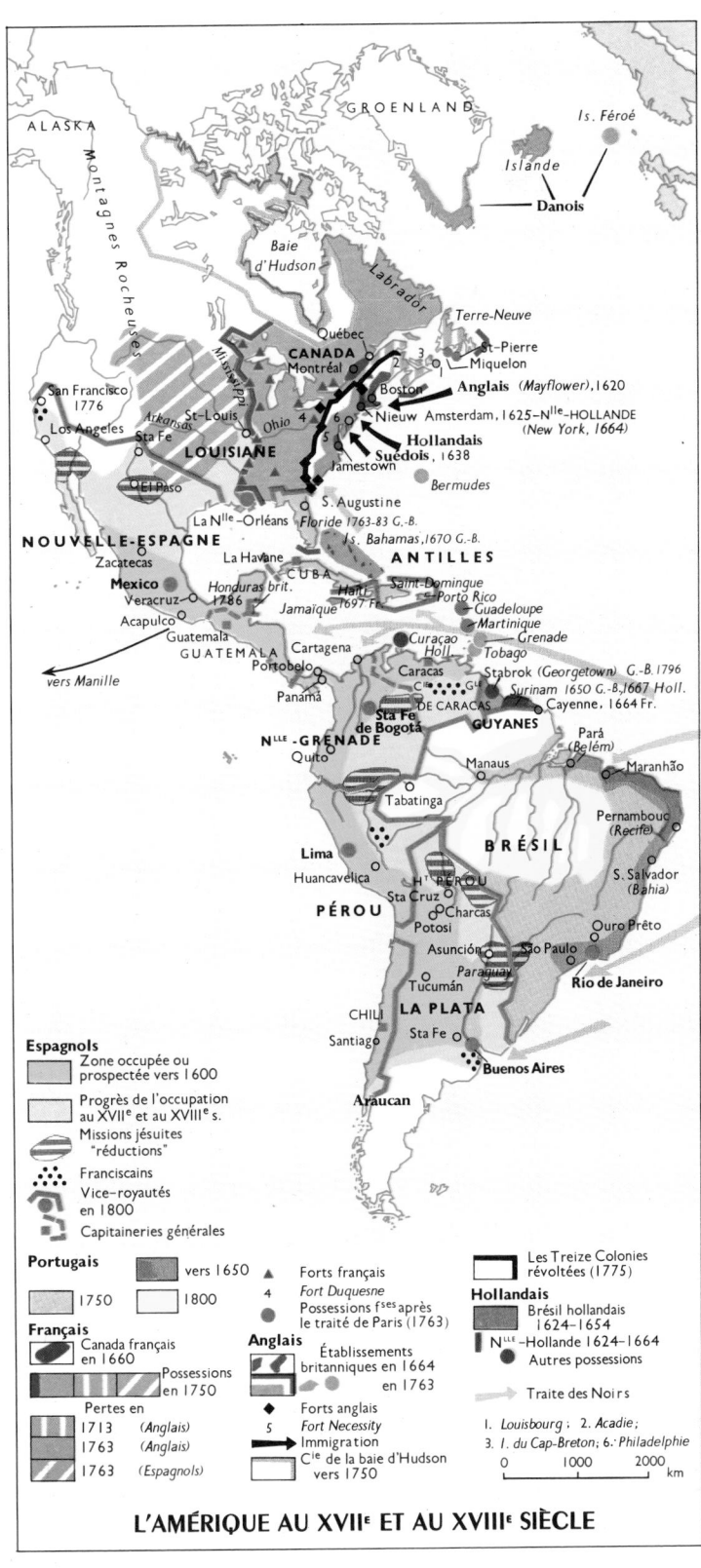

L'AMÉRIQUE AU XVIIᵉ ET AU XVIIIᵉ SIÈCLE

À l'aube du XVIIᵉ siècle, l'Amérique, de la Floride à l'Argentine, est un domaine réservé des Ibériques et notamment des Espagnols, mais, en deux siècles, la situation est bouleversée. Tandis que l'Empire espagnol se consolide, les Portugais occupent progressivement le désert humain qui s'étend entre l'Atlantique et les Andes; de plus, de nouveaux colonisateurs apparaissent, Si la présence hollandaise, de Nieuw-Amsterdam (New York) au Brésil, dure peu,

les Français conquièrent, à partir du Canada, une bonne partie de l'Amérique du Nord; encore faiblement implantés dans l'ensemble du continent au XVIIᵉ siècle, les Anglais étendent, au XVIIIᵉ, leur influence commerciale dans l'Amérique espagnole par le biais de l'*asiento* (traite des Noirs d'Afrique) et du *vaisseau de permission,* qui leur ont été concédés par le traité d'Utrecht en 1713; surtout, il leur est possible de se constituer un vaste empire en Amérique

du Nord, après avoir évincé les Français du Canada et de la Louisiane orientale par le traité de Paris de 1763.

Dans la plupart des colonies se créent de vastes *latifundia,* exploités par des esclaves noirs; une société coloniale s'édifie, où la minorité *créole* privilégiée s'impose aux esclaves, métis et indigènes, que les Européens essaient épisodiquement de protéger et d'évangéliser, en particulier dans le cadre des *réductions* jésuites. Mais les colonies

restent sous la tutelle politique de leurs métropoles, particulièrement en Amérique espagnole où se renforcent les structures administratives : vice-royautés, capitaineries générales, *audiencias;* surtout, les pays européens leur imposent, au nom du *mercantilisme,* une domination économique *(pacte colonial)* qui soulève le mécontentement des colons. (V. cartes pp. 65, 74, 75 [A], 76 [A], 77 [B et C], 230, 236, 237 [A] et 240 [A].)

A

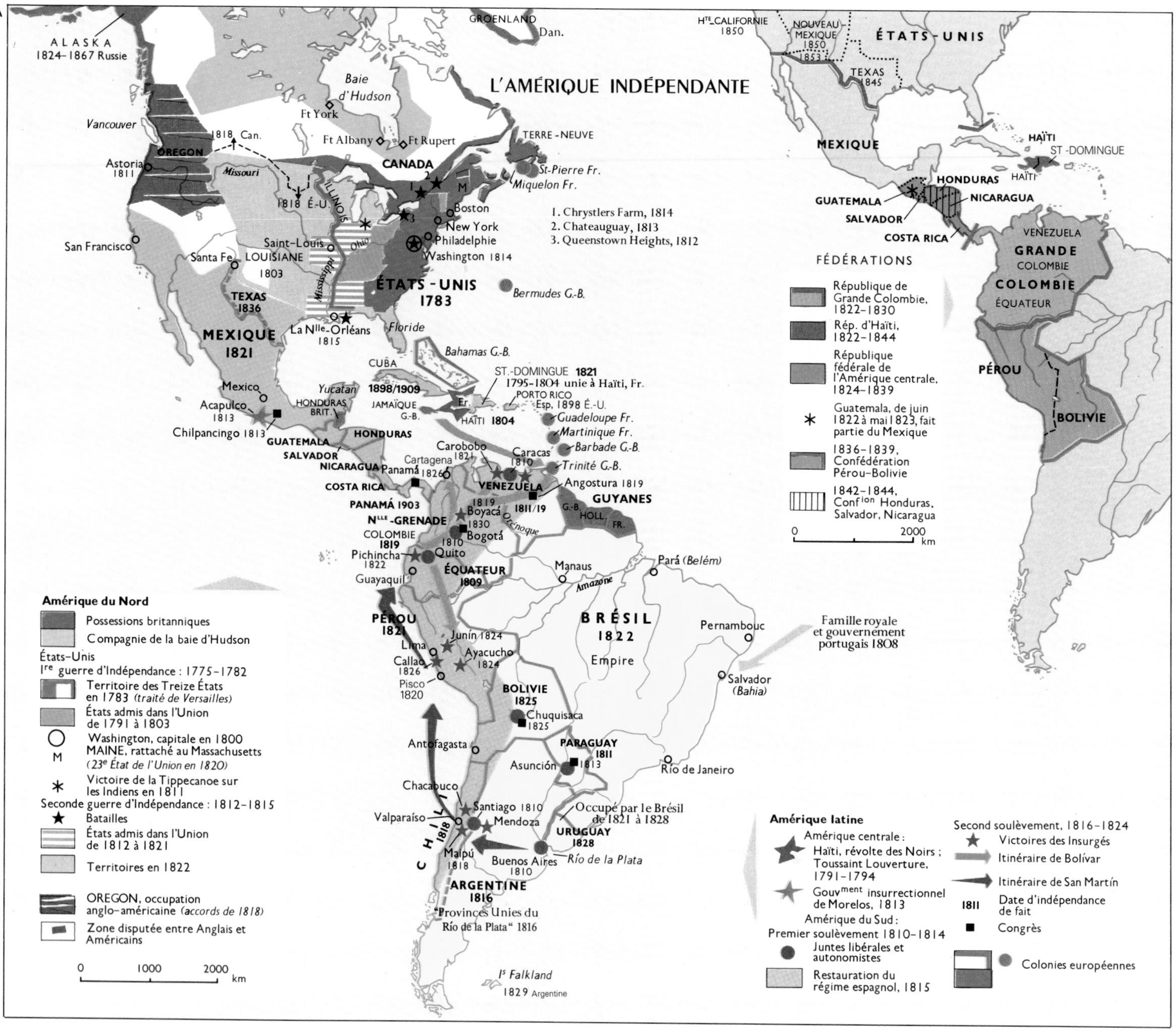

GROENLAND
Dan.

ALASKA
1824-1867 Russie

Baie
d'Hudson

L'AMÉRIQUE INDÉPENDANTE

Hᵗᵉ CALIFORNIE
1850

NOUVEAU
MEXIQUE
1850
1853 É.-U.

ÉTATS-UNIS

Vancouver

1818 Can.

Ft York

Ft Albany ◇ ◇ Ft Rupert

TERRE-NEUVE

MEXIQUE

TEXAS
1845

HAÏTI
ST-DOMINGUE

Astoria
1811
OREGON

Missouri

ILLINOIS
1818 É.-U.

CANADA

St-Pierre Fr.
Miquelon Fr.

HONDURAS
GUATEMALA
SALVADOR
NICARAGUA

HAÏTI

San Francisco

Santa Fe

Saint-Louis

Boston
New York
Philadelphie
Washington 1814

1. Chrystlers Farm, 1814
2. Chateauguay, 1813
3. Queenstown Heights, 1812

COSTA RICA

VENEZUELA
GRANDE
COLOMBIE
ÉQUATEUR

LOUISIANE
1803

Ohio

FÉDÉRATIONS

TEXAS
1836

Mississippi

ÉTATS-UNIS
1783

Bermudes G.-B.

PÉROU

BOLIVIE

MEXIQUE
1821

La Nlle-Orléans
1815

Floride

CUBA

Bahamas G.-B.

République de
Grande Colombie,
1822-1830

Rép. d'Haïti,
1822-1844

Mexico
Acapulco
1813
Chilpancingo 1813

Yucatan
1898/1909
HONDURAS
BRIT.

JAMAÏQUE
G.-B.

PORTO RICO
Esp. 1898 É.-U.

ST-DOMINGUE 1821
1795-1804 unie à Haïti, Fr.

Er.

HAÏTI 1804

Guadeloupe Fr.
Martinique Fr.
Barbade G.-B.

République
fédérale de
l'Amérique centrale,
1824-1839

GUATEMALA
SALVADOR
NICARAGUA
HONDURAS

Carobobo
Cartagena 1826
1821
Panamá

Caracas
1810

Trinité G.-B.

Angostura 1819

* Guatemala, de juin
1822 à mai 1823, fait
partie du Mexique

COSTA RICA
PANAMÁ 1903
Nlle-GRENADE
COLOMBIE
1819

VENEZUELA
1819
Boyacá 1811/19
1830

GUYANES
G.-B.
HOLL.
FR.

1836-1839,
Confédération
Pérou-Bolivie

1842-1844,
Confion Honduras,
Salvador, Nicaragua

Pichincha
1822

1810
Bogotá
Quito

Orénoque

0   2000 km

Guayaquil

ÉQUATEUR
1809

Manaus

Pará (Belém)

Amazone

Amérique du Nord

Possessions britanniques

Compagnie de la baie d'Hudson

États-Unis
Ire guerre d'Indépendance : 1775-1782

Territoire des Treize États
en 1783 (traité de Versailles)

États admis dans l'Union
de 1791 à 1803

○ Washington, capitale en 1800
M MAINE, rattaché au Massachusetts
(23e État de l'Union en 1820)

* Victoire de la Tippecanoe sur
les Indiens en 1811

Seconde guerre d'Indépendance : 1812-1815
★ Batailles

États admis dans l'Union
de 1812 à 1821

Territoires en 1822

OREGON, occupation
anglo-américaine (accords de 1818)

Zone disputée entre Anglais et
Américains

0   1000   2000 km

PÉROU
1821

Lima
Callao
1826
Pisco
1820

Junín 1824
Ayacucho
1824

BRÉSIL
1822
Empire

Pernambouc

Famille royale
et gouvernement
portugais 1808

BOLIVIE
1825

Chuquisaca
1825

Salvador
(Bahia)

Antofagasta

PARAGUAY
1811
1813

Río de Janeiro

Chacabuco

Asunción

Valparaíso

C H I L I

Santiago 1810
Mendoza

Occupé par le Brésil
de 1821 à 1828

URUGUAY
1828

1818

Malpú
1818

Buenos Aires
1810

Río de la Plata

ARGENTINE
1816
"Provinces Unies du
Río de la Plata" 1816

Amérique latine

Amérique centrale :
⭑ Haïti, révolte des Noirs ;
Toussaint Louverture,
1791-1794

⭑ Gouvᵐᵉⁿᵗ insurrectionnel
de Morelos, 1813

Amérique du Sud :
Premier soulèvement 1810-1814
● Juntes libérales et
autonomistes

Restauration du
régime espagnol, 1815

Second soulèvement, 1816-1824
★ Victoires des Insurgés

Itinéraire de Bolívar

Itinéraire de San Martín

1811 Date d'indépendance
de fait

■ Congrès

Colonies européennes

Is Falkland
1829 Argentine

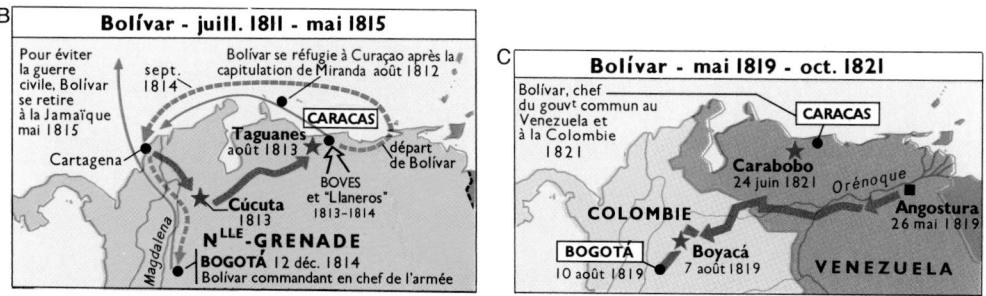

B

Bolívar - juill. 1811 - mai 1815

Pour éviter
la guerre
civile, Bolívar
se retire
à la Jamaïque
mai 1815

sept.
1814

Bolívar se réfugie à Curaçao après la
capitulation de Miranda août 1812

Cartagena

Taguanes
août 1813

CARACAS

départ
de Bolívar

Cúcuta
1813

BOVES
et "Llaneros"
1813-1814

Magdalena

Nlle-GRENADE

BOGOTÁ 12 déc. 1814
Bolívar commandant en chef de l'armée

C

Bolívar - mai 1819 - oct. 1821

Bolívar, chef
du gouvᵗ commun au
Venezuela et
à la Colombie
1821

CARACAS

COLOMBIE

Carabobo
24 juin 1821

Orénoque

Angostura
26 mai 1819

BOGOTÁ
10 août 1819

Boyacá
7 août 1819

VENEZUELA

Bolívar et l'indépendance de l'Amérique latine.

juillet 1811 - mai 1815

Le 5 juillet 1811, Simón Bolívar et Francisco Miranda proclament l'indépendance du Venezuela, qu'ils érigent en une première République. Ayant conservé des points d'appui dans la région de Macaraïbo, les Espagnols contre-attaquent : Miranda capitule le 25 juillet 1812; plus heureux, Bolívar s'enfuit à Cartagena, d'où il part à la reconquête du Venezuela en mai 1813. Vainqueur à Cúcuta, puis à Taguanes, il entre, le 6 août, à Caracas, où il est proclamé *Libertador* de la deuxième République du Venezuela.

Mais, sous la pression des Espagnols du général Boves, renforcé par les *llaneros* de l'Orénoque, il se réfugie de nouveau en Nouvelle-Grenade en décembre 1814, puis à la Jamaïque lorsque paraît la flotte de Ferdinand VII en mai 1815.

mai 1819 - octobre 1821

De retour au Venezuela, où il établit son gouvernement en 1817, dans une capitale provisoire, Angostura, Simón Bolívar s'allie à Páez, le chef des *llaneros*. En février 1819, il peut alors réunir le congrès d'Angostura, qui le nomme président d'une future république de Colombie unissant le Venezuela et l'Équateur à l'actuelle Colombie. En août 1819, la victoire de Boyacá lui ouvre les portes de Bogotá; le 24 juin 1821, celle de Carabobo lui livre le Venezuela, prélude à la constitution de la République de Grande-Colombie en 1822.

L'opposition des colons à la domination économique de la métropole engendre l'indépendance américaine. Elle s'exprime à travers l'idéologie libérale développée en Angleterre et en France au XVIIIᵉ siècle. La révolution qui éclate en 1775 dans les Treize Colonies anglaises conduit à l'indépendance des États-Unis en 1783 (v. carte B p. 240); par contrecoup, elle stimule l'émancipation des autres colonies, que facilite par ailleurs l'affaiblissement des métropoles pendant les périodes révolutionnaire et napoléonienne. Commencé à Saint-Domingue, où la révolte servile, menée par Toussaint Louverture, aboutit à l'indépendance de Haïti en 1804, le mouvement se répand en Amérique ibérique.

L'effondrement de la monarchie espagnole en 1808 provoque, à partir de 1810, une première vague révolutionnaire. Au Mexique, deux prêtres, Hidalgo en 1810 et Morelos en 1811, mènent l'insurrection. En Amérique du Sud, des mouvements séparatistes éclatent. Au Venezuela, ils sont animés par Francisco Miranda, puis par Simón Bolívar; dans le vice-royaume de la Plata, par Manuel Belgrano; enfin au Chili, par Bernardo O'Higgins. Mais les dissensions internes et la restauration en Espagne de la dynastie des Bourbons en 1814 permettent le rétablissement de la souveraineté de la métropole dans toute l'Amérique ibérique, à la seule exception des pays de la Plata. En 1817, réplique aux représailles espagnoles, les révoltes reprennent, appuyées par l'Angleterre et les États-Unis : en Amérique du Sud, tandis que San Martín libère le Chili et le Pérou, Simón Bolívar s'empare des trois pays du Nord qu'il fédère en une « Grande-Colombie », avant de liquider définitivement la résistance espagnole à Ayacucho le 9 décembre 1824; au Mexique, Agustín de Iturbide proclame l'indépendance en 1821 et se proclame empereur le 19 mai 1822; pendant ce temps, les pays d'Amérique centrale chassent les garnisons espagnoles entre 1821 et 1824 et constituent une république fédérale.

En acceptant la couronne impériale le 12 octobre 1822, l'héritier du trône portugais, don Pedro, évite au Brésil les affres de la révolution et une rupture totale avec la métropole.

En Amérique latine, les soulèvements, au nom de la liberté, sont menés le plus souvent par des créoles; au contraire, les masses populaires demeurent plutôt loyalistes. La disparition du contrepoids métropolitain aux ambitions locales provoque le renforcement de l'exploitation des indigènes, ainsi que l'affirmation des tendances centrifuges. Celles-ci font échouer les tentatives de fédération rêvées par Simón Bolívar au congrès de Panamá en juin et juillet 1826. Aussitôt après cette assemblée, la Grande-Colombie est amputée du Venezuela, puis de l'Équateur; en 1839, les Provinces Unies d'Amérique se morcellent en cinq républiques, auxquelles se joint le Panamá en 1903. L'Amérique espagnole unie a vécu.
(V. cartes pp. 74, 75 [A], 76 [A], 77 [B et C], 231 et 233.)

Dans une Amérique latine désormais morcelée, l'indépendance a renforcé le pouvoir des *caciques,* seigneurs locaux qui dominent économiquement et politiquement les indigènes; dès lors se manifeste une tendance permanente à l'éclatement des États, évitée seulement par l'instauration par des généraux *(caudillos)* de régimes dictatoriaux, tempérés par des coups d'État militaires. Le rôle grandissant de l'armée dans la vie politique exacerbe les nationalistes; les guerres se multiplient et favorisent les modifications de frontières au détriment notamment des États intérieurs (Paraguay, Bolivie) et au profit des États relativement solides (Chili, Pérou et, surtout, Brésil).

La faiblesse politique et économique des États facilite l'impérialisme des grandes puissances : mainmise économique de la Grande-Bretagne sur le « triangle blanc » (Argentine, Uruguay, Chili); intervention militaire en 1862 des Français au Mexique, où ils créent l'éphémère empire de Maximilien (1864-1867); domination surtout des États-Unis. Ayant annexé les provinces septentrionales du Mexique par le traité de Guadalupe Hidalgo en 1848, ceux-ci étendent leur influence, d'abord dans la région des Caraïbes (devenue une semi-colonie au début du XXᵉ s.); après la Première Guerre mondiale et l'effacement britannique, cette influence s'exerce dans toute l'Amérique latine. La véritable émancipation, commencée au Mexique avec la révolution de 1911, reste à réaliser.

(V. cartes pp. 232 et 242 [A].)

FORMATION DES ÉTATS D'AMÉRIQUE LATINE
XIXᵉ - milieu du XXᵉ s.

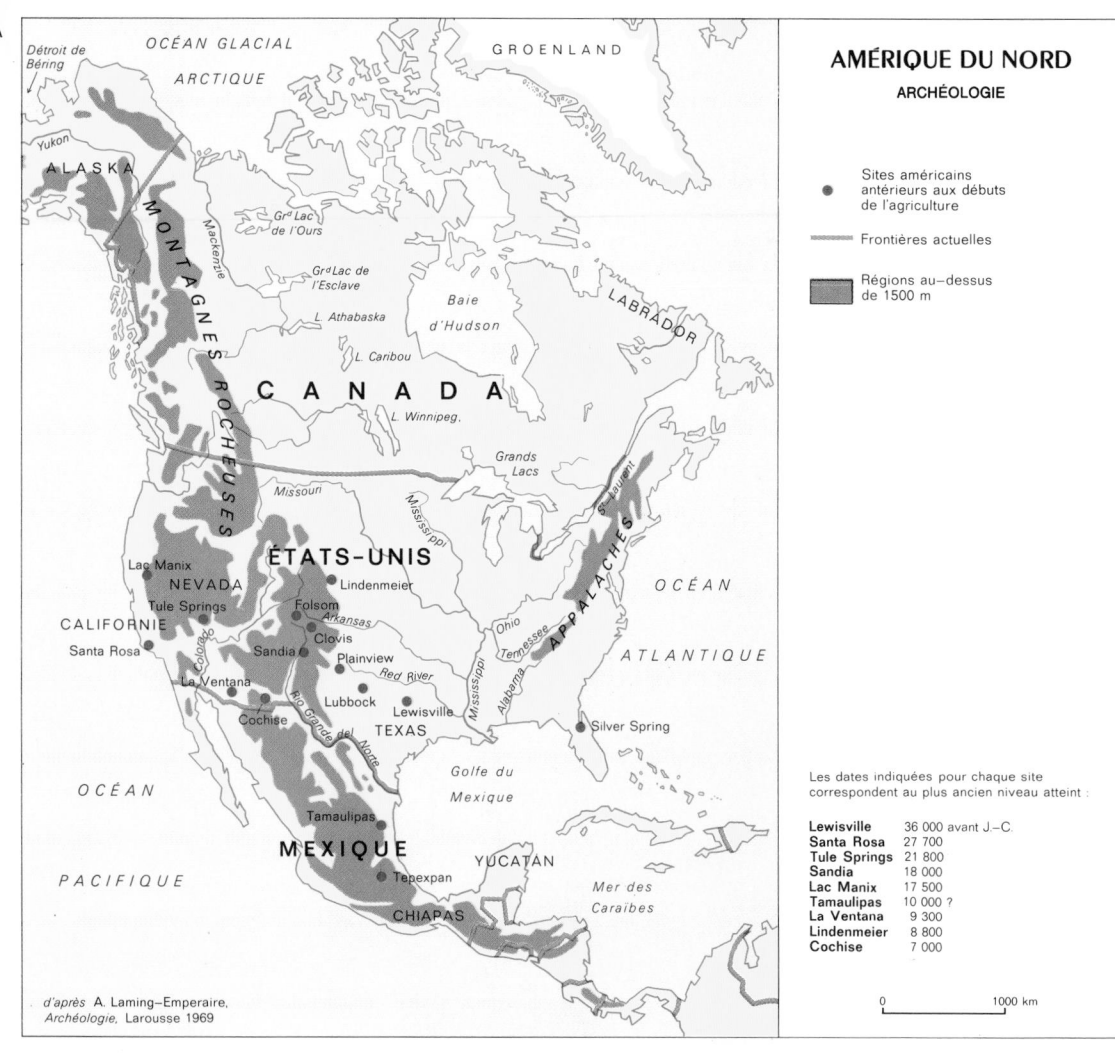

AMÉRIQUE DU NORD

ARCHÉOLOGIE

● Sites américains antérieurs aux débuts de l'agriculture

Frontières actuelles

Régions au-dessus de 1500 m

Les dates indiquées pour chaque site correspondent au plus ancien niveau atteint :

Lewisville	36 000 avant J.-C.
Santa Rosa	27 700
Tule Springs	21 800
Sandia	18 000
Lac Manix	17 500
Tamaulipas	10 000 ?
La Ventana	9 300
Lindenmeier	8 800
Cochise	7 000

0 _____ 1000 km

d'après A. Laming-Emperaire, Archéologie, Larousse 1969

Se prolongeant parfois jusqu'au XIXe siècle, l'ère préhistorique nord-américaine offre à l'archéologue un champ d'action d'environ quarante millénaires. Venue d'Asie par le détroit de Béring longtemps émergé, accrue peut-être depuis près de 4 000 ans par des migrations à travers le Pacifique, la population nord-américaine vit de la chasse, de la pêche et de la cueillette. Jusqu'au XVe millénaire av. J.-C., elle ne laisse que des traces indirectes, récemment datées au carbone 14 : les foyers de Lewisville au Texas (36000 av. J.-C.), des os brûlés (de mammouth...) [île de Santa Rosa, 27 700 ; Tule Springs, 21 800].

Entre le XVe et le XIIe millénaire av. J.-C. apparaissent des chasseurs de mammouths équipés de pointes à épaulement (grottes de Sandia), puis, plus récemment, des chasseurs de bisons armés de pointes à un seul épaulement, dites « de Lucy », ou de pointes à cannelures, dites « de Clovis » (de 5 à 10 cm de longueur) ou « de Folsom » (5 cm), ces dernières largement répandues (Lindenmeier, Lubbock) [v. 10000 av. J.-C.] jusqu'au Mexique. Enfin, vers le VIIIe et le VIIe millénaire apparaissent les pointes triangulaires et foliacées de Plainview, puis celles à pédoncules d'Eden et de Scottsbluff, que l'on retrouve vers 5000 av. J.-C. à Silver Springs.

Parallèlement apparaissent des chasseurs de petit gibier, qui vivent également de cueillette ainsi qu'en témoignent les outils appartenant à la culture de Cochise. Ainsi se trouve facilité le passage d'une économie prédatrice à une économie productrice, dont les fouilles de Tamaulipas révèlent l'apparition vers 10000 av. J.-C. Mais, curieusement, l'homme qui utilise cet outillage ne laisse qu'un seul témoignage direct de sa présence : le squelette très fossilisé découvert en 1947 à Tepexpan. (V. cartes pp. 2 et 3, et 241 [A].)

Parcourue en partie par Erik le Rouge, puis sans doute en totalité par son fils Leif Erikson à la fin du Xe siècle, époque à laquelle, par le relais du Groenland, aurait été abordé le mystérieux Vinland, la route de l'Amérique du Nord n'est réellement ouverte qu'à la fin du XVe siècle, lorsque l'Italien Jean Cabot arrive aux abords de Terre-Neuve pour le compte des Anglais. À la recherche du passage du Nord-Ouest, ses successeurs britanniques pénètrent, à la fin du XVIe siècle, dans le détroit de Davis (Martin Frobisher en 1576, John Davis en 1587), puis, au début du XVIIe siècle, dans la baie d'Hudson, à laquelle un marchand anglais, Henry Hudson, donne son nom, en 1609-10.

Mais c'est dans le nord-est des actuels États-Unis qu'ils fondent leurs premiers établissements permanents (Jamestown en 1607, Boston en 1630), en concurrence notamment avec les Néerlandais qui achètent aux Indiens l'île de Manhattan en 1625 (Nieuw Amsterdam, auj. New York).

Entre ces deux zones d'établissements en majorité britanniques, explorateurs (Jacques Cartier au XVIe s.) et colonisateurs français (Samuel Champlain au XVIIe s.) pénètrent loin à l'intérieur du continent, le long de l'axe du Saint-Laurent où sont fondés Québec (1608) et Montréal (1642). Autour de ces villes se constitue alors la colonie de la Nouvelle-France, noyau du Canada. (V. cartes, pp. 236, 237 [A] et 240 [A].)

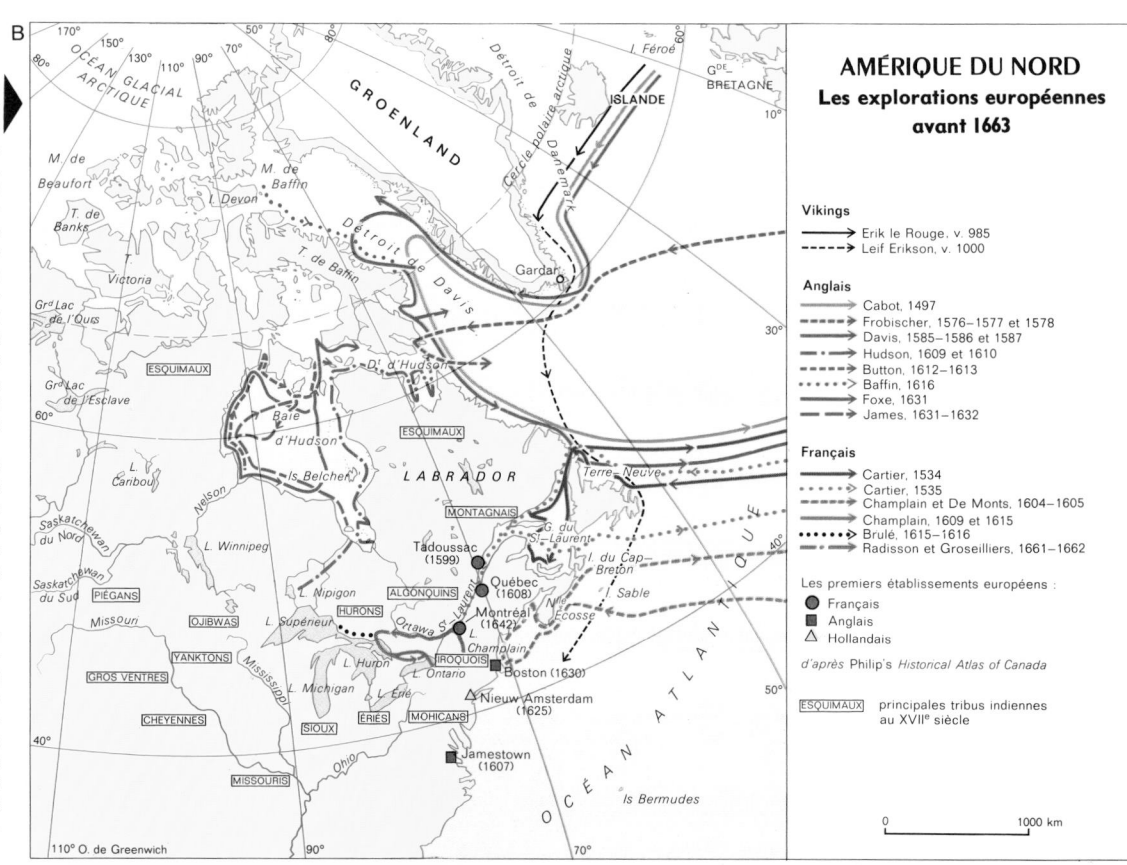

AMÉRIQUE DU NORD

Les explorations européennes avant 1663

Vikings

Erik le Rouge, v. 985
Leif Erikson, v. 1000

Anglais

Cabot, 1497
Frobisher, 1576–1577 et 1578
Davis, 1585–1586 et 1587
Hudson, 1609 et 1610
Button, 1612–1613
Baffin, 1616
Foxe, 1631
James, 1631–1632

Français

Cartier, 1534
Cartier, 1535
Champlain et De Monts, 1604–1605
Champlain, 1609 et 1615
Brûlé, 1615–1616
Radisson et Groseilliers, 1661–1662

Les premiers établissements européens :

● Français
■ Anglais
△ Hollandais

d'après Philip's Historical Atlas of Canada

ESQUIMAUX   principales tribus indiennes au XVIIe siècle

0 _____ 1000 km

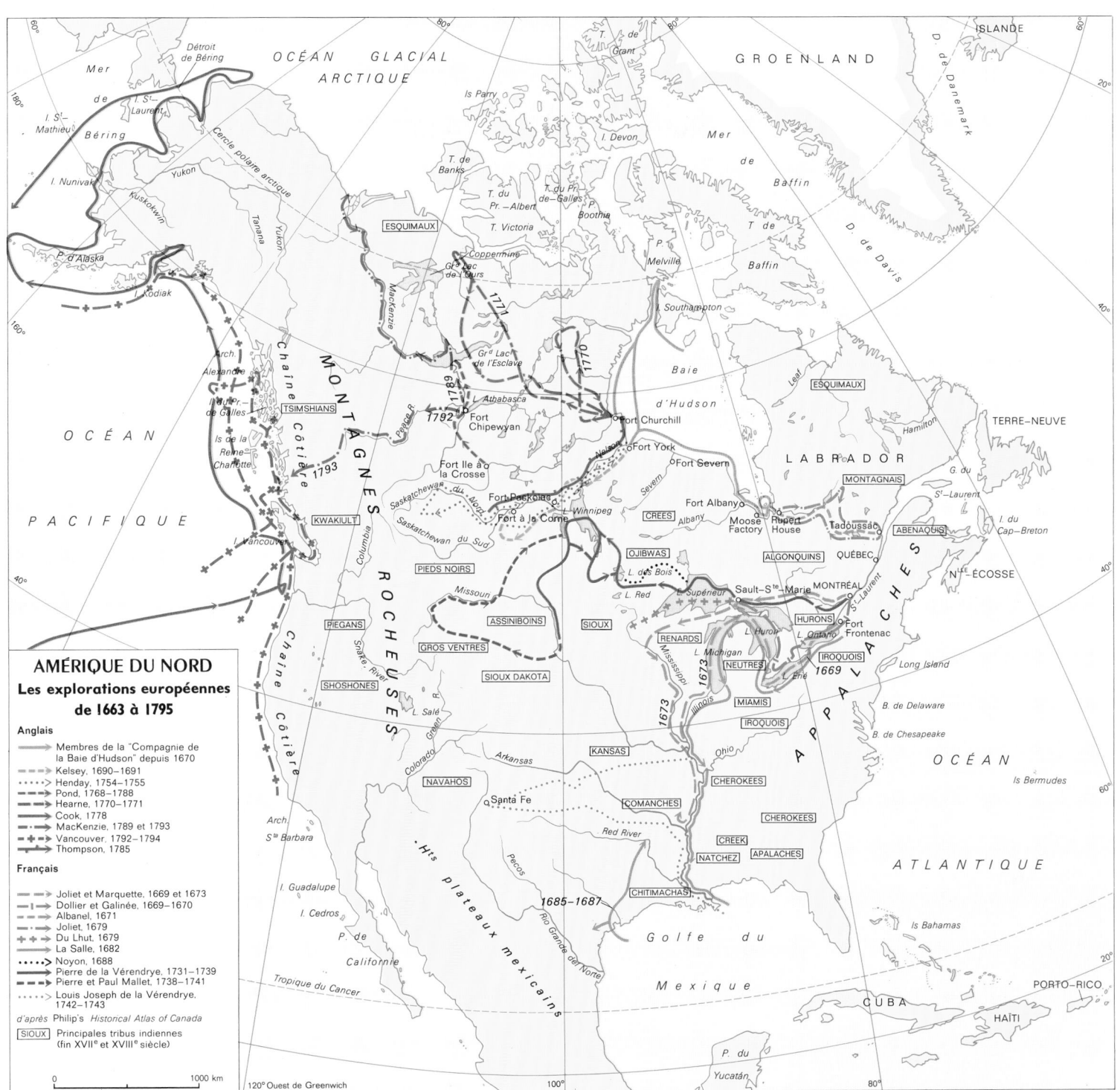

AMÉRIQUE DU NORD

**Les explorations européennes
de 1663 à 1795**

Anglais

- Membres de la "Compagnie de la Baie d'Hudson" depuis 1670
- Kelsey, 1690–1691
- Henday, 1754–1755
- Pond, 1768–1788
- Hearne, 1770–1771
- Cook, 1778
- MacKenzie, 1789 et 1793
- Vancouver, 1792–1794
- Thompson, 1785

Français

- Joliet et Marquette, 1669 et 1673
- Dollier et Galinée, 1669–1670
- Albanel, 1671
- Joliet, 1679
- Du Lhut, 1679
- La Salle, 1682
- Noyon, 1688
- Pierre de La Vérendrye, 1731–1739
- Pierre et Paul Mallet, 1738–1741
- Louis Joseph de la Vérendrye, 1742–1743

d'après Philip's *Historical Atlas of Canada*

SIOUX Principales tribus indiennes (fin XVIIe et XVIIIe siècle)

0   1000 km

120° Ouest de Greenwich   100°   80°

Disposant d'une excellente voie de pénétration vers l'intérieur du continent nord-américain, le Saint-Laurent, les Français orientent leurs expéditions dans une double direction : vers l'ouest, où, par la voie des Grands Lacs, ils atteignent la région des sources du Mississippi (Dollier de Casson et Bréhan de Galinée, 1669-70), le pays des Sioux (Daniel du Lhut, 1679), le lac Winnipeg (Pierre de La Vérendrye, 1734), puis les

Rocheuses (Louis-Joseph et François de La Vérendrye, 1742-1793); vers le sud, où, en descendant le Mississippi, ils parviennent à son confluent avec l'Arkansas (P. Jacques Marquette et Louis Joliet, 1673), puis à son embouchure dans le golfe du Mexique (Robert Cavelier de La Salle, 9 août 1682).

Partant de leurs établissements de la baie d'Hudson, dont la compagnie exploite les fourrures depuis 1670, les

Anglais entreprennent l'exploration de la région de la Saskatchewan (Henday, 1754-55) et surtout celle du Grand Nord après 1763. À la recherche du passage du Nord-Ouest, Samuel Hearne atteint le premier les rives de l'Arctique, dans la région de la Coppermine (1770-71). Plus à l'ouest, partant de Fort Chipewyan sur les bords du lac Athabaska, Mackenzie atteint également l'Arctique en descendant la rivière qui porte son nom (1789),

puis le Pacifique, non loin de l'île du Prince-de-Galles (1793), déjà reconnue par mer par George Vancouver qui, relayant James Cook (1778), explore le littoral occidental de l'Amérique du Nord de 1792 à 1794. Pour l'essentiel, la reconnaissance du continent est achevée.

(V. cartes pp. 40, 234 [B], 237 [A] et 248.)

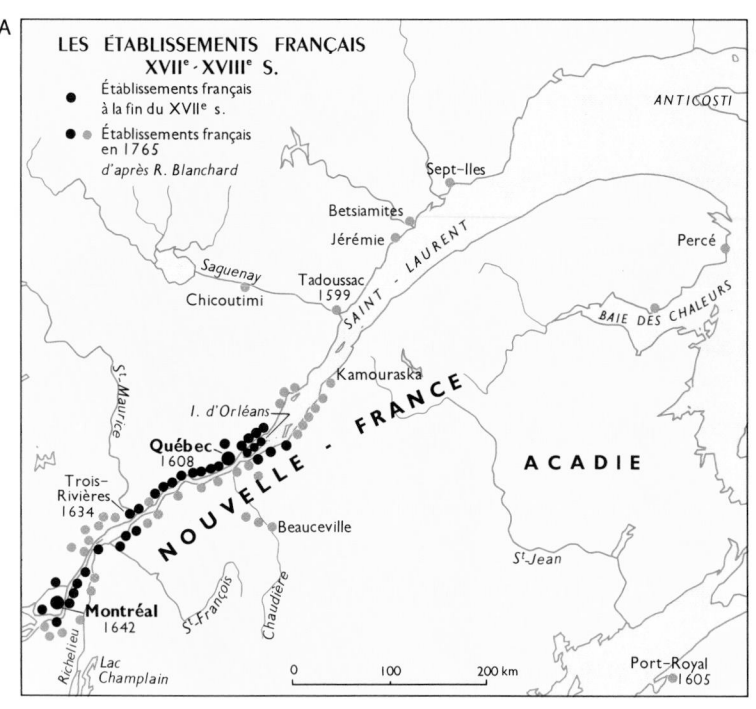

A

LES ÉTABLISSEMENTS FRANÇAIS
XVIIᵉ - XVIIIᵉ S.
● Établissements français
   à la fin du XVIIᵉ s.
● Établissements français
   en 1765
   d'après R. Blanchard

Découvert en 1534 par Jacques Cartier, visité pour la première fois par Samuel Champlain en 1603-04, le Canada entre dans l'ère de la colonisation. Les premiers établissements permanents français sont créés en Acadie en 1604 et surtout sur les rives du Saint-Laurent (fondation de Québec en 1608). Sous l'impulsion de la Compagnie de la *Nouvelle-France* ou des *Cent Associés* (1627-1663), les colons s'installent peu à peu en amont, à la suite des coureurs de bois, des missionnaires et des explorateurs, qui cherchent une hypothétique voie de passage vers la Chine; en 1642, la fondation de Montréal achève la prise de contrôle du bas Saint-Laurent. Pourtant cette colonisation est fragile. Malgré l'alliance des Hurons, les Iroquois et les Anglais sont d'autant plus menaçants que le Canada est *sous-peuplé* (6 715 colons seulement en 1673), en dépit d'une natalité très forte (63 p. 100); d'ailleurs, les établissements français sont surtout des comptoirs de traite pour la fourrure. Réintégrée dans le domaine royal en 1663, la Nouvelle-France est l'objet de tentatives d'immigration systématique et de colonisation agricole qui améliorent la situation après 1673 (arrivée du gouverneur Louis de Frontenac); mais, en 1754, le Canada ne compte encore que 54 000 Français face aux 2 millions de colons anglais établis en Amérique du Nord. (V. cartes pp. 75 [A] et 231.)

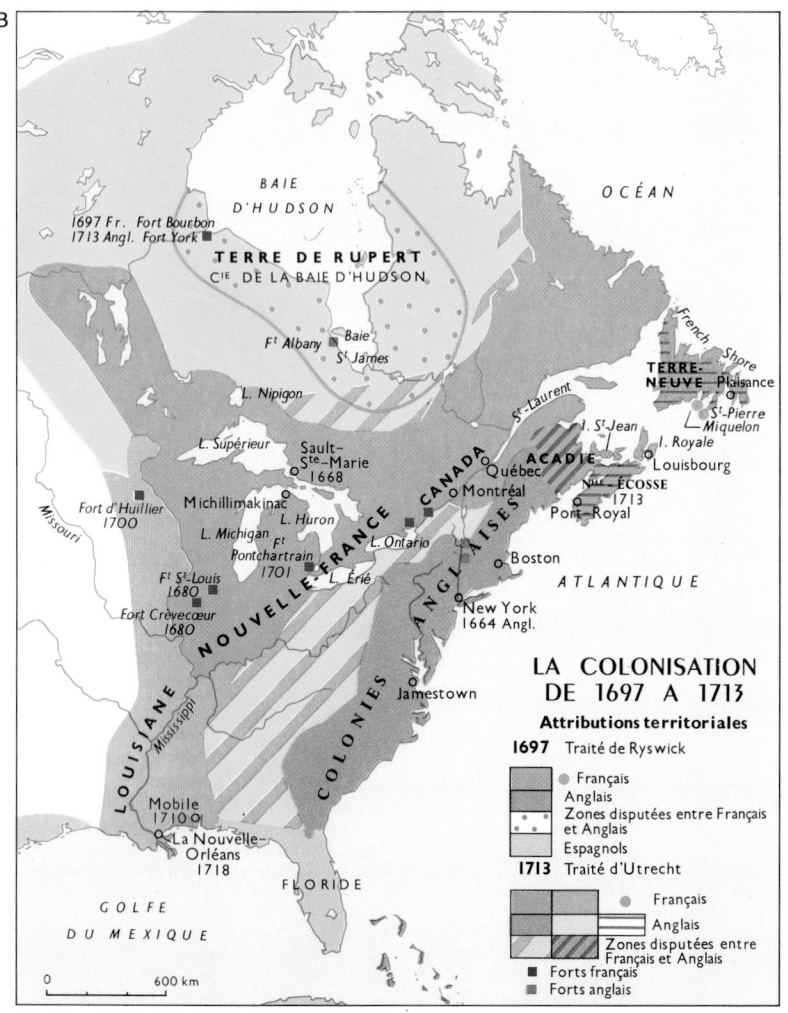

B

LA COLONISATION
DE 1697 A 1713
Attributions territoriales

1697 Traité de Ryswick
       ● Français
         Anglais
       Zones disputées entre Français et Anglais
       Espagnols

1713 Traité d'Utrecht
       ● Français
         Anglais
       Zones disputées entre Français et Anglais
       ■ Forts français
       ■ Forts anglais

À partir de 1670, la rivalité franco-anglaise en Amérique du Nord s'accentue, avec le développement des colonies anglaises au sud et la création, au nord, en 1670, de la *Hudson Bay Company* qui, conjointement avec les gens de New York, essaie de capter le fructueux trafic des fourrures; chaque camp s'assure l'alliance de tribus indiennes (Hurons du côté français, Iroquois du côté anglais). Les tensions s'aggravent lorsque l'extension de la colonisation française vers le sud-ouest (découverte du Mississippi par Jolliet et Marquette, fondation de la Louisiane par Cavelier de La Salle en 1682) bloque l'expansion des colons anglais vers l'ouest. Aussi, dès 1690, les hostilités s'engagent-elles : si les Anglais prennent l'Acadie et Terre-Neuve, leur échec devant Québec et les succès français en baie d'Hudson conduisent, au traité de Ryswick en 1697, à une paix de compromis : la France perd une partie de l'Acadie, mais conserve presque tous les postes de la baie d'Hudson. La guerre reprend en 1710, en liaison avec les conflits européens; mais les échecs français en Europe se révèlent désastreux pour la Nouvelle-France : au traité d'Utrecht en 1713, la France perd, en effet, la baie d'Hudson, l'Acadie et Terre-Neuve, mais conserve, sur la côte nord de cette île (French Shore), le droit de pêche. L'étau anglais se resserre autour d'un Canada trop vaste, que ne peut durablement défendre une population trop clairsemée. (V. cartes pp. 76 [A], 236 [A] et 240 [A].)

Lors de la guerre de Sept Ans (1756-1763), l'affrontement franco-anglais aboutit inévitablement, en raison de la disproportion des forces, à la défaite française, scellée par la capitulation de Montréal le 8 septembre 1760. Après avoir dû céder la Louisiane occidentale à l'Espagne par le traité secret du 3 novembre 1762, la France perd, au traité de Paris du 10 février 1763, toutes ses possessions nord-américaines (sauf Saint-Pierre-et-Miquelon). La nouvelle Amérique anglaise est partagée en trois : le Nord est rattaché aux territoires de la baie d'Hudson; la région des Grands Lacs et du Mississippi, théoriquement laissée aux Indiens, dépend directement de la Couronne; seule une frange le long du Saint-Laurent est abandonnée aux francophones, par ailleurs brimés dans leurs convictions religieuses, et pratiquement exclus de toute fonction publique par la loi du Test. Mais le pragmatisme anglais comprend la nécessité de bonnes relations avec les Canadiens : l'*Acte de Québec* du 22 juin 1774 élargit le Québec (donc le champ d'extension des francophones) du Labrador au Mississippi, abolit le Test et rétablit les lois françaises. Aussi suscite-t-il le mécontentement des vieux colons anglais, dont l'expansion vers l'ouest est de nouveau impossible, et qui dénoncent la « collusion anglo-canadienne »; la rupture qui s'ensuit en 1774 entre l'Angleterre et les Treize Colonies est le point de départ de la formation de deux nations anglophones en Amérique. (V. cartes pp. 75 [A] et 76 [A].)

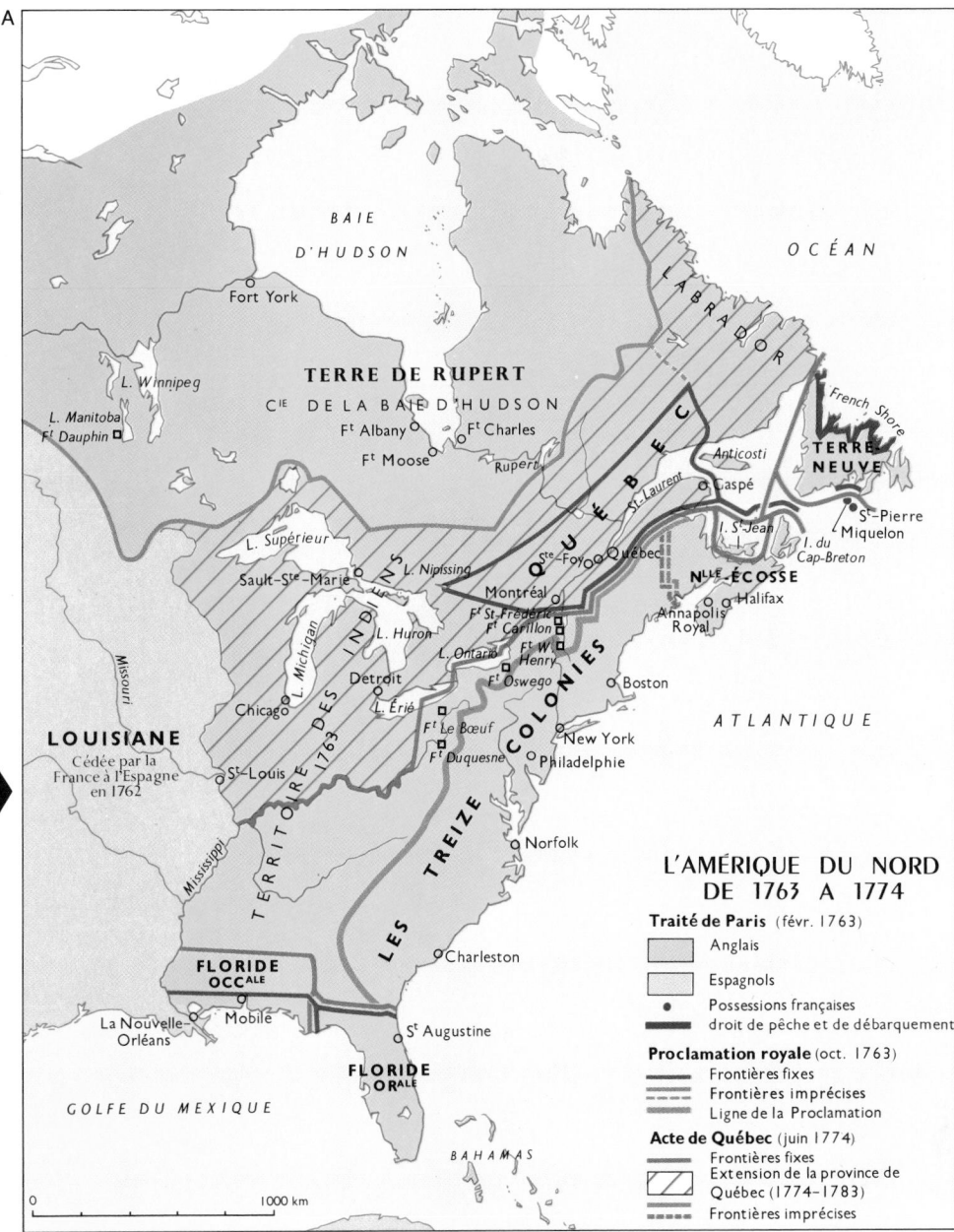

L'AMÉRIQUE DU NORD DE 1763 A 1774

Traité de Paris (févr. 1763)

- Anglais
- Espagnols
- • Possessions françaises
- ▬▬ droit de pêche et de débarquement

Proclamation royale (oct. 1763)

- Frontières fixes
- Frontières imprécises
- Ligne de la Proclamation

Acte de Québec (juin 1774)

- Frontières fixes
- Extension de la province de Québec (1774–1783)
- Frontières imprécises

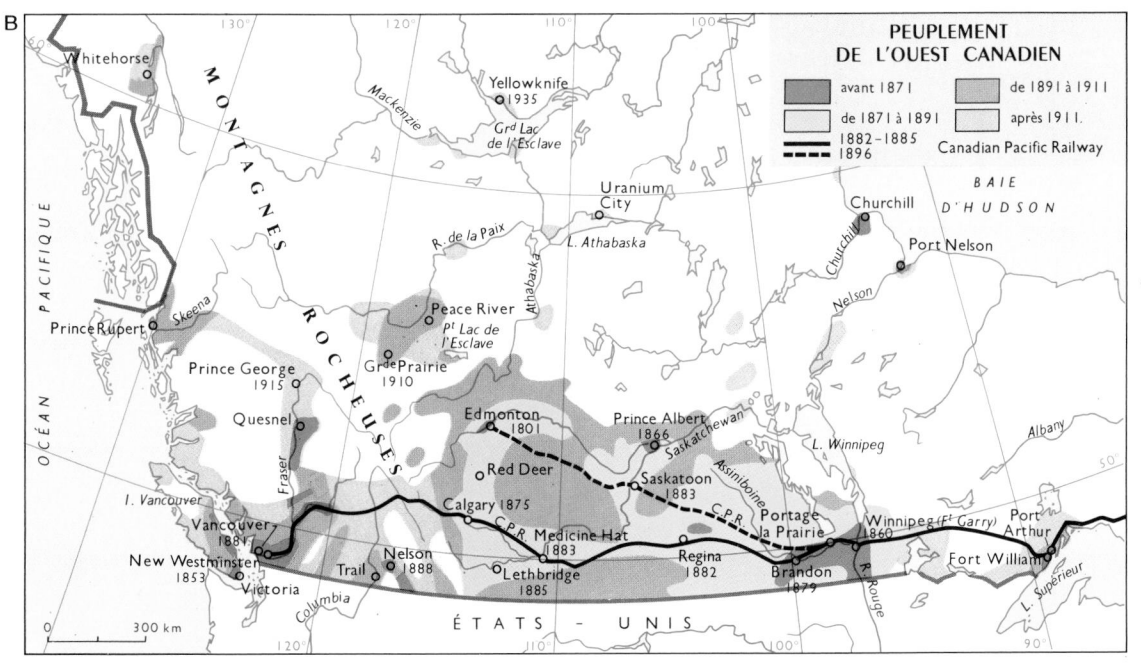

PEUPLEMENT DE L'OUEST CANADIEN

- avant 1871
- de 1871 à 1891
- de 1891 à 1911
- après 1911.
- ▬ ▬ 1882-1885
- 1896
- Canadian Pacific Railway

Hormis la petite colonie agricole de la rivière Rouge, fondée réellement en 1812 par lord Selkirk, et quelques îlots de peuplement autour de Victoria et de Vancouver, l'Ouest canadien n'est peuplé, jusque vers 1860, que de quelques pionniers, chasseurs de fourrures, qui s'agglomèrent autour des postes de la police montée. Avec le renforcement de l'immigration européenne (Anglais, Allemands, Scandinaves) et surtout avec la construction des transcontinentaux (CPR, 1882-1885, etc.) commencent la mise en valeur de la Prairie et le peuplement systématique de l'Ouest; à la fin du XIXᵉ siècle, le front pionnier est reporté vers les Rocheuses et vers les territoires du Nord (« ruées » successives vers les métaux précieux).

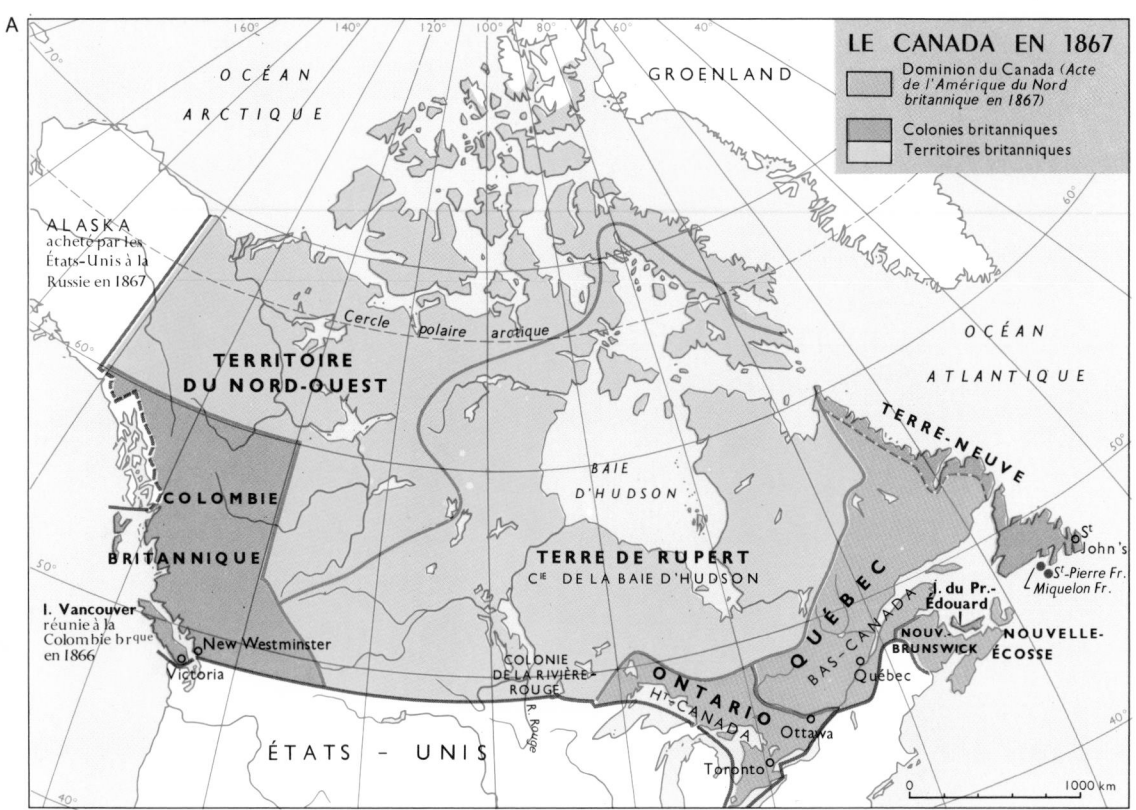

A

LE CANADA EN 1867

Dominion du Canada (*Acte de l'Amérique du Nord britannique en 1867*)

Colonies britanniques

Territoires britanniques

OCÉAN ARCTIQUE

GROENLAND

ALASKA
acheté par les
États-Unis à la
Russie en 1867

Cercle polaire arctique

OCÉAN ATLANTIQUE

TERRITOIRE
DU NORD-OUEST

BAIE
D'HUDSON

TERRE-NEUVE

COLOMBIE

TERRE DE RUPERT
Cⁱᵉ DE LA BAIE D'HUDSON

QUÉBEC

Stᵗ
John's
Stᵗ-Pierre Fr.
Miquelon Fr.

BRITANNIQUE

I. Vancouver
réunie à la
Colombie brque
en 1866

New Westminster

COLONIE
DE LA RIVIÈRE-
ROUGE

BAS-CANADA

I. du Pr.-
Édouard

NOUV.-
BRUNSWICK

NOUVELLE-
ÉCOSSE

Victoria

R. Rouge

ONTARIO
Hᵗᵉ-CANADA

Québec

ÉTATS - UNIS

Ottawa

Toronto

0   1000 km

Depuis le début du XIXᵉ siècle, l'opposition croît, même chez les anglophones, contre la tutelle britannique; par ailleurs, l'*Acte d'Union* de 1840 n'a pas réussi à fondre les deux communautés canadiennes. Aussi le *British North America Act* (Acte de l'Amérique du Nord britannique) du 20 mars 1867 crée-t-il une *Confédération du Canada,* où le gouvernement fédéral, de type parlementaire (le gouverneur anglais n'a plus qu'un rôle limité), dispose de larges pouvoirs face aux gouvernements provinciaux. Mais ce Dominion, le premier, ne comprend que les régions peuplées de l'Est; tout l'Ouest reste soumis à la Couronne (Colombie) ou à la vénérable Compagnie de la baie d'Hudson.

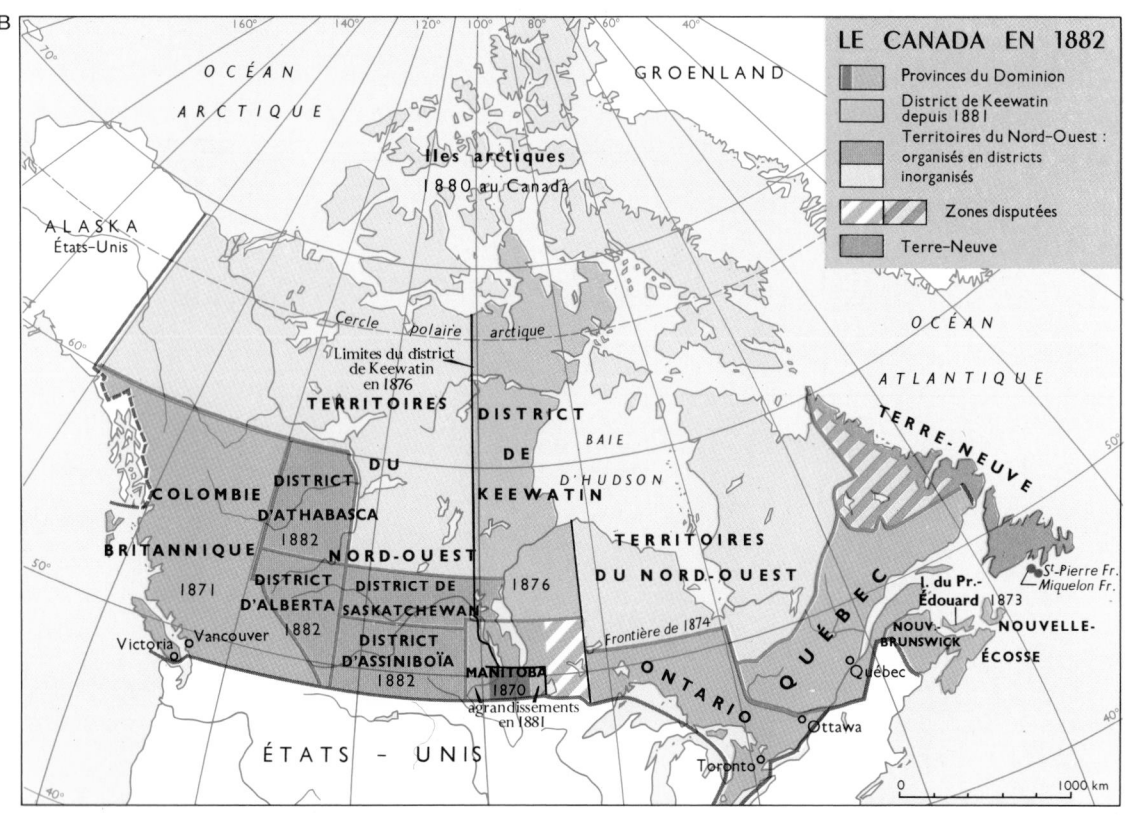

B

LE CANADA EN 1882

Provinces du Dominion

District de Keewatin depuis 1881

Territoires du Nord-Ouest : organisés en districts

inorganisés

Zones disputées

Terre-Neuve

OCÉAN ARCTIQUE

GROENLAND

Îles arctiques
1880 au Canada

ALASKA
États-Unis

Cercle polaire arctique

OCÉAN ATLANTIQUE

Limites du district
de Keewatin
en 1876

TERRITOIRES

DISTRICT
DE

BAIE

TERRE-NEUVE

DU

KEEWATIN

D'HUDSON

COLOMBIE

DISTRICT
D'ATHABASCA
1882

NORD-OUEST

TERRITOIRES

Stᵗ-Pierre Fr.
Miquelon Fr.

BRITANNIQUE

DISTRICT
D'ALBERTA
1882

DISTRICT DE
SASKATCHEWAN

1876

DU NORD-OUEST

I. du Pr.-
Édouard 1873

1871

QUÉBEC

NOUV.-
BRUNSWICK

NOUVELLE-
ÉCOSSE

Victoria

Vancouver

DISTRICT
D'ASSINIBOÏA
1882

Frontière de 1874

MANITOBA
1870
agrandissements
en 1881

ONTARIO

Québec

ÉTATS - UNIS

Ottawa

Toronto

0   1000 km

Le régime bâtard instauré en 1867 ne peut durer. Dès 1869, le Canada achète les immenses territoires du Nord-Ouest, divisés géométriquement en districts entre 1876 et 1882. La promesse de l'établissement de liaisons ferroviaires facilite la création de nouvelles provinces : Manitoba en 1870; Colombie britannique en 1871; île du Prince-Édouard en 1873. Seule Terre-Neuve conserve son statut de colonie britannique.

Depuis 1968, le parti libéral, partisan d'un pouvoir fédéral fort, qui recrute surtout dans les milieux urbains de l'Est, domine la vie politique canadienne. Mais les difficultés économiques et l'hostilité des anglophones au *bilinguisme fédéral,* décidé par le gouvernement de Pierre Elliott Trudeau, expliquent le net recul des libéraux aux élections du 30 octobre 1972 (108 députés sur 264) : ils ne se maintiennent qu'au Québec, alors que, dans tout le Canada anglophone (surtout dans les provinces agricoles), ils sont battus par les conservateurs.

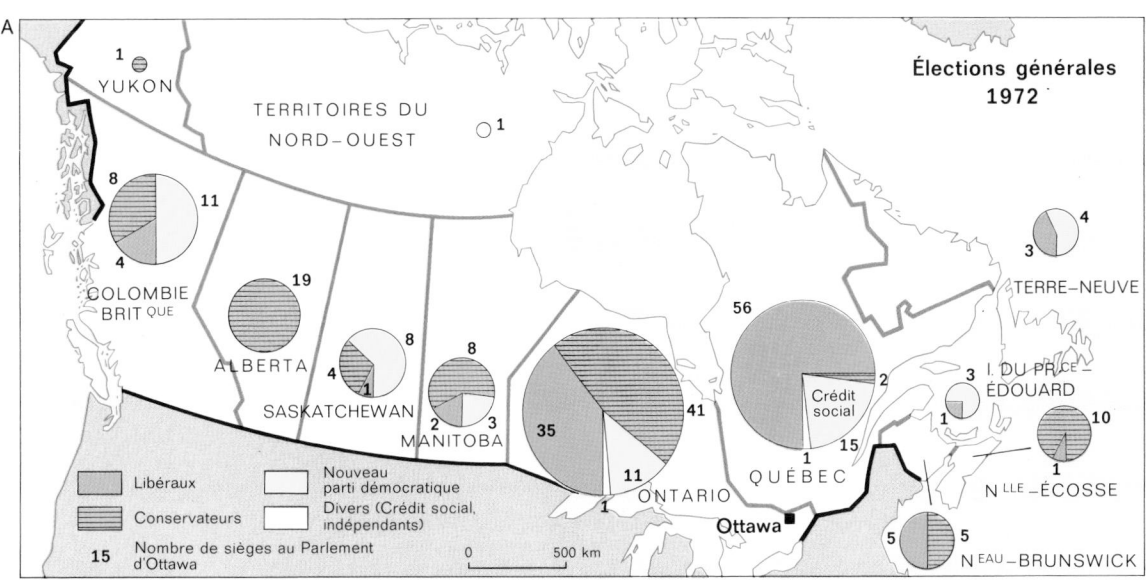

La fragilité de la position du Premier ministre libéral Pierre Elliott Trudeau, qui est tributaire de l'appui du *Nouveau Parti démocratique,* l'amène à infléchir sa politique : atténuation des tendances centralisatrices, renforcement du nationalisme économique (contrôle des investissements étrangers, politique pétrolière autonome), mesures sociales pour satisfaire le N.P.D. Aussi, malgré la chute de son cabinet le 8 mai 1974, Trudeau remporte-t-il un succès personnel aux élections du 8 juillet : non seulement les libéraux se renforcent au Québec, mais ils progressent dans les provinces anglophones, retrouvant ainsi la majorité absolue (140 sièges).

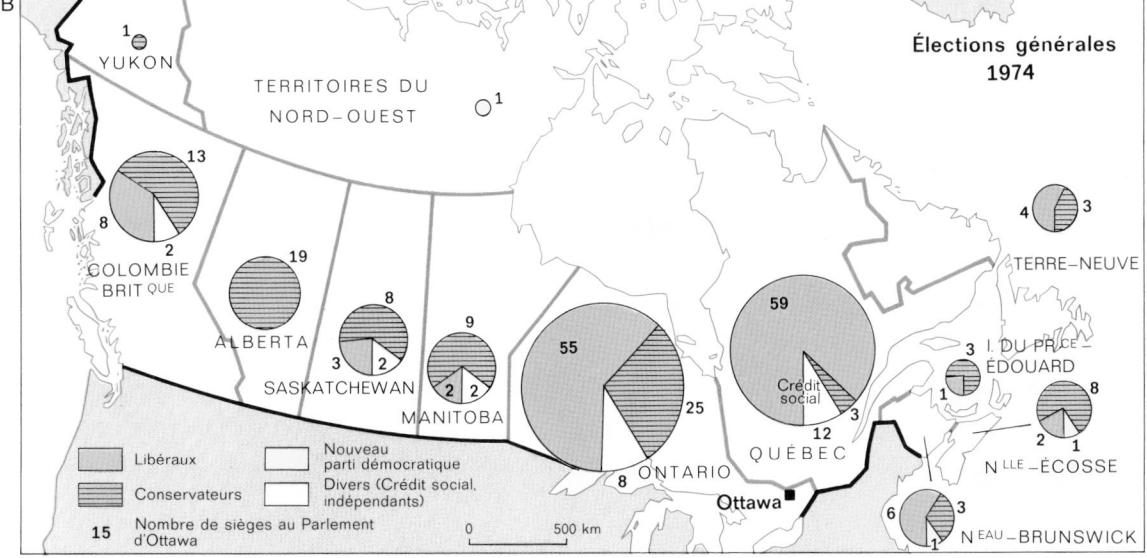

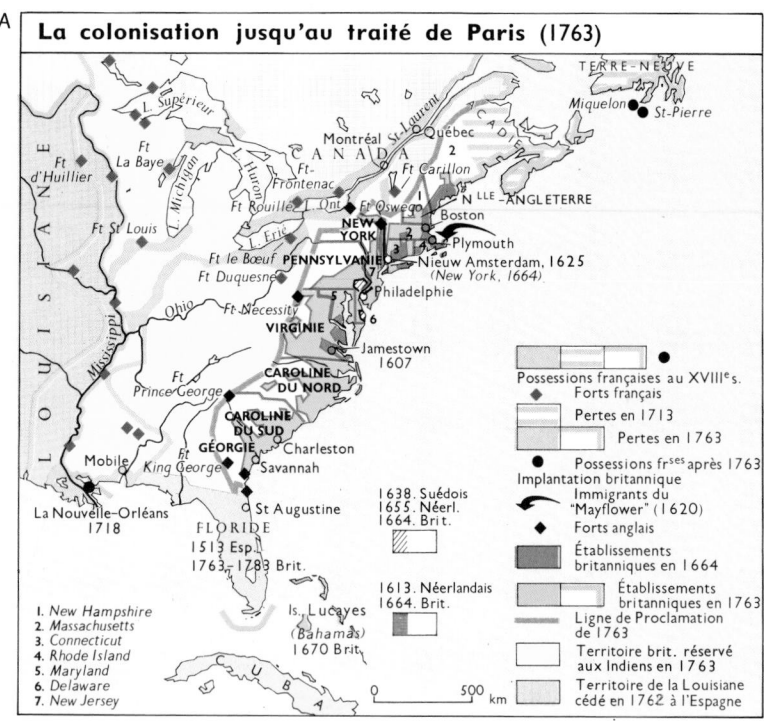

A   La colonisation jusqu'au traité de Paris (1763)

TERRE-NEUVE

Miquelon ● *St-Pierre*

Possessions françaises au XVIIIᵉ s.

◆ Forts français

Pertes en 1713

Pertes en 1763

● Possessions frˢᵉˢ après 1763

Implantation britannique
↝ Immigrants du "Mayflower" (1620)

◆ Forts anglais

Établissements britanniques en 1664

Établissements britanniques en 1763

Ligne de Proclamation de 1763

Territoire brit. réservé aux Indiens en 1763

Territoire de la Louisiane cédé en 1762 à l'Espagne

1. New Hampshire
2. Massachusetts
3. Connecticut
4. Rhode Island
5. Maryland
6. Delaware
7. New Jersey

1638. Suédois
1655. Néerl.
1664. Brit.

1613. Néerlandais
1664. Brit.

Is. Lucayes (Bahamas) 1670 Brit.

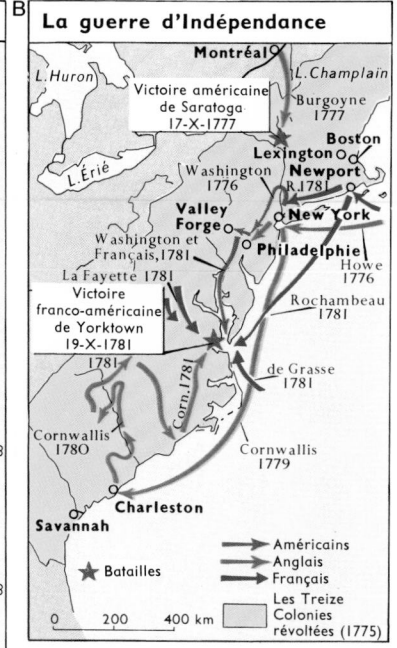

B   La guerre d'Indépendance

→ Américains
→ Anglais
→ Français

★ Batailles

Les Treize Colonies révoltées (1775)

Après 1763, l'aggravation du mercantilisme et des taxes imposées par l'Angleterre, le blocage de l'expansion vers l'ouest par l'*Acte de Québec* de 1774 (v. carte A p. 237) suscitent une agitation qui prend vite une forme politique; la répression britannique, maladroite et brutale, conduit à la rupture en 1775, officialisée par la Déclaration d'indépendance des treize États-Unis le 4 juillet 1776. Malgré la supériorité théorique des Anglais, les « insurgents », bien commandés par George Washington et aidés de volontaires étrangers tel La Fayette, chassent les Anglais du Nord par la victoire de Saratoga le 17 octobre 1777. La signature d'un traité d'alliance officielle avec la France le 6 février 1778 renforce leur position militaire. Avec l'aide des troupes de Rochambeau et celle de l'escadre de l'amiral de Grasse, ils bloquent l'avance des Britanniques débarqués en Géorgie : la capitulation de Cornwallis à Yorktown le 19 octobre 1781 scelle la défaite anglaise. Le traité de Versailles, signé le 3 septembre 1783, reconnaît l'existence, de l'Atlantique au Mississippi, de la République fédérée des États-Unis. Mais il reste à organiser la nouvelle nation. (V. carte A p. 242.)

Commencée en 1607 (premier établissement en Virginie), la colonisation britannique naît à la fois de raisons matérielles (croissance démographique, bouleversements ruraux dus au mouvement des *enclosures,* mutations de l'industrie textile) et de motivations religieuses (fuite des groupes minoritaires ou persécutés, tels les puritains du *Mayflower*). Ainsi, par fondations successives ou par annexion des territoires hollandais, se créent, de 1624 à 1732, treize colonies, où affluent nombre d'immigrants (50 000 Blancs en 1640, 450 000 en 1715, 3 millions en 1775); elles forment de petits États séparés, très jaloux de leur autonomie. Aussi les assemblées locales jouent-elles un rôle essentiel et développent-elles un sens aigu de la liberté individuelle. Ces facteurs renforcent le particularisme de chacune de ces colonies; entre le Sud, « cavalier » (royaliste), dominé par une société de planteurs propriétaires de grands domaines exploités par des esclaves noirs, et le Nord, puritain ou quaker, à société plus égalitaire, où dominent artisans et marchands, l'unité n'est que négative : contre les Indiens, contre les Espagnols et les Français, et, après 1763, contre la tutelle économique anglaise. (V. cartes pp. 75 [A], 76 [A] et 236 [B].)

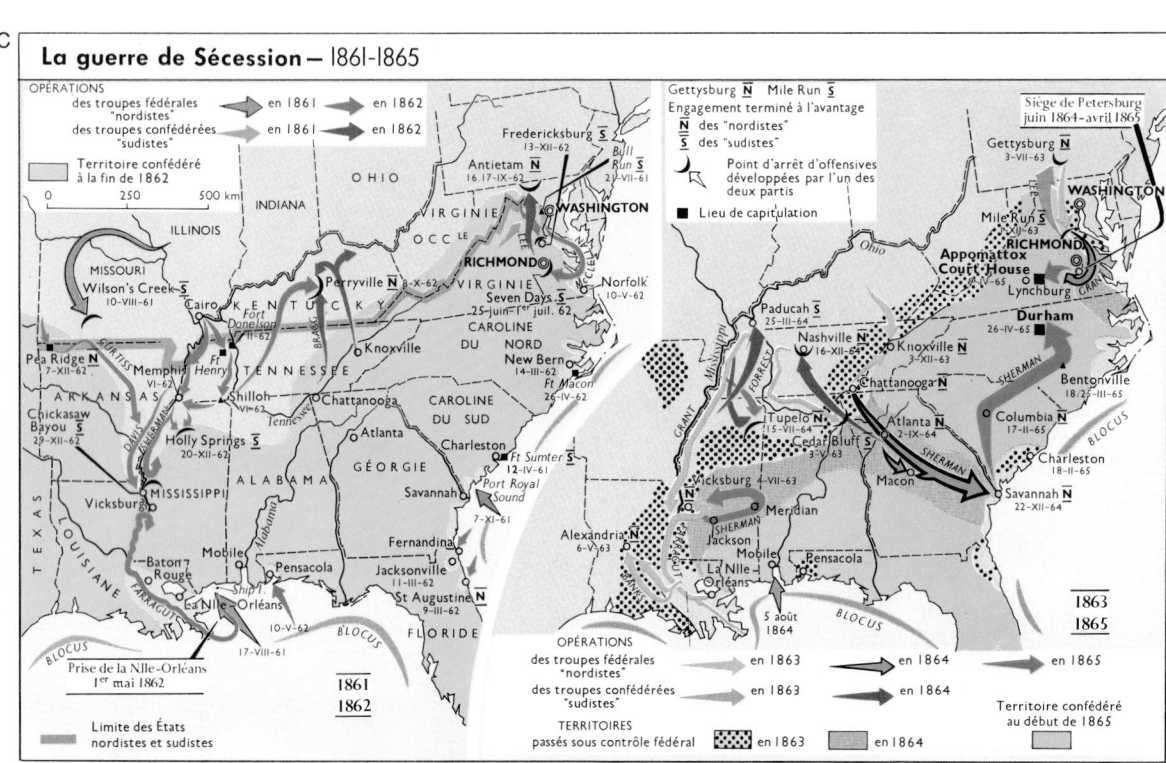

C   La guerre de Sécession — 1861-1865

OPÉRATIONS
des troupes fédérales "nordistes" → en 1861 → en 1862
des troupes confédérées "sudistes" → en 1861 → en 1862

Territoire confédéré à la fin de 1862

Gettysburg **N**   Mile Run **S**
Engagement terminé à l'avantage
N des "nordistes"
S des "sudistes"

☽ Point d'arrêt d'offensives développées par l'un des deux partis

■ Lieu de capitulation

OPÉRATIONS
des troupes fédérales "nordistes" → en 1863 → en 1864 → en 1865
des troupes confédérées "sudistes" → en 1863 → en 1864

TERRITOIRES
passés sous contrôle fédéral : en 1863 — en 1864

Territoire confédéré au début de 1865

Entre le Nord qui s'industrialise et le Sud agricole qui vit de l'exportation du coton, le fossé se creuse à partir de 1840. Vital pour les sudistes en période de « boom » cotonnier, l'esclavage est stigmatisé par les nordistes. Évité par des compromis successifs jusqu'en 1850, l'affrontement est déclenché par le renforcement du mouvement abolitionniste. La publication en 1852 du roman de Mrs Beecher-Stowe, *la Case de l'oncle Tom*, la création du parti républicain en 1854, l'élection, enfin, de son chef, Abraham Lincoln, à la présidence des États-Unis en 1860 provoquent la crise. Onze États du Sud font alors sécession et s'organisent en *confédération* le 8 février 1861.

Commencée le 12 avril 1861 par le bombardement de Fort Sumter par les sudistes, la guerre civile tourne en 1861 et en 1862 à l'avantage de ces derniers grâce à l'excellence de leur commandement (Lee, Jackson). Mais l'énormité et la supériorité des effectifs mobilisés par les nordistes (deux millions d'hommes contre 850 000), de même que leur écrasante prépondérance industrielle finissent par s'imposer à partir de 1863. Contenant les sudistes à l'est, le général Grant attaque en 1863 le long du Mississippi, ce qui isole les trois États de l'Ouest; lançant alors, en 1864, la colonne Sherman à travers la Géorgie, il sectionne une seconde fois le territoire confédéré. Bloqués au nord-est depuis leur défaite de Gettysburg le 3 juillet 1863, menacés par Sherman au sud, Lee, puis Jackson capitulent à Appomattox et à Durham les 9 et 26 avril 1865. La guerre est achevée mais le problème noir n'est réglé qu'en apparence. (V. cartes pp. 242 [A] et 245.)

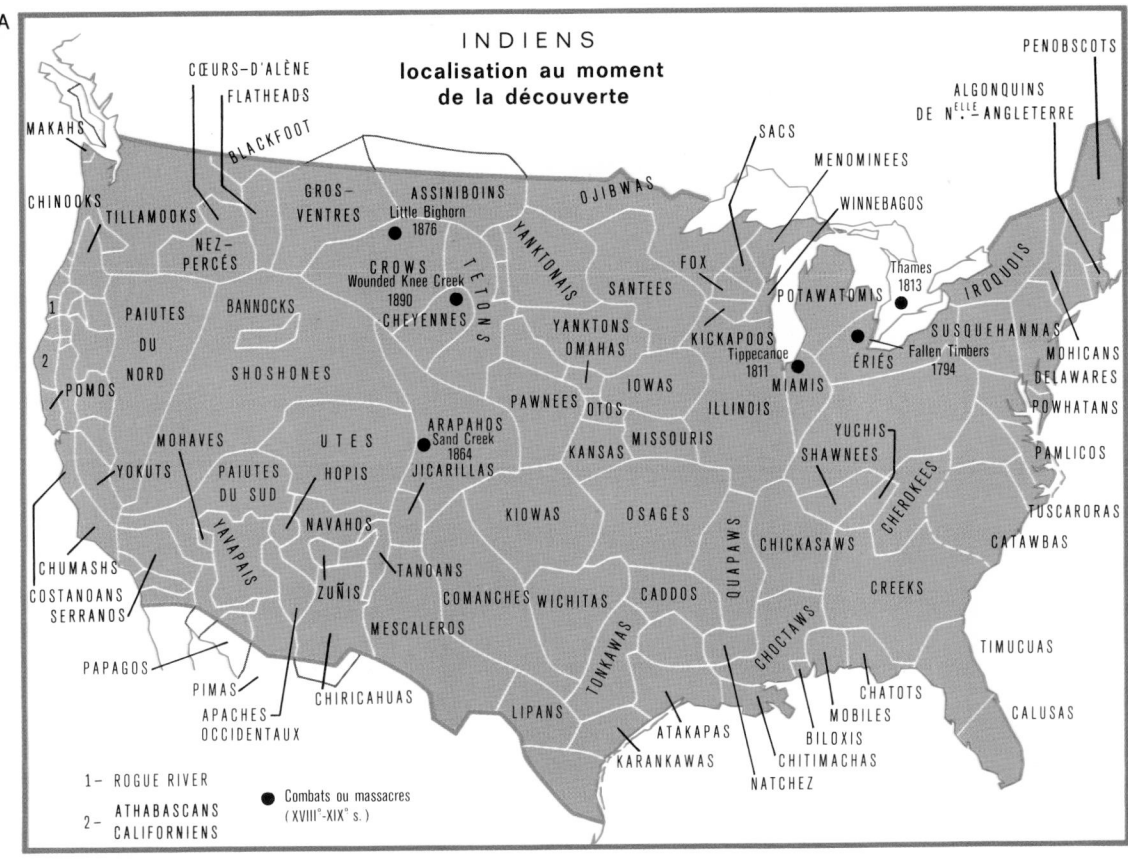

INDIENS
localisation au moment
de la découverte

PENOBSCOTS

ALGONQUINS
DE Nᴱᴸᴸᴱ-ANGLETERRE

MAKAHS

CŒURS-D'ALÈNE
FLATHEADS
BLACKFOOT

SACS

MENOMINEES

CHINOOKS
TILLAMOOKS
NEZ-PERCÉS

GROS-
VENTRES

ASSINIBOINS
Little Bighorn
1876

OJIBWAS

WINNEBAGOS

FOX

CROWS
Wounded Knee Creek
1890
CHEYENNES

YANKTONAIS

TETONS

SANTEES

Thames
1813

IROQUOIS

PAIUTES
DU
NORD

BANNOCKS

YANKTONS
OMAHAS

POTAWATOMIS

SUSQUEHANNAS

MOHICANS

1

2

SHOSHONES

PAWNEES

IOWAS

ILLINOIS

KICKAPOOS
Tippecanoe
1811
MIAMIS

Fallen Timbers
1794
ÉRIÉS

DELAWARES

POMOS

OTOS

POWHATANS

MOHAVES

ARAPAHOS
Sand Creek
1864
JICARILLAS

UTES

MISSOURIS

YUCHIS
SHAWNEES

PAMLICOS

YOKUTS

PAIUTES
DU SUD

HOPIS

KANSAS

CHEROKEES

TUSCARORAS

CHUMASHS
COSTANOANS
SERRANOS

YAVAPAIS

NAVAHOS

ZUÑIS

KIOWAS

OSAGES

QUAPAWS

CHICKASAWS

CREEKS

CATAWBAS

PAPAGOS

TANOANS

COMANCHES WICHITAS

CADDOS

CHOCTAWS

TIMUCUAS

PIMAS

MESCALEROS

CHATOTS

APACHES
OCCIDENTAUX

CHIRICAHUAS

LIPANS

TONKAWAS

ATAKAPAS

MOBILES
BILOXIS

CALUSAS

KARANKAWAS

CHITIMACHAS
NATCHEZ

1 – ROGUE RIVER

2 – ATHABASCANS
CALIFORNIENS

● Combats ou massacres
(XVIIIᵉ-XIXᵉ s.)

Avant la colonisation, l'Amérique du Nord est très faiblement peuplée; un million d'Indiens, répartis entre plus de deux cents tribus, aux différences culturelles marquées : agriculteurs sédentaires au sud-est (Creeks, Cherokees, Choctaws, Chickasaws, Séminoles, ou Cinq Nations) et au sud-ouest (Pueblos, Zuñis, Hopis); chasseurs et pêcheurs au nord (Algonquins, Iroquois, Indiens de Colombie); éleveurs nomades au sud-ouest (Navahos, Apaches); surtout « Indiens des Plaines, chasseurs de bisons, du grand groupe siouan, dont le mode de vie (adoption du cheval) se répand chez les groupes voisins.

Pendant longtemps, la faiblesse numérique des Blancs et la rivalité franco-anglaise ont permis aux Indiens d'opposer une résistance efficace aux envahisseurs, à l'exception des Algonquins, déjà dominés par les Iroquois; parfois, ils ont même pu contracter des alliances durables avec les colons. Devenus indépendants, les États-Unis entreprennent la conquête de l'Ouest. Alors débutent l'ère des guerres indiennes et la spoliation systématique des tribus : le 20 août 1794, Miamis et Shawnees révoltés sont vaincus à Fallen Timbers, près de l'actuel Fort Wayne; en octobre 1813, Tecumseh est vaincu et tué sur les bords de la Thames; le 30 mai 1830, l'*Indian Removal Act* permet d'expulser les Indiens des Cinq Nations à l'ouest du Mississippi, où ils sont parqués dans le territoire de l'Oklahoma en 1834. Mais le véritable génocide commence après 1848 : la ruée vers l'or de Californie, la poussée pionnière dans les plaines, enfin la construction des voies ferrées le favorisent : Sioux, Cheyennes, Crows, plus tard Apaches sont massacrés par l'armée (Sand Creek, 1864; Wounded Knee Creek, 1890...), décimés par les épidémies et par l'alcoolisme, affamés par l'abattage massif des bisons; la violence de leurs réactions (victoire de Sitting Bull dans la vallée de la Little Bighorn, 1876) ne fait que retarder l'issue fatale; les survivants ne conservent que de maigres réserves sur leurs terres d'origine, ou sont déplacés à leur tour en Oklahoma. En 1890, le problème indien est « résolu ».

En même temps, les réserves sont méthodiquement « rognées » : le *General Allotment Act,* ou *Dawes Severalty Act,* de 1887 entraîne une expropriation massive des Indiens, qui, en cinquante ans, perdent près de la moitié de leurs terres; l'Oklahoma est ouvert en 1889 à la colonisation blanche. Malgré les mesures de protection prises depuis 1934 (garantie des réserves), la population indienne, en vertu de l'*Indian Reorganization Act,* ne compte plus que 330 000 personnes. En dépit d'un certain renouveau démographique actuel, elle perd en partie son identité du fait de son intégration au sous-prolétariat américain et de l'intérêt uniquement folklorique que portent à ses cultures touristes et ethnologues.

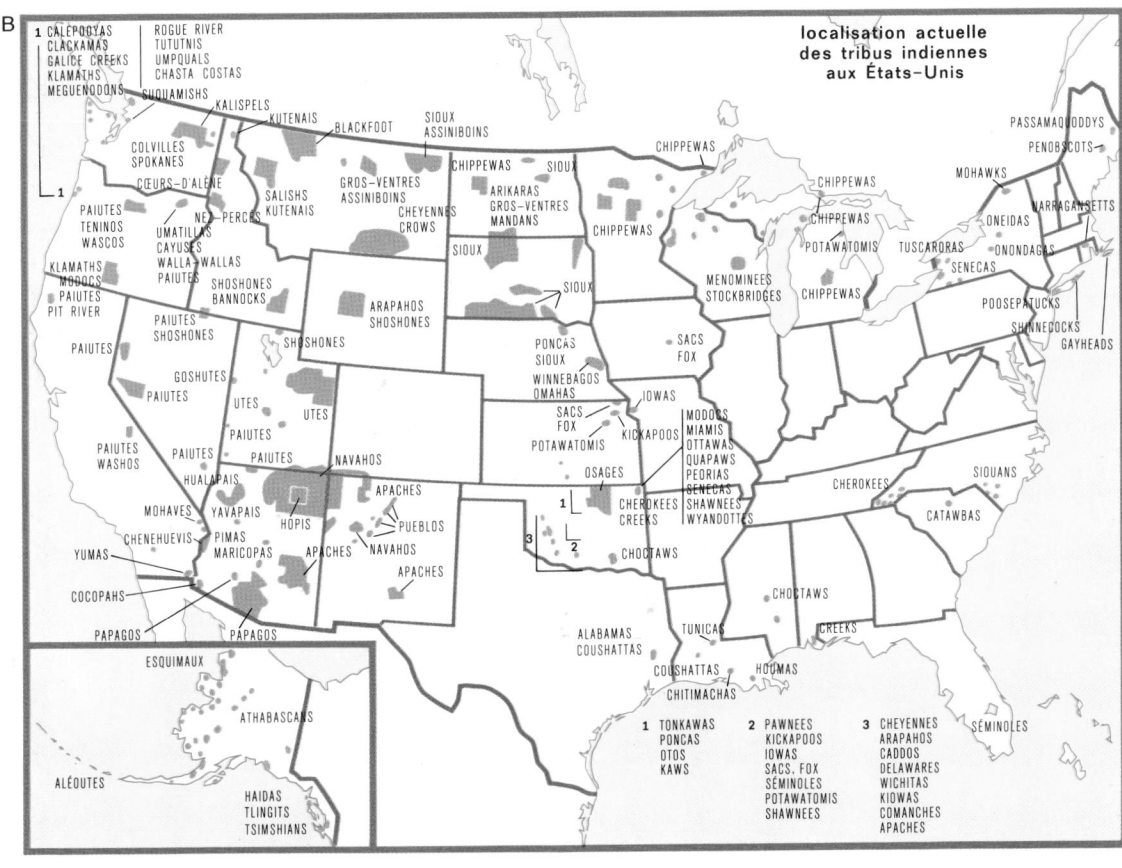

localisation actuelle
des tribus indiennes
aux États-Unis

1 CALÉPOOYAS
CLACKAMAS
GALICE CREEKS
KLAMATHS
MEGUENODONS

ROGUE RIVER
TUTUTNIS
UMPQUALS
CHASTA COSTAS

PASSAMAQUODDYS

PENOBSCOTS

1

SUQUAMISHS
KALISPELS
KUTENAIS
BLACKFOOT

SIOUX
ASSINIBOINS

CHIPPEWAS

MOHAWKS

COLVILLES
SPOKANES
CŒURS-D'ALÈNE

CHIPPEWAS

SIOUX

NARRAGANSETTS

PAIUTES
TENINOS
WASCOS

NEZ-PERCÉS

SALISHS
KUTENAIS

GROS-VENTRES
ASSINIBOINS

CHEYENNES
CROWS

ARIKARAS
GROS-VENTRES
MANDANS

CHIPPEWAS
POTAWATOMIS
TUSCARORAS

ONEIDAS
ONONDAGAS
SENECAS

KLAMATHS
MODOCS
PAIUTES
PIT RIVER

UMATILLAS
CAYUSES
WALLA-WALLAS
PAIUTES

SHOSHONES
BANNOCKS

SIOUX

SIOUX

CHIPPEWAS

MENOMINEES
STOCKBRIDGES

POOSEPATUCKS
SHINNECOCKS
GAYHEADS

PAIUTES
SHOSHONES

SHOSHONES

ARAPAHOS
SHOSHONES

PONCAS
SIOUX

SACS
FOX

GOSHUTES
PAIUTES

WINNEBAGOS
OMAHAS

IOWAS

PAIUTES
WASHOS

UTES

PAIUTES

UTES

SACS
FOX

MODOCS
MIAMIS
OTTAWAS
QUAPAWS
PEORIAS
SENECAS
SHAWNEES
WYANDOTTES

KICKAPOOS

CHEROKEES

SIOUANS

PAIUTES

PAIUTES

NAVAHOS

OSAGES

1

MOHAVES
CHENEHUEVIS

HUALAPAIS

YAVAPAIS

APACHES

3

CHEROKEES
CREEKS

CATAWBAS

YUMAS

PIMAS
MARICOPAS

HOPIS

PUEBLOS

APACHES

NAVAHOS

2

COCOPAHS

PAPAGOS

PAPAGOS

APACHES

CHOCTAWS

ALABAMAS
COUSHATTAS

CHOCTAWS

CREEKS

ESQUIMAUX

TUNICAS

COUSHATTAS

HOUMAS

CHITIMACHAS

SÉMINOLES

ATHABASCANS

1 TONKAWAS
PONCAS
OTOS
KAWS

2 PAWNEES
KICKAPOOS
IOWAS
SACS, FOX
SÉMINOLES
POTAWATOMIS
SHAWNEES

3 CHEYENNES
ARAPAHOS
CADDOS
DELAWARES
WICHITAS
KIOWAS
COMANCHES
APACHES

ALÉOUTES

HAIDAS
TLINGITS
TSIMSHIANS

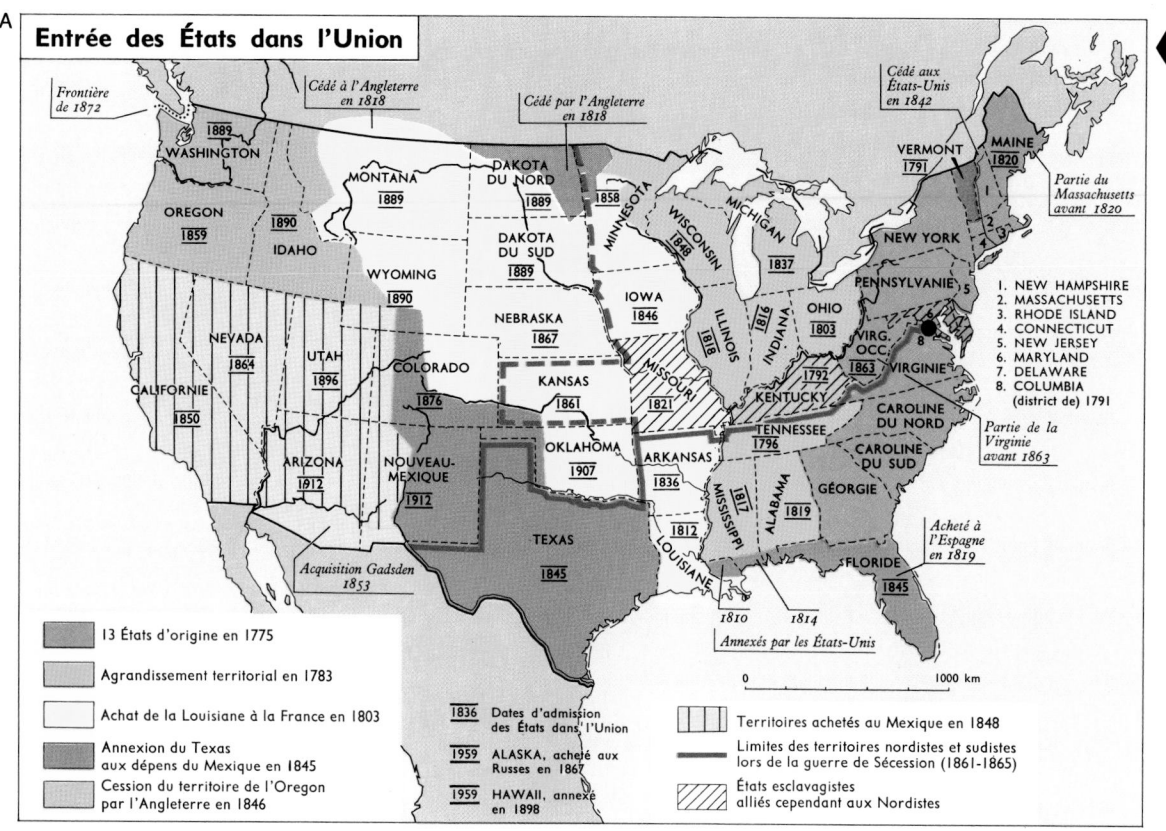

A **Entrée des États dans l'Union**

Frontière de 1872

Cédé à l'Angleterre en 1818

Cédé par l'Angleterre en 1818

Cédé aux États-Unis en 1842

WASHINGTON 1889
OREGON 1859
IDAHO 1890
MONTANA 1889
DAKOTA DU NORD 1889
DAKOTA DU SUD 1889
MINNESOTA 1858
WISCONSIN 1848
MICHIGAN 1837
MAINE 1820
VERMONT 1791
NEW YORK

WYOMING 1890
IOWA 1846
ILLINOIS 1818
INDIANA 1816
OHIO 1803
PENNSYLVANIE

NEVADA 1864
UTAH 1896
NEBRASKA 1867
MISSOURI 1821
KENTUCKY 1792
VIRG. OCC. 1863
VIRGINIE

CALIFORNIE 1850
COLORADO 1876
KANSAS 1861
TENNESSEE 1796
CAROLINE DU NORD

ARIZONA 1912
NOUVEAU-MEXIQUE 1912
OKLAHOMA 1907
ARKANSAS 1836
MISSISSIPPI 1817
ALABAMA 1819
GÉORGIE
CAROLINE DU SUD

TEXAS 1845
LOUISIANE
FLORIDE 1845

Partie du Massachusetts avant 1820

1. NEW HAMPSHIRE
2. MASSACHUSETTS
3. RHODE ISLAND
4. CONNECTICUT
5. NEW JERSEY
6. MARYLAND
7. DELAWARE
8. COLUMBIA (district de) 1791

Partie de la Virginie avant 1863

Acheté à l'Espagne en 1819

Acquisition Gadsden 1853

1810   1814
Annexés par les États-Unis

0   1000 km

13 États d'origine en 1775

Agrandissement territorial en 1783

Achat de la Louisiane à la France en 1803

Annexion du Texas aux dépens du Mexique en 1845

Cession du territoire de l'Oregon par l'Angleterre en 1846

1836 Dates d'admission des États dans l'Union
1959 ALASKA, acheté aux Russes en 1867
1959 HAWAII, annexé en 1898

Territoires achetés au Mexique en 1848

Limites des territoires nordistes et sudistes lors de la guerre de Sécession (1861-1865)

États esclavagistes alliés cependant aux Nordistes

Malgré les acquisitions territoriales réalisées en 1783, la poussée américaine vers l'ouest reste bloquée par les colonies européennes. Les pressions américaines et l'incapacité des métropoles à maintenir dans leurs colonies une présence efficace permettent d'acheter successivement en 1803 et en 1819 la Louisiane, redevenue française en 1800, et la Floride espagnole. Des accords avec la Grande-Bretagne fixent la frontière avec le Canada (annexion de l'Oregon en 1846). L'admission dans l'Union de la république du Texas en 1845 provoque une guerre avec le Mexique; vaincu, celui-ci cède les territoires du Sud-Ouest, par le traité de Guadalupe Hidalgo, en 1848. En même temps, la croissance démographique et les déplacements de population provoquent l'érection en États des territoires dont la population dépasse 60 000 habitants, selon le principe édicté en 1787. En 1860, la *frontier* passe encore par le Missouri (mis à part la côte ouest, peuplée depuis la ruée vers l'or californien); la construction des transcontinentaux l'abolit dès 1890. L'Union est achevée en 1912 par l'intégration des territoires réservés aux Indiens. Mais en 1959 elle s'accroît de l'Alaska et des îles Hawaii qui en deviennent les 49e et 50e États membres. (V. carte A p. 240.)

B   **DÉVELOPPEMENT DES CHEMINS DE FER**
DE 1850 A 1900

Seattle
Portland
Spokane
Northern Pacific R.R.
Butte
Helena
Boise
Great Northern R.R.
Bismarck
Grand Forks
Duluth
Québec
Montréal
Bangor
Portland
Northern Pacific R.R.
Southern Pacific R.R.
Deadwood
Pierre
Minneapolis
St Paul
Green Bay
La Crosse
Stratford
Toronto
Rochester
Worcester
Boston
Providence
Central Pacific R.R.
Sacramento
Salt Lake City
Union Pacific R.R.
Laramie
Cheyenne
Chicago & North Western R.R.
Sioux Falls
Sioux City
Milwaukee
Chicago
Detroit
Cleveland
Buffalo
Albany
New Haven
New York
San Francisco
Fresno
Denver
Kansas Pacific R.R.
Omaha
Council Bluffs
Rock Island R.R.
Burlington
Ft Wayne
Dayton
Toledo
Reading
Philadelphie
Pittsburgh
Cumberland
Baltimore
Washington
Bakersfield
Colorado
Pueblo
Atchison, Topeka & Santa Fe R.R.
Atchison
Kansas City
Springfield
Indianapolis
Cincinnati
Lynchburg
Richmond
La Junta
Topeka
St Louis
Louisville
Lexington
Norfolk
Los Angeles
Atchison, Topeka & Santa Fe R.R.
Santa Fe
Pierce City
Ohio
Nashville
Knoxville
Raleigh
Yuma
Southern Pacific R.R.
Tucson
Chicago Rock Island & Pacific R.R.
Arkansas
Cairo
Memphis
Chattanooga
Wilmington
Fort Smith
Birmingham
Atlanta
Columbia
Charleston
El Paso
Texas & Pacific R.R.
Fort Worth
Dallas
Vicksburg
Selma
Montgomery
Savannah
Mississippi
Jackson
Austin
Southern Pacific R.R.
Houston
San Antonio
Galveston
Mobile
La Nouvelle-Orléans
Jacksonville
Rio Grande

lignes exploitées en 1850

lignes ouvertes de 1850 à 1860

lignes ouvertes de 1860 à 1900

0   1000 km

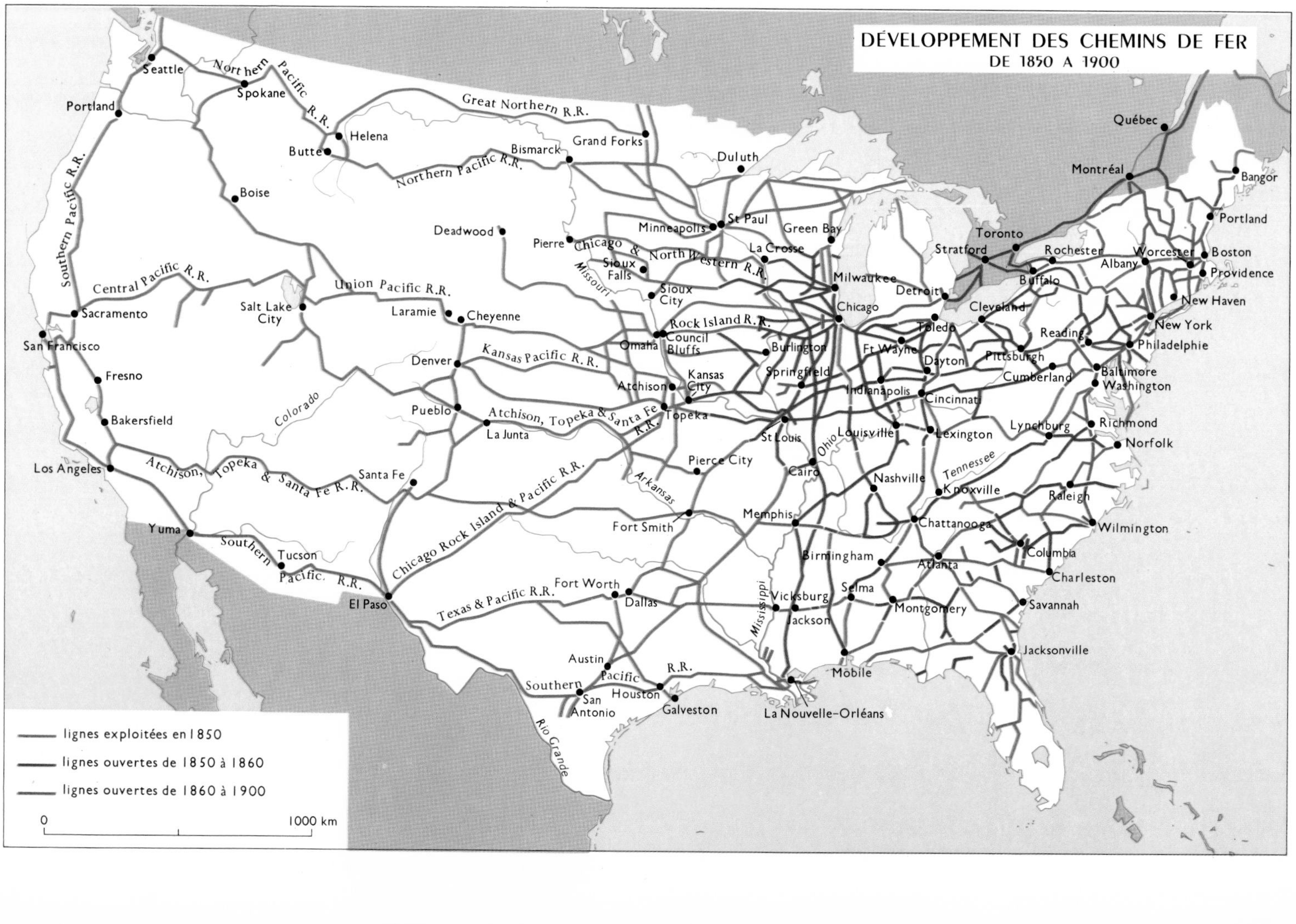

Depuis la guerre de Sécession, les républicains détiennent la majorité dans le pays. Toutefois, le Sud, à l'exception de quelques *border states* comme le Kentucky ou le Tennessee, vote « solidement » démocrate; les minorités ethniques de la côte atlantique ont le même comportement politique.

En 1896, le candidat démocrate est soutenu par les populistes; il l'emporte dans l'Ouest, mais échoue auprès de l'électorat ouvrier de l'Est. En 1912, Wilson tire parti de la division des républicains et de la popularité de son programme progressiste. En 1916, les républicains retrouvent leur unité; ils perdent les élections de très peu. Quatre ans plus tard, l'Ouest et le Nord-Est basculent, essentiellement pour des raisons de politique intérieure, du côté républicain.

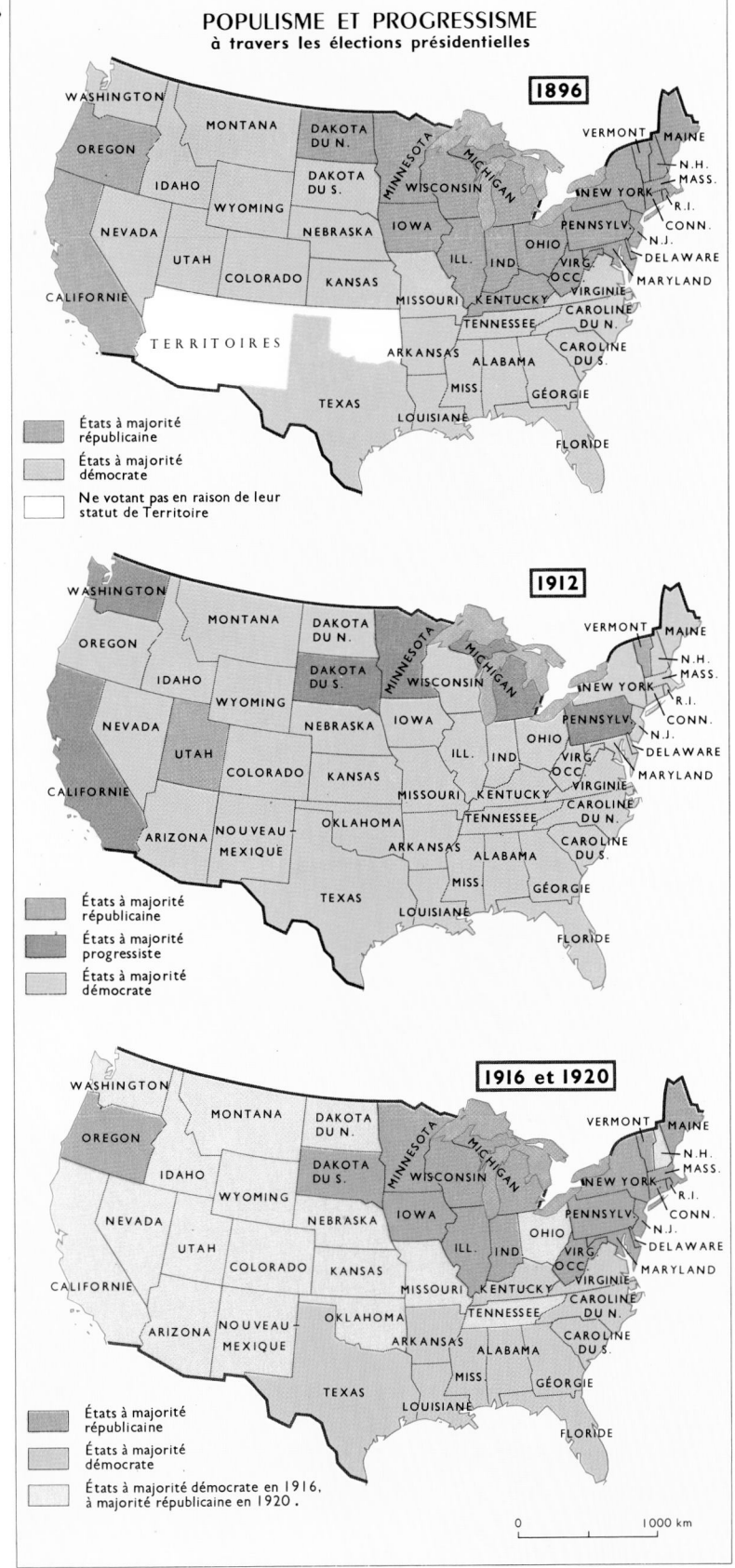

POPULISME ET PROGRESSISME
à travers les élections présidentielles

1896

États à majorité républicaine

États à majorité démocrate

Ne votant pas en raison de leur statut de Territoire

1912

États à majorité républicaine

États à majorité progressiste

États à majorité démocrate

1916 et 1920

États à majorité républicaine

États à majorité démocrate

États à majorité démocrate en 1916, à majorité républicaine en 1920.

0   1000 km

La nécessité d'occuper un immense territoire explique la précocité de la construction ferroviaire : dès 1850, 14 500 kilomètres de lignes sont construits, surtout dans le Nord-Est atlantique, au réseau déjà dense; le « take-off » (décollage économique) qui marque les années 1850-1860 accentue le mouvement par la création du réseau des Grands Lacs, relié au Nord-Est, et, plus lentement, par celle du réseau du Sud. Mais le grand développement ferroviaire commence après la guerre de Sécession, avec la « ruée vers l'ouest »; la mise en place du réseau est alors stimulée par le *Homestead Act* de 1862, qui organise la colonisation des Grandes Plaines, et surtout par l'octroi aux compagnies ferroviaires de terrains de part et d'autre de la voie. Avec l'achèvement en 1869 du *Central Pacific Railway* s'ouvre l'ère des grands transcontinentaux. De 85 000 kilomètres de voies en 1870, on passe à 311 000 en 1900; ce développement extraordinaire entraîne celui de l'industrie minière et métallurgique, et surtout celui de l'agriculture, désormais intégrée dans l'économie capitaliste.

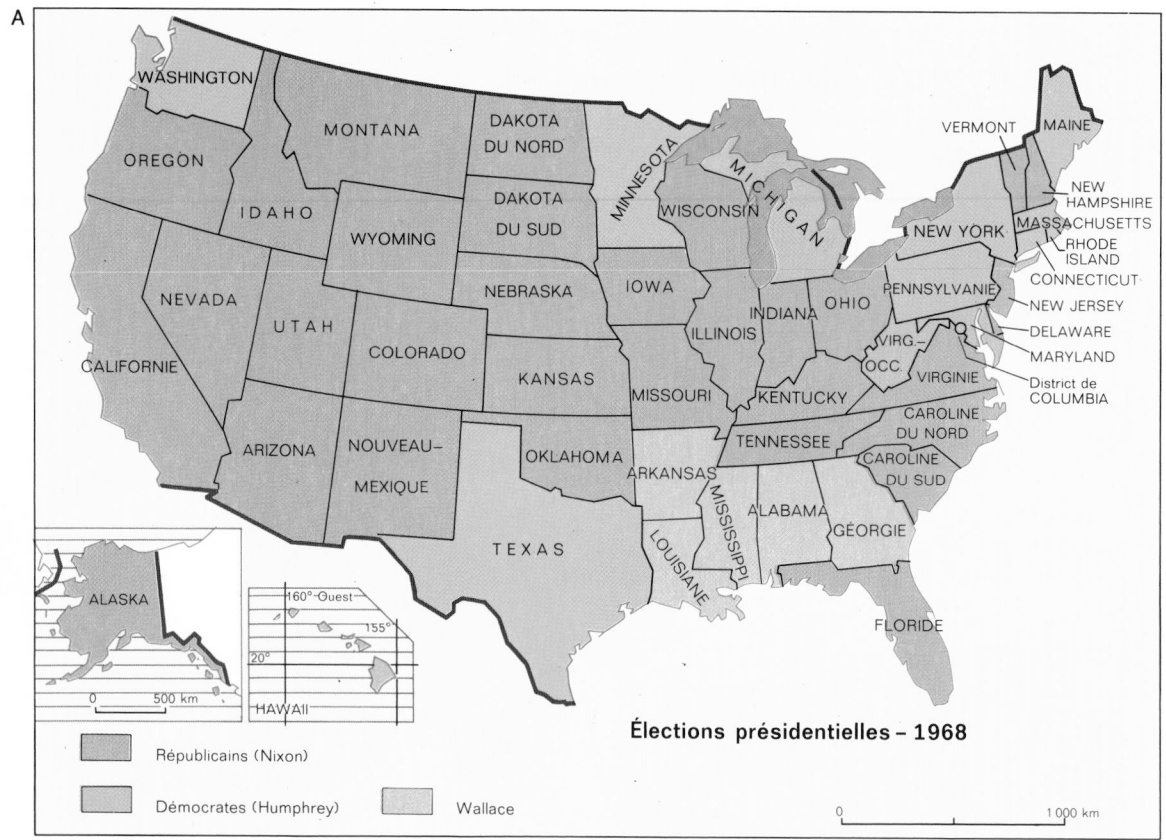

A

Élections présidentielles – 1968

Républicains (Nixon)

Démocrates (Humphrey)   Wallace

0   1 000 km

Due à l'échec de sa politique vietnamienne, la renonciation de Lyndon
Baines Johnson à solliciter un nouveau
mandat à la présidence des États-Unis
laisse en présence le républicain conservateur Richard Milhow Nixon et le
démocrate Hubert Horacio Humphrey.
L'élection est compliquée par la candidature du gouverneur ségrégationniste
de l'Alabama, George Wallace, qui
obtient un double appui : celui des
démocrates du Sud; celui des républicains ultra-conservateurs inquiets des
désordres qui se sont déroulés en 1968
(assassinat du pasteur Martin Luther
King, le 4 avril). Aussi le 5 novembre,
grâce au vote favorable des « Farmers »
et à celui des classes moyennes
blanches, Richard Nixon est-il élu, de
justesse, avec 43,40 p. 100 des voix
contre 42,72 p. 100 à Hubert Humphrey
et 13,53 p. 100 à George Wallace.

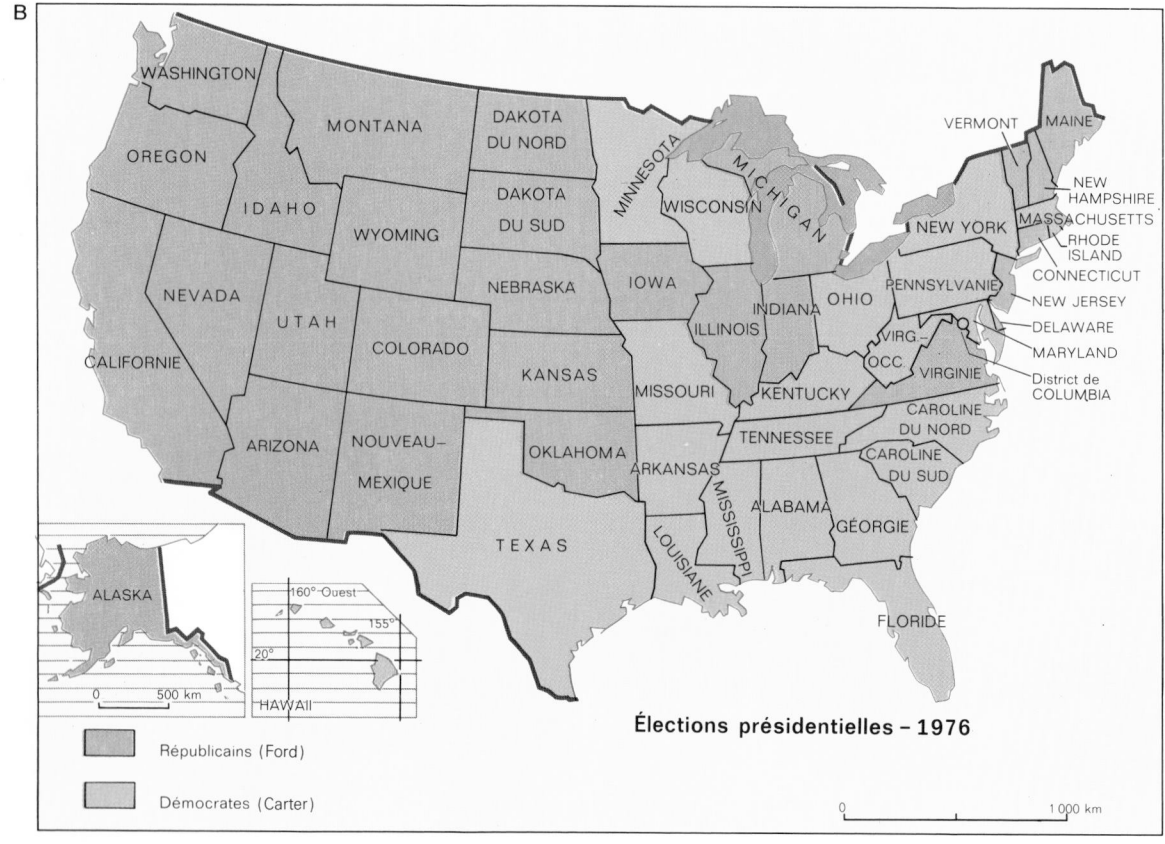

B

Élections présidentielles – 1976

Républicains (Ford)

Démocrates (Carter)

0   1 000 km

Discrédité par le scandale du Watergate,
qui a abouti à la démission de Richard
Milhow Nixon le 9 août 1974, le parti
républicain souffre également de la
grâce absolue accordée, le 9 septembre,
au président démissionnaire par son
successeur, Gerald Ford. Axant sa campagne sur le besoin de renouveau et de
purification, thèmes qui émeuvent une
opinion en plein désarroi, le candidat du
parti démocrate, le sudiste Jimmy Carter, est pourtant difficilement élu à la
présidence des États-Unis (51 p. 100 de
voix contre 49 p. 100 à Gerald Ford). Ses
maladresses d'« homme nouveau » peu
rompu aux subtilités de la politique ne
lui permettent pas de s'imposer dans
l'Ouest, alors que le Nord ouvrier et
surtout le « Deep South », fidèle à la
tradition démocrate, lui apportent leurs
suffrages.

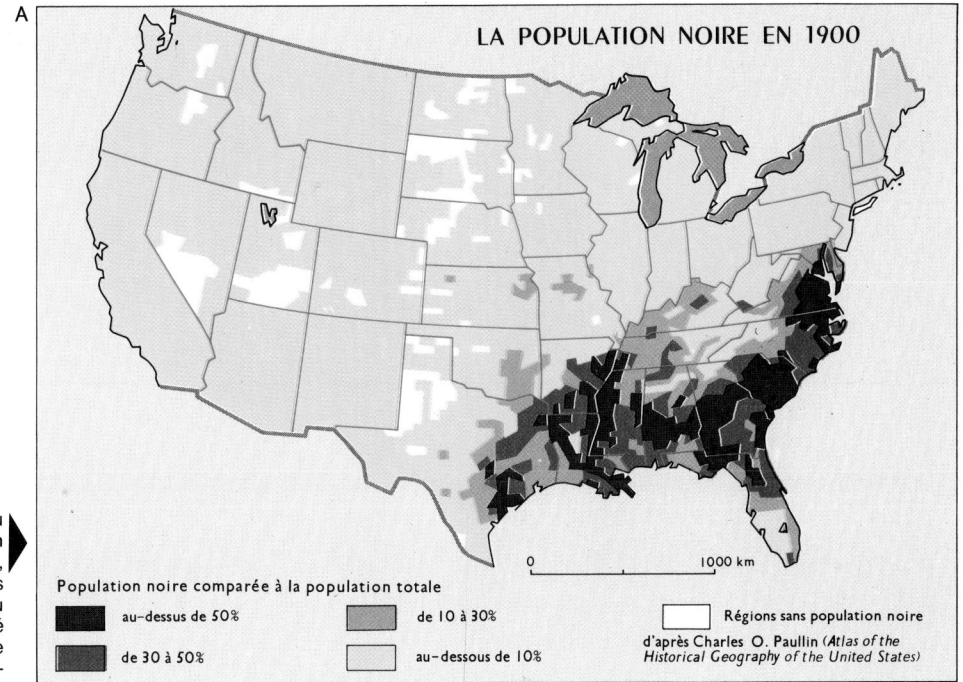

LA POPULATION NOIRE EN 1900

Population noire comparée à la population totale

au-dessus de 50%   de 10 à 30%   Régions sans population noire

de 30 à 50%   au-dessous de 10%   d'après Charles O. Paullin (Atlas of the Historical Geography of the United States)

0   1000 km

Bien qu'elle n'ait pratiquement plus reçu aucun apport extérieur depuis l'abolition de la traite en 1808, la population noire, formée des descendants des anciens esclaves, a constamment augmenté au XXᵉ siècle, en raison de sa fécondité supérieure à celle des Blancs, dont le croît démographique se nourrit largement de l'immigration. De 8 833 000 en 1900 (11,62 p. 100 de la population totale), elle est passée à 22 672 000` en 1970 (11,16 p. 100). Cette augmentation s'accompagne de modifications géographiques et sociales. En 1900, la population noire est encore cantonnée, à 90 p. 100, dans le « Vieux Sud » (elle est même majoritaire en Georgie et en Caroline du Sud); il s'agit surtout d'une population rurale, de salariés agricoles et de métayers. Au XXᵉ siècle, la crise du monde rural, l'absence d'emplois se combinent avec des facteurs psychologiques (désir de fuir le racisme virulent des « petits-blancs » du Sud) pour déterminer un double mouvement : exode rural vers les grandes villes sudistes; départ vers les métropoles industrielles du Nord et de l'Ouest, où se constituent d'immenses « ghettos » noirs. Ainsi, le « Vieux Sud », bien que restant un bastion essentiel, perd-il sa primauté (45 p. 100 de l'effectif total). Mais urbanisation et « septentrionalisation » créent de nouveaux problèmes, plus aigus parfois (chômage, délinquance) et, par contrecoup, un nouveau racisme (ségrégation renforcée). Aussi les tensions interraciales s'aggravent-elles.

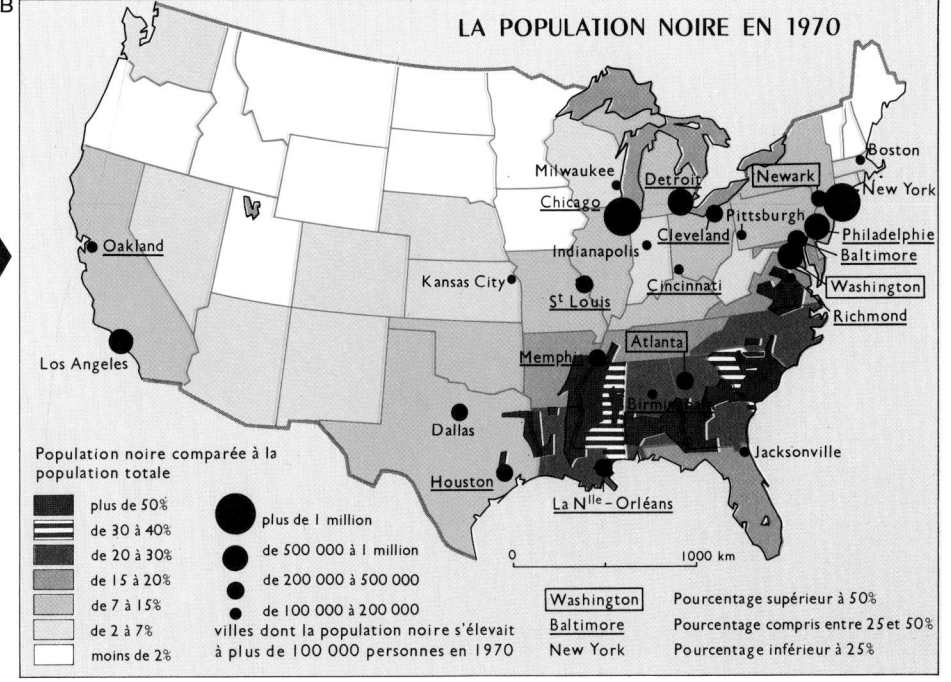

LA POPULATION NOIRE EN 1970

Milwaukee   Detroit   Newark   Boston   New York
Chicago   Pittsburgh   Philadelphie
Indianapolis   Cleveland   Baltimore
Kansas City   Cincinnati   Washington
St Louis   Richmond
Oakland   Atlanta
Memphis   Birmingham   Jacksonville
Los Angeles   Dallas
Houston   La Nᵉˡˡᵉ-Orléans

Population noire comparée à la population totale

plus de 50%
de 30 à 40%   plus de 1 million
de 20 à 30%   de 500 000 à 1 million
de 15 à 20%   de 200 000 à 500 000
de 7 à 15%   de 100 000 à 200 000
de 2 à 7%   villes dont la population noire s'élevait à plus de 100 000 personnes en 1970
moins de 2%

0   1000 km

Washington   Pourcentage supérieur à 50%
Baltimore   Pourcentage compris entre 25 et 50%
New York   Pourcentage inférieur à 25%

L'OCÉANIE

•

L'ANTARCTIQUE

•

LE MONDE ACTUEL

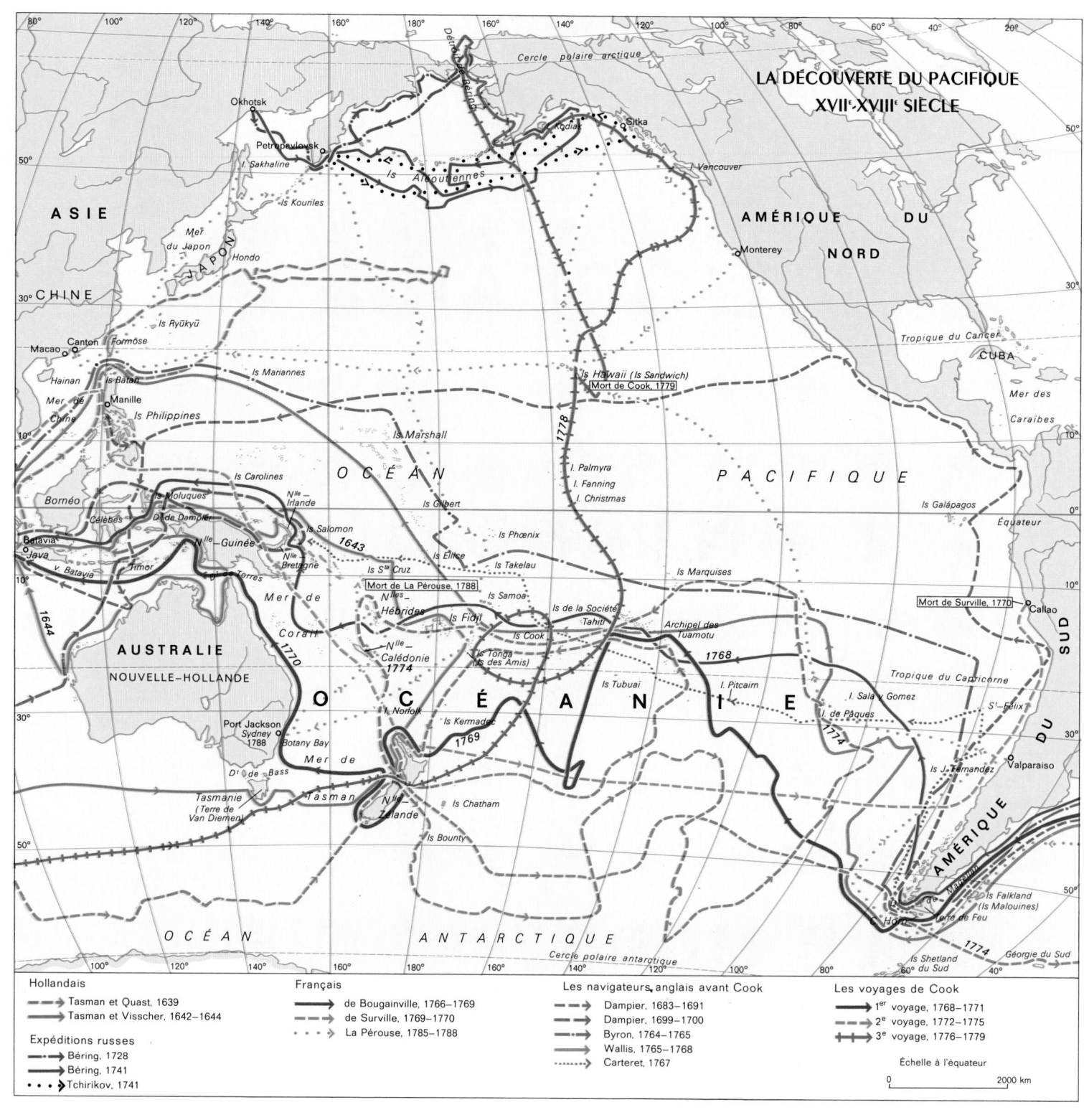

LA DÉCOUVERTE DU PACIFIQUE
XVIIᵉ·XVIIIᵉ SIÈCLE

Hollandais
- – – – ➤ Tasman et Quast, 1639
- ——— ➤ Tasman et Visscher, 1642–1644

Expéditions russes
- ——— ➤ Béring, 1728
- ——— ➤ Béring, 1741
- • • • ➤ Tchirikov, 1741

Français
- ——— ➤ de Bougainville, 1766–1769
- – – – ➤ de Surville, 1769–1770
- • • • ➤ La Pérouse, 1785–1788

Les navigateurs anglais avant Cook
- – – – ➤ Dampier, 1683–1691
- ——— ➤ Dampier, 1699–1700
- ——— ➤ Byron, 1764–1765
- ——— ➤ Wallis, 1765–1768
- • • • • Carteret, 1767

Les voyages de Cook
- ——— ➤ 1ᵉʳ voyage, 1768–1771
- – – – ➤ 2ᵉ voyage, 1772–1775
- —+—+— 3ᵉ voyage, 1776–1779

Échelle à l'équateur

0   2000 km

Jusqu'alors seulement parcouru par le « galion de Manille » des Espagnols, le Pacifique devient, à partir du XVIIᵉ siècle, l'objet de l'intérêt des Hollandais, qui occupent l'Insulinde ; sous l'impulsion du gouverneur Anthony Van Diemen, les explorations se multiplient, à la recherche du fabuleux « continent austral » dont les géographes supposent l'existence. Mais, après le grand voyage

de Abel Tasman, qui dissipe bien des illusions, l'exploration se ralentit ; et, lorsqu'elle reprend vers 1720, c'est sur des bases nouvelles.

Si les motivations économiques ou militaires demeurent (notamment chez les Russes qui explorent le Pacifique Nord), elles se doublent d'un souci scientifique, lié à la « révolution intellectuelle » du XVIIIᵉ siècle (essor de

l'astronomie, avec Newton et Halley ; *mouvement encyclopédiste*). Le rétablissement de la paix en Europe en 1763 permet de lancer de grandes expéditions scientifiques, facilitées par les récents progrès dans la construction navale et la technique de la navigation (diffusion du sextant après 1775, mise au point de chronomètres précis) : en vingt ans, les voyages des Anglais John

Byron, Samuel Wallis, Philip Carteret et surtout James Cook, des Français Louis de Bougainville et Jean de La Pérouse permettent d'aboutir à une cartographie relativement précise et d'intégrer l'Océanie au monde connu.

(V. cartes pp. 74 [B], 76 [A], 77 [A et C] et 249.)

Si l'Australie est découverte au début du XVIIe s. par des Néerlandais, les grandes îles des mers du Sud ne sont reconnues systématiquement que par leur compatriote Abel Tasman (Tasmanie, 1642; Nouvelle-Zélande, 1643; nord et ouest de l'Australie, 1644). Des Anglais (Cook, 1770) et des Français (d'Entrecasteaux, 1792) achèvent cette exploration périphérique.

Convicts établis à Port Jackson (auj. Sydney), dès 1788, puis colons libres,

dès 1793, contribuent à la fondation de la colonie (pénitentiaire jusqu'en 1842) de Nouvelle-Galles du Sud, dans un continent australien immense (7 704 000 km²) mais vide d'hommes (de 200 à 400 000 Australoïdes). Éleveurs, puis cultivateurs, les immigrants, en majorité britanniques, pénètrent alors vers l'intérieur de la Tasmanie, à partir de Hobart (1804), et plus lentement et plus difficilement (en raison de l'aridité du climat) vers l'intérieur de l'Aus-

tralie à partir des bases côtières de Brisbane (1825), de Perth (1829), de Melbourne (1835) et d'Adélaïde (1836). Autour de ces villes s'organisent les colonies de Tasmanie (1825), d'Australie-Occidentale (1829), d'Australie-Méridionale (1834), de Victoria (1851) et de Queensland (1859). Mais ce n'est qu'en 1862 que Stuart réussit à traverser ce continent, pour la première fois, du sud au nord.

Accéléré par la grande ruée vers l'or

(1851-1861), le peuplement de l'Australie déborde, depuis 1840, sur la Nouvelle-Zélande, longtemps défendue par la cruauté des Maoris (de 100 à 150 000). Lieu d'un rapide essor économique et social, ces colonies obtiennent leur autonomie au sein de l'Empire britannique, sous les noms respectifs de « Commonwealth of Australia » en 1901 et de « Dominion of New Zealand » en 1907.
(V. cartes pp. 76 et 248.)

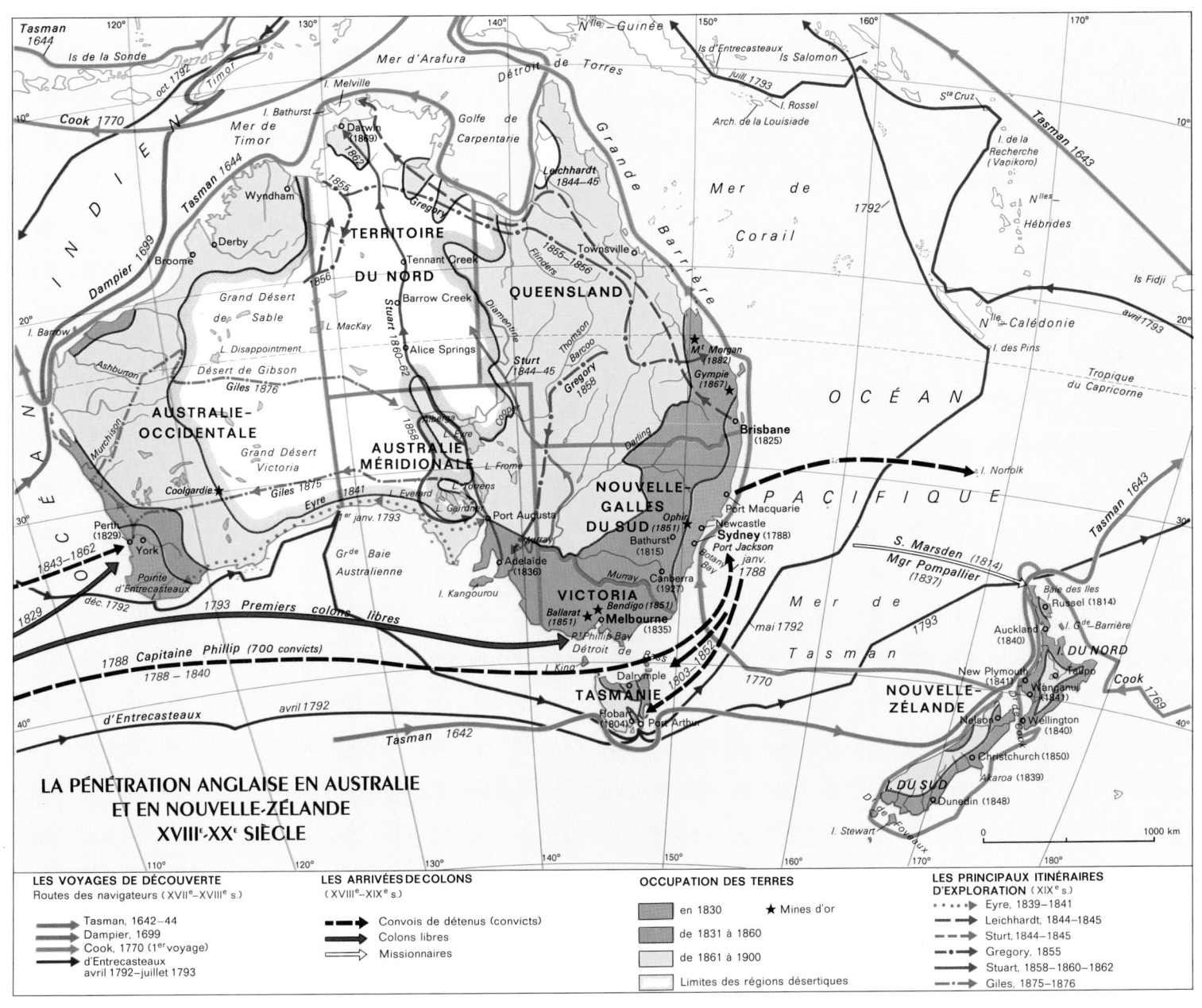

LA PÉNÉTRATION ANGLAISE EN AUSTRALIE ET EN NOUVELLE-ZÉLANDE XVIIIe-XXe SIÈCLE

LES VOYAGES DE DÉCOUVERTE	LES ARRIVÉES DE COLONS	OCCUPATION DES TERRES	LES PRINCIPAUX ITINÉRAIRES D'EXPLORATION (XIXe s.)
Routes des navigateurs (XVIIe-XVIIIe s.)	(XVIIIe-XIXe s.)	en 1830 ★ Mines d'or	Eyre, 1839-1841
Tasman, 1642-44	Convois de détenus (convicts)	de 1831 à 1860	Leichhardt, 1844-1845
Dampier, 1699	Colons libres	de 1861 à 1900	Sturt, 1844-1845
Cook, 1770 (1er voyage)	Missionnaires	Limites des régions désertiques	Gregory, 1855
d'Entrecasteaux avril 1792-juillet 1793			Stuart, 1858-1860-1862
			Giles, 1875-1876

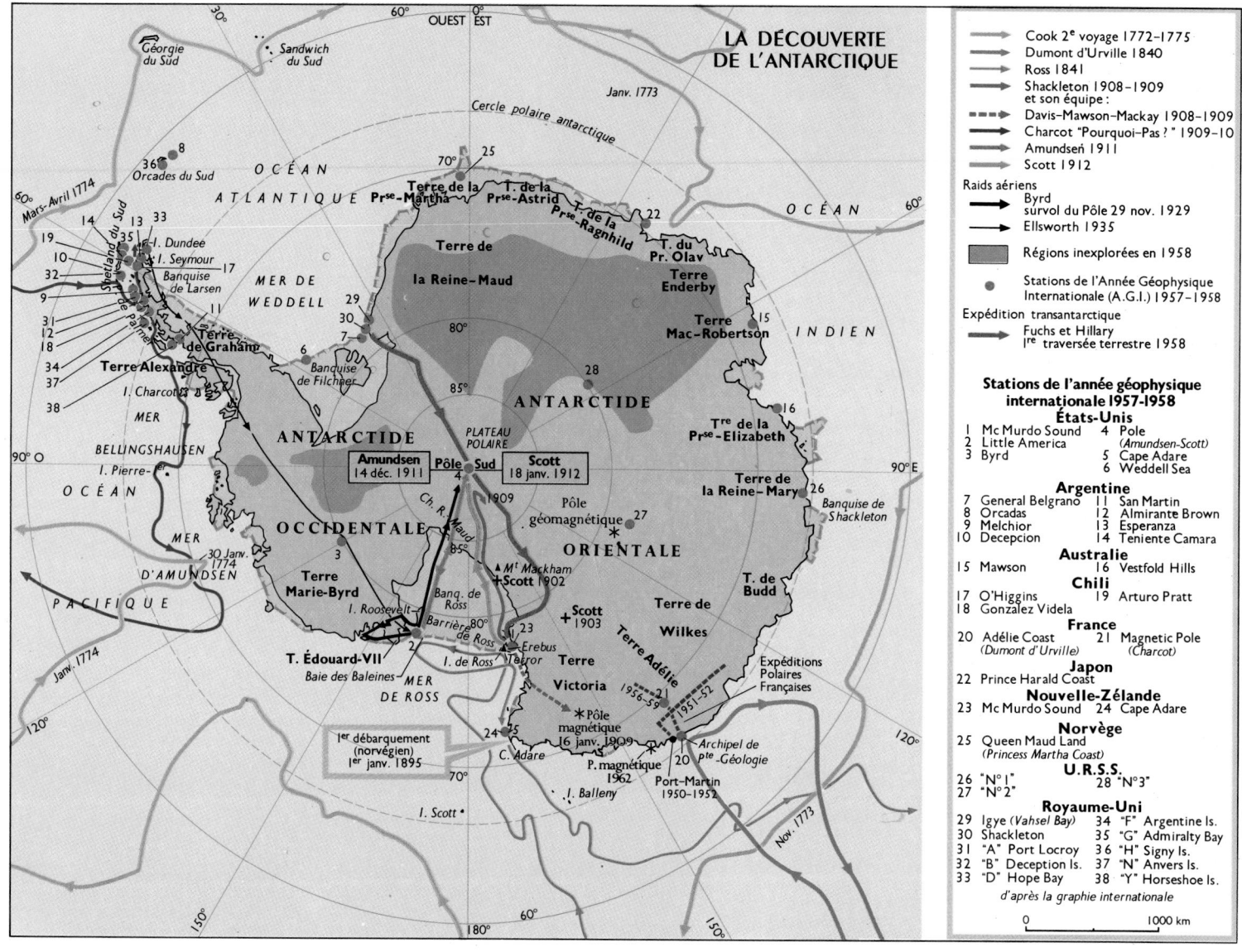

LA DÉCOUVERTE
DE L'ANTARCTIQUE

Cook 2ᵉ voyage 1772–1775
Dumont d'Urville 1840
Ross 1841
Shackleton 1908–1909
et son équipe :
Davis-Mawson-Mackay 1908–1909
Charcot "Pourquoi-Pas ?" 1909-10
Amundsen 1911
Scott 1912

Raids aériens
Byrd
survol du Pôle 29 nov. 1929
Ellsworth 1935

Régions inexplorées en 1958

Stations de l'Année Géophysique
Internationale (A.G.I.) 1957–1958

Expédition transantarctique
Fuchs et Hillary
Iʳᵉ traversée terrestre 1958

Stations de l'année géophysique
internationale 1957-1958

États-Unis
1 Mc Murdo Sound   4 Pole
2 Little America   (Amundsen-Scott)
3 Byrd   5 Cape Adare
                       6 Weddell Sea
Argentine
7 General Belgrano   11 San Martin
8 Orcadas   12 Almirante Brown
9 Melchior   13 Esperanza
10 Decepcion   14 Teniente Camara
Australie
15 Mawson   16 Vestfold Hills
Chili
17 O'Higgins   19 Arturo Pratt
18 Gonzalez Videla
France
20 Adélie Coast   21 Magnetic Pole
(Dumont d'Urville)   (Charcot)
Japon
22 Prince Harald Coast
Nouvelle-Zélande
23 Mc Murdo Sound   24 Cape Adare
Norvège
25 Queen Maud Land
(Princess Martha Coast)
U.R.S.S.
26 "N°1"   28 "N°3"
27 "N°2"
Royaume-Uni
29 Igye (Vahsel Bay)   34 "F" Argentine Is.
30 Shackleton   35 "G" Admiralty Bay
31 "A" Port Locroy   36 "H" Signy Is.
32 "B" Deception Is.   37 "N" Anvers Is.
33 "D" Hope Bay   38 "Y" Horseshoe Is.

d'après la graphie internationale

0   1000 km

La seconde campagne (1773-74) entreprise par James Cook au cours de son deuxième voyage (1772-1775) semble ruiner les espoirs de découvrir l'immense continent austral; l'exploration de l'Antarctique commence donc tardivement, à la suite des découvertes fortuites des baleiniers; aperçu en 1820, le continent n'est abordé qu'en 1831 par l'Anglais John Biscoe. C'est alors que débute l'ère des explorations scientifiques, qui restent pendant longtemps limitées à la reconnaissance des côtes (voyages de Jules Dumont d'Urville, de James Clarke Ross, de George Nares, plus tard de Jean Charcot); l'exploration terrestre ne commence qu'à la fin du XIXᵉ siècle, lorsque les ambitions politiques relaient les préoccupations scientifiques : après les expéditions d'Ernest Shackleton et de Davis, c'est la « course au pôle », où le Norvégien Roald Amundsen devance d'un mois l'Anglais Robert Falcon Scott. L'effort d'exploration se précise après la Première Guerre mondiale avec l'établissement de la première station permanente (Little America) par l'amiral Richard Byrd en 1929; le recours à l'avion le facilite, mais il ne devient systématique qu'à partir de l'opération High Jump de 1946-47 (vaste campagne de photographie aérienne), et surtout avec la mise au point d'un programme international de prospection. Né des travaux de l'Année géophysique internationale (1957-58), celui-ci entre en application lorsque l'Anglais Ernest Fuchs et le Néo-Zélandais Edmund Hillary réalisent le premier raid transantarctique (8 octobre 1957-2 mars 1958).

[V. cartes pp. 248 et 251.]

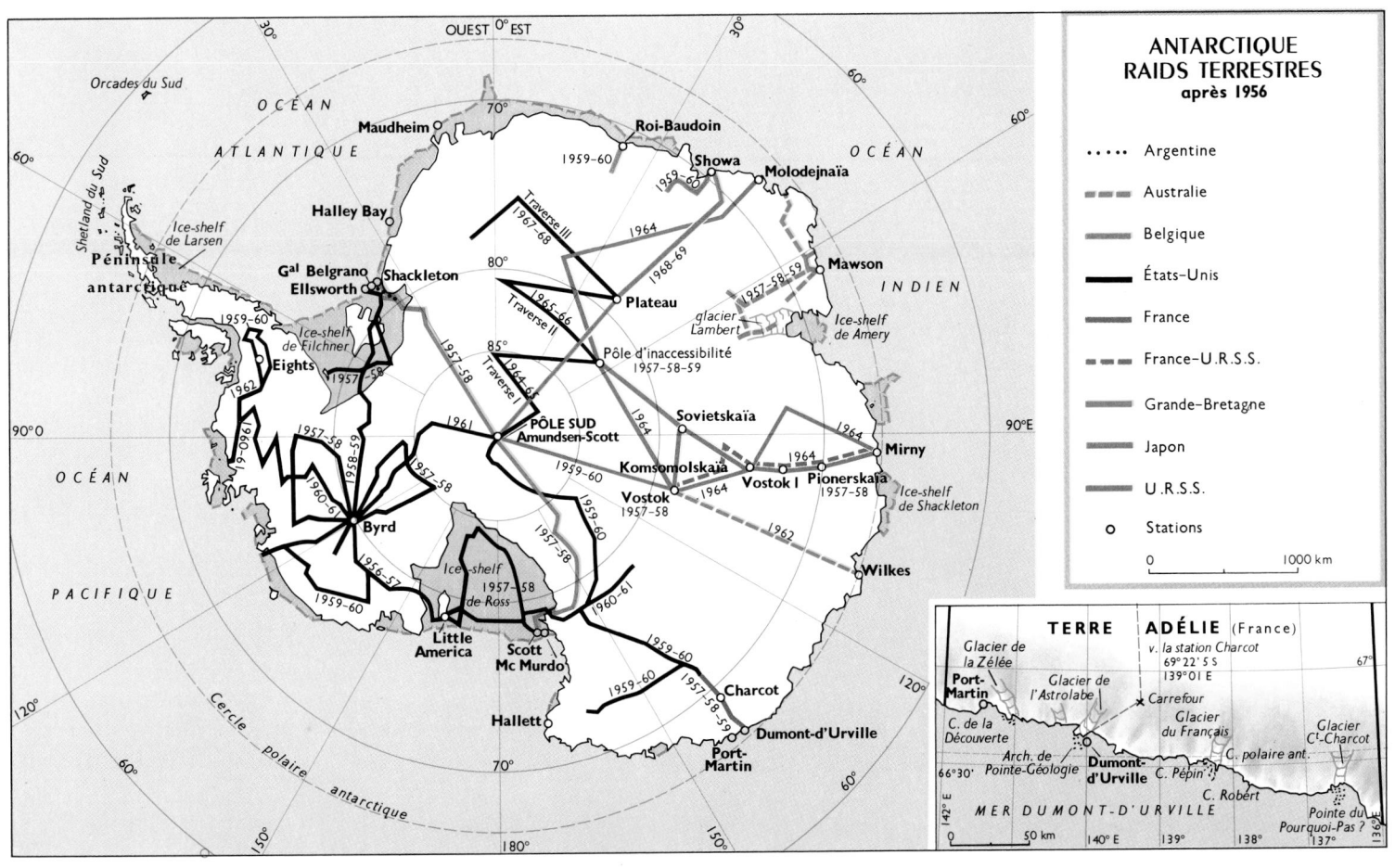

À la suite des succès de l'*Année géophysique internationale* (1er juillet 1957-31 décembre 1958), les douze pays qui y ont pris part signent à Washington, le 1er décembre 1959, le *traité de l'Antarctique*, qui rend pratiquement caduc l'accord de 1934 qui partageait le continent entre la Grande-Bretagne, l'Australie, la Nouvelle-Zélande, la Norvège et la France : le traité prévoit la démilitarisa- tion totale du continent, la suspension des litiges territoriaux et l'organisation d'une coopération scientifique permanente. Plus de huit cents techniciens s'établissent alors dans l'Antarctique, où ils multiplient les expéditions terrestres pour étudier les conditions climatologiques, magnétiques et géologiques; ils y installent donc de nombreuses stations météorologiques permanentes.

Pendant que les Américains prospectent l'Antarctide occidentale et implantent une base au pôle même, les Soviétiques explorent l'Antarctide orientale et s'établissent dès 1960 au pôle géomagnétique; les Anglais se fixent dans la mer de Weddell et la terre de Graham; les Australiens, dans la terre de Budd; les Japonais dans la terre du Prince-Olav; les Français dans la terre Adélie, où,

depuis 1952, sont mises en place de nombreuses bases, notamment à l'emplacement du pôle magnétique. Ainsi les uns et les autres complètent-ils la connaissance du continent, dont les richesses sont d'ailleurs loin d'être toutes reconnues.

(V. carte p. 250.)

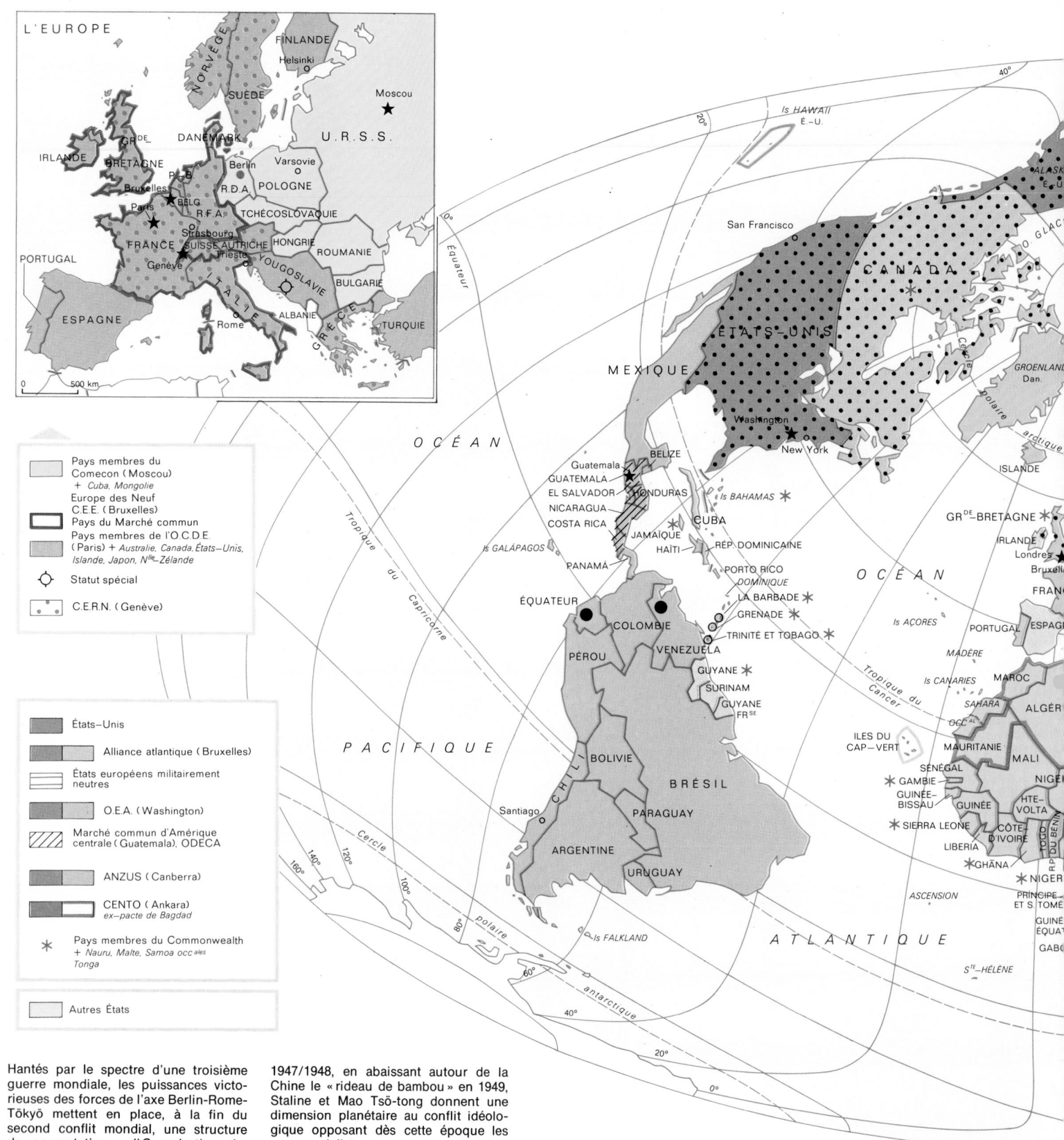

L'EUROPE

Légende:

Pays membres du Comecon (Moscou)
+ Cuba, Mongolie

Europe des Neuf
C.E.E. (Bruxelles)

Pays du Marché commun

Pays membres de l'O.C.D.E. (Paris) + Australie, Canada, États-Unis, Islande, Japon, Nᵉˡˡᵉ-Zélande

◊ Statut spécial

C.E.R.N. (Genève)

États-Unis

Alliance atlantique (Bruxelles)

États européens militairement neutres

O.E.A. (Washington)

Marché commun d'Amérique centrale (Guatemala), ODECA

ANZUS (Canberra)

CENTO (Ankara)
ex-pacte de Bagdad

✳ Pays membres du Commonwealth
+ Nauru, Malte, Samoa occᵃˡᵉˢ Tonga

Autres États

Hantés par le spectre d'une troisième guerre mondiale, les puissances victorieuses des forces de l'axe Berlin-Rome-Tōkyō mettent en place, à la fin du second conflit mondial, une structure de concertation : l'*Organisation des Nations Unies* (conférence de San Francisco, 25 avril-26 juin 1945). Avant même que d'être formulés dans la charte constitutive de l'O.N.U., les espoirs conçus par ses pères fondateurs s'avèrent en contradiction avec les réalités contraignantes de la géopolitique. Dans un télégramme adressé au président Harry Truman, Winston Churchill constate, en effet, dès le 12 mai 1945, la mise en place par l'U.R.S.S. d'un « rideau de fer », depuis les bouches de la Trave jusqu'aux faubourgs de Trieste. En déclenchant la guerre froide en 1947/1948, en abaissant autour de la Chine le « rideau de bambou » en 1949, Staline et Mao Tsö-tong donnent une dimension planétaire au conflit idéologique opposant dès cette époque les pays socialistes aux pays capitalistes. Cette structure « bipolaire » subsiste encore en 1977.

Les États socialistes restent liés à l'U.R.S.S. par des accords économiques (Comecon) et militaires (pacte de Varsovie); les États capitalistes se regroupent autour des États-Unis dans le cadre d'organisations économiques (O.C.D.E.; O.E.A.) et militaires (O.T.A.N.; O.T.A.S.E., dissoute en 1977; ANZUS; CENTO). Toutefois, de nouveaux clivages sont apparus depuis 1950. Le premier oppose les pays riches aux pays « en voie de développement », c'est-à-dire, en fait, les pays dominants aux pays dominés. Affirmée en 1955 à Bandung, la prise de conscience de ces derniers accélère leur émancipation; en outre, elle facilite la création de nouvelles solidarités à l'échelle mondiale (idéologie « tiers-mondiste » ou neutraliste) ou à l'échelle régionale (*Ligue arabe,* au Proche-Orient; *Organisation de l'Unité africaine* [O.U.A.], en Afrique; *Association des Nations de l'Asie du Sud-Est* [A.S.E.A.N.], en Asie; *Organisation des États américains* [O.E.A.], qui tente en Amérique de prendre ses distances à l'égard des États-Unis). Depuis la fin de la guerre froide, d'autres clivages affaiblissent la cohésion des blocs. Les forces centrifuges sont particulièrement vives au sein du camp socialiste. Les tentatives périodiques d'émancipation des démocraties populaires en témoignent : à Berlin-Est et en Tchécoslovaquie en 1953; en Pologne et en Hongrie en 1956; de nouveau en Tchécoslovaquie en 1968.

Grâce à leur isolement géographique

LE MONDE EN 1977

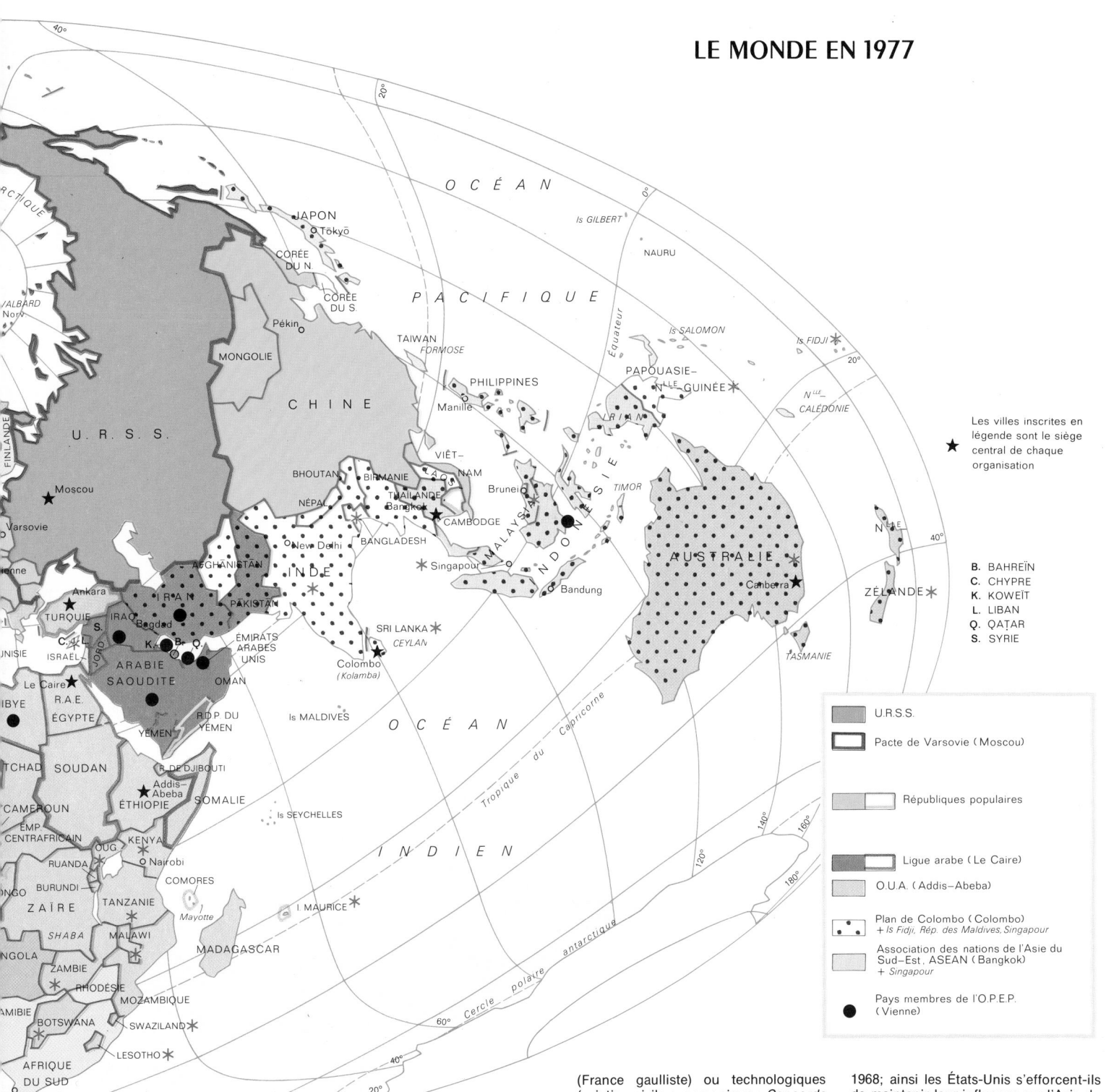

Les villes inscrites en légende sont le siège central de chaque organisation

B. BAHREÏN
C. CHYPRE
K. KOWEÏT
L. LIBAN
Q. QATAR
S. SYRIE

▨	U.R.S.S.
▢	Pacte de Varsovie (Moscou)
▨	Républiques populaires
▨	Ligue arabe (Le Caire)
▨	O.U.A. (Addis–Abeba)
⦙	Plan de Colombo (Colombo) + Is Fidji, Rép. des Maldives, Singapour
▨	Association des nations de l'Asie du Sud–Est, ASEAN (Bangkok) + Singapour
●	Pays membres de l'O.P.E.P. (Vienne)

ou à leur puissance démographique, trois États communistes ont même rompu définitivement avec Moscou : en 1948, la Yougoslavie; en 1961, l'Albanie; en 1962, enfin et surtout, la Chine, qui entame un délicat rapprochement tactique avec l'Occident parce que tout l'oppose aux pays de la Révolution d'octobre : la hiérarchie des priorités économiques (agriculture et non plus industrie), le problème de la décentralisation des foyers de production, les revendications territoriales du gouver-nement de Pékin en Asie centrale et en Extrême-Orient.

L'action des forces centrifuges est moins marquée dans le monde capitaliste, en raison de la moindre force des contraintes idéologiques et de l'interpé-nétration des intérêts financiers et éco-nomiques à l'intérieur des firmes multi-nationales. Elle n'en est pas moins réelle. Ainsi, certains membres des orga-nisations européennes (telle la C.E.E.) sont-ils entrés en compétition avec Was-hington pour des raisons idéologiques (France gaulliste) ou technologiques (aviation civile supersonique : *Concorde* franco-anglais, centrales nucléaires sur-régénératrices). De même, des rivalités commerciales opposent à ses parte-naires occidentaux le Japon, que le nombre, la qualité et le faible coût de sa main-d'œuvre placent en position favo-risée sur les marchés mondiaux. (V. cartes pp. 88 et 89).

Ainsi, à la bipolarité de l'immédiate après-guerre se substitue une diversité au sein de laquelle les deux « super-grands » sont liés par des relations complexes de solidarité et de concurrence. *Solidarité,* puisque cha-cun, dans sa sphère d'influence, essaie d'entraver les tentatives d'émancipa-tion : ainsi l'U.R.S.S. envahit-elle la Hongrie en 1956, la Tchécoslovaquie en 1968; ainsi les États-Unis s'efforcent-ils de maintenir leur influence sur l'Asie du Sud-Est, l'Amérique latine et l'Europe par des moyens de moins en moins militaires, de plus en plus politiques et économiques. *Concurrence* aussi, qui, dans le cadre de la *coexistence paci-fique,* se déplace du « centre » (apai-sement du problème allemand) vers la « périphérie », c'est-à-dire vers les zones politiquement incertaines du Proche-Orient et de l'Afrique où les États-Unis et l'U.R.S.S. s'affrontent indirectement, comme en Angola, par communistes cubains interposés tandis qu'au fond des mers se tapissent les sous-marins porteurs de l'arme de dissuasion suprême : la force de frappe nucléaire. (V. cartes pp. 75 [B], 76 [B], 77 [C], 78, 88, 89 et 212 [D].)

Nombre d'habitants au km²

- moins de 1
- de 3 à 6
- de 6 à 50
- de 50 à 100
- de 100 à 200
- plus de 200

Population urbaine

- ■ Ville de plus de 1 000 000 d'habitants
- • Ville de 500 000 à 1 000 000 d'habitants

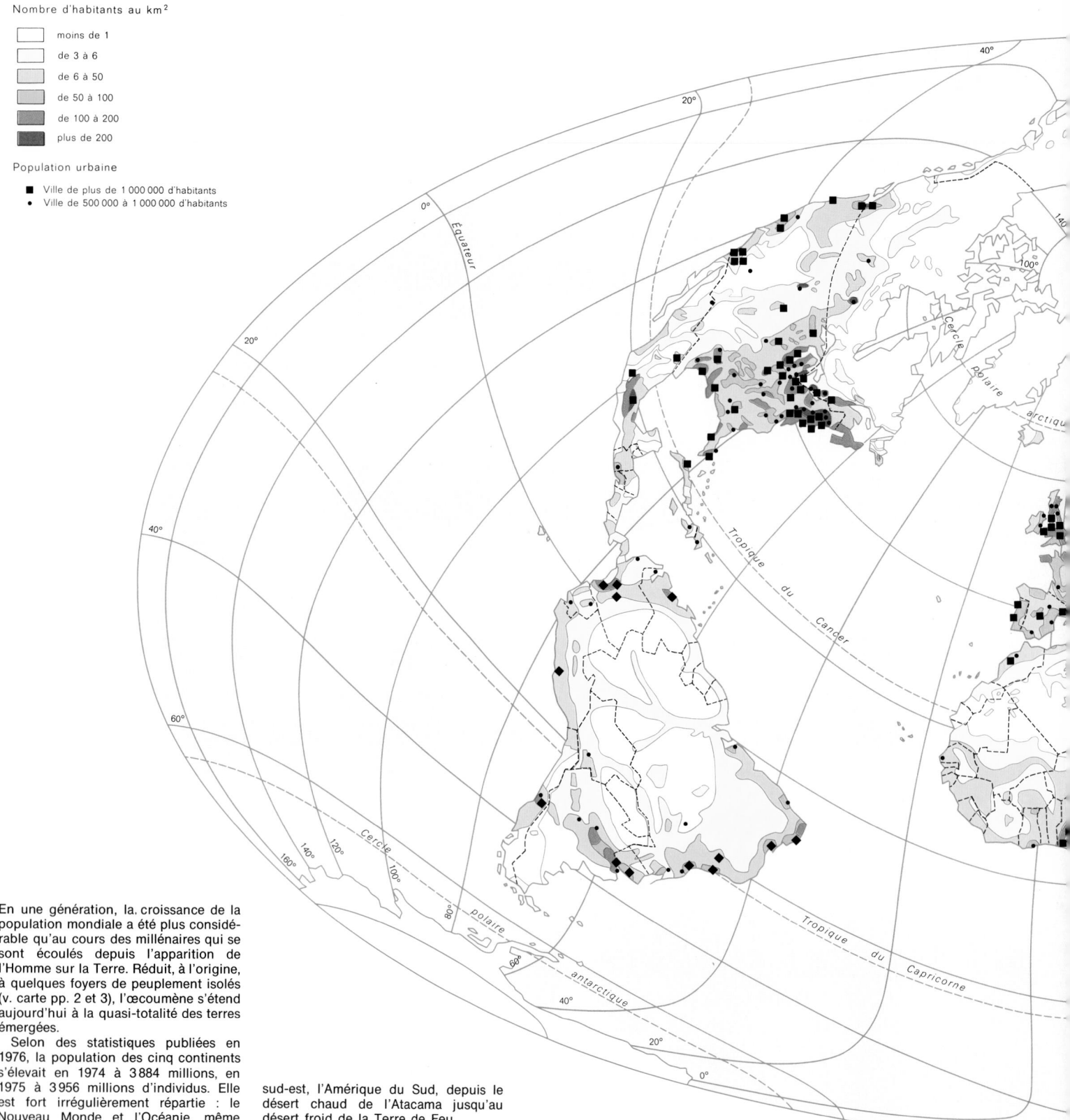

En une génération, la. croissance de la population mondiale a été plus considérable qu'au cours des millénaires qui se sont écoulés depuis l'apparition de l'Homme sur la Terre. Réduit, à l'origine, à quelques foyers de peuplement isolés (v. carte pp. 2 et 3), l'œcoumène s'étend aujourd'hui à la quasi-totalité des terres émergées.

Selon des statistiques publiées en 1976, la population des cinq continents s'élevait en 1974 à 3 884 millions, en 1975 à 3 956 millions d'individus. Elle est fort irrégulièrement répartie : le Nouveau Monde et l'Océanie, même en y incluant l'Indonésie, représentent moins de 18 % de ce total, l'Afrique un peu plus de 10 %, alors que près de 72 % des hommes se pressent dans le reste de l'Ancien Monde, au sein duquel les foules d'Asie (52,4 %) surclassent largement celles de l'Europe (19,42 %).

Le froid extrême, la médiocrité de la végétation de la toundra, liée à la présence du *permafrost* écartent l'homme de l'Arctique et de l'Antarctique; même absence dans toute la zone désertique qui traverse, du sud-ouest au nord-est, l'Ancien Monde, depuis le désert chaud du Sahara jusqu'au désert froid du Gobi, et du nord-ouest au

sud-est, l'Amérique du Sud, depuis le désert chaud de l'Atacama jusqu'au désert froid de la Terre de Feu.

Par ailleurs, l'excès de chaleur humide rend l'Amazonie et le Congo accueillants aux endémies et donc hostiles à l'homme : c'est le domaine équatorial de l'« Enfer vert » où des tribus primitives vivent encore à l'âge de pierre. Enfin, l'alternance des pluies et de la sécheresse dans les pays tropicaux provoque souvent la latérisation des terres, donc le recul des cultures et par conséquent celui de l'homme (Afrique soudanaise, Mexique et Brésil).

La population se concentre ainsi dans les régions bénéficiant d'une pluviosité mieux répartie et de la présence de limons fertiles : *zone tempérée*, où le

cycle des saisons favorise la culture du blé, entre les 35e et 55e degrés de latitude N. en Afrique et en Europe, entre les 30e et 50e degrés en Amérique du Nord; *Asie du Sud-Est et de l'Extrême-Orient,* où la mousson d'été favorise la riziculture dans les plaines fluviales et surtout deltaïques, qui nourrissent les plus fortes concentrations humaines de la planète.

La proximité de la mer, l'orientation des vents et des courants marins liée à

la rotation de la Terre accentuent cette tendance du peuplement à se concentrer sur les côtes sud-orientales des continents : en Eurasie, de Bombay à Tōkyō; en Amérique du Nord, de Cuba à l'estuaire du Saint-Laurent; en Australie, d'Adélaïde à Brisbane; en Amérique du Sud, du rio de la Plata à l'estuaire de l'Amazone.

La présence de gisements miniers, surtout charbonniers (Europe du Nord-Ouest, Donetz, Oural, Appalaches),

LA POPULATION MONDIALE
1977

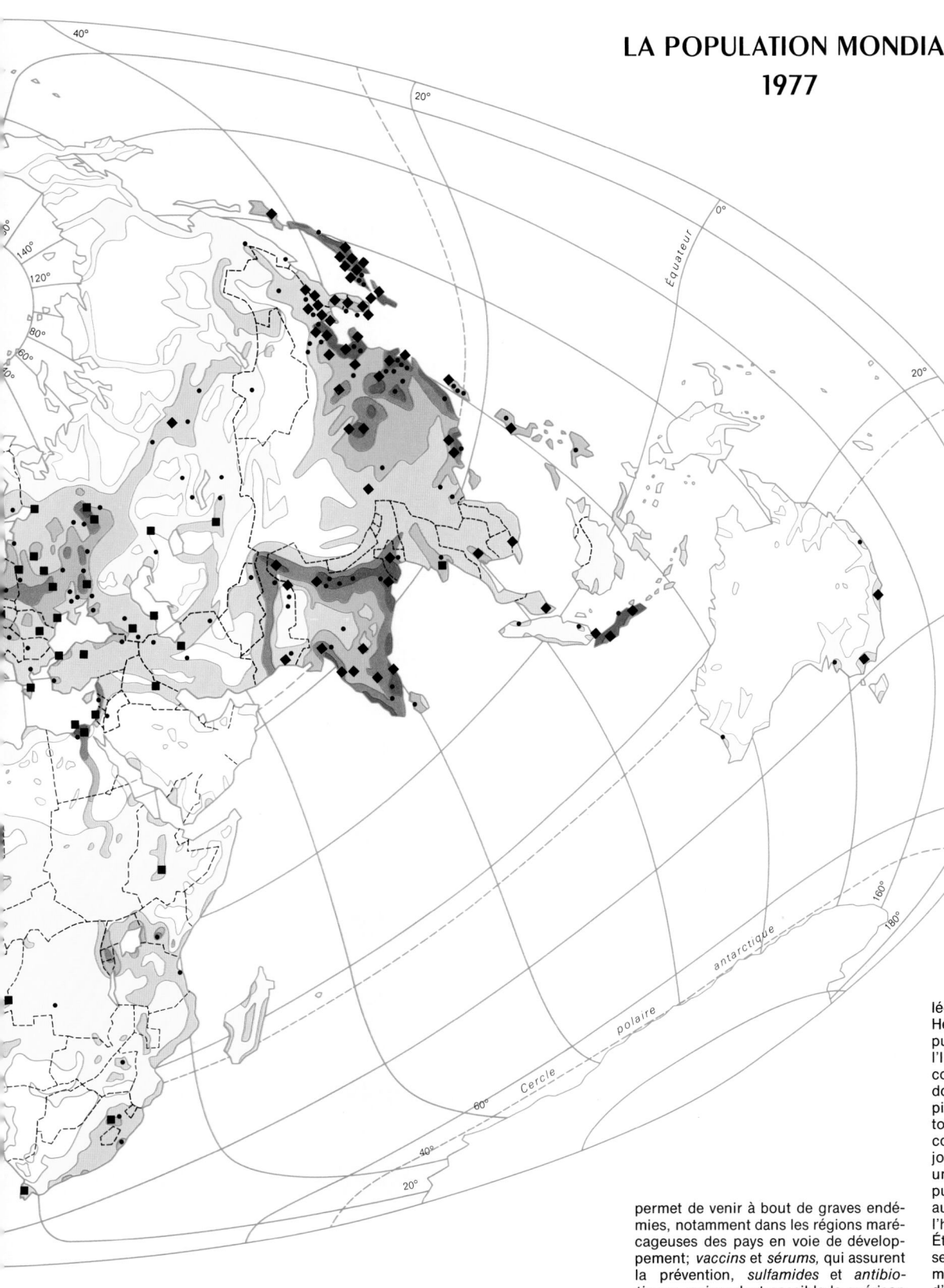

détermine aussi de fortes concentrations humaines. Mais, sauf exceptions, ce facteur ne joue pleinement son rôle que dans les régions où un long passé artisanal, soutenu par des conditions climatiques favorables à l'agriculture, a rassemblé une main-d'œuvre de haute technicité.

L'étude de cette carte révèle d'abord l'aptitude extraordinaire de l'humanité à accélérer depuis quelques décennies sa croissance. Évalué à 72 millions d'individus en 1975 par rapport à 1974, le croît démographique annuel est supérieur en valeur absolue à la totalité des pertes directes (36 millions?) et indirectes (29 millions?) dues à la Seconde Guerre mondiale. En valeur relative, ce croît annuel de 1,85 % assurerait le doublement du nombre des habitants de la planète en quarante ans. Vertigineuse, une telle croissance procède des progrès scientifiques réalisés, depuis 1939 environ, dans la lutte contre la mort : D.D.T., qui permet de venir à bout de graves endémies, notamment dans les régions marécageuses des pays en voie de développement; *vaccins* et *sérums*, qui assurent la prévention, *sulfamides* et *antibiotiques, qui* rendent possible la guérison de maladies infectieuses longtemps réputées incurables, telle la tuberculose.

Une telle croissance démographique bénéficie essentiellement à quatre pays qui rassemblent plus de 48% de la population mondiale : États-Unis (5,5%), U.R.S.S. (6,4%), Inde (15,4%), Chine (20,8%). Les deux premiers dominent la scène politique internationale depuis 1945 grâce à leur suprématie technologique et industrielle. Mais pour combien de temps? «Quand la Chine s'éveillera... le monde tremblera» aurait prédit Napo-léon Ier pendant sa captivité à Sainte-Hélène. En entrant dans le cercle des puissances nucléaires la Chine, puis l'Inde (?) ne commencent-elles pas à combler le fossé qui, dans ces deux domaines, les empêche de traiter sur un pied de complète égalité avec Washington et Moscou? Le jour où ce fossé sera comblé, le facteur démographique ne jouera-t-il pas à plein pour déterminer une nouvelle hiérarchie des grandes puissances, dont le club semble fermé aux États rassemblant au moins 5,5% de l'humanité? À moins que certains de ces États ne se regroupent pour franchir ce seuil. Ce pourrait être le cas des neuf membres de la C.E.E. (258 millions d'habitants, soit 6,53% de la population mondiale en 1975). Si ceux-ci parve-naient à exprimer leur puissance démographique et économique à travers un projet politique cohérent, l'Europe re-trouverait le rang de grande puissance que lui ont fait perdre son déclin démo-graphique séculaire et les hécatombes des deux guerres mondiales.

À cette seule condition pourrait être modifié quelque peu l'équilibre géo-poli-tique de la planète tel que le déterminent la répartition des hommes et le tracé des frontières.

CHRONOLOGIE

Conçue comme un complément de l'*Atlas historique*, la chronologie offerte à nos lecteurs ne prétend être ni totalement synoptique, ni vraiment exhaustive. Résultat d'un choix fait dans le but d'apporter un complément d'information et non de mentionner systématiquement et exclusivement les faits cartographiés, elle divise l'histoire de

L'ANTIQUITÉ DE 3500 À 1085 AV. J.-C.

ÉGYPTE ET AFRIQUE	PROCHE-ORIENT
v. 3200 Unification de l'Égypte par Ménès-Narmer. — Fondation de Memphis.	**v. 2750** Fondation de Tyr.
v. 3200-2263 Ancien Empire.	**v. 2700** Apparition de la monarchie en Mésopotamie (Kish).
v. 2680-2660 Règne de Djoser secondé par Imhotep.	**2675** Gilgamesh, roi d'Ourouk.
apr. 2200 Invasion des Amorrites dans le delta du Nil.	**v. 2550-2500** Ire dynastie d'Our.
v. 2052-1770 Moyen Empire.	**v. 2370** Fondation du royaume d'Akkad par Sargon Ier l'Ancien (2370-2314).
1991-1962 Règne d'Amenemhat Ier, fondateur de la XIIe dynastie.	**2370-2345** Règne de Lougalzaggesi, roi d'Ourouk et fondateur d'un empire sumérien.
1955 Conquête de la Nubie par Sésostris Ier (1962-1928).	**2370-2230** Royaume d'Akkad.
1895-1877 Règne de Sésostris II, colonisateur du Fayoum.	**2300** Invasion des Louvites en Asie Mineure.
1720 Invasion des Hyksos dans le delta du Nil.	**2250-2230** Invasion des Gouti en Mésopotamie.
1674 Occupation de Memphis par le Hyksos Salitis.	**2150** Goudéa, patesi (vicaire) de Lagash.
v. 1580-1085 Nouvel Empire.	**2111-2003** IIIe dynastie d'Our.
v. 1567 Rétablissement de l'unité de l'Égypte par Ahmosis (1580-1558).	**2035** Début de la pénétration des Sémites occidentaux en Mésopotamie.
1524-1512 Règne de Thoutmosis Ier.	**v. 2000-1900** Installation des Indo-Européens en Asie Mineure et en Iran.
1483-1482 Siège et prise de Megiddo, en Palestine, par Thoutmosis III.	**1940-1901** Erishou Ier, roi d'Assyrie.
1379-1362 Règne d'Aménophis IV.	**1940-1780** Relations commerciales entre l'Assyrie et la Cappadoce.
v. 1361-1352 (ou v. 1354-v. 1346) Règne de Toutankhamon.	**v. 1875** Sargon Ier, roi d'Assyrie.
1304-1238 Règne de Ramsès II.	**1813-1781** Shamshi-Adad Ier, roi d'Assyrie.
v. 1300-1299 Victoire relative de Ramsès II à Kadesh sur le roi hittite Mouwatalli.	**1792-1750** Hammourabi, roi de Babylone.
v. 1300-1250 Captivité des Hébreux en Égypte.	**1740-v. 1593** Ancien royaume hittite.
1284 Traité de paix et d'alliance imposé par Ramsès II à Hattousili III, roi des Hittites.	**v. 1595** Établissement des Kassites à Babylone.
apr. 1250 Exode vers la Terre promise des Juifs captifs en Égypte.	**v. 1550-1500** Formation du royaume du Mitanni.
1198-1166 Règne de Ramsès III.	**v. 1470-1354** Royaume hourrite du Mitanni.
1085 Prise du pouvoir en Haute-Égypte par Hérihor, grand prêtre de Thèbes.	**1380-1346** Règne de Souppilouliouma Ier, roi des Hittites.
1085 Fin du Nouvel Empire.	**1380-1191** Empire hittite fondé par Souppilouliouma Ier.
	1366-1330 Assour-ouballith Ier, fondateur du premier Empire assyrien.
	1366-1077 Premier Empire assyrien.
	v. 1365 Extension de l'Empire hittite jusqu'à Jérusalem.
	1307-1275 Adad-nirarî Ier, roi des Assyriens. Assujettissement du Mitanni à l'Assyrie.
	1274-1245 Shoulmân-asharêdou Ier, roi des Assyriens, destructeur du Mitanni.
	1230 Entrée des Juifs en Terre promise et des Araméens en Mésopotamie.
	1208 Démembrement du premier Empire assyrien.
	1200-1020 Période des Juges en Israël.
	1193-apr. 1100 Restauration de l'Empire assyrien.
	v. 1191-1190 Invasion des Peuples de la mer. Disparition de l'Empire hittite. Destruction d'Ougarit. Établissement des Philistins le long du littoral palestinien.
	1124-1103 Nabuchodonosor Ier, roi de Babylone.

DE LA CHUTE DU NOUVEL EMPIRE À LA FIN DE LA SECONDE GUERRE MÉDIQUE (de 1085 à 479 av. J.-C.)

VIE INTERNATIONALE	ÉGYPTE ET AFRIQUE	PROCHE-ORIENT
v. 1080 Invasion araméenne en Assyrie.	**1085-332** Basse Époque égyptienne.	**v. 1030/1020 - v. 1010/1000** Saül, roi des Israélites.
854-853 Bataille de Qarqar sur l'Oronte opposant Shoulmân-asharêdou III (Salmanasar) aux rois de Damas, d'Israël (Achab), etc.	**1085** Fondation à Tanis de la XXIe dynastie par Smendès.	**v. 1010/1000 - v. 970** David, roi des Israélites.
726-722 Siège et prise de Samarie par les Assyriens.	**814** Fondation de Carthage par les Phéniciens.	**v. 1000** Jérusalem, capitale du royaume de David.
671 Conquête de la Basse-Égypte par Assour-ah-iddin (Assarhaddon), roi des Assyriens.	**759-730** XXIIIe dynastie égyptienne de Tanis.	**v. 970-931** Salomon, roi des Israélites.
665 Prise de Tyr par Assour-bân-apli (Assourbanipal).	**730-716/715** XXIVe dynastie égyptienne de Saïs.	**v. 969-936** Hiram, roi de Tyr.
663 Reconquête de l'Égypte et destruction de Thèbes par les Assyriens.	**716/715-664** XXVe dynastie égyptienne.	**932-912** Assour-dân II, roi des Assyriens.
646 Destruction de Suse par les Assyriens.	**660-525** Période saïte (XXVIe dynastie).	**931-722** Royaume d'Israël.
612 Prise de la capitale assyrienne Ninive par Nabou-apla-outsour (Nabopolassar).	**v. 640-620** Fondation du comptoir grec de Naukratis.	**931-586** Royaume de Juda.
586 Prise de Jérusalem par Nabou-koudour-outsour II (Nabuchodonosor).	**631** Fondation de Cyrène par des Grecs de Théra.	**883-859** Assour-nâtsir-apli II, roi des Assyriens.
546 Prise de Sardes par Cyrus II.	**610-594** Règne du pharaon Néchao, constructeur du canal de la mer Rouge.	**879** Fondation de Samarie par Omri, roi d'Israël (885-874).
539 Occupation de Babylone par Cyrus II.	**568-525** Règne d'Amasis en Égypte.	**874-853** Achab, roi d'Israël.
535 Bataille d'Alalia opposant les Phocéens aux Étrusques et aux Carthaginois.	**560** Regroupement des négociants grecs à Naukratis par Amasis.	**859-824** Shoulmân-asharêdou III, roi des Assyriens.
518 Expédition de Darios Ier dans la vallée de l'Indus.	**525** Conquête de l'Égypte par Cambyse II.	**v. 850-800** Fondation du royaume d'Ourarthou.
513/512 Campagne de Darios Ier en Europe.	**519** Réorganisation administrative de l'Égypte par Darios Ier.	**841-836** Athalie, reine de Juda.
v. 512 Campagne de Darios Ier en Inde.		**824-810** Shamshi-Adad V, roi des Assyriens.
499-493 Révolte des Grecs d'Ionie contre les Perses.		**810-782** Adad-nirâri III, roi des Assyriens.
498 Incendie de Sardes par les Grecs d'Europe.		**746/744-727** Toukoulti-apil-ésharra III, roi des Assyriens.
494 Victoire navale des Perses à Ladê. — Prise de Milet par les Perses.		**727-722** Shoulmân-asharêdou V, roi des Assyriens.
490 Première guerre médique. — Victoire de l'Athénien Miltiade sur les Perses de Darios Ier à Marathon.		**722-705** Sharrou-kên (Sargon II), roi des Assyriens.
481 Alliance panhellénique contre les Perses.		**720-580** Invasion des Cimmériens au Proche-Orient.
480-479 Seconde guerre médique.		**v. 705/704-681/680** Sin-ahê-érîba, roi des Assyriens.
480 Sacrifice du roi de Sparte, Léonidas, aux Thermopyles.		**689** Destruction de Babylone par Sin-ahê-érîba.
480 Victoire navale de l'Athénien Thémistocle aux dépens de Xerxès Ier, à Salamine.		**v. 687** Fondation du royaume des Mermnades (v. 687-546) par Gygès (v. 687-652).
480 Victoire de Gélon, tyran grec de Syracuse, aux dépens des Carthaginois d'Hamilcar, à Himère.		**v. 669-v. 627** Assour-bân-apli, roi des Assyriens.
479 Victoire des Athéniens à Platées et au cap Mycale.		**v. 645-600** Cyrus Ier, roi perse d'Anshan.
		635-538 Empire néo-babylonien.
		633-585 Cyaxare, roi des Mèdes.
		626-605 Nabou-apla-outsour, roi de Babylone.
		625-605 Invasion des Scythes en Assyrie et en Syrie.
		605-562 Nabou-koudour-outsour II, roi de Babylone.
		v. 600 Disparition du royaume indépendant d'Ourarthou.
		v. 600-556 Cambyse Ier, roi d'Anshan.
		585-549 Astyage, roi des Mèdes.
		561-546 Crésus, roi de Lydie.
		v. 555-530 Cyrus II le Grand, roi des Perses.
		530-522 Cambyse II, roi des Perses.
		522 Bardiya, roi des Perses.
		522-486 Darios Ier, roi des Perses.
		486-465/464 Xerxès Ier, roi des Perses.

l'humanité en vingt périodes, de brièveté croissante mais de plus en plus lourdement chargées de faits politiques, économiques, sociaux et culturels, contemporains des faits qui ont été cartographiés. Nous souhaitons que nos lecteurs puissent ainsi les situer plus aisément non seulement dans l'espace, mais aussi dans le temps.

ABRÉVIATIONS ▶

A.	Arts	*R.*	Religion
Dr.	Droit	*Sc.*	Sciences
Éc.	Économie	*Sp.*	Sports
L.	Lettres	*T.*	Techniques

L'ANTIQUITÉ DE 3500 À 1085 AV. J.-C.

MONDES ÉGÉEN ET EUROPÉEN	ASIE MÉRIDIONALE ET ORIENTALE	CIVILISATION
3500 Début de l'âge du bronze en Anatolie. **3000-2600 (?)** Troie I. **2700-2500** Minoen ancien I en Crète (apparition du métal et de la céramique peinte). **2700-2000** Helladique ancien en Grèce. **2500-2250** Troie II. **v. 2500-2200** Minoen ancien II en Crète. **2500-2100** Mégalithes en Europe occidentale. **v. 2250-1800** Troie III, IV et V. **v. 2200-1900** Minoen ancien III. **v. 2000** Établissement des premiers Hellènes (Ioniens) en Grèce. **v. 2000-1750** Minoen moyen I et II. **2000-1570** Helladique moyen. **1750** Destruction des premiers palais crétois par un cataclysme. Arrivée des premiers Achéens en Grèce (?). **1750-1570** Minoen moyen III. Construction des seconds palais crétois. **1570-1500** Mycénien ancien en Grèce. Diffusion en Grèce de l'influence minoenne. **1570-1400** Minoen récent I. **1500-1400** Mycénien moyen en Grèce. **1450-1400** Minoen récent II. **1400** Destruction des seconds palais crétois. **v. 1400-1380** Fondation de Milet par les Mycéniens. **1400-1200** Minoen récent III. Mycénien récent *a* et *b*. Colonisation mycénienne à Rhodes et à Chypre. **1250-1200** Début de l'invasion dorienne en Grèce. **1250-1184** La guerre de Troie. **v. 1200** Début de la colonisation grecque en Asie. **1200** Établissement des Ombriens en Italie. **1150** Destruction de Mycènes. **apr. 1150** Début de l'âge du fer en Grèce. **av. 1100** Fondation de Gades.	**2500-1500** Civilisation de l'Indus (Harappā et Mohenjo-Daro). **v. 2194-1945** Dynastie des Xia (Hia) en Chine. **v. 1766-1112** Dynastie des Shang (Chang) en Chine. **v. 1397-1291** Transfert par l'empereur Pan Keng de la capitale chinoise à Anyang (Ngan-yang). **1300** Arrivée des Aryens sur les rives de l'Indus. **1112-771** Dynastie chinoise des Zhou occidentaux.	**v. 3500-3300** *A.* et *R.* Temples d'Ourouk (Sumer). **v. 3400** *L.* Apparition à Ourouk de l'écriture cunéiforme. **v. 2680-v. 2660** *A.* Édification de la pyramide à six degrés de Djoser à Saqqarah. **v. 2600-v. 2480** *A.* Pyramides de Kheops, Khephren et Mykerinus édifiées à Gizeh, Égypte (IVe dynastie). **2500** *A.* Stèle des Vautours érigée par Eanatoum, roi de Lagash. **v. 2500-2250** *A.* Trésor de Priam à Troie. **v. 2290-1250** *A.* Stèle de victoire de Narâm-Sin à Suse. **v. 2200-1900** *A.* Épanouissement de la civilisation du Minoen III en Crète orientale et de l'art du bronze ancien dans les Cyclades. **v. 2100** *R.* Essor du culte d'Osiris en Égypte. **2035** *A.* Mur d'Amourrou en Syrie. **v. 2000-1950** *R.* Essor du culte d'Amon en Égypte. **v. 2000-1750** *A.* Premiers palais minoens en Crète. **1755** *L.* Code d'Hammourabi en Mésopotamie. **1750-1570** *A.* Construction des seconds palais crétois. *L.* Écriture linéaire « A » en Crète. **1620** *A.* Tombe à fosse du cercle B à Mycènes. **1500** Italie du Nord : premiers terramares ; début de l'âge du bronze. **1500-1400** *A.* Chefs-d'œuvre du mycénien moyen en Grèce : premières fortifications de Tirynthe, premières tombes à coupoles de Mycènes. **1450-1400** *A.* Style du « palais » à Knossós. — *L.* Écriture linéaire « B » en Crète. **1400** *A.* Premiers nuraghi en Sardaigne. **v. 1379** *A.* Édification des colosses de Memnon dans la Vallée des Rois (tombe d'Aménophis III). **1375** *R.* Révolution atonienne d'Aménophis IV. — Transfert de la capitale égyptienne à Tell al-Amarna. **1350-1200** *A.* Construction de la forteresse et de la porte des Lionnes de Mycènes. **1330** *A.* Trésor d'Atrée à Mycènes.

DE LA CHUTE DU NOUVEL EMPIRE À LA FIN DE LA SECONDE GUERRE MÉDIQUE (de 1085 à 479 av. J.-C.)

MONDES CELTE, GREC ET ROMAIN	ASIE MÉRIDIONALE ET ORIENTALE	CIVILISATION
v. 950-v. 525 Premier âge du fer en Italie : civilisation de Villanova. **v. 900-v. 500** Premier âge du fer en Europe centrale (civilisation de Hallstatt). **apr. 900** Fondation de Phocée. **v. 800-700** Synœcisme athénien. **754** Début de l'éphorat à Sparte. **753** Fondation de Rome (date traditionnelle). **v. 750** Début de la colonisation grecque en Occident. **v. 747-v. 657** Gouvernement des Bacchiades à Corinthe. **v. 740** Fondation de Cumes. **733/732** Fondation de Syracuse par les Corinthiens. **721-511** Vie et mort de la colonie achéenne de Sybaris. **v. 700-v. 550** Conquête étrusque en Italie. **682** Création de l'archontat annuel à Athènes. **660** Fondation de Byzance par les Mégariens. **621** Lois de Dracon à Athènes. **600** Fondation de Massalia (Marseille) par les Phocéens. **594** Archontat et lois de Solon à Athènes. **561/560-528/527** Pisistrate, tyran d'Athènes. **560/559** Mort de l'Athénien Solon. **533-522** Tyrannie de Polycrate à Samos. **528/527-514** Hippias et Hipparque, tyrans d'Athènes. **520-490** Cléomène Ier, roi de Sparte. **514** Complot d'Harmodios et d'Aristogiton : assassinat d'Hipparque. **510** Chute des Pisistratides à Athènes. **509** Chute de la monarchie des Tarquins et début des fastes consulaires à Rome. **508/507** Réformes de Clisthène à Athènes. **504** Prise de Rome par le roi étrusque Porsenna. **501/500** Création des stratèges à Athènes. **500 av. J.-C. - 30 apr. J.-C.** Deuxième âge du fer en Europe centrale : civilisation de La Tène. **494/493** Première sécession de la plèbe romaine sur le mont Sacré (ou l'Aventin). **493/492** Archontat de Thémistocle à Athènes. **485** Découvertes des mines d'argent du Laurion. **483/482** Loi de Thémistocle fondant la puissance maritime d'Athènes ; ostracisme d'Aristide. **482-474** Première guerre entre Rome et Véies.	**v. 1000-800** Colonisation de la vallée du Gange par les Aryens. **722-221** Dynastie chinoise des Zhou orientaux. **722-481** Époque chinoise des hégémons. **605-520** Vie du philosophe chinois Lao-tseu, fondateur du taoïsme. **v. 559-v. 478** Vie du bouddha Śākyamuni. **v. 551-v. 479** Vie de Confucius. **v. 540-v. 468** Vie de Mahāvira, fondateur du jinisme (ou jaïnisme). **v. 500-416** Vie du philosophe chinois Mozi (Mo-tseu).	**v. 969-v. 962 ou v. 959** *R.* et *A.* Fondation du Temple de Jérusalem par Salomon. **900-725** *A.* Céramique géométrique en Grèce. **850-800** *L.* Composition des poèmes homériques : *l'Iliade* et *l'Odyssée*. **800-600** *A.* Bronzes du Louristan (Luristān). **v. 780-750** *L.* Adoption par les Grecs de l'alphabet phénicien. **v. 776** *R.* Fondation des jeux Olympiques. **v. 740-v. 670** *L.* Vie du poète grec Hésiode. **v. 717-705** *A.* Construction du palais assyrien de Khursabād par Sargon II. **v. 690** *A.* Construction du palais de Sin-ahê-érîba (Sennachérib) à Ninive. **622** *L.* et *R.* Rédaction du *Deutéronome*. **586-539** *R.* Captivité des Juifs à Babylone. **582** *A.* et *R.* Organisation définitive des jeux Pythiques à Delphes. **573** *A.* et *R.* Fondation des jeux Néméens. **566/565** *A.* et *R.* Création des grandes Panathénées à Athènes. **535** *A.* Construction du palais de Pasargades par Cyrus II. **534** *A.* et *R.* Création à Athènes d'un concours de tragédie : les Dionysies. **530** *L.* Fondation à Crotone de la secte de Pythagore. **v. 526/525-456/455** *L.* Vie d'Eschyle. **515** *A.* Dédicace du nouveau Temple de Jérusalem. **v. 500** *A.* et *R.* Construction du tombeau de Darios Ier à Naqsh-i Roustem. — La Louve du Capitole (à Rome). **498-446** *L.* *Odes* de Pindare. **v. 496/494-406** *L.* Vie du poète tragique athénien Sophocle. **495** *A.* et *R.* Construction du temple d'Aphaia à Égine. **v. 484-425** *L.* Vie de l'historien grec Hérodote d'Halicarnasse.

DE LA FIN DE LA SECONDE GUERRE MÉDIQUE À LA FIN DE LA DEUXIÈME GUERRE PUNIQUE (de 479 à 201 av. J.-C.)

VIE INTERNATIONALE	MONDE GREC
474 Cumes : victoire navale de Hiéron sur les Étrusques.	**478-466** Hiéron Ier, tyran de Syracuse.
468-467 Eurymédon : victoire navale de l'Athénien Cimon sur les Perses.	**477-404** Ligue de Délos (première confédération athénienne).
460-454 Expédition désastreuse des Athéniens en Égypte.	**472/471** Ostracisme de Thémistocle.
449/448 Paix de Callias entre Athènes et la Perse.	**462/461** Réformes démocratiques d'Éphialtès à Athènes.
412 Traité de Milet entre Sparte et la Perse.	**462/461-429** Prééminence à Athènes de Périclès (stratège, 443-429).
398-392 Première guerre punique de Denys Ier l'Ancien.	**454** Transfert à Athènes du trésor de la ligue de Délos.
394 Défaite navale des Spartiates à Cnide.	**447/446** Coronée : victoire des Thébains sur les Athéniens. — Naissance de la confédération béotienne.
386 Congrès de Sardes. Paix d'Antalkidas entre Sparte et la Perse.	
383-376 Deuxième guerre punique de Denys Ier l'Ancien.	**446** Paix de Trente ans entre Athènes et Sparte.
367 Troisième guerre punique et mort de Denys Ier l'Ancien.	**443** Fondation de Thourioi par Périclès.
348 Premier traité romano-carthaginois.	**431-404** Guerre du Péloponnèse.
337-327 Guerre entre la Macédoine et la Perse.	**430** Peste d'Athènes (mort de Périclès en 429).
334-324 Expédition d'Alexandre en Asie et en Afrique.	**421** Paix de Nicias entre Sparte et Athènes.
334 Victoire d'Alexandre au Granique.	**413** L'Assinaros : désastre athénien en Sicile.
333 Victoire d'Alexandre à Issos. — Occupation de la Phénicie.	**411** Révolution oligarchique des *Quatre Cents* à Athènes.
332 Sièges de Tyr et de Gaza par Alexandre.	**406** Bataille navale des îles Arginuses : Athènes bat Sparte.
331 Gaugamèles, près d'Arbèles : victoire d'Alexandre.	**405-367** Denys Ier l'Ancien, tyran de Syracuse.
327 Second traité romano-carthaginois.	**405** Désastre naval des Athéniens à l'Aigos-Potamos.
281-274 Intervention en Italie et en Sicile de Pyrrhos, roi d'Épire.	**404-403** Gouvernement des *Trente*.
275 Défaite de Pyrrhos à Bénévent.	**404-371** Hégémonie de Sparte en Grèce.
272 Prise de Tarente par les Romains.	**404** Capitulation d'Athènes : destruction des Longs Murs.
264-241 Première guerre punique.	**378/377-338** Seconde confédération athénienne.
260 Mylae (Myles) : victoire navale du Romain Duilius sur les Carthaginois.	**371** Paix imposée par Athènes à Sparte. — Victoire de Thèbes sur Sparte à Leuctres.
256/255 Expédition du consul romain C. Atilius Regulus en Afrique.	**371-362** Hégémonie de Thèbes en Grèce.
241 Paix entre Rome et Carthage.	**367-344** Denys II le Jeune, tyran de Syracuse.
238 Cession à Rome de la Corse et de la Sardaigne carthaginoises.	**362** Mantinée : victoire (et mort) du Thébain Épaminondas sur Sparte et Athènes.
229-228 Première guerre illyrienne.	**359-336** Philippe II, roi de Macédoine.
219/218-201 Deuxième guerre punique.	**338** Chéronée : victoire de Philippe II de Macédoine sur les Grecs. — Ligue de Corinthe.
219 Siège de Sagonte par Hannibal.	**336-323** Alexandre le Grand, roi de Macédoine.
218-206 Campagne romaine d'Espagne.	**323** Partage de l'empire d'Alexandre entre les Diadoques.
218 Le Tessin et la Trébie : Hannibal bat deux fois les Romains.	**323-321** Régence de Perdiccas.
217 Lac de Trasimène : Hannibal bat les Romains.	**321-301** Prédominance d'Antigonos Monophthalmos sur les Diadoques.
216 Cannes : Hannibal bat les Romains.	**321** Partage du Triparadisos entre les Diadoques.
212-205 Première guerre de Macédoine.	**306** Fondation de la monarchie antigonide en Macédoine.
212-211 Siège de Syracuse par Marcellus.	**304** Fondation des deux monarchies : lagide en Égypte et séleucide en Syrie.
209 Prise de Carthagène par P. Cornelius Scipio.	**301** Ipsos : défaite et mort d'Antigonos Monophthalmos. — Début des Épigones.
207 Le Métaure : défaite et mort d'Hasdrubal, frère d'Hannibal.	**277/276-239** Antigonos Gonatas, roi de Macédoine.
205-204 Conquête de la Sicile par P. Cornelius Scipio.	**282** Indépendance de Pergame.
205 Paix de Phoinikê entre Rome et Philippe V de Macédoine.	**240-133** Royaume attalide de Pergame.
204-202 Campagne nord-africaine de P. Cornelius Scipio.	**222** Bataille de Sellasie qui livre la Grèce à la Macédoine.
202 Zama : victoire de P. Cornelius Scipio (dit Scipion l'Africain) sur Hannibal.	**221-179** Règne de Philippe V de Macédoine.

LE MONDE ANTIQUE À L'ÉPOQUE DE LA CONQUÊTE ROMAINE (de 201 à 31 av. J.-C.)

VIE INTERNATIONALE	ROME : INSTITUTIONS ET PROVINCES	ROME : LES CRISES INTÉRIEURES
200 Défaite du Panion : l'Égypte cède la Syrie Creuse à Antiochos III Mégas.	**197** Création des deux provinces romaines d'Espagne Citérieure et d'Espagne Ultérieure.	**187** Procès de P. Cornelius Scipio (Scipion l'Africain).
200-196 Deuxième guerre de Macédoine.	**185 ou 184-129** Vie de Scipion Émilien.	**186** Scandale des Bacchanales à Rome.
197 Victoire romaine de Cynoscéphales sur Philippe V de Macédoine.	**184** Censure de Caton l'Ancien.	**133** Assassinat de T. Sempronius Gracchus.
195 Paix syro-égyptienne.	**182** Première loi somptuaire votée à Rome.	**121** Assassinat de C. Sempronius Gracchus.
192-188 Guerre entre Rome et Antiochos III Mégas.	**180** *Lex Villia Annalis*, fixant le *cursus honorum*.	**87-82** Guerre civile.
191 Victoire romaine des Thermopyles sur Antiochos III.	**151** Loi interdisant la réitération du consulat à Rome.	**87** Terreur à Rome, mort de Marius.
189 Victoire des Scipions à Magnésie du Sipyle.	**149** *Lex Atinia :* admission de droit des anciens tribuns au Sénat.	**80-72** Révolte, défaite et mort de Sertorius en Espagne.
188 Traité syro-romain d'Apamée Kibôtos.	**149** Premier consulat de Scipion Émilien.	**73-71** Guerre servile de Spartacus en Italie.
181-174 Première guerre celtibère.	**148** Réduction en province romaine de la Macédoine.	**70** Procès de Verrès.
172-168 Troisième guerre de Macédoine.	**134** Second consulat de Scipion Émilien.	**66** Première conspiration de Catilina.
169-168 Sixième guerre de Syrie.	**134-133** Tribunat et loi agraire de T. Sempronius Gracchus.	**63-62** Seconde conspiration, défaite et mort de Catilina.
168 Défaite de Persée, vaincu à Pydna par Paul Émile.	**129** Érection de Pergame en province romaine d'Asie.	**60-53** Premier triumvirat : Pompée, César, Crassus (entente privée).
154-152 Deuxième guerre celtibère.	**124-122** Tribunats de C. Sempronius Gracchus.	**57-55** Révolte des Juifs contre Rome en Syrie.
150-148 Guerre entre Carthage et Masinissa, roi des Numides.	**123** Lois agraire, frumentaire et judiciaire de C. Sempronius Gracchus.	**56** Entrevue des triumvirs à Lucques.
149-146 Troisième guerre punique.	**122** Fondation d'Aquae Sextiae (auj. Aix-en-Provence).	**49** Franchissement du Rubicon par César.
147-138/137 Guerre lusitanienne dirigée par Viriathe.	**118** Fondation de la colonie romaine de Narbonne.	**49-44** Dictature de César.
146 Sacs de Corinthe et de Carthage par les Romains.	**111** Annulation des lois agraires des Gracques par la *Lex Thoria*.	**48** Bataille de Pharsale, défaite et mort de Pompée, vaincu par César.
144-133 Troisième guerre celtibère.	**107-106** Premier consulat de Marius : réforme de l'armée.	**46** Victoire de César à Thapsus sur les pompéiens.
134-133 Siège et prise de Numance par Scipion Émilien.	**104-100** Consulats de Marius.	**45** Victoire de César à Munda aux dépens de Sextus Pompée.
125-117 Conquête et organisation de la Transalpine.	**101** Création de la province romaine de Cilicie.	**44** Assassinat de César.
113-101 Guerre des Cimbres.	**101-44** Vie et mort de César.	**43** Bataille de Modène : Octave bat Antoine.
112-106 Guerre de Jugurtha.	**95** *Lex Licinia Mucia*, interdisant les sacrifices humains.	**43-33** Second triumvirat : Octave, Antoine et Lépide (collège de magistrats).
102 Victoire de Marius sur les Teutons à Aquae Sextiae.	**91-88** La guerre sociale en Italie.	**43** Assassinat de Cicéron et de nombreux proscrits.
101 Victoire de Marius sur les Cimbres à Verceil.	**82-79** Dictature et abdication de Sulla.	**42** Bataille de Philippes : les triumvirs triomphent des meurtriers de César.
96 Annexion par Rome du royaume de Cyrène.	**67** *Lex Gabinia*, interdisant l'exportation des capitaux hors d'Italie. — Défaite des pirates, vaincus en Méditerranée par Pompée.	**41-40** Guerre de Pérouse entre Octave et Antoine.
89-85 Première guerre entre Rome et Mithridate, roi du Pont.		**40** Paix de Brindes : renouvellement du second triumvirat.
83-81 Deuxième guerre contre Mithridate, roi du Pont.	**67** Création de la province romaine de Crète-Cyrénaïque.	**31** Bataille d'Actium : Octave défait Antoine.
66-62 Pompée en Orient.	**64** Annexion de la Syrie érigée en province romaine.	
58-51 La guerre des Gaules.	**63-62** Consulat de Cicéron.	
53 Carrhes : Crassus vaincu et tué par les Parthes.	**59** Premier consulat de César.	
52 Victoires de Vercingétorix à Gergovie, puis de César à Alésia.	**52** Pompée seul consul.	
51 Prise d'Uxellodunum par César.	**51** Création de la province romaine de Gaule.	
49 Prise de Marseille par César.	**43** Fondation de Lyon.	
36 Campagne d'Antoine contre les Parthes.		
33 Protectorat romain sur la Maurétanie (Mauritanie).		
32-30 Guerre entre Octave et Cléopâtre VII.		

DE LA FIN DE LA SECONDE GUERRE MÉDIQUE À LA FIN DE LA DEUXIÈME GUERRE PUNIQUE (de 479 à 201 av. J.-C.)

MONDES ROMAIN, CELTE ET AFRICAIN	MONDES ORIENTAL ET ÉGYPTIEN	CIVILISATION
471 Organisation des *concilia plebis* (comices tributes) ; création des tribuns de la plèbe.	**465/464-424** Artaxerxès Ier Longue-Main, roi des Perses.	**480-406** *L.* Vie du poète tragique grec Euripide.
451-449 Remplacement des consuls romains par des décemvirs.	**462/461** Révolte du Libyen Inaros contre les Perses.	**479** *A.* Construction des Longs Murs reliant Athènes au Pirée.
450-400 Conquête carthaginoise en Afrique du Nord.	**453-221** Époque des Royaumes combattants en Chine.	**v. 478 av. J.-C.** *R.* Mort du bouddha Sākyamuni.
450 Carthage : l'aristocratie écarte du pouvoir les Magonides.	**445-433** Reconstruction du Temple de Jérusalem et rédaction du *code sacerdotal* hébraïque par Néhémie.	**472** *L.* Eschyle : *les Perses.*
449 Seconde sécession de la plèbe sur l'Aventin.	**423-404** Darios II, roi des Perses.	**470-430** *A.* Vie du sculpteur grec Myron.
445 *Lex Canuleia :* droit de mariage entre patriciat et plèbe.	**408-401** Cyrus le Jeune, gouverneur d'Asie Mineure.	**v. 470-399** *L.* Vie de Socrate.
443 Création du collège des censeurs.	**404-358** Artaxerxès II Mnémon, roi des Perses.	**468** *L.* Concours de tragédie : Sophocle vainqueur d'Eschyle.
420 Prise de Cumes par les Samnites.	**401-400** Expédition des Dix Mille : l'*Anabase* (dirigée puis décrite [en 390] par Xénophon).	**460-420** *A.* Vie du sculpteur grec Polyclète.
409 Accès des plébéiens romains à la questure.	**v. 380** Concile bouddhique de Vaiśālī en Inde.	**460** *L.* Création à Athènes d'un concours de comédie.
406-396 Guerre victorieuse de Rome contre Véies.	**365** Révolte des satrapes contre le roi des Perses.	**455-369** *Sc.* Vie du mathématicien grec Théiatète.
396 Dictature de M. Furius Camillus à Rome.	**359/358-338/337** Artaxerxès III Ochos, roi des Perses.	**450-v. 386** *L.* Vie du poète comique grec Aristophane.
390 ou 386 Bataille de l'Allia ; les Gaulois prennent Rome.	**342** Ultime reconquête de l'Égypte par les Perses.	**447/446-438** *A. et R.* Construction par Ictinos et par Callicratès du Parthénon sur l'Acropole à Athènes.
367 *Leges Liciniae Sextiae :* restauration et partage du consulat entre patriciens et plébéiens.	**336/335-330** Darios III Codoman, roi des Perses.	**430-v. 355** *L.* Vie du philosophe athénien Xénophon.
356 Accès des plébéiens à la dictature.	**334** Destruction de la principauté Yue par le royaume de Tsou.	**428-347** *L.* Vie du philosophe athénien Platon.
343 ou 341 Première guerre samnite.	**331** Fondation d'Alexandrie d'Égypte par Alexandre.	**399** *L.* Procès et mort de Socrate.
340-338 Guerre latine.	**327-326** Expédition d'Alexandre le Grand en Inde.	**av. 397** *L.* Thucydide : *Histoire.*
337 Accès des plébéiens à la préture.	**321-184** Dynastie Maurya en Inde.	**387** *L.* Fondation de l'Académie par Platon.
v. 335 Fondation d'Ostie.	**321-302** Règne de Candragupta, empereur Maurya.	**385-340** *L.* Vie du sculpteur grec Scopas.
326-304 Deuxième guerre samnite.	**300-215** Construction de la Grande Muraille de Chine.	**384-322/321** *L.* Vie du philosophe grec Aristote.
312 Censure d'Appius Claudius Caecus à Rome.	**275-274** Établissement des Galates en Anatolie.	**372-289** *L.* Vie du philosophe chinois Mencius.
300-100 Civilisation celtique de La Tène II.	**274-271** Première guerre de Syrie.	**370-330** *A.* Vie du sculpteur grec Praxitèle.
300 *Lex Ogulnia :* l'accès des sacerdoces aux plébéiens.	**v. 268-v. 232** Règne d'Aśoka en Inde.	**370** *A.* Construction de l'*Apadana* à Suse.
298-290 Troisième guerre samnite.	**259-253** Deuxième guerre de Syrie.	**v. 353/350** *A.* Construction du *Mausolée* d'Halicarnasse.
297 Début du monnayage de l'or à Rome.	**255** Conversion d'Aśoka au bouddhisme.	**341-270** *L.* Vie du philosophe grec Épicure.
295 Victoire romaine de Sentinum aux dépens des Gaulois et des Samnites.	**v. 250** Invasion parthe dans le Turkestan et dans l'Iran.	**334** *L.* Fondation à Athènes du Lycée par Aristote.
249 Rome : premiers jeux Séculaires.	**250-130** État grec de Bactriane.	**310-230** *Sc.* Vie de l'astronome Aristarque de Samos.
247-183 Vie du chef punique Hannibal.	**247 av. J.-C. - 227 apr. J.-C.** Dynastie des Parthes Arsacides.	**306** *L.* Fondation d'une école philosophique à Athènes par Épicure.
242 Création à Rome du préteur pérégrin.	**246-241** Troisième guerre de Syrie.	**302/301** *L.* Fondation à Athènes de l'école stoïcienne par Zénon d'Élée.
v. 241 Réforme des comices centuriates.	**223-187** Règne d'Antiochos III Mégas en Syrie.	**300** *Sc.* Euclide : *Éléments.*
235-183 Vie de Scipion l'Africain.	**221-217** Quatrième guerre de Syrie.	**287-212** *Sc.* Vie du savant syracusain Archimède.
234-149 Vie de Caton l'Ancien.	**221-210** Règne de l'empereur chinois Qin Shi Huangdi.	**v. 280** *A.* Construction du *Phare* d'Alexandrie par Sostratos de Cnide.
227 Organisation de deux provinces romaines : Sicile et Corse-Sardaigne.	**212-205** Expédition d'Antiochos III Mégas dans l'Inde.	**v. 270-v. 200** *L.* Vie du poète latin Livius Andronicus.
215 Dictature de Fabius Maximus à Rome.	**217** Victoire à Raphia du roi d'Égypte, Ptolémée IV, sur le roi de Syrie, Antiochos III Mégas.	**254-184** *L.* Vie du poète comique latin Plaute.
204 Introduction à Rome du culte de Cybèle.	**206 av. J.-C. - 220 apr. J.-C.** Dynastie chinoise des Han.	**239-169** *L.* Vie du poète latin Ennius.
	204 Fondation du royaume du Nam Viêt.	**v. 205-v. 118** *L.* Vie de l'historien grec Polybe.
	202-200 Cinquième guerre de Syrie.	

LE MONDE ANTIQUE À L'ÉPOQUE DE LA CONQUÊTE ROMAINE (de 201 à 31 av. J.-C.)

MONDES HELLÉNIQUE ET HELLÉNISTIQUE	MONDES CELTE, AFRICAIN ET ASIATIQUE	CIVILISATION
230-189 Euthydème, roi de Bactriane.	**v. 203-148** Masinissa, roi des Numides Massyles.	**200** *R.* Début de la traduction grecque de la Bible dite « des Septante ».
197-159 Eumène II, roi de Pergame.	**202-195** Règne de Liu Bang (Lieou Pang) [surnommé Kao-Tsou], fondateur de la dynastie chinoise des Han.	**v. 200-v. 100** *A.* La *Vénus de Milo.*
196 Rome octroie la liberté à la Grèce lors des jeux Isthmiques de Corinthe.	**185-73** Dynastie indienne des Śuṅga.	**v. 197-v. 159** *A.* Construction du grand autel et de la bibliothèque de Pergame.
189-167 Démétrios, roi de Bactriane.	**171-138/137** Règne de Mithridate Ier, roi des Parthes.	**194-159** *L.* Vie du poète comique latin Térence.
188 Destruction des murs de Sparte par le stratège achéen Philopœmen (le Dernier des Grecs) [† en 183].	**166** Premières incursions des Huns en Chine.	**184** *A. et R.* Construction à Rome de la basilique *Porcia.*
187-175 Séleucos IV Philopatôr, roi de Syrie.	**140-87** Règne de l'empereur Han Wou-ti.	**166** *L.* Livre de Daniel.
181-145 Ptolémée VI Philomêtôr, roi d'Égypte.	**140-139** Conquête de la Mésopotamie par Mithridate Ier, roi des Parthes.	**163-85** *L.* Vie de l'historien chinois Sseuma-Ts'ien.
179-168 Persée, roi de Macédoine.	**138/137-128** Phraatès II, roi des Parthes.	**159-138** *A.* Portique d'Attale à Athènes.
175-164 Antiochos IV Épiphane, roi de Syrie.	**135** Destruction du royaume grec de Bactriane par les Yuezhi (Yue-tche).	**144-91** *L.* Vie de l'orateur romain Crassus.
169/167-159/158 Eucratidas, roi de Bactriane.	**123-86** Mithridate II le Grand, roi des Parthes.	**129/128** *Sc.* Découverte de la précession des équinoxes par Hipparque de Nicée.
167 Annexion de Délos par Athènes.	**121** Conquête du Gansu (Kan-sou) occidental par les Chinois.	**120** *Sc.* Découverte de la mousson par Hippalos.
166/165-160 Révolte de Judas Maccabée contre la Syrie séleucide.	**119** Pénétration des Chinois dans l'actuelle Mongolie.	**116-27** *L.* Vie de Varron, écrivain et agronome latin.
164 Octroi de la liberté de culte aux Juifs par Antiochos IV Épiphane.	**111** Occupation et destruction du royaume du Nam Viêt par les Han.	**109** *A.* Construction du pont Milvius.
162-150 Démétrios Ier, roi de Syrie.	**111-63** Mithridate VI Eupator, roi du Pont.	**106-43** *L.* Vie de l'orateur et homme d'État romain Cicéron.
159-158 Dislocation des royaumes grecs de Bactriane et de l'Inde.	**102** Extension de l'Empire chinois au Fergana.	**98-55** *L.* Vie du philosophe romain Lucrèce.
159-138 Attale II, roi de Pergame.	**100-1** Civilisation de La Tène III.	**95** *Sc.* Découverte des îles Cassitérides par les Romains.
145-116 Ptolémée VII Évergète II, roi d'Égypte.	**73-49** Règne de Siuan-ti en Chine.	**87-54** *L.* Vie du poète latin Catulle.
138-133 Attale III, roi de Pergame.	**72-v. 28** Règne de Kâṇva en Inde.	**86-36/35** *L.* Vie de l'écrivain latin Salluste.
133 Testament d'Attale IV en faveur de Rome.	**av. 70** Conquête du Gāndhāra par Manès.	**v. 70-19** *L.* Vie du poète latin Virgile.
133 Révolte d'Aristonicos, prétendant au trône de Pergame.	**57-37** Orodès II, roi des Parthes ; apogée de la dynastie des Arsacides.	**67** *R.* Introduction du culte de Mithra à Rome.
104 Révolte des esclaves siciliens à Athènes.		**65-8** *L.* Vie du poète latin Horace.
102/101 Réforme oligarchique de la Constitution athénienne.		**64 av. J.-C. - 17 apr. J.-C.** *L.* Vie de l'historien Tite-Live.
89 Révolte d'Athènes contre Rome.		**55** *L.* Théâtre de Pompée à Rome.
88 Ralliement de la Grèce à la révolte athénienne.		**54-34** *A. et R.* Basilique Aemilia à Rome.
87-86 Siège et prise d'Athènes par Sulla.		**50-19** *L.* Vie du poète latin Tibulle.
86 Victoires de Sulla à Chéronée et à Orchomène sur les forces du roi du Pont, Mithridate VI Eupator.		**48** *A.* Incendie de la bibliothèque d'Alexandrie.
51-30 Cléopâtre VII, reine d'Égypte.		**46** *A. et R.* Dédicace du forum de César (Rome).
42 Occupation de la Syrie et de la Judée par les Parthes.		*Sc.* Institution du calendrier julien.
40-34 Hérode Ier le Grand, roi des Juifs.		**43 av. J.-C. - 18 apr. J.-C.** *L.* Vie du poète romain Ovide.
37 Reconquête de Jérusalem par Hérode Ier. — Mariage d'Antoine et de Cléopâtre VII.		**40** *A. et R.* Temple de la Fortune virile à Rome.
34 Partage de l'Orient par Antoine entre Cléopâtre VII et ses enfants.		

LE MONDE À L'ÉPOQUE DE L'EMPIRE ROMAIN (de 31 av. J.-C. à 395 apr. J.-C.)

VIE INTERNATIONALE	*MONDE ROMAIN : LES EMPEREURS*	*MONDE ROMAIN : LES INSTITUTIONS*
30 av. J.-C. Conquête de l'Égypte par Octave. Mort d'Antoine et de Cléopâtre.	**27 av. J.-C.-68 apr. J.-C.** Dynastie des Julio-Claudiens.	**26 av. J.-C.** Création de la préfecture de la ville.
16-15 av. J.-C. Annexion de la Rhétie et du Norique.	**27 av. J.-C.-14 apr. J.-C.** Octave, *Augustus,* empereur.	**19 av. J.-C.** *Lex Junia Norbana* sur les affranchissements.
12-8 av. J.-C. Conquête de la Germanie jusqu'à la Weser.	**14-37 apr. J.-C.** Tibère, empereur.	**18 av. J.-C.** *Leges Juliae de maritandis ordinibus et de adulteriis coercendis.*
4-6 apr. J.-C. Conquête par Tibère de la Germanie entre la Weser et l'Elbe.	**37-41** Caligula, empereur.	**2 av. J.-C.** *Lex Fufia Caninia* sur les affranchissements.
9 Désastre de Varus en Germanie.	**41-54** Claude, empereur.	**2 av. J.-C.** Création de la préfecture du prétoire.
17 Annexion de la Cappadoce.	**54-68** Néron, empereur.	**6 apr. J.-C.** Création de la préfecture des vigiles.
40 Annexion de la Maurétanie (ou Mauritanie).	**68 (juin)-69 (janv.)** Galba, empereur.	8 Création de la préfecture de l'annone.
43 Conquête de la Bretagne par les Romains.	**69** Othon, puis Vitellius, empereurs.	9 *Lex Pappia Poppaea* sur le mariage.
74 Conquête des Champs Décumates par les Romains.	**69-96** Dynastie des Flaviens.	**15-31** Séjan, préfet du prétoire (complot et mort, 31).
101-102 Première guerre de Dacie.	**69-79** Vespasien, empereur.	23 Regroupement par Séjan des cohortes prétoriennes.
105-106 Conquête de l'Arabie nabatéenne par les Romains.	**79-81** Titus, empereur.	**27-37** Retraite de Tibère à Capri.
105-107 Seconde guerre et annexion de la Dacie.	**81-96** Domitien, empereur.	56 Création des préfets de l'*aerarium.*
110 Annexion de Palmyre.	**96-192** Dynastie des Antonins.	70 *Lex de imperio vespasiani.*
114-117 Campagne de Trajan en Orient.	**96-98** Nerva, empereur.	71 Réorganisation de l'armée romaine par Vespasien.
166-? Arrivée d'une ambassade romaine en Chine.	**98-117** Trajan, empereur.	92 Édit de Domitien restreignant la culture de la vigne.
166-175/177-180 Guerres danubiennes entre Marc Aurèle et les Barbares.	**117-138** Hadrien, empereur.	97 Création des *alimenta.*
197-202 Offensive de Septime Sévère contre les Parthes.	**138-161** Antonin le Pieux, empereur.	131 Édit perpétuel unifiant la législation impériale (compilation de Salvius Julianus).
v. 242 Défaite infligée à Vasudeva, empereur kuṣāṇa de l'Inde, par le perse Châhpuhr Ier.	**161-180** Marc Aurèle, empereur.	163 Création par Marc Aurèle des *juridici* d'Italie.
253 et 258/9 Invasions de la Gaule par les Francs.	**180-192** Commode, empereur.	212 *Constitutio Antoniniana* octroyant la citoyenneté romaine à tous les habitants de l'Empire.
260 Défaite et capture par Châhpuhr Ier de l'empereur romain Valérien (près d'Édesse).	**193-235** Dynastie des Sévères.	215 Réforme monétaire de Caracalla.
269 Victoire de Claude II (269-271) sur les Goths à Naissus.	**193-211** Septime Sévère, empereur.	**292-300** Réformes monétaires de Dioclétien.
275 Invasion de la Gaule par les Francs et par les Alamans.	**211-212** Geta, empereur.	297 Début du système de l'*indiction.*
297 Victoire de Galère sur le roi sassanide Narsès.	**211-217** Caracalla, empereur.	301 Édit du *maximum.*
311 Occupation de Luo-yang par les Xiongnu.	218 Diaduménien (218), Élagabal (218-222), empereurs.	304 Édit de persécution générale contre les chrétiens.
338-346-350 Sièges de Nisibe par Châhpuhr II.	**222-235** Sévère Alexandre, empereur.	313 Édit de Milan : tolérance à l'égard du christianisme.
348 Défaite de Châhpuhr II devant Rome à Singara.	**235-268** Anarchie (Valérien 253-260, Gallien 260-268).	320 Abolition de la législation d'Auguste contre le célibat.
357 Victoire de Julien sur les Alamans à Argentoratum.	**268-311** Les empereurs illyriens.	321 Édit de tolérance en faveur des donatistes.
358 Établissement des Francs en Toxandrie reconnu par Julien.	**284-305** Dioclétien, empereur.	324 Création des préfectures de prétoire régionales et sans doute des *magistri militum.*
363 Échec de l'expédition de Julien en Mésopotamie.	**286-305** Maximien, second auguste.	331 Édit de Constantin contre le divorce.
v. 374 ou 375 Victoire des Huns sur les Goths d'Ermanaric en Ukraine.	**293-311** La tétrarchie, œuvre de Dioclétien.	356 Loi fermant les temples.
378 Mort de Valens défait par les Goths à Andrinople.	**306-337** Constantin Ier le Grand, empereur.	359 Création d'un préfet de la ville à Constantinople.
	314-324 Partage de l'Empire : Constantin et Licinius.	360 Institution du *defensor plebis.*
	337 Baptême et mort de Constantin. Crise de succession : Constantin II (337-340), Constant (337-350) et Constance II (337-361), empereurs.	380 Édit de Théodose érigeant le catholicisme en religion d'État.
	361-363 Julien, empereur.	391 Interdiction du culte païen par Théodose Ier.
	364 Valentinien Ier (364-375) et Valens (364-378), empereurs.	
	375 Gratien (375-383) et Valentinien II (375-392).	
	379-395 Théodose Ier, empereur.	
	395 Partage de l'Empire entre Arcadius et Honorius.	

DE LA DIVISION DE L'EMPIRE ROMAIN À LA NAISSANCE DE L'ISLĀM (de 395 à 622)

VIE INTERNATIONALE	*OCCIDENT ROMAIN ET BARBARE*	*ORIENT BYZANTIN*
405-406 Invasion saxonne en Bretagne.	**395-410** Alaric Ier, roi des Wisigoths.	**395-518** Dynastie théodosienne.
406 Franchissement du Rhin par les Barbares.	**395-423** Honorius, empereur romain d'Occident.	**395-408** Arcadius, empereur romain d'Orient.
410 Prise de Rome par les Wisigoths d'Alaric Ier.	**418-507** Royaume wisigoth de Toulouse.	**398-407** Saint Jean Chrysostome (344-407), patriarche de Constantinople.
412 Premier établissement des Wisigoths en Gaule.	**418-451** Théodoric Ier, roi des Wisigoths.	**408-450** Théodose II, empereur romain d'Orient.
415-418 Établissement des Wisigoths en Espagne.	**428-477** Geiséric, roi des Vandales.	413 Construction du mur de Théodose, à Constantinople.
422 Paix de cent ans entre l'Empire d'Orient et la Perse.	**434-454** Aetius, maître réel de l'Occident romain.	**414-416** Régence de Pulchérie.
429-439 Conquête de l'Afrique du Nord par Geiséric.	**466-484** Euric, roi des Wisigoths.	**428-431** Nestorius, patriarche de Constantinople.
430-431 Siège d'Hippone par les Vandales.	**473-493/526** Théodoric Ier l'Amale, roi des Ostrogoths.	**450-457** Marcien, empereur romain d'Orient.
439 Prise de Carthage par les Vandales.	476 Fin de l'Empire romain d'Occident.	**457-474** Léon Ier, empereur romain d'Orient.
442 Traité entre Geiséric et l'Empire d'Occident.	**477-484** Hunéric, roi des Vandales.	471 Assassinat du patrice Aspar par Léon Ier.
443 Établissement des Burgondes en Sapaudia.	**481-511** Clovis Ier, roi des Francs.	474 Léon II, empereur romain d'Orient.
451 *Campus Mauriacus :* victoire d'Aetius sur Attila.	**484-507** Alaric II, roi des Wisigoths.	**474-491** Zénon, empereur romain d'Orient.
451-453 Invasion des Huns d'Attila en Occident.	**v. 493** Mariage de Clovis et de Clotilde.	**491-518** Anastase, empereur romain d'Orient.
455 Pillage de Rome par Geiséric.	**501-516** Gondebaud, roi des Burgondes.	498 Suppression de l'impôt du chrysargyre dans l'Empire romain d'Orient.
455-468 Occupation de la Sardaigne par Geiséric.	**v. 509** Clovis reconnu roi par les Francs du Rhin.	**v. 500-548** Vie de Théodora, impératrice byzantine (527-548).
468-476 Occupation de la Sicile par Geiséric.	**511-561** Clotaire Ier, roi de Soissons (511-558), roi unique des Francs (558-561).	512 Construction du mur d'Anastase à Constantinople.
486 (?) Soissons : Clovis bat Syagrius, roi des Romains.	**516-523** Saint Sigismond, roi des Burgondes.	513 Révolte du comte Vitalien.
488-489 Migration des Ostrogoths de Mésie en Italie.	**523-530** Hildéric, roi des Vandales.	**518-527** Justin Ier, empereur romain d'Orient.
493 Assassinat d'Odoacre par Théodoric Ier l'Amale à Ravenne.	524 Exécution de Boèce sur ordre de Théodoric Ier.	**527-565** Justinien Ier, empereur romain d'Orient.
v. 496 Zülpich (Tolbiac) : victoire des Francs du Rhin sur les Alamans.	**530-534** Gelimer, roi des Vandales.	**531-541** Jean de Cappadoce, préfet du prétoire de Constantinople.
502-503 Siège et prise d'Amida par les Perses.	**v. 534-613** Vie de Brunehaut, reine d'Austrasie.	532 Sédition « Nika » à Constantinople.
507 Vouillé : victoire de Clovis sur les Wisigoths.	**536-540** Vitigès, roi des Ostrogoths.	543 Disgrâce de Bélisaire.
508 Occupation de la Provence par les Ostrogoths.	**541-552** Totila, roi des Ostrogoths.	554 Pragmatique de Justinien Ier réorganisant l'administration de l'Italie byzantine.
531 Callinique : Bélisaire vaincu par les Perses.	**545-597** Vie de Frédégonde, reine de Neustrie (567-597).	**565-578** Justin II, empereur romain d'Orient.
532 Paix perpétuelle entre Justinien Ier et le roi de Perse Khosrô Ier Anôcharvân.	**549-554** Agila, roi des Wisigoths.	**578-582** Tibère II, empereur romain d'Orient.
533 Ad Decimum et Tricamarum : victoires de Bélisaire sur les Vandales.	**554-567** Athanagild, roi des Wisigoths.	580 Établissement des Slaves au sud du Danube.
534 Annexion du royaume burgonde par les fils de Clovis.	**561-575** Sigebert Ier, roi d'Austrasie.	**582-602** Maurice, empereur romain d'Orient.
535 Reconquête byzantine de la Dalmatie et de la Sicile.	**561-584** Chilpéric Ier, roi de Neustrie.	**584-647/709** Exarchat byzantin de Carthage.
535-555 Reconquête de l'Italie par Justinien Ier.	**561-593** Gontran, roi de Bourgogne.	**584-751** Exarchat byzantin de Ravenne.
537 Cession au *Regnum Francorum* de la Provence ostrogothique.	**567/568-586** Léovigild, roi des Wisigoths.	602 Révolte de l'armée byzantine du Danube, commandée par Phokas.
550-554 Reconquête de l'Espagne du Sud-Est par Justinien Ier.	574-584 Disparition de la monarchie lombarde.	**602-610** Phokas, empereur romain d'Orient.
567 Invasion des Avars en Pannonie.	**584-590** Authari, restaurateur de la monarchie lombarde.	608 Révolte d'Héraclius en Afrique contre Phokas.
568-575 Occupation de l'Italie par les Lombards.	**586-601** Reccared Ier, roi des Wisigoths.	609 Occupation de l'Égypte par Héraclius.
617 Arrivée des Slaves sous les murs de Constantinople.	587 Traité d'Andelot, entre Childebert II, roi d'Austrasie, et Gontran, roi de Bourgogne.	**610-641** Héraclius, empereur romain d'Orient.
619 Paix entre Byzance et les Avars.	**612-621** Sisebut, roi des Wisigoths.	
	613-629 Clotaire II, roi des Francs.	
	614 Assemblée de Paris condamnant les abus des Mérovingiens.	

LE MONDE À L'ÉPOQUE DE L'EMPIRE ROMAIN (de 31 av. J.-C. à 395 apr. J.-C.)

MONDE ROMAIN : LES PROVINCES

27 av. J.-C. Partage des provinces entre Auguste et le Sénat.
27 av. J.-C. Création de la province d'Achaïe.
25 av. J.-C. Création de la province de Galatie.
6 apr. J.-C. Création de la province de Judée.
10 Création de la province de Pannonie.
17-24 Insurrection de Tacfarinas en Afrique.
21 Révolte en Gaule de Florus et de Sacrovir.
40 Création de la province de Numidie.
42 Création des deux provinces de Maurétanie.
60-63 Révolte de Boudicca en Bretagne.
66-70 Révolte et guerre juives.
69 Révolte du Batave Civilis.
70 Destruction de Jérusalem par Titus.
70 Assemblée de Reims. — Proclamation de l'Empire gaulois.
74 Octroi du droit latin à l'Espagne.
86 Division de la Mésie en deux provinces.
90 Organisation des Champs Décumates.
106-107 Division de la Pannonie en deux provinces.
121-125 Premier voyage d'Hadrien à travers l'Empire.
122-126 Construction du mur d'Hadrien en Bretagne.
128-134 Second voyage d'Hadrien à travers l'Empire.
132-135 Insurrection juive en Palestine de Bar-Kokheba.
142 Construction du mur d'Antonin en Bretagne.
177 Persécution des chrétiens de Lyon.
197 Lyon : Septime Sévère bat l'usurpateur Albinus.
208-211 Campagne de Septime Sévère en Bretagne.
252-262 Insurrection antiromaine en Afrique du Nord.
258-274 Empire gaulois de Postumus et de Tetricus.
261-272 Empire de Palmyre détruit par Aurélien.
269-286 Révolte des Bagaudes en Gaule.
305-411 Schisme donatiste en Afrique du Nord.
311 Révolte et mort de Domitius Alexander en Afrique.
312 Victoire de Constantin sur Maxence au pont Milvius.
324-330 Édification de Constantinople.
345 Révolte des circoncellions en Afrique.
380 Établissement des Ostrogoths en Pannonie.
382 Établissement des Wisigoths fédérés en Thrace.
390 Massacre de la population de Thessalonique par Théodose Ier.

MONDES BARBARES

25 av. J.-C.-23 apr. J.-C. Juba II, roi de Maurétanie.
12-38 apr. J.-C. Artaban III, souverain des Parthes.
18-27 Insurrection des « Sourcils rouges » en Chine.
22/23-220 Dynastie chinoise des Han orientaux.
23-40 apr. J.-C. Ptolémée, roi de Maurétanie.
v. 25-v. 60 Kadphisês Ier, premier souverain Kuṣāṇa.
25-57 Règne de l'empereur de Chine Kouang Wou-ti.
v. 30-v. 450 Empire indien des Kuṣāṇa (Kushans).
40-43 Révolte antichinoise des sœurs Trung au Nam Viêt.
73-94 Expansion chinoise en Asie centrale sous la direction Ban Chao (Pan Tch'ao).
v. 100 Fin de la conquête de l'Inde du N. par les Kuṣāṇa.
107-130 Chosroês Ier, souverain arsacide des Parthes.
123 Défaite des Xiongnu par les Xianbei.
130-148 Vologèse II, souverain arsacide des Parthes.
140 (?)-172 ou 185 Règne de Kaniṣka, fondateur de la deuxième dynastie kuṣāṇa.
162 Première date de l'histoire américaine : les Olmèques.
184 Soulèvement des « Turbans jaunes » en Chine.
196-220 Cao Cao (Ts'ao Ts'ao), fondateur du royaume de Wei, en Chine du Nord.
213-224 Artaban V, dernier souverain arsacide.
220-280 Époque chinoise des Trois Royaumes.
224 Hormizdagān : défaite et mort d'Artaban V.
224-651 Empire des Sassanides.
241-272 Châhpuhr Ier, souverain sassanide d'Iran.
242-342 Troisième dynastie kuṣāṇa en Inde.
280-316 Unification de la Chine par les Jin occidentaux.
293-302 Narsès, souverain sassanide d'Iran.
300 Conversion de l'Arménie au christianisme.
310-379 Châhpuhr II, souverain sassanide d'Iran.
316-580 Période chinoise du Nan bei chao.
320 Première date connue de l'histoire maya.
v. 320-v. 467 Dynastie indienne des Gupta.
v. 320-v. 335 Candragupta Ier, roi du Magadha.
v. 335-v. 375 Samudragupta, roi du Magadha (Inde).
357-385 Fou-Kien, souverain Xiongnu de Chine du Nord.
375-414 Candragupta II, roi du Magadha.
v. 380-v. 550 Unification de la Chine du N. par les Wei.

CIVILISATION

17 av. J.-C. *R.* Célébration des jeux Séculaires à Rome.
13-9 av. J.-C. *A.* et *R.* Construction de l'*Ara Pacis*.
4 av. J.-C. (?)-30 apr. J.-C. (?) *R.* Vie du Christ.
4 av. J.-C.-65 apr. J.-C. *L.* Vie du philosophe Sénèque.
v. 6 apr. J.-C. *R.* Introduction du bouddhisme en Chine.
23-79 *L.* Vie du naturaliste latin Pline l'Ancien.
27 *R.* Martyre de saint Jean-Baptiste.
40-104 *L.* Vie du poète latin Martial.
45-62/64 *R.* Missions de saint Paul.
v. 50-v. 125 *L.* Vie de l'historien grec Plutarque.
v. 55-120 *L.* Vie de l'historien latin Tacite.
v. 60-70 *R.* Rédaction des Évangiles synoptiques.
60-140 *L.* Vie du poète satirique latin Juvénal.
62-113 *L.* Vie de l'écrivain latin Pline le Jeune.
64 *R.* Incendie et persécution des chrétiens de Rome.
70 *R.* *Diaspora* des Juifs de Palestine.
88 *R.* Célébration des jeux Séculaires à Rome.
113 *A.* Édification de la colonne Trajane.
125-190 *L.* Vie du rhéteur grec Lucien de Samosate.
129-201 *Sc.* Vie du médecin grec Galien.
185-254 *L.* et *R.* Vie d'Origène, supplicié en 254.
190 *R.* Conversion de Tertullien (155-222).
228 *L.* Mort du jurisconsulte romain Ulpien.
242 *R.* Début de la prédication de Mani (216-277).
271-283 *A.* Construction du mur d'Aurélien à Rome.
292-346 *R.* Vie du cénobite saint Pacôme.
298 *R.* Dernière célébration des jeux Séculaires.
309-392 *L.* Vie du poète latin Ausone.
315 *A.* Construction à Rome de l'arc de Constantin.
318-336 *R.* Prédication d'Arius.
325 *R.* Ier concile œcuménique (Ier de Nicée) contre l'arianisme.
v. 333/340-397 *R.* Vie de saint Ambroise, Père de l'Église.
335 *R.* Tolérance officielle du bouddhisme en Chine.
348-420 *L.* et *R.* Vie de saint Jérôme, Père de l'Église.
350 *L.* et *R.* Traduction de la Bible en gothique par Ulfila.
354-430 *L.* et *R.* Vie de saint Augustin, Père de l'Église.
381 *R.* IIe concile œcuménique (Ier de Constantinople) contre les Macédoniens.
394 Suppression des jeux Olympiques.

DE LA DIVISION DE L'EMPIRE ROMAIN À LA NAISSANCE DE L'ISLĀM (de 395 à 622)

ÉGLISE ET VIE RELIGIEUSE

399-414 Pèlerinage en Inde et à Ceylan du moine chinois Fa Xian (Fa Hien).
410 Premier concile de Séleucie (chrétiens de Perse).
431 IIIe concile œcuménique (Éphèse) : condamnation du *nestorianisme*.
v. 432 Évangélisation de l'Irlande par saint Patrick.
438-452 Persécution du bouddhisme en Chine.
440-461 Pontificat de saint Léon Ier.
449 Brigandage d'Éphèse : assemblée d'évêques favorables à Eutychès, père du *monophysisme*.
451 IVe concile œcuménique (Chalcédoine) : condamnation du *monophysisme*.
470-543 Vie de saint Césaire d'Arles.
v. 480-547 Vie de saint Benoît de Nursie.
482 Édit d'union ou *Henotikon* de Zénon.
484-519 Premier schisme entre Rome et Constantinople.
486 Deuxième concile de Séleucie organisant l'Église nestorienne de Perse.
492-496 Pontificat de saint Gélase Ier.
498-514 Pontificat de saint Symmaque.
v. 500-601 Saint Léandre, archevêque de Séville.
510/520-580 Vie de saint Martin de Braga, apôtre des Suèves.
511 Concile d'Orléans.
520 Pénétration du bouddhisme en Corée.
v. 520-587 Vie de sainte Radegonde, reine des Francs.
525 Concile de Carthage.
v. 540-615 Vie de saint Colomban.
552-587 Triomphe du bouddhisme au Japon.
553 Ve concile œcuménique (IIe de Constantinople) : adoption des Trois Chapitres.
554-698 Schisme d'Aquilée.
v. 570-632 Vie de Mahomet.
v. 570-636 Vie de saint Isidore de Séville.
589 Conversion au catholicisme du Wisigoth Reccared Ier.
590-604 Pontificat de saint Grégoire Ier le Grand.
595 Mariage de Mahomet et de Khadīdja.
596-605 Évangélisation de l'Angleterre par Augustin.
597 Conversion d'Æthelberht, roi du Kent (560-616).
610 Débuts de la prédication de Mahomet à La Mecque.
619 Mort de Khadīdja.

MONDES ASIATIQUE, AFRICAIN ET AMÉRICAIN

399-420 Yazdgard Ier, roi sassanide de Perse.
414-455 Kumāragupta, roi de Pāṭaliputra (Inde).
424-452 T'opa Tao, roi de Wei.
v. 430 Offensive des Huns Hephthalites contre la Perse.
434-453 Attila, roi des Huns.
453 Mort d'Attila. Dislocation de l'Empire hunnique.
455-467 Skandagupta, roi de Pāṭaliputra (Inde).
455 Victoire de Skandagupta sur les Huns Hephthalites.
459-484 Pérôz, roi sassanide de Perse.
apr. 460 Élimination des Kuṣāṇa par les Kidarites au Kaboul.
v. 460 Division de l'Empire gupta.
490-528/529 Essor, puis échec du mouvement social de Mazdak en Perse.
502-549 Wudi, empereur de Chine.
521 Occupation du Yémen par les Abyssins.
531-579 Khosrô Ier Anôcharvân, roi sassanide de Perse.
534-550 Dynastie des Wei orientaux.
534-557 Dynastie des Wei occidentaux.
550-566 Pulakeśin Ier, roi cālukya du Deccan.
552 Constitution d'un Empire turc en Asie centrale.
562 Échec japonais en Corée.
570 Occupation du Yémen par les Sassanides.
578 Destruction de l'État lakhmide par les Sassanides.
581 Réunification de la Chine du Nord par Yang Tian (empereur Wendi en 589).
589-604 Wendi (Wen-ti), fondateur de la dynastie chinoise des Sui.
589-618 Dynastie des Sui : réunification de la Chine.
590-620 Khosrô II Abharvêz Parviz, roi sassanide de Perse.
593-629 Suiko, impératrice japonaise du Yamato.
v. 600 Amérique : début de la civilisation zapotèque. Apogée de la civilisation maya.
605-616 Yangdi (Yang-ti), empereur de Chine.
606-647 Harṣa, souverain de Kanauj (Inde).
609-642 Pulakeśin II, roi cālukya du Deccan.
614 Prise de Jérusalem par les Perses.
616 Révolte générale contre l'empereur chinois Yangdi.
618-907 Empire Tang (T'ang) fondé par Kao-tsou.

CIVILISATION

397-398 *L.* et *R.* Saint Augustin : *Confessions.*
400-650 *A.* Fresques d'Ajaṇṭā (Inde).
412-426 *L.* et *R.* Saint Augustin : *la Cité de Dieu.*
429-439 *Dr.* Compilation du Code Théodosien.
430-484 *L.* et *R.* Vie du poète Sidoine Apollinaire.
v. 470-480 *Dr.* Code d'Euric.
472 *A.* Consécration de Saint-Martin de Tours.
v. 480-524 *L.* Vie de Boèce, philosophe et poète latin.
490-583 *L.* Vie de Cassiodore, écrivain romain.
494 *A.* Début de l'aménagement des cryptes de Longmen (Chine).
v. 500 *Dr. Edictum Theodorici.*
v. 500 *Dr. Lex romana Burgundionum.*
v. 501-505 *Dr. Loi gombette.*
506 *Dr.* Publication du *Bréviaire d'Alaric.*
v. 507-511 *Dr.* Première rédaction de la *Lex salica.*
513 *R.* Fondation du monastère Saint-Césaire d'Arles.
515 *R.* Fondation de Saint-Maurice-d'Agaune.
520 *A.* Ravenne : la Rotonde, dite « tombeau de Théodoric ».
529 *Dr. Code Justinien.*
v. 530-v. 600 *L.* Vie du poète latin Fortunat, évêque de Poitiers (v. 597-600).
533 *Dr.* Publication des *Pandectes* (ou *Digeste*) et des *Institutes* de Justinien.
534-565 *Dr.* Publication des *Novelles.*
537 *A.* et *R.* Dédicace de l'église Sainte-Sophie de Constantinople.
v. 537 *R.* Règle bénédictine de saint Benoît de Nursie.
v. 538-v. 593 *L.* et *R.* Vie de Grégoire de Tours.
v. 540 *R.* Fondation du monastère et de la bibliothèque de Vivarium par Cassiodore.
549 *A.* Construction de l'église *Sant'Apollinare in Classe* à Ravenne.
558 *A.* et *R.* Dédicace de *Sant'Apollinare Nuovo* à Ravenne.
v. 590 *R.* Établissement de saint Colomban à Luxeuil.
v. 612 *R.* Fondation du monastère de Bobbio par saint Colomban.
614 *R.* Fondation de l'ermitage de Saint-Gall.

DE LA NAISSANCE DE L'ISLAM AU PARTAGE DE L'EMPIRE CAROLINGIEN (de 622 à 843)

OCCIDENT CHRÉTIEN	ÉGLISE ET VIE RELIGIEUSE	ORIENT BYZANTIN ET SLAVE
623-638 Dagobert Ier, roi d'Austrasie (623), roi des Francs (629).	**626** Siège de Constantinople par les Slaves et par les Avars.	**625** Création des premiers thèmes en Asie Mineure.
633 La monarchie wisigothique devient élective.	**638** *Ecthésis*, charte du monothélisme de l'empereur Héraclius. Fondation d'une Église nestorienne en Chine (Nankin).	**641-668** Constant II, empereur byzantin.
634 Saint Oswald, roi anglo-saxon.		**646** Usurpation de l'exarque de Carthage, Grégoire.
657-683 Ebroïn, maire du palais de Neustrie.	**648** *Typos*, édit dogmatique de Constant II.	**650-652** Usurpation de l'exarque de Ravenne, Olympius.
675-768 Indépendance de fait de l'Aquitaine.	**649** Synode du Latran condamnant l'*Ecthésis* et le *Typos*.	**668-685** Constantin IV Pogonat, empereur byzantin.
680-714 Pépin de Herstal, maire du palais d'Austrasie.	**653** Conversion des Lombards au catholicisme.	**669** Premier siège de Constantinople par les Arabes : échec.
687 Tertry : victoire de Pépin de Herstal sur la Neustrie.	**658-739** Saint Willibrord, apôtre des Frisons (690-739).	**674-678** Deuxième siège de Constantinople par les Arabes : échec.
713-744 Liutprand, roi des Lombards.	**663** Sac de Rome par l'empereur Constant II.	**685-695 et 705-711** Justinien II Rhinotmète, empereur byzantin.
719-741 Charles Martel, maire du palais.	**664** Synode de Whitby : triomphe des moines romains sur les Irlandais.	**695-698** Leontios, empereur byzantin.
741-768 Pépin le Bref, maire du palais (741-751), roi des Francs (751-768).	**680-681** VIe concile œcuménique (IIIe de Constantinople) condamnant le *monothélisme*.	**698-705** Tibère II, empereur byzantin.
743-751 Childéric III, dernier roi mérovingien, déposé.	**680-754** Vie de saint Boniface, apôtre martyrisé de la Germanie, évêque de Mayence (746).	**v. 700** Colonisation des Shetland par les Norvégiens.
751-987 Dynastie carolingienne.	**715-731** Pontificat de saint Grégoire II.	**711-713** Philippikos Bardanes, empereur byzantin.
756-774 Didier, dernier roi des Lombards.	**718** Covadonga, victoire sur les musulmans d'Espagne.	**712** Siège de Constantinople par le Bulgare Terbel.
757-796 Offa, roi anglo-saxon de Mercie.	**726-843** Crise iconoclaste dans l'Empire byzantin.	**713-715** Anastase II, empereur byzantin.
768-814 Charlemagne, roi des Francs.	**731** Condamnation de l'iconoclasme par le pape Grégoire III.	**715-716/7** Théodose III, empereur byzantin.
772-785 et 794-797 Soumission des Saxons par Charlemagne.	**744** Fondation du monastère de Fulda par saint Boniface.	**716/7-740** Léon III l'Isaurien, empereur byzantin.
774-814 Charlemagne, roi des Lombards.	**752-757** Pontificat d'Étienne II.	**717/718** Troisième siège de Constantinople par les Arabes : échec.
778 Défaite franque de Roncevaux.	**754** Entrevue de Ponthion, puis, à Saint-Denis, sacre de Pépin le Bref par le pape Étienne II.	**740** Akroïnon : Léon III l'Isaurien bat les Arabes.
781 Frappe du denier d'argent par Charlemagne.	**756** Constitution des États de l'Église.	**741-775** Constantin V, empereur byzantin.
784-790 Conquête de la Frise par Charlemagne.	**757-767** Pontificat de saint Paul Ier.	**751** Prise de Ravenne par Aistolf, roi des Lombards.
785 *Capitulatio de partibus Saxoniae*.	**787** VIIe concile œcuménique (IIe de Nicée) légitimant le culte des images.	**775-780** Léon IV le Khazar, empereur byzantin.
787 Soumission de Tassilon, duc de Bavière.	**792-818** Hérésie de Félix d'Urgel : l'*adoptianisme*.	**780-797** Constantin VI, empereur byzantin. Irène, régente.
796 Victoire décisive de Charlemagne sur les Avars.	**795-816** Pontificat de saint Léon III.	**797-802** Irène, seule impératrice.
800 *25 décembre*. Couronnement impérial de Charlemagne à Rome.	**805-862** Vie du théologien Loup de Ferrières.	**v. 800** Colonisation des îles Féroé par les Norvégiens.
806 Premier projet de partage carolingien.	**816** Règle de saint Chrodegang imposée aux chanoines des cathédrales.	**802-811** Nicéphore Ier, empereur byzantin.
814-840 Règne de l'empereur Louis Ier le Pieux.	**817** Réforme du monachisme par saint Benoît d'Aniane.	**v. 803-814** Krum, khân des Bulgares.
817 *Ordinatio Imperii* de Louis Ier le Pieux.	**v. 820** *Polyptyque* de Saint-Germain-des-Prés établi sur l'ordre de l'abbé Irminon.	**810** Premières attaques danoises contre l'Angleterre.
829 Diète de Worms dotant Charles le Chauve, né en 823.	**824** *Constitutio Romana* entre Eugène II et Louis Ier.	**811** Virbitza : Nicéphore Ier vaincu par les Bulgares.
833 Déposition de Louis le Pieux, restauré en 834.	**828** Translation des cendres de saint Marc à Venise.	**812** Paix entre les Francs et les Byzantins.
833-876 Louis le Germanique, roi de Germanie.		**814-831** Omurtag, khân des Bulgares.
840-855 Lothaire Ier, empereur carolingien.		**820-867** Dynastie byzantine d'Amorion.
840-877 Charles le Chauve, roi de France (840-875), empereur (875-877).		**820-829** Michel II, empereur byzantin.
841 Fontenoy-en-Puisaye : défaite de Lothaire.		**826-852** Principauté danoise de Rüstringen.
842 Serments de Strasbourg (Charles le Chauve et Louis le Germanique).		**834-837** Sac de Dorestad par les Danois.
843 Traité de Verdun.		**838** Première ambassade de Varègues à Constantinople.
		839 Arrivée des Varègues sur la mer d'Azov.

DÉCADENCE CAROLINGIENNE ET NAISSANCE DU MONDE FÉODAL (de 843 à 1095)

OCCIDENT CHRÉTIEN	ÉGLISE ET VIE RELIGIEUSE	ORIENT BYZANTIN ET SLAVE
845-882 Hincmar, archevêque de Reims.	**858-867** Pontificat de Nicolas Ier.	**852-889** Boris, khân des Bulgares.
846 Pillage de Rome par les Arabes.	**863-869** Saint Cyrille et saint Méthode en Moravie.	**v. 860** Fondation de Kiev.
855-875 Louis II, empereur carolingien.	**867** Schisme de Photios, patriarche de Constantinople.	**867-886** Basile Ier, empereur byzantin.
870 Traité de Meersen : partage de la Lorraine.	**869-870** VIIIe concile œcuménique (IVe de Constantinople).	**893-927** Siméon, khân des Bulgares.
871-899 Alfred le Grand, roi des Anglo-Saxons.	**910** Fondation de Cluny par Guillaume, duc d'Aquitaine.	**913-959** Constantin VII Porphyrogénète, empereur byzantin.
881-887 Charles le Gros, empereur (roi de France, 884-887).	**926** Autocéphalie de l'Église bulgare.	**917** Acheloos : victoire bulgare sur les Byzantins.
888-898 Eudes, roi de France.	**948** Hambourg, métropole des pays scandinaves.	**921-929** Saint Venceslas, duc de Bohême.
898-923 Charles le Simple, roi de France.	**v. 966** Pologne : baptême de Mieszko. - Danemark : conversion d'Harald à la Dent bleue.	**925** Siméon, tsar des Bulgares.
911 Traité de Saint-Clair-sur-Epte.	**970** Fédération des monastères du Mont-Athos.	**941** Igor, prince de Kiev, attaque Constantinople.
919-1024 Dynastie saxonne en Germanie.	**973** Fondation de l'évêché de Prague.	**961** Reprise de la Crète par Nicéphore II Phokas.
919-936 Henri Ier l'Oiseleur, roi de Germanie.	**985** Hongrie : baptême d'Étienne.	**963-969** Nicéphore II Phokas, empereur byzantin.
936-973 Otton Ier, roi de Germanie.	**989** Conversion au christianisme de Vladimir, prince de Kiev. Début du mouvement de la paix de Dieu.	**965** Reprise de Chypre par Nicéphore II Phokas.
955 Victoire de Otton Ier sur les Hongrois au Lechfeld.	**994-1049** Saint Odilon, abbé de Cluny.	**969-976** Jean Ier Tzimiskès, empereur byzantin.
962 Restauration de l'Empire en faveur de Otton Ier.	**997** Destruction de Saint-Jacques-de-Compostelle par Al-Mansûr.	**969** Reprise d'Antioche aux Arabes par les Byzantins.
973-983 Otton II, empereur germanique.	**999-1003** Pontificat de Sylvestre II.	**976-1014** Samuel, tsar des Bulgares.
983-1002 Otton III, empereur germanique en 996.	**1000** Archevêché métropolitain de Gniezno.	**976-1025** Basile II le Bulgaroctone, empereur byzantin.
987-996 Hugues Capet, roi de France.	**1027** La paix devient « trêve de Dieu ».	**992-1025** Boleslas Ier le Vaillant, duc de Pologne (couronné roi en 1025).
996-1031 Robert II le Pieux, roi de France.	**1039** Instauration d'une métropole religieuse à Kiev.	**992** Chrysobulle byzantin privilégiant les navires de Venise à Constantinople.
1002-1024 Henri II, roi de Germanie, empereur en 1014.	**1049-1054** Pontificat de saint Léon IX. La papauté prend la tête du mouvement réformateur.	**1000-1038** Saint Étienne Ier, roi de Hongrie.
1016-1030 Saint Olav II Haraldsson, roi de Norvège.	**1049-1109** Saint Hugues, abbé de Cluny.	**1001-1018** Conquête de la Bulgarie par Basile II.
1017-1035 Knud le Grand, roi d'Angleterre, de Danemark et de Norvège (1028).	**1054** Excommunications réciproques du légat romain, le cardinal Humbert, et du patriarche de Constantinople Michel Cérulaire.	**1014** Cimbalogou : défaite du tsar bulgare Samuel.
1024-1125 Dynastie franconienne en Germanie.	**1059-1061** Pontificat de Nicolas II.	**1019-1054** Iaroslav, prince de Kiev.
1024-1039 Conrad II, empereur germanique en 1027.	**1059** Indépendance de l'élection du pape à l'égard de l'empereur.	**1025-1028** Constantin VIII, empereur byzantin.
1031-1060 Henri Ier, roi de France.	**1064** « Croisade » de Barbastro en Espagne.	**1028-1056** Zoé et Théodora, filles de Constantin VIII.
1033 Rattachement du royaume de Bourgogne à l'Empire.	**1073-1085** Pontificat de Grégoire VII.	**1038-1043** Reconquête de la Sicile orientale par le Byzantin Georges Maniakès.
1037 Réunion des royaumes de Castille et de León.	**1075** Énoncé des prérogatives de l'évêque de Rome dans les *Dictatus papae*.	**1043** Attaque des Russes sur Constantinople.
1039-1056 Henri III, empereur germanique en 1046.	**1075-1122** Querelle des Investitures.	**1048** Invasion des Petchenègues dans les Balkans.
1043 Conquête de l'Italie byzantine par les Normands.	**1077** Rencontre de Grégoire VII et Henri IV à Canossa.	**1057-1059** Isaac Ier Comnène, empereur byzantin (coup d'État).
1056-1106 Henri IV, empereur germanique.	**1084** Fondation de la Chartreuse par saint Bruno.	**1068-1071** Romain IV Diogène, empereur byzantin.
1059 Investiture de l'Italie du Sud à Robert Guiscard.	**1088-1099** Pontificat d'Urbain II.	**1071** Mantzikert : Romain IV vaincu par Alp Arslân.
1060-1091 Conquête de la Sicile par les Normands.	**1090-1153** Vie de saint Bernard, fondateur de l'abbaye de Clairvaux (1115).	**1071-1078** Michel VII Doukas, empereur byzantin.
1060-1108 Philippe Ier, roi de France.		**1078-1081** Nicéphore III Botaniatès, empereur byzantin.
1066 Hastings : conquête de l'Angleterre par Guillaume de Normandie.		**1081-1185** Dynastie byzantine des Comnènes.
1066-1087 Guillaume Ier, roi d'Angleterre.		**1081-1118** Alexis Ier Comnène, empereur byzantin.
1082 Privilèges accordés aux Vénitiens à Byzance.		**1091** Le Léburnion : victoire d'Alexis Ier Comnène sur les Petchenègues.
1085 Prise de Tolède par Alphonse VI de Castille.		
1086 Recueil cadastral anglais dit *Domesday Book*.		

DE LA NAISSANCE DE L'ISLĀM AU PARTAGE DE L'EMPIRE CAROLINGIEN (de 622 à 843)

ISLĀM ET MONDE MUSULMAN	MONDES ASIATIQUE, AFRICAIN ET AMÉRICAIN	CIVILISATION
622 L'*hégire*, fuite de Mahomet de La Mecque à Médine.	**v. 630-650** Tibet : règne de Srong-btsan-sgam-po.	**640-710** *L.* Vie du poète arabe chrétien al-Akhtal.
632 Mort de Mahomet.	**627-649** Taizong (T'ai-tsong), empereur de Chine.	**643** *Dr.* Édit de Rothari (roi des Lombards) [636-652].
632-634 Abū Bakr, calife « rachidoun » (légitime).	**v. 630** Prise d'Angkor Borei par le roi préangkorien Īśānavarman Ier (616-635).	**651-715** *L.* Vie du peintre chinois Li Sseu-hiun.
634-644 'Umar, calife rachidoun.	**632-651** Yazgard III, dernier roi sassanide de Perse.	**654** *Dr.* Forum judicum ou Liber judiciorum de Receswinthe.
636 Le Yarmouk : victoire arabe sur Héraclius.	**638-651** Conquête de l'Asie centrale par T'ai-tsong.	**656-748** *L.* Vie du poète chinois Tchin tseu-ngan.
637 Qādisiyya : victoire musulmane sur les Perses.	**645** Édit de « Taika » transformant l'administration du Japon.	**v. 660** *L.* Chronique dite « de Frédégaire ».
638 Prise de Jérusalem et d'Antioche par les Arabes.	**647** Morcellement de l'Inde à la mort de Harṣa.	**670-675** *A.* Grande Mosquée de Kairouan.
642 Prise d'Alexandrie par les Arabes. Nehavend : victoire musulmane sur les Perses.	**650-683** Gaozong (Kao-tsong), empereur de Chine.	**673-735** *L. et R.* Vie de l'écrivain anglo-saxon saint Bède le Vénérable.
644-656 'Uthmān, calife rachidoun.	**av. 655-apr. 681** Jayavarman Ier, roi khmer.	**687-691** *A.* Mosquée d'Omar à Jérusalem.
647 Début de l'invasion arabe dans le Maghreb.	**668-935** Unification de la Corée par l'État de Sil-la.	**699-759** *L.* Vie du peintre chinois Wang-wei.
656-661 'Alī, calife rachidoun.	**669** Mort de Nakatomi no Katamari, premier Fujiwara.	**705** *A.* Construction de la Grande Mosquée de Damas.
661-749 Califes omeyyades.	**672-686** Temmu-tennō, empereur du Japon.	**726** *Dr.* Publication de l'Écloga, code de Léon III.
661-680 Mu'āwiyya, calife omeyyade.	**683-705** Wu Zetian, impératrice de Chine (usurpatrice).	**726-790** *L.* Vie de l'historien et poète latin Paul Diacre.
670 Fondation de Kairouan par les Arabes.	**v. 700-1186** Empire pāla au Magadha (région du Bengale) [premier Pāla connu vers 765].	**v. 735-804** *L. et R.* Alcuin, savant religieux anglo-saxon, conseiller de Charlemagne (782-804).
698 Prise de Carthage par les Arabes.	**701** *Taihō* : code « Grand Trésor » au Japon.	**741-829** *L.* Annales royales (des Carolingiens).
710-713 Pénétration musulmane dans l'Inde.	**708** Frappe de la première monnaie de cuivre japonaise. Fondation de Nara.	**v. 750-821** *L. et R.* Vie de Théodulf, ecclésiastique (abbé de Fleury) et théologien espagnol.
711 Débarquement de Ṭāriq en Espagne du Sud.	**710-794** Japon : période de *Nara*.	**751** *L.* Kaifūsō, première anthologie de poèmes japonais.
711-714 Conquête de l'Espagne par les musulmans.	**713-756** Xuanzong (Hiuan-tsong), empereur de Chine.	**v. 770-840** *L.* Vie d'Eginhard, écrivain carolingien.
713 Multān : arrêt de l'offensive arabe au Pendjab.	**717** Alliance arabo-tibétaine contre la Chine.	**760** *A.* Grande Mosquée de Bagdad. Temple du Kailaça à Ellorā.
732 Poitiers : Charles Martel bat les musulmans.	**724-748** Shōmu-tennō, empereur du Japon.	**772-846** *L.* Vie du poète chinois Po Kiu-yi.
744-750 Marwān, dernier calife omeyyade.	**735** Installation des Parsis en Inde.	**773** *Sc.* Apparition de la numération arabe.
750-1258 Califat 'abbāsside de Bagdad fondé par Abū al-'Abbās 'Abd Allāh (750-754).	**742-973** Dynastie Rāṣṭrakūṭa au Māhārāṣtra.	**v. 780-844** *L. et R.* Jonas, évêque d'Orléans, théologien et théoricien politique carolingien.
750-803 Les Barmakides, vizirs persans des 'Abbāssides.	**744-840/7** Empire des Ouïgours du Turkestan détruit par les Kirghiz.	**v. 786-v. 865** *L. et R.* Saint Paschase Radbert, abbé de Corbie, théologien et historien carolingien.
751 Victoire musulmane sur les Chinois au Talas.	**v. 750** Apogée de la civilisation maya.	**v. 796-803** *A.* Construction de la chapelle Palatine d'Aix-la-Chapelle, par Odon de Métz.
754-775 Abū Dja'far al-Manṣūr, 2e calife 'abbāsside.	**755** Révolte contre les Tang du gouverneur turc de Pékin, An Lushan.	**806** *A.* Construction de l'église de Germigny-des-Prés, par l'Espagnol Théodulf.
756-929 Émirat omeyyade d'Espagne fondé par 'Abd al-Rahmān Ier (756-788).	**771-781** Kōnin-tennō, empereur du Japon.	**830** *L.* Fondation par les 'Abbāssides du centre de traduction dit « Dār al-Ḥikma ».
762 Fondation de Bagdad par Abū Dja'far al-Manṣūr.	**781-805** Kammu-tennō, empereur du Japon.	**v. 830** *A.* Psautier d'Utrecht.
786-809 Hārūn al-Rachīd, calife 'abbāsside.	**794** Kyōto, nouvelle capitale japonaise (794-1868).	**v. 841-843** *L.* Nithard († 844 ou 845) : Historiarum libri IV.
788-974 Dynastie des Idrīsides au Maroc.	**794-1185/1192** Japon : période de *Heian-Kyō* (Kyōto).	**842** *A.* Grande Mosquée de Sāmarrā.
800-909 Arhlabides, dynastie arabe d'Ifrīqiya.	**802-854** Jayavarman II, roi khmer d'Angkor.	
813-833 'Abd Allāh al-Ma'mun, calife 'abbāsside.	**805** Fondation à Kyōto de la secte bouddhique *tendai* par Saichō (767-822).	
816-837 Révolte du Persan Bābak contre les 'Abbāssides.	**806** Fondation sur le mont Kōya de la secte bouddhique *shingon* par Kūkai (774-835).	
820-873 Ṭāhirides, dynastie iranienne du Khorāsān.	**838** Dernière ambassade japonaise en Chine.	
825 Occupation de la Crète par les Arabes.		
827 Débarquement des Arabes en Sicile.		
836-892 Sāmarrā, capitale de transfert des 'Abbāssides.		
838 Prise d'Amorion par les forces 'abbāssides.		

DÉCADENCE CAROLINGIENNE ET NAISSANCE DU MONDE FÉODAL (de 843 à 1095)

MONDE MUSULMAN	MONDES ASIATIQUE, AFRICAIN ET AMÉRICAIN	CIVILISATION
868-905 Dynastie Ṭūlūnide en Égypte.	**875** Révolte paysanne de Huang chao en Chine.	**v. 851** *L. et R.* Jean Scot Erigène, théologien scolastique auteur du De praedestinatione.
874-999 Les Sāmānides, dynastie de Transoxiane.	**fin IXe s.** Début de la civilisation andine.	**863-869** *L.* Création par Cyrille et Méthode de l'écriture slave dite « glagolithique » (cyrillique).
902 Achèvement de la conquête de la Sicile par les Arabes.	**877-899** Indravarman Ier, roi khmer d'Angkor.	**881** *A. et R.* Angkor : édification du Bākong, pyramide à degrés.
909-973 Califat fāṭimide en Afrique du Nord.	**907-947** Parantaka Ier, roi des Cola (Chola).	**887-898** *Dr.* Code des Basiliques à Byzance.
912-961 'Abd al-Rahmān III, calife de Cordoue (929-961).	**907-960** Morcellement de la Chine.	**893 ou 894** *Dr.* Livre du Préfet à Byzance.
921/922 Occupation du Maroc par les Fāṭimides.	**v. 920-v. 1000** Les Toltèques au Mexique.	**932-1020** *L.* Vie du poète persan Firdūsī.
929-1031 Califat omeyyade de Cordoue.	**936** Les Khitans (Kitat) à Pékin.	**v. 938** *L.* Livre des Cérémonies à Byzance.
945-1055 Mise en tutelle des 'Abbāssides par les Buwayhides.	**949** Takkolam : défaite des Cola par les Rāṣṭrakūṭa.	**961** *A. et R.* Agrandissement de la mosquée de Cordoue.
962-1186 Dynastie turque des Rhāznévides.	**955** Persécution du bouddhisme en Chine.	**975-1000** Construction de la 2e abbatiale de Cluny.
969 Installation des Fāṭimides en Égypte. Fondation du Caire.	**960-1127** Chine : dynastie des Song du Nord.	**980-1037** *Sc.* Vie d'Avicenne, philosophe et médecin arabe.
973-1171 Califat fāṭimide d'Égypte.	**966-1027** Fujiwara Michanaga, kampaku au Japon.	**1004** *A. et R.* Fondation du monastère de Lavra au Mont-Athos.
975-996 Al-'Aziz, calife fāṭimide d'Égypte.	**v. 980** Les Norvégiens au Groenland.	**1006-1019** *A. et R.* Construction de l'église Saint-Philibert de Tournus.
995 Conquête du Khorāsān par les Turcs Rhaznévides.	**980-990** Inde du Nord : victoire des Paramara sur les Cālukya.	**v. 1010** *Sc.* École de médecine de Salerne.
996-1021 Al-Ḥākim, calife fāṭimide d'Égypte.	**985-1015** Rajaroja, roi Cola : hégémonie sur le Deccan.	**1016-1115** *L.* Vie de Rāmānuja, penseur hindouiste.
999-1030 Maḥmūd, roi de Rhaznī et du Khorāsān.	**apr. 985** Inde du Sud : extension du royaume des Cola.	**1019-1086** *L.* Vie de Sima Guang, historien chinois.
1002 Espagne musulmane : mort d'al-Manṣūr.	**987** Début du Nouvel Empire Maya au Mexique.	**v. 1020** *A.* Notation musicale nouvelle trouvée par Gui d'Arezzo.
1008-1021 Conquête de l'Inde du Nord-Ouest par Maḥmūd de Rhaznī.	**987-1194** Mexique : ligue de Mayapán.	**1033-1109** *L. et R.* Vie de saint Anselme, philosophe et théologien bénédictin.
1009 Destruction des sanctuaires de Jérusalem par Al-Ḥākim.	**fin du Xe s.** Début de la civilisation de Tiahuanaco au Pérou.	**1040** *A.* Construction de Sainte-Sophie à Kiev.
1031-1110 Royaumes de *taifas* dans l'Espagne musulmane.	**av. 1000** Afrique centrale : début des migrations des Bantous.	**1045** *Dr. et L.* Fondation d'écoles de droit et de philosophie à Constantinople : prestige de Michel Psellos († 1078).
1040 Dandānqān : victoire des Turcs Seldjoukides sur les Rhaznévides.	**v. 1000** Les Scandinaves au Vinland.	**v. 1050** *L.* Chine : invention des caractères mobiles d'imprimerie.
1048 Rupture des Zīrides d'Ifrīqiya avec les Fāṭimides.	**déb. du XIe s.** Conversion à l'islām des Toucouleurs et du royaume songhaï de Gao.	**1055-1137** *L. et R.* Vie du philosophe indien Rāmānuja.
1050-1052 Invasion du Maghreb par les Banū Hilāl.	**1002-1050** Sūryavarman Ier, roi khmer d'Angkor.	**1058-1111** Vie du philosophe musulman Al-Rhazāli.
1053-1054 Prise de Sidjilmāsa par les Almoravides.	**1005** Soumission de Ceylan aux Cola (Chola).	**v. 1065-1100** *L.* La Chanson de Roland.
1055 Prise de Bagdad par le sultan seldjoukide Toghrul-Beg (1038-1063).	**1009-1025** Dynastie vietnamienne des Ly.	**1083-1148** *L.* Anne Comnène, écrivain byzantin (l'Alexiade).
1062 Fondation de Marrakech par les Almoravides.	**1010-1049** Airlanga, roi de Java.	**1088-1132** *A. et R.* Construction de la troisième abbatiale de Cluny.
1063-1072 Alp Arslān, sultan seldjoukide.	**1012-1025** Radjendra, roi Cola (Chola), impose son hégémonie navale sur les Sailendra de Srīvijaya.	**av. 1090** *A. et R.* Construction de l'Ananda à Pagan en Birmanie.
1069 Occupation de Konya par les Turcs Seldjoukides.	**v. 1027-1167** Lutte des Fujiwara et des Minamoto au Japon.	**1093** *A.* Ogive utilisée à la cathédrale de Durham.
1072-1092 Malik Shāh, sultan seldjoukide.	**courant du XIe s.** Soudan : premier royaume Mossi.	
1076 Prise de Ghāna par les Almoravides.	**1030-1227** Royaume des Xixia (Si-hia) en Chine.	
1078 Prise de Nicée par les Seldjoukides.	**v. 1040-1050** Pénétration de l'islām dans le royaume du Tekrour et du Ghāna.	
1084 Prise d'Antioche par les Seldjoukides.	**1044-1077** Anoratha, roi birman de Pagan.	
1086 Victoire des Almoravides sur les chrétiens d'Espagne à Sagrajas (Zalaca).	**1054** Prise d'Aoudaghost par les Almoravides au Soudan occidental.	
	1069-1086 Réformes du Chinois Wang Ngan-Che.	

LE MONDE AU TEMPS DE L'EXPANSION FRANQUE AU LEVANT (de 1095 à 1201)

OCCIDENT CHRÉTIEN	ORIENT CHRÉTIEN	ÉGLISE ET VIE RELIGIEUSE
1100-1135 Henri Ier Beaucler, roi d'Angleterre.	**1096-1097** Passage des croisés à Constantinople.	**1095** Concile de Clermont : prédication de la première croisade par le pape Urbain II.
1106-1125 Henri V, empereur germanique en 1111.	**1098-1144/1146** Comté d'Édesse.	**1098** Fondation de Cîteaux par Robert de Molesmes.
1108-1137 Louis VI le Gros, roi de France.	**1098-1268/1289** Principauté d'Antioche.	**1099-1118** Pontificat de Pascal II.
1118 Prise de Saragosse par les Aragonais.	**1099** Prise de Jérusalem par les croisés.	**1118** Fondation de l'ordre des Templiers.
1125-1137 Lothaire II de Supplinburg, empereur germanique en 1133.	**1100-1291** Royaume latin de Jérusalem.	**1120** Fondation de l'ordre des Prémontrés par saint Norbert.
1130-1154 Roger II, premier roi de Sicile.	**1100-1118** Baudouin Ier, roi de Jérusalem.	**1122** Concordat de Worms entre Calixte II et Henri V.
1135 Prise de Djerba par la flotte de Roger II.	**1102** Rattachement de la Croatie et de la Dalmatie à la Hongrie.	**1122-1151** Suger, abbé de Saint-Denis.
1135-1154 Étienne Ier de Blois, roi d'Angleterre.	**1109-1187/1289** Comté de Tripoli.	**1122-1156** Pierre le Vénérable, abbé de Cluny.
1137-1250/1266 Dynastie souabe des Hohenstaufen.	**1118-1143** Jean II Comnène, empereur byzantin.	**1123** IXe concile œcuménique (Ier du Latran) approuvant le concordat de Worms.
1137-1152 Conrad III, empereur germanique.	**v. 1125-1157** Georges (Iouri) Ier Dolgorouki, prince de Souzdal (Kiev, 1154).	**v. 1130-1202** Vie du mystique italien Joachim de Flore.
1137 Mariage de Louis VII et d'Aliénor d'Aquitaine. Union de l'Aragon et du comté de Barcelone.	**1138** Intervention de l'empereur Jean II à Antioche.	**1130-1143** Pontificat d'Innocent II.
1137-1180 Louis VII, roi de France.	**1143-1180** Manuel Ier Comnène, empereur byzantin.	**1139** Xe concile œcuménique (IIe du Latran) : liquidation du schisme d'Anaclet II (1130-1138).
1139 Le Portugal transformé en royaume.	**1147** Assemblée des princes russes à Moscou.	**1140** Condamnation d'Abélard au concile de Sens.
1147 Croisade allemande contre les Slaves païens.	**1147-1149** Deuxième croisade.	**1145-1153** Pontificat du bienheureux Eugène III.
1152-1190 Frédéric Ier Barberousse, empereur germanique en 1155.	**1148** Échec du siège de Damas par Louis VII et Conrad III.	**1154-1159** Pontificat d'Adrien IV : unique pape anglais.
1152 Mariage d'Aliénor d'Aquitaine, répudiée par Louis VII, avec Henri II Plantagenêt.	**1157-1174** André Ier Bogolioubski, prince de Souzdal.	**1154-1250** Querelle du Sacerdoce et de l'Empire.
1154-1189 Henri II Plantagenêt, roi d'Angleterre.	**v. 1170-1196** Étienne Nemanja, grand župan de Raška.	**1156** Fondation de l'ordre religieux et militaire espagnol d'Alcantara.
1157 Diète de Besançon : rupture de l'empereur avec la papauté.	**1171** Constantinople : émeutes contre les Vénitiens. Avantages commerciaux concédés à Gênes et à Pise.	**1158-1482** Ordre religieux et militaire espagnol de Calatrava.
1157-1180 Valdemar Ier le Grand, roi de Danemark.	**1173-1196** Béla III, roi de Hongrie.	**1159-1181** Pontificat d'Alexandre III.
1158 Début de l'essor de Lübeck fondé en 1143. Fondation de Munich. Diète de Roncaglia.	**1174-1185** Baudouin IV le Lépreux, roi de Jérusalem.	**1163-1170** Conflit entre Henri II et Thomas Becket.
1162 Destruction de Milan par Frédéric Ier Barberousse.	**1176** Défaite des Byzantins par les Turcs à Myrioképhalon.	**1164** Création de l'archevêché d'Uppsala (Suède).
1167 Formation de la Ligue Lombarde.	**1180-1183** Alexis II Comnène, empereur byzantin.	**1165** Canonisation de Charlemagne par l'anti-pape Pascal III.
1176 Victoire des Lombards sur l'empereur à Legnano.	**1182** Massacre des Occidentaux à Constantinople.	**1167** Concile cathare en Languedoc (?).
1177 Entrevue de Frédéric Ier et d'Alexandre III à Venise.	**1183-1185** Andronic Ier Comnène, empereur byzantin.	**1170** Conversion du marchand lyonnais Pierre Valdès à une vie pauvre et évangélique. Assassinat de Thomas Becket, archevêque de Canterbury.
1180-1223 Philippe II Auguste, roi de France.	**1185-1204** Dynastie byzantine des Anges.	**v. 1170-1221** Vie de saint Dominique.
1183 Paix de Constance : reconnaissance des libertés des communes lombardes par Frédéric Ier.	**1185** Reconstitution d'un royaume bulgare.	**1179** XIe concile œcuménique (IIIe du Latran) : liquidation du schisme de Calixte III. Réorganisation de l'élection pontificale.
1189-1199 Richard Ier Cœur de Lion, roi d'Angleterre.	**1185-1195** Isaac II Ange, empereur byzantin.	**v. 1182-1226** Vie de saint François d'Assise.
1190-1197 Henri VI, empereur germanique en 1191.	**1187** Hattin : Gui de Lusignan vaincu par Saladin.	**1198-1216** Pontificat d'Innocent III.
1194 Henri VI, couronné roi de Sicile.	**1187 ou 1189** Comté de Tripoli attribué à la maison d'Antioche.	**1198** Prédication de la quatrième croisade par Foulques de Neuilly.
1198 Allemagne : double élection royale de Philippe de Souabe et Otton de Brunswick.	**1189/1190-1192** Troisième croisade.	
1199-1216 Jean sans Terre, roi d'Angleterre.	**1191** Prise de Chypre par Richard Cœur de Lion. Reprise d'Acre par les croisés.	
1201 Fondation de Riga. Traité franco-vénitien (4e croisade).	**1195-1203** Alexis III Ange, empereur byzantin.	
	1197-1207 Kalojan, tsar des Bulgares.	
	1198 La Bohême, royaume héréditaire pour Přemysl Ier.	

PAPES, EMPEREURS ET KHAGHĀNS, OU LA RECHERCHE DE LA DOMINATION UNIVERSELLE (de 1202 à 1336)

OCCIDENT CHRÉTIEN	ORIENT CHRÉTIEN	ÉGLISE ET VIE RELIGIEUSE
1202 Consfication des fiefs français de Jean sans Terre.	**1202-1204** Quatrième croisade.	**1207** Prédication de saint Dominique en Languedoc.
1204 Occupation de la Normandie, de l'Anjou, du Poitou par Philippe II Auguste.	**1203** Première entrée des croisés à Constantinople.	**1209** Début de la croisade contre les Albigeois. — Première fraternité franciscaine.
1211-1250 Frédéric II, roi de Sicile, élu roi de Germanie.	**1203-1204** Isaac II et Alexis IV Ange, empereurs byzantins.	**1210** Excommunication d'Otton IV par Innocent III.
1214 Victoires du prince royal Louis à La Roche-aux-Moines et de Philippe II Auguste à Bouvines.	**1204** Seconde entrée des croisés à Constantinople.	**1213** Muret : victoire des croisés de Simon de Montfort sur Pierre II d'Aragon.
1215 La *Grande Charte* en Angleterre.	**1204-1261** Empire latin de Constantinople. — Dynastie byzantine des Lascaris à Nicée.	**1215** XIIe concile œcuménique (IVe du Latran) : suprématie pontificale ; condamnation des cathares. — Fondation de l'ordre des Dominicains.
1216-1272 Henri III, roi d'Angleterre.	**1204-1461** Empire grec de Trébizonde.	**1219** Autocéphalie de l'Église serbe avec saint Sava.
1220 Couronnement impérial de Frédéric II.	**1204-1205** Baudouin de Flandre, premier empereur de Constantinople.	**1221-1274** Vie du théologien franciscain saint Bonaventure.
1223-1226 Louis VIII, roi de France.	**1204-1207** Boniface de Montferrat, roi de Thessalonique.	**1225-1274** Vie du théologien dominicain saint Thomas d'Aquin.
1226-1270 Louis IX, roi de France.	**1204/1208-1222** Théodore Ier Lascaris, empereur de Nicée.	**1227-1241** Pontificat de Grégoire IX.
1229 Traité de Paris entre Louis IX et Raimond VII de Toulouse.	**1205-1318/1348** Despotat grec d'Épire.	**1231** Création de l'Inquisition.
1238 Prise de Valence par les Aragonais.	**1205** Andrinople : victoire bulgare sur Baudouin Ier.	**1235** Érection d'un patriarcat bulgare à Târnovo.
1248 Prise de Séville par les Castillans.	**1206-1216** Henri de Flandre, empereur de Constantinople.	**1243-1254** Pontificat d'Innocent IV.
1250-1273 Grand interrègne en Allemagne.	**1209-1218** Geoffroi Ier de Villehardouin, prince d'Achaïe.	**1244** Prise de la forteresse cathare de Montségur.
1257-1284 Alphonse X le Sage, roi de Castille.	**1216-1217** Pierre de Courtenay, empereur de Constantinople.	**1245** XIIIe concile œcuménique (Ier de Lyon) : destitution de Frédéric II.
1258 Les provisions d'Oxford imposées à Henri III.	**1217-1224** Étienne « le premier couronné », roi de Serbie.	**1271-1276** Pontificat de Grégoire X.
1259 Traité de Paris entre Louis IX et Henri III.	**1221-1228** Robert de Courtenay, empereur de Constantinople.	**1274** XIVe concile œcuménique (IIe de Lyon).
1262 Prise de Cadix par les Castillans.	**1222-1254** Jean III Doukas Vatatzès, empereur de Nicée.	**v. 1290-1349** Vie du théologien Guillaume d'Occam.
1266-1285 Charles d'Anjou, roi de Sicile, investi en 1265.	**1228-1261** Baudouin II, empereur de Constantinople.	**1294** Pontificat et abdication de Célestin V.
1272-1307 Édouard Ier, roi d'Angleterre.	**1230** Klokotnica : victoire de Jean Asen II sur Théodore Ange, empereur grec de Thessalonique (1224-1230).	**1294-1303** Pontificat de Boniface VIII.
1273-1291 Rodolphe de Habsbourg, empereur germanique.	**1240** Prise de Kiev par les Mongols. — La Néva : victoire d'Alexandre Nevski sur les Suédois.	**1297** Canonisation de Louis IX.
1282 Vêpres siciliennes : les Aragonais en Sicile.	**1242** Lac de Tchoudsks (Peïpous) : victoire d'Alexandre Nevski sur les Chevaliers Porte-Glaive.	**1300** Première année sainte.
1285-1314 Philippe IV le Bel, roi de France.	**1254-1258** Théodore II Lascaris, empereur de Nicée.	**1301** Bulle *Ausculta fili* contre Philippe IV le Bel.
1291 Naissance de la Confédération des cantons suisses.	**1258-1261** Jean IV Lascaris, empereur de Nicée.	**1303** « Attentat » de Guillaume de Nogaret à Anagni contre Boniface VIII. Excommunication de Philippe IV le Bel.
1296 Conquête de l'Écosse par Édouard Ier.	**1259-1282** Michel VIII Paléologue, empereur byzantin.	**1305-1314** Pontificat de Clément V (pape français).
1302 Courtrai : victoire des Flamands sur les Français.	**1261-1453** Dynastie byzantine des Paléologues.	**1307** Giovanni de Montecorvino (1247-1328), archevêque de Khānbalik (1307-1328) [Chine].
1304 Mons-en-Pévèle : victoire des Français sur les Flamands.	**1261** Traité de Nymphée entre Michel VIII et Gênes. — Reprise de Constantinople par Michel VIII.	**1307** Arrestation des Templiers.
1307-1327 Édouard II, roi d'Angleterre.	**1282-1328** Andronic II Paléologue, empereur byzantin.	**1309** Installation de Clément V à Avignon.
1309-1343 Robert Ier, roi de Naples.	**1328-1341** Andronic III Paléologue, empereur byzantin.	**1311-1312** XVe concile œcuménique (de Vienne) : suppression de l'ordre du Temple.
1314-1328 Règnes des trois fils de Philippe IV le Bel.	**1331-1355** Étienne IX Dušan, roi des Serbes.	**1326** Moscou, siège du patriarcat russe.
1319 Magnus VII Eriksson, roi de Norvège (1319-1343) et roi de Suède (1319-1363).		**1334-1342** Pontificat de Benoît XII.
1327-1377 Édouard III, roi d'Angleterre.		
1328-1589 Dynastie des Valois.		
1328-1350 Philippe VI de Valois, roi de France.		
1328 Cassel : victoire de Philippe VI sur les Flamands.		

LE MONDE AU TEMPS DE L'EXPANSION FRANQUE AU LEVANT (de 1095 à 1201)

MONDE MUSULMAN	MONDES ASIATIQUE, AFRICAIN ET AMÉRICAIN	CIVILISATION
1125 Installation du mahdī almohade Ibn Tūmart à Tinmel (sud du Maroc).	**v. 1100** Islamisation du sultanat Kanem au Soudan.	**fin du XIe s.** *Sc.* Chine : apparition de la boussole.
1127-1146 Zangī, atabek de Mossoul.	**v. 1100-1335** Domination de Kiloa sur les postes côtiers du Sud-Est africain.	**1100-1166** *Sc.* Vie du géographe arabe Al-Idrīsī.
1128 Prise d'Alep par Zangī.	**1112-1152** Sūryavarman II, roi khmer d'Angkor.	**début du XIIe s.** *L.* France : premiers poèmes courtois.
1127/28 ou 1129 Mort d'Ibn Tūmart, mahdī des Almohades.	**1114** Offensive des Djurtchets contre les Khitans en Chine.	**entre 1112 et 1152** *A.* Construction du temple d'Angkor Vat par Sūryavarman II.
1128/1129-1269 Empire almohade.	**1122** Prise de Pékin par les Djurtchets.	**1121** *L. Dialectique* d'Abélard (1079-1142).
1128/1129-1163 'Abd al-Mu'min, premier calife almohade.	**1124-1215** Dynastie Djurtchet des Jin en Chine du Nord.	**v. 1125** *Dr.* Enseignement du juriste Irnerius à Bologne.
1144 Occupation temporaire d'Edesse par Zangī.	**1127** Repli des Song en Chine du Sud (Song du Sud).	**1126-1198** *L.* Vie du philosophe arabe Averroès.
1145-1146 Conquête du Maghreb occidental par l'Almohade 'Abd al-Mu'min.	**1127-1162** Kao-T'song, empereur de Chine.	**1130-1200** *R.* Zhu Xi, rénovateur du confucianisme.
1146-1174 Nūr al-Dīn Maḥmūd, atabek d'Alep.	**1130-1218** Empire des Kara Kitay fondé en Asie centrale par les Khitans (Liao).	**1135-1204** *L.* Vie de Maimonide, philosophe juif.
1146 Reprise d'Edesse aux croisés par Nūr al-Dīn Maḥmūd.	**1132** Transfert à Hangzhou de la capitale des Song.	**1140** *Dr.* Décret de Gratien, fondement du droit canonique classique. *L. La Chanson des chétifs.*
1147-1148 Reconnaissance de l'autorité d''Abd al-Mu'min sur l'ouest de l'Andalousie.	**1138** Paix entre les Song et les Jin (Kin).	**1144** *A.* Consécration de la nouvelle abbaye de Saint-Denis.
1151 Occupation de Rhaznī par les Rhūrides.	**1145** Invasion du Champa par les Khmers.	**v. 1145** *L. Cantar de mio Cid. A.* Sculptures du portail Royal de Chartres.
1152 Sétif : victoire sur les Hilāliens des Almohades, dès lors maîtres du Maghreb central.	**v. 1150** Arrivée du chef musulman Ramakararo dans l'est de Madagascar.	**1150** *A.* Construction de Notre-Dame-du-Port à Clermont.
1154 Rattachement de la principauté de Damas à la domination de Nūr al-Dīn Maḥmūd.	**1153** Transfert de la capitale des Jin (Kin) à Pékin.	**1150-1210** *L.* Vie du poète Jean Bodel.
1159-1160 Conquête de l'Ifrīqiya par les Almohades.	**1160-1182** Domination des Taira au Japon.	**v. 1150-1190** *A.* Construction de la Kutubiyya, grande mosquée de Marrakech.
1163-1184 Abū Ya'qūb Yūsuf II, second calife almohade.	**1168** Occupation par les Chichimèques de Tula où s'établissent les Aztèques.	**1152** *R. Livre des sentences* de Pierre Lombard.
1164 Intervention de Nūr al-Dīn Maḥmūd au Caire.	**1177** Pillage d'Angkor par les Chams.	**v. 1155-1170** *L. Tristan et Iseut.*
1169-1171 Ṣalāḥ al-Dīn Yūsuf (Saladin), vizir (« al-Malik al-Nāṣir ») du calife fāṭimide du Caire.	**1181-1219** Jayavarman VII, roi khmer d'Angkor (1184-1198).	**1162-1182** *L.* Œuvres de Chrétien de Troyes.
1171 Suppression du califat fāṭimide d'Égypte par Saladin.	**1185** Dan-no-ura : victoire navale au Japon des Minamoto sur les Taira.	**1163-1182** *A.* Construction de Notre-Dame de Paris.
1171-1250 Sultanat ayyūbide d'Égypte et de Syrie fondé par Saladin (1171-1193).	**1185/1192-1333** Période de Kamakura.	**1164-1213** *L.* Vie du chroniqueur Geoffroi de Villehardouin.
1172 Reconnaissance du califat almohade par toute l'Espagne musulmane.	**1186-1206** Muḥammad de Rhūr, sultan afghan de Lahore.	**v. 1168-1253** *L. et Sc.* Vie de l'érudit et savant anglais Robert Grosseteste.
1174 Prise de Damas par Saladin.	**1190-1225** Éthiopie : règne de saint Lalibala.	**1171** *A.* Nef de la cathédrale de Tournai.
1184-1199 Règne du calife almohade Ya'qūb al-Mansūr.	**1192-1199** Minamoto no Yoritomo, shōgun du Japon.	**1180-1234** *A.* Vie du peintre chinois Hia Kouei.
1186 Annexion du Pendjab par Muḥammad de Rhūr.	**1192** Thānesar : victoire de Muḥammad de Rhūr.	**v. 1180** *Sc.* Apparition du moulin à vent dans le nord-ouest de l'Europe.
1187 Bataille de Haṭṭīn et prise de Jérusalem par Saladin.	**1194** Dislocation de la ligue maya de Mayapán.	**1181-1219** *A.* Construction du Bàyon et d'Angkor Thom.
1195 Victoire des Almohades sur les Castillans à Alarcos.	**1196-1227** Temüdjin proclamé « khān des Mongols » (Tchingīz khān : Gengis khān).	**1182** *L. Perceval* par Chrétien de Troyes.
	1197 Début de la domination des Incas dans la vallée de Cuzco au Pérou.	**1184-1195** *A.* Construction de la Giralda à Séville.
	1199 Régime des régents du shōgunat avec les Hōjō au Japon.	**1194-1197** *A.* Construction de l'église Saint-Dimitri à Vladimir.
	v. 1200 Établissement des Chimús sur la côte du nord du Pérou.	**1195-1260** *A.* Construction de la partie gothique de la cathédrale de Chartres.
		v. 1200 *L.* Composition des *Nibelungen*.

PAPES, EMPEREURS ET KHAGHĀNS, OU LA RECHERCHE DE LA DOMINATION UNIVERSELLE (de 1202 à 1336)

EN PAYS D'ISLAM	MONDES ASIATIQUE, AFRICAIN ET AMÉRICAIN	CIVILISATION
1208-1217 Conquêtes de Muḥammad de Khārezm : Khurāsān (1208) ; Afghānistān (1209-1214) ; Iraq (1217).	**1203-1220** Annexion du Champa par les Khmers.	**1208** *L. et Sc.* Sécession d'Oxford : naissance de l'université de Cambridge (reconnue en 1308).
1212 Las Navas de Tolosa : victoire des chrétiens d'Espagne. Début de la dislocation de l'Empire almohade (1212-1269).	**1206-1526** Sultanat de Delhi en Inde.	**1214** *L. et Sc.* Premiers statuts de l'université d'Oxford.
1218-1221 Cinquième croisade : en Égypte.	**1206** Gengis khān, khaghān des tribus mongoles.	**1215** *L. et Sc.* Statuts de l'université de Paris.
1218-1219 Siège et prise de Damiette par les croisés.	**1211-1290** Sultanat des Esclaves à Delhi.	**1218** *L. et Sc.* Fondation de l'université de Salamanque.
1220-1221 Destruction du Khārezm par Gengis khān.	**1211-1236** Īltutmich, sultan de Delhi.	**1220-v. 1279** *A.* Construction de la cathédrale d'Amiens.
1221-1259 Dounama Dibalami, sultan du Kanem.	**1215** Prise de Pékin par Gengis khān.	**1221** *A.* Début du chantier de la cathédrale de Burgos.
1228-1229 Sixième croisade de Frédéric II en Syrie.	**1218** Conquête de l'empire des Kara Kitay par Gengis khān.	**1224** *L. et Sc.* Fondation de l'université de Naples par Frédéric II.
1229 Traité de Jaffa : l'empereur Frédéric II et le sultan d'Égypte al-Malik al-Kāmil fixent le statut de Jérusalem.	**1220** Victoire des Pāndya sur les Cola à Tanjore.	**1229** *L. et Sc.* Fondation de l'université de Toulouse.
1229-1574 Royaume ḥafside de Tunis.	**v. 1220-1300** Fondation du royaume thaï de Sukhotai.	**1232** *Dr. Jōei Shikimoku*, code de lois japonais.
1235-1554 Royaume 'abdalwādide de Tlemcen.	**1222** Victoire d'Īltutmich sur les Mongols sur l'Indus.	**v. 1236** *L.* Guillaume de Lorris : première partie du *Roman de la Rose.*
1239-1240 Échec à Gaza de la croisade champenoise.	**1223** La Kalka : victoire mongole sur les Coumans et les Russes.	**1236** *T.* Émission de papier-monnaie dans la Chine mongole.
1244 Prise de Jérusalem par les Turcs Khārezmiens.	**1225-1413** Dynastie vietnamienne des Trân.	**1237** *T.* Ouverture de la route du Saint-Gothard.
1248-1254 Septième croisade de Louis IX en Égypte et en Syrie.	**1227** Partage de l'empire de Gengis khān.	**v. 1240-v. 1305** *L.* Vie de Jean de Meung, auteur de la seconde partie du *Roman de la Rose.*
1249-1277 Abū 'Abd Allāh, calife ḥafside de Tunis en 1253.	**1229-1241** Ogoday, khaghān des Mongols.	**1243-1248** *A.* Construction de la Sainte-Chapelle à Paris.
1250 Défaite de Saint Louis à Mansourah. — Assassinat du dernier sultan ayyūbide du Caire, Tūrān-châh.	**1230-1231** Conquête de l'Iran par les Mongols.	**1245-1248** *L.* Enseignement de saint Albert le Grand à Paris.
1250-1798/1811 Régime des Mamelouks en Égypte.	**v. 1230** Apogée du royaume sosso du Soudan.	**1246** *Sc. et R.* Voyage de Jean du Plan Carpin en Mongolie.
1250-1382 Dynastie des Mamelouks baḥrites.	**1231-1234** Destruction de l'empire des Jin par les Mongols.	**1252-1259** *L.* Enseignement de saint Thomas d'Aquin à l'Université de Paris.
1258 Prise de Bagdad par Hūlāgū ; disparition du califat 'abbāside.	**1233** Prise de Kai Feng (K'ai-fong) par les Mongols.	**1254** *Sc. et R.* Guillaume de Rubroek chez les Mongols.
1260-1277 Baybars, sultan mamelouk d'Égypte.	**1234-1279** Conquête de la Chine des Song par les Mongols.	**1254-1324** *Sc.* Vie du marchand explorateur, Marco Polo.
1260 'Aïn Djalūt, victoire de Baybars sur Hūlāgū. Rétablissement du califat 'abbāside au Caire (1260-1517).	**1235** Kirina : victoire de Soundiata Keita sur les Sossos, et fondation de l'empire du Mali.	**1257** *L. et Sc.* Naissance de la Sorbonne.
1268 Prise d'Antioche par Baybars.	**1236-1242** Expédition européenne de Bātū khān.	**1260-1269** *Sc.* Premier voyage des frères Polo en Asie.
1269-1465 Dynastie marīnide au Maroc.	**1241** Prise de Lahore par les Mongols.	**1263** *L.* Alphonse X de Castille : les *Siete Partidas.*
1270 Huitième croisade ; mort de Louis IX à Tunis.	**1246-1248** Güyük, khaghān des Mongols.	**1265-1321** *L.* Vie du poète italien Dante Alighieri.
1273 Occupation de Ceuta et de Tanger par les Marīnides.	**1251-1259** Möngke, khaghān des Mongols.	**1265** *L. et R.* Thomas d'Aquin : *Somme théologique.*
1291 Prise d'Acre par le sultan mamelouk al-Malik al-Khālil.	**1251-1265** Hūlāgū, premier souverain mongol de l'Iran.	**1266-1337** *A.* Vie du peintre florentin Giotto.
1299-1326 Osman Ier Gazi, sultan ottoman.	**1253** Conquête du Yunnan par les Mongols.	**1271-1295** *Sc.* Second voyage des frères Polo et de Marco Polo.
1326 Prise de Brousse par Orhan.	**1260-1294** Kūbīlāy, khaghān des Mongols.	**1283** *Dr.* Beaumanoir : les *Coutumes de Beauvaisis.*
1326-1359 Orhan, sultan ottoman.	**1260** Capitale de Kūbīlāy installée à Khānbalik.	**1304-1374** *L.* Vie du poète italien Pétrarque.
1329 Prise de Nicée (Iznik) par Orhan.	**1274 et 1281** Échecs des Mongols contre le Japon.	**1307-1321** *L.* Dante : *la Divine Comédie.*
	1278 Prise de Canton par Kūbīlāy.	**1313-1375** *L.* Vie de l'écrivain italien Boccace.
	1279-1368 Dynastie mongole des Yuan en Chine.	**1324** *L.* Marsile de Padoue : le *Defensor pacis.*
	1283 et 1287 Échecs des Mongols en Indochine.	
	1290-1320 Dynastie des Khaldjī, sultans de Delhi.	
	1320-1414 Dynastie des Turhluq, sultans turcs de Delhi.	
	1325 Fondation de Tenochtitlán par les Aztèques.	
	1333-1582 Période de Muromachi au Japon.	

LE MONDE AU TEMPS DE LA GUERRE DE CENT ANS (DE 1337 À 1453)

FRANCE ET ANGLETERRE

1337 Défi d'Édouard III à Philippe VI : guerre de Cent Ans.
1339 Débarquement anglais en Flandre.
1340 L'Écluse : défaite navale de Philippe VI.
1341-1365 Guerre de la Succession de Bretagne.
1344/1349 Rattachement du Dauphiné à la France.
1346 Crécy : victoire d'Édouard III sur Philippe VI.
1349 Achat de Montpellier par Philippe VI.
1350-1364 Jean II le Bon, roi de France.
1356 Poitiers : défaite et capture de Jean II le Bon.
1358 Insurrection d'Étienne Marcel et jacqueries.
1360 Traité franco-anglais de Brétigny-Calais.
1364 Cocherel : Du Guesclin bat Charles le Mauvais.
1364-1380 Charles V, roi de France.
1377-1399 Richard II, roi d'Angleterre.
1380-1422 Charles VI, roi de France.
1381 Révolte des paysans en Angleterre.
1382 Émeutes à Paris (Maillotins), à Rouen (la Harelle)...
1392 Folie de Charles VI.
1399-1461/1471 Dynastie des Lancastre.
1399-1413 Henri IV de Lancastre, roi d'Angleterre.
1404-1419 Jean sans Peur, duc de Bourgogne.
1407 Assassinat de Louis d'Orléans par Jean sans Peur.
1413-1422 Henri V, roi d'Angleterre.
1413 Révolution cabochienne à Paris.
1415 Victoire anglaise à Azincourt.
1418 Occupation de Paris par les Bourguignons.
1419 Assassinat de Jean sans Peur à Montereau.
1419-1467 Philippe le Bon, duc de Bourgogne.
1420 Traité franco-anglais de Troyes.
1422-1461 Charles VII, roi de France.
1422-1461/1471 Henri VI, roi d'Angleterre (et de France).
1429 Jeanne d'Arc. Libération d'Orléans. Sacre de Charles VII.
1431 Supplice de Jeanne d'Arc, à Rouen.
1435 Paix d'Arras : réconciliation franco-bourguignonne.
1438 Pragmatique sanction de Bourges.
1440 La Praguerie : révolte féodale.
1450 Défaite anglaise à Formigny.
1453 Défaite anglaise à Castillon. — Procès de Jacques Cœur.

EUROPE DU NORD, DU CENTRE ET DU SUD

1342-1382 Louis le Grand, roi de Hongrie.
1343-1382 Jeanne Ire, reine de Naples.
1346/1347-1378 Charles IV de Luxembourg, empereur germanique.
1347-1349 Épidémie de peste noire en Europe.
1350-1369 Pierre Ier le Cruel, roi de Castille.
1356 *Bulle d'or* de Charles IV pour l'Empire.
1369 Montiel : défaite de Pierre le Cruel, roi de Castille.
1369-1379 Henri II de Trastamare, roi de Castille.
1370 Paix de Stralsund entre le Danemark et la Hanse.
1378 Révolte des *ciompi* à Florence.
1378-1419 Venceslas de Luxembourg, empereur germanique.
1378-1381 Guerre « de Chioggia » (Venise et Gênes).
1385-1433 Jean Ier, roi de Portugal.
1386 Union de la Pologne et de la Lituanie (mariage d'Hedwige d'Anjou et de Ladislas II, grand-duc de Lituanie, 1377-1392).
1386-1434 Ladislas II, roi de Pologne.
1395 Création du duché de Milan au profit de Jean-Galéas Visconti.
1397 Union de Kalmar entre les trois royaumes scandinaves au profit d'Erik de Poméranie.
1406-1454 Jean II, roi de Castille.
1410 Ladislas II Jagellon bat les chevaliers Teutoniques à Grunwald (Tannenberg).
1414-1435 Jeanne II, reine de Naples.
1415 Achat du Brandebourg par Frédéric de Hohenzollern.
1416-1458 Alphonse V, roi d'Aragon et de Sicile (Alphonse Ier des Deux-Siciles, 1442-1458).
1419-1437 Sigismond de Luxembourg, empereur germanique en 1433.
1434-1464 Cosme de Médicis, maître de Florence.
1438-1481 Alphonse V, roi de Portugal.
1440-1918 Dynastie impériale des Habsbourg.
1440-1493 Frédéric III de Habsbourg, empereur germanique.
1445-1492 Casimir IV Jagellon, roi de Pologne.
1447-1450 La République ambrosienne à Milan.
1450-1466 François Sforza, duc de Milan.

ÉGLISE ET VIE RELIGIEUSE

1337-1380 Vie de sainte Catherine de Sienne.
1340-1384 Vie du mystique néerlandais, Geert Groote.
1342-1352 Pontificat de Clément VI.
1348 Achat d'Avignon par Clément VI à Jeanne Ire de Naples.
v. 1355-1419 Vie du dominicain saint Vincent Ferrier.
1362-1370 Pontificat d'Urbain V, mort à Avignon.
1367-1370 Séjour d'Urbain V à Rome.
1369-1415 Vie de l'hérésiarque Jan Hus.
1370-1378 Pontificat de Grégoire XI.
1377 Rétablissement de la papauté à Rome.
1378-1417 Grand Schisme d'Occident : élection d'Urbain VI (1378-1389) et de Clément VII (1378-1394).
1381 Fondation, à Deventer, des Frères de la vie commune par Geert Groote.
1387 Fondation de l'abbaye de Windesheim.
1394-1423 Pontificat de Benoît XIII, pape d'Avignon.
1402-1472 Vie du cardinal Jean Bessarion, humaniste et écrivain byzantin.
1409 Concile de Pise. L'Église a trois papes : Grégoire XII (Rome) ; Benoît XIII (Avignon) ; Alexandre V (Pise).
1414-1418 XVIe Concile œcuménique (de Constance) : fin du Grand Schisme.
1415 Supplice de Jan Hus.
1416-1507 Vie du franciscain saint François de Paule.
1417-1431 Pontificat de Martin V.
1420-1434 Essor et défaite des « taborites » (Hussites radicaux).
1421 Synode de Prague organisant l'Église utraquiste.
1431-1449 XVIIe Concile œcuménique (de Bâle).
1431-1447 Pontificat d'Eugène IV.
1436 *Compactata* d'Ihlava.
1438 Transfert à Ferrare du concile de Bâle.
1439-1449 Antipape Félix V, élu du concile de Bâle.
1439 Transfert de Ferrare à Florence du concile de Bâle : tentative d'union avec Byzance.
1440 Assemblée du clergé de Bourges ; ralliement de l'Église de France à l'obédience romaine.
1447-1455 Pontificat de Nicolas V, pape humaniste.
1448 Concordat de Vienne.

LA NAISSANCE DU MONDE MODERNE (DE 1454 À 1559)

GUERRE, DIPLOMATIE, ÉCONOMIE

1454 Paix de Lodi (Florence, Milan, Venise).
1466 Paix de Toruń : Poméranie et Gdańsk à la Pologne.
1475 Traité de Picquigny entre la France et l'Angleterre.
1476 Granson et Morat : Charles le Téméraire vaincu par les Suisses.
1477 Nancy : défaite et mort de Charles le Téméraire.
1492 Prise de Grenade par les Rois Catholiques.
1492 Séparation de la Pologne et de la Lituanie.
1493 Traités franco-aragonais de Barcelone et franco-autrichien de Senlis.
1494 Charles VIII, roi de France, en Italie.
1495 Fornoue : victoire de Charles VIII sur la Sainte Ligue.
1499 Louis XII, roi de France, en Italie.
1500 Ivan III occupe la rive gauche du Dniepr.
1508 Ligue de Cambrai contre Venise.
1511 Sainte Ligue contre les Français.
1512 Ravenne : victoire de Gaston de Foix.
1515 Marignan : victoire de François Ier sur les Suisses.
1516 Concordat du pape et du roi de France à Bologne.
1520 « Bain de sang » de Stockholm. Révolte du Suédois Gustave Vasa contre les Danois. Camp du Drap d'Or (François Ier - Henri VIII).
1525 François Ier fait prisonnier à Pavie par Charles Quint. Les Fugger, concessionnaires des mines d'Almadén.
1526 Traité de Madrid entre François Ier et Charles Quint. Mohács : victoire ottomane sur Louis II de Hongrie.
1529 Siège de Vienne par les Ottomans. Paix franco-espagnole de Cambrai dite « des Dames ».
1544 Victoire française à Cérisoles sur les Impériaux.
1552 Ivan IV occupe Kazan et Henri II les Trois-Évêchés.
1552-1553 Vain siège de Metz par Charles Quint.
1556 Prise d'Astrakhan par Ivan IV.
1557 Saint-Quentin : victoire des Espagnols sur les Français. Banqueroute et crise financière en France et en Espagne.
1558 Prise de Narva par Ivan IV et de Calais par François de Guise.
1559 Traité franco-espagnol du Cateau-Cambrésis.

PUISSANCES EUROPÉENNES

1455-1485 Guerre des Deux-Roses en Angleterre.
1458-1490 Mathias Corvin, roi de Hongrie.
1461-1483 Louis XI, roi de France. Édouard IV d'York, roi d'Angleterre.
1462-1505 Ivan III, grand-prince de Moscou.
1467-1477 Charles le Téméraire, duc de Bourgogne.
1468 Révolte de Liège contre Charles le Téméraire.
1469-1492 Laurent de Médicis, maître de Florence.
1479 Isabelle de Castille (1474-1500) et Ferdinand d'Aragon (1479-1516), les Rois Catholiques.
1480-1508 Ludovic Sforza le More, seigneur de Milan.
1482 Traité d'Arras rattachant la Bourgogne au domaine royal.
1484 États généraux de Tours.
1485 Bosworth : Richard III d'York (1483-1485) battu et tué par Henri VII Tudor (1485-1509).
1491 Charles VIII (1483-1498) épouse Anne de Bretagne.
1493-1519 Maximilien Ier, empereur.
1498-1515 Louis XII, roi de France.
1500 Règlement d'Empire à la diète d'Augsbourg.
1505-1533 Vassili (Basile) III, grand-prince de Moscou.
1509-1547 Henri VIII, roi d'Angleterre.
1515-1547 François Ier, roi de France.
1519-1556 Charles Quint, empereur.
1520 Insurrection des « Comuneros » espagnols.
1523-1560 Gustave Vasa, roi de Suède.
1523-1533 Frédéric Ier, roi de Danemark et de Norvège.
1526-1564 Ferdinand Ier, roi de Bohême (emp., 1558).
1527 Sac de Rome par les Impériaux.
1530 Couronnement impérial de Charles Quint.
1532 Rattachement de la Bretagne à la France.
1533-1584 Ivan IV, grand-prince de Moscou.
1537-1540 Révolte de Gand.
1538-1543 Ivan IV sous la tutelle des Chouïski.
1542-1567/1568 Marie Stuart, reine d'Écosse.
1547-1553 Édouard VI, roi d'Angleterre.
1547-1559 Henri II, roi de France.
1553-1558 Marie Ire Tudor, reine d'Angleterre.
1556-1598 Philippe II, roi d'Espagne.
1558-1603 Élisabeth Ire, reine d'Angleterre.
1559-1560 François II, roi de France.

ÉGLISE ET VIE RELIGIEUSE

1458-1464 Pontificat de Pie II, pape humaniste.
1471-1484 Pontificat de Sixte IV.
1483-1546 Vie du réformateur allemand Martin Luther.
1484-1492 Pontificat d'Innocent VIII.
1484-1531 Vie de Zwingli, réformateur de Zurich.
1491 ?-1556 Vie d'Ignace de Loyola.
1492-1503 Pontificat d'Alexandre VI Borgia.
1492 et 1496 Conversions forcées des juifs et des maures espagnols.
1497 Excommunication du dominicain Savonarole.
1497-1560 Vie du réformateur Philipp Melanchthon.
1503-1513 Pontificat de Jules II.
1509-1564 Vie du réformateur de Genève, Jean Calvin.
1512-1517 XVIIIe Concile œcuménique (Ve du Latran).
1513-1521 Pontificat de Léon X (de Médicis).
1515-1582 Vie de sainte Thérèse d'Ávila.
1517 Luther publie 95 thèses contre les Indulgences.
1520 Prédication de Thomas Münzer à Zwickau.
1521 Excommunication de Luther, réfugié à la Wartburg.
1522-1523 Pontificat d'Adrien VI, pape non italien.
1523 Apparition des anabaptistes en Allemagne.
1523-1534 Pontificat de Clément VII (de Médicis).
1527 Le Danemark et la Suède adoptent le luthéranisme.
1531 Ligue protestante de Smalkalde en Allemagne.
1534 Alliance de François Ier et des protestants allemands.
1534-1549 Pontificat de Paul III (Farnèse).
1535 Massacre des anabaptistes à Münster.
1536 Calvin : *Institutio religionis christianae.*
1538 Excommunication d'Henri VIII.
1541 Installation définitive de Calvin à Genève.
1542 Création de l'Inquisition romaine.
1542-1591 Vie de saint Jean de la Croix.
1545-1563 XIXe Concile œcuménique de Trente.
1547 Mühlberg, Charles Quint bat les protestants allemands.
1550-1555 Pontificat de Jules III.
1555 Paix d'Augsbourg : *cujus regio ejus religio.*
1556 Ouverture du collège des Jésuites à Ingolstadt.
1558 Création de l'Académie de Genève par Jean Calvin.

LE MONDE AU TEMPS DE LA GUERRE DE CENT ANS (DE 1337 À 1453)

ORIENT CHRÉTIEN ET OTTOMAN

1337 Prise de Nicomédie par le sultan ottoman Orhan.
1341-1391 Jean V Paléologue, empereur byzantin.
1341/1347-1354 Jean VI Cantacuzène, empereur byzantin.
1354 Fondation du premier établissement ottoman en Europe : Gallipoli.
1355-1462 Établissement des Génois à Lesbos.
1355-1371 Étienne X Uroš V, tsar des Serbes.
1359-1389 Murad Ier, sultan ottoman.
1359-1389 Dimitri Donskoï, grand-prince de Moscou et de Vladimir.
1361 ou 1362 Prise d'Andrinople par Murad Ier.
1363 et 1371 La Marica : victoires de Murad Ier sur les croisés hungaro-serbes et sur les Serbes.
1371-1389 Lazare Hrebeljanović, prince des Serbes.
1376-1379 Androvic IV Paléologue.
1380 Koulikovo : victoire de Dimitri Donskoï sur Mamaï, seigneur de la Horde d'Or.
1389-1403 Bayezid Ier la Foudre, sultan ottoman.
1389 Kosovo : victoire de Bayezid Ier sur les Serbes.
1389-1425 Basile (Vassili) Ier, grand-prince de Moscou et de Vladimir.
1390 Jean VII Paléologue, empereur byzantin.
1391-1425 Manuel II Paléologue, empereur byzantin.
1396 Nicopolis : victoire de Bayezid Ier sur les croisés.
1403-1421 Mehmed Ier Çelebi (le Seigneur), sultan ottoman.
1421-1451 Murad II, sultan ottoman.
1425-1448 Jean VIII Paléologue, empereur byzantin.
1425-1462 Basile (Vassili) II l'Aveugle, grand-prince de Moscou et de Vladimir.
1427-1456 Georges Branković, prince des Serbes.
1440 Vain siège de Belgrade par les Ottomans.
1444 Varna : Murad II bat les Polonais et les Hongrois.
1448 Seconde bataille de Kosovo : victoire de Murad II sur Jean Hunyadi.
1449-1453 Constantin XI Paléologue (Dragasès), dernier empereur byzantin.
1451-1481 Mehmed II Fatih (le Conquérant), sultan ottoman.
1453 Prise de Constantinople (29 mai) par Mehmed II.

MONDES ASIATIQUE, AFRICAIN ET AMÉRICAIN

1338-1358 Ashikaga Takauji, fondateur du shōgunat Ashikaga.
1347 Destruction de Lajazzo par les Mamelouks. — Prise de Tunis par Abū al-Ḥasan, sultan marīnide.
1347-1482 Royaume des Bahmanides dans le Deccan.
1351 Crue catastrophique du Huanghe (fleuve Jaune).
1352-1368 Révolte chinoise contre les Yuan mongols.
1356 Les Yuan chassés de Nankin par Zhu Yuanzhang.
1368-1644 Dynastie des Ming en Chine.
1368-1398 Zhu Yuanzhang, empereur de Chine.
1370-1405 Tīmūr Lang, roi de Transoxiane.
1379 Prise d'Ourguentch ; annexion du Khārezm par Tīmūr Lang.
1382 Sac de Moscou par les Mongols.
1382-1517 Dynastie des Mamelouks burdjites en Égypte.
1382-1398 Barqūq, premier sultan burdjite d'Égypte.
1393 et 1401 Deux prises et deux sacs de Bagdad par Tīmūr Lang.
1396 Prise d'Astrakhan par Tīmūr Lang.
1398 Tīmūr Lang ravage l'Inde.
1402 Ankara : victoire de Tīmūr Lang sur Bayezid Ier.
1403-1424 Yongle (Yong-Lo), empereur de Chine.
1405-1435 Sept expéditions maritimes de Zheng He (Tcheng Ho) dans l'océan Indien.
1406-1428 Annexion du Dai Viêt par les Ming.
1408 Siège de Moscou par les Mongols de la Horde d'Or.
1409 Pékin, capitale des Ming.
1414-1526 Période d'instabilité en Inde.
1415 Débarquement portugais à Ceuta.
1418/1419 Les Portugais à Madère.
1420-1465 Tutelle des Waṭṭāssides sur les Marīnides.
1428 Révolte des paysans japonais, endettés.
1432-1453 Découverte des Açores par les Portugais.
1434 Transfert de la capitale des Khmers d'Angkor à Phnom Penh.
1441 Révolte des Mayas contre Mayapán.
1444 Fondation de la compagnie de Lagos. — Premières conquêtes des Incas.
1450 Offensive des Mongols : capture de l'empereur de Chine, Yingzong (Ying tsong).

CIVILISATION

1337-1340 *A.* Ambrogio Lorenzetti : Fresque *le Bon et le Mauvais Gouvernement.*
1337-1410 *L.* Vie du chroniqueur et poète français Jean Froissart.
1340-1400 *L.* Vie du poète anglais Geoffrey Chaucer.
1340-1406 *A.* Vie du sculpteur bourguignon Claus Sluter.
1348 *L.* Giovanni Villani : *Nuova Cronica.* Fondation de l'université de Prague par Charles IV.
1348-1353 *L.* Boccace : *le Décaméron.*
1350-1420 *L.* et *R.* Vie du théologien Pierre d'Ailly.
1350 Création de la madrasa Bū'Inānīyya à Fès.
1363-1429 *L.* et *R.* Vie du théologien français Jean Gerson.
1363-1431 *L.* Vie de l'écrivain Christine de Pisan.
1364 *L.* et *Sc.* Fondation de l'université de Cracovie.
1370-1444 *L.* Vie de l'humaniste italien Leonardo Bruni.
1376-1378 *Dr. Somnium Viridiarii,* puis *le Songe du vergier.*
1377-1446 *A.* Vie de l'architecte florentin Filippo Brunelleschi.
1378-1455 *A.* Vie du sculpteur florentin Lorenzo Ghiberti.
1386-1466 *A.* Vie du sculpteur florentin Donatello.
1387-1455 *A.* Vie du peintre italien Fra Angelico.
v. 1390-1441 *A.* Vie du peintre flamand, Jan Van Eyck.
1404 *A.* Muḥammad ibn Maḥmūd : le mausolée Gur-e Mir, tombeau de Tīmūr Lang.
1415-1481 *A.* Vie du peintre français Jean Fouquet.
1425-1452 *A.* Lorenzo Ghiberti : *la Porte du Paradis* (baptistère de Florence).
v. 1430-1440 *A.* Donatello : *David.*
1433-1499 *L.* Vie de l'humaniste italien Marsile Ficin.
1435 *A.* Van Der Weyden : l'*Annonciation.*
1443-v. 1453 *A.* Hôtel de Jacques Cœur à Bourges.
1445-1510 *A.* Vie du peintre florentin Sandro Botticelli.
v. 1447-1467 *A.* La mosquée Bleue à Tabrīz.
1447-1511 *L.* Vie du chroniqueur Philippe de Commynes.
1450 *T.* Gutenberg installe un atelier d'imprimerie à Mayence.
1452 *L.* Arnoul Gréban : *le Mystère de la Passion.*

LA NAISSANCE DU MONDE MODERNE (DE 1454 À 1559)

MONDES MUSULMAN ET AFRICAIN

1456 Découverte des îles du Cap-Vert par Ca'da Mósto.
1461 Prise de Trébizonde par les Turcs.
1465-1554 Dynastie des Waṭṭāsides au Maroc.
1475 Prise de Kaffa par les Ottomans.
1480 Débarquement turc à Otrante.
1481-1512 Bayezid II le Saint (Veli), sultan ottoman.
1487 Bartolomeu Dias double le cap de Bonne-Espérance.
1493-1528 Mamadou Touré, roi du Songhaï.
1501-1722/1736 Dynastie Séfévide en Perse.
v. 1501 Conversion au catholicisme du Mani du Congo : Afonzo Ier (1506-1543).
1502-1524 Chāh Ismā'īl Ier, roi de Perse.
1505 Les Portugais à Agadir. Les Espagnols à Mers el-Kébir.
1506 Les Portugais à Sofala au Mozambique.
1508 Les Portugais à Safi. Chāh Ismā'īl à Bagdad.
1508-1540 Lebna Denguel, empereur d'Éthiopie.
1509 Prise d'Oran par les Espagnols.
1510-1551 Occupation de Tripoli de Libye par les Espagnols.
1512-1520 Selim Ier le Terrible (Yavuz), sultan ottoman.
1516 Conquête par Selim de la Syrie (ottomane de 1516 à 1918). Occupation d'Alger par 'Arūdj.
1517 Conquête de l'Égypte par Selim.
1518 Khayr al-Dīn Barberousse, vassal des Ottomans.
1519 Victoire de Barberousse sur les Espagnols à Alger.
1520-1566 Süleyman le Magnifique, sultan ottoman.
1522 Occupation de Rhodes par les Ottomans.
1523-1543 Invasion de l'Éthiopie par Ahmed Gragne du Harar.
1524-1576 Chāh Ṭhamāsp Ier, souverain de la Perse.
1534 Prise de Bagdad par les Ottomans.
1535 Prise de Tunis par Charles Quint.
v. 1540-1547 Invasion des Gallas en Éthiopie.
1541 Prise de Buda par les Turcs. Défaite espagnole à Alger. Les Portugais chassés d'Agadir.
1549-1582 L'Askia Daoud au Songhaï.
1554-1659 Empire sa'dien au Maroc.
1555 Traité d'Amasia entre la Perse et les Ottomans.
1556-1605 Akbar, souverain moghol de l'Inde.

MONDE EXTRÊME-ORIENTAL, NOUVEAU MONDE

1471 Annexion du Champa par le Dai Viêt.
1471-1493 Túpac Yupanqui, souverain inca.
1489-1567 Troubles au Japon (Sengoku).
1492 Découverte de l'Amérique par Christophe Colomb.
1493 Bulles *Inter Coetera :* partage des mondes nouveaux entre l'Espagne et le Portugal par le pape.
1494 Traité hispano-portugais de partage de Tordesillas.
1498 Vasco de Gama atteint Calicut aux Indes.
1500 Les Portugais Corte Real au Labrador, Cabral au Brésil, Diego Dias à Madagascar.
1503 Création de la Casa de Contratación, à Séville.
1506-1522 Wu Zong, empereur de Chine.
1511 Albuquerque occupe Malacca et les Moluques.
1515 Prise d'Ormuz par les Portugais.
1519 et 1521 Prises de Tenochtitlán par Hernán Cortés.
1519-1522 Premier voyage de circumnavigation par Magellan et Sebastiano El Cano.
1522-1566 Che Tsong, empereur de Chine.
1524 Création en Espagne du Conseil royal suprême des Indes.
1526 Pānīpat : Bābur bat Ibrahim Lōdī, souverain de Delhi.
1528 Entreprises des Welser au Venezuela.
1529-1533 Conquête du Pérou, par Francisco Pizarro.
1530-1556 Humāyūn, empereur moghol de l'Inde.
1533-1789 Restauration de la dynastie Lê au Viêt-nam.
1534-1535 Exploration du Saint-Laurent par Jacques Cartier.
1535 Création de la vice-royauté de Mexico.
1541 Fondation, au Chili, de Santiago par Valdivia.
1542 « Nuevas Leyes » applicables aux Indes. espagnoles. Les Portugais à Tanegashima au Japon.
1544 Vice-royauté de Lima au Pérou.
1545 Saint François Xavier en Chine. Découverte des mines d'argent de Potosí.
1546 Mexique : fondation de Zacatecas (mines d'argent).
1549-1551 Saint François Xavier au Japon.
1551 Création de l'université de Lima.
1552 « Recopilación » des lois coloniales espagnoles.
1555-1565 Mise au point en Amérique du procédé de l'amalgame de l'argent au mercure.

CIVILISATION

1460 *A.* Paolo Uccello : *Bataille de San Romano.*
1461 *L.* François Villon : *Le Grand Testament.*
1465 *L.* Fondation de l'Académie platonicienne à Florence.
v. 1469-1536 *L.* Vie d'Érasme, humaniste néerlandais.
1469-1527 *L.* Vie de Machiavel, humaniste italien.
1470 *L.* Installation d'une imprimerie à la Sorbonne.
1473-1481 *A.* Construction de la chapelle Sixtine.
1473-1543 *Sc.* Vie de l'astronome polonais Copernic.
1475-1564 *A.* Vie de Michel-Ange, artiste et poète italien.
1478 *A.* Botticelli : *le Printemps.*
1483-1520 *A.* Vie du peintre italien Raphaël.
1487 *A.* Construction du temple aztèque de Mexico.
v. 1490-1576 *A.* Vie du peintre italien Titien.
1494 *T.* Aldo Manuce fonde son imprimerie à Venise.
1494-1553 *L.* Vie de l'écrivain François Rabelais.
1496-1498 *A.* Léonard de Vinci : *la Cène.*
1504 *A.* Michel-Ange : statue de *David.*
1508 *A.* Michel-Ange à la Sixtine.
1511 *L.* Érasme : *Éloge de la folie.*
1512 *L.* Lefèvre d'Étaple : édition des *Commentaires sur les épîtres de saint Paul.*
1514 *A.* Raphaël au Vatican.
1516 *L.* Machiavel : *le Prince.* Thomas More : *Utopie.*
1517-1590 *T.* Vie du chirurgien français Ambroise Paré.
1524 *L.* Érasme : *De libero arbitrio.*
1524-1585 *L.* Vie du poète français Pierre de Ronsard.
1530 *L.* Création du Collège de France.
1532-1534 *L.* Rabelais : *Chroniques de Gargantua, Pantagruel...*
1533-1592 *L.* Vie de l'humaniste Michel de Montaigne.
1541 *A.* Michel-Ange : *le Jugement dernier.*
1543 *Sc.* Copernic : *De révolutionibus.* Vésale : *De corporis humani fabrica.*
1546-1601 *Sc.* Vie de l'astronome danois Tycho Brahe.
1547-1616 *L.* Vie de l'écrivain espagnol Miguel de Cervantès.
1548 *A.* Titien : portrait de *Charles Quint à cheval.*
1549 *L.* Joachim du Bellay : *Défense et illustration de la langue française.*
1556 *A.* Palestrina : *Messe du pape Marcel.*

LE MONDE AU TEMPS DE LA PRÉPONDÉRANCE ESPAGNOLE (DE 1560 À 1660)

GUERRE, DIPLOMATIE, ÉCONOMIE

1561 Victoire d'Ivan IV sur les chevaliers Porte-Glaive.
1562 Trêve entre Ferdinand Ier et les Turcs.
1563 Banqueroute des Fugger.
1563-1570 Guerre suédo-danoise de Sept Ans.
1567 Expédition du duc d'Albe, aux Pays-Bas.
1574 Banqueroute de Philippe II.
1579 Fondation de l'*Eastland Company* par les Anglais.
1581 Fondation de la *Levant Company* par les Anglais.
1583 Paix russo-suédoise en Livonie.
1587 Alliance de l'Angleterre et des Provinces-Unies.
1588 Désastre de l'Invincible Armada espagnole.
1596 Banqueroute en Espagne.
1598 Traité de Vervins entre la France et l'Espagne.
1600 Fondation de la *Compagnie anglaise des Indes orientales.*
1602 Fondation de la *Compagnie hollandaise des Indes orientales.*
1606 Traité austro-ottoman de Zsitvatörök.
1609 Trêve hispano-hollandaise de Douze Ans. Création de la Banque d'Amsterdam.
1610-1612 Occupation de Moscou par les Polonais.
1618-1648/1659 Guerre de Trente Ans.
1621-1648 Reprise de la guerre entre Provinces-Unies et Espagne. Fondation de la *Compagnie hollandaise des Indes occidentales.*
1625 Wallenstein à la tête des troupes impériales. Prise de Breda par Spinola.
1630 Disettes, épidémies, etc., en Europe.
1632 Lützen : victoire et mort de Gustave-Adolphe.
1634 Nördlingen : les Impériaux battent les Suédois.
1635 Déclaration de guerre de la France à l'Espagne.
1636 Corbie : conquête surprise des Espagnols.
1643 Rocroi : victoire de Condé sur les Espagnols.
1644-1648 Congrès de Westphalie.
1648 Lens : victoire de Condé sur les Espagnols. Traités de La Haye (Espagne-Provinces-Unies) et de Westphalie (France-Empire...).
1651 En Angleterre, *Acte de navigation.*
1658 Les Dunes : victoire de Turenne sur les Espagnols.
1659 Traité de paix des Pyrénées (France-Espagne).
1660 Paix du Nord : traités d'Oliwa et de Copenhague.

PAYS EUROPÉENS

1560-1574 Charles IX, roi de France.
1564-1576 Maximilien II, empereur.
1568-1592 Jean III, roi de Suède.
1569 Union de Lublin : Pologne et Lituanie.
1574-1589 Henri III, roi de France.
1575-1586 Étienne Báthory, roi de Pologne.
1576-1611 Rodolphe II, empereur.
1580-1598 Philippe II, roi de Portugal.
1584-1612 Le « temps des troubles » en Russie.
1587-1632 Sigismond III Vasa, roi de Pologne.
1589-1610 Henri IV, roi de France.
1589/1590 Arques, Ivry : victoires de Henri IV sur Mayenne.
1592-1599 Union de la Pologne et de la Suède.
1593-1603 Révolte irlandaise.
1598-1605 Boris Godounov, tsar de Moscou.
1598-1621 Philippe III, roi d'Espagne.
1603-1625 Jacques Ier, roi d'Angleterre.
1610-1643 Louis XIII, roi de France.
1610-1617 Régence de Marie de Médicis.
1611-1632 Gustave II-Adolphe, roi de Suède.
1613-1645 Michel Romanov, tsar de Moscou.
1618 *23 mai.* Défenestration de Prague.
1619-1637 Ferdinand II, empereur.
1620 Bataille de la Montagne Blanche.
1621-1665 Philippe IV, roi d'Espagne.
1624-1642 Ministériat de Richelieu.
1625-1649 Charles Ier, roi d'Angleterre.
1630 *10-11 nov.* Journée des Dupes.
1637-1657 Ferdinand III, empereur.
1640 Révolte du Portugal contre l'Espagne.
1642-1653 Guerre civile en Angleterre.
1643-1715 Louis XIV, roi de France.
1643-1661 Régence d'Anne d'Autriche et ministériat de Mazarin.
1648-1649 Fronde parlementaire en France.
1650-1653 Fronde des princes en France.
1653-1658 Dictature d'Olivier Cromwell : le Protectorat.
1654 Pacte de Pereïaslav : union russo-ukrainienne.
1658-1705 Léopold Ier, empereur.
1660-1685 Charles II, roi d'Angleterre.

GUERRES DE RELIGION ET VIE RELIGIEUSE

1560 Tumulte d'Amboise. Organisation de l'Église presbytérienne d'Écosse par John Knox.
1560-1609 Vie du théologien protestant Jacobus Arminius.
1561-1562 Sainte Thérèse d'Ávila : *le Livre de ma vie.*
1562-1598 Guerres de Religion en France.
1563-1641 Vie du théologien protestant Gomar.
1566-1572 Pontificat de Pie V.
1566 Saint Charles Borromée : *Catéchisme du concile de Trente.*
1567-1622 Vie de saint François de Sales.
1568 Révolte des morisques en Espagne.
1572 *24 août.* Massacre de la Saint-Barthélemy.
1575 Fondation de l'Oratoire par saint Philippe Neri.
1576 Reprise d'Anvers (protestante) par les Espagnols.
1576-1660 Vie de saint Vincent de Paul.
1579 Union (catholique) d'Arras. Union (protestante) d'Utrecht : naissance des Provinces-Unies.
1585-1590 Pontificat de Sixte Quint.
1585-1638 Vie du théologien catholique Jansénius.
1589 Création du patriarcat de Moscou.
1592-1605 Pontificat de Clément VIII.
1598 Édit de Nantes en faveur des protestants.
1605-1621 Pontificat de Paul V.
1608 Fondation de l'*Union évangélique* en Allemagne. Saint François de Sales : *Introduction à la vie dévote.*
1608-1657 Vie d'Olier, curé de Saint-Sulpice.
1609 Réforme de Port-Royal. *Ligue catholique* en Allemagne. Morisques chassés d'Espagne.
1610 Conflit des arminiens et des gomaristes.
1618 et 1619 Synode protestant de Dordrecht et exécution de l'arminien Van Oldenbarnevelt.
1623-1644 Pontificat d'Urbain VIII.
1627-1628 Richelieu assiège La Rochelle (protestante).
1629 Édit de grâce d'Alès en faveur des protestants.
1633 Galilée devant l'Inquisition.
1634 Fondation des Filles de la Charité par saint Vincent de Paul et Louise de Marillac.
1640 Jansénius : l'*Augustinus* condamné en 1643.
1641 Fondation du séminaire de Saint-Sulpice.
1644-1655 Pontificat d'Innocent X.

LE MONDE AU TEMPS DE LA LUTTE FRANCO-ANGLAISE POUR LA PRÉPONDÉRANCE (DE 1661 À 1763)

GUERRE, DIPLOMATIE, ÉCONOMIE

1667-1668 Guerre (franco-espagnole) de la Dévolution.
1668 Paix franco-espagnole d'Aix-la-Chapelle : cession à la France de Lille, Douai, Tournai...
1672-1678 Guerre de Hollande.
1675 Turckheim et Fehrbellin : victoires de Turenne sur les Impériaux et de Frédéric-Guillaume de Brandebourg sur les Suédois.
1678 Paix de Nimègue : cession à la France de la Franche-Comté.
1679-1684 Les « réunions » : annexion en pleine paix à la France de Strasbourg.
1684 Trêve de Ratisbonne.
1686 Ligue d'Augsbourg contre Louis XIV.
1689-1697 Guerre de Louis XIV contre la ligue d'Augsbourg.
1697 Traités de Ryswick.
1701 Grande Alliance de La Haye.
1701-1713/1714 Guerre de la Succession d'Espagne.
1703 Traité anglo-portugais de Methuen.
1704 Occupation de Gibraltar par les Anglais.
1710 Villaviciosa : victoire du duc de Vendôme en Espagne.
1712 Denain : victoire décisive de Villars.
1713 Traités d'Utrecht (avec l'Angleterre et la Hollande).
1714 Traité de Rastatt (avec l'Empire).
1733-1735/1738 Guerre de la Succession de Pologne.
1738 Traité de Vienne : Stanislas Ier Leszczyński, roi de Pologne, devient duc de Lorraine (1738-1766).
1740-1748 Guerre de la Succession d'Autriche. France et Prusse contre Angleterre et Autriche.
1744 Invasion de la Bohême par Frédéric II.
1745 Fontenoy : victoire française sur les Anglais.
1746 Prise de Bruxelles par les Français.
1748 Traité d'Aix-la-Chapelle.
1755 Reprise de la guerre franco-anglaise. Attentat de l'amiral anglais Boscawen contre les navires français.
1756-1763 Guerre de Sept Ans.
1759 et 1760 Capitulations de Québec et de Montréal.
1760 Prise de Berlin par les Austro-Russes.
1763 Traités franco-anglais de Paris (fin de l'empire), et austro-prussien d'Hubertsbourg.

EUROPE OCCIDENTALE ET CENTRALE

1661 Début du règne personnel de Louis XIV.
1661-1683 Colbert, ministre de Louis XIV (Finances).
1662-1691 Louvois, ministre de Louis XIV (Guerre).
1665-1700 Charles II, roi d'Espagne.
1679 Vote de l'*Habeas Corpus Act* en Angleterre.
1685-1688 Jacques II Stuart, roi d'Angleterre.
1688 Glorieuse Révolution d'Angleterre.
1689 Déclaration des droits en Angleterre.
1689-1702 Guillaume III d'Orange, roi d'Angleterre.
1694 Création de la Banque d'Angleterre.
1700-1746 Philippe V (ex-duc d'Anjou), roi d'Espagne.
1701 *Acte d'Établissement* en Angleterre. Couronnement du premier roi de Prusse, Frédéric Ier (1701-1713).
1702-1714 Anne Stuart, reine d'Angleterre.
1703 *Disposition Léopoldine.*
1705-1711 Joseph Ier, empereur.
1707 Union de l'Écosse et de l'Angleterre.
1710 Création de la *Compagnie anglaise de la mer du Sud.*
1711-1740 Charles VI, empereur.
1713 *Pragmatique sanction* de l'empereur Charles VI.
1713-1740 Frédéric-Guillaume Ier, roi en Prusse.
1714 Avènement à Londres de la dynastie de Hanovre.
1714-1727 George Ier, roi de Grande-Bretagne.
1715-1774 Louis XV, roi de France.
1715-1723 Régence de Philippe d'Orléans.
1716-1720 Essor et faillite du système de Law.
1718/1720 Création du royaume de Sardaigne.
1720 Faillite de la *Compagnie anglaise de la mer du Sud.*
1721-1742 Robert Walpole, Premier ministre anglais.
1726-1743 Fleury, Premier ministre de Louis XV.
1727-1760 George II, roi de Grande-Bretagne.
1733 Invention de la navette volante par John Kay.
1740-1780 Marie-Thérèse, impératrice.
1740-1786 Frédéric II le Grand, roi de Prusse.
1745-1765 François Ier de Lorraine, empereur.
1746-1759 Ferdinand VI, roi d'Espagne.
1750-1777 Pombal, ministre de Joseph Ier de Portugal.
1753-1792 Kaunitz, chancelier d'Autriche.
1758-1770 Choiseul, ministre de Louis XV.
1759-1788 Charles III, roi d'Espagne.
1760-1820 George III, roi de Grande-Bretagne.

EUROPE ORIENTALE ET EMPIRE OTTOMAN

1661-1676 Ahmed Köprülü II, grand vizir ottoman.
1664 Victoire chrétienne de Saint-Gotthard (Hongrie).
1667 Traité polono-russe d'Androussovo.
1674-1696 Jean III Sobieski, roi de Pologne.
1676-1683 Kara Mustafa Paşa, grand vizir ottoman.
1682-1689 Sophie, régente de Russie.
1682-1725 Pierre Ier le Grand, tsar de Russie.
1683 Kahlenberg : Jean Sobieski bat les Ottomans.
1687 Mohács : victoire des Impériaux, sur les Ottomans.
1689-1691 Mustafa Köprülü II, grand vizir ottoman.
1688 Prise de Belgrade par les Impériaux.
1689 Prise du pouvoir en Russie par Pierre Ier.
1691-1719 Hüseyin, puis Numan Köprülü, grands vizirs.
1696 Prise d'Azov par Pierre Ier le Grand.
1697-1718 Charles XII, roi de Suède.
1697-1733 Auguste II de Saxe, roi de Pologne.
1699 Traité de Karlowitz : premier recul ottoman.
1700-1721 Guerre du Nord.
1700 Narva : Charles XII bat Pierre Ier le Grand.
1703 Fondation de Saint-Pétersbourg par Pierre Ier.
1703-1730 Ahmed III, sultan ottoman : l'« ère des Tulipes » (1718-1730).
1704-1709 et 1733-1736 Stanislas Ier Leszczyński, roi de Pologne.
1707 Invasion de la Pologne par Pierre Ier le Grand.
1709 Poltava : victoire du tsar sur Charles XII.
1710-1714 Conquête de la Finlande par Pierre Ier.
1713 Paix russo-turque d'Andrinople.
1717 Prise de Belgrade par le Prince Eugène.
1718 Traité de Passarowitz : second recul ottoman.
1719 Invasion de la Suède par Pierre Ier le Grand.
1720-1751 Frédéric Ier de Hesse, roi de Suède.
1720/1721 Traités de Frederiksborg et de Nystad : reculs suédois.
1725-1727 Catherine Ire, impératrice de Russie.
1730-1740 Anna, impératrice de Russie.
1739 Traité de Belgrade : recul de l'Autriche.
1741-1762 Élisabeth, impératrice de Russie.
1751-1771 Adolphe-Frédéric, roi de Suède.
1757-1774 Mustafa III, sultan ottoman.
1762-1796 Catherine II, impératrice de Russie.

LE MONDE AU TEMPS DE LA PRÉPONDÉRANCE ESPAGNOLE (DE 1560 À 1660)

PUISSANCES MUSULMANES ET AFRICAINES

1563-1597 Sara Denguel, empereur d'Éthiopie.
1564-1565 Siège de Malte par les Ottomans.
1565-1579 Sokullu Mehmed Paşa, grand vizir ottoman.
1566-1574 Selim II, sultan ottoman.
1566 Invasion de la Hongrie et prise de Chio par les Ottomans.
1568-1587 Eudj-Alī, dey d'Alger.
1571 Prise de Chypre par les Ottomans. Lépante : victoire navale chrétienne sur les Ottomans.
1570-1635 Occupation du Yémen par les Ottomans.
1573 Paix vénéto-ottomane.
1574-1595 Murad III, sultan ottoman.
1574 Reconquête de Tunis par les Ottomans.
1574-1881 Régence ottomane de Tunis.
1578 Alcaçar Quivir : défaite et mort au Maroc de dom Sebastião, roi de Portugal (1557-1578).
1578-1603 Aḥmad al-Manṣūr, sultan du Maroc.
1587-1629 Chāh ʿAbbās Ier le Grand, souverain de Perse.
1587-1830 Régence ottomane d'Alger.
1590 Traité turco-persan de Constantinople.
1591 Tondibi : victoire d'Aḥmad al-Manṣūr (chute de Tombouctou et fin de l'Empire songhaï).
1593 Reprise de la guerre austro-turque.
1595-1603 Mehmed II, sultan ottoman.
1597 Chāh ʿAbbās Ier en guerre contre les Ouzbeks.
1602 Chāh ʿAbbās Ier en guerre contre les Ottomans.
1603-1607 Ahmed Ier, sultan ottoman.
1603-1659 Décadence des Saʿdiens au Maroc.
1607-1632 Sousneyos, empereur d'Éthiopie.
1609 Fin de l'empire africain du Bornou.
1622 Prise d'Ormuz par Chāh ʿAbbās Ier.
1629-1642 Ṣefī, souverain de Perse.
1632-1667 Fasilidas, empereur d'Éthiopie (Gondar).
1633 Expulsion des missionnaires catholiques d'Éthiopie.
1642 Les Français à Madagascar et à la Réunion.
1642-1667 ʿAbbās II, souverain de Perse.
1648-1687 Mehmed IV, sultan ottoman.
1652 Occupation du Cap par les Hollandais.
1656-1661 Mehmed Köprülü, grand vizir ottoman.
v. 1660 Destruction de l'empire du Mali.

MONDE EXTRÊME-ORIENTAL, NOUVEAU MONDE

1562-1567 Expédition de John Hawkins en Amérique.
1564 Prise d'Ayuthia en Thaïlande par les Birmans.
1565 Talikot : destruction du royaume de Vijayanagar par les Bahmanides.
1565-1571 Conquête des Philippines par les Espagnols.
1567-1573 Long K'ing, empereur de Chine.
1568-1582 Oda Nobunaga, shōgun du Japon.
1587 Walter Raleigh en Virginie.
1598-1616 Tokugawa Ieyasu, maître du Japon.
1599 Arrivée des Hollandais au Japon.
1603-1604 Premier voyage de Champlain au Canada.
1605-1627 Djahāngīr, empereur moghol de l'Inde.
1607 Fondation de Jamestown en Virginie.
1608 Fondation de Québec par le Français Champlain.
1612/1639-1854 Fermeture du Japon aux Européens.
1616-1868 Période d'Edo (ou des Tokugawa) au Japon.
1619 Fondation de Batavia par les Hollandais.
1620 Débarquement au cap Cod des « pèlerins » du *Mayflower.* Scission du Viêt-nam : les Trinh au N., les Nguyên au S.
1623 Massacre des Anglais d'Amboine et de Banda par les Hollandais.
1626 Fondation de Nieuw-Amsterdam.
1627-1672 Guerre entre les Trinh et les Nguyên au Viêt-nam.
1628-1658 Chāh Djahān, empereur moghol de l'Inde.
1629 Octroi d'une charte à la colonie du Massachusetts.
1630-1654 Empire hollandais du Brésil.
1635 Occupation de la Guadeloupe par les Français.
1639 Dejima, unique point d'accès des Hollandais au Japon. Les Anglais à Madras.
1642 Les Hollandais en Tasmanie. Fondation de Montréal.
1644-1911 Dynastie mandchoue des Qing (Ts'ing).
1650-1651 Conquête de la Chine du Sud par les Mandchous.
1651 Prise de Mascate (base portugaise) par les Persans.
1655 Occupation de la Jamaïque par les Anglais.
1658-1674 Suzeraineté des Nguyên au Cambodge.
1658-1707 Awrangzīb, empereur moghol de l'Inde.

CIVILISATION

1562 *A.* Véronèse : les *Noces de Cana.*
1563-1584 *A.* Construction de l'Escurial.
1564-1616 *L.* Vie de l'écrivain anglais Shakespeare.
1564-1642 *Sc.* Vie du physicien italien Galilée.
1565 *A.* Pieter Bruegel le Vieux : série des *Mois.*
1568 *A.* Vignole : église du Gesù à Rome. *L.* Jean Bodin : *Réponse aux paradoxes* de M. de Malestroit.
1569 *Sc.* Mercator : 1re carte du monde.
1570 *A.* Palladio : *les Quatre Livres d'architecture.*
1571-1630 *Sc.* Vie de l'astronome allemand Kepler.
1572 *L.* Luís de Camoens : *les Lusiades.*
1577-1640 *A.* Vie du peintre flamand Rubens.
1580 *L.* Montaigne : *Essais* (2e édition, 1588 ; 3e, 1595).
1582 *Sc.* Grégoire XIII réforme le calendrier.
1582-1610 *R.* et *Sc.* Séjour en Chine du père jésuite Matteo Ricci (1552-1610).
1586 *A.* Le Greco : *l'Enterrement du comte d'Orgaz.*
1592 *L.* Édition de la Vulgate Sixtine.
1594-1665 *A.* Vie du peintre français Nicolas Poussin.
1596 *Sc.* Kepler : *Mysterium cosmographicum.*
v. 1600 *A.* Apogée de l'art du Bénin.
1600 *L.* Exécution de Giordano Bruno. *L.* et *Sc.* Olivier de Serres : *Théâtre d'agriculture.*
v. 1601 *A.* Le Caravage : *Conversion de saint Paul.*
1604 *Dr.* Grotius : *De jure praedae. L.* Bacon : *Des progrès de l'entendement humain.*
1605 *L.* Cervantès : *Don Quichotte.*
1606-1669 *A.* Vie du peintre flamand Rembrandt.
1606-1684 *L.* Vie de l'écrivain français Pierre Corneille.
1607 *A.* Monteverdi : *L'Orfeo.*
1610 *Sc.* Invention du télescope par Galilée.
1621-1695 *L.* Vie du fabuliste Jean de La Fontaine.
1622-1673 *L.* Vie de l'écrivain français Molière.
1623-1662 *L.* Vie du philosophe français Blaise Pascal.
1627-1704 *L.* et *R.* Vie de l'orateur sacré Bossuet.
1632-1677 *L.* Vie du philosophe Baruch de Spinoza.
1637 *L.* Descartes : *Discours de la méthode.*
1639-1699 *L.* Vie du poète français Jean Racine.
1642-1727 *Sc.* Vie de l'astronome anglais Newton.
1656-1657 *L.* Blaise Pascal : les *Provinciales.*
1657-1757 *L.* Vie de l'écrivain français Fontenelle.

LE MONDE AU TEMPS DE LA LUTTE FRANCO-ANGLAISE POUR LA PRÉPONDÉRANCE (DE 1661 À 1763)

LE MONDE HORS D'EUROPE

1661-1722 Kangxi (K'ang-hi), empereur de Chine.
1662-1683 Indépendance de Koxinga et de ses descendants à Taïwan.
1664 Nieuw-Amsterdam devient New York.
1665 Établissement des Français à Saint-Domingue.
1666-1672 Mūlāy Rachīd, sultan ʿalawīte du Maroc.
1672-1727 Mūlāy Ismāʿīl, sultan ʿalawīte du Maroc.
1673 Joliet et Marquette reconnaissent le Mississippi.
1674 Installation des Français à Pondichéry.
1680-1704 Iyassou le Grand, négus d'Éthiopie.
1683 Reconquête de Taiwan par Kangxi.
1686 Fondation de Chandernagor.
1687-1690 Guerre entre Awrangzīb et la Compagnie anglaise des Indes orientales.
1687-1709 Période *Genroku* au Japon.
1689 Traité russo-chinois de Nertchinsk.
1690 Début de la reprise démographique en Amérique espagnole. Fondation de Calcutta par les Anglais.
1694-1722 Chāh Ḥusayn, dernier séfévide d'Iran.
1697 Occupation de la dernière ville maya par les Espagnols.
1699 Formation de la confédération ashanti en Afrique.
1700 Découverte de gisements aurifères au Brésil.
1708-1732 Occupation temporaire par les Marocains des bases espagnoles d'Oran et de Mers el-Kébir.
1716-1751 Ère Kyoho au Japon.
1718 Fondation de La Nouvelle-Orléans par Pauger.
1722-1736 Assujettissement de la Perse aux Afghans. Yong Zheng, empereur de Chine.
1735-1740 La Bourdonnais, gouvern. de l'île de France.
1736-1747 Nādir chāh, roi de Perse, bâtisseur d'empire.
1736-1796 Qianlong (K'ien-long), empereur de Chine.
1742-1754 Dupleix, gouverneur gal de l'Inde française.
1750 Protectorat du Carnatic obtenu par Dupleix.
1750-1794 Dynastie zend de Perse.
1752-1885 Dynastie birmane Konbaung.
1754 Traité Godeheu : cession (non ratifiée) de l'Inde française aux Anglais.
1757 Plassey : victoire au Bengale de Robert Clive.
1757-1790 Muḥammad III, sultan du Maroc.
1761 Pānīpat : victoire des Moghols sur les Marathes.

RELIGIONS : ÉGLISES ET VIE RELIGIEUSE

1661 « Formulaire » imposé en France aux jansénistes.
1664 Fondation de l'ordre des Trappistes.
1668-1678 « Paix de l'Église » entre Clément IX (1667-1669) et les jansénistes.
1673 *Test Act* interdisant l'exercice des fonctions publiques aux catholiques anglais.
1673-1693 Affaire de la Régale opposant Louis XIV à la papauté.
1676 Création en France de la Caisse des conversions.
1676-1689 Pontificat du bienheureux Innocent XI.
1682 *Déclaration des Quatre Articles* du clergé de France : le concile est supérieur au pape.
1685 Édit de Fontainebleau révoquant l'édit de Nantes.
1687 Condamnation du quiétisme par Innocent XI. *Déclaration d'indulgence* de Jacques II favorable aux catholiques anglais.
1691-1700 Pontificat d'Innocent XII.
1692 L'empereur de Chine Kangxi protège les Jésuites.
1693 Désaveu des *Quatre Articles* par Louis XIV.
1697 Persécution des chrétiens de Cochinchine.
1699 Condamnation du quiétisme en France. Concordance entre confucianisme et christianisme admise par Kangxi.
1700-1721 Pontificat de Clément XI.
1702-1704 Cévennes : révolte des camisards.
1704 et 1715 Le pape condamne les rites chinois.
1709-1710 Dispersion des religieuses, puis destruction de Port-Royal des Champs.
1713 Condamnation du jansénisme par la bulle *Unigenitus.*
1717 Interdiction par Kangxi de la prédication du christianisme en Chine.
1721 Création du saint-synode en Russie.
1727-1732 Affaire du diacre Pâris à Paris.
1730-1740 Pontificat de Clément XII.
1740-1758 Pontificat de Benoît XIV.
1742 Condamnation des méthodes d'apostolat des Jésuites en Chine par Benoît XIV.
1752 Affaire des billets de confession en France.
1758-1769 Pontificat de Clément XIII.
1759 Expulsion des Jésuites des pays portugais.

CIVILISATION

1662 *L.* Fondation de la *Société royale de Londres.*
1662-1665 *A.* Château de Versailles : première campagne de travaux (Le Nôtre...).
1655 et 1666 *L.* Fondation du *Journal des savants* et de la *London Gazette.*
1668-1678 *A.* Château de Versailles : deuxième campagne de travaux (Le Vau...).
1670 *L.* Publication *post mortem* des *Pensées* de Pascal.
1675 *Sc.* Invention du calcul infinitésimal par Leibniz.
1677 *L.* Baruch de Spinoza : *Éthique.*
1679-1689 *A.* Jules Hardouin-Mansart à Versailles.
1682 *Sc.* Newton : loi de la gravitation universelle.
1684-1721 *A.* Vie du peintre français Antoine Watteau.
1685-1750 *A.* Vie du musicien Jean-Sébastien Bach.
1687 *T.* Première machine à vapeur de Denis Papin.
1689-1755 *L.* Vie du philosophe français Montesquieu.
1694 *L.* Première édition du *Dictionnaire de l'Académie française.*
1694-1788 *L.* Vie de l'écrivain français Voltaire.
1695-1697 *L.* Pierre Bayle : *Dictionnaire historique et critique.*
1699-1710 *A.* Robert de Cotte : chapelle de Versailles.
1700 *Sc.* Création de l'Académie des sciences de Berlin.
1706-1790 *L.* Vie du philosophe américain Franklin.
1707-1788 *Sc.* Vie du naturaliste français Buffon.
1712-1778 *L.* Vie du philosophe Jean-Jacques Rousseau.
1717-1783 *L.* et *Sc.* Vie du philosophe d'Alembert.
1724-1804 *L.* Vie du philosophe Emmanuel Kant.
1734 *L.* Voltaire : les *Lettres anglaises.*
1741-1828 *A.* Vie du sculpteur français Houdon.
1747 *Sc.* Franklin : principe du paratonnerre.
1748 *L.* Montesquieu : *De l'esprit des lois.*
1749-1832 *L.* Vie de l'écrivain allemand von Goethe.
1751-1772 *L.* et *Sc.* D'Alembert et Diderot : *Encyclopédie ou Dictionnaire ... des sciences, des arts et des métiers.*
1753-1821 *L.* Vie du philosophe Joseph de Maistre.
1756-1791 *A.* Vie du musicien autrichien Mozart.
1757-1790 *A.* Soufflot et Rondelet : le Panthéon.
1759 *L.* Voltaire : *Candide.*
1760-1825 *L.* Vie du philosophe Henri de Saint-Simon.
1762 *L.* Rousseau : *Du Contrat social* et l'*Émile.*

LA FIN DE L'ANCIEN RÉGIME ET LE TEMPS DE LA RÉVOLUTION NORD-AMÉRICAINE (DE 1764 À 1788)

GUERRE, DIPLOMATIE

1764 Occupation de la Pologne par les Russes.
1766 Rattachement de la Lorraine à la France.
1768 Cession par Gênes de la Corse à la France.
1768-1774 Guerre russo-ottomane.
1770 Tchesme : les Russes détruisent la flotte ottomane.
1772 1er partage de la Pologne (Autriche, Prusse, Russie).
1774 Traité russo-ottoman de Kutchuk-Kaïnardji.
1775 Annexion de la Bucovine à l'Empire par Joseph II.
1778-1779 Succession de Bavière.
1779 Traité de Teschen : renonciation de Joseph II à la Bavière.
1780 Ligue de neutralité armée contre l'Angleterre.
1780-1784 Guerre anglo-hollandaise.
1783 Traités anglo-américain et anglo-français de Versailles.
1783 Annexion de la Crimée par la Russie.
1785 Fondation du *Fürstenbund* par Frédéric II.
1786 Traité de commerce franco-anglais dit « Eden ».
1787-1792 Guerres russo-ottomane (1787-1792) et austro-ottomane (1788-1791).

LA FRANCE

1769-1821 Vie de Napoléon Bonaparte.
1770 Disgrâce de Choiseul.
1771-1774 Triumvirat Maupeou-Terray-d'Aiguillon.
1771 Réforme judiciaire de Maupeou.
1774-1791 Louis XVI, roi de France (des Français, 1791-1792).
1774-1776 Turgot : réformes économiques et fiscales.
1774-1787 Vergennes, secrétaire d'État aux Affaires étrangères.
1775 *Guerre des farines.*
1777-1781 Necker, directeur général des Finances.
1781 Compte rendu au roi et démission de Necker.
1783-1787 Calonne, contrôleur général des Finances.
1783 *Le Mariage de Figaro* de Beaumarchais.
1785-1786 Affaire du collier de la reine.
1787 Réunion et renvoi de l'Assemblée des notables. Exil du parlement de Paris à Troyes.
1787-1788 Ministère de Loménie de Brienne.
1788 *8 mai.* Réforme judiciaire de Lamoignon. — *8 août.* Convocation des États généraux. — *25 août.* Rappel de Necker. — *27 déc.* Doublement du tiers état.

EUROPE ET EMPIRE OTTOMAN

1764-1795 Stanislas II Poniatowski, roi de Pologne.
1765 Invention de la *spinning jenny* par Hargreaves.
1765-1790 Joseph II, empereur.
1766-1773 et 1792 Aranda, Premier ministre de Charles III, puis de Charles IV d'Espagne.
1768 En Pologne, Confédération de Bar.
1769 Réalisation de la machine à vapeur par Watt.
1770-1782 Lord North, Premier ministre de Grande-Bretagne.
1771 Invention du *water frame* par l'Anglais Arkwright.
1771-1792 Gustave III, roi de Suède.
1772 Coup d'État de Gustave III.
1773 Révolte de Pougatchev en Russie.
1774-1789 Abdülhamid Ier, sultan ottoman.
1779 Invention de la *mule jenny* par l'Anglais Crompton.
1783-1801 William Pitt (le Second Pitt), Premier ministre de Grande-Bretagne.
1785 Invention du métier mécanique par Cartwright.
1786 Voyage de Catherine II en Russie du Sud.
1786-1797 Frédéric-Guillaume II, roi de Prusse.
1788-1808 Charles IV, roi d'Espagne.

RÉVOLUTIONS ET RESTAURATIONS (DE 1789 À 1847)

RELATIONS INTERNATIONALES

1791 *4-11 août.* Paix austro-turque de Svištov et russo-ottomane de Galatz. — *27 août.* Déclaration austro-prussienne de Pillnitz. — *12 sept.* Annexion d'Avignon à la France.
1792 *9 janv.* Paix austro-ottomane de Iaşi. — *20 avr.* Déclaration de guerre de la France à l'Autriche. — *25 juill.* Manifeste de Brunswick.
1793 *23 janv.* Deuxième partage de la Pologne. — *1er févr. et 7 mars.* Déclarations de guerre de la France à l'Angleterre, aux Provinces-Unies et à l'Espagne.
1795 *5 avr., 16 mai et 22 juill.* Traités franco-prussien de Bâle, franco-néerlandais de La Haye et franco-espagnol de Bâle. — *26 oct.* Troisième partage de la Pologne.
1797 *18 avr.* Préliminaires de paix franco-autrichiens de Leoben. — *18 oct.* Traité franco-autrichien de Campoformio.
1798 *29 déc.* Alliance anglo-russe : 2e coalition.
1801 *9 févr.* Traité franco-autrichien de Lunéville. — *16 juill.* Concordat entre la France et la papauté.
1802 *25 mars.* Paix franco-anglaise d'Amiens.
1803 *11 mai.* Rupture de la paix d'Amiens.
1805 *26 déc.* Traité franco-autrichien de Presbourg.
1806 *21 nov.* Décret de Berlin (Blocus continental).
1807 *7 et 9 juill.* Traités de Tilsit entre la France, la Russie et la Prusse. — *17 déc.* Décret de Milan (Blocus continental). — *30 nov.* Entrée de Junot à Lisbonne. — *18 déc.* Contrôle anglais sur le commerce neutre.
1808 *30 avr.-4 mai.* Entrevue franco-espagnole de Bayonne. — *27 sept.-14 oct.* Entrevue d'Erfurt.
1809 *14 oct.* Traité franco-autrichien de Vienne.
1810 *2 avr.* Mariage de Napoléon avec Marie-Louise d'Autriche. — *9 juill. et 13 déc.* Annexions de la Hollande et des côtes allemandes de la mer du Nord. — *31 déc.* Ports russes ouverts au commerce des Neutres.
1812 *23 févr. et 4 mars.* Alliances franco-prussienne et franco-autrichienne. — *2 juin.* Convention austro-russe.
1814 *1er mars.* Pacte de Chaumont. — *30 mai.* Premier traité de Paris. — *23 sept. 1814-9 juin 1915.* Congrès de Vienne.
1815 *3 janv.* Alliance entre la France, l'Angleterre et l'Autriche. — *26 sept.* La Sainte-Alliance. — *20 nov.* Second traité de Paris. La Quadruple-Alliance.
1818 *30 sept.-21 nov.* Congrès d'Aix-la-Chapelle.
1819 *août-sept.* Conférence de Karlsbad (Karlovy Vary).
1820 *2 oct.-17 déc.* Congrès de Troppau.
1821 *26 janv.-12 mai.* Congrès de Laibach.
1822 *20 oct.-14 déc.* Congrès de Vérone.
1827 *6 juill.* Traité de Londres sur la Grèce.
1829 *14 sept.* Traité russo-ottoman d'Andrinople.
1830 *3 févr.* Protocole de Londres : indépendance de la Grèce. — *20 déc.* Conférence de Londres : indépendance de la Belgique.
1833 *4 mai.* Paix turco-égyptienne de Kütahya. — *8 juill.* Traité russo-turc d'Unkiar-Skelessi.
1839 *19 avr.* Indépendance belge reconnue par les Pays-Bas.
1840 Crise en Orient. — *15 juill.* Traité de Londres (garantie de l'intégrité territoriale de l'Empire ottoman).
1841 *13 juill.* Convention des Détroits.
1843 et 1844 Entrevues d'Eu et de Windsor (Louis-Philippe et Victoria) : 1re entente cordiale.

OPÉRATIONS MILITAIRES

1792-1797 Guerre de la première coalition. — *20 sept. et 6 nov.* Valmy et Jemmapes : victoires de Kellermann et de Dumouriez sur les Prussiens.
1793 *26 déc.* Le Geisberg : victoire libérant la France.
1794 *26 juin.* Fleurus : Jourdan bat les Autrichiens.
1795 *15-22 juill.* Échec anglo-royaliste à Quiberon.
1796 *14 mai.* Prise de Milan par Bonaparte.
1797 *12-16 janv.* Rivoli : victoire de Bonaparte sur les Autrichiens. — *2 févr.* Capitulation de Mantoue.
1798-1802 Guerre de la seconde coalition.
1798-1799/1801 Expédition de Bonaparte en Égypte.
1798 *21 juill.* Les Pyramides : Bonaparte bat les Mamelouks. — *1er août.* Aboukir : défaite navale française.
1799 *28 avr.* Prise de Milan par les Russes de Souvorov. — *25-26 sept.* Zurich : Masséna bat les Austro-Russes.
1800 *14 juin.* Marengo : Bonaparte bat les Autrichiens. — *3 déc.* Hohenlinden : Moreau bat les Autrichiens.
1805 Guerre de la troisième coalition (anglo-austro-russe). — *20 oct.* Ulm : capitulation du général autrichien Mack. — *21 oct.* Trafalgar : victoire navale (et mort) de Nelson sur la flotte franco-espagnole. — *14 nov.* Entrée des Français à Vienne. — *2 déc.* Austerlitz : Napoléon Ier bat les Austro-Russes.
1806-1807 Guerre de la quatrième coalition (alliance anglo-russo-prussienne). — *14 oct.* Iéna et Auerstedt : victoires de Napoléon Ier et de Davout sur les Prussiens. — *27 oct.* Prise de Berlin.
1807 *8 févr. et 14 juin.* Eylau et Friedland : victoires de Napoléon sur les Russes.
1808 *22 juill. et 30 août.* Capitulation de Dupont à Bailén et de Junot à Sintra.
1809 Guerre de la cinquième coalition (austro-anglaise). — *10 avr.* Entrée en guerre de l'Autriche. — *13 mai.* Prise de Vienne par Napoléon Ier. — *6 juill.* Wagram : victoire de Napoléon Ier sur les Autrichiens.
1812 *24 juin-30 déc.* Campagne de Russie. — *5-7 sept.* La Moskova : victoire de Napoléon Ier. — *14-18 sept.* Prise et incendie de Moscou. — *19 oct.* Début de la retraite de Russie. — *26-28 nov.* Passage de la Berezina.
1813-1814 Guerre de la sixième coalition.
1813 Campagne d'Allemagne. — *2 et 20 mai.* Lützen et Bautzen : victoires de Napoléon Ier sur les Prussiens. — *21 juin.* Vitoria : victoire anglo-espagnole de Wellington. — *8 oct.* Les Anglais envahissent l'Aquitaine. — *16-19 oct.* Leipzig : défaite de Napoléon Ier (bataille des Nations).
1814 *1er févr.-30 mars.* Campagne de France. — *30 mars.* Capitulation de Paris.
1815 *18 juin.* Waterloo : défaite de Napoléon Ier face aux Anglo-Prussiens.
1821 *8 avr.* Novare : défaite des Piémontais face aux Autrichiens.
1823 *7 avr.-30 sept.* Expédition française en Espagne.
1825 *24 févr.* Intervention égyptienne en Morée.
1827 *20 oct.* Navarin : victoire navale anglo-française sur les Ottomans.
1828 *26 avr. 1828-14 sept. 1829.* Guerre russo-ottomane. — *Oct. nov.* Expédition française en Morée.
1830 *5 juill.* Prise d'Alger par les Français.
1832 *4 déc.* Prise d'Anvers par les Français.

FRANCE

1789 *5 mai.* Réunion des États généraux. — *20 juin.* Serment du Jeu de paume. — *9 juill. 1789-30 sept. 1791.* Assemblée nationale constituante. — *14 juill.* Prise de la Bastille. — *4 août (nuit du).* Abolition des privilèges. — *5 et 6 oct.* Retour du roi à Paris.
1790 *12 juill.* Constitution civile du clergé. — *14 juill.* Fête de la Fédération.
1791 *20-21 juin.* Fuite de Louis XVI à Varennes. — *17 juill.* Fusillade du Champ-de-Mars. — *1er oct. 1791-20 sept. 1792.* Assemblée législative.
1792 *20 juin.* Manifestation contre le roi. — *10 août.* Chute de la royauté. — *2-6 sept.* Massacres des prisons à Paris. — *21 sept. 1792-26 oct. 1795.* La Convention.
1793 *21 janv.* Exécution de Louis XVI. — *10 mars.* Soulèvement de la Vendée. — *6 avril.* Création du Comité de salut public. — *31 mai-2 juin.* Chute des Girondins. — *24 juin.* Constitution de l'an I. — *17 et 29 sept.* Lois des suspects et du maximum général.
1794 *14-24 mars et 30 mars-5 avr.* Exécution des hébertistes et des dantonistes. — *8 juin.* Fête de l'Être suprême. — *27-28 juill.* (9-10 thermidor). Chute de Robespierre.
1795 *1er avr.-20 mai.* Insurrections jacobines. — *22 août.* Constitution de l'an III. — *5 oct.* Insurrection royaliste du 13 vendémiaire. — *26 oct. 1795-9 nov. 1799.* Le Directoire.
1797 *4 sept.* Coup d'État du 18 fructidor an V.
1798 *11 mai.* Coup d'État du 22 floréal an VI.
1799 *18 juin.* Coup d'État du 30 prairial an VII. — *9 oct.* Retour de Bonaparte en France. — *9-10 nov.* Coup d'État des 18/19 brumaire an VIII. — *10 nov. 1799-18 mai 1804.* Consulat. — *25 déc.* Constitution de l'an VIII.
1800 *13 févr.* Création de la Banque de France.
1802 *2 et 4 août.* Consulat à vie. Constitution de l'an X.
1804 *18 mai 1804-6 avr. 1814.* Premier Empire, Napoléon Ier Empereur. — *2 déc.* Sacre de Napoléon Ier.
1809 Excommunication de Napoléon Ier par Pie VII.
1811 *20 mars.* Naissance du roi de Rome.
1814 *6 avr.* Abdication de Napoléon Ier. — *6 avr. 1814-20 mars 1815.* Première Restauration. — *4 juin.* Publication de la Charte.
1815 *1er mars.* Retour de l'île d'Elbe. — *20 mars-8 juill.* Les Cent-Jours. — *1er juin.* Acte additionnel. — *22 juin.* Seconde abdication de Napoléon Ier.
1815-1830 Deuxième Restauration.
1815-1824 Louis XVIII, roi de France.
1821-1828 Ministère Villèle.
1824-1830 Charles X, roi de France.
1829-1830 Polignac, président du Conseil.
1830 *26 juill.* Les « quatre ordonnances ». — *27-29 juill.* Les Trois Glorieuses. — *2 août.* Abdication de Charles X.
1830-1848 Louis-Philippe Ier, roi des Français.
1834 Révolte des canuts lyonnais.
1836 Coup d'État de Louis-Napoléon à Strasbourg.
1840 Ministère de Thiers. — Coup d'État de Louis-Napoléon à Boulogne. — Retour des cendres de Napoléon Ier.
1840-1848 Ministère de François Guizot.
1847 Campagne des Banquets contre le gouvernement.

LA FIN DE L'ANCIEN RÉGIME ET LE TEMPS DE LA RÉVOLUTION NORD-AMÉRICAINE (DE 1764 À 1788)

NOUVEAU MONDE ET RÉVOLUTION AMÉRICAINE

1767 Expulsion des Jésuites de l'Amérique espagnole.
1768 Pétition du Massachusetts.
1770 *5 mars.* Massacre de Boston.
1773 Conflit du thé à Boston *(Tea Party).*
1774 Congrès de Philadelphie. *Quebec Act.*
1775-1782/1783 Guerre d'Indépendance des États-Unis.
1775 Massacre de soldats anglais à Lexington.
1776 *4 juill.* Indépendance des États-Unis.
1777-1779 et 1780-1781 Aide de La Fayette aux « insurgents » d'Amérique.
1777 Capitulation d'une armée anglaise à Saratoga.
1778 Traité de commerce et d'alliance franco-américain. Ouverture de l'Empire espagnol au commerce international.
1780-1781 Corps expéditionnaire de Rochambeau en Amérique.
1781 Capitulation anglaise de Yorktown.
1780-1781 Révolte de Túpac Amaru au Pérou.
1782-1783 Reconnaissance de l'indépendance des États-Unis par la Grande-Bretagne.
1787 Vote de la Constitution des États-Unis.

AFRIQUE, ASIE, OCÉANIE

1766-1769 Mer du Sud : voyage de Bougainville.
1767 Conquête de la Thaïlande par les Birmans.
1768-1771 Mer du Sud : 1er voyage de James Cook.
1772-1775 Mer du Sud : 2e voyage de James Cook.
1772-1785 Warren Hastings, gouverneur du Bengale, puis (1773) gouverneur général de l'Inde.
1773 Révolte des trois frères Tây Son au Viêt-nam.
1776-1779 Mer du Sud : 3e voyage et mort de J. Cook.
1774-1820 Nguyên Anh, roi, puis empereur sous le nom de Gia Long (1802) du Viêt-nam.
1779-1780 1re « guerre cafre » entre Boers et Bantous.
1782 Suffren aux Indes : siège de Madras. Avènement de la dynastie Chakri en Thaïlande.
1783 Restitution du Sénégal à la France.
1783-1788 « Révolte du riz », au Japon, famines.
1784 « *India Act* » renforçant le contrôle de l'État sur la Compagnie anglaise des Indes orientales.
1785-1788 Expédition et mort de La Pérouse à Vanikoro.
1786-1925 Dynastie des Qādjārs en Perse.
1787 Traité de Versailles : alliance franco-annamite.
1788 Installation des Anglais à Botany Bay.

CIVILISATION

1764 *R.* Dissolution de la Compagnie de Jésus en France. *L.* Voltaire : *Dictionnaire philosophique.*
1766-1817 *L.* Vie de l'écrivain français Mme de Staël.
1768-1848 *L.* Vie de l'écrivain français Chateaubriand.
1769-1774 *R.* Pontificat de Clément XIV.
1773 *R.* Suppression par Clément XIV de la Compagnie de Jésus.
1775-1799 *R.* Pontificat de Pie VI.
1775-1836 *Sc.* Vie du physicien français André Ampère.
1777-1835 *Sc.* Vie du chirurgien français Dupuytren.
1778-1850 *Sc.* Vie du chimiste français Gay-Lussac.
1780-1867 *A.* Vie du peintre français Dominique Ingres.
1781 *L.* Emmanuel Kant : *Critique de la raison pure.*
1782-1789 Jean-Jacques Rousseau : *Confessions.*
1783-1842 *L.* Vie de l'écrivain français Stendhal.
1784-1855 *A.* Vie du sculpteur français François Rude.
1786 *Sp.* Première ascension du mont Blanc.
1787 *L.* Bernardin de Saint-Pierre : *Paul et Virginie.*
1788 *L.* Emmanuel Kant : *Critique de la raison pratique.*
1788-1824 *L.* Vie du poète anglais lord Byron.

RÉVOLUTIONS ET RESTAURATIONS (DE 1789 À 1847)

EUROPE

1788-1808 Charles IV, roi d'Espagne.
1790-1792 Léopold II, empereur germanique.
1792-1806 François II, empereur germanique.
1794 Soulèvement de la Pologne, réprimé par les Russes.
1796-1801 Paul Ier, tsar de Russie (assassiné).
1797-1802 République Cisalpine (1802-1805 : italienne).
1797-1840 Frédéric-Guillaume III, roi de Prusse.
1798 *5 févr.* Fondation de la république romaine.
1800 *5 févr.* Acte d'union de l'Angleterre et de l'Irlande.
1801-1825 Alexandre Ier, tsar de Russie.
1803 *19 févr.* Acte de médiation créant la Confédération helvétique. — *25 févr.* Recès du Saint Empire.
1804-1835 François Ier (François II, empereur), empereur d'Autriche.
1804-1806 Dernier ministère du Second William Pitt.
1806-1808 Joseph Bonaparte, roi de Naples.
1806-1810 Louis Bonaparte, roi de Hollande.
1806 Fondation de la Confédération du Rhin. — *1er août.* Dissolution du Saint Empire romain germanique.
1807-1813 Jérôme Bonaparte, roi de Westphalie.
1808-1813 Joseph Bonaparte, roi d'Espagne.
1808-1815 Murat, roi de Naples.
1808 Instauration du système des *krümper* en Prusse.
1809-1818 Charles XIII, roi de Suède.
1809-1848 Metternich, chancelier d'Autriche.
1810 Bernadotte, héritier du trône de Suède. — Fondation de l'Université de Berlin.
1812 et 1814-1833 Ferdinand VII, roi d'Espagne.
1815 Création du royaume de Hanovre au profit de George III, roi de Grande-Bretagne.
1815-1866 Confédération germanique.
1817 Crise économique en Europe. — *17 oct.* Manifestation de la Wartburg.
1818-1844 Charles XIV (Bernadotte), roi de Suède.
1820 Soulèvements à Cadix, Naples, Porto, etc.
1821 *12 mars.* Insurrection à Turin.
1820-1830 George IV, roi de Grande-Bretagne.
1823 Fondation d'une association catholique en Irlande.
1824 Loi accordant le droit de grève en Angleterre.
1825-1855 Nicolas Ier, tsar de Russie.
1825 Soulèvement décabriste en Russie.
1829 Acte d'émancipation des catholiques anglais.
1830 *25 août.* Révolution à Bruxelles. — *29 nov.* Révolution à Varsovie.
1830-1859 Ferdinand II, roi des Deux-Siciles.
1830-1837 Guillaume IV, roi de Grande-Bretagne.
1831-1849 Charles-Albert, roi de Sardaigne.
1831-1865 Léopold Ier, roi des Belges.
1831 *8 sept.* Prise de Varsovie par les Russes. — Fondation de la Jeune-Italie par Mazzini.
1832 Réforme électorale en Angleterre.
1833-1839 Soulèvement carliste dans le Pays basque.
1833-1868 Isabelle II, reine d'Espagne.
1834 *1er janv.* Entrée en vigueur du *Zollverein* général.
1835-1848 Ferdinand Ier, empereur d'Autriche.
1837-1901 Victoria, reine de Grande-Bretagne.
1840-1861 Frédéric-Guillaume IV, roi de Prusse.
1845 Début de la crise économique en Europe.
1846 *25 mai.* Abolition des *Corn-Laws* en Angleterre.

MONDE HORS D'EUROPE ET EMPIRE OTTOMAN

1789-1797 George Washington, président des États-Unis.
1789-1807 Sélim III, sultan ottoman.
1791-1794 et 1802 Révoltes à Haïti.
1796-1820 Jia Qing (Kia-K'ing), empereur de Chine.
1797-1834 Fatḥ 'Alī chāh, chāh de Perse.
1801-1809 Thomas Jefferson, président des États-Unis.
1803 Achat par les États-Unis de la Louisiane française.
1804 Les Wahhābites, maîtres du Hedjaz.
1804-1813 Première révolte du Serbe Karageorges (Karadjordje) contre les Turcs et échec.
1804-1849 Méhémet Ali, vice-roi d'Égypte.
1807-1808 Mustafa IV, sultan ottoman.
1808-1839 Mahmud II le Réformateur, sultan ottoman.
1810 Insurrection de Miguel Hidalgo au Mexique.
1811 Indépendance du Venezuela et du Paraguay.
1812-1818 Méhémet Ali assujettit les Wahhābites.
1813 Révolution en Nouvelle-Grenade (Colombie).
1814 Révolte contre les Turcs du Serbe Miloš Obrenović.
1816 Indépendance de l'Argentine.
1817-1825 James Monroe, président des États-Unis.
1817 Assassinat de Karageorges en Serbie.
1818 Maipú : victoire de San Martín et de O'Higgins sur les Espagnols et indépendance du Chili.
1819 Établissement des Anglais à Singapour. — Boyacá : victoire de Simón Bolívar sur les Espagnols. — Achat par les États-Unis de la Floride.
1820 États-Unis : compromis du Missouri sur l'esclavage.
1821-1830 Révolte des Grecs contre les Ottomans.
1821 Indépendance du Mexique.
1822 Assemblée d'Épidaure : indépendance de la Grèce.
1822-1823 Iturbide (Agustín Ier), empereur du Mexique.
1822-1831 Don Pedro (Pierre Ier), empereur du Brésil.
1823 Déclaration de Monroe : « L'Amérique aux Américains. »
1824 Ayacucho : ultime défaite espagnole en Amérique latine.
1826 Congrès interaméricain de Panamá réuni par Bolívar.
1830-1839 Miloš Obrenović Ier, prince héréditaire de Serbie.
1831-1837 Guerre turco-égyptienne.
1832 Prise de Konya par les Égyptiens.
1834 Abolition de l'esclavage dans les colonies anglaises. — Grand *Trek* des Boers vers le Natal.
1836-1845 Indépendance temporaire du Texas.
1837 Traité de la Tafna entre Bugeaud et Abd el-Kader.
1838 Occupation d'Aden par les Anglais.
1839 Nizip : défaite ottomane face aux Égyptiens.
1839-1861 Abdülmecid Ier, sultan ottoman.
1840 Acte d'union (Canada Français et Anglais).
1840-1847 Bugeaud, gouverneur général d'Algérie.
1840-1842 Guerre anglo-chinoise de l'opium.
1842 Traité de Nankin : ouverture de la Chine.
1844 Annexion du Natal par les Anglais : second *Trek* des Boers. — Isly : Bugeaud bat les Marocains.
1845 Annexion du Texas par les États-Unis.
1846-1848 Guerre américano-mexicaine.
1847 Reddition d'Abd el-Kader.

CIVILISATION

1790 *L.* Burke : *Réflexions sur la Révolution de France.*
1790-1869 *L.* Vie de l'écrivain Alphonse de Lamartine.
1794 *T.* Claude Chappe : premier télégraphe à bras.
1795 *Sc.* Institution du système métrique en France.
1796 *Sc.* Recherches de Jenner sur la vaccine.
1797-1802 *T.* R. Fulton : 1er sous-marin.
1797-1863 *L.* Vie de l'écrivain français Alfred de Vigny.
1798 *L.* Malthus : *Essai sur le principe de population.*
1798-1857 *L.* Vie du philosophe Auguste Comte.
1798-1863 *A.* Vie du peintre français Eugène Delacroix.
1798-1874 *L.* Vie de l'historien français Jules Michelet.
1799-1850 *L.* Vie de l'écrivain Honoré de Balzac.
1800 *Sc.* Volta : invention de la pile électrique.
1800-1823 *R.* Pontificat de Pie VII.
1802 *L.* Chateaubriand : *le Génie du christianisme.*
1802-1885 *L.* Vie de l'écrivain français Victor Hugo.
1804 *A.* Ludwig van Beethoven : symphonie *Héroïque.*
1805 *T.* Jacquard : invention du métier à tisser la soie.
1806-1836 *A.* Chalgrin : Arc de triomphe de l'Étoile.
1807-1808 *L.* Fichte : *Discours à la nation allemande.*
1808 *L.* Organisation de l'Université impériale.
1810 *T.* Ph. de Girard invente la machine à filer le lin.
1810-1849 *A.* Vie du compositeur Frédéric Chopin.
1810-1857 *L.* Vie de l'écrivain français Alfred de Musset.
1813-1883 *A.* Vie du compositeur Richard Wagner.
1814 *T.* G. Stephenson : invention de la locomotive à vapeur. — *A.* Francisco de Goya : *Dos e Tres de Mayo.*
1818-1883 *L.* Vie du philosophe allemand Karl Marx.
1819 *A.* Géricault : *le Radeau de la « Méduse ».* — *Sc.* Fresnel : théorie ondulatoire de la lumière.
1821-1880 *L.* Vie de l'écrivain français Gustave Flaubert.
1822-1895 *Sc.* Vie du biologiste français Louis Pasteur.
v. 1822 *Sc.* N. Niepce : principe de la photographie.
1823-1829 *R.* Pontificat de Léon XII.
1823-1892 *L.* Vie de l'écrivain français Ernest Renan.
1824 *A.* Eugène Delacroix : *les Massacres de Scio.*
1826 *Sc.* Lobatchevski : géométrie non euclidienne.
1827 *L.* V. Hugo : préface de *Cromwell.*
1828-1910 *L.* Vie de l'écrivain russe Léon Tolstoï.
1830 *L.* Victor Hugo : la bataille d'*Hernani.* — *T.* B. Thimonnier : invention de la machine à coudre.
1830 *L.* Stendhal : *le Rouge et le Noir.*
1831-1846 *R.* Pontificat de Grégoire XVI.
1832-1883 *A.* Vie du peintre français Édouard Manet.
1835-1840 *L.* Tocqueville : *De la démocratie en Amérique.*
1836-1867 *L.* František Palacký : *Histoire de la Bohême.*
1839 *L.* Stendhal : *la Chartreuse de Parme.*
1840-1859 *L.* Sainte-Beuve : *Port-Royal.*
1840-1902 *L.* Vie de l'écrivain français Émile Zola.
1840-1926 *A.* Vie du peintre français Claude Monet.
1843-1850 *A.* Labrouste : bibliothèque Ste-Geneviève.
1843 *T.* Morse : 1er télégraphe électrique.
1844-1900 *L.* Vie du philosophe Friedrich Nietzsche.
1844-1924 *L.* Vie de l'écrivain Anatole France. — *Sc.* Le Verrier : découverte de la planète Neptune.
1846-1878 *R.* Pontificat de Pie IX.
1847-1853 *L.* Michelet : *Histoire de la Révolution française.*
1847-1931 *Sc.* Vie du physicien américain Edison.
1848 *L.* Marx et Engels : *Manifeste du parti communiste*

LE MONDE AU TEMPS DES NATIONALITÉS ET DE L'IMPÉRIALISME ARMÉ (DE 1848 À 1914)

RELATIONS INTERNATIONALES

1848-1849 Guerre austro-sarde (paix en 1849).
1849 Kapolna et Novare : les Autrichiens battent les Hongrois, puis Charles-Albert. — Oudinot prend Rome. — Temesvár et Világos : les Russes battent les Hongrois. — Abolition des Actes britanniques de navigation.
1854-1855 Guerre de Crimée.
1855 Prise de Sébastopol par les Franco-Anglais.
1856 Congrès et traité de Paris.
1858 Entrevue de Plombières (Napoléon III-Cavour).
1859 Guerre d'Italie. Magenta et Solferino : victoires françaises sur les Autrichiens. — Traité de Zurich : cession de la Lombardie au Royaume sarde.
1860 Cession à la France de Nice et de la Savoie sardes.
1862-1867 Expédition française du Mexique.
1864-1876 Première Internationale ouvrière.
1864 Guerre des Duchés. — Traité de Vienne. — Fondation à Genève de la *Croix-Rouge* internationale.
1865 Convention austro-prussienne de Gastein. — Entrevue de Biarritz (Napoléon III-Bismarck).
1866 Guerre austro-prussienne : Sadowa; paix de Prague.
1870 Candidature Hohenzollern au trône d'Espagne.
1870 (19 juill.) - 1871 (28 janv.) Guerre franco-allemande.
1870 *2 sept. et 27 oct.* Capitulations : Sedan et Metz.
1870-1871 Siège de Paris par les Prussiens.
1871 *10 mai.* Traité franco-allemand de Francfort.
1873 et 1881 Entente des trois empereurs.
1877-1878 Guerre russo-turque (victoires russes).
1878 Traité de San Stefano. — Congrès de Berlin.
1878-1908 Occupation par l'Autriche de la Bosnie-Herzégovine (annexée en 1908).
1878-1914 Chypre sous administration britannique.
1879 Alliance austro-prussienne de Vienne : la Duplice.
1882 Triplice germano-austro-italienne.
1884 Occupation de Merv par les Russes.
1884-1885 Conférence coloniale de Berlin.
1885 Création de l'État du Congo par l'acte de Berlin.
1889 Fondation à Paris de la IIe Internationale ouvrière.
1892 Accord militaire secret franco-russe.
1894-1895 Guerre sino-japonaise.
1895 Traité sino-japonais de Shimonoseki.
1898 Incident franco-anglais de Fachoda.
1902 Accords anglo-japonais et franco-italiens.
1904 Traité franco-anglais d'Entente cordiale. — Congrès d'Amsterdam (2e Internationale socialiste).
1904-1905 Guerre russo-japonaise (Port-Arthur; Tsushima).
1906 Conférence d'Algésiras sur le Maroc.
1907 Accord asiatique anglo-russe (Triple-Entente).
1911 Guerre italo-turque : Tripolitaine à l'Italie.
1912 Traité italo-turc de Lausanne-Ouchy.
1912-1913 Première guerre balkanique.
1913 Traité de Londres. — Seconde guerre balkanique. — Traité de Bucarest. — Incidents de Saverne.

FRANCE, ROYAUME-UNI ET PÉN. IBÉRIQUE

1848 *22-24 févr.* Révolution libérale à Paris. — *24 févr.* Abdication de Louis-Philippe. — *25 févr. 1848-2 déc. 1852.* IIe République. — *4 mai 1848-27 mai 1849.* Assemblée constituante. — *23-26 juin.* Journées de Juin à Paris. — *10 déc. 1848-2 déc. 1852.* Louis-Napoléon Bonaparte, président de la République.
1849 *28 mai 1849-2 déc. 1851.* Assemblée législative.
1851 *2 déc.* Coup d'État de Louis-Napoléon Bonaparte.
1852 *2 déc. 1852-4 sept. 1870.* Napoléon III, empereur.
1852-1860 Empire autoritaire.
1853-1861 Pierre V, roi de Portugal.
1861-1889 Louis Ier, roi de Portugal.
1860-1869 Empire libéral en France.
1868 Destitution d'Isabelle II par le général Prim.
1869-1871 Régence de Serrano en Espagne.
1868 et 1874-1880 Disraeli, Premier ministre britannique.
1868-1874, 1880-1885, 1886 et 1892-1894 Gladstone, Premier ministre britannique (libéral).
1869-1870 Ministère Émile Ollivier.
1870-1873 Amédée Ier, duc d'Aoste, roi d'Espagne.
1871 *8 févr. 1871-30 déc. 1875.* Assemblée nationale. — *10 mars.* Pacte de Bordeaux. — *18 mars-28 mai.* Commune de Paris.
1873 *24 mai.* Crise et démission d'Adolphe Thiers.
1873-1874 République espagnole.
1873-1879 Mac-Mahon, président de la République.
1875 Lois constitutionnelles de la IIIe République.
1875-1885. Alphonse XII, roi d'Espagne.
1876 *16 mai.* Renvoi de Jules Simon par Mac-Mahon.
1879-1887 Jules Grévy, président de la République.
1880-1885 Œuvre de Jules Ferry.
1886-1889 Essor et échec du mouvement boulangiste.
1886-1931 Alphonse XIII, roi d'Espagne.
1887 Affaire Wilson : scandale des décorations.
1887-1894 Sadi Carnot, président de la République.
1888-1897 Scandale politico-financier de Panamá.
1889-1908 Charles Ier, roi de Portugal.
1894-1895 J. Casimir-Perier, président de la République.
1894-1906 Affaire Dreyfus.
1895-1899 Félix Faure, président de la République.
1895 Fondation à Limoges de la C. G. T.
1898-1905 T. Delcassé, ministre des Affaires étrangères.
1899-1906 Émile Loubet, président de la République.
1899-1902 Ministère Waldeck-Rousseau.
1901-1910 Édouard VII, roi de Grande-Bretagne.
1902-1905 Ministère Émile Combes.
1905 Fondation à Paris de la S. F. I. O.
1906 Charte syndicale d'Amiens.
1906-1913 Armand Fallières, président de la République.
1908-1910 Manuel II, roi de Portugal.
1910-1926 République du Portugal.
1910-1936 George V, roi de Grande-Bretagne.
1913-1920 R. Poincaré, président de la République.

AUTRES PAYS EUROPÉENS ET EMP. OTTOMAN

1848 *12 janv.* Révolution à Palerme. — *13 et 18 mars.* Révolution libérale à Vienne et à Berlin. — *18-22 mars.* Les Cinq Jours de Milan. — *23 mars 1848-22 août 1849.* République de Venise. — *31 mars-3 avr.* *Vorparlament* en Allemagne. — *18 mai 1848-18 juin 1849.* Parlement de Francfort. — *2 juin.* Réunion du Congrès panslave de Prague. — *2 déc. 1848-22 nov. 1916.* François-Joseph Ier, empereur d'Autriche.
1849 *9 févr.-4 juill.* République romaine de Mazzini.
1849-1878 Victor-Emmanuel II, roi sarde (d'Italie, 1861).
1850 Reculade d'Olmütz : capitulation du roi de Prusse.
1852-1859 et 1860-1861 Cavour, président du Conseil.
1855-1881 Alexandre II, tsar de Russie.
1858-1888 Guillaume Ier, régent, roi de Prusse (1861), empereur d'Allemagne (1871).
1859-1866 Alexandre-Jean Ier Cuza, prince de Roumanie.
1860 Garibaldi : expédition des Mille en Sicile.
1861-1876 Abdülaziz Ier, sultan ottoman.
1861-1946 Royaume d'Italie, né du royaume sarde.
1862-1890 Bismarck, président du Conseil de Prusse.
1865-1909 Léopold II, roi des Belges.
1866-1914 Charles Ier, prince de Roumanie (roi, 1881).
1866-1871 Confédération de l'Allemagne du Nord.
1867 Compromis créant l'Empire d'Autriche-Hongrie.
1870 Incorporation de Rome au royaume d'Italie.
1871-1890 Otto von Bismarck, chancelier d'Allemagne.
1871-1918 IIe Reich.
1871-1879 G. Andrássy, ministre des Affaires étrangères d'Autriche-Hongrie.
1875-1890 Kálmán Tisza gouverne la Hongrie.
1876-1909 Abdülhamid II, sultan ottoman.
1878-1900 Humbert Ier, roi d'Italie.
1879-1886 Alexandre de Battemberg, pr. de Bulgarie.
1881-1894 Alexandre III, tsar de Russie.
1887-1918 Ferdinand Ier, prince de Bulgarie (tsar, 1908).
1888-1918 Guillaume II, empereur d'Allemagne.
1890-1894 Caprivi, chancelier d'Allemagne.
1890-1948 Wilhelmine, reine des Pays-Bas.
1894-1917 Nicolas II, tsar de Russie.
1894-1896 et 1915-1918 Massacres des Arméniens.
1900-1909 Bernard von Bülow, chancelier d'Allemagne.
1900-1946 Victor-Emmanuel III, roi d'Italie.
1903-1905 et 1913-1917 István Tisza gouverne la Hongrie.
1903-1921 Pierre Ier Karadjorjević, roi des Serbes.
1905 1re révolution russe. — Scission suédo-norvégienne.
1905-1957 Haakon VII, roi de Norvège.
1907-1950 Gustave V, roi de Suède.
1908 Révolution « jeune-turque ».
1909-1918 Mehmed V, sultan ottoman.
1909-1917 Bethmann-Hollweg, chancelier d'Allemagne.
1909-1934 Albert Ier, roi des Belges.
1912-1947 Christian X, roi de Danemark.

LE MONDE AU TEMPS DES CRISES : DE LA CRISE MILITAIRE À LA CRISE ÉCONOMIQUE (DE 1914 À 1928)

RELATIONS INTERNATIONALES (1914-1918)

1914 *23 juill.* Ultimatum austro-hongrois à la Serbie. — *28 juill.-12 août.* Déclarations de guerre. — *2-5 nov.* Les Turcs en guerre.
1915 *26 avr.* Traité de Londres entre l'Italie et les Alliés. — *23 mai et 14-20 oct.* Italie, puis Bulgarie en guerre.
1916 *17 août.* Alliance entre l'Entente et la Roumanie.
1917 *2 avr.* Guerre entre les États-Unis et l'Allemagne. — *9 août.* Rupture germano-grecque. — *2 nov.* Déclaration Balfour. — *15 déc.* Armistice de Brest-Litovsk.
1918 *8 janv.* Les « 14 points » de Wilson. — *3 mars.* Paix germano-russe de Brest-Litovsk. — *29 sept., 30 oct., 3 et 11 nov.* Armistices : Salonique, Moudros. Villa Giusti, Rethondes.

FRONT OCCIDENTAL (1914-1918)

1914 *4 août.* Invasion de la Belgique. — *20-23 août.* Batailles des frontières. — *6-11 sept.* Bat. de la Marne.
1915 *mai.* Offensive alliée en Artois. — *23 sept.* Offensive française en Champagne.
1916 *21 févr.-24 juin/1er août.* Verdun : offensive allemande, victoire française. — *1er juill.-23 oct.* Offensive franco-anglaise sur la Somme. — *29 août.* Hindenburg, commandant en chef allemand.
1917 *24 févr.-13 mars.* Repli allemand sur ligne Hindenburg. - *9-19 avr.* Échec de l'offensive Nivelle.
1918 *21 mars-15 juill.* Offensives allemandes. — *26 mars.* Foch, commandant en chef interallié. — *18 juill.-11 nov.* Contre-offensives alliées.

AUTRES FRONTS (1914-1918)

1914 *26-29 août.* Tannenberg. — *9-14 sept.* Lacs Mazures : victoires de Hindenburg sur les Russes.
1915 *19 févr. 1915-8 janv. 1916.* Échec allié aux Dardanelles. — *2 mai.* Offensive austro-allemande en Galicie. — *5 oct.* Débarquement des Alliés à Salonique.
1916 *15 mai.* Offensive autrichienne en Italie. — *4 juin-15 août.* Offensive Broussilov en Galicie. — *6 déc.* Prise de Bucarest par les Austro-Allemands.
1917 *31 janv.* Guerre sous-marine allemande à outrance. — *24 oct.* Caporetto : défaite italienne.
1918 *18 févr.* Offensive turque en Arménie. — *15 sept.-3 nov.* Offensive de Franchet d'Esperey en Macédoine. — *24-30 oct.* Vittorio Veneto, victoire italienne.

RELATIONS INTERNATIONALES (1919-1928)

1919 *2-6 mars.* Fondation à Moscou de la IIIe Internationale. — *28 juin.* Traité de Versailles et traités de garantie franco-américain et franco-anglais. — *10 sept.* Traité de paix de Saint-Germain-en-Laye avec l'Autriche. — *27 nov.* Traité de paix de Neuilly avec la Bulgarie.
1920 *16 janv.* Rejet par le Sénat américain de l'adhésion des États-Unis à la S. D. N. — *4 juin.* Traité de paix de Trianon avec la Hongrie. — *10 août.* Traité de Sèvres avec l'Empire ottoman. — *12 nov.* Traité italo-yougoslave de Rapallo : Fiume, État libre.
1921 *25 août.* Paix séparée américano-allemande de Berlin. — *12 nov. 1921-6 févr. 1922.* Conférence de Washington.
1923 *24 juill.* Traité gréco-turc de Lausanne révisant le traité de Sèvres.
1924 *27 janv.* Pacte italo-yougoslave de Rome : l'Italie annexe Fiume.
1926 *17 sept.* Entrevue Briand-Stresemann à Thoiry.
1928 *27 août.* Pacte Briand-Kellogg.

EUROPE ET U. R. S. S. (1919-1928)

1919 *5 janv.* Fondation à Munich du *parti national-socialiste allemand des travailleurs* (NSDAP) par Anton Drexler. — *11 févr. 1919-28 févr.* 1925. Friedrich Ebert, président de la République allemande. — *23 mars.* Fondation à Milan des Faisceaux de combat.
1921 *28 févr.* Révolte des marins de Kronchtadt. — *mars.* Journées fratricides à Fiume. — *12 mars.* Adoption de la NEP en Russie.
1922 *3 avr.* Joseph Staline, secrétaire du parti communiste soviétique. — *27-28 oct.* Marche fasciste sur Rome. — *30 déc.* Création de l'U. R. S. S.
1923 *13 sept.* Coup d'État de Primo de Rivera. — *8-9 nov.* Putsch de Hitler à Munich.
1924 *21 janv.* Mort de Lénine. — *10 juin.* Assassinat de Matteotti par la milice fasciste.
1925 *26 avr. 1925-2 août 1934.* Hindenburg président de la république de Weimar.
1926 *12-14 mai.* Marche de Piłsudski sur Varsovie. — *28 mai.* Marche sur Lisbonne de Gomes da Costa.
1928 *27 avr. 1928-5 juill. 1932.* Oliviera Salazar, ministre des Finances du Portugal.

LE MONDE AU TEMPS DES NATIONALITÉS ET DE L'IMPÉRIALISME ARMÉ (DE 1848 À 1914)

MONDE HORS D'EUROPE

1848 Traité américano-mexicain de Guadalupe Hidalgo.
1848-1896 Nāṣir al-Dīn chāh, souverain de Perse.
1851-1864 Révolution Taiping en Chine contre les Qing.
1854-1855 Traités ouvrant le Japon aux Occidentaux.
1857 Échec de la révolte des cipayes en Inde.
1858 Traités de Tianjin (T'ien-tsin) entre la Chine et les Occidentaux. — Traité russo-chinois d'Aihun.
1860 Expédition franco-anglaise du Palais d'été.
1861-1865 Abraham Lincoln, président des États-Unis.
1861 Constitution des États confédérés d'Amérique.
1861-1865 Guerre de Sécession aux États-Unis.
1861-1908 Zixi (Tseu-hi), impératrice régente de Chine.
1862 La France annexe la Cochinchine orientale.
1863 Protectorat français sur le Cambodge.
1863-1867 Maximilien Ier, empereur du Mexique.
1865 Abolition de l'esclavage aux États-Unis.
1867 Création du dominion du Canada.
1868-1912 Mutsuhito, empereur du Japon : ère Meiji.
1869-1877 Ulysses Grant, président des États-Unis.
1876-1880; 1884-1911 Porfirio Díaz, président du Mexique.
1875 et 1880 Savorgnan de Brazza au Congo.
1876-1901 Victoria, impératrice des Indes.
1881 Protectorat français sur la Tunisie.
1883-1885 Guerre franco-chinoise au Tonkin.
1884-1885 Traités franco-chinois de Tianjin.
1885-1889 et 1893-1897 Cleveland, président des É.-U.
1886-1893 Conquête du Laos par Auguste Pavie.
1888-1893 Archinard détruit l'empire d'Ahmadou.
1889 Cecil Rhodes, concessionnaire des « Rhodésies ».
1889-1909 Ménélik II, négus d'Éthiopie.
1893 Protectorats français au Dahomey et américain aux Hawaii.
1895-1896 Conquête de Madagascar par la France.
1896 Adoua : victoire de Ménélik II sur les Italiens.
1896-1907 Muzaffar al-Dīn chāh, souverain de Perse.
1897-1901 William McKinley, président des États-Unis.
1898 Élimination de Samory et des Mahdīstes.
1899-1902 Guerre anglo-boër.
1900 Kousséri : destruction de l'empire de Rabah.
1901 Création du Commonwealth of Australia.
1901-1909 Theodore Roosevelt, président des É.-U.
1903 Révolution de Panamá contre la Colombie.
1904 Fondation du Guomindang par Sun Yat-sen.
1907 Création du dominion de Nouvelle-Zélande.
1908-1912 Puyi (P'ou-yi), dernier empereur de Chine.
1909-1925 Aḥmad chāh, souverain de Perse.
1910 Création de l'Union sud-africaine.
1911 République chinoise de Sun Yat-sen à Nankin.
1912 Traité de Fès : protectorat français sur le Maroc.
1912-1915 Yuan Shikai, président de la Rép. de Chine.
1912-1926 Yoshihito, empereur du Japon.
1913-1921 Thomas W. Wilson, président des États-Unis.

ÉCONOMIE ET TECHNIQUE

1848 *Éc.* Découverte de mines d'or en Californie.
1850 *T.* 1er câble sous-marin Douvres-Calais.
1851 *Éc.* 1re exposition internationale (Londres). — Fondation de la compagnie française des Messageries maritimes. — Découvertes de mines d'or en Australie.
1852 *Éc.* Fondation à Paris du grand magasin Au Bon Marché, du Crédit foncier et du Crédit mobilier.
1855 *Éc.* Fondation de la Compagnie du canal de Suez (F. de Lesseps), de la Compagnie générale transatlantique en France. — Exposition internationale de Paris. — *T.* Invention du convertisseur Bessemer.
1857 *Éc.* Crise financière en Grande-Bretagne.
1857-1871 *T.* Construction du tunnel du Mont-Cenis.
1859 *Éc.* Fondation de la Société générale (France).
1859-1869 *T.* Construction du canal de Suez.
1860 *Éc.* Traité de libre-échange franco-anglais.
1863 *Éc.* Fondation du Crédit Lyonnais en France. — *T.* Procédé Solvay (fabrication de la soude).
1864 *Éc.* Fondation du Comité des forges en France. — *T.* Invention du four Martin.
1866 *Éc.* Crise bancaire en Angleterre. — *T.* 1er câble transatlantique. — Nobel : invention de la dynamite.
1867 *T.* Invention de la machine frigorifique par Charles Tellier. — *Éc.* Découverte de gisements diamantifères dans l'Orange.
1869 *T.* 1er chemin de fer transcontinental aux É.-U.
1870 *Éc.* Fondation de la Standard Oil Company.
1874 *Éc.* Fondation de l'Union postale internationale.
1876 *T.* Graham Bell : invention du téléphone.
1877 *T.* Edison : invention du microphone et du phonographe.
1878 Thomas et Gilchrist : procédé de déphosphoration.
1880-1886 *T.* Construction du Canadian Pacific Railway.
1880-1888 *T.* Construction du transcaspien.
1882-1893 *T.* Construction du canal de Corinthe.
1883 *T.* M. Deprez : 1er transport d'énergie électrique.
1884 *Éc.* Découverte de mines d'or au Transvaal.
1891-1906 et 1907-1917 Construction du Transsibérien.
1889 *Éc.* Exposition internationale de Paris (tour Eiffel).
1895 *T.* Ouverture du canal de Kiel.
1896 *T.* Marconi : invention de la télégraphie sans fil.
1897 *Éc.* Découverte de mines d'or au Klondyke. — *T.* Clément Ader : 1er vol en aéroplane.
1900 *T.* 1er dirigeable de Ferdinand Zeppelin.
1902 *Éc.* Concession du Bagdad-Bahn.
1903 *T.* 1er vol des frères Wright en aéroplane.
1906 *T.* Ouverture du tunnel du Simplon.
1907 *T.* Auguste Lumière : invention de la photographie.
1909 *T.* L. Blériot : 1re traversée de la Manche en avion.
1912 *Éc.* F. W. Taylor : *The Principles of Scientific Management.*
1913 *T.* F. Haber : synthèse industrielle de l'ammoniaque.

CIVILISATION

1848 *Sc.* C. Bernard : découverte de la fonction glycogénique du foie.
1848-1903 *A.* Vie du peintre français Paul Gauguin.
1849 *Sc.* Fizeau : expérience sur la vitesse de la lumière.
1850-1893 *L.* Vie de l'écrivain Guy de Maupassant.
1852 *L.* Auguste Comte : *Catéchisme positiviste.* — Mrs. Beecher-Stowe : *la Case de l'oncle Tom.*
1853 *L.* Victor Hugo : *Châtiments.*
1853-1874 *A.* Richard Wagner : *l'Anneau du Nibelung.*
1853-1855 *L.* Gobineau : *Essai sur l'inégalité des races.*
1853-1893 *A.* Vie du peintre Vincent Van Gogh.
1854 *R.* Dogme de l'Immaculée-Conception. — *Sc.* Sainte-Claire Deville isole l'aluminium. — *Sc.* Marcelin Berthelot : principes de la thermochimie.
1854-1912 *Sc.* Vie du mathématicien Henri Poincaré.
1856-1939 *L.* Vie du neurologue Sigmund Freud.
1857 *L.* Charles Baudelaire : *les Fleurs du mal.*
1859-1941 *L.* Vie du philosophe français Henri Bergson.
1860 *Sc.* Marcelin Berthelot : *Chimie organique fondée sur la synthèse.*
1861-1929 *A.* Vie du sculpteur Antoine Bourdelle.
1861-1938 *A.* Vie du cinéaste français Georges Méliès.
1863 *L.* Ernest Renan : *la Vie de Jésus.*
1864 *R.* Encyclique *Quanta Cura* et *Syllabus.* — *L.* Fustel de Coulanges : *la Cité antique.*
1865-1869 *L.* Léon Tolstoï : *Guerre et Paix.*
1865 *Sc.* Claude Bernard : *Introduction à l'étude de la médecine expérimentale.*
1866 *L.* Fiodor Dostoïevski : *Crime et châtiment.*
1867 *L.* Karl Marx : *le Capital.*
1869-1937 *A.* Vie du musicien français Albert Roussel.
1869-1870 *R.* XXe Concile œcuménique (Vatican I).
1871-1922 *L.* Vie de l'écrivain français Marcel Proust.
1873-1914 *L.* Vie du poète français Charles Péguy.
1878-1903 *R.* Pontificat de Léon XIII.
1879-1955 *Sc.* Vie du physicien Albert Einstein.
1880 *L.* Hippolyte Taine : *Philosophie de l'art.*
1883-1885 *L.* Nietzsche : *Ainsi parlait Zarathoustra.*
1886 *Sc.* Heinrich Rudolph Hertz : découverte des ondes électro-magnétiques.
1887-1965 *A.* Vie de l'architecte suisse Le Corbusier.
1888 *Sc.* Inauguration de l'Institut Pasteur.
1891 *R.* Encyclique *Rerum novarum.*
1895 *L.* Theodor Herzl : *l'État juif.*
1896 *Sp.* Premiers jeux Olympiques à Athènes.
1898 *Sc.* Pierre et Marie Curie : découverte du radium.
1900 *L.* Charles Maurras : *Enquête sur la monarchie.* — *Sc.* Max Planck : théorie des quantas.
1902 *A.* Claude Debussy : *Pelléas et Mélisande.*
1903-1914 *R.* Pontificat de saint Pie X.
1905 *Sc.* Albert Einstein : découverte des photons.
1907 *R.* Encyclique *Pascendi* contre le modernisme.
1913-1927 *L.* Proust : *À la recherche du temps perdu.*

LE MONDE AU TEMPS DES CRISES : DE LA CRISE MILITAIRE À LA CRISE ÉCONOMIQUE (DE 1914 À 1928)

PAYS EUROPÉENS (1914-1918)

1914 *2 sept.* Le gouvernement français à Bordeaux. — *10 oct. 1914 - 20 juill. 1927.* Ferdinand Ier, roi de Roumanie.
1915 *29 oct. 1915 - 14 mars 1917.* Ministère Briand.
1916 *24 mars.* Constitution du *Spartakusbund.* — *22 nov. 1916 - 11 nov. 1918.* Charles Ier, emp. d'Autriche. — *6 déc. 1916 - 19 oct. 1922.* Lloyd George, Premier ministre brit.
1917 *8-15 mars.* Révolution « de Février » à Petrograd. — *16 avr.* Lénine en Russie. — *6 au 7 nov. (nuit du).* Révolution « d'Octobre » à Petrograd. — *17 nov. 1917-18 janv. 1920.* Ministère Georges Clemenceau.
1918 *16 au 17 juill. (nuit du).* Assassinat de Nicolas II. — *9 nov.* Abdication de Guillaume II.

ÉTATS-UNIS ET PAYS D'OUTRE-MER (1914-1918)

1914 *3 déc.* 21 demandes du Japon à la Chine. — *18 déc.* Protectorat anglais sur l'Égypte. — *19 déc. 1914 - 9 oct. 1917.* Ḥusayn Kamīl, sultan d'Égypte.
1915 *7 mai.* Ultimatum du Japon à la Chine. — *24 mai.* Traité sino-japonais. — *12 déc. 1915 - 22 mars 1916.* Yuan Shikai, empereur de Chine.
1916 *27 avr. 1916-2 avr. 1930.* Zaouditou, impératrice d'Éthiopie; ras Tafari, régent. — *4 nov. 1916-3 oct. 1924.* Ḥusayn ibn 'Alī, roi du Hedjaz.
1917 *Juill.* Tentative de restauration des Qing en Chine. — *Août.* Révolte de Sun Yat-sen à Canton. — *9 oct. 1917 - 15 mars 1922.* Fu'ād, sultan d'Égypte.
1918 *5 avr.* Occupation de Vladivostok par le Japon.

CIVILISATION (1914-1918)

1914 *T. 15 août.* Ouverture du canal de Panamá. — *R. 3 sept. 1914 - 22 janv. 1922.* Pontificat de Benoît XV.
1915 *A.* Manuel de Falla : *l'Amour sorcier.* — *L.* Vicente Blasco Ibáñez : *les Quatre Cavaliers de l'Apocalypse.* — Friedrich Naumann : *Mitteleuropa.*
1916 *L.* Sigmund Freud : *Introduction à la psychanalyse.* — Henri Barbusse : *le Feu.*
1917 *L.* Paul Valéry : *la Jeune Parque.*
1918 *A.* Fondation à Paris du groupe des Six. — *L.* Tristan Tzara : *Manifeste dada.*

FRANCE (1919-1928)

1919 *8 déc. 1919-13 avr. 1924.* Chambre « bleu horizon ».
1920 *18 févr.-21 sept.* Présidence de la République de Paul Deschanel. — *23 sept. 1920 - 11 juin 1924.* Présidence de la République d'Alexandre Millerand.
1923 *14 oct.* Discours d'Alexandre Millerand à Évreux.
1924 *1er juin 1924 - 17 mars 1928.* 13e législature. — *13 juin 1924 - 13 juin 1931.* Gaston Doumergue, président de la République.
1926 *21 juill.* Effondrement du franc. — *23 juill. 1926-6 nov. 1928.* « Union nationale » de Poincaré.
1927 *21 juill.* Scrutin uninominal à deux tours.
1928 *1er juin 1928 - 1er avr. 1932.* 14e législature. — *25 juin.* Stabilisation du « franc Poincaré ».

ÉTATS-UNIS ET PAYS D'OUTRE-MER (1919-1928)

1919 *9 août.* Traité anglo-persan.
1921 *4 mars 1921 - 2 août 1923.* Warren Harding, président des États-Unis. — *9 avr.* Sun Yat-sen élu président de la « république de Chine » à Canton.
1922 *1er nov.* Abolition du sultanat ottoman.
1923 *2 août 1923 - 4 mars 1929.* Calvin Coolidge, président des États-Unis. — *29 oct. 1923 - 10 nov. 1938.* Kemal Atatürk, président de la République turque.
1925 *16 déc. 1925 - 16 sept. 1941.* Reżā Khān Pahlavi, chāh de Perse.
1926 *8 janv. 1926 - 9 nov. 1953.* 'Abd al-'Azīz ibn Sa'ūd, roi de Hedjaz, puis (1932) d'Arabie Saoudite. — *25 déc.* Avènement de l'empereur Hirohito.

CIVILISATION (1919-1928)

1919 *Sc.* Morgan : théorie chromosomique de l'hérédité.
1921 *Sc.* Bergius : synthèse industrielle des carburants.
1922 *A.* Fondation de la compagnie *United Artists* par Charlie Chaplin. — *R. 6 févr. 1922 - 10 févr. 1939.* Pontificat de Pie XI.
1924 *Sc.* Énoncé des principes de la mécanique ondulatoire par Louis de Broglie.
1925 *A. 28 avr.* Exposition des arts décoratifs à Paris.
1926 *R.* Condamnation de l'Action française par Pie XI.
1927 *Sc.* Werner Heisenberg pose le principe d'incertitude. — *Sp. et T. 20-21 mai.* Premier vol transatlantique ouest-est réussi par Lindbergh.
1928 *Sc.* A. Fleming : découverte de la pénicilline.

DE LA CRISE ÉCONOMIQUE À LA FIN DE LA SECONDE GUERRE MONDIALE (DE 1929 À 1945)

RELATIONS INTERNATIONALES (1929-1939)

1929 *11 févr.* Accords du Latran : création de l'État du Vatican.
1930 *1er oct.-14 nov.* Conférence impériale britannique : statut de Westminster.
1932 *2 janv.* Création du Mandchoukouo par le Japon.
1933 *7 juin.* Pacte à quatre de Rome.
1934 *9 oct.* Assassinat d'Alexandre Ier de Yougoslavie par un membre des *oustachis.*
1935 *13 janv. et 1er mars.* Plébiscite et rattachement de la Sarre à l'Allemagne. — *11-14 avr.* Accord de Stresa (France, Italie, Royaume-Uni).
1936 *7 mars.* Occupation de la Rhénanie par Hitler. — *1er nov.* Proclamation à Milan de l'Axe Rome-Berlin. — *25 nov.* Pacte Antikomintern germano-japonais.
1938 *13-15 mars.* Réalisation de l'*Anschluss* par l'Allemagne.
1938 *15 et 22-24 sept.* Entrevues de Berchtesgaden et de Bad Godesberg (Neville Chamberlain-Adolf Hitler). — *29-30 sept.* Conférence et accords de Munich.
1939 *15 et 22 mars.* Occupation de la Tchécoslovaquie, puis de Memel par Hitler. — *7 avr.* Occupation de l'Albanie par l'Italie. — *22 mai.* Le « Pacte d'Acier » (italo-allemand). — *23 août.* Pacte de non-agression germano-soviétique de Moscou.

EUROPE ET U. R. S. S. (1929-1939)

1930 *5 janv.* Décret créant les kolkhozes : liquidation des koulaks.
1932 *10 mai 1932-25 juill. 1934.* Dollfuss, chancelier d'Autriche. — *5 juill. 1932-26 sept. 1968.* Oliveira Salazar, président du Conseil du Portugal.
1933 *30 janv. 1933-30 avr. 1945.* Adolf Hitler, chancelier du IIIe Reich. — *27 févr.* Incendie du Reichstag. — *15 mars.* Proclamation du IIIe Reich à Potsdam. — *19 mars.* Constitution qui fonde l'*Estado novo* au Portugal.
1934 *30 juin.* « Nuit des longs couteaux » en Allemagne. — *25 juill.* Assassinat par les nazis de Dollfuss à Vienne. — *1er déc.* Assassinat de Kirov. Purges en U. R. S. S.
1935 *16 mars.* Rétablissement du service militaire en Allemagne. — *15-16 sept.* Lois raciales de Nuremberg.
1936 *20 janv.-10 déc.* Edouard VIII, roi du Royaume-Uni. — *16 févr.* Victoire du *Frente popular* en Espagne. — *17 juill. 1936-28 mars 1939.* Guerre civile espagnole. — *10 déc. 1936-6 févr. 1952.* George VI, roi du Royaume-Uni.
1937 *26 avr.* Bombardement de Guernica par les Allemands.
1939 *15 mars.* Création du protectorat de Bohême-Moravie par l'Allemagne.

RELATIONS INTERNATIONALES (1939-1945)

1939 *3 sept.* Déclarations de guerre. — *28 sept.* Quatrième partage de la Pologne. — *30 nov. 1939-12 mars 1940.* Guerre soviéto-finlandaise.
1940 *10 juin.* L'Italie entre en guerre. — *22 et 24 juin.* Armistices de Rethondes et de Rome.
1941 *14 août.* Signature de la charte de l'Atlantique. — *8 déc.* Entrée en guerre du Japon.
1942 *26 mai.* Alliance anglo-soviétique.
1943 *14-27 janv.* Conférence de Casablanca. — *10 juin.* Dissolution par l'U. R. S. S. du Komintern. — *3 sept.* Armistice de Syracuse entre l'Italie et les Alliés. — *28 nov.-1er déc.* Conférence de Téhéran.
1944 *1er-22 juill.* Conférence de Bretton-Woods.
1945 *4-11 févr.* Conférence anglo-américano-soviétique de Yalta. — *25 avr.-26 juin.* Conférence de San Francisco, fondant l'O. N. U. — *7 mai.* Capitulation allemande à Reims. — *8 au 9 mai (nuit du).* Capitulation de Berlin. — *17 juill.-2 août.* Conférence de Potsdam. — *2 sept.* Capitulation de Tōkyō.

OPÉRATIONS DE GUERRE (1939-1945)

1939 *1er sept.* Entrée des Allemands en Pologne.
1940 *8/9 avril.* Invasion du Danemark et de la Norvège. *10 mai.* Invasion des Pays-Bas, de la Belgique et du Luxembourg.
1941 *6 avr.-2 mai.* Invasion de la Yougoslavie et de la Grèce. — *22 juin.* Invasion de l'U. R. S. S. — *20 oct.-5 déc.* Bataille de Moscou. — *7 déc.* Pearl Harbor.
1942 *4-8 mai et 4-5 juin.* Batailles de la mer de Corail et de Midway. — *23 oct.-2 nov.* Bataille d'El-Alamein. — *8 nov.* Débarquement en Afrique du Nord. — *14 nov. 1942-13 mai 1943.* Campagne de Tunisie. — *19 nov. 1942-2 févr. 1943.* Bataille de Stalingrad.
1943 *10 juill.-17 août.* Campagne de Sicile. — *3 et 9 sept.* Débarquements alliés en Italie du Sud.
1944 *6 juin et 15 août.* Opérations *Overlord* et *Anvil* : débarquements alliés en Normandie, puis en Provence.
1945 *19 févr.-16 mars; 1er avr.-21 juin.* Batailles d'Iwo Jima puis d'Okinawa. — *26 avr.-2 mai.* Bataille de Berlin. — *6 et 9 août.* Hiroshima et Nagasaki.

FRANCE (1939-1945)

1939 *26 sept.* Dissolution des groupes communistes.
1940 *21 mars-16 juin.* Cabinet Paul Reynaud. — *16 juin-12 juill.* Gouvernement Pétain. — *18 juin.* De Gaulle : Appel du 18-Juin. — *10 juill.* Délégation du pouvoir constituant à Pétain. — *13 déc.* Arrestation de Laval.
1941 *21 févr. 1941-17 avr. 1942.* Ministère Darlan.
1942 *1er au 2 janv. (nuit du).* Parachutage de Jean Moulin. — *18 avr. 1942-7 sept. 1944.* Dernier gouvernement Laval. — *13 juill.* La France libre devient la France combattante. — *23 nov.-28 déc.* Ralliement des colonies d'Afrique à la France combattante.
1942 *27 nov.* Sabordage de la flotte française à Toulon.
1943 *15 mai.* Organisation du Conseil national de la résistance (C. N. R.). — *3 juin.* Organisation à Alger du Comité français de la libération nationale (C. F. L. N.).
1944 *3 juin 1944-9 nov. 1945.* De Gaulle, président du G. P. R. F. (remanié le 9 sept. 1944). — *10 juin.* Massacre d'Oradour-sur-Glane par les SS.
1945 *23 juill.-14 août.* Procès de Pétain.

LE MONDE DEPUIS LA SECONDE GUERRE MONDIALE (DE 1945 À 1977)

RELATIONS INTERNATIONALES

1945 *20 nov. 1945-1er oct. 1946.* Procès de Nuremberg.
1946 *3 mai 1946-12 nov. 1948.* Procès de Tōkyō.
1947 *10 févr.* Traités de paix de Paris avec l'Italie, la Hongrie, la Roumanie, la Bulgarie et la Finlande.
1948 *16 avr.* Création de l'O. E. C. E. — *2 mai.* Charte de Bogotá : création de l'O. E. A. — *14 mai 1948-20 juill. 1949.* Ire guerre israélo-arabe. — *24 juin 1948-12 mai 1949.* Blocus de Berlin par l'U. R. S. S.
1949 *4 avr.* Pacte de l'Atlantique Nord créant l'O. T. A. N.
1950 *9 mai.* Robert Schuman : Plan du charbon et de l'acier. — *25 juin 1950-27 juill. 1953.* Guerre de Corée.
1951 *18 avr.* Traité de Paris créant la C. E. C. A. — *1er sept.* Pacte de sécurité du Pacifique (ANZUS). — *8 sept.* Paix américano-japonaise de San Francisco.
1954 *20-21 juill.* Accords de Genève : fin de la guerre d'Indochine. — *8 sept.* Pacte de Manille : O. T. A. S. E.
1955 *17-24 avr.* Conférence afro-asiatique de Bandung. — *15 mai.* Paix de Vienne avec l'Autriche. — *1er-2 juin.* Conférence de Messine : relance de l'idée européenne.
1956 *26 juill.* Nationalisation effective du canal de Suez. — *19 oct.* Accord de paix soviéto-japonais de Moscou. — *29 oct.-6 nov.* IIe guerre israélo-égyptienne.
1957 *25 mars.* Traités de Rome : C. E. E. et Euratom.
1959 *20 nov.* Traité de Stockholm : A. E. L. E.
1961 *18 févr.* Traité de Montevideo : Association latino-américaine de libre-échange. — *15 mars.* Kennedy : Alliance pour le progrès en Amérique latine. — *30 sept.* L'O. E. C. E. devient l'O. C. D. E.
1962 *18 oct.-20 nov.* Crise soviéto-américaine de Cuba.
1963 *25 mai.* Charte de l'Organisation de l'unité africaine (O. U. A.). — *5 août.* Traité de Moscou : interdiction des expériences nucléaires.
1965 *8 avr.* Traité de Bruxelles : fusion des institutions européennes, effective le 1er juill. 1967.
1966 *10 janv.* Tachkent : accord indo-pakistanais. — *1er sept.* Discours du général de Gaulle à Phnom Penh.
1967 *5-11 juin.* IIIe guerre israélo-arabe, « des Six Jours ».
1970 *30 avr.* Intervention américaine au Cambodge.
1973 *1er janv.* Entrée du Danemark, de l'Irlande et du Royaume-Uni dans la C. E. E. (Europe des Neuf) [traités de 1972]. — *2 mars.* Paix de Paris : retrait américain du Viêt-nam. — *6-23 oct.* IVe guerre israélo-arabe, dite « de Kippour ». — *17 oct.* Crise du pétrole : due à l'O. P. A. E. P.
1975 *30 juill.-1er août.* Conférence d'Helsinki : sécurité en Europe.

MONDE OCCIDENTAL ET JAPON

1947 *3 mai.* Mise en vigueur de la nouvelle Constitution japonaise. — *5 juin.* Discours de Harvard. Plan Marshall. — *26 juill.* Loi fondamentale du régime franquiste en Espagne.
1948 *20 août.* Monts Grammos : défaite des communistes grecs du général Markos.
1949 *20 janv. 1949-20 janv. 1953.* Seconde présidence de Harry Truman. — *8 mai.* Vote de la Loi fondamentale de la R. F. A.
1951 *16 juill.* Abdication de Léopold III, roi des Belges.
1952 *6 févr.* Élisabeth II, reine d'Angleterre.
1953 *20 janv. 1953-20 janv. 1961.* Dwight Eisenhower, président des États-Unis.
1957 *3 sept.-1er oct.* Incidents raciaux de Little Rock (États-Unis). — *21 sept.* Olav V, roi de Norvège.
1960 *13 juill.* Programme de John Fitzgerald Kennedy : la « Nouvelle Frontière ».
1961 *20 janv. 1961-22 nov. 1963.* John Fitzgerald Kennedy, 35e président des États-Unis.
1963 *22 nov.* Assassinat de John Fitzgerald Kennedy à Dallas. — *22 nov. 1963-20 janv. 1969.* Lyndon Baines Johnson, 36e président des États-Unis.
1967 *21 avr.* Coup d'État militaire des « colonels » en Grèce. — *14 déc.* Contre-coup d'État et exil du roi Constantin II à Rome.
1968 *24 juin.* Construction d'un réseau de missiles antimissiles aux États-Unis. — *10 déc.* Adoption par la C. E. E. du plan Mansholt sur l'agriculture.
1969 *20 janv. 1969-8 août 1974.* Richard Nixon, 37e président des États-Unis.
1972 *17 juin 1972-8 août 1974.* Scandale du *Watergate* aux États-Unis.
1974 *25 avr.* Coup d'État militaire renversant l'État corporatiste au Portugal. — *24 juill.-8 déc.* Grèce : fin du « régime des colonels » et abolition de la monarchie. — *8 août.* Démission de Richard Nixon, président des États-Unis. — *8 août 1974-20 janv. 1977.* Gerald Ford, 38e président des États-Unis.
1975 *20 nov.* Mort du général Franco; Juan Carlos Ier, roi d'Espagne.
1976 *2 et 25 avr.* Constitution et élections législatives au Portugal.
1977 *20 janv.* Jimmy Carter, 39e président des États-Unis. — Élections législatives au suffrage universel en Espagne.

FRANCE

1945 *4-9 oct.* Procès de Pierre Laval. — *21 oct.* Référendum condamnant la Constitution de 1875. — *21 nov. 1945-20 janv. 1946.* De Gaulle, prés. du Gouvern. prov.
1946 *16 juin.* Discours du gal de Gaulle à Bayeux. — *13 oct.* Référendum approuvant la Constitution de la IVe Rép.
1947 *16 janv. 1947-16 janv. 1954.* Vincent Auriol, président de la République. — *7 avr.* Création du R. P. F. à Strasbourg par de Gaulle. — *5 mai.* Paul Ramadier révoque les ministres communistes.
1951 *5 juill. 1951-1er déc. 1955.* 2e législature de la IVe République (élue le 17 juin).
1954 *16 janv. 1954-8 janv. 1959.* René Coty, président de la République.
1956 *19 janv. 1956-3 juin 1958.* 3e législature.
1958 *13 mai.* Insurrection à Alger. — *1er juin 1958-8 janv. 1959.* Ministère Charles de Gaulle. — *28 sept.* Référendum approuvant la nouvelle Constitution.
1959 *8 janv. 1959-28 avr. 1969.* Le général de Gaulle, président de la République. — *8 janv. 1959-14 avr. 1962.* Michel Debré, Premier ministre.
1961 *22-25 avr.* Déroulement du putsch d'Alger.
1962 *28 oct.* Référendum : élection du président de la République au suffrage universel. — *18 et 25 nov.* Victoire des gaullistes aux législatives.
1965 *19 déc.* Réélection de Charles de Gaulle.
1967 *3 avr. 1967-30 mai 1968.* 3e législature de la Ve République.
1968 *13 mai.* Grève générale de 24 heures. — *27 mai.* Accords de Grenelle. — *30 mai.* Discours du général de Gaulle, qui brise la vague révolutionnaire. — *23 et 30 juin.* Succès électoral gaulliste.
1969 *27 avr.* Échec du référendum sur la participation. — *20 juin 1969-2 avr. 1974.* Georges Pompidou, président de la République. — *21 juin 1969-5 juill. 1972.* Jacques Chaban-Delmas, Premier ministre.
1972 *23 avr.* Échec relatif du référendum européen. — *7 juin.* « Programme commun de gouvernement » (de gauche). — *5 juill. 1972-27 mai 1974.* Pierre Messmer, Premier ministre.
1973 *4 et 11 avr.* Victoire électorale de la « majorité ».
1974 *27 mai.* Valéry Giscard d'Estaing, président de la République. — *27 mai 1974-25 août 1976.* Jacques Chirac, Premier ministre.
1976 *25 août.* Raymond Barre, Premier ministre.

DE LA CRISE ÉCONOMIQUE À LA FIN DE LA SECONDE GUERRE MONDIALE (DE 1929 À 1945)

FRANCE (1929-1939)

1931 *6 mai.* Exposition coloniale. — *13 juin 1931 - 7 mai 1932.* Paul Doumer, président de la République.
1932 *1er et 8 mai.* Victoire électorale du Cartel des gauches. — *10 mai 1932 - 11 juill. 1940.* 1re et 2e présidence d'Albert Lebrun.
1934 *6 févr.* Émeutes à Paris. — *27 juill.* Pacte d'unité d'action entre S. F. I. O. et S. F. I. C.
1935 *14 juill.* Manifestation de « rassemblement populaire » de la Bastille à la Nation.
1936 *26 avr. et 3 mai.* Victoire du Front populaire. — *11 mai-14 juin.* Grève générale. — *4 juin 1936 - 21 juin 1937.* 1er cabinet socialiste de Léon Blum. — *7 au 8 juin (nuit du).* Accords Matignon.
1938 *13 mars - 8 avr.* 2e cabinet Léon Blum. — *30 nov.* Échec de la grève générale de la C.G.T.

ÉTATS-UNIS ET PAYS D'OUTRE-MER (1929-1939)

1929 *4 mars 1929 - 4 mars 1933.* Herbert Hoover, prés. des États-Unis. — *24 oct.* Krach de Wall Street.
1930 *3 avr. 1930 - 12 sept. 1974.* Hailé Sélassié, négus d'Éthiopie. — *3 nov. 1930 - 29 oct. 1945.* Getúlio Vargas, président de la République du Brésil (dictature).
1932 *29 août.* Accords d'Ottawa.
1933 *4 mars 1933 - 12 avr. 1945.* Présidences (4) de Franklin Delano Roosevelt aux États-Unis. — *4 mars.* Début du *New Deal.*
1934 *21 oct. 1934 - 20 oct. 1935.* Longue Marche.
1935 *3 oct. 1935 - 5 mai 1936.* Guerre d'Éthiopie.
1936 *9 mai.* Victor-Emmanuel III, empereur d'Éthiopie.
1937 *26 juill. 1937 - 2 sept. 1945.* Guerre sino-japonaise.
1938 *11 nov. 1938 - 21 mai 1950.* Ismet Inönü, président de la République de Turquie.

CIVILISATION (1929-1939)

1930 *T.* Costes et Bellonte : 1er vol transatlantique E.-O.
1931 *R. 15 mai.* Encyclique sociale *Quadragesimo anno.*
1933 *Sc.* F. et I. Joliot-Curie : radioactivité artificielle.
1934-1939 *Sc.* David Hilbert et Bernays définissent *Les Fondements des mathématiques.*
1935 *Sc.* Enrico Fermi : fission de l'atome. — Gerhard Domagk : découverte des premiers sulfamides. — *T.* Réalisation du 1er radar par Robert Watson-Watt.
1936 *Éc.* Keynes : *Théorie générale de l'emploi...*
1937 *A.* Picasso : *Guernica.* — Expos. de Paris. — *R. 14 et 19 mars.* Encycliques *Mit brennerder Sorge* et *Divini Redemptoris* condamnant nazisme et communisme.
1938 *R.* 1re fondation du Conseil œcuménique des Églises.
1939 *T. 27 août.* Vol du 1er avion à réaction Heinkel. — *R. 2 mars 1939 - 9 oct. 1958.* Pontificat de Pie XII.

EUROPE (1939-1945)

1939 *8 nov.* Attentat de Munich contre Hitler.
1940 *9 avr.* Gouvernement Quisling à Oslo. — *10 mai 1940 - 22 juill. 1945.* Ministère Winston Churchill.
1941 *6 mai.* Joseph Staline, président du Conseil.
1942 *10 juin.* Massacre par les Allemands des Tchèques de Lidice. — *20 nov.* Plan Beveridge au Royaume-Uni.
1943 *19 avr.* Soulèvement du ghetto de Varsovie. — *24-25 juill.* Arrestation de Mussolini. — *23 sept.* Fondation par Mussolini de la République sociale italienne de Salo. — *4 déc.* Gouvernement Tito en Yougoslavie.
1944 *12 janv.* Exécution de Ciano, Bono, etc.
1944 *20 juill.* Attentat contre Hitler à Rastensburg. — *21 juill.* Formation à Lublin du Comité polonais de Libération nationale (communiste).
1945 *14 avr.* Proclamation de l'indépendance de l'Autriche à Vienne. — *27 et 28 avr.* Arrestation et exécution de Mussolini. — *30 avr.* Suicide de Hitler. — *30 avr.-23 mai.* Gouvernement Dönitz. — *27 juill. 1945 - 27 oct. 1951.* Cabinet Clement Attlee.

ÉTATS-UNIS ET PAYS D'OUTRE-MER (1939-1945)

1939 *4 nov. Cash and Cary Act* aux États-Unis.
1940 *30 mars.* Constitution à Nankin du gouvernement pro-japonais de Wang Jingwei.
1941 *11 mars.* Promulgation de la loi prêt-bail *(Lend Lease Act).* — *16 sept.* Avènement de Muḥammad Rīza chāh Pahlavi. — *17 oct. 1941 - 18 juill. 1944.* Ministère du général Tōjō au Japon.
1942 *9 août.* Arrestation de Gāndhī. — *22 déc. Manifeste du peuple algérien* par Ferhat 'Abbās.
1943 *7 mars.* Jinnah, président de la Ligue musulmane. — *5-6 nov.* Conférence de la Grande Asie orientale à Tōkyō. — *12 déc.* De Gaulle : discours de Constantine.
1944 *30 janv.-8 févr.* Conférence de Brazzaville.
1945 *9 mars.* Coup de force japonais en Indochine. — *22 mars.* Constitution de la Ligue arabe par le Royaume-Uni. — *12 avr.* Mort de Roosevelt. Truman, prés. des États-Unis (1945-1953). — *20 juin.* Substitution par l'O. N. U. du *trusteeship* au mandat. — *2 sept.* Indépendance du Viêt-nam proclamée par Hô Chi Minh.

CIVILISATION (1939-1945)

1940 *L.* Ernest Hemingway : *Pour qui sonne le glas.* — *T.* Premiers essais du radar par les Britanniques. — *Sc.* Mise en évidence du facteur Rhésus.
1941 *L.* James Burnham : *l'Ère des organisateurs.* — *A.* Max Ernst : *l'Europe après la pluie.* — *T. 15 mai.* Mise en service du premier avion (un Gloster) à turboréacteur. — *R.* Fondation de la Mission de France.
1942 *L.* Vercors : *le Silence de la mer.* — *Sc.* Construction du premier réacteur nucléaire à Chicago par l'Italien Enrico Fermi.
1943 *Sc. janv.* Mise en route du projet Manhattan aux États-Unis (bombe atomique). — *R. 1943-1953 :* la Mission de Paris et l'expérience des prêtres-ouvriers.
1944 *T. 8 nov.* 1res fusées allemandes V1 et V2 sur Londres. — *Sc.* 1er rein artificiel.
1945 *T. 16 juill.* Explosion à Alamogordo (Nouveau-Mexique, États-Unis) de la première bombe atomique. — *R.* Fondation de la communauté des Frères protestants de Taizé.

LE MONDE DEPUIS LA SECONDE GUERRE MONDIALE (DE 1945 À 1977)

MONDE COMMUNISTE

1947 *16 août.* Condamnation à mort de Nikolaj Petkov en Bulgarie. — *5 oct. 1947 - 17 avr. 1956.* Vie du *Kominform.*
1948 *21-25 févr.* Coup d'État communiste « de Prague » en Tchécoslovaquie. — *4 juill.* Exclusion de la Yougoslavie du Kominform.
1949 *25 janv.* Création à Moscou du Comecon. — *3-8 févr.* Procès du cardinal hongrois József Mindszenty. — *21 avr.-28 juin.* Émeutes à Berlin-Est. — *16-24 sept.* Procès et condamnation à mort du communiste hongrois Lázló Rajk. — *1er oct.* Proclamation à Pékin de la République populaire de Chine. — *7 oct.* Indépendance de la R. D. A.
1952 *3 déc.* Exécution de Slánský et de Clementis à Prague.
1953 *5 mars.* Mort de Staline. — *6 mars 1953 - 8 févr. 1955.* Gueorgui Malenkov, président du Conseil de l'U. R. S. S. — *20 mars 1953 - 15 oct. 1964.* Nikita Khrouchtchev, 1er secrétaire du P. C. de l'U. R. S. S. — *17 juin-11 juill.* Répression soviétique à Berlin-Est.
1954 *27 sept. 1954 - 27 avr. 1959.* Mao Zedong, président de la République populaire de Chine.
1955 *8 févr. 1955 - 27 mars 1958.* Nikolaï Boulganine, président du Conseil de l'U. R. S. S. — *14 mai.* Création de l'organisation militaire du pacte de Varsovie.
1956 *14-25 févr.* XXe Congrès : Nikita Khrouchtchev dénonce les crimes de Staline. — *23 oct.-13 nov.* Insurrection anticommuniste en Hongrie. — *4-12 nov.* Intervention militaire soviétique en Hongrie.
1958 *27 mars 1958-15 oct. 1964.* Nikita Khrouchtchev, président du Conseil de l'U. R. S. S.
1959 *27 avr. 1959 - 31 oct. 1968.* Liu Shaoqi, président de la République populaire de Chine.
1961 *12-13 août-20 nov.* Construction du mur de Berlin.
1963 *14 juill.* Rupture idéologique sino-soviétique.
1964 *15 oct.* Leonid Brejnev, 1er secrétaire du P. C. de l'U. R. S. S.
1966 *18 avr.* « Révolution culturelle » en Chine.
1968 *5 janv.* Alexander Dubček, 1er secrétaire du P. C. tchécoslovaque. — *20 août au 21 août (nuit du).* Invasion de la Tchécoslovaquie par l'U. R. S. S.
1969 *16 janv.* Suicide par le feu de Jan Palach.
1976 *8 janv.* Hua Kuo-feng, Premier ministre, puis président du P. C. chinois. — *5-8 avr.* Émeutes à Pékin. — *9 sept.* Mort de Mao Zedong.
1977 *4 juin.* Projet de la IVe Constitution de l'U. R. S. S.

PAYS EN VOIE DE DÉVELOPPEMENT

1945 *17 oct.* Marche des « descamisados » de Buenos Aires et triomphe de Perón.
1946 *4 juin 1946-21 sept 1955.* Perón, président de la République d'Argentine.
1947 *15 août.* Indépendance de l'Union indienne et du Pākistān. — *15 août 1947 - 27 mai 1964.* Jawāharlāl Nehru, Premier ministre de l'Inde.
1948 *14 mai.* Indépendance de l'État d'Israël.
1949 *27 déc. 1949 - 10 août 1954.* Union hollando-indonésienne.
1953 *18 juin.* Proclamation de la république en Égypte. — *20 août.* Déposition du sultan du Maroc Muḥammad ibn Yūsuf.
1954 *3 févr.-7 mai.* Bataille de Diên Biên Phu. — *1er nov. 1954 - 18 mars 1962.* Insurrection de l'Algérie.
1956 *2 mars.* Déclaration franco-marocaine sur l'indépendance du Maroc. — *20 mars.* Tunisie : indépendance dans l'interdépendance.
1958 *1er févr. 1958 - 28 sept. 1961.* Union syro-égyptienne (R. A. U.) — *20-26 août.* De Gaulle en Afrique noire française présente la Communauté.
1959 *1er janv.* Fidel Castro, maître de Cuba.
1960 *14 juill.* Intervention de l'O.N.U. au Congo-Léopoldville.
1962 *18 mars.* Signature des accords franco-algériens d'Évian. — *3 juill.* Indépendance de l'Algérie.
1966 *12 janv. 1966-22 mars 1977.* Indira Gāndhī, Premier ministre de l'Inde. — *5 juill.* Déchéance du président à vie indonésien Sukarno.
1967 *30 mai.* Déclaration d'indépendance unilatérale du Biafra. — *7 juill. 1967-12 janv. 1970.* Guerre du Biafra.
1971 *26 mars-16 déc.* Guerre civile au Pākistān oriental. — Indépendance du Bangladesh.
1973 *11 sept.* Chili : coup d'État du général Augusto Pinochet éliminant le gouvernement de Salvador Allende. — *23 sept. 1973 - 1er juill. 1974.* Le général Juan Perón, président de la République d'Argentine.
1974 *12 sept.* Coup d'État anti-impérial en Éthiopie : abolition de la monarchie.
1975 *17 avr.* Prise du pouvoir par les Khmers rouges au Cambodge. — *20 avr.* Prise de Saigon par les communistes. — *20 mai 1975 - 21 juin 1976.* Guerre civile au Liban (problème palestinien).
1976 *24 mars.* Coup d'État en Argentine du général Videla, qui arrête Isabel Perón.

CIVILISATION

1946-1948 *L.* D. Rousset : *l'Univers concentrationnaire.*
1949 *R. Juill.* Excommunication *des P. C. de l'Est. — *24 déc. 1949 - 24 déc. 1950.* Année sainte.
1950 *R. 21 août.* Dogme de l'Assomption.
1952 *T. 3 oct.* Explosion de la 1re bombe A britannique. — *1er nov.* Explosion de la 1re bombe H américaine.
1953 *Sp. 29 mai.* 1re ascension de l'Everest. — *T. 12 août.* Explosion de la 1re bombe H soviétique.
1954 *R. 30 mai.* Canonisation du pape Pie X. — *L. 5 oct.* De Gaulle : 1er tome des *Mémoires de guerre.*
1957 *T. 15 mai.* Explosion de la 1re bombe H britannique. — *26 août.* 1re fusée intercontinentale soviétique. — *4 oct.* « Spoutnik I » : 1er satellite de la Terre.
1958 *R. 28 oct. 1958 - 3 juin 1963.* Pontificat de Jean XXIII. — *T. 12 sept.* « Lunik II », 1re fusée soviétique à atteindre la Lune.
1960 *T. 13 févr.* Explosion de la 1re bombe A française.
1961 *T. 12 avr.* 1er vol orbital d'un soviétique (Gagarine).
1962 *T. 20 févr.* 1er vol orbital d'un Américain (John Glenn). — *L. 11 oct. 1962 - 8 déc. 1965.* XXIe Concile œcuménique (Vatican II).
1963 *R. 11 avr.* Jean XXIII : encyclique *Pacem in terris.* — *21 juin.* Élection du pape Paul VI.
1964 *T. 16 oct.* Explosion de la 1re bombe A chinoise. — *R. 5 janv.* Rencontre Paul VI-Athênagoras à Jérusalem.
1965 *T. 15-16 déc.* Premier rendez-vous spatial (É.-U.). — *18-19 mars.* A. Leonov « premier piéton de l'espace ».
1966 *3 févr.* 1er atterrissage soviétique sur la Lune.
1967 *T. 17 juin.* Explosion de la 1re bombe H chinoise. — *18 oct.* « Venus IV » (U. R. S. S.) se pose en douceur sur Vénus. — *Sc. 3 déc.* 1re transplantation d'un cœur par Barnard.
1968 *T. 24 août.* Explosion de la 1re bombe H française.
1969 *T. 16 janv.* Jonction des satellites soviétiques « Soyouz IV » et « Soyouz V ». — *21 juill.* Débarquement d'Armstrong et d'Aldrin sur la Lune (« Apollo XI »).
1970 *T. 24 avr.* Lancement du premier satellite chinois.
1971 *T. 31 juill.-2 août.* « Apollo XV » : 1re automobile lunaire.
1972 *T. 6-9 déc.* Dernière mission lunaire américaine.
1973-1974 *L.* Soljenitsyne : *l'Archipel du Goulag.*
1975 *T. 17-19 juill.* 1re mission « Apollo-Soyouz » d'accostage spatial américano-soviétique.
1977 *A.* O. Arup and Partners, R. Piano et R. Rogers : *Centre national d'art et de culture Georges-Pompidou.*

INDEX

INDEX

L'index répertorie l'ensemble des noms de lieux, de personnes, de sujets. Tous sont classés dans leur **ordre alphabétique** suivant les modalités ci-dessous. La typographie diversifie les entrées en trois types de caractères :

a) Les villes et, de manière générale, toutes les agglomérations citées dans les cartes et dans les textes sont données en lettres romaines bas-de-casse.

EXEMPLE : **Alésia** (Alise-Sainte-Reine), 22 b.
Nevers, 44 c.

b) Les noms de peuples, de communautés, les noms propres (empereurs, souverains, etc.) sont signalés par les *lettres italiques.*

EXEMPLE : *Allobroges,* 22 d.
Bonaparte, 66 B c.

c) Les petites majuscules sont réservées aux contrées (États, provinces, régions, etc.) ainsi qu'aux noms de géographie physique, dont l'hydrographie.

EXEMPLE : AUTRICHE, 163 B a.
DAUPHINÉ, 110 B d.

Dans une **suite de noms** (exemple : ALLEMAGNE, ANGLETERRE, ARMÉNIE, ... Vienne, etc.), le classement suit l'ordre alphabétique. Quand le nom est suivi d'indications complémentaires entre parenthèses, l'ordre alphabétique est gouverné par la première notion importante de l'expression considérée.

EXEMPLE : Vienne, 72 a, 82 B a.
Vienne (marche sur), 66 B b.
Vienne (siège de 1683), 178 a.

Les **transcriptions** des noms propres suivent en général les principes de la *Grande Encyclopédie.*

EXEMPLES : les transcriptions chinoises.

Le système de transcription des caractères chinois en alphabet latin est le pinyin. C'est un système de notation phonétique élaboré par les Chinois eux-mêmes. Il a l'avantage d'être international et d'être employé en Chine même. Toutefois, pour ne pas dérouter le lecteur français familiarisé avec la transcription de l'École française d'Extrême-Orient (E. F. E. O.), nous avons adopté la marche suivante :

1º Les noms des cartes sont indexés en écriture pinyin avec toutes les coordonnées. Le nom en E. F. E. O., plus traditionnel, renverra au pinyin avec la mention : v. (voir).

EXEMPLE : **Chongqing** = Tchong-k'ing,
Tch'ong-k'ing v. Chongqing.

2º Pour les noms chinois dans le texte des notices, on donnera la double appellation par les deux entrées.

EXEMPLE : *Mao Zedong* = Mao Tsö-tong, 208, 252, 253.
Mao Tsö-tong = Mao Zedong, 208, 252, 253.

CARTES

UNE CARTE PAR PAGE

Tous les noms et appellations sont identifiés par le numéro de la page concernée, suivi des lettres minuscules a, b, c, d, correspondant au quadrillage imaginaire de chacune des cartes selon le schéma ci-dessous.

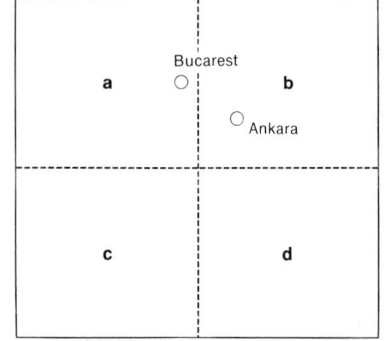

EXEMPLE : **Ankara,** 179 b.

On a pris soin, lorsqu'un nom déborde d'un carré (imaginaire) sur l'autre, d'indiquer les deux coordonnées — ab, ou ac, ou bd, ou cd. Tout nom rencontré avec la double lettre est sur une ligne de chevauchement de deux carrés contigus :

EXEMPLE : **Bucarest,** 179 a b.

PLUSIEURS CARTES PAR PAGE

Les coordonnées se rapportent aux cartes identifiées par les lettres majuscules A B C D, etc.

EXEMPLES
Cas de 2 cartes : Laon 112 A b, Isle-en-Champagne 112 B c.
Cas de 3 cartes : Bibracte 23 A a, *Séquanes* 23 B b, Gergovie 23 C d.
Cas de 4 cartes : Ārhmāt 218 A c, Tarifa 218 B a, Honeïn 218 C b, Figuig 218 D d.

QUADRILLAGE

Le quadrillage couvre la plupart des cartes. Toutefois, si la carte est de petites dimensions, les noms sont référencés sans lettre minuscule.

EXEMPLE : **Malpata** 6 C.

DOUBLES NOMS

Les doubles noms sur la carte correspondent à une double entrée dans l'index à la place alphabétique requise, la même ville ayant pu porter des noms différents suivant les époques.

EXEMPLE : **Khānbalik** (Pékin), 184 B b.
Pékin (Khānbalik), 184 B b.

IDENTIFICATION DES LÉGENDES DES CARTES

Les noms se rapportant à ces légendes sont repérés par leur position dans un des secteurs du quadrillage de la carte, marqué par la lettre minuscule a, b, c ou d.

EXEMPLE : ALLEMAGNE DU NORD (confédération de l') 99 B c.

REMARQUES COMPLÉMENTAIRES

Cartes avec chiffres de renvoi. Parfois, la grande densité de nomenclature nécessite l'utilisation de chiffres sur la carte. Leur équivalence est donnée en légende. L'index renvoie à cette même légende.

EXEMPLE : ALPES-MARITIMES, 24 B b.

Cartes en forme de planisphère sur double page (ex. : 2-3, 252-253). Les coordonnées sont celles de la double page. La carte s'inscrit dans un rectangle imaginaire incluant aussi titre et légendes.

EXEMPLE : **Afar,** 2-3 d. **Dra,** 2-3 c.

Planisphères disposés sur une seule page (ex. : 74, 75, etc.). Ils peuvent être d'échelle et de taille diverses. Là encore, si la dimension l'impose, le quadrillage couvre, comme précédemment, le rectangle virtuel incluant titre et légendes.

Cartes avec carton (ex. : p. 100 [Berlin] ou p. 117 [Paris], etc.). Les noms sont identifiés à leur place dans le carré correspondant et intégrés à la carte générale dont ils dépendent.

Pages comportant plusieurs cartes non séparées en A, B, C... C'est le cas des pages 129, 210, 243. Alors la *page entière* est partagée en un seul quadrillage, et les noms se retrouvent dans chacun des carrés a, b, c et d.

Cas où une carte déborde d'une page sur une autre.

Exemple de la double page 176-177. La carte 177 déborde sur la page 176. Comme il n'y a ni A ni B, on identifiera la page 177 en double coordonnée, dans un quadrillage unique.
EXEMPLE : ᴍᴏɢʜᴏʟ (Emp. au xviiᵉ s.), 176-177 c.

Pages 184-185. La carte C, en principe titrée en page 185, chevauche les deux pages. La surface et la nomenclature réduites n'imposent pas de quadrillage. Les noms sont répertoriés en double page.
EXEMPLE : **Daxingshan** = Ta-hing-chan (t.), 184-185 C.

Au-delà de l'inventaire exhaustif, l'index propose une gamme thématique très variée (art, économie, société, etc.), qui affine et enrichit la recherche du lecteur.

EXEMPLE :

Bois (production au xiiiᵉ s. en Occident), 46 b.

Bois (commerce de la Hanse), 53 b.

Bois (commerce vénitien), 138 d.

NOTICES

REPÉRAGE DES NOMS

Ces noms sont identifiés par la page dans laquelle ils se trouvent et ne sont suivis d'aucune coordonnée.
EXEMPLE : **Lublin** (1944) [comité de], 151.
Piłsudski, 151.

ABRÉVIATIONS

A

abb.	abbaye
Amér.	Amérique
angl.	anglais
apr. J.-C.	après Jésus-Christ
aqued.	aqueduc
archéol.	archéologie, archéologique
archev.	archevêché
archid.	archiduché
armist.	armistice
Asie Min.	Asie Mineure
athén.	athénienne
av. J.-C.	avant Jésus-Christ

B

b.	baie
basil.	basilique
bat.	bataille
bat. nav.	bataille navale
bat. princ.	bataille principale
brit.	britannique
byz.	byzantin

C

c.	cap
c. de concentr.	camp de concentration
cap. d'État, de prov.	capitale d'État, de province
capitul.	capitulation
centr. nucl.	centrale nucléaire
chᵉᵃᵘ fᵗ	château fort
ch.-l. de t.	chef-lieu de tiers
cⁱᵉ	compagnie
clérouq.	clérouquie
C. N. R.	centre national de recherche
col.	colonie
col. de dr. lat.	colonie de droit latin
col. de dr. rom.	colonie de droit romain

coll.	collège
comb.	combat
compt.	comptoir
compt. hans.	comptoir hanséatique
compt. mixte	comptoir mixte
compt. vén.	comptoir vénitien
conc.	concile
conféd.	confédération
congr.	congrès
conv.	convention
cᵗé	comté

D

dᶜʰé	duché
dém.	démocratique
départ.	département
deux., IIᵉ	deuxième
dorⁿᵉ	dorienne

E

égl.	église
emp.	empire
esp.	espagnol
Ét. de l'Égl.	États de l'Église
É.-U.	États-Unis
év.	évêché
exp.	expédition
expᵒⁿ	expansion

F

f.	foire
Fr., fr.	France, français
fᵗ	fort

G

g.	golfe
gᵃˡ	général
G.-B.	Grande-Bretagne
gᵈ	grand
gᵈ-dᶜʰé	grand-duché

H I J K

hᵗ	haut
î.	île
ionⁿᵉ	ionienne
Iʳᵉ	première
îs	îles
itin.	itinéraire
j.	junte

L M N

l.	lac
man.	manœuvre
marˢᵃᵗ	marquisat
mᶜʰᵉ	marche
mᶜʰé	marché
mᵈᵃᵗ	mandat
méridᵃˡ	méridional
méridᵃᵘˣ	méridionaux
métrop.	métropole (archevêché)
monast.	monastère
mouvᵗ	mouvement
mᵗ	mont
nˡˡᵉ	nouvelle
nouv.	nouveau

O P Q

occᵃˡ	occidental
off.	offensive
orᵃˡ	oriental
p.	porte
pal. et mon. publ.	palais et monuments publics
patr.	patriarcat
pl.	place
plat.	plateau
pⁿᵗᵉ	pointe
poss.	possession
pr., prˢᵉ	prince, princesse
protect.	protectorat
pᵗ, pᵗᵉ	petit, petite
pᵗᵃ	porta

pᵗé	principauté
pᵗᵘˢ	portus
pyr.	pyramide

R S

rég. aut.	région autonome
rép.	république
rép. pop.	république populaire
résid.	résidence
résid. imp.	résidence impériale
rév.	révolte
riv.	rivière
roy.	royaume
s.	siècle
sanct.	sanctuaire
sᵈᵉ	seconde
seign.	seigneurie
sᵍᵉ	siège
sᵍᵉ des cal.	siège des califats
sᵍᵉ des patr.	siège des patriarcats
sᵗ, sᵗᵉ	saint, sainte
sᵗᵃ	santa

T U V W X Y Z

t.	temple
terr.	territoire
thᵐᵉˢ	thermes
thʳᵉ	théâtre
tʳᵉ	terre
tᵗé	traité
univ.	université
vén.	vénitien
vest.	vestiges
v. hans.	ville hanséatique
vict.	victoire
v. libre imp.	ville libre impériale
voy.	voyages
v.-roy.	vice-royauté

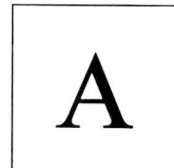

A

Aalborg, 52 a.
AAR (riv.), 160 A a et c, 160 A c, 160 B a.
Aarberg, 160 A a.
Aarhus, 41 a.
Ābādān, 176 A c, 180 A a, 206 a, 207 a.
Abasges, 32 b.
'Abbās Ier (chāh), 175.
'ABBĀSSIDE (califat), 35 d, 172 c.
'Abbāssides, 36 A d.
Abbaye (prison de l'), 117 c.
Abbeville, 56 c, 80 A a, 80 B a, 80 C a, 111 A a, 112 A a, 120 A b.
'Abd al-'Azīz ibn Sa 'ūd, 180.
'Abd al-'Azīz III ibn Sa'ūd (conquêtes d'), 180 A d.
Abd Allāh ibn Sa'id, 216 C c.
'Abd Allāh ibn Yāsīn, 219.
'Abd al-Mu'min, 219.
'ABDALWĀDIDE (roy.), 214 G ab, 218 C b.
'Abdalwādides, 51 c, 52 c, 41 c, 213, 219.
Abd el-Kader, 213, 215 A d.
Abd el-Krim, 219.
Abdera, 10 A a.
Abdère, 14 A b.
Abdère (cité de la conféd. athén.), 13 b.
Abdère (col. ionne), 9 b, 12 A b.
Abdullah, 180.
Abéché, 221 A c.
Abel, 8 b.
Abeokouta, 223 B d.
Aberdeen, 134 B b.
Aberdeen (univ.), 59 A a, 60 a.
ABKHAZIE (A.S.S.R. d'), 156 d, 157 d.
Åbo, 41 b.
Åbo (Turku), 52 b, 53 b, 65 b, 154 a.
Åbo (Turku), [év.], 159 b. 158 b.
ABOMEY, 223 B c.
ABOU (île ÉLÉPHANTINE), 5 d.
Aboukir (défaite française d'), 220 B a.
Aboukir (défaite des *Turcs* à), 220 B a.
Abou-Roach (pyr.), 6 B a.
Abou Rodeiss, 181 C c.
Abou-Simbel, 5 c.
Abou-Simbel (site archéol.), 6 A c.
Abrets (bat. des), 59 B a.
Abrincatuens, 22 a.
ABRUZZES (suffr. obtenus par la D.C. en 1968), 141 A b.
ABRUZZES (suffr. obtenus par la D.C. en 1976), 141 B b.
ABRUZZES (suffr. obtenus par le P.C.I. en 1968), 142 A b.
ABRUZZES (suffr. obtenus par le P.C.I. en 1976), 142 B b.
ABRUZZES (suffr. obtenus par le P.S.I. et P.S.D.I. en 1968), 142 C b.
ABRUZZES (suffr. obtenus par le P.S.I. et P.S.D.I. en 1976), 142 D b.
Abscon, 120 A a et b.
Abū 'Abd Allāh, 217.
Abū al-'Abbās, 172.
Abū al-Hasan, 219.
Abū Bakr, 171 B c, 219.
Abū 'Inān, 219.
Abū Qurrā, 214 E b.
Abū Yahy'ā Abū Bakr, 219.
Abū Yūsuf Ya'qūb, 219.
Abū Yūsuf Ya'qūb al-Manṣūr, 219.
Abū Zabī, 180 A d.
Abū Zakkariyya' Yahyā, 217.
Abū-Zenīma, 181 B cd.
Abydos [Asie Min.], 14 A b, 32 b, 36 B c, 50 A a.
Abydos (bat. d'), 13 b.
Abydos (cité de la conféd. athén.), 13 b.
Abydos (col. ionne), 9 b, 12 A b.
Abydos [Égypte], 5 c, 7 c.
Abydos [Égypte] (site archéol.), 6 A c.
Abyle, 10 A a.
ABYSSINIE (Éthiopie), 77 D d, 171 A c.
ACADIE, 75 A a, 231 d, 236 A d, 236 B b, 240 A b.
Acapulco, 57 a, 58 a, 74 B a, 230 B a, 231 a, 232 A a, 233 a.
ACARNANIE, 15 A a.
Accademia (pont de l'), 136 C d.
Accademia [Venise], 136 C d.
Accord général sur les tarifs douaniers et le commerce ou GATT, V. General Agreement on Tariffs and Trade.
Accra, 211 a, 212 D a.
Accra (centre anglais de traite-1664), 223 B c.
Accra (conférence d'), 78 c.
ACEH, 190 C c.
ACEH (sultanat d'), 205 A a.
Açemhöyük (site archéol.), 4 A a.
ACHAÏE, 9 c, 13 ab, 14 A a, 15 A c, 17 A a, 20 B d, 21 B d, 23 A d, 24 B d, 26 d, 29 d, 41 d, 51 d.
ACHAÏE (principauté d'), 52 d.
ACHANTI, 210 c, 223 B c.
Acharnes (porte d'), 14 B.
ACHÉENNES (col.), 9 c, 12 A c.
ACHÉMÉNIDE (extension maximale de l'Empire), 11 c.
Achéménide (route royale), 11 d.
Achir, 214 B b.
Achkhabad, 156 c.
Achmounein (Hermopolis Magna), 5 a.
Acholla, 10 A c, 216 A b, 216 B b.
Acholla (site archéol.) [Ras Botria], 213 b et c.
Acier (production par pays européen en 1914), 79 b.
Acinipo (Ronda la Vieja), 29 c.
AÇORES, 57 c, 74 A a, 78 a, 211 a, 252-253 c.
Acre, 32 d, 41 d, 47 d, 50 A d, 52 d, 57 b, 180 B a, 180 C a.
Acre (compt. vénitien), 51 d, 137 d, 138 d.
Acre (pl. d'affaires au XIIIe s.), 46 d, 47 d.
Acre (pl. chrét. après bat. d'Ḥaṭṭīn), 220 A a.
Acre (poss. chrétienne en Orient-XIIIe s.), 49 c.
Acre (siège et prise d', par les croisés-1189-1191), 41 d, 48 d.
ACRE (terr. de l', en Amérique latine), 233 c et d.
Acroma, 221 C.
Acropole (Athènes), 14 A c, 14 B.
Acropole (Constantinople), 37 d.
Actium (bat. d'), 17 A a, 20 B d, 24 B d.
Adalbert, 33 a.
Adalbert de Prague, 33 b.
Adalia (Antalya), 51 d, 77 D a, 82 B d, 161 C c.
ADAMAOUA, 222 A d, 222 B d, 223 A b, 223 B d.
Adana, 32 b, 82 B d, 161 C c, 180 A a.
Adare (c.), 250 c.
ADDA (riv.), 66 B a, 160 B d.
Ad Decimum (bat. d'), 32 c, 214 A b, 216 B b.
Addis-Abeba, 77 D d, 210 c, 212 B b, 212 C b, 221 D c.
ADÉLIE (terre), 75 A d, 75 B d, 251 A d.
Adelie Coast, 250 d.
Aden, 57 d, 76 A d, 76 B d, 77 D d, 78 d, 171 A c, 171 B c, 171 C d, 172 d, 177 d, 178 d, 186 A ac, 206 c, 207 c, 212 A b, 212 B b.
ADEN (protectorat d'), 180 A c.
Adenauer (Konrad), 102.
ADIGE (riv.), 66 B b.
ADIGE (HAUT), [suffr. obtenus par la D.C. en 1968], 141 A a.
ADIGE (HAUT) [suffr. obtenus par la D.C. en 1976], 141 B a.
ADIGE (HAUT) [suffr. obtenus par le P.C.I. en 1968], 142 A a.
ADIGE (HAUT) [suffr. obtenus par le P.C.I. en 1976], 142 B a.
ADIGE (HAUT) [suffr. obtenus par le P.S.I. et P.S.D.I. en 1968], 142 C a.
ADIGE (HAUT) [suffr. obtenus par le P.S.I. et P.S.D.I. en 1976], 142 D a.
ADJARIE (A.S.S.R. d'), 156 d, 157 d, 161 C b.
'Adjlūn, 49 d.
Adolphe de Nassau, 145.
Adoua, 180 A c, 221 A d, 221 D a.
Adoua (bat. d'), 77 D d.
Adoulis, 171 A c.
Adramytteion, 14 A b.
Adramyttium, 50 A c.
ADRAR, 222 A a.
Adria, 9 a.
Adrianopol (Odrin), 162 A d.
ADRIATIQUE (mer), 15 A a, 162 A c, 166 ac.
Aduatuca, 22 b.
Aduatuca (Tongres) [bat. d'], 23 B b, 23 C b.
Aduatuci, 22 b.
ADYGUÉENS (R.A. des), 156 d, 157 d.
Aedes Caesarum, 25 B c.
AEGATES (îs.) [bat. des], 9 a, 18 A c.
Aelana, 20 B d, 21 B d.
A.E.L.E., v. Association Européenne de Libre Échange.
Aelia Capitolina, 20 B d.
Aelius (pont), 25 B a.
Aemilia (basil.), 25 A b, 25 B d.
Aemilia (portique d'), 25 B c.
Aemilius (pont), 25 A c.
Aenos (établissement génois), 51 b.
Aetius (cit. d'), 37 a.
Afar, 2-3 d.
AFARS ET DES ISSAS (territoire fr. des), 75 B d, 89 c, 212 D b.
AFGHĀNISTĀN, 85 B a, 175 b, 176 bd, 176-177 b, 180 A b, 196 A a, 200 a, 201 A a, 201 B a, 203 a, 206 a, 207 a.
Afghans, 175.
AFRICA NOVA, 23 A c.
Afrikakorps, 221.
AFRIQUE, 2-3 cd, 210 a, 211 b.
AFRIQUE (diocèse romain), 26 b, 27 c.
AFRIQUE ÉQUATORIALE FRANÇAISE ou A.E.F., 85 B c, 212 C bc, 221 A ac.
AFRIQUE NOIRE, 210 d.
AFRIQUE OCCIDENTALE FRANÇAISE ou A.O.F., 75 A c, 85 B a, 212 C a.
AFRIQUE ORIENTALE ALLEMANDE, 212 B d.
AFRIQUE ORIENTALE BRITANNIQUE, 212 B bd.
AFRIQUE PROCONSULAIRE, 20 B c, 24 B c, 26 c, 213 b.
AFRIQUE DU SUD, 78 d, 88 B d, 210 d, 212 D d, 252-253 d.
'Afula, 180 B b, 180 C b.
Afyonkarahisar (bat. d') [1922], 161 C a, 180 A a.
Agadès, 222 B a, 223 A a.
Agadir, 57 a, 210 a, 218 D c, 219 c.
Agatha (Agde), 22 d.
Agathê (col. ionne), 9 a, 12 A a.
Agde (Agatha), 22 d, 31 A d.
Agde (év.), 107 d.
Agdz, 218 C c.
Agedincum (Sens), 22 b, 23 B b, 23 C b, 24 A b.
Agedincum (Sens) [bat. d'], 23 A a.
Agen, 60 c, 110 A c, 110 B c, 111 A c, 111 B c, 120 B c, 130 d.
Agen (év.), 107 c.
AGENAIS, 108 B c, 130 cd.
Ager romanus, 20.
Ager sociorum, 20.
Aghiasma des Blachernes (égl. byz.), 37 a.
Aghiasma de Ste-Marie-Hodighitria (égl. byz.), 37 d.
Aghia Triádha (site archéol.), 15 A d.
Aginnum, 24 A c.
Agnadel (bat. d'), 139 B a.
AGNI, 223 B c.
Agora d'Athènes, 14 B a.
Agrā, 176-177 b, 199 a, 200 b, 201 A a, 201 B a.
Agrā (site archéol.), 203 a.
Agram (Zagreb), 62 a, 166 a.
Agrigente, 21 A c.
Agrigente (bat. d') [262], 18 A c.
Agrigente (cité grecque), 12 B c.
Agrigente (col. dorne), 12 A c.
Agrigente (site archéol.), 15 A c.
Agrigentum, 20 A d.
Agrippa, 25.
Agrippa (réseau routier d'), 24 A d.
Agrippa (Thtre d'), 25 B a.
Agrylê, 14 B bd.
Ahichchhatrā (site archéol.), 203 a.
Ahlat, 178 b.
Ahmadābād, 176-177 b, 201 A a, 201 B a.
AHMADĀBĀD, 200 a.
Ahmadābād (site archéol.), 203 a.
Ahmad Khān, 201.
AHMADNAGAR, 200 c.
Ahmet Paşa M. (St Jean-Baptiste-in-Trullo), 37 a.
Ahmosis, 7.
Ahvāz, 175 c.
AHWĀZ, 171 C b, 172 b.
Aï, 8 b.
Aiagouz, 206 a.
Aidhab, 220 A c.
AIGALEÓS (mont), 14 A c.
Aigle, 160 B c.
Aigos-Potamos (bat. d'), 13 b.
Aiguebelle (abb. cistercienne), 43 d.
Aigues-Mortes, 41 c, 45 c, 58 b, 137 a.
Aigues-Mortes (place de sûreté protestante), 113 A d, 113 B d.
Aiguillon, 110 B c.
Aihole, 197 B c.
Aihun (Aigun), 155 A d.
Aihun (tté d'), 155 A c, 186 C b, 206 b.
Aï-Khanoum, 16 B b.
Aimargues (place de sûreté protestante), 113 B c.
AIN, 118 b.
Ainay (abb.), 107 d.
Aïn-Beïda, 215 H b.
Aïn Hanech, 2-3 a.
Ainos, 14 A b.
Ainos (cité de la conféd. athén.), 13 b.
Ainos (col. ionne), 9 b, 12 A b.
Aïnous (les), 193.
Aïn-Sefra, 215 A c, 215 C c, 215 D c, 215 E c, 215 F c.
Aïn-Temouchent, 215 H a.
AÏR, 210 b, 222 A ab, 222 B ab, 223 A ab.
AIRAIS, 108 B c.
Aire, 80 B a, 114 a.
Aire (év.), 107 c.
AIRE (riv.), 80 A d.
AISNE, 118 a.
AISNE (riv.), 80 A c, 109 b.
Aistolf, 137.
Aix, 40 c, 108 C d, 111 B d, 112 A d, 116 d.
Aix (archev. d'), 34 A c, 92 c, 107 d.
Aix (siège des métropolitains au VIe s.), 31 A d.
Aix-en-Provence, 56 d, 63 c, 113 A d, 115 C d, 120 B d.
Aix-en-Provence (Aquae Sextiae), 20 B a, 22 d, 23 C d.
Aix-en-Provence (univ.), 59 A c.
Aix-la-Chapelle, 34 A b, 34 B a, 34 C a, 35 a, 67 A a, 87 a, 92 a, 112 B b, 114 b, 118 b, 143 d, 144 d, 145 B d.
Aix-la-Chapelle (tté de 1748), 65 b, 95 a, 96 B a.
Aix-les-Bains, 29 a.
Ajaccio, 67 A c, 69 B d, 93 c, 116 d, 118 d, 119 A d, 123 A d.
Ajantā, 182 d.
Ajantā (site archéol.), 203 c.
Ajdir, 219 b.
Ajmer, 177 b, 199 a, 201 B a.
Ajmer (site archéol.), 203 a.
AJMER, 200 a.
Akanthos, 14 A a.
Akanthos (cité de la conféd. athén.), 13 b.
Akbar, 200 d.
Akhenaton, 5, 6, 7 a.
Akhetaton, 7 a.
AKI, 194 c.
AKKAD, 4 B d, 10 B b.
Akkerman, 62 b.
Akkerman (tté d'), 179 b.
Akko, 8 a.
Akkoyunlu (conféd. des), 175 c.
Akraï (cité grecque), 12 B c.
Akroïnon, 35 d.
Aksaray, 4 A a.
Aksou, 174 B b, 183 E a, 184 A a.
Aksoum, 171 A c, 171 B c, 176-177 d, 221 D a.
AKTÉ, 14 A c.
AKWAMOU, 223 B c.
ALABAMA, 240 C c, 242 A d, 243 b et d, 244 A d, 244 B d.
Alabamas, 241 B d.
Alabanda, 14 A b.
Alaca höyük, 7 a.
Alaca höyük (site archéol.), 4 A a.
ALAGOAS, 233 d.
Alains, 28 b, 30 a, 32 b, 182 a.
Alakaluf, 229 A c.
Alakalufs, 229.
Alalah, 7 a.
Alalia (col. ionne), 12 A a.
ALAMANNIE, 34 A d, 34 B b, 34 C b.
Alamans, 26 a, 27 a, 28 a, 30 a, 31 A b, 31 c, 182 a.
ALAMEIN (EL), 84, 85 B a, 86 A d, 221 B, 221 C.
Alamgirpur (site archéol.), 196 A b, 203 a.
Alamut, 174 A a.
ÅLAND (îs.), 40 b, 82 B ab, 159 b.
AL-ANDALUS, 105 c, 214 C a, 218 B a.
ALAOTRA (l.), 224 A b.
Alarcos (bat. d'), 41 c, 105 c, 214 C a, 218 B b.
Alasia, 7 a.
ALASKA, 78 a, 85 B b, 155 A b, 206 b, 207 b, 231 a, 232 A a, 234 A a, 238 A a, 238 B a, 244 A c, 244 B c.
ALASKA (acheté aux Russes en 1867), 242 A c.
'Alawites, 82 B d, 218 D d.
'ALAWĪTES (Ét. des), 161 C cd.
'Alawites du Tafilalet, 219.
Alba, 22 d, 24 A d.
Alba (col. de dr. lat.), 20 A b.
ALBA (roy. d'), 129 a.
Alba Fucentia, 29 d.
Alba Iulia, 40 d, 62 a, 163 B d, 164 C d, 165 d, 166 b, 167 b.
ALBANIE, 62 a c, 72 d, 73 A c, 73 B c, 77 D a, 79 c d, 81 A c, 82 B cd, 83 A d, 83 B d, 84 c, 86 A ac, 87 d, 88 A d, 89 d, 162 D a, 163 B d, 167 d, 178 a, 179 a.
Albany, 242 B b.
Albany (Ft), 236 B a, 237 A a.
Alba Regia, 40 d.
Albarracin, 104 B b.
Albazin, 206 b.
Albe (duc d'), 145.
Albert V de Bavière, 95.
Albert de Mecklembourg (roi de Suède), 158.
ALBERTA, 239 A c, 239 B c.
ALBERTA (district d'), 238 B c.
Albertville, 224 B b.
Albi, 48 a, 56 c, 105 b, 108 C d, 110 A d, 118 c, 120 B d, 130 d.
Albi (archev.), 107 d.
ALBIGEOIS, 108 B cd.
Alboïn (roi des Lombards), 136 A b.
Albornoz, 139.
Albret, 111 A c, 111 B c, 112 A c.
Albuera (bat. de La, 1811), 70 A c.
Albuquerque, 57 d.
Alcacer, 105 c.
Alcácer do Sal, 10 A a.
Alcalá de Hénares, 59 A c.
Alcántara, 105 a.
Alcibiade (exp. d'), 13 c.
Alcobaça, 43 c, 45 c.
Alcudia, 218 C b.
Aledo (bat. d'), 104 B d, 218 A b.
Alençon, 56 c, 112 A a, 113 A a, 118 a, 120 B a.
Aléoutes, 241 B c.
ALÉOUTIENNES (îs), 85 A b, 248 a.
Alep, 7 a, 9 b, 10 B a, 36 B d, 40 d, 48 d, 49 b, 50 A d, 51 d, 52 d, 81 A d, 82 B d, 137 d, 161 c d, 172 a, 174 A a, 174 B a, 176-177 a, 178 b, 179 b, 180 A a, 220 A b.
Aleria, 18 A a, 20 A a, 20 B a, 21 B c, 29 c d.
Alès, 64 d, 120 A cd, 120 B d.
Alès (pl. de sûreté protestante), 113 B d.
Alésia (Alise-Sainte-Reine), 20 B a, 22 b, 29 a.
Alésia (bat. d'), 23 A a, 23 C b.

suite de l'index D →

D

Dabar Kot (site archéol.), 196 A a.
Dacca, 201 A b, 201 B b, 203 b, 207 d.
Daces, 19 A d, 21 B b.
DACIE, 20 B b, 21 B b, 26 b, 27 b, 29 b, 165 a.
Dadujiang = Tatoukiang, 188 a.
Dagamedo, 221 D c d.
DAGO, 159 d.
DAGOMBA, 210 ab et c, 223 A a.
DAGUESTAN, 154 d, 156 c, 157 c, 176 a.
DAGUESTAN (A.S.S.R. DU), 156 d, 157 d.
Dahab, 181 A d.
Dahchour (pyr.), 6 B.
DAHOMEY, 75 B, 78 c, 88 B c, 210 c, 212 D a, 223 B c.
DAHOMEY (pays associé au M^{ché} commun en 1972), 89 c.
Dairen, v. Dalian.
DAI VIÊT, 186 B c, 191 B a.
DAI-VIÊT (VIÊT-NAM), 190 C b.
Dakar, 57 a, 212 A a, 212 B a, 212 C a.
DAKOTA DU NORD, 242 A a, 243 a et c, 244 A a, 244 B a.
DAKOTA DU SUD, 242 A a, 243 a et c, 244 A a, 244 B a.
Daktô (bat. de), 192 E b.
Dalat, 192 D d, 192 E d.
Dali = Ta-li, 184 B c, 186 B c, 186 C c.
Dalian = Dairen, 187 B b, 189 B b.
Dalian = Dairen (bat. de), 195 a.
Daliang = Ta-Leang, 183 D.
Dallas, 242 B c, 245 B c.
Dalmates, 166.
DALMATIE, 20 B a, 21 B ab, 24 B ab, 26 a, 29 bd, 36 B a, 41 d, 50 A a, 67 A d, 73 A a, 137 a, 163 A c, 163 B c, 166 a, 167 ac, 178 a.
Dalrymple, 249 d.
Damanhour, 5 a.
Damão, 78 b, 202 A c, 207 c.
Damão (possess. portugaise), 74 A b, 200 c, 201 A a, 206 c.
Damas, 4 B c, 7 a, 9 b, 10 B a, 11 c, 15 B c, 16 A c, 16 B c, 17 A a, 17 B d, 20 B d, 21 B d, 24 B d, 28 d, 32 d, 35 d, 40 d, 41 d, 47 d, 48 d, 49 b, 50 A d, 51 d, 52 d, 81 A d, 82 B d, 137 d, 161 cd, 171 A a, 171 B a, 171 C b, 172 a, 174 A a, 174 B a, 176-177 a, 178 d, 179 d, 180 A a, 181 B b, 181 C, 185 B c, 206 a, 220 A b.
Damas (pl. d'affaires au XIIIe s.), 46 d.
Damiette, 32 d, 49 c, 51 c, 220 A a, 220 B a.
Damiette (s^{ge} de), 41 d.
Daming = Ta-Ming (palais), 184-185 C.
Damme, 53 c, 143 c.
DAMPIER (détroit de), 248 a.
Dampier (voyages de 1679-1691 et 1699-1700), 248 d, 249 a et c.
Dāmrhān, 170 a, 173 a, 174 A b, 175 a, 176-177 b.
Dan (tribu au temps des Juges), 8 b.
Da Nang (base américaine de), 192 E b.
Dandānqān (bat. de), 174 A b.
Dandī, 201 B ac.
Dandolo (Enrico), 137.
DANELAW, 35 a et c, 36 A a, 40 a, 129 a.
DANEMARK, 53 c, 71 B b, 72 a, 79 a, 82 B a, 83 A a, 83 B a, 84 a, 88 A ab, 88 B a, 89 b, 92 ab, 93 ab, 96 A a, 98 ab, 99 B a, 100 A a, 106 A b, 158 c.
DANEMARK (détroit de), 234 B ab.
DANEMARK (roy. de), 40 a, 41 a, 52 a, 61 b, 64 b, 65 b, 66 A b, 71 A a, 94 B a et b, 95 a, 96 B a, 99 A, 159 c.
Danevirke, 35 a, 36 A c, 40 a, 158 c.
Danhuang = Touen-houang, 184 A a.
Dānichmendites, 50 A d, 174 A d.
D'Annunzio (Gabriele), 83.
Danois, 33 a, 34 A b, 35 a, 36 A a, 41 ab, 52 a, 93 b, 231 b.
DANOIS (duchés), 71 B b.
DANOIS (emp.) [1000-1035], 40 a.
DANOISE (m^{che}), 34 A b.
Danshui = T'an-chouei, 186 C d.
Dantzig, 56 b, 69 A b, 69 B b, 71 B b, 82 A a, 83 A b, 83 B a, 95 b, 96 A b, 96 B b, 98 b, 99 B b.
Dantzig (annexion de, 1939), 83 B b.
Dantzig (cité libre, 1807-1814), 150 B.
Dantzig (corridor de), 83.
Dantzig (Gdánsk), 47 b, 61 b, 65 b, 66 A b, 68 C b, 100 A b, 148 a, 150 A a, 151 A a, 151 B a, 158 d, 159 c.
Dantzig (Gdańsk) [résid. jésuite], 94 A b.
Dantzig (pl. d'affaires au XIIIe s.), 46 b.
DANTZIG (terr. de), 84 a.
Dantzig (v. hans.), 52 b, 53 d.
Dantzig (v. libre, 1919), 82 B a.
DANUBE (riv.), 26 b, 27 a, 63 d, 84 d, 137 b, 138 b, 148 c, 152 c, 153 c, 162 A b, 162 B, 164 A c, 165 ac, 166 b.
Daoura, 222 B b, 223 A b, 223 B b.
Daphni, 36 B c.
Dara, 32 b, 170 a.
Dārābgird, 170 d.
Darby (Abraham), 134.
DARDANELLES (détroit des), 62 c, 72 d, 73 A d, 73 B d, 77 D a, 82 B d, 161 C a, 162 C d, 179 a, 180 A b.
DARDANELLES (exp. des), 81 A c.
DARDANIE, 26 b.
DARFOUR, 210 b et c, 221 A c, 222 B bd, 223 A b.
DARIAL (PORTES DE FER) [défilé de], 47 d.
Darién, 230 B a.
Darios Ier, 8, 11.
Darios Ier (satrapies de), 11 d.
Darios III (mort de), 15 B b.
Darlington, 134 A b.
Darmstadt, 97 c, 98 c.
Daskyleion, 11 a.
Daskyleion (cité de la conféd. athén.), 13 b.
Dastgard, 170 a.
Date, 193 B b.
Datong = Ta-t'ong, 189 B a.
Daulatābād (Deogir), 199 c.
Dauphin (fort), 237 A a.
DAUPHINE (îs.), 74 A d.
DAUPHINÉ, 59 B a, 108 C d, 110 B d, 111 A d, 111 B d, 112 A d, 115 C d.
Davenant (Charles), 133.
David, 8.
DAVIS (détroit de), 234 B a.
Davis (voy. de 1585), 57 c.
Davis (voy. de 1585-1586 et 1587), 234 B b.
Davis-Mawson-Mackay (exp. 1908), 250 b.
Davout, 68 A a.
DAYAK, 205 A cd.
Daybul, 171 C d, 172 d.
DAYLAM, 173 a.
Dayton, 242 B b.
Dax (év.), 107 c.
Daxingshan = Ta-hing-chan (t.), 184-185 C.
Dazimon, 32 b.
D.C. v. Démocratie chrétienne.
De Aar, 225 B a.
Deadwood, 242 B a.
Dea Vocotiorum, 24 A c.
Debeney (Ire armée fr. 1918), 80 C a.
Debir, 8 c.
Deblin, 82 A c.
Debrecen, 62 a, 71 B b, 163 B b, 164 C b, 165 a.
Decazeville, 120 B d.
DECCAN, 198 cd.
Dèce, 28.
Décélie, 13 b.
Dechacheh, 5 a.
Dečin, 164 B a.
Decius (th^{mes} de), 25 B c.
Décolonisation, 78 b.
DÉCOUVERTE (c. de la), 251 d.
Découvertes (les grandes), 57 a.
DÉCUMATES (champs), 20 B a, 21 B a.
Dedan, 9 d.
Dedeagač, 73 A d, 73 B d, 82 B d.
Dedeagač (Alexandroúpolis), 162 B d, 162 C d, 162 D b.
Deerhurst, 44 a.
Deferre (Gaston), 127.
Dego (bat. de), 66 B c.
Degoutte (6e armée fr., 1918), 80 B c, 80 C c.
DEIBĀL, 173 a.
Deim-Zuber, 221 A c.
Deir el-Bahari, 7 c.
Deir el-Bahari (site archéol.), 6 C.
Deir el-Medineh (site archéol.), 6 C.
Deir ez-Zor, 4 B a.
Dej, 165 a.
Dejima (Nagasaki), 77 C.
DELAWARE, 240 A c, 242 A b, 243 a et d, 244 A b, 244 B b.
Delawares, 241 A b, 241 B d.
Delémont, 161 B a.
Delft, 143 a, 145 A a.
Delft (noyau de réformés vers 1520), 144 a.
Delhi, 174 B d, 176-177 b, 185 B c, 199 a, 200 a, 201 A a, 201 B a, 206 c.
DELHI, 200 a.
Delhi (site archéol.), 203 a.
DELHI (sultanat de), 174 B d, 185 B cd, 199 d, 200.
DELI, 205 A a.
Delle, 120 B b.
Dellys, 214 F b, 214 G b, 215 H b.
DELOS (î.), 9 b, 14 A d, 17 A a.
Délos (cité de la conféd. athén.), 13 d.
Délos (ligue de) = conféd. athén. (Ire), 9 c, 13 c.
Délos (sanct. de), 13 d.
Délos (site archéol.), 15 A d.
Délos (trésor fédéral de), 13 d.
Delphes, 9 b et c, 14 A a, 29 d.
Delphes (ligue du Péloponnèse), 13 b.
Delphes (site archéol.), 15 A a, 19 A d.
DELTA (Égypte), 5 a, 10 B c.
DEMAK (sultanat), 205 A c.
Démarcation (ligne de), 84 c.
Dêmêtrias, 32 b.
Démocrate (parti aux U.S.A., élections de 1968), 244 A c.
Démocrate (parti aux U.S.A., élections de 1976), 244 B c.
Démocratie chrétienne ou D.C. (élections italiennes de 1968), 141 A b.
Démocratie chrétienne ou D.C. (élections italiennes de 1976), 141 B b.
Démocratique (nouveau parti, Canada) [élections de 1972], 239 A c.
Démocratique (nouveau parti, Canada) [élections de 1974], 239 B c.
Denain, 120 A a, 120 B b.
Denain (bat. de), 106 A ab, 114 a.
Dendérah, 5 d, 6 A d.
Dendermonde, 114 a.
DENDI, 222 A c, 223 B a.
Dengzhou, 186 C b.
Denia, 47 c, 104 A d, 104 B d.
DENIA (roy. de), 104 B d.
Denikine, 155 B c.
DENKYÉRA, 223 B c.
Denver, 242 B a.
Denys Ier l'Ancien, 9 d.
Deogarth (site archéol.), 203 a.
Deogir (Daulatābād), 199 c.
Deoulino (t^{té} de), 149 b.
Départements français (époques révol. et impér.), 69 B a, 118 a.
Derbent, 40 d, 52 d, 152 d, 154 d, 156 c, 157 c, 170 a, 173 a, 174 B a, 175 a, 176 a.
DERBY, 131 A b.
Derby, 130 a, 134 A b.
Derby (col. danoise), 129 a.
Derna, 77 D a, 221 A a.
Derry (monast. de), 129 a.
Dertona, 21 A a.
Desaix, 67 B d.
Desalpar (site archéol.), 196 A c.
DÉSERT SALÉ (G^{d}), 170 ab, 173 ab.
DESNA (riv.), 148 b, 153 c.
Dessau (bat. de), 94 B b.
Dessié, 221 D a.
Détroit, 237 A c, 242 B b, 245 B b.
DÉTROITS (les), 73, 154.
Dettingen (bat. de), 96 B c.
Deuteron, 37 a.
DEUX-FLEUVES (pays des), 4 A d, 4 B ab.
DEUX-NÈTHES (départ. hors de France), 118 c, 145 B.
Deux-Ponts, 114 d.
Deux-Roses (guerre des), 131 A b.
DEUX-SÈVRES, 118 a.
DEUX-SICILES (roy. des), 65 d, 71 A cd, 71 B d, 72 c, 139 A d, 140 B bd.
Deva, 20 B a, 21 B a.
Deventer, 143 b, 145 A b.
Deventer (centre d'imprimerie), 144 b.
Devni Mori (site archéol.), 203 a.
Devol, 162 A c.
DEVON, 130 a, 131 A c.
DEVON (î.), 234 B a, 235 b.
DEWA, 194 b.
DHARMANAGARI, 204 B a.
Dharmasraya, 204 B c.
Dhauli (Tosali) [édit gravé], 196 B d.
« D » Hope Bay, 250 d.
Diaguite, 229 A c.
Diaguite-Calchaqui, 229 B d.
Diampolis (Jambol), 162 A d.
Diara, 222 B a, 223 A a.
Diari, 223 B a.
Diaroritum, 24 A a.
Dibōn, 8 d.
Didymes, 17 B a.
Die, 110 B d, 111 A d, 111 B d, 112 A d, 113 A d, 113 B d.
Die (év.), 107 d.
Die (univ. protestante), 60 d.
Diégo-Suarez (Antsirana), 224 A b.
DIÉGO-SUAREZ (baie de), 212 B d, 224 A b.
Diégo-Suarez (débarquement brit., 1942), 85 B c.
Diên Biên Phu, 192 D a, 192 E a.
Dieng (site archéol.), 204 A a.
Dieppe, 120 A b, 120 B a.
Diessen, 63 d.
Diète (la) ou Reichstag, 95.
Dieuze, 120 B b.
Digne, 118 d.
Digne (év.), 107 d.
Dijon, 31 A d, 31 B b, 44 d, 45 c, 47 a, 52 c, 56 c, 87 a, 93 a, 107 b, 108 C b, 110 A b, 110 B b, 111 A b, 111 B b, 112 A b, 112 B c, 113 A b, 114 d, 115 C b, 116 b, 118 a, 119 A b, 120 B b, 123 A b, 123 C d, 130 d.
Dikili-Tach (site archéol.), 15 A b.
Dillingen (coll. jésuite), 94 A c.
Dillingen (univ.), 59 A a.
DILMOUN, 10 B d.
Dimini (site archéol.), 15 A b.
Dimotika, 161 C a, 162 A d, 162 B d, 162 C d.
Dinan, 56 c.
Dinant, 34 A c, 80 A a, 143 d, 144 d, 146 d.
Dingcun = Ting-ts'ouen, 183 A.
Dinkelsbühl, 56 d.
Dioclétien, 25, 26 b, 27, 28.
Dioclétien (th^{mes} de), 25 B a.
Diogo cam, 57 d.
Diomeia (p^{te}), 14 B.
Dionysos, 15.
Dionysos (th^{re} de), 14 B.
Dioscourias (col. ion^{ne}), 9 b, 12 A b.
Dioscures (t. des), 25 A b.
Diospolis, 32 d.
Diospolis Parva, 5 c.
DIOSPONTUS, 26 b.
Dipylon (p^{te} du), 14 B.
Directoire (le), 161.
Diu, 202 A c, 207 c.
Diu (compt. portugais), 57 d, 74 A b, 78 d.
Diu (possess. portug.), 200 c, 201 A a, 201 B c, 206 c.
Diyarbakir, 175 a.
Dives, 129 d.
Divodurum (Metz), 22 b, 24 A b.
Divona, 24 A c.
Dixmude, 80 A a, 80 C a.
DIYĀLA (riv.), 7 b, 10 B b.
Diyarbakır, 161 C d, 175 a, 177 b, 180 A a.
DJABAL MŪSĀ (m^{t}), 8 c.
Djabal Ṭāriq (Gibraltar), 104 A c, 171 C a.
DJAGHATAÏ (khānat de), 174 B c, 185 B c.
Djakarta = Jakarta (Batavia), 77 A c, 205 B a.
Djand, 174 A b.
Djaraboud, 221 A a.
DJ'ARAFA (m^{t}), 171 B a.
DJAZĪRA, 171 C b, 172 ab, 220 A b.
Djebail (Byblos) [site archéol.], 4 B a.
Djebel Ougarta, 2-3 c.
DJEBEL SAGHO, 219 cd.
DJEDAR, 214 E c, 214 A ac.
Djedda, 171 B a, 171 C d, 174 A c, 180 A c, 186 A a, 207 c, 220 A d.
DJEFARA, 217 A d.
Djelfa, 215 B d, 215 F d, 215 G c, 215 H d.
Djeliba, 222 A a, 222 B a.
Djem (El-) [Thysdrus], 23 A c, 29 d, 213 d.
Djemdet-Nasr (site archéol.), 4 B d.
Djemila (Cuicul), 29 c.
Djemila (Cuicul) [site archéol.], 213 c.
Djenin, 181 B b.
Djenné, 222 A a, 222 B a, 223 A a, 223 B a.
DJERBA (î. de), 40 c, 46 c, 47 c, 48 c, 210 b, 216 C d, 216 D d, 217 B d.
DJERBA (î.) [base turque], 217 A d.
DJERID (chott), 216 C c, 216 D c, 217 B c.
DJEZIRA, 216 D b.
DJIBĀL, 172 b.
Djibouti, 75 A d, 77 D d, 206 c, 207 c.
DJIBOUTI (rép. de), 78.
Djibwas, 241 A b.
Djidjelli, 214 D b, 215 H b.
Djoser (pyr.), 6 B.
DJOUKOUN, 223 A b, 223 B d.
Djurtchets, 184 B c, 186 B b.
DJURTCHETS (emp. Jin des), 184 B c.
Djütchi, 185 B b.
DNIEPR (riv.), 27 b, 36 A d, 63 b, 84 d, 137 b, 148 bd, 152 c, 153 c, 154 c, 159 d.
Dniepropetrovsk, 84 d, 86 A b.
DNIESTR (riv.), 27 b, 63 bd, 137 b, 148 d, 151 A d, 151 B d, 151 C d, 152 c, 153 c, 154 c, 159 d, 162 A b, 165 ab.
DOĀB, 203 b.
Doberdo, 81 B d.
DOBROUDJA, 73 A b, 73 B b, 162 B b, 162 C b, 165 d.
Docléa, 32 b.
DODÉCANÈSE (îs.), 72 d, 73 B d, 77 D a, 82 B d, 83 A d, 161 C c, 162 D d, 179 a, 180 A a.
Dodewaard (centr. nucl. Euratom), 89 b.
Dodone, 14 A a.
Dodone (site archéol.), 15 A a.
Dogali, 77 D b.
Dogana da Mar (Venise), 136 C c.
Doges (pal. des), 136 C d.
DOIRE (départ. hors de France), 118 c.
DOIRE BALTÉE (riv.), 66 B a.
Dokkum, 143 b.
Dol, 45 c, 116 a.
Dole, 114 d.
Dole (univ.), 59 d.
Dollfuss, 83 A c.
Dollier et Galinée (expl. de l'Amérique du Nord), 235 c.
DOMA, 223 B c.
DOMBES, 112 A b.
Domesday Book, 132.
DOMINICAINE (rép.), 88 B a, 228 A c, 232 A a et b, 233 ab, 252-253 a.
DOMINIQUE (établissement fr.), 75 A a.
DOMINIQUE (possess. angl.), 76 A a.
Domitien (maison de) [pal. des Flaviens], 25 B d.
Domitien (stade de), 25 B a.
Domitienne (voie), 24 A d, 25.
DOMNONÉE, 129 a.
Domodossola, 59 B b, 160 B d.
DOMPU, 204 B d.
Domremy, 111 B b.
DON (riv.), 27 b, 84 d, 137 b, 152 bd, 153 d, 154 d, 156 a.

suite de l'index **G**
→

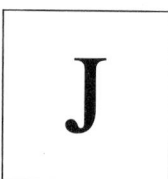

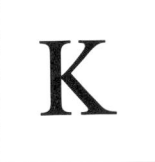

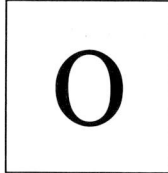

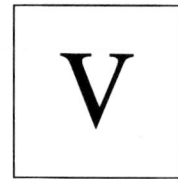

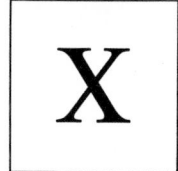

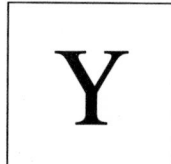

(image: large "Z")

Photocomposition M.C.P. — Fleury-les-Aubrais.

IMPRIMERIE HÉRISSEY. — 27000 - ÉVREUX.
Avril 1978. — Dépôt légal 1978-2e. — N° 22897. — N° de série Éditeur 9077.
IMPRIMÉ EN FRANCE *(Printed in France)*. — 053 305 A-1-79.